Y0-BCT-221

ROZTRZASKANE LUSTRO

LUSTRO

Upadek cywilizacji zachodniej

Wojciech Roszkowski

ROZTRZASKANE LUSTRO

Upadek cywilizacji zachodniej

Portal i księgarnia internetowa: www.bialykruk.pl

Kansultacje naukowe
Ks. prof. Piotr Mazurkiewicz
Prof. Zbigniew Stawrowski

Redakcja, grafika
Leszek Sosnowski

Projekt okładki
Janusz Feliński

Współpraca graficzna i dobór zdjęć
Mateusz Bednarz

Zdjęcia na str.
Adam Bujak: 13, 98, 293, 303, 309, 329, 331, 339, 408, 452, 485, 493, 497,
523, 559; Michał Klag: 6, 395, 413, 547; Wacław Klag: 199, 369; NAC: 100,
161; MET: 14; Polona: 51; Harald Tittel/DPA: 187; EPA/Omer Messinger: 462;
EPA/Yoan Valat/Pool: 544; wszystkie pozostałe: archiwum Białego Kruka
Rysunek na str. 419: Ewa Barańska-Jamrozik

Korekta
Anna Makowska
Paweł Stachnik

Opracowanie komputerowo-graficzne
Studio Białego Kruka

Druk
OZGraf S.A.

www.bialykruk.pl

Wydanie I
Kraków 2019

Ministerstwo
Kultury
i Dziedzictwa
Narodowego.

Dofinansowano ze środków
Ministra Kultury i Dziedzictwa
Narodowego pochodzących
z Funduszu Promocji Kultury

ISBN 978-83-7553-260-9

Na okładce:
„Zstąpienie do otchłani", XVI-wieczny
obraz według Hieronima Boscha.

Na str. 2: obraz Michaela von
Zichy'ego z 1878 r. zatytułowany
„Triumf demona zniszczenia".

Prof. Wojciech Roszkowski podpisuje pierwszy tom swojej historycznej trylogii „Świat Chrystusa".

Wojciech Roszkowski (ur. 1947 r. w Warszawie) jest nie tylko profesorem nauk humanistycznych (od 1996 r.), ale naukowcem, który od początku łączy w sposób wyjątkowo twórczy dwie dyscypliny: ekonomię i historię. Wiedza ta wsparta jest osobistym doświadczeniem politycznym, bowiem Profesor w latach 2004–2009 był również europosłem (z listy PiS); nie ubiegał się jednak o reelekcję, by móc poświęcić się pracy naukowej oraz pisarskiej. Jeszcze w PRL-u działał w nielegalnych strukturach Polskiego Porozumienia Niepodległościowego. Od października 1990 r. pracował w Instytucie Studiów Politycznych Polskiej Akademii Nauk, gdzie objął kierownictwo Zakładu Europy Środkowo-Wschodniej. Tego samego roku został mianowany prorektorem Szkoły Głównej Handlowej i pełnił tę rolę do 1993 r. W latach 1994–2000 piastował stanowisko dyrektora Instytutu Studiów Politycznych PAN, a obecnie pełni tam funkcję Przewodniczącego Rady Naukowej. Profesor Roszkowski był również redaktorem naczelnym „Studiów Politycznych" oraz przewodniczącym rady Muzeum Historii Polski. Wykładał kilka lat na uczelniach w Stanach Zjednoczonych Ameryki.

Specjalizuje się w historii najnowszej, historii gospodarczej oraz naukach politycznych. Jest profesorem-erudytą swobodnie poruszającym się między wieloma dziedzinami humanistyki, a także wnikliwym myślicielem poszukującym prawdy, dobra i piękna. To współczesny mędrzec patrzący na otaczający świat krytycznie i z nieukrywanym niepokojem. Dokonuje dogłębnych analiz stanu naszej (zachodniej) kultury, pokazuje na jakie manowce zeszły nauki humanistyczne, a następnie stawia jakże trafne i zarazem proste diagnozy. Nie uznaje w nauce koniunkturalizmu, nie akceptuje modnych nowinek, które tylko pozornie błyszczą, a w środku skrywają pustkę, nicość, albo co gorsza – są efektownym opakowaniem zła. Ponieważ Wojciech Roszkowski jest nie tylko uczciwym badaczem, ale i mistrzem logiki oraz argumentacji, bez trudu obala fałszywe poglądy na temat społeczeństwa, wiary, rodziny, historii, narodu, prawa, polityki. Zdecydowanie i odważnie występuje przeciwko ideologii gender oraz dechrystianizacji życia, także publicznego.

Profesor Roszkowski w 2016 r. zaskoczył wszystkich, nawet najbliższych współpracowników. Otóż okazało się, że ten wybitny historyk współczesności w domowym zaciszu drążył również tematy – starożytne! Efektem tej pracy stało się potężne dzieło, trzytomowy **„Świat Chrystusa"**, wydany przez Białego Kruka. Wbrew obawom związanym z objętością, książka została znakomicie przyjęta przez czytelników; nic dziwnego, bowiem Wojciech Roszkowski ma świetne pióro, toteż nawet najtrudniejsze zagadnienia potrafi przedstawiać w sposób zrozumiały i atrakcyjny. Za trylogię o czasach Chrystusa Autor otrzymał prestiżową nagrodę „Feniks" Stowarzyszenia Wydawców Katolickich. Praca nad tym monumentalnym dziełem, które prezentuje także zdolności rysownicze autora, zajęła prawie 50 lat!

Kilka lat temu Profesor związał się bliżej ze środowiskiem wydawnictwa Biały Kruk, w którym opublikował również wnikliwy esej „Upodmiotowienie polskiej polityki" w pracy zbiorowej „Repolonizacja Polski", a z okazji stulecia odzyskania niepodległości przez Polskę w roku 2018 zaprezentował publiczności „Mistrzowską grę **Józefa Piłsudskiego**", fantastyczną opowieść o samych początkach II Rzeczypospolitej ukazującą fenomen błyskawicznych, ponownych, narodzin silnego państwa europejskiego, zdolnego przeciwstawić się w pojedynkę nawet nawale bolszewickiej.

„Roztrzaskane lustro" o znamiennym podtytule „Upadek cywilizacji zachodniej" wpisuje się w nurt rozrachunkowy Autora. To niewątpliwie kluczowe dzieło nie tylko w twórczości Wojciecha Roszkowskiego, ale w ogóle w dorobku najnowszej polskiej humanistyki. Profesor wykazuje wyraźnie i klarownie, że od dawna już odcinani jesteśmy od narodowego i europejskiego dziedzictwa kulturowego. Że lewicowi intelektualiści i politycy usiłują pozbawić nas tożsamości. Że pod pozorem wolności badań naukowych i nieskrępowanych działań artystycznych szerzone są kłamstwa, demoralizacja. Że lewica zawłaszcza oświatę i kulturę. Że ze wszystkich sił pragnie się odciąć nas od dziedzictwa chrześcijaństwa, ale i od antyku. Że kwitnie inżynieria społeczna, a na drodze budowania tzw. nowego człowieka akceptuje się przemoc, a nawet okrucieństwo.

Świat bez Boga dziczeje, a nasza cywilizacja stoi na progu zagłady – najwyższy czas się opamiętać i dać odpór złu. Taka jest konkluzja „Roztrzaskanego lustra" – lustra, w którego odłamkach przegląda się dzisiejszy świat.

Niektóre tezy i myśli „Roztrzaskanego lustra"

Przez stulecia cywilizacja zachodnia opierała się na porządku moralnym wynikającym z monoteizmu etycznego. W centrum tego porządku była wiara w Boga i uznanie świętości życia ludzkiego, stworzonego na obraz i podobieństwo Boga. Od końca Średniowiecza kolejne pokolenia myślicieli i artystów stopniowo podważały ten porządek. Obecnie obserwujemy osuwanie się resztek gruzów tego porządku. Jesteśmy świadkami pogańskiej rewolucji, w której każdy może mieć własnego bożka, a wyższość jednego nad drugim ustala się w najlepszym przypadku przy pomocy głosowania. Tego rodzaju wolność nie prowadzi do równości, lecz przeciwnie – do wzmocnienia hierarchii, w której liczy się władza i pieniądze. Współczesne pogaństwo odebrało człowiekowi jego nadzwyczajne miejsce w świecie i wpisało go w przyrodę jako pozbawioną woli i sumienia część jej mechanizmu. Instynkty zostały podniesione do rangi przewodników moralnych.

Ludzie Średniowiecza zabijali się z chciwości, żądzy władzy lub z powodu poglądów religijnych, lecz nie w imię postępu. Zabijanie w imię postępu stało się wynalazkiem ery nowożytnej.

Trudno wręcz opisać orgię mordów „piekielnych kolumn" rewolucyjnych. Do maja 1794 roku w wyniku ich działań zamordowano około 117 tysięcy mężczyzn, kobiet i dzieci. 7 maja 1794 roku lider jakobinów Maximilien de Robespierre (1758–1794) wygłosił mowę, w której podkreślił rolę kultu masońskiej Najwyższej Istoty dla państwa i stwierdził, że prawdziwym kapłanem Najwyższej Istoty jest Natura. Jego rozumienie prawa natury było jednak bliższe prawu dżungli niż Dekalogowi.

Pierwszym krokiem w kierunku przyjęcia ateizmu jako doktryny państwowej był kult Najwyższej Istoty w czasach rewolucji francuskiej. Adherenci kultu Najwyższej Istoty prześladowali wszystkich, którzy sprzeciwiali się zwierzchnictwu państwa nad wiarą obywateli.

Darwin zdawał sobie sprawę, że jego teoria podważa nie tylko chrześcijańską wizję stworzenia człowieka, ale także autonomię jego woli i tworzy podstawy relatywizmu moralnego. W teorii Darwina brakuje dostatecznych dowodów na ciągłość zmian, gdyż nie stwierdzono wielu przypadków „ogniw pośrednich" miedzy gatunkami. Choć nie dostatecznie udowodniona, błyskotliwa teoria Darwina stała się fundamentem współczesnej biologii, a nawet filozofii.

Teorie Freuda w istocie zredukowały człowieczeństwo do funkcji czysto biologicznych. Człowiek Freuda nie posiada bowiem wolnej woli. Odrzucając racjonalność ludzkich wyborów i głosząc dominację ukrytych, często ciemnych stron ludzkiej świadomości, Freud utorował drogę wielu sprzecznym prądom myślowym XX wieku.

Rzadko zauważano, że postęp techniczny i cywilizacyjny przy kryzysie wartości nie likwiduje problemów społecznych, a stwarza nowe. Co więcej, postęp naukowy przynosił tyleż odpowiedzi na dręczące ludzi pytania, ile nowych pytań.

W swoim manifeście artystycznym Filippo Marinetti pisał: „Chodźcie! Chodźcie! Kładźcie ogień pod szafy biblioteczne! Zmieńcie bieg kanałów, aby zatopić muzea! Co za radość widzieć pływające po wodzie, zdane na łaskę fal, podarte i wypłowiałe dawne, wspaniałe płótna!" Niszczenie tradycji i przełamywanie tabu stawały się wspólnym mianownikiem większości ruchów intelektualnych i artystycznych w XX wieku.

Wielu intelektualistów zachodnich zadaje pytanie, jak we wspaniałej cywilizacji zachodniej mogło dojść do potworności, które zrodził komunizm i nazizm. Nie wiążą oni jednak tych potworności z prądami umysłowymi, które otaczały zbrodnicze ideologie totalitarne miękkim relatywizmem i wyrafinowanym intelektualnie przyzwoleniem na zło. Same pojęcia zła i prawdy zostały usunięte z tych refleksji filozoficznych.

Niestety, wykluczywszy wiarę jako źródło poznania, luminarze nauki i kultury Zachodu XX wieku w końcu wykluczyli też umysł. Nie da się ukryć, że niektórzy z owych luminarzy są po prostu szarlatanami.

Jest rzeczą dowiedzioną w historii, że cywilizacje psują się od głowy. Najpierw marnieją elity społeczne i intelektualne, a gdy zepsucie zatacza szersze kręgi i choroba przerzuca się na masy, widać już koniec cywilizacji.

Mieszkańcy Zachodu w dużej mierze zapomnieli o cnotach i grzechach. Zapomniano, że pod modnym pojęciem asertywności kryje się często pycha, że hasło „zasługujesz na to" i „jestem tego warta!" (perfumy, samochód, wycieczka itd.) apeluje do chciwości, że zaspokajanie „potrzeb seksualnych" ma często postać cudzołóstwa, a „tolerancja" równa się pobłażaniu największym nawet wynaturzeniom.

Wydawać by się mogło, że wraz z upadkiem komunizmu zelżeje napór wrogów chrześcijaństwa. Niestety, nic takiego nie nastąpiło. Przeciwnie, pod koniec drugiego tysiąclecia chrześcijanie to najbardziej prześladowana grupa religijna na świecie. Polityczną wojnę z chrześcijaństwem prowadzą wielkie organizacje międzynarodowe, wspierane przez ONZ i Unię Europejską.

Ludzie Zachodu nie wierzą już politykom ani naukowcom, ale wierzą celebrytom. Nie wierzą lekarzom, ale ufają uzdrowicielom i zielarzom oferującym leczenie „holistyczne" i „naturalne".

Przedstawiciele subkultury punkowskiej na jednym z placów Monachium. Pojęcie *punk* samo w sobie oznacza coś bezwartościowego, śmieciowego oraz pogardę dla estetyki i wartości.

Wszelkie alternatywne metody zasługują na zaufanie, ponieważ są alternatywne. Lepiej więc zaufać celebrytom, którzy jak Madonna, Britney Spears czy Demi Moore noszą kabalistyczne czerwone nitki wokół przegubów dla ochrony przez złymi mocami. Zabobon osiągnął niewiarygodne rozmiary. Ocenia się, że na początku XXI wieku pracowało we Włoszech około 350 tysięcy wróżbiarzy, a więc wielokrotnie więcej niż księży. W Wielkiej Brytanii specjalistów od „medycyny alternatywnej" jest więcej niż lekarzy rodzinnych. Hillary i Bill Clintonowie korzystali z usług „psychologów alternatywnych". Współcześni neopoganie są gotowi uwierzyć we wszystko, ale nie w to, że stworzył ich dobry Bóg.

Wyjątkowo przewrotna jest narracja komunistów zachodnich. Twierdzą oni bez zmrużenia oka, że praktyka sowiecka nie była komunizmem oraz że prawdziwy komunizm jest jeszcze do zrealizowania, choć nie bardzo wiadomo jak i po co. Prokomunistyczne sympatie są wręcz standardem w mediach liberalnych. Dawni komuniści zachodni trzymają się swej tradycji ideowej i odgrywają ogromną rolę w Unii Europejskiej. Trucizna komunistyczna zatruła przede wszystkim uczelnie zachodnie.

Pierwszą ofiarą nowych lewic jest zawsze prawda. Słowo „prawda" stało się w potocznym dyskursie na Zachodzie intelektualnym tabu. Ciągle słyszymy, że „prawda jest niejednoznaczna", że „jest wiele prawd" lub „prawda leży pośrodku". „Prawda", a zwłaszcza „jedna prawda" brzmi dziś prowokująco. Jak wielu profesorów dziwi się dziś lub uśmiecha pobłażliwie, słysząc, że obowiązkiem uczonego jest poszukiwanie prawdy! Jak wielu powtórzy słowa Piłata „a cóż to jest prawda?"

Polityczna poprawność, lansowana w niektórych kołach intelektualnych Zachodu, wiedzie na manowce. W rezultacie słowo „ukraść" zastępuje się czasem określeniem „wziąć", a „zabijanie" nazywa się „pozbawianiem życia". Łatwo dostrzec ślepy zaułek, w jaki brną zwolennicy „politycznej poprawności". Mało kto zauważa jednak, że wynika on z błędnego koła wolności jako celu w sobie. Wolność w takim wydaniu dehumanizuje człowieka w stopniu podobnym co zniewolenie.

Zapewne zwolennicy „neutralności światopoglądowej" nie do końca sobie uświadamiają co czynią. W istocie eliminują bowiem cywilizację. Przez wieki całe ludzie trudzili się, by przezwyciężać złe zwyczaje, niesprawiedliwość, okrucieństwo, nadużycia władców i inne ciemne strony ludzkiego żywota, a obecnie część „neutralnych światopoglądowo" intelektualistów, a w ślad za nimi nierzadko także „szary człowiek", kwestionują oceny moralne ludzkich działań i jąkąkolwiek prawdę o świecie. Konsekwencją takiej postawy jest zrównanie zbrodni i osiągnięć, wierności i zdrady, bohaterstwa i tchórzostwa, mądrości i głupoty, kłamstwa i prawdy. Obrazowo rzecz ujmując, zwolennicy teorii o istnieniu wielu prawd chcą się przejrzeć w roztrzaskanym lustrze.

Notoryczne odgrzewanie debaty na temat homoseksualizmu przy okazji rozmaitych imprez, w których po stronie gejów i lesbijek stają rozmaici heteroseksualni obrońcy praw człowieka, stało się faktem, całkowicie oderwanym od rzeczywistych rozmiarów zjawiska i realnych problemów środowiska homoseksualnego. Wezwano do przedstawiania gejów w roli ofiar, nigdy zaś w roli agresywnych rywali. Wątpliwości co do tych prześladowań wystarczają do uznania kogoś za „homofoba", czyli wroga wolności, równości i braterstwa.

Zło patrzy niewinnymi oczami. Zna wiele cytatów. Mówi: jeśli chcesz ze mną walczyć, rzuć pierwszy kamieniem, przecież sam nie jesteś taki wspaniały, przecież wszyscy grzeszymy. Wielu ludzi nabiera się na te łagodne pouczenia i opuszcza ręce: przecież historia pełna jest Stalinów, Hitlerów i innych zbrodniarzy. Trzeba ich potępić, ale cóż można zrobić? Mamy przecież jedno życie i każdy stara się być szczęśliwy. Czy to grzech, żeby się spełniać? (…) Życie to dżungla, więc jeśli ja nie posunę się naprzód kosztem bliźniego, to on wykorzysta mnie. Może żona czy mąż i dziecko nie są w życiu najważniejsze. Może nie dowiedzą się o zdradzie. Może dziecko sobie poradzi i bez nas, może się ktoś inny nim zajmie, może nie wpadnie w złe towarzystwo, może nie zarąbie staruszki…

Zło udaje, że go nie ma. Ale zło jest. Nie ominiemy go. Unikając ocen, powątpiewając w możliwość rozróżnienia dobra od zła, karmimy je bezkarnością. Grzęznąc w mniejszym złu, wspomagamy większe. Zło jest potężne, ale jest potężne naszymi słabościami.

Ludzie „tego świata" często ignorowali Chrystusową zasadę "Niech wasza mowa będzie: tak – tak, nie – nie". Ale w świecie współczesnym robi się to w sposób coraz bardziej skomplikowany i wyrafinowany. Dawniej po prostu kłamano lub używano zastępczych sformułowań, które miały zasłonić prawdę. Dialektyka marksistowska zastosowała rewolucyjną metodę odwracania pojęć i relatywizacji zjawisk.

Trudno mieć pretensję do szarego człowieka, skoro potrzebę głębszej refleksji nad życiem zniszczyła właśnie sztuka współczesna krok po kroku negując sens wartości, niknąc w poszukiwaniach formalnych oraz pogoni za wolnością i oryginalnością. Sztuka współczesna musi być wolna jak nie wiadomo co. Nie może być na niczyich usługach, nawet zdrowego rozsądku. „Czy sztuka jest na usługach Stalina, czy Kościoła, to na jedno wychodzi", mówi Anda Rottenberg, dyktatorka artystycznych mód polskich końca XX wieku. Nie zauważyła różnicy między Stalinem i Kościołem katolickim? To jak może zauważyć różnicę między sztuką dobra i złą? Sztuka współczesna musi być „nowatorska". Im mniej jest zrozumiała, tym lepiej. Sztuka zrozumiała jest bowiem dla maluczkich. Awangarda musi się czymś wyróżniać. Coś co jest zrozumiałe, nie należy do awangardy. Żeby być niezrozumiałym, nie trzeba jednak wiele umieć, tylko głośno krzyczeć i rozpychać się na targowisku próżności.

Tymczasem napotykając wytwory współczesnej sztuki „wysokiej" przeciętny zjadacz chleba często wzrusza ramionami lub stuka się w czoło. Podświadomie przykłada bowiem do nich kryterium piękna lub użyteczności. Pojęcie piękna zostało doszczętnie zrelatywizowane, a nawet obrzydzone. Niektórzy oburzają się, że można mówić o pięknie w sztuce po okropnościach dwóch wojen światowych. Wcześniej jednak nikomu nie przychodziło do głowy, że okropności tego świata nie wykluczają dążenia do piękna.

Kogo interesuje fakt, iż filmy głoszące wartości przyniosły w USA dochód czysty 24 razy większy niż obrazy o nastawieniu antychrześcijańskim? Jeśli prawdą jest, że kultura masowa jest zależna od rynku, a więc w tym przypadku od preferencji widzów, to jak wytłumaczyć ogromne nakłady na filmy stojące w sprzeczności z ideałami chrześcijańskimi? Widać nie chodzi tu tylko o zysk.

Posoborowy katolicyzm „otwarty" popełnił zasadniczy błąd nie odcinając się od katolickiej lewicy i jej roszczeń w sprawie środków antykoncepcyjnych, homoseksualizmu, wyświęcania kobiet i zniesienia celibatu. Katolicka lewica stała się częścią politycznej i kulturowej lewicy, w istocie swej wyraźnie antychrześcijańskiej.

Ateistów jest we współczesnym świecie więcej niżby się wydawało; są groźni dlatego, iż skutecznie usuwają resztki dawnego porządku moralnego. W walce z chrześcijaństwem są gotowi sprzymierzyć się nawet z islamistami, choć przecież nic nie powinno ich bardziej od nich odstręczać niż szariat.

W każdym systemie demokratycznym istnieją zasady, których się nie głosuje. Zauważył to już Platon. Nadużywanie instytucji wolnego wyboru podkopuje bowiem w istocie sens demokracji. Bo co będzie, jeśli zaczniemy głosować zasadę „nie zabijaj"?

W Paryżu wychodzi po francusku serwis Państwa Islamskiego Al-Hayat Media Center, który nawołuje: „Gdziekolwiek jesteś, pomagaj Twoim braciom i Twojemu państwu, jak możesz. Najlepsze, co możesz zrobić, to dołożyć wszelkich starań, aby zabić jakiegokolwiek niewierzącego Francuza lub Amerykanina lub jakiegoś niewierzącego spośród ich sojuszników (…) Jeśli nie możesz tego zrobić za pomocą materiału wybuchowego lub broni palnej, uprowadź Amerykanina, Francuza lub ich sojusznika, zmiażdż mu głowę kamieniem lub poderżnij mu gardło"

Tolerowanie szkodliwych poglądów tu nie wystarcza: powinniśmy je zaakceptować. Mniejszości seksualne czy opinie rujnujące moralność nie mogą być po prostu tolerowane, one winny być uznane za co najmniej równoprawne, jeśli nie bardziej uprawnione. W przeciwnym razie będziemy oskarżeni o dyskryminację. (…) W rezultacie swoistego „terroru tolerancji" chrześcijanie lub w ogóle obrońcy tradycyjnych wartości są pozbawiani prawa do ich praktykowania w postaci klauzuli sumienia, a instytucje kościelne są zmuszane do akceptowania aborcji.

„Demokratyczne" media potrafią, podobnie jak komunistyczne, z wielkiego tłumu zrobić małą grupkę, a wydarzenie marginalne rozdąć do niebotycznych rozmiarów. Na rynku informacji nie ma też demokracji. Właściciele mediów stoją najczęściej w cieniu i starannie unikają zwracania uwagi na prosty fakt, że nikt ich nie wybrał. Ludzie dyrygujący rynkiem medialnym i lansujący tam to, na co współczesny język polski znalazł trafne określenie „badziewie", często robią niewinną minę, tłumacząc, że są jedynie na usługach opinii publicznej. Współczesny rynek informacyjny jest kształtowany nie tyle przez zapotrzebowanie odbiorców, ile raczej przez promocję, czyli wolę nadawców.

Wzrost roli mediów spowodował, że potoczne określenie „scena publiczna" nabrało nowego znaczenia. Ważne wydaje się to, co dzieje się na scenie publicznej, czyli w mediach, a nie to, co dzieje się naprawdę. Na pluralistycznym rynku mediów każdy, kto ma pieniądze lub przyciągnie uwagę ludzi z pieniędzmi, może się zaprezentować z najgłupszym i najbardziej obrzydliwym przekazem. W społeczeństwach demokratycznych rzeczywistością kierują nie tylko wybieralni politycy, ale w dużej mierze służący Mamonie reżyserowie ludzkiej wyobraźni. Niestety, bardzo często widzą oni rzeczywistość w sposób jawnie szkodliwy i spojrzeniem tym zarażają publiczność.

Inny argument obrońców kultury śmieci brzmi: jeśli cię to razi, nie kupuj. To również chwyt poniżej pasa. Nawet jeśli sami odrzucamy owe śmiecie, to nie możemy uniknąć wpływu tych, którzy je kupują. Upubliczniony brak hamulców mści się na wszystkich. „Mówienie, że jeśli się nie lubi kultury pop, można się od niej odciąć, jest jak mówienie, że jeśli nie lubisz smogu, możesz przestać oddychać".

Kryzys współczesnej rodziny jest też dziełem radykalnych feministek, które zatruły publiczny dyskurs swoją teorią spiskową i nienawiścią do macierzyństwa. Jak wszystkie ideologie totalitarne, tak i radykalny feminizm potrzebował absolutnego wroga i zamiast „burżuazji" lub „establishmentu" znalazł go w mężczyznach. Radykalny feminizm wypracował własny kod pojęciowy, a nawet własne pojęcie grzechu pierworodnego. Jest nim męska supremacja. Narzucił światu nowe określenie *gender*, czyli płci kulturowej, którą rzekomo można zmieniać w zależności od otoczenia społecznego i własnej woli. W miejsce argumentów radykalne feministki zioną nienawiścią.

Genderowi rewolucjoniści z uporem maniaków twierdzą, że źródeł schorzeń społecznych trzeba szukać w rodzinie, że młodzieży brakuje *genderowej* wolności i tolerancji. Zarazę aplikują jako lekarstwo. Podobnie jak komunizm, *gender mainstreaming* ubiera się w szaty nauki. Ideologia *gender* jest śmiertelnym zagrożeniem dla cywilizacji, gdyż umacnia w ludziach przekonanie, że są panami (lub paniami) swojej seksualności oraz że jest ona doskonale elastyczna. Ma potężne wsparcie polityczne ze strony liberałów i lewicy europejskiej, a tolerowana jest przez europejską „prawicę".

Uczestnicy Mszy św. odprawianej w kościele Wniebowzięcia Najświętszej Maryi Panny i św. Józefa Oblubieńca w Warszawie w pierwszą rocznicę katastrofy smoleńskiej 10 kwietnia 2011 r.
Polska jawi się w Europie jako kraj, który ma najmocniejsze podstawy społeczne i kulturowe, by przeciwdziałać upadkowi zachodniej cywilizacji.

Główną ofiarą „tęczowej cywilizacji" są dzieci. W centrum rewolucji społecznej Zachodu w ostatnim stuleciu znajdowały się przemiany w znaczeniu aktu seksualnego. O ile tradycyjnie był on wyrazem miłości dwojga ludzi i przynosił możliwość pożądanej na ogół prokreacji, o tyle najpierw oderwano go od prokreacji, potem od miłości, a na koniec sprowadzono seks do czynności rozrywkowej dowolnej grupy ludzi dowolnej płci. Rozrywka ta nie powinna przy tym pociągać za sobą żadnych zobowiązań i żadnych kłopotliwych konsekwencji. Możliwość poczęcia dziecka stała się największych zagrożeniem dla piewców tak rozumianego seksu. Stąd tak rozpowszechnione pragnienie „bezpiecznego seksu", a więc rozrywki nie „zagrożonej" prokreacją. Zamiast tradycyjnego pragnienia potomstwa dziecko stało się zagrożeniem.

W języku polskim słowo „rodzina" pochodzi od rodzenia. Rodzina jest więc związkiem, opartym na miłości między mężczyzną i kobietą, bo tylko taki związek jest płodny. Łacińska *familia* miała wiele znaczeń, również zwodniczych, na przykład, gdy o grupie niewolników mówiono w starożytnym Rzymie *familia rustica*, a o trupie gladiatorów – *familia gladiatoria*. Pamiętajmy jednak, że to właśnie rozkład rodziny i spadek dzietności przyczynił się do całkowitego upadku Cesarstwa Rzymskiego.

(Wyboru cytatów i ich zestawienie pochodzi od redakcji)

13

Giovanni di Paolo, „Stworzenie świata i wypędzenie z raju", obraz z 1445 r.

Wstęp

Zarówno tytuł tej książki, jak i przyjęte w niej sformułowania są na tyle ogólne i kontrowersyjne, że mogą wywołać różne skojarzenia i pretensje. Pojęcia „kultura" i „cywilizacja" są od dawna przedmiotem różnych rozważań teoretycznych i sporów intelektualnych. Spory te nie przyniosły rozstrzygnięcia, co pozwala autorowi na pewną swobodę w operowaniu tymi pojęciami, jednak nie na tyle, by nie przypomnieć ich najczęściej przyjmowanych znaczeń.

Pojęcie „kultury", początkowo związane z uprawą roli, pojawiło się po raz pierwszy w kontekście pozarolniczym być może w „Rozmowach tuskulańskich" Cycerona. Stwierdził on tam sentencjonalnie, że „filozofia jest uprawą ducha" (*Cultura animi philosophia est*)[1]. Później rzadko odnoszono się do tego pojęcia, ale od XVII wieku coraz częściej pojawia się ono jako fenomen intelektualny, a nie rolniczy. Samuel Pufendorf (1632–1694) pisał o kulturze jako środku przezwyciężania barbarzyństwa. Johann Gottfried Herder (1744–1803) dowodził, że ludzka twórczość jest równie ważna jak rozum i apelował o zainteresowanie kulturami narodowymi. Romantyczni filozofowie niemieccy skupiali się na specyfice kultury germańskiej, która miała być siłą jednoczącą państwa niemieckojęzyczne. W XIX wieku termin „kultura" odnoszono już coraz częściej do szerszego spektrum ludzkich działań materialnych i duchowych, zarówno w wymiarze indywidualnym, jak i społecznym. Wiązało się to z ówczesnym „zderzeniem cywilizacji" europejskich kolonizatorów i zamorskich tubylców. Autorzy niemieccy i angielscy pojmowali więc kulturę jako coś zbliżonego do wyższego stopnia rozwoju.

Współczesna socjologia i antropologia rozwinęła całą gałąź kulturoznawstwa. Ellsworth Huntington (1876–1947) definiował kulturę jako „każdy przedmiot, zwyczaj, ideę, instytucję lub sposób myślenia i działania wytwarzane przez ludzi i przekazywane innym ludziom"[2]. W związku z tym na ogół odróżnia się przedmioty materialne wytwarzane przez ludzi od wytworów niematerialnych komunikacji międzyludzkiej, takich jak język, wierzenia, poglądy lub zwyczaje. W klasycznym podręczniku socjologii znajdujemy rozróżnienie „poznawczych", „materialnych" i „normatywnych" wymiarów kultury[3]. Choć nie ma jednolitej teorii kultury, trudno zaprzeczyć, że kultura jest tym, co różni ludzi od zwierząt.

Współcześni badacze podkreślają często narodotwórczą rolę kultury[4]. To samo można by powiedzieć o roli kultury w utrwalaniu tożsamości większych obszarów

---

[1] Cyceron, *Tusculanae Disputationes,* II, 5.

[2] Ellsworth Huntington, *Mainsprings of Civilization,* (Mentor Books, 1959), s. 19.

[3] Jon M. Shepard, *Sociology,* (West Publishing Company, 1981), ss. 61–63.

[4] Por. np. Oskar Halecki, *The Limits and Divisions in European History,* (New York: Sheed & Ward, 1950); Oskar Halecki, *Borderlands of Western Civilization. A History of East Central Europe,* (New York: Ronald Press Co., 1952); Antonina Kłoskowska, *Kultury narodowe*

geograficznych, a więc regionów czy kontynentów. Problem polega tu jednak na wskazaniu tych elementów kultury, które są wspólne dla kultur narodowych.

Współczesne rozważania na temat kultury zawierają najczęściej odróżnienie kultury ludowej od wyrafinowanych ideałów, zwanych kulturą „wysoką", a więc nauką, sztuką, literaturą czy muzyką koncertową, którymi zajmowały się społeczne elity. Sprawę skomplikował dodatkowo rozwój masowych środków przekazu i masowych społeczeństw w XX wieku, które wykształciły kulturę „masową". W najnowszych czasach następuje zresztą wymieszanie tych poziomów kultury.

Pojęcie „cywilizacja" ma inny źródłosłów niż „kultura". Pochodzi od łacińskich słów *civilis* (obywatelski), *civis* (obywatel) lub *civitas* (miasto), ale sens tego pojęcia był początkowo zbliżony do pojęcia kultury, gdyż zakładał wyższy stopień rozwoju materialnego i duchowego ludzi i społeczeństw cywilizowanych niż niecywilizowanych. W interesującym szkicu na temat cywilizacji Jerzy Szacki wyodrębnił pojęcie cywilizacji w kilku znaczeniach: po pierwsze jako kierunek postępu ludzkości, po drugie – jako synonim kultury, po trzecie – jako szczególną kategorię zjawisk kulturowych szerszą niż kultura, po czwarte – jako wyodrębnioną część ludzkości i po piąte – jako kategorię analizy historycznej[5].

Według Feliksa Konecznego cywilizacja jest „metodą ustroju życia zbiorowego", a współcześnie wyróżnił on siedem cywilizacji: arabską, bizantyjską, bramińską, chińską, łacińską, turańską i żydowską. Mniejsze jednostki nazwał on kulturami[6]. Trudno dziś jednak mówić o odrębnej cywilizacji bizantyjskiej, opartej na chrześcijaństwie wschodnim, a w klasyfikacji tej brakuje tu wyraźniejszego odniesienia do buddyzmu. Cywilizację turańską można rozumieć jako dominującą w Rosji pochodną cywilizacji mongolskiej, co jest oczywiście uproszczeniem.

Fernand Braudel utożsamiał cywilizację z kulturą. „Pierwszymi oznakami spójności kulturowej – pisał – jest regularne zgrupowanie lub częstotliwość pewnych rysów oraz wszechobecność ich na określonym obszarze. Jeśli do tej spójności w przestrzeni dochodzi trwałość w czasie, to całą 'sumę' repertuaru obdarzam mianem cywilizacji czy kultury"[7].

W głośnej pracy o „zderzeniu cywilizacji" Samuel Huntington używał tego pojęcia w znaczeniu kultury i wyodrębnionej części ludzkości, twierdząc, że konflikty międzynarodowe będą w najbliższej przyszłości skutkiem różnic kulturowych, w tym głównie wynikających z przekonań religijnych. Huntington wyróżnił

---

u korzeni, (Warszawa: Wydawnictwo Naukowe PWN, 1996), ss. 32–41; Maria Bogucka, „Kultura i cywilizacja jako czynniki łączące i różnicujące w historycznym rozwoju społecznym i politycznym", (w:) Maciej Koźmiński (red.), *Cywilizacja europejska. Różnorodność i podziały*, (Kraków: Universitas i Collegium Civitas, 2014), ss. 63–80; Jerzy Kłoczowski (red.), *Central Europe Between East and West*, (Lublin: Society of the Institute of East-Central Europe, 2005); Jerzy Kłoczowski, Hubert Łaszkiewicz (red.), *East-Central Europe in European Themes and Debates*, (Lublin: Society of the Institute of East-Central Europe, 2009); Bohdan Cywiński, *Szańce kultur. Szkice z dziejów narodów Europy Wschodniej*, (Warszawa: Wydawnictwo Trio i Centrum Europejskie Natolin, 2013).

5   Jerzy Szacki, „Cywilizacja", *Wielka encyklopedia PWN*, t. VI, ss. 278–280.
6   Feliks Koneczny, *O wielości cywilizacji*, (Warszawa: Capital sp. z .o.o., 2015), ss. 205 i 307–358.
7   Fernand Braudel, *Historia i trwanie*, (Warszawa: Czytelnik, 1971), s. 291.

Feliks Koneczny (1862–1949), historyk, historiozof, publicysta, badacz dziejów Polski i Litwy, twórca interesującej i oryginalnej teorii cywilizacji.

dziewięć cywilizacji istniejących we współczesnym świecie: zachodnią, prawosławną, latynoamerykańską, islamską, afrykańską, hinduistyczną, buddyjską, chińską i japońską[8]. Można mieć oczywiście szereg zastrzeżeń do klasyfikacji Huntingtona. Po pierwsze, czy w Rosji panuje rzeczywiście cywilizacja „prawosławna" i co by ona znaczyła po upadku ateistycznego komunizmu? Po drugie, na ile cywilizacja latynoamerykańska różni się od zachodniej? Po trzecie, czy istnieje jedna cywilizacja „afrykańska"? Po czwarte, jaka jest różnica między cywilizacją chińską i japońską? Choć w niniejszej pracy będziemy stosować pojęcie „cywilizacji" w znaczeniu podobnym do Huntingtona, to wydaje się, że można przyjąć klasyfikację nieco inną. Poza cywilizacją zachodnią można by wyróżnić cywilizację rosyjską, islamską, hinduistyczną, buddyjską oraz dalekowschodnią (Chiny, Korea, Japonia). Kultury afrykańskie i specyfikę Ameryki Łacińskiej pozostawmy na razie na boku. W niniejszej pracy nie chodzi zresztą o cały świat, ale o los tego, co nazywany cywilizacją zachodnią.

Wreszcie w tytule książki jest „upadek", a nie „kryzys" czy „koniec" cywilizacji zachodniej. Kryzys cywilizacji zachodniej trwa od długiego czasu, a obecnie mamy do czynienia z dość wyraźnym przesileniem, które grozi końcem tej

---

8   Samuel Huntington, *Zderzenie cywilizacji i nowy kształt ładu światowego*, (Warszawa: Wydawnictwo Muza, 1997).

cywilizacji. „Upadek" oznacza bardzo poważne załamanie, ale takie, z którego jeszcze można się podnieść. Być może nie jest jeszcze za późno, by cywilizację zachodnią uratować. Jak – to inna historia.

* * *

Przez cały XX wiek, okres dramatycznego kryzysu Europy, nadzieją i podporą cywilizacji zachodniej były Stany Zjednoczone, niezależnie od tego, że kraj ten ma swoje problemy, że nie ma raju na ziemi. W obydwu wojnach światowych, w które wpędziły świat państwa europejskie, *notabene* w 1939 roku z poważnym wkładem ZSRR, to Stany Zjednoczone przechyliły szalę na korzyść cywilizacji zachodniej, płacąc zresztą w II wojnie światowej ogromną cenę w postaci promocji ZSRR jako supermocarstwa. Radość ze zwycięstwa Zachodu w zimnej wojnie okazała się krótkotrwała, zważywszy osłabienie roli USA oraz postępujący upadek zachodniej Europy. Wyzwolenie Europy Wschodniej spod kurateli ZSRR było ogromnym sukcesem z perspektywy jej mieszkańców, jednak nie wzmocniło specjalnie europejskiego sojusznika USA ze względu na jednoczesne uprzedzenia antyamerykańskie w Europie Zachodniej, a zwłaszcza we Francji[9].

Zadać by wreszcie można pytanie, dlaczego upadek cywilizacji zachodniej jest rzeczą niedobrą. Otóż, niezależnie od tego, że autor czuje się częścią tej cywilizacji i odczuwa osobistą przykrość z powodu jej upadku, klęska cywilizacji zachodniej może oznaczać ogromne zagrożenie dla całego świata. Wśród głównych aktorów sceny globalnej rola Rosji i wojującego islamu jest wybitnie destrukcyjna, rola Chin nie wydaje się jeszcze dziś tak groźna, ale zważywszy podejście rządzących tym krajem do życia ludzkiego, osiągnięcie przez Chiny statusu supermocarstwa nie wróży nic dobrego. O przyszłej roli cywilizacyjnej Indii trudno powiedzieć coś konkretnego. Nieszczęsna Afryka pozostanie przedmiotem rozgrywek globalnych, natomiast Ameryka Łacińska jest zbyt słaba i podzielona, by udźwignąć rolę sojusznika USA w obronie wartości Zachodu. Upadek Europy i słabość Stanów Zjednoczonych stanowią więc dla świata poważne zagrożenie.

Człowiek Zachodu „utracił zdolność rozumienia tego, co się wokół niego dzieje, skoro wszystko wydaje się splątane ze sobą w sposób nie do rozwikłania? Czy wolno nam się oburzać, że popada w coś w rodzaju zamętu umysłowego i moralnego, a chaos idei i obyczajów wydaje się przewyższać jeszcze chaos wydarzeń?"[10] Jednym z głównych problemów cywilizacji zachodniej stało się też samozakłamanie.

---

[9] Thérèse Delpech, *Powrót barbarzyństwa w XXI wieku*, (Warszawa: Nadir, 2008), ss. 284–295. Ciekawe, że wśród czynników, z którymi autorka wiąże nadzieję na przyszłość, jest nauka i rozum, a nie ma wiary. Co więcej, wyraża ona niepokój, gdy pisze: „Tym, co uderza najbardziej w sposobie, w jaki wyraża się współczesna świadomość, jest nie tyle wymóg racjonalności, ile potrzeba otworzenia na nowo pola dla irracjonalności". Tamże, s. 298. Delpech powtarza więc stereotyp wiary jako czynnika nieracjonalnego i nie odróżnia grozy fanatyzmu islamskiego od zasad chrześcijańskiej miłości bliźniego. Czy rzeczywiście można ją uznać za „irracjonalną"?

[10] Tamże, s. 16.

Jej liderzy polityczni i duchowi nie chcą spojrzeć prawdzie w oczy, a nawet powątpiewają w istnienie jakiejkolwiek prawdy.

* * *

Podsumowując wiek XX wybitny historyk brytyjski Robert Conquest napisał, że „głównym powodem katastrof tego stulecia były nie tyle problemy, co proponowane rozwiązania oraz nie bezosobowe siły, ale ludzie myślący i działający w określony sposób"[11]. Zdanie to można odnieść do upadku cywilizacji zachodniej.

Punktem wyjścia rozważań nad cywilizacją musi być tajemnica ludzkiej egzystencji i jej interpretacje. Już w Księdze Rodzaju znajdziemy przejmującą alegorię buntu człowieka przeciw Stworzycielowi i uległości wobec pokusy zastąpienia go sobą[12]. Od tamtej pory przemawianie w imieniu Boga rodziło rozmaite ryzyka, lecz zastępowanie Go ludzką wolą było jeszcze bardziej niebezpieczne. W kwestii poznania ludzie dzielą się na tych, którzy wierzą, że wiedzą i tych, którzy wiedzą, że wierzą. Ci pierwsi są szczególnie niebezpieczni, gdy aspirują do stworzenia teorii wszystko wyjaśniającej. Dotyczy to zresztą nie tylko „tyranii pewności" ateistów, o której będzie mowa w książce, ale także fanatycznych islamistów, uważających, że przemawiają i działają w imię Boże, nawet zabijając. Podczas gdy ci drudzy sceptycznie podchodzą do wizji raju na ziemi, ci pierwsi mają skłonność do decydowania, że postęp, sprawiedliwość, ludzkie szczęście lub wola Boża dadzą się zdefiniować i zrealizować przy pomocy polityki lub przemocy. Na końcu rozumowania obu grup znajduje się przekonanie, że mniej lub bardziej wspaniały cel uświęca środki.

Totalitaryzm komunistyczny był ostatecznym krokiem ku realizacji hasła „człowiek stwarza się sam"[13], podczas gdy totalitaryzm islamistyczny stara się dowieść, że człowiek jest tylko pionkiem w ręku okrutnego Boga. Nie jest ani tak, ani tak. Jeśli świat istnieje, to dlatego, że jest dziełem dobrego Boga, a zło jest tylko głosem sprzeciwu przeciw Niemu. Każde inne tłumaczenie tajemnicy świata i ludzkiej egzystencji prowadzi ostatecznie na manowce. Nie znaczy to oczywiście, że chrześcijaństwo daje gwarancje bezpieczeństwa cywilizacji. Gdyby tak było, to Zachód nie miałby problemów. Barbarzyństwo wojen ani rozmaite formy niesprawiedliwości nie ustały wraz z nastaniem chrześcijaństwa w Europie. W grę wchodziły bowiem nie tyle ambicje jedynej właściwej interpretacji nauki Chrystusa, ale głównie odwieczne ludzkie słabości – żądza władzy, bogactw czy też pycha.

---

[11] Robert Conquest, *Reflections on a Ravaged Century*, (New York & London: W.W. Norton and Co, 2000), s. IX.

[12] Kusząc Ewę wąż rzucił fałszywą obietnicę: „Wie Bóg, że gdy spożyjecie owoc z tego drzewa, otworzą się wam oczy i tak jak Bóg będziecie znali dobro i zło" (Rdz 3,5).

[13] Gordon Childe, który tak zatytułował swoją książkę, pisał głównie o rozwoju cywilizacji materialnej. Gordon Childe, *Man Makes Himself*, (New York: New American Library, 1951). Hasło jest jednak zwodnicze.

Obraz Albrechta Dürera z lat 1511–1513 r., przedstawiający Karola Wielkiego w stroju koronacyjnym. W VIII w. władca ten doprowadził do wskrzeszenia cesarstwa na zachodzie Europy.

Rozdział 1. Czym jest cywilizacja zachodnia?

ZACHÓD

W wielu podręcznikach akademickich z historii cywilizacji zachodniej znaleźć można odniesienia jej korzeni do starożytnej Mezopotamii. Historia „Zachodu" zaczyna się tam wraz z udomowieniem zwierząt hodowlanych, początkami uprawy roli i handlu, a więc wraz z rewolucją neolityczną. Wedle tych autorów „Zachód" rozprzestrzenił się potem na południowo-zachodnią Azję i północną Afrykę, czego wyrazem była klasyczna cywilizacja grecka i rzymska[1]. Trudno zgodzić się z utożsamianiem cywilizacji zachodniej z cywilizacją w ogóle, gdyż przypomina to zbytnio datowanie początków historii ZSRR na starożytne państwo Urartu w czasach sowieckich[2].

Aż do europejskich podbojów kolonialnych pojęcie „Zachodu" można było kojarzyć z Europą. Kiedy jednak Europejczycy zaczęli podbijać świat, „ponieśli europejskie języki, religie, technologię i kulturę do najodleglejszych zakątków świata, czyniąc z tożsamości Zachodu produkt eksportowy"[3]. Dlatego też w XIX i XX wieku cywilizację „Zachodu" znaleźć można nie tylko w Europie i obu Amerykach, ale także w Australii, Nowej Zelandii i Południowej Afryce. O ile jednak do obszarów „zachodnich" zaliczyć można anglosaskie rejony pozaeuropejskie i dawny francuski Quebec, o tyle w Ameryce Łacińskiej i Południowej Afryce sytuacja jest bardziej skomplikowana. Ameryka Łacińska jako część Zachodu to frapujący temat. Warto przypomnieć chrystianizację Meksyku w ciągu jednego pokolenia od pojawienia się świętego Juana Diego Cuauhtlatoatzin (1474–1548), wspaniały, anonimowy hymn Maryjny „O, Radości Boga!" (*Hanaq pachap kusikuynin*) w języku keczua, opublikowany w Peru przez franciszkanina, o. Juana Péreza Bocanegra w 1631 roku, lub redukcje jezuickie wśród Guaranów w Paragwaju. Ekstensywny typ gospodarowania, oligarchiczne rządy, uzależnienie od kapitału obcego i spóźniona modernizacja, która często przybrała skrajne antyreligijny charakter, osłabiają rolę Ameryki Łacińskiej jako części Zachodu. Najczęściej jest ona traktowana jako jego peryferia. Europejska kolonizacja w Afryce Południowej

---

[1] Por. np. Jackson J. Spielvogel, *Western Civilization*, (Wadsworth Publishing, 2003), ss. 2–50; Brian Levack, Edward Muir, Meredith Veldman, Michael Maas, *The West. Encounters & Transformations*, (Pearson Longman, 2007), ss. 5 i 11–62.

[2] *Historia ZSRR. Krótki kurs pod redakcją prof. A. Szestakowa*, (Warszawa: Nasza Księgarnia, 1952), ss. 7–8.

[3] Levack, Muir, Veldman, Maas, *The West*, s. 4.

upadła w wyniku wojny angielsko-holenderskiej z początku XX wieku, polityki *apartheidu* oraz upadku białych reżimów w RPA oraz Rodezji.

Kwestia granic Zachodu w Europie ma długą historię. Zachodnie podręczniki historii cywilizacji Zachodu na ogół dobrze pokazują złożoność tego pojęcia i jego historycznych korzeni. Starożytni nie posługiwali się tym pojęciem w ogóle, mimo że w klasycznej Grecji czy w Imperium Rzymskim, łącznie z jego judaistycznym peryferium, tkwiły zalążki tego, co stało się fundamentem zachodniej cywilizacji. Po raz pierwszy „wschód" i „zachód" nabrały znaczenia politycznego i kulturowego wraz z podziałem Imperium Rzymskiego na cesarstwo wschodnie i zachodnie. Kiedy jednak barbarzyńcy z północy zniszczyli cesarstwo zachodnie, cywilizacyjnym „Zachodem" stało się w pewnej mierze cesarstwo wschodnie, zwłaszcza w epoce Justyniana. Napór islamu, kurczenie się cesarstwa wschodniego i utworzenie cesarstwa karolińskiego stworzyły warunki do utożsamiania kultury europejskiej z „zachodnią", a Bizancjum stało się marginalizowanym szczątkiem tradycji zachodniej. Samo zresztą w wyniku ewolucji wewnętrznej stawało się bardziej wschodnie kulturowo, co ostatecznie znalazło wyraz w przejęciu jego tradycji kulturowej przez Rosję[4]. O ile kraje prawosławne takie jak Grecja, Serbia czy Bułgaria mogą ze względu na współczesną historię być zaliczone do Zachodu, o tyle Rosja ze swoją tradycją samodzierżawia i całkowitym podporządkowaniem Cerkwi państwu, tradycją komunizmu i współczesnego, instrumentalnego traktowania religii stanowi cywilizację odrębną. Trudno bowiem uznać, że jednoczesne wielbienie tradycji bolszewickiej Czeka i kanonizacja jej symbolicznej ofiary – cara Mikołaja II – godzi się z logiką i zachodnią tradycją jednoznaczności kryteriów moralnych. Amalgamat tradycji sowieckiej i podporządkowanej państwu Cerkwi znalazł swój szczególny wyraz w wynurzeniach prezydenta Władimira Putina, który w styczniu 2018 roku zrównał komunizm z chrześcijaństwem, a mumię Lenina porównał do relikwii świętych prawosławnych[5].

W Europie zawsze istniały mniej lub bardziej istotne podziały. Co więcej, świadomość tych podziałów była i jest dość powszechna wśród mieszkańców Starego Kontynentu[6]. Brytyjczycy przez dłuższy czas spoglądali na Europę jakby z zewnątrz, utożsamiając to pojęcie z krajami kontynentalnymi. Francuzi i Niemcy konkurują w przypisywaniu sobie roli „serca Europy". Skandynawowie rozumieją siebie bardziej jako ludy zimnej Północy. Ważną granicą klimatyczną i kulturową

---

4   Por. np.: Steven Runciman, *Teokracja bizantyjska*, (Warszawa: PAX, 1982); Jan Kucharzewski, *The Origins of Modern Russia*, (New York: The Polish Institute of Arts and Sciences in America, 1948), ss. 1–36; Andriej Zubow (red.) *Historia Rosji XX wieku, 1894–1922*, (Warszawa: Narodowe Centrum Kultury, 2016), ss. 22–78.

5   Wespazjan Wielohorski „Z mauzoleum na ołtarze", *Gazeta Polska Codziennie*, 19 I 2018 r. Rosję z Europy wyłącza też choćby fakt, że znakomita większość mieszkańców tego kraju popiera prezydenta Putina i rządzącą wraz z nim mafię KGB-owską. Tylko co dziesiąty Rosjanin tęsknił za państwem prawa, a 74% żałowało, że ZSRR przestał istnieć. Richard Pipes, „Ucieczka od wolności", *Wprost*, 9 V 2004 r., ss. 88–89. Wątpliwości tych, którzy mówią tylko o rosyjskim typie sondaży, winno przekonać proste pytanie: dlaczego nie ma innych sondaży?

6   Tony Judt, *Wielkie złudzenie? Esej o Europie*, (Warszawa: Wydawnictwo Naukowe PWN, 1998), s. 37; Norman Davies, *Europa*, (Kraków: Wydawnictwo Znak, 1998), s. 18.

pozostają Alpy. Nadal utrzymują się pozostałości kulturowe podziału Europy na część katolicką, protestancką, prawosławną i muzułmańską. Niektórzy socjologowie wyróżniają w Europie trzy główne obszary kulturowe: Europę wina, Europę piwa i Europę wódki. Mieszkańcy Europy Wschodniej, mniej szczęśliwej pod względem politycznym i gospodarczym, na ogół bardzo intensywnie podkreślają swą europejskość, choć mieszkańcy Europy Zachodniej często w nią powątpiewają.

Nie ma więc zgody co do wschodniej granicy Europy. Granica geograficzna na Uralu mało kogo przekonuje. Krajobraz życia codziennego Europy Wschodniej nadal odbiega jeszcze od standardów Europy Zachodniej. Przez pół wieku kraje Europy Środkowo-Wschodniej, znajdujące się pod kuratelą ZSRR, najczęściej w ogóle nie były brane na Zachodzie pod uwagę jako część Europy. Ilustracją tego stosunku była nazwa dyscypliny badawczej i przedmiotu nauczania w krajach anglosaskich: „Soviet and East European Studies", a także mapy połączeń lotniczych największych linii światowych, które jako Europę pokazywały do niedawna tylko kraje położone na zachód od Odry. Obecnie trudno dowodzić, że byli satelici Moskwy nie należą cywilizacyjnie do Zachodu, choć ze względu na niższy poziom dochodu i uzależnienie od kapitału obcego obszar ten traktowany jest często jako jego peryferia.

EUROPA

Pojęcie Europy należy bardziej do sfery kultury niż geografii[7]. Europejskość da się określić z jaką taką dokładnością dopiero na tle innych kultur i innych regionów świata. Europę wyróżnia na tym tle kilka czynników. Po pierwsze, jest to szczególna zmienność i bogactwo wynikające z nakładania się różnych warstw historii. Po drugie, korzenie Europy tkwią poza jej ścisłym obszarem geograficznym. Legendarna Europa była córką króla fenickiego Tyru. Homer, Chrystus, św. Paweł i św. Augustyn także urodzili się poza geograficznie rozumianą Europą. Po trzecie, w epoce przyspieszenia zmian globalizacyjnych, w ciągu ostatnich trzech stuleci, Europa odgrywała unikatową rolę nośnika kultury materialnej i duchowej w kontaktach z innymi kulturami, często dominując nad nimi[8].

Czym jest więc europejskość? Składa się ona z kilku warstw nałożonych historycznie jedna na drugą. Po pierwsze, jest to grecka filozofa krytyczna i greckie pojęcie demokracji oraz obywatelstwa; po drugie – rzymskie prawo (w tym prawo własności indywidualnej) i zasady sprawnej organizacji, po trzecie – chrześcijaństwo z centralnym pojęciem Stwórcy świata – Boga, który jest miłością, po czwarte – pluralizm państw i kultur narodowych, po piąte – nowoczesne państwo prawa i społeczeństwo otwarte. Europa jest konglomeratem, w którym zawsze obecne

---

[7] Rocco Buttiglione, Jarosław Merecki, *Europa jako pojęcie filozoficzne*, (Lublin: Towarzystwo Naukowe KUL, 1996), s. 35.

[8] Oskar Halecki, *Historia Europy – jej granice i podziały*, (Lublin: Instytut Europy Środkowo--Wschodniej, 1994), s. 23.

były elementy rozdarcia i kontestacji antysystemowej. Takim elementem była reformacja, refeudalizacja Europy Wschodniej, liberalizm, socjalizm, nihilizm, a w XX wieku – totalitaryzm[9]. Wymienione cechy konstytutywne europejskości dostrzec można w przekroju poprzecznym, a więc w ujęciu statycznym i przestrzennym. Od razu widać jednak, że Europy nie da się zrozumieć bez „przekroju wzdłuż", czyli spojrzenia historycznego.

Przede wszystkim mamy fascynujący problem początków Europy. Christopher Dawson opisał epokę „tworzenia się Europy", trwającą w praktyce całe tysiąclecie od upadku Rzymu do upadku Konstantynopola[10]. W okresie tym na fundamencie pozostałości kultury greckiej i rzymskiej nawracające się stopniowo na naukę Chrystusa plemiona barbarzyńskie stworzyły wraz z ludami, które przetrwały nawałnicę, nowy system społeczno-ekonomiczny feudalizmu i jednolitą kulturę duchową chrześcijaństwa, która najczęściej określa się jako *Christianitas*. Symbolem tego zrastania się starego z nowym były bliskoznaczne pojęcia nadania ziemskiego: łacińskie *beneficium* i germańskie *Fief*. Norman Davies zwrócił uwagę, że pojęcie Europy przez wieki utożsamiano z chrześcijaństwem i że dopiero w erze nowożytnej zaczęto te pojęcia rozróżniać[11].

Chrześcijaństwo będące w pierwszych wiekach religią wolnościową, wypełniło nowe struktury społeczne cnotą wierności i kulturą rycerskości. Jako rywal ziemskich feudałów Kościół hierarchiczny znakomicie utrudniał powstawanie feudalnych tyranii typu azjatyckiego. Rywalizacja Kościoła i Cesarstwa przyniosła przejściowe zwycięstwo papieża, a jednym z symboli średniowiecznej Europy stała się Canossa. Niemniej zwycięstwo to nie utorowało drogi ku teokracji, lecz raczej ku monarchii, w której władza pochodziła wprawdzie od Boga, ale była ograniczona obowiązkiem wobec Jego przykazań. Cezaropapizm zakorzenił się jedynie w Rosji, której cywilizacja wykazywała i wykazuje, między innymi właśnie dlatego, wiele cech odrębnych od reszty Europy.

Inną cechą tego okresu było kształtowanie się europejskiej i chrześcijańskiej tożsamości pod wpływem zagrożeń zewnętrznych. Były to zarówno najazdy kolejnych fal plemion barbarzyńskich, na przykład Słowian, Bułgarów i Madziarów, jak i muzułmanów – Arabów z południa, a później Turków ze wschodu. „Bez Mahometa nie byłoby Karola" napisał Henri Pirenne[12]. Karol Wielki był pierwszym twórcą imperium europejskiego, lecz ograniczone było ono do dzisiejszej Europy Zachodniej. Dopiero Otto III zaliczył do swego chrześcijańskiego imperium europejskiego szerszy obszar i to na zasadach autonomii. Miniatura z jego czasów przedstawia go przyjmującego hołd Romy, Galii, Germanii i Sklawonii, czyli także Polski, Czech i Węgier.

Na drodze od starożytnego Świata Śródziemnomorskiego do nowożytnej Epoki Europejskiej ośrodki cywilizacji „protoeuropejskiej" (Rzym, Konstantynopol,

---

[9]   Tamże, ss. 28–35. Buttiglione i Merecki (s. 39 nn) niemal zupełnie, i chyba niesłusznie, ignorują wpływ prawa rzymskiego.

[10] Christopher Dawson, *Tworzenie się Europy*, (Warszawa, 1961).

[11] Davies, *Europa*, s. 31.

[12] Henri Pirenne, *Mohammed and Charlemagne*, (London-New York, 1939), s. 210.

Obrady Kongresu Wiedeńskiego na obrazie XIX-wiecznego francuskiego malarza Jeana-Baptiste Isabeya. Decyzje podjęte w Wiedniu ustaliły porządek polityczny w Europie na wiele lat.

Aleksandria, Damaszek, Antiochia, Ateny) zostały zastąpione nowymi, wśród których przodowały: Paryż, Wenecja, Genua, Granada, Lizbona, Brugia, Amsterdam, Hamburg, Praga i Londyn. Powstały zalążki państw narodowych (Frankowie w Galii, Anglo-Sasi, Hiszpania i Portugalia, państwa używające nowożytnego języka niemieckiego i włoskiego, Dania, Szwecja, Węgry, Czechy, Polska, Ruś Kijowska). Pod koniec tej epoki, około 1500 r. Europę chrześcijańską, zdominowaną jeszcze przez państwa dynastyczne, cechowało wyrównywanie się poziomu kultury materialnej i duchowej, co zilustrować można ekspansją drukarni z Niemiec w podobnym tempie w kierunku wschodnim (Czechy, Polska), jak i zachodnim (Francja, Anglia, Hiszpania). Feudalizm chwiał się, zwłaszcza na zachodzie, pod wpływem buntów chłopskich, ale zapewniał mniej więcej podobny poziom życia od Atlantyku aż do Wielkiego Księstwa Litewskiego. Wobec klęsk na polach bitew (Kosowe Pole w 1389 r., Warna w 1444 r., a wkrótce potem Mohács w 1526 r.), środek Europy kurczył się, ale konsolidował się w obliczu ekspansji Turków.

Epoka Europejska, którą wielu historyków datuje na okres między początkiem XVI wieku oraz I wojną światową, przyniosła triumf zachodniej części kontynentu i pogłębiające się zacofanie jego części wschodniej. Europę coraz częściej utożsamiano jedynie z obszarem, na którym gwałtownie rozwijała się gospodarka rynkowa, rewolucja agrarna i przemysłowa, państwa narodowe, konstytucyjne systemy polityczne, a także na którym doszło do głębokich podziałów i konfliktów

25

religijnych. Specyficznym i odrębnym fenomenem była Rzeczpospolita Obojga Narodów, państwo polsko-litewskie, będące monarchią elekcyjną i swego rodzaju demokracją szlachecką, które jednak przeżywało od połowy XVII wieku kryzys gospodarczy i polityczny, zakończony rozbiorami pod koniec XVIII wieku. Działo się to w czasie, gdy Europa Zachodnia wykorzystała swój potencjał efektywności i innowacyjności, by podbić wiele rejonów obu Ameryk, Afryki, Azji i Oceanii, nierzadko korzystając w zbrodniczy sposób z niewolniczej siły roboczej.

Zmiany cywilizacyjne przyspieszyły jeszcze bardziej w XIX wieku, przynosząc wzrost mobilności społecznej, powstanie społeczeństwa otwartego oraz sekularyzację, będącą wyzwaniem dla chrześcijaństwa podzielonych wyznań. Cały czas narastała zauważona przez Henri Bergsona sprzeczność między szybkim postępem materialnym a mało zauważalnym postępem duchowym[13]. Wzrost zakresu wolności w społeczeństwie prowadził do tworzenia alternatyw dla tradycyjnej kultury europejskiej w opozycji do chrześcijaństwa: świeckiego liberalizmu, socjalizmu i nihilizmu. Dynamizm gospodarczy nie był na tyle powszechny, by łagodzić sprzeczności społeczne, etniczne i religijne. Stąd masowy odpływ ludności za ocean z obszarów europejskich o szczególnym przeludnieniu. Europejskość przeżywała trudności rozwoju na Starym Kontynencie, ale szybko rozszerzała się w obu Amerykach i Oceanii. Z europejskich korzeni wyrastały tam jednak zróżnicowane formy życia społecznego i częściowo nowa kultura.

W latach 1789 – 1914 Europa przeżywała zarówno próby stabilizacji, której symbolem był system stworzony na Kongresie Wiedeńskim w 1815 r., jak i szereg wstrząsów społecznych, politycznych i narodowych, będących pokłosiem rewolucji francuskiej. Mocarstwa europejskie, władające olbrzymimi obszarami Azji, Afryki oraz Oceanii, utrzymały swą dominującą pozycję gospodarczą i polityczną, stając się również pierwszymi nośnikami cywilizacji uniwersalnej. Ostatecznie jednak Pax Europea uległ załamaniu na początku XX wieku, w wyniku obu wojen światowych – krwawej kulminacji konfliktów między głównymi państwami europejskimi oraz rewolucji społecznych, które podkopały wiarę w możliwości rozwojowe kultury europejskiej.

Okres między dwiema wojnami światowymi to dwudziestolecie kryzysu tożsamości europejskiej. Zubożenie społeczeństw w wyniku I wojny światowej, przeniesienie się światowego centrum finansowego do Nowego Jorku, brak wiary w przyszłość i wreszcie wielki kryzys gospodarczy – wszystko to prowadziło do rozwoju ruchów oraz systemów totalitarnych i autorytarnych. Duża część elit europejskich poszła za zwalczającymi się ekstremizmami: nacjonalistycznym (faszyzm i nazizm) oraz marksistowskim (komunizm). Były to ruchy szczególnie zwodnicze, także przez to, iż przedstawiały się one fałszywie jako obrońcy narodu (faszyzm i nazizm) lub uciskanego ludu (komunizm). Obrońcy chrześcijańskiej kultury europejskiej znaleźli się w odwrocie. Totalitaryzmy stanowiły groźny efekt

---

[13] Henri Bergson, *Les deux sources de la morale et de la religion*, (Paris, 1932), ss. 334–335.

Posąg przedstawiający Europę z Palazzo Ferreria w stolicy Malty, Valetcie. Legendarna Europa była piękną księżniczką fenicką i została porwana przez Zeusa ukrytego pod postacią byka.

modernizacji materialnej oraz wybuchu kultury kontestacji i nihilizmu rodem z końca XIX wieku, były szczególną kulminacją bergsonowskiej sprzeczności, tym razem między postępem w środkach komunikacji (masowa prasa, radio, film) i kryzysem europejskiej duchowości.

Zagrożenia zewnętrzne w postaci presji Arabów, Turków czy imperium sowieckiego mobilizowały jedność europejską i skłaniały do szukania obszarów wspólnoty. Do tego doszła w drugiej połowie XX wieku potężna motywacja wewnątrzeuropejska – korzyści integracji gospodarczej. O ile do II wojny światowej mocarstwa europejskie tworzyły imperia kolonialne oparte na pionowym podporządkowaniu peryferii pozaeuropejskich europejskiemu centrum, o tyle w ostatnich dziesięcioleciach, wraz z rozpadem dawnych imperiów kolonialnych, zauważono korzyści z integracji ośrodków wysokiego rozwoju w Europie

Podczas i zaraz po zakończeniu II wojny światowej wydawać się mogło, że następuje schyłek Epoki Europejskiej. W pewnym sensie tak się stało. Mocarstwa europejskie utraciły kolonie i zeszły w cień dwóch supermocarstw, USA i ZSRR, których obecność w Europie była na ogół – choć w różny sposób – odbierana pod względem politycznym i kulturowym jako coś zewnętrznego. Europa być może bezpowrotnie utraciła centralne miejsce w świecie. A jednak właśnie okres dwubiegunowego układu sił w świecie oraz zimnej wojny, zwanej przez niektórych „wojną pięćdziesięcioletnią"[14], paradoksalnie przyczynił się do odbudowy jedności europejskiej, najpierw w sensie gospodarczym, a następnie politycznym. Proces integracji europejskiej, zapoczątkowany instytucjonalnie w 1951 r., przetrwał upadek imperium radzieckiego oraz, pomimo rozlicznych trudności i zagrożeń, stale się rozszerza[15].

Po upadku muru dzielącego w Berlinie Europę na dwie części, pozostaje wiele wątpliwości co do przyszłości, a nawet samej tożsamości Europy. Trwa dyskusja co do tego, które z elementów dziedzictwa europejskiego są warunkiem koniecznym zachowania tożsamości europejskiej. Jak dotąd właściwie zawsze istniały w niej wyjątki od reguł. Obecnie wyjątki te zaczynają dominować. Nazizm i komunizm stanowiły fundamentalne zaprzeczenie europejskości. Postępująca dechrystianizacja osłabia tożsamość Europejczyków[16]. Elity europejskie przestały rozumieć, co stanowi o unikatowej sile cywilizacji europejskiej[17]. Wraz z erozją

---

[14]   Richard Crockatt, *The Fifty Years War. The United States and the Soviet Union in World Politics 1941–1991*, (London: Routledge, 1995).

[15]   Goeran Therborn, *Drogi do nowoczesnej Europy*, (Warszawa: Wydawnictwo Naukowe PWN, 1998), ss. 31–51 i 283–347.

[16]   Mówił o tym wielokrotnie papież Jan Paweł II. Por. np.: Cardinal Karol Wojtyła, „Where is Europe's Border?", *Ethos*, 1996, nr 2, ss. 17–24.

[17]   W tysiącach dokumentów Unii Europejskiej i w jej praktyce politycznej powtarza się bez końca slogany o „wartościach europejskich", ale nigdy się ich dokładnie nie definiuje. „Kulturowe, religijne i humanistyczne dziedzictwo Europy, z którego wynikają powszechne wartości, stanowiące nienaruszalne i niezbywalne prawa człowieka, jak również wolność, demokracja, równość oraz państwo prawne" wymienione w preambule do traktatu lizbońskiego trzeba by dopiero wyjaśnić i sprecyzować, gdyż wartości te podlegają stałej reinterpretacji w wyniku procesu politycznego. Unia Europejska jest bowiem rozumiana nie jako ściśle określona

duchowego dziedzictwa Europy następuje rozkwit europejskości biurokratycz-nej, zakorzenionej w przepisach unijnych. Chadecka idea Europy ojczyzn zako-twiczona we wszystkich warstwach tego dziedzictwa na tyle osłabła, że obecnie nawet ugrupowania sytuujące się na prawicy mają wątpliwości co do potrzeby jakiejś formy *Invocatio Dei* w konstytucji europejskiej. Wobec napływu imigran-tów z dawnego Trzeciego Świata i zaniku religijności samych mieszkańców Sta-rego Kontynentu coraz bardziej aktualne staje się pytanie, czy Europejczykiem może być fanatyczny islamista, animista lub buddysta. Narastający relatywizm moralny i poznawczy, określany najczęściej mianem postmodernizmu, podmywa fundamenty filozoficzne kultury europejskiej, na przykład przekonanie o istnieniu obiektywnej prawdy.

FILOZOFIA GRECKA

Na ogół mało zdajemy sobie sprawę z tego, jak wiele Zachód zawdzięcza filo-zofom greckim. To oni bowiem zaczęli weryfikować rozumowo wierzenia reli-gijne, umiejętności i reguły postępowania występujące w świecie starożytnym, dociekając natury świata i człowieka, możliwości poznania oraz zasad etycznych. Odpowiedzi, jakich udzielili na te pytania mędrcy greccy, są niezwykle zróżni-cowane i wyczerpują prawie wszystkie możliwości, do jakich zdolny jest dojść umysł ludzki; umysł, a nie intuicja religijna czy wiara, są to bowiem dwie odrębne sfery ducha. Wiara i rozum nie muszą być sprzeczne. Wszystko zależy bowiem od jakości obu.

W dociekaniach rozumowych przodowali Grecy. Jednym z pierwszych, którzy próbowali pogodzić wiedzę z wiarą, był na przełomie VII i VI wieku przed naszą erą przyrodnik, matematyk i astronom Tales z Miletu, prekursor logiki, który zauważył, że wiedzieć to jedno, a umieć wykazać, że tak jest, to drugie. Szukając jednej zasady świata (*arche*), zauważył on, że ruch jest własnością materii, a za-tem jest ona wyposażona w specjalną siłę, którą można nazwać duszą. Twierdził dalej, że wszystko jest z wody, gdyż to, co żywe, żyje wilgocią. Inny Milezyjczyk z tamtej epoki, Anaksymander, stwierdził, że jeden żywioł zamienia się w drugi, a więc że podstawowa zasada musi leżeć poza nimi. Ową pierwotną zasadę świata nazwał on *apeiron*, czyli coś, co nie da się określić ani ilościowo, ani jakościowo, co jest wieczne i nie ma ograniczenia w przestrzeni. Ów bezkres czy może raczej nieskończoność miała wytwarzać rzeczy poprzez wyłanianie się przeciwieństw. Uczeń Anaksymandra, Anaksymenes z Miletu, twierdził, że początkiem wszyst-kiego jest powietrze[18]. Już w tym samym pokoleniu pojawiła się myśl, iż owa naczelna zasada bytu może być niematerialnym bóstwem. Ksenofanes z jońskiego Kolofonu twierdził, iż bogowie wyobrażani na podobieństwo ludzi z ich uczuciami,

---

organizacja lub instytucja, ale jako proces. Tekst traktatu można znaleźć pod: http://eur-lex.europa.eu/legal-content/PL/TXT/?uri=uriserv:OJ.C_.2008.115.01.0001.01.POL&toc=O-J:C:2008:115:TOC#C_2008115PL.01001301 (18 XII 2017).

18   „Tak jak dusza nasza będąca powietrzem utrzymuje nas w całości, tak cały świat ogarnia dech i powietrze", mówił Anaksymenes. Diogenes Laertios, I, 22 nn; II, 1–5.

wadami, a nawet występkami, są fałszywym wymysłem ludzkim oraz iż jeden Bóg, „największy wśród bogów i ludzi jest niepodobny ani z wyglądu do śmiertelników, ani z myślenia (…) Cały widzi, cały myśli i słyszy cały". Ksenofanes był zdania, że „jedno jest Bogiem"[19]. Pogląd ten był bliski późniejszemu panteizmowi.

Pitagoras z wyspy Samos (ok. 572 – ok. 497 r. p.n.e.) był człowiekiem surowych obyczajów i uważał, że o poziomie moralności decyduje bardziej kobieta niż mężczyzna. Zgromadził wokół siebie licznych uczniów, których zorganizował w rodzaj duchowego stowarzyszenia, opartego na wtajemniczeniu, które zdobyło władzę nie tylko w Krotonie, ale i w niektórych innych miastach greckich Italii. Pitagorejczycy praktykowali wstrzemięźliwość, ćwiczyli się w milczeniu i posłuszeństwie. W ruchu pitagorejskim brały udział kobiety, co było w owych czasach wyjątkiem. Pitagoras wyobrażał sobie świat jako kuliste niebo z nieruchomą ziemią w środku. Między nią i niebem krążyć miały księżyc i słońce. Pitagoras dokonał niezwykłych odkryć muzycznych i geometrycznych. Ustalił i obliczył trzy zasadnicze interwały muzyczne: oktawę, kwintę i kwartę. Każdemu dźwiękowi przypisał wartość liczbową. Sprowadził wszystkie fenomeny, w tym ciało i duszę człowieka, do liczb oraz geometrii. Bryły istniały dlań mniej intensywnie niż powierzchnie, powierzchnie – niż linie, a linie były mniej intensywne niż punkty. Jeszcze intensywniej niż figury geometryczne istniały dla Pitagorasa nierozciągłe liczby. Pitagorejczycy czcili gwiazdę pięcioramienną, rysowaną jedną linią, oraz dziesiątkę jako liczbę doskonałą, przedstawianą w postaci trójkąta równobocznego złożonego z dziesięciu punktów w taki sposób, że dziewięć punktów tworzyło boki, a jeden znajdował się w środku. Pitagoras pierwszy użył określenia „filozof" (*philosofos*), czyli miłośnik mądrości. Sądził też, że chcąc wprowadzić ład moralny dla dobra ludzi, trzeba zdobyć nad nimi władzę.

Heraklit z Efezu (ok. 540 – ok. 480 r. p.n.e.) sądził, że prapoczątkiem wszystkiego jest ogień. Podkreślał, że istotą świata jest jedność i zmienność oraz że dowodzi to jego rozumności. Słynne jest jego powiedzenie, że „do tej samej rzeki nie można wejść dwa razy". Heraklit uczył, iż wszelkie przeciwieństwa są tożsame, a bóstwo to dzień i noc, wojna i pokój, kobieta i mężczyzna, lewy i prawy, światło i ciemność lub dobro i zło. Aby bowiem istniało jedno, musi istnieć i drugie. Uczył też, że człowiek ma dwie władze poznania: zmysłowe postrzeganie (*aisthesis*) oraz rozumne myślenie (*logos*). Twierdził również, że nic nie dzieje się przypadkowo, lecz że wszystkim rządzi konieczność (*ananke*). Uważał zdrowy rozsądek za najwyższą cnotę, a gwałcenie „boskich praw świata" za źródło zła. Skoro jednak o postępowaniu człowieka decydować miała konieczność, Heraklit nie mógł sobie poradzić z problemem zła[20].

Mniej więcej współczesny Heraklitowi Parmenides z Elei był odkrywcą praw logiki. Sformułował jako pierwszy dość oczywistą obecnie tezę o dwóch drogach dociekania prawdy, jednej opartej na zasadzie „to co jest, nie może nie być" i prowadzącej do zdobycia wiedzy rzetelnej, oraz drugiej – „jest i to, co jest, i to, co nie

---

[19] Adam Krokiewicz, *Zarys filozofii greckiej* (Warszawa: Aletheia, 2000), s. 119 i 120.
[20] Tamże, s. 132.

Akademia Platońska, czyli Platon z uczniami w gaju Akademosa, na mozaice z rzymskich Pompejów z I w. p.n.e. Platon był jednym z najwybitniejszych filozofów starożytności. W szczególny sposób rozwinął filozofię polityczną.

jest", grzęznącej w czczym mniemaniu. Za to, czego nie ma, uważał na przykład próżnię. Wnioskował stąd, że istnieje tylko byt, a oprócz niego nie ma nic, a więc, że byt jest niezrodzony i niezniszczalny, jedyny i całkowity, nieruchomy i wieczny, ani przeszły, ani przyszły. Rozgraniczył natomiast świat przedmiotów zmysłowych i przedmiotów umysłowych, czyli pojęć[21].

Późniejszy o dwa pokolenia od Parmenidesa Empedokles z sycylijskiego Akragas był lekarzem i wizjonerem, który głosił pitagorejską jedność bytu i wędrówkę dusz. Wyróżniał cztery wieczne zasady bierne – ogień, powietrze, wodę i ziemię – oraz dwie czynne – miłość i waśń. W myśl jego teorii, miłość skupia i uruchamia wszystkie cząstki świata z czterech zasad biernych, waśń zaś je rozkłada.

---

[21] Diogenes Laertios, IX, 72.

Empedokles dowodził też rozwoju świata przyrody. Współczesny mu Anaksagoras z Klazomenai sprowadził sześć zasad Empedoklesa do dwóch – biernej materii (*meigma*) oraz czynnego umysłu (*nous*). Jednocześnie twierdził, że żadna rzecz nie może powstać z niczego, więc świat musi być wieczny. W następnym pokoleniu Diogenes z Apolonii światotwórczą zasadę duchową miłości utożsamił z bogiem.

Reakcją na teorie Parmenidesa i Empedoklesa był atomizm. O ile Parmenides twierdził, że skoro próżni nie ma, to nie ma ani podziału ani wielości, a tylko jedność i bezruch, o tyle współczesny Empedoklesowi Leukip z Miletu dowodził, że przeciwnie, skoro jest podział, wielość i ruch, to jest próżnia, w której poruszają się najmniejsze cząstki – niepodzielne atomy. Podobno myśl tę nasunęła mu obserwacja drobinek kurzu w promieniu słońca. Leukip uczył, że ani najmniejsze atomy, ani największe światy nie mają świadomości oraz że życie i zdolność rozumnego myślenia posiadają tylko dwa najdoskonalsze układy atomów: ludzie i podobni do nich z postaci bogowie.

W ślad za Leukipem także młodszy od niego Demokryt z Abdery (ok. 460 – ok. 370 r. p.n.e.) utrzymywał, że wszystkie ciała dzielą się na niezniszczalne i niepodzielne atomy oraz złożone z nich i z próżni ciała różnych wielkości, aż do tak wielkich jak światy. Demokryt, który odbył wiele podróży, między innymi do Egiptu, Persji, Indii i Etiopii, zajmował się także etyką. Celem człowieka była dlań *eutymia*, przez które to wprowadzone przez siebie określenie rozumiał połączenie spokoju, dobroduszności, szczęścia, harmonii i poznania. Przyjemności cielesne uznawał za niższe od duchowych. Warunkiem *eutymii* było dla niego czynienie dobra. „Dla wszystkich ludzi – pisał – to samo jest dobre i prawdziwe, podczas gdy przyjemne jest dla tego człowieka to, a dla tamtego znowu tamto"[22]. Tak wyrafinowana etyka była jednak dość oderwana od koncepcji świata zbudowanego z bezdusznych atomów, tym bardziej, że Demokryt uważał, że wszelkie wyobrażenia i wrażenia ludzkie są subiektywne, ponieważ człowiek nie odbiera bodźców rzeczywistych, a jedynie „symboliczne". Teza ta dała później początek szkole sceptycznej.

Jeszcze w pokoleniu Leukipa narodziła się szkoła sofistów, czyli „mądralów". Początkowo mianem tym określano żartobliwie fachowców w różnych dziedzinach wiedzy praktycznej, takich jak budowniczowie czy lekarze. Filozofowie-sofiści mieli ambicje wychowania obywateli w mądrości. Trudno było jednak oczekiwać ich sukcesów w tej dziedzinie, skoro jeden z pierwszych sofistów, Protagoras z Abdery, twierdził, że „wszystkich rzeczy miarą jest człowiek, istniejących, że istnieją, a nie istniejących, że nie istnieją"[23], co dało nie tylko poważny argument etyce subiektywnej, ale stanowiło zalążek wielu sprzeczności. Inny sofista, Gorgiasz z Leontinoi na Sycylii, popisał się efektywną negacją poznania. Twierdził ni mniej, ni więcej, że nic nie istnieje, że gdyby nawet coś istniało, to nie moglibyśmy tego poznać, a gdyby nawet taka możliwość istniała, to nie moglibyśmy sobie tego przekazać. Sofiści byli często ludźmi posiadającymi ogromną wiedzę.

---

[22] Krokiewicz, *Zarys filozofii greckiej*, s. 227.
[23] Diogenes Laertios, IX, 8, 51.

Na przykład Hippiasz był wybitnym matematykiem, miał świetną pamięć i spisał pierwsze bodaj w historii dzieło encyklopedyczne *Synagoge*. Z wiedzy tej sofiści korzystali jednak bardziej dla swej chwały, a ich poglądy filozoficzne były najczęściej powierzchowne, a nawet szokujące.

Na fali sofizmu, ale w opozycji wobec niego wystąpił Ateńczyk Sokrates (ok. 470 – 399 r p.n.e.) Uzyskał on wielką biegłość retoryczną, ale dbał też o precyzję wypowiedzi. Początkiem nauki było dlań „badanie nazw". Sokrates utożsamiał mądrość z cnotą. Twierdził, że nikt świadomie i dobrowolnie nie czyni zła, a także iż tym, którzy je czynią, wydaje się, że wiedzą, jak należy postępować. Sokrates miał silne przeczucie boskiej władzy nad światem. Choć nie uznawał bogów czczonych oficjalnie, jako posłuszny obywatel składał im ofiary. Mimo to został oskarżony o „zbrodnię ateizmu" i psucie młodzieży oraz skazany na śmierć. W swej słynnej obronie zapewniał sędziów, że nie spotyka go żadne nieszczęście, gdyż albo po śmierci przestanie istnieć, albo jego dusza spotka się z wieloma innymi duszami i dowie się tego, czego przedtem nie wiedziała. Swą postawą wobec śmierci dodatkowo uwiarygodnił Sokrates swą bezinteresowność w poszukiwaniu prawdy i dobra.

Ateńczyk Platon (427–347 r. p.n.e.) był uczniem Sokratesa. Po śmierci mistrza wiele podróżował, między innymi do Egiptu, Italii i na Sycylię. Po powrocie do Aten założył poza murami tego miasta słynną szkołę filozoficzną nazwaną Akademią od imienia boga-herosa Akademosa, opiekuna zakupionego tam gruntu. W licznych dialogach Platon krytycznie przeanalizował cały niemal wcześniejszy dorobek filozoficzny. Rzecznikiem swej nauki o ideach uczynił Platon Sokratesa. Ustami Sokratesa rozróżnił dwa światy: świat wiecznych i niewidzialnych idei (*nooumena*) oraz zależnych od nich widzialnych czy też postrzegalnych widm doczesnych (*horomena*). Platon dowodził nieśmiertelności duszy, między innymi poprzez rolę idei. Skoro idee są jedynymi przyczynami wszystkiego, co istnieje, to dusza uczestniczy w idei życia i to uczestnictwo stanowi jej istotę. Platońskie idee mogły być ze sobą zgodne albo sobie przeciwne. Na przykład idea zimna, w której uczestniczy śnieg, jest przeciwna idei gorąca, w której uczestniczy ogień. To, co uczestniczy w danej idei, nie może uczestniczyć w idei jej przeciwnej, gdyż zginie, tak jak śnieg z powodu gorąca. Ze wszystkich idei najwyższe miejsce przyznawał dobru. Świat musiał, jego zdaniem, powstać w wyniku działania Demiurga, porządkującego chaos wedle odwiecznych idei. Platon niezwykle rozwinął filozofię polityczną, analizując wcielanie idei sprawiedliwości w państwie. Wcieleniem tej idei był dlań sprawiedliwy człowiek, ale także sprawiedliwe państwo, w którym widział trzy stany: mądrych zwierzchników, odważnych i bitnych żołnierzy oraz pracowitych rolników i rzemieślników.

Wychowany w ateńskiej Akademii Arystoteles ze Stageiry (384–322 r. p.n.e.) był wychowawcą Aleksandra Wielkiego. Na wzór Akademii platońskiej założył w Atenach własne stowarzyszenie czcicieli Muz – szkołę filozoficzną, nazwaną Likeion. Arystoteles był entuzjastą Platona, później coraz częściej samodzielnie analizował fakty, aby w końcu uczynić doświadczenie podstawą swej filozofii. Dla Arystotelesa źródłem wiedzy były zmysłowe wrażenia i wyobrażenia człowieka, czyli *empireia*, samą zaś wiedzą – umysłowe zrozumienie istoty tych wrażeń i wyobrażeń. Arystoteles wyróżnił dziesięć kategorii opisowych: substancję (*ousia*), ilość (*poson*), jakość (*poion*), relację (*pros ti*), miejsce (*pou*), czas (*pote*), pozycję (*keisthai*), posiadanie (*echein*), czynność (*poiein*) oraz doznawanie (*paschein*). W opozycji do Platona doszedł do wniosku, że przedmioty zmysłowe nie zależą od idei, lecz z nimi współistnieją. W substancji, czyli bycie, Arystoteles odróżnił materię, czyli rzecz konkretną, od formy, czyli pojęciowego uogólnienia rzeczy. Materia, forma, przyczyna i cel – to były dlań cztery zasady wyjaśniania. W rzeczach jednostkowych pragnął odnajdywać ich istotę. Wedle Arystotelesa, świat przypadkowy, niedoskonały i zależny wskazuje na istnienie bytu koniecznego, doskonałego i absolutnego. Uważał on, że w człowieku jest umysł bierny i śmiertelny (*nous pathetikos*) oraz umysł czynny lub boski (*nous poietikos*), zdolny do poznania boga. Najwyższym celem etycznym człowieka była dlań *eudaimonia*, czyli duchowa doskonałość, dająca szczęście.

Młodszy o całe pokolenie od Arystotelesa Zenon z Kitionu na Cyprze założył w Atenach kolejną szkołę, mieszczącą się w Bramie Malowanej (*Stoa Poikile*), stąd jej nazwa szkoły stoickiej. Zenon i jego następcy utrzymywali, że świat jest jednorodny, materialny i ożywiony zarazem, a także iż jego pierwiastek czynny (*pneuma*) nadaje mu celowy ruch. Dla stoików więc świat był bytem rozumnym i celowym, a więc posiadał naturę boską. Platońskiego Demiurga włączali więc stoicy do świata. Szczęście w tym świecie można, ich zdaniem, osiągnąć albo przez opanowanie zewnętrznych okoliczności, albo przez uniezależnienie się od nich. Złe było dla nich życie wbrew naturze, cnocie i rozumowi, najczęściej wynikające z afektów. Mędrca dążącego do szczęścia winna zaś charakteryzować beznamiętność (*apateia*).

Odmienny nurt filozoficzny zapoczątkował rówieśnik Platona Arystyp z Kyrene. Nurt ten zwie się czasem cyrenejskim lub hedonistycznym. Arystyp głosił, że jedynym dobrem jest przyjemność (*hedone*) i to przede wszystkim natury fizycznej. Hedonizm Arystypa rozwinął prawie sto lat po nim Epikur z Samos. W przeciwieństwie do Cyrenejczyka twierdził on, że brak cierpienia jest już przyjemnością, a także iż radość życia czy szczęście dają także przyczyny zewnętrzne. Co więcej, uważał on, że warunkami osiągnięcia szczęścia są cnota i rozum. Epikur był materialistą, a świat rozumiał jako olbrzymią machinę, możliwą do poznania jedynie zmysłami. W związku z tym zaprzeczał istnieniu bytów niematerialnych czy boskich.

Inny rówieśnik Platona, Antystenes z Aten, założył szkołę cyników. Ponad wszystko stawiali oni cnotę. Skłaniali się ku materialistycznej wizji świata, ale jego poznaniu nie poświęcali specjalnej uwagi. Radykalizm cyników znalazł najgłośniejszego przedstawiciela w Diogenesie z Sinope, który odrzucił własność i ojczyznę, drastycznie atakując zdobycze cywilizacji. Pirron z Elis, żyjący za czasów Arystotelesa, zapoczątkował ostatnią szkołę greckiej filozofii – sceptycyzm. Twierdził on, że nie wiemy, jakie są własności rzeczy, wobec czego musimy się powstrzymać od sądów o nich, co jest warunkiem spokoju i szczęścia. Ogólną dyrektywą sceptyków było i jest, że nie ma więcej pewności wobec danego twierdzenia niż wobec twierdzenia z nim sprzecznego. Jednym z następców Pirrona był Karneades z Kyrene, który przeszczepił sceptycyzm grecki na grunt Rzymu[24].

Prawie wszystkie zachodnie nurty filozofii wywieść można od filozofów greckich. Choć w swych naukach bardzo się różnili, nauczyli oni nas logiki, a także tego, jak rozróżniać wiarę od wiedzy i tego, jak rozumieć człowieka jako istotę społeczną.

PRAWO RZYMSKIE

Wszystkie archaiczne systemy prawne wiązały normy prawne z religijnymi. Nie znano właściwie norm ogólnych, lecz regulowano konkretne przypadki, często na zasadzie „talionu", czyli równej odpłaty lub zemsty. Słynna zasada „oko za oko, ząb za ząb" z kodeksu Hammurabiego była właśnie regulacją w rodzaju talionu, ograniczającą zemstę do działań równoważnych, a nie przekraczających zakres czynu przestępczego. Filozofowie greccy sformułowali podstawowe, funkcjonujące do dziś pojęcia sprawiedliwości, słuszności i rozwinęli język, którym zaczęto opisywać problemy prawne. Jednak dopiero Rzymianie w pełni rozwinęli prawo prywatne.

Pierwszą kodyfikacją prawa rzymskiego było „Prawo dwunastu tablic" ułożone około 451 roku p.n.e. Źródłami tego prawa, zatwierdzonego przez komisje ludowe, były uchwały zebrań ludowych (*leges*), zwyczaje (*mores*) i uchwały senatu (*senatus consulta*), razem nazywane prawem cywilnym (*ius civile*), czyli prawem obywateli rzymskich. Do zasad spisanych w „Prawie dwunastu tablic" dołączano orzeczenia czy edykty urzędników, w tym zwłaszcza pretorów. W chwili objęcia urzędowania pretorzy ogłaszali zasady, którymi chcieli się kierować, najczęściej powtarzając wiele sformułowań poprzedników. Tak wytwarzała się tradycja praktyki sądowej. Innym źródłem prawa rzymskiego były orzeczenia w sprawach między obywatelami rzymskimi i cudzoziemcami czy też między cudzoziemcami między sobą (*ius gentium*). Jeszcze w okresie republiki rzymskiej wspomniane zasady zaczęto spisywać, co rozwinęło zarówno ścisłość głoszonych zasad, jak też pogłębiło podstawy orzecznictwa przez komentarze. Powstała w ten sposób pierwotna literatura prawnicza.

Już w okresie pryncypatu upadła działalność ustawodawcza zebrań ludowych. Uprawnienia w tej dziedzinie utrzymał senat, ale też coraz bardziej teoretycznie. Z czasem na plan pierwszy wysunęła się działalność ustawodawcza cesarza, któremu najczęściej doradzali wybitni prawnicy, tacy jak Gajusz Atejusz Capito i szkoła Sabinian lub Marek Antystiusz Labeo i szkoła prokulejanów. Źródłami prawa stały się głównie konstytucje cesarskie w formie edyktów, czyli ustaw ogólnych, reskryptów, czyli odpowiedzi cesarza na zapytania obywateli lub instytucji

---

[24] Cały ten skrótowy przegląd głównych nurtów filozofii greckiej oparto na: Władysław Tatarkiewicz, *Historia filozofii,* t. I, (Warszawa: PWN, 1970); Krokiewicz, *Zarys filozofii greckiej* oraz *Słownik filozofów,* (Warszawa: PWN, 1966), t. I.

rządowych, dekretów, czyli orzeczeń sądowych cesarza w sprawach prywatnych, oraz mandatów, czyli instrukcji dla namiestników prowincji. W latach trzydziestych II wieku cesarz Hadrian nakazał prawnikowi Salwiuszowi Julianowi skodyfikowanie edyktów pretorskich[25]. W następnych dziesięcioleciach system prawa rzymskiego rozwinęli Emiliusz Papianus, Gneusz Domicjusz Ulpianus, Juliusz Paulus czy Hereniusz Modestinus.

Rzymscy prawnicy najczęściej dochodzili do wniosku, że tylko prawo oparte na zasadach etycznych i zgodne z powszechnym poczuciem sprawiedliwości może być skuteczne i uzyskać aprobatę społeczną. Z prawa rzymskiego wywodzą się takie pojęcia jak na przykład rozróżnienie osoby fizycznej i prawnej, normy prawnej, zdolności prawnej, czynności prawnej, praw i obowiązków obywateli i wielu innych. Prawnicy rzymscy wypracowali między innymi odróżnienie prawa własności od posiadania. Własność była dla nich prawem wyłącznego rozporządzania rzeczą, podczas gdy posiadanie było stanem faktycznym, w którym rzecz znajdowała się we władzy danej posiadającego. Rozróżnienie to było szczególnie ważne przy windykacji rzeczy posiadanej przez nie-właściciela przez nieposiadającego właściciela. W prawie rzymskim wykształcono podstawowe kontrakty kupna-sprzedaży, pożyczki, najmu czy zlecenia oraz prawa i obowiązki z nich wynikające. Rozdzielono też odpowiedzialność odszkodowawczą kontraktową od deliktowej.

Już w IV wieku nastąpił jednak kryzys rzymskiej nauki prawa. W istniejących wówczas szkołach prawa, między innymi w Bejrucie i Konstantynopolu, powtarzano na ogół argumenty dawnych autorytetów. Systemy prawne prowincji zaczęły się od siebie różnić i mało kto mógł się zorientować w ogromnej masie przepisów obowiązujących w różnych częściach cesarstwa. Próby kodyfikacji tych przepisów za czasów cesarzy Teodozjusza i Walentyniana niezbyt się powiodły. Dopiero po upadku cesarstwa zachodniego ogromną pracę kodyfikacyjną podjął cesarz bizantyjski Justynian. Mianowana przez niego specjalna komisja pod przewodnictwem prawnika Triboniana opracowała kodeks ogłoszony w 529 roku i znany jako kodeks Justyniana. W następnych latach komisja opracowała też zbiór 50 ksiąg „Digestów” – wypisów z dawnych autorów, „Instytucje” – rodzaj podręcznika dla słuchaczy szkół prawniczych, a także „Nowele”, czyli uzupełnienia do tych zbiorów. Kodyfikację justyniańską nazwano w epoce nowożytnej *Corpus Iuris Civilis*, w odróżnieniu od kościelnego kodeksu kanonicznego. Tradycja prawna wywodząca się z cesarstwa rzymskiego stała się punktem odniesienia dla późniejszych systemów prawnych w europejskich państwach feudalnych: cesarstwie Karola Wielkiego, państw powstałych po jego rozpadzie czy też państw anglosaskich, przez co stała się fundamentem cywilizacji zachodniej.

---

[25] Iwo Jaworski, *Zarys powszechnej historii państwa i prawa*, (Warszawa: PWN, 1978), ss. 31–33; Marek Kuryłowicz, *Prawo rzymskie. Historia, tradycja, współczesność*, (Lublin: Wydawnictwo UMCS, 2003); Antoni Dębiński, *Rzymskie prawo prywatne. Kompendium*, (Warszawa: Wolters Kluwer Polska, 2017).

Imperator August jako Jowisz, rzymska rzeźba z I w. n.e. Wielką zasługą cywilizacji rzymskiej było stworzenie systemu prawa, z którego zasad korzystamy do dziś.

CHRZEŚCIJAŃSTWO

Korzenie chrześcijaństwa tkwią w Starym Testamencie. Jezus Chrystus był bowiem Żydem, który nie przyszedł po to, by zmienić prawo mojżeszowe, ale żeby je wypełnić. Dlatego też mówi się czasem o wpływie kultury judeochrześcijańskiej na kulturę Zachodu. Judaizm i chrześcijaństwo mają wiele wspólnych cech. Po pierwsze, są to religie objawione. Religijność pierwotna brała się z lęku przed światem i życiem, a bóstwa w niej czczone były efektem ludzkich projekcji. Gdy człowiek nie znajdował satysfakcji ani wytłumaczenia cierpienia w *sacrum*, zajmował się *profanum*. Judaiści i chrześcijanie wsłuchują się w głos Boga, a *sacrum* i *profanum* jest w ich życiu znacznie ściślej połączone. Po drugie, judaizm i chrześcijaństwo mają charakter historyczny. Odnoszą się bowiem wyraźnie do objawień w konkretnym miejscu i czasie. Z grubsza można określić czas, gdy Abraham wyszedł z Ur, a Mojżesz z Egiptu, kiedy panował król Dawid lub gdy na świecie żył Jezus Chrystus[26] i co z tego wynikło. Po trzecie, judaizm i chrześcijaństwo nie rozróżniają zbyt silnie ciała i duszy, gdyż obydwie części osoby pochodzą od Boga i mogą Mu służyć. Stąd wynika judaistyczna i chrześcijańska koncepcja osoby, płci i małżeństwa oraz stosunków między ludźmi. Obydwie te religie przyniosły prawdziwą rewolucję moralną, w zupełnie nowym świetle stawiając akt seksualny jako czynność odpowiedzialnych osób współdziałających ze Stwórcą. Po czwarte, w antropologii obu tych religii centralne miejsce zajmują pojęcia zła, grzechu, usprawiedliwienia, przebaczenia i pojednania z Bogiem. Po piąte wreszcie, wspólną cechą obu religii jest obowiązek przekazywania świadectwa wiary następnym pokoleniom[27].

O ile judaizm pozostał religią Izraela, to nauka Chrystusa zmieniła świat Zachodu w stopniu, którego nie może ignorować. Nie chodzi tu o apoteozę całej spuścizny chrześcijaństwa z dwóch tysięcy lat, spuścizny, która była dziełem ludzi, co najwyżej lepiej lub gorzej motywowanych tą nauką. W spuściźnie tej można odnotować także winy, i to poważne, tych, którzy tę naukę źle interpretowali lub którzy jej się sprzeniewierzyli. Za winy przedstawicieli Kościoła przeprosił zresztą swego czasu papież Jan Paweł II. Chodzi o przypomnienie, jak wiele i jak ważnych jest w cywilizacji zachodniej elementów wynikających z nauki Chrystusa oraz jak ważne są pozytywne elementy tej spuścizny. W dobie obecnej, gdy chrześcijaństwo niestety zostało zdeformowane lub zignorowane w analizach naukowych i w świadomości większości społeczeństw zachodnich, koniecznym staje się przypomnienie podstawowych faktów.

---

[26] Por. np. Wilfrid J. Harrington, *Klucz do Biblii*, (Warszawa: PAX, 1984); Giuseppe Ricciotti, *Życie Jezusa Chrystusa*, (Warszawa: PAX, 1955); Wojciech Roszkowski, *Świat Chrystusa*, (Kraków: Biały Kruk, 2016–2017), t. I-III.

[27] Lapidarnie ujął to Jan Grosfeld, „Żydowski wymiar chrześcijaństwa", (w:) Michał Gierycz, Jan Grosfeld (red.), *Zmagania początku tysiąclecia*, (Warszawa: Łośgraf, 2012), ss. 13–23.

Adoracja Baranka Bożego, główna część XV-wiecznego Ołtarza Gandawskiego autorstwa niderlandzkich malarzy Huberta i Jana van Eycków. Wiara w ofiarę Baranka stała się jednym z fundamentów chrześcijaństwa.

Po pierwsze więc mamy Dekalog – dziedzictwo Starego Testamentu, które Chrystus przypomniał i interpretował w wielu komentarzach odnoszących się do życia codziennego. Pierwszym i najważniejszym jego przesłaniem jest to, że świat został stworzony przez Boga wszechmocnego, Boga miłości, który nakazuje traktować bliźnich w taki sam sposób, jak siebie samego. Drugim, podstawowym przesłaniem jest krzyż, na którym Chrystus – Syn Boży poniósł śmierć, odkupując grzechy ludzi, a potem zmartwychwstał, wskazując wszystkim, co ich czeka po śmierci. Niezależnie od sporu o istotę osoby Chrystusa, który podzielił chrześcijan już w IV i V wieku, przesłania te zawarte są w nicejskim *Credo* i w „Modlitwie Pańskiej". Na tych fundamentach opiera się „Katechizm Kościoła katolickiego", wyjaśniający podstawy doktryny chrześcijańskiej[28]. Jest w chrześcijaństwie coś być może najważniejszego: obowiązek kultywowania najbardziej osobistego, intymnego kontaktu z Bogiem, rozumienia odpowiedzialności za swoje czyny, stałego wietrzenia sumienia i krytycznej oceny nie tylko cudzego, ale przede wszystkim własnego postępowania. Nie jest to łatwe i nie wszyscy ochrzczeni potrafią tak żyć, toteż pozytywny wpływ chrześcijaństwa można mierzyć zasięgiem takiej postawy.

Dziś, gdy wielu „ekspertów" sądzi, że Kościół rozwinął się dopiero w IV wieku, po zaprzestaniu prześladowań przez Konstantyna, trzeba przypomnieć listę wybitnych ludzi Kościoła, którzy uformowali duchowość Zachodu, a o których często milczą podręczniki z historii cywilizacji zachodniej. Lista ta jest tak długa, że można by ją ciągnąć niemal bez końca, więc tylko kilka przykładów.

Klemens, czwarty po Piotrze, Linusie i Anaklecie biskup rzymski, znał apostołów, w tym głównie św. Pawła, a jego świadectwo, zawarte w obszernym liście do Koryntian, było prostą kontynuacją świadectwa apostołów. Napisał tam: „Apostołowie głosili nam Ewangelię, którą otrzymali od Jezusa Chrystusa, a Jezus Chrystus został posłany przez Ojca"[29]. Jak apostołowie, tak i on wierzył nieugięcie w zmartwychwstanie: „Zastanówmy się, umiłowani, w jaki sposób Bóg wskazuje nam nieustannie na mające nastąpić zmartwychwstanie, którego dał już pierwociny, wskrzeszając z martwych Pana Jezusa Chrystusa"[30]. Nie wiemy na pewno, czy informacje o męczeństwie Klemensa około 101 roku są prawdziwe, lecz wiemy, że depozyt wiary przechował i przekazał dalej.

Podróżując wiele po Azji Mniejszej za panowania cesarza Trajana, trzeci po Piotrze i Ewodiuszu biskup Antiochii, Ignacy, jeszcze za życia świętego Jana Ewangelisty, dawał świadectwo o życiu, śmierci i zmartwychwstaniu Chrystusa. Tłumaczył bałamutność twierdzeń wrogów chrześcijan, którzy już wówczas siali fałszywe teorie o Chrystusie. W liście do Kościoła w Efezie napisał: „jesteście kamieniami świątyni Ojca, przygotowani na budowę, jaką sam wznosi. Dźwiga was do góry machina Jezusa Chrystusa, którą jest Krzyż, a Duch Święty służy wam za linę"[31]. Uczył, także, że gminy chrześcijańskie nie powinny zachowywać

---

[28] *Katechizm Kościoła katolickiego*, (Poznań: Pallotinum, 1994), cyt. dalej jako KKK.
[29] Św. Klemens, *List do Kościoła w Koryncie*, XLII, 1.
[30] Tamże, XXIV, 1.
[31] Św. Ignacy, *List do kościoła w Efezie*, IX, 1.

szabatu, lecz święcić dzień zmartwychwstania, czyli niedzielę. Nawoływał do jedności chrześcijan wokół osoby biskupa. Zginął rozszarpany przez dzikie zwierzęta na rzymskiej arenie w grudniu 107 roku.

Uczeń uczniów Jana Ewangelisty, w tym prawdopodobnie Polikarpa, biskup Meliton z Sardes, zmarły około 180 roku, prawdopodobnie ustalił katolicki kanon Starego Testamentu. Pisał: „Zamiast baranka Bóg przyszedł i zamiast owcy człowiek, a w człowieku Chrystus, który ogarnie wszystko (…) On sam jest wszystkim: prawem, jako że sądzi, Słowem, jako że uczy, Ojcem, jako że daje życie, Synem, jako że otrzymuje życie, barankiem, jako że cierpi, człowiekiem, jako że jest pogrzebany, Bogiem, jako że zmartwychwstaje"[32].

Biskup Lyonu Ireneusz, wychowany w Smyrnie, pobierał nauki od św. Polikarpa, ucznia św. Jana Ewangelisty. Na polecenie swego mistrza udał się do Galii, gdzie niestrudzenie szerzył naukę o Chrystusie. W *Adversus haereses* (Przeciw herezjom) polemizował ze wszystkimi sektami parachrześcijańskimi. Przedstawił też chrześcijańską kosmologię, teologię i eschatologię, w tym teorię Wcielenia. Znał też i cytował wszystkie cztery ewangelie. Potwierdził, że św. Mateusz napisał ewangelię dla „Hebrajczyków", a Marek „przekazał nam również na piśmie to, co Piotr głosił; Łukasz zaś, towarzysz Pawła, w księdze swej ułożył ewangelię, jak ją ten apostoł rozszerzał"[33]. Zauważał, że prawo moralne jest naturalnie zakorzenione w ludzkiej duszy: „Od początku Bóg zakorzenił w sercach ludzi zasady prawa naturalnego. Potem ograniczył się do ich przypomnienia. Był to Dekalog"[34]. Ireneusz poniósł śmierć męczeńską w czasie prześladowań w 202 roku.

Klemens z Aleksandrii był przełożonym szkoły katechetycznej w Aleksandrii, nie tylko znawcą Pisma Świętego, odróżniającym pisma oryginalne od apokryficznych, ale także filozofii greckiej i całej wczesnej spuścizny piśmiennej chrześcijaństwa. Jako autor rozważań o błędach pogan „Zachęty dla Greków" (*Propreptikos pros Hellenas*), chrześcijańskiej nauki moralnej „Pedagoga" (*Paidagogos*) i „Barwnych kobierców" (*Stromata*), aforystycznie sformułował tezę o chrześcijaństwie jako wiedzy, a nie tylko wierze[35]. Polemizował z gnostykami, przekładając moralną doktrynę chrześcijaństwa na terminy filozoficzne. Jego śmierć w 212 roku zakończyła owocne życie apologety.

Urodzony jako poganin biskup Aleksandrii Dionizy, nazwany Wielkim z racji roli w Kościele swej epoki oraz głębokości refleksji teologicznej, zajął wysokie miejsce w hierarchii społecznej miasta, nawrócił się pod wpływem Orygenesa, a pogłębiwszy wiedzę objął kierownictwo szkoły katechetycznej i urząd biskupa w 247 roku. Kilkakrotnie więziony, uniknął śmierci w czasie wielkich prześladowań cesarza Waleriana. Obfita spuścizna literacka, jaką pozostawił po swojej śmierci w 264 roku, jest świadectwem siły ortodoksji teologicznej Kościoła przed soborem nicejskim.

---

[32] Meliton z Sardes, „Homilia paschalna", (w:) *Pierwsi świadkowie. Pisma ojców apostolskich*, (Kraków: Wydawnictwo M, 1998), ss. 309–321.

[33] Euzebiusz, *Historia kościelna*, V, 8.

[34] KKK, 2070.

[35] Euzebiusz, *Historia kościelna*, V, 11, 3–5.

A po soborze nicejskim z 325 roku – co za galeria wielkich postaci, dziś często świadomie wymazywanych z pamięci! Oto święty Ambroży, syn prefekta Galii z IV wieku. Zdobywszy gruntowne wykształcenie, w wieku około 30 lat został namiestnikiem Ligurii i Emilii z siedzibą w Mediolanie. W 374 roku lud miasta okrzyknął Ambrożego biskupem. W tej roli nadal pogłębiał swą formację teologiczną, studiując pisma Orygenesa, Atanazego, Bazylego Wielkiego i Grzegorza z Nazjanzu, a także dzieła filozofów starożytnych. Doszedłszy do niezwykłej erudycji, stał się wybitnym mówcą i duszpasterzem. Energicznie zwalczał pogaństwo i arianizm. Kiedy w 390 roku cesarz Teodozjusz, sprzyjający katolicyzmowi, dokonał masakry mieszkańców Salonik, biskup Ambroży odmówił mu prawa uczestnictwa we Mszy św. Cesarz uzyskał rozgrzeszenie dopiero po wyznaniu winy i odbyciu pokuty. Ambroży zmarł w 397 roku jako jeden z filarów Kościoła. Przypisuje mu się autorstwo słynnego hymnu *Te Deum laudamus:* „Ciebie Boga wysławiamy, Tobie Panu wieczna chwała, Ciebie, Ojcze, niebios bramy, Ciebie wielbi ziemia cała"[36].

Fundamentem filozofii chrześcijańskiej stała się twórczość Augustyna, biskupa Hippo Regius (dziś Annaba w Algierii). Urodzony w Tagaście (Souk Ahras) w 354 roku w rodzinie poganina Patrycjusza i chrześcijanki Moniki, studiował retorykę w Kartaginie, gdzie należał do hulaszczej elity młodzieżowej i związał się z pewną kobietą, z którą miał nieślubnego syna. Pod wpływem pobożnej matki oddalił konkubinę i wyjechał do Rzymu, gdzie ciężko zachorował, a po wyzdrowieniu ochrzcił się wraz z synem Adeodatem. W 391 roku został wyświęcony na kapłana, a cztery lata później – na biskupa Hippo Regius. Od tej pory nie tylko administrował diecezją, ale także prowadził intensywną działalność duszpasterską i naukową. W swoich dziełach, z których najbardziej znane są „Wyznania", „O nieśmiertelności duszy", „O wolnej woli" oraz „O prawdziwej religii", stworzył syntezę wiary i rozumu. Wedle Augustyna człowiek jest zdolny do częściowego choćby poznania Boga dlatego, że został stworzony na Jego obraz i podobieństwo. Zdolność tę traci jednak w wyniku grzechu. Augustyn głosił równość trzech osób Boskich jako odbicie triady pamięci, poznania i woli. Uważał, że nie ma zbawienia bez Chrystusa, gdyż Bóg wcielił się, aby ludzi zbawić, czyli uwolnić z mocy Szatana. „Żyć dobrze – pisał – to nic innego jak miłować Boga całym sercem, całą duszą i całym umysłem. Dla Niego zachowuje człowiek nienaruszoną miłość (dzięki umiarkowaniu), której żadne nieszczęście nie złamie (dzięki męstwu), która posłuszna jest jedynie Bogu samemu (dzięki sprawiedliwości), która czuwa nad rozeznaniem wszystkiego, by nie dać się zaskoczyć przez podstęp i kłamstwo (dzięki roztropności)"[37]. Jego zdaniem usprawiedliwienie osiąga się poprzez wiarę

---

[36] *Hymny kościelne*, (Warszawa: Pax, 1978), s. 275. Por. też: Ks. Jerzy Pałucki, *Ambroży z Mediolanu*, (Kraków: WAM, 2004).

[37] KKK, 1809. Por. też np.: Alasdair MacIntyre, *Bóg, filozofia, uniwersytety*, (Warszawa: PAX, 2013), ss. 33–49.

Wizja św. Augustyna na obrazie XVII-wiecznego francuskiego malarza Philippe'a de Champaigne'a. Dorobek tego myśliciela uformował chrześcijańską filozofię.

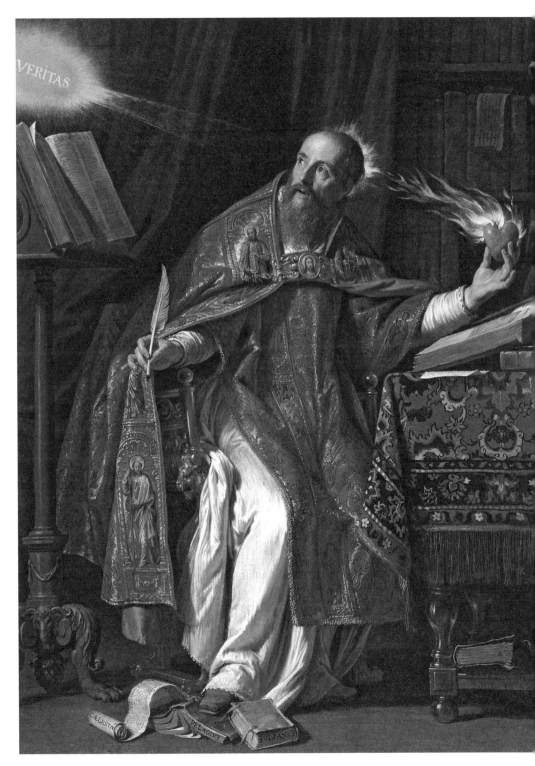

dzięki wolnej woli, ale także dzięki łasce Bożej. W „Państwie Bożym" zawarł też chrześcijańską wizję dziejów. Zmarł w 430 roku w Hipponie.

Patron Irlandii, Patryk, urodził się w rzymskiej Brytanii. Porwany przez irlandzkich piratów w wieku 16 lat, spędził następne sześć lat w niewoli w Irlandii, pasąc bydło i wiele się modląc. Po tym okresie udało mu się uciec i dopłynąć do Galii, gdzie przygotowywał się do stanu kapłańskiego, przyjmując nauki między innymi od biskupa Germana z Auxerre. Wrócił do Irlandii około 430 roku jako biskup misyjny. W ciągu następnych dziesięcioleci zdołał nawrócić dużą część irlandzkich klanów w północnej, środkowej i zachodniej części wyspy. Wspierał też życie zakonne i sam prowadził zakonny tryb życia. Umierając około 460 roku zostawił Irlandię prawie całkiem ochrzczoną. Słynne stało się jego porównanie Trójcy Świętej do listka koniczyny, który stał się symbolem chrześcijańskiej Irlandii. W następnych wiekach wyspa była, dzięki dziełu Patryka, ważnym centrum życia chrześcijańskiego i wzorem dla Europy[38].

Benedykt z Nursji, pionier życia zakonnego w zachodniej Europie, był odnowicielem Kościoła w VI wieku. Pochodził z Umbrii. Podjąwszy studia w Rzymie zniechęcił się do nich ze względu na niespokojne i rozwiązłe życie tamtejszej młodzieży. W wieku 20 lat podjął życie pustelnika w Subiaco, gdzie zgromadził grupę mnichów, którzy próbowali dzielić jego ascetyczny sposób życia ku chwale Bożej. Surowość życia, jakie prowadził, nie odpowiadała jego współbraciom, a zagrożony przez mnichów z sąsiedniego klasztoru zmuszony był uciec z Subiaco i w 529 roku założył na Monte Cassino, w miejscu dawnej świątyni pogańskiej, nowy klasztor i tu napisał regułę benedyktyńską. Stała się ona podstawą życia monastycznego w Europie. Jedną z jej podstawowych zasad było „módl się i pracuj", a naczelną cechą duchowości benedyktyńskiej – „bycie z Bogiem", do czego należy dążyć przez *metanoię*, czyli codzienne nawracanie się. Benedykt był człowiekiem szczerym i prostym, ale wymagającym od siebie i innych. Gdy umierał w marcu 547 roku, zakon benedyktyński był już potężną siłą w Kościele[39]. W następnych wiekach powstało parę tysięcy klasztorów benedyktyńskich, skupiających kilkadziesiąt tysięcy zakonników.

Zmarły w 604 roku Grzegorz I Wielki, papież i doktor Kościoła, był jego fundamentem w trudnych czasach końca VI wieku. Wybrany biskupem Rzymu w 590 roku, musiał stawić czoła wielu wyzwaniom: ingerencji świeckich władców Cesarstwa Bizantyjskiego i dominacji patriarchy Konstantynopola, rosnącej autonomizacji struktur kościelnych oraz inwazji Longobardów. Przywrócił dyscyplinę w hierarchii kościelnej. Poprzez sojusz z Merowingami i zabiegi dyplomatyczne uchronił Rzym przed kolejnymi zniszczeniami z rąk longobardzkich najeźdźców, a przez sprowadzenie rywalizacji z Konstantynopolem do płaszczyzny dialogu doktrynalnego i wykorzystanie przewrotu w stolicy cesarstwa odzyskał prymat biskupa Rzymu w Kościele. Uporządkował śpiewy liturgiczne, które później przybrały kształt chorału gregoriańskiego, skodyfikował też „Kanon rzymski"

---

[38] Ks. Kazimierz Panuś, *Święty Patryk,* (Kraków: WAM, 2004).
[39] Tomasz M. Dąbek OSB, *Św. Benedykt z Nursji,* (Kraków: WAM, 2004).

wprowadzając do Mszy Świętej modlitwę „Ojcze nasz", a dzięki niemu łacina stała się jedynym językiem liturgicznym w Kościele Zachodnim.

Jeden z największych umysłów swej epoki, Izydor, był arcybiskupem rodzinnej Sewilli i doradcą kolejnych wizygockich królów Hiszpanii. Ponad trzydziestoletnie rządy Izydora w archidiecezji to okres niezwykłego rozwoju wiary w społeczeństwie hiszpańskim. Zwoływał synody, tworzył szkoły i klasztory. Szczególną wagę przywiązywał do kształcenia młodego pokolenia. Pozostawił między innymi pierwszą encyklopedię *Codex etimologiarum,* gigantyczną syntezę ówczesnej wiedzy, opartą w dużej mierze na spuściźnie starożytnej. Jego wizja świata była pełna optymizmu, wynikającego z przekonania o dziejowej roli Kościoła i wizygockiej Hiszpanii. Był wzorem erudycji, ale i skromności, ostrzegając pasterzy Kościoła przed szukaniem zaszczytów, hipokryzją, ignorancją i pychą. Zmarł w kwietniu 636 roku[40].

Listę tych postaci można by ciągnąć w nieskończoność, więc jeszcze tylko trzy osoby. Dominik Guzman z Kastylii studiował nauki wyzwolone i teologię, po przyjęciu święceń kapłańskich wstąpił do zakonu kanoników regularnych. Po podróży misyjnej do Danii i Francji połączył wraz z grupką towarzyszy regułę świętego Augustyna z niektórymi punktami reguły norbertanów. Papież Honoriusz III zatwierdził nowy Zakon Kaznodziejski. Dominik wysłał swych współpracowników do Włoch, Hiszpanii i Francji. Tak zaczęła się niezwykła historia zakonu dominikanów, pierwszego zgromadzenia o regule prawdziwie demokratycznej. Zmarł w sierpniu 1221 roku.

Franciszek z Asyżu był synem zamożnego kupca z Asyżu. W młodości uprawiał rzemiosło rycerskie, a po bitwie z wojskiem Perugii znalazł się tam w niewoli. Zwolniony ze względu na ciężką chorobę, przeszedł niezwykłą przemianę. W asyskim kościółku San Damiano usłyszeć miał głos Chrystusa, który kazał mu „odbudować kościół". Pracując przy remoncie świątyń San Damiano, San Pietro i kapliczki w Porcjunkuli pod Asyżem zrozumiał to także w sensie ogólnym, gdyż współczesny Kościół znalazł się w kryzysie. Oskarżony przez ojca o zagarnięcie mienia rodzinnego i skazany przez sąd biskupi, zdjął odzienie i oddał ojcu co miał. Prawdziwe szczęście odnalazł w uniezależnieniu się od tego świata, naśladowaniu Chrystusa i ewangelicznym ubóstwie, rozpoczynając służbę Bogu i ubogim w pustelni pod Asyżem. W 1210 roku miał już dziewięciu naśladowców, którym dał pierwszą regułę, wkrótce zatwierdzoną przez papieża Honoriusza III. Tak powstał zakon „braci mniejszych", czyli franciszkanów. Praktyka ubóstwa i ewangelizacji na nowo ożywiły skostniałe chrześcijaństwo Italii, rozdzierane politycznymi konfliktami i wojnami. Wkrótce ruch franciszkański ogarnął też inne kraje. Do dziś w postawie świętego Franciszka zachwyca jego afirmacja świata. W „Pieśni słonecznej" pisał: „Pochwalony bądź, mój Panie, ze wszystkimi Twymi stworzeniami, a przede wszystkim z naszym bratem słońcem, które dzień daje, a Ty przez nie świecisz, ono jest piękne i promieniste, a przez swój blask jest Twoim wyobrażeniem, o Najwyższy (…) Panie, bądź pochwalony przez naszą siostrę

---

[40] Tatiana Krynicka, *Izydor z Sewilli,* (Kraków: WAM, 2007).

wodę, która jest bardzo pożyteczna i pokorna, i cenna, i czysta (...) Panie, bądź pochwalony przez naszą siostrę – matkę ziemię, która nas żywi i chowa, i rodzi różne owoce, barwne kwiaty i zioła. Czyńcie chwałę i błogosławieństwo Panu i składajcie mu dzięki i służcie Mu z wielką pokorą"[41].

Najwybitniejszy być może filozof średniowieczny, Tomasz z Akwinu, studiował sztuki wyzwolone w Neapolu, a w 1244 roku wstąpił do zakonu dominikanów. Po uzyskaniu święceń i doktoratu na uniwersytecie paryskim wykładał tam i stworzył pierwsze swoje wielkie dzieła: „O bycie i istocie" oraz „O zasadach natury". W Paryżu bywał na dworze króla Francji Ludwika IX. W latach 1261–65 wykładał w szkole dominikańskiej w Orvieto, a następnie na wezwanie papieża udał się do Rzymu, gdzie nauczał i rozpoczął pracę nad dziełem swego życia *Summa theologiae*. W 1272 roku założył studium dominikańskie w Neapolu. W drodze na sobór w Lyonie zmarł w marcu 1274 roku. Filozofia świętego Tomasza, zwana realizmem, jest połączeniem myśli Arystotelesa z nauką chrześcijańską. O przedmiocie teologii napisał: „Chrześcijańska teologia zajmuje się Bogiem, który uczynił ludzi, nie jest zaś uczyniony przez nich"[42]. Za istnieniem Boga, które wymaga uzasadnienia, przemawia, według świętego Tomasza, pięć argumentów: 1 – jeśli istnieje ruch, to istnieje pierwszy poruszyciel, 2 – jeśli wszystko ma przyczynę, to musi istnieć przyczyna pierwsza, 3 – jeśli byty przygodne nie są konieczne, to musi istnieć byt konieczny: Bóg, 4 – jeśli rzeczy wykazują różną doskonałość, to musi istnieć byt najdoskonalszy, 5 – jeśli celowość jest oznaką rozumności, to ład i porządek w świecie nieożywionym wskazują na istnienie Boga. Dla ludzkiego poznania najważniejsza jest wiara, ale winna być wsparta rozumem[43].

Jednym z głównych zarzutów ateistów wobec chrześcijaństwa jest jego rzekoma wrogość do nauki. Przeciwstawiają oni nowożytny „wiek rozumu" średniowiecznemu „wiekowi wiary"[44]. Twierdzą, że rozwój nauki uległ przyspieszeniu dzięki wyzwoleniu się badaczy z pęt kościelnej kontroli, gdyż Kościół narzucał priorytet wiary nad rozumem. Tę całkowicie fałszywą tezę podpiera się jedynym znanym przypadkiem Galileusza, który został dość nieszczęśliwie potępiony przez papieża Urbana VIII za to, iż uznał teorię Kopernika nie za hipotezę, ale za naukowy pewnik bez przedstawienia dowodów, które poznano znacznie później, a także za to, że wyciągał z tego z uporem wnioski teologiczne[45].

---

[41] KKK, 344; Andrzej Zając OFMConv, *Święty Franciszek*, (Kraków: WAM, 2007).

[42] *Suma teologiczna*, I, q1 a4.

[43] MacIntyre, *Bóg, filozofia, uniwersytety*, ss. 105–133; James Weisheipl, *Tomasz z Akwinu. Życie, myśl i dzieło*, (Poznań: W Drodze, 1985); Michał Paluch OP, *Dlaczego Tomasz?* (Warszawa: Instytut Tomistyczny, 2012); Mateusz Przanowski OP, *Święty Tomasz z Akwinu o Bogu*, (Warszawa: Instytut Tomistyczny, 2015).

[44] W dziejach wytwarzania fałszywego obrazu walki Kościoła i religii z nauką niesławną rolę odegrały na przykład prace Johna Williama Drapera (*History of the Conflict between Religion and Science*, 1874) oraz Andrew Dicksona White'a (*History of the Warfare of Science and Theology*, 1876), oparte na literackiej inwencji, tupecie i ignorancji. Bazowali oni częściowo na uprzedzeniach Gibbona, ale dodali wiele swoich całkowicie fałszywych sugestii.

[45] David Bentley Hart, *Chrześcijańska rewolucja a złudzenia ateizmu*, (Kraków: WAM, 2011), ss. 85–92; Arthur Koestler, *Lunatycy. Historia zmiennych poglądów człowieka na wszechświat*,

Św. Tomasz z Akwinu w otoczeniu czterech ewangelistów na fresku florenckiego malarza Andrei di Bonaiuto z 1367 r. Św. Tomasz należał do najwybitniejszych filozofów średniowiecza.Dziś jego myśl jest rugowana z uniwersytetów.

Sprawa Galileusza była jednak całkowicie wyjątkowa. Chrześcijaństwo zaś nie tylko nie hamowało rozwoju nauki, ale w dużej mierze się do niego przyczyniło. Okresowi rozkwitu Imperium Rzymskiego między II wiekiem p.n.e. a IV wiekiem n.e. towarzyszyła stagnacja wiedzy naukowej. Ostateczna ruina Cesarstwa Zachodniego była dziełem pogańskich barbarzyńców, ale to chrześcijanie starali się ratować wartościowe dzieła starożytności. To na przełomie V i VI wieku Boecjusz przetłumaczył na łacinę dzieła Arystotelesa, a w następnych wiekach autorzy chrześcijańscy przełożyli na łacinę prace Hipokratesa, Galena, a także greckich autorów chrześcijańskich. W nauce europejskiej wczesnego Średniowiecza przodowali autorzy chrześcijańscy, najczęściej zakonnicy, tacy jak Alkuin, Lupus czy

(Poznań; Zysk i S-ka, 2002), ss. 424–438 i 521.

Abbo z Fleury. Głównym tłumaczem dzieł greckich na arabski był w IX wieku nestorianin Hunain Ibn-Ishak. Nie można też zapominać, że grecka spuścizna starożytna znana była doskonale w Imperium Bizantyjskim. Zachód Europy przyswajał ją nie wbrew, a dzięki uczonym chrześcijańskim. To w klasztorach Zachodu gromadzono i przepisywano dzieła Wergiliusza, Cycerona, Horacego, Pliniusza, Tacyta czy Seneki. Najbardziej znanymi tego przykładami były benedyktyński klasztor na Monte Cassino czy benedyktyńskie opactwo Cluny. To, że wiele pism starożytnych zaginęło, nie było dziełem chrześcijan, lecz wojen, pożarów, grabieży i zwykłego upływu czasu. Przypadki takie jak rozkaz Justyniana, by zniszczyć niektóre pisma heretyckie, były wyjątkiem, a nie zasadą. Zanim zaś Konstantynopol został zdobyty w 1453 roku przez Turków, uczeni greccy popłynęli na Zachód ze swoimi bibliotekami. W istocie „islam był beneficjentem wschodniego chrześcijaństwa, zaś zachodnie chrześcijaństwo beneficjentem ich obu"[46].

Kościół średniowieczny nie tylko nie hamował rozwoju nauki, ale go czynnie wspierał. Cystersi rozwijali energetykę wodną, budując młyny i folusze, oraz przetapiali rudy żelaza. Benedyktyński mnich Eilmer z Malmesbury przeleciał na początku XI wieku ponad sto metrów na rodzaju szybowca. Pierwszy zegar zbudował około 996 roku matematyk Gerbert z Aurillac, czyli przyszły papież Sylwester II. Silnym ośrodkiem naukowym była szkoła katedralna w Chartres, kwitnąca od XI wieku. Pierwsze uniwersytety europejskie zakładane były albo jako fundacje kościelne, albo prywatne, ale z poparciem Kościoła, a ich podstawą było nauczanie teologii, „filozofii przyrody", medycyny oraz prawa cywilnego i kanonicznego. Tak było w przypadku uniwersytetu w Bolonii (1088 r.), Paryżu (około 1100), Oksfordzie (1167 r.), Modenie (1175 r.) czy Salamance (1218 r.). Skompromitowana przez pseudoracjonalistów scholastyka (od słowa *schola* – szkoła) była rozumiana jako racjonalna metoda wnioskowania, a największym scholastykiem był św. Tomasz z Akwinu. Inni wielcy uczeni Średniowiecza także byli duchownymi albo ludźmi Kościoła. Zaliczyć do nich trzeba dominikanina św. Alberta Wielkiego (1193–1205), franciszkanina Rogera Bacona (1214–1292), biskupa Oksfordu Roberta Grosseteste'a (1175–1253) czy kanonika warmińskiego Mikołaja Kopernika (1473–1543). Średniowiecze było nie tylko wiekiem wiary, ale i rozumu, gdyż nie widziało sprzeczności między nimi. Zdaniem mnicha Adelarda z Bath (ok. 1080 – ok. 1152), „to właśnie rozum czyni nas ludźmi"[47]. Również w epoce nowożytnej ludzie Kościoła odgrywali w nauce ogromną rolę. Wystarczy wspomnieć anatoma i geologa duńskiego, bł. o. Nielsa Stensena (1636–1686), jezuickich fizyków i astronomów o. Giambattistę Ricciolego (1598–1671) i Francesco Grimaldiego (1618–1663) oraz jezuitę z Dubrownika, o. Josipa Boškovicia (1711–1787), który zasłynął jako matematyk i fizyk, współtwórca atomowej teorii materii. Teza, iż epoka nowożytna była triumfem rozumu nad wiarą, jest całkowicie bezpodstawnym mitem.

---

[46] Thomas E. Woods Jr., *Jak Kościół katolicki zbudował zachodnią cywilizację*, (Kraków: Wydawnictwo AA, 2006), s. 31 nn; Hart, *Chrześcijańska rewolucja a złudzenia ateizmu*, s. 76.

[47] Woods Jr., *Jak Kościół katolicki zbudował zachodnią cywilizację*, ss. 31–74. Cytat: s. 96. Por. też: A.C. Crombie, *Nauka średniowieczna i początki nauki nowożytnej*, (Warszawa: PAX, 1960), passim.

A czym byłaby cywilizacja zachodnia bez tak wielu postaci z historii kultury zachodniej, które czerpały natchnienie i motywację moralną z chrześcijaństwa? W kościołach i muzeach całego świata podziwia się dzieła Fra Angelico, Giotta di Bondone, Michała Anioła, Leonarda da Vinci, Caravaggia, Rembrandta czy Rubensa. Czym byłby Zachód bez bazylik rzymskich, katedr w Akwizgranie, Chartres, Wiedniu, Nôtre Dame w Paryżu czy na Wawelu, opactwa na Monte Cassino, katedry świętego Pawła w Londynie czy bazyliki Sagrada Familia w Barcelonie? Literatura zachodnia byłaby niczym bez dzieł Dantego, Petrarki, Szekspira, Moliera, Goethego czy Słowackiego, w których wartości chrześcijańskie są stale obecne. Sale koncertowe ciągle rozbrzmiewają muzyką Giovanniego Pierluigiego da Palestriny, księdza Antonio Vivaldiego, Johanna Sebastiana Bacha, a z kompozytorów współczesnych – Oliviera Messiaena, Wojciecha Kilara czy Arvo Pärta.

WYJĄTKOWOŚĆ GOSPODARKI ZACHODNIEJ

Motorem przemian w gospodarce były zawsze dwa mechanizmy działające z różną siłą w różnych okresach i na różnych obszarach. Jeden z nich nazwać by można przymusem prawno-politycznym, drugi – przymusem ekonomicznym. Mechanizm pierwszy opiera się na wykorzystywaniu uprzywilejowanej pozycji elity do wymuszania korzyści w postaci świadczonych usług lub danin. Uzależniony prawno-politycznie bezpośredni wytwórca jest tu zmuszany do pracy na warunkach danych z góry i dzielenia się korzyścią z osobami uprzywilejowanymi wedle zasad narzuconych z góry. Pod tym względem sytuacja niewolnika, chłopa pańszczyźnianego lub pracownika przedsiębiorstwa socjalistycznego różni się głównie poziomem dochodów. Żaden z nich nie może jednak uciec od systemu przymusu prawno-politycznego, w którym wykonuje pracę. Mechanizm drugi opiera się na wolności pracodawcy i pracobiorcy. Pracobiorca nie musi pracować dla swego pryncypała z powodu zależności prawno-politycznej, lecz jedynie dlatego, że musi zdobyć środki utrzymania. Pracownik tak czy inaczej musi wykonywać swą pracę, ale powód jest zupełnie różny w jednym i drugim przypadku. Mechanizm pierwszy oznacza w zasadzie rozwój ekstensywny, mechanizm drugi – rozwój intensywny. Z pewnym uproszczeniem można powiedzieć, że drugi mechanizm jest typowy dla Zachodu, choć historia gospodarcza Europy wskazuje, że z tego punktu widzenia granica Zachodu ulegała zmianom.

Zmiany te wynikały z czasu i sposobu wyjścia z feudalizmu. Na temat istoty fenomenu potocznie określanego mianem feudalizmu toczą się od lat spory między badaczami społeczeństw[48]. Niektórzy z nich w ogóle unikają stosowania tego terminu i kwestionują zasadność używania tak ogólnych i nieostrych pojęć. Inni godzą się z węższym rozumieniem tego pojęcia, jako „metody rządzenia, a nie systemu społecznego czy ekonomicznego", akcentując przy tym stosunek między

---

[48] Krótki opis tych sporów: Jerzy Topolski, *Narodziny kapitalizmu w Europie XIV-XVII wieku*, (Warszawa: PWN, 1987), s. 9 nn.

panem a wasalem jako najważniejszą cechę tej metody[49]. Niektórzy badacze skłonni byli opisywać feudalizm jako spójny system społeczno-gospodarczy, a nawet budowali teorię ekonomiczną tego systemu[50]. Sytuację bezpośredniego wytwórcy w feudalizmie określały trzy czynniki: stopień wolności osobistej od pana, stosunek do uprawianej ziemi i rodzaj renty płaconej panu (robocizna, renta w naturze lub czynsz pieniężny). Czynniki te w decydującej mierze określiły też ewolucję społeczeństw feudalnych i perspektywy rozwoju gospodarki rynkowej. Jeszcze w obrębie władztwa gruntowego w Zachodniej Europie miasta zaczęły zyskiwać uprzywilejowaną pozycję. Wobec niskiego poziomu bezpieczeństwa na drogach związek okolicznych wsi z ośrodkiem miejskim stawał się systemem w dużej mierze zamkniętym.

Między XI i początkiem XIV wieku nastąpił rozkwit gospodarki feudalnej w Europie. Wyrazem tego był wzrost liczby ludności Europy z około 36 mln w 1000 r. do około 79 mln w 1300 r. oraz wzrost udziału ludności europejskiej z 14% ludności świata do 22%[51]. W rozwoju tym udział Europy Zachodniej był nie większy niż Europy Wschodniej. Pod koniec XV wieku Europa Wschodnia znajdowała się już na zbliżonym poziomie rozwoju kultury materialnej co Europa Zachodnia. Mimo to pod koniec XV wieku rozpoczął się historyczny proces, który doprowadził do ponownego cofnięcia gospodarki i społeczeństw Europy Wschodniej w stosunku do Europy Zachodniej. To rosnące różnicowanie struktur gospodarczych i społecznych nazwano z czasem dualizmem agrarnym lub gospodarczym.

Na zachód od Łaby władztwo gruntowe zaczęło się przekształcać w system gospodarki rynkowej. Na skutek ogromnego spadku liczby ludności w wielu wsiach zachodniej Europy z powodu Czarnej Śmierci i wojny stuletniej trudno było od połowy XIV wieku nakłonić ludzi do obsadzenia opustoszałych gospodarstw. Choć panowie feudalni usiłowali zmusić chłopów do posłuszeństwa i dawnych świadczeń, coraz częściej okazywało się, że nie będzie to proste. W 1358 r. nastąpił pierwszy z wybuchów chłopskiego gniewu: francuska „żakeria" (*Jacquerie*). W ciągu następnych dwóch stuleci wojny chłopskie dotknęły większość krajów zachodniej Europy. Panowie feudalni byli więc zmuszeni do stopniowego uwalniania chłopów i przechodzenia na system renty pieniężnej.

Na wschód od Łaby rozwinął się natomiast system folwarczno-pańszczyźniany. Wraz z niedoborem ludności wiejskiej, związanym z katastrofą demograficzną XIV wieku i urbanizacją, kraje zachodniej Europy przestały być samowystarczalne żywnościowo i zaczęły sprowadzać zboże ze wschodniej części Starego Kontynentu. Import zboża zapoczątkowały Niderlandy pod koniec XV wieku. Wkrótce potem za ich przykładem poszła Anglia. Rolnictwo wschodniej Europy, a więc Polski, Czech i Węgier, wykorzystało tę koniunkturę, eksportując coraz większe ilości zboża produkowanego w oparciu o dostępne czynniki: względnie rozległe

---

[49] Rushton Coulborn (red.), *Feudalism in History*, (Princeton: Princeton University Press, 1956), s. 439.

[50] Por. np. Jan Rutkowski, *Studia z dziejów wsi polskiej XVI-XVIII w.*, (Warszawa, 1956).

[51] Colin McEvedy, Richard Jones, *Atlas of World Population History*, (London: Allen Lane, Penguin Books Ltd., 1978), ss. 18, 342.

„Równowaga polityczna", karykatura obrad Kongresu Wiedeńskiego autorstwa francuskiego malarza Eugène'a Delacroix. Spokój polityczny na kontynencie przekładał się na pomyślny rozwój gospodarczy.

obszary i niemal darmową, pańszczyźnianą siłę roboczą. Szlachta zwiększała zasięg swych gruntów, ograniczając rozmiary działek dzierżawionych chłopom, których jednocześnie przypisano do ziemi i którym zwiększano ciężary pańszczyźniane. Gospodarka folwarczno-pańszczyźniana zdominowała więc Europę Środkowo-Wschodnią. O ile szlachta polska i węgierska cieszyła się statusem obywateli o pełni praw, o tyle w Rosji, księstwach rumuńskich czy na Bałkanach pod panowaniem tureckim, szlachta nie miała dziedzicznego prawa własności, zaś chłopi byli jeszcze bardziej upośledzeni. Eksport zboża przez szlachtę nie sprzyjał rozwojowi miast, z wyjątkiem niektórych portów. Inne miasta wschodnioeuropejskie przeżywały wręcz regres.

Tymczasem w Europie Zachodniej przemiany XVI–XVII wieku spowodowały głębokie przeobrażenie społeczeństw i struktury gospodarczej. W okresie zapoczątkowanym odkryciami geograficznymi przerwany został zamknięty obieg gospodarki naturalnej w rodzinie, wsi lub władztwie gruntowym. Sami chłopi zachodnioeuropejscy stopniowo stawali się częścią gospodarki rynkowej. XVI wiek przyniósł rozkwit targów. XVII wiek rozpoczął okres „gospodarki atlantyckiej", związany z rozwojem imperiów kolonialnych[52]. Zmieniały się warunki społeczne i kulturowe:

---

[52] Fernand Braudel, *Afterthoughts on Material Civilization and Capitalism*, (Baltimore: Johns Hopkins University Press, 1977), s. 24.

wzrastała mobilność ludzi i kształtowała się „duchowość kapitalistyczna", której szczególną cechą był kult pracy, oszczędności i racjonalności ekonomicznej. Rozwijał się handel miejski w formie sklepowej. Nieekwiwalentna wymiana z koloniami, grabież krajów zamorskich, a także eksploatacja ich bogactw naturalnych przyczyniły się do gwałtownego poszerzenia źródeł akumulacji kapitału.

Zmuszani do poddaństwa chłopi często uciekali do miast, gdzie obowiązywała zasada azylu. Chłop, który nie został schwytany i przeżył w mieście jeden rok i jeden dzień, najczęściej uzyskiwał wolność. Zwyczajowe prawo azylu działało już w XIII wieku we Flandrii, Anglii, Francji, Włoszech i Niemczech. Miasto dawało też chłopom perspektywę zarobku w pieniądzu. Kolonizacja nowych ziem i ucieczka do miast zmusiły w końcu panów feudalnych do ustępstw na rzecz chłopów. Nowi osadnicy byli często zwalniani z pańszczyzny i danin osobistych. Innego typu reakcją na presję chłopską było „ogradzanie" w Anglii, zapoczątkowane w XV wieku, a kontynuowane w następnych trzech stuleciach. Miasta stawały się ośrodkami, gdzie organizowano targi, podczas których okoliczna ludność wystawiała produkty rolne na sprzedaż.

W XVIII wieku gospodarka rozwiniętych krajów europejskich doznała dalszego przyspieszenia, wchodząc w fazę rewolucji agrarnej, przemysłowej, a także tworzenia nowych instytucji: giełd, nowoczesnych banków i kredytu handlowego. Dlaczego przełom nastąpił w Europie? Istnieje wiele odpowiedzi na to pytanie. Na przykład w Chinach na przeszkodzie stanęła skostniała struktura społeczna, przywileje polityczne warstw rządzących, brak ruchliwości w obrębie społeczeństwa i między państwami, a także przedsiębiorczej duchowości. Podobnie było w Indiach i Japonii, gdzie również nie wykształciły się nowoczesne instytucje prawa handlowego, kredyt kupiecki, giełdy towarowe oraz nie było przesłanek do akumulacji kapitału[53].

Na przełomie XVII i XVIII wieku w rolnictwie zachodnioeuropejskim zaczęły zachodzić szybkie zmiany, które określa się często mianem rewolucji agrarnej. Dokonywała się ona w płaszczyźnie technicznej i społecznej. Na początku XVII wieku w Niderlandach, a pod koniec tego stulecia w Anglii, Francji i Niemczech wzrosło gwałtownie zainteresowanie uprawą roli. Pojawiła się bogata literatura na ten temat. Modę na kwietniki, ogrody warzywne, sady owocowe, a także sprowadzanie nowych upraw zza oceanu i doskonalenie hodowli wprowadzili Holendrzy. Na początku XVIII wieku ośrodek postępu agrotechnicznego przeniósł się do Anglii. W połowie XVIII wieku rewolucja agrarna dotarła również do Francji, Prus i Austrii[54].

---

[53] Na ten temat por. fundamentalne dzieło Fernanda Braudela, *Kultura materialna, gospodarka i kapitalizm XV-XVIII wiek*, (Warszawa: PIW, 1992), t. I-III lub David S. Landes, *The Wealth and Poverty of Nations*, (New York & London: W.W. Norton & Company, 1998), a także Niall Ferguson, *Cywilizacja. Zachód i reszta świata*, (Kraków: Wydawnictwo Literackie, 2013).

[54] Pod koniec wieku zapomniano tu o „dawnej namiętności do wierzchowców, psów i kobiet", a żywo zainteresowano się hodowlą. „Tylko tego uważano za dobrego gospodarza, kto dzień i noc mówił o krowach". Józef Kuliszer, *Powszechna historia gospodarcza średniowiecza i czasów nowożytnych*, (Warszawa: Książka i Wiedza, 1961), t. II, s. 53.

W następstwie rewolucji agrarnej zaczął się gwałtownie rozwijać przemysł. Istnieje wiele interpretacji przyczyn tak zasadniczego przełomu w dziejach ludzkich, jakim była rewolucja przemysłowa. Najogólniej rzecz biorąc, rewolucja przemysłowa oznaczała zastosowanie po raz pierwszy na taką skalę postępu technicznego w procesie produkcji w celu obniżki kosztów wytwarzania i zwycięstwa w walce konkurencyjnej. Warunkiem wprowadzenia postępu technicznego do produkcji było jednak: 1 – powstanie zasobów wolnej pod względem prawnym siły roboczej, 2 – akumulacja kapitału, 3 – powstanie i stałe rozszerzanie rynku zbytu. Dopiero spełnienie tych trzech warunków jednocześnie wyzwoliło niezwykły dynamizm gospodarczy, którego dźwignią był postęp techniczny. Towarzyszyły mu także: rosnący podział pracy i specjalizacja produkcji, przesuwanie się punktu ciężkości z sektora podstawowego (rolnictwo i górnictwo) do sektora przetwórczego, urbanizacja, wzrost skali produkcji, rewolucja transportowa, narastanie konkurencji na rynku i skłonności do innowacji, zastępowanie pracy kapitałem, a także powstanie i rozwój ideologii wolności gospodarczej oraz nowych klas społecznych – przedsiębiorców (burżuazji) oraz pracowników najemnych (klasy robotniczej). Dopiero wszystkie te zjawiska łącznie określić można rewolucją przemysłową, nie tyle ze względu na gwałtowność przemian, co z powodu ich głębokości[55]. Rewolucja przemysłowa, która rozpoczęła się w Anglii, zapoczątkowała nową epokę w historii gospodarczej – kapitalizm. Głównymi jego cechami były: dążenie do zysku, konkurencja i duch racjonalności. Rewolucja przemysłowa była w sumie sukcesem, skoro liczba ludności Anglii mogła wzrosnąć z około 6 mln w 1750 r. do ponad 9 mln w 1800 r.[56]

Odkrycia geograficzne doprowadziły do przełomu w handlu międzynarodowym. Zmieniły się kierunki handlu, główne jego ośrodki i przedmioty wymiany. O ile w Średniowieczu handel morski prowadzono głównie na Morzu Śródziemnym, Północnym i Bałtyckim, o tyle od końca XV wieku szlaki handlowe zaczęły się przenosić na Atlantyk i Ocean Indyjski. W XV wieku największymi ośrodkami handlowymi Europy były: portugalska Lizbona, hiszpańska Sewilla, porty hanzeatyckie, Marsylia, Paryż i Hawr we Francji, Genua i Wenecja we Włoszech. W wyniku rozkwitu handlu atlantyckiego do czołówki handlowych miast Europy dołączyła w XVI wieku Antwerpia, a następnie Amsterdam, który w krótkim czasie stał się największym portem Europy. Było to związane z utratą hegemonii kolonialnej przez Portugalię oraz Hiszpanię i przejęciem przodownictwa przez Niderlandy. Do coraz większego znaczenia doszły też w XVI wieku porty angielskie: głównie Londyn i Liverpool. Wiązało się to oczywiście ze wzrostem kolonialnej potęgi Anglii. Szczyt tej potęgi przypadł już na wiek XVIII, gdy Londyn stał się główną metropolią handlu światowego.

Do najważniejszych „towarów" należeli też niewolnicy. O ile w Średniowieczu handel niewolnikami monopolizowali Arabowie, od odkryć geograficznych

---

[55] Paul Mantoux, *Rewolucja przemysłowa XVIII wieku*, (Warszawa: PWN, 1957); Kazimierz Piesowicz, *Wielki przewrót. Opowieść o rewolucji przemysłowej*, (Warszawa: PWN, 1962) Phyllis Deane, *The First Industrial Revolution*, (Cambridge University Press, 1983).

[56] McEvedy, Jones, *Atlas of World Population History*, s. 43.

handlem tym zajmowali się na coraz większą skalę Portugalczycy, Hiszpanie, Holendrzy i Anglicy. Już od około 1520 r. Portugalczycy wywozili Murzynów z Afryki przez Lizbonę do Nowego Świata, głównie Brazylii. Następnie gros handlu niewolnikami murzyńskimi przejęli Hiszpanie, a monopol handlu niewolnikami posiadła korona hiszpańska (*asiento de negros*). Handlem niewolnikami trudniła się też francuska Kompania Gwinejska, której współwłaścicielem był król Francji. Na mocy pokoju w Utrechcie z 1713 r. handel ten przejęła Wielka Brytania. Bawełnę i inne surowce przemysłowe uprawiano w Nowym Świecie na rozległych plantacjach przy użyciu niewolniczej siły roboczej. Ogromne masy niewolników nadal przywożono w XVIII wieku z Afryki do Ameryki Południowej, na Antyle oraz do południowych kolonii północnoamerykańskich. Ocenia się, że w latach 1680–1786 statki brytyjskie przewiozły około 2.130.000 niewolników, a więc około 20.000 rocznie[57]. Proceder handlu niewolnikami na tak masową skalę przynosił ogromne zyski i oznaczał niewyobrażalne cierpienia setek tysięcy Murzynów, z których duża część umierała na statkach wiozących ich przez ocean. W liście do rodziny pewien Niemiec tak opisywał targ niewolników w Kingston w 1778 r.: „W zeszłym tygodniu przybył tu statek z ładunkiem 550 Murzynów (…) Przybyło wielu kupców, którzy oglądali i dotykali Murzynów, by sprawdzić ich stan. Cena za silnego mężczyznę w kwiecie wieku sięgała 600 risdalów [około 200 funtów – przyp. W.R.], a za pozostałych – od 200 do 450 risdalów (…) Do godziny dziewiątej wszyscy niewolnicy zostali sprzedani, a nabywcy zabierali do domu swój 'towar'. Mała czarna dziewczynka, pocałowawszy swego brata, którego zapewne nigdy już nie miała zobaczyć, zaczęła płakać; starzy Murzyni żegnali się w uściskach i łzach, wydając dźwięki podobne do skowytu".

Głównymi ośrodkami handlu niewolnikami w XVIII wieku były: Liverpool, Londyn i Bristol. U źródeł gwałtownego przyspieszenia gospodarczego Anglii leżał więc także proceder stanowiący zaprzeczenie ideałów wolności i humanizmu, którymi szczyciła się epoka wczesnego kapitalizmu[58].

Rozwijała się też specjalizacja w handlu. Od handlu towarowego wyodrębniły się operacje bankowe i kredytowa, a także komis, spedycja i handel aukcyjny. Poza samym handlem rozwinęły się na większą skalę transakcje giełdowe akcjami towarzystw handlowych. Prym w tym względzie wiódł Amsterdam. Rozwinęły się gildie kupieckie, a następnie wielkie kompanie handlowe: angielska Kompania Wschodnioindyjska (1600), holenderska Kompania Wschodnioindyjska (1602), holenderska Kompania Zachodnioindyjska, angielska Kompania Hudsońska, francuska Kompania Wschodnia, angielska Kompania Afrykańska i francuska Kompania

---

[57] Kuliszer, *Powszechna historia gospodarcza średniowiecza i czasów nowożytnych*, t. II, s. 271. *Jamaica Journal*, t. 17, nr 4, listopad 1984-styczeń 1985, ss. 39–41.

[58] Trudno jednak uznać, by handel niewolnikami obciążał całą chrześcijańską Europę. Na przykład papieże wielokrotnie potępiali handel niewolnikami (bulle i encykliki z lat 1482, 1639, 1741 oraz 1839). Franz H. Mueller, *The Church and the Social Question*, (Washington and London: American Enterprise Institute for Public Policy Research, 1984), s. 48. W wyniku działań komitetów abolicjonistycznych, zakładanych przez chrześcijańskich altruistów, w 1806 r. Anglia zniosła handel niewolnikami.

Lewantyńska. Kompanie te były wielkimi przedsiębiorstwami monopolizującymi handel na określonym obszarze, często przy pomocy wojsk macierzystego państwa. Na początku XVIII wieku pojawił się w handlu kapitał akcyjny. Obok giełd towarowych rozwinęły się giełdy pieniężne i giełdy papierów wartościowych.

O rozwoju gospodarczym Anglii i Europy w XIX wieku, gdy podbiły one świat, świadczyć mogą następujące liczby. O ile w 1830 r. angielski produkt krajowy brutto (PKB) na mieszkańca oceniano na 370 dolarów parytetu 1960 r., o tyle w 1913 r. wyniósł on już 1070 dolarów. W 1830 r. PKB na jednego mieszkańca stanowił we Francji 74%, a w 1913 r. 63% PKB brytyjskiego. Podobny wskaźnik w przypadku zachodnich Niemiec ocenia się na 65% w 1830 r. i 73% w 1913 r., Włoch – 65% i 46%, a Rosji – 49% i 32% PKB brytyjskiego na jednego mieszkańca. Nie licząc Stanów Zjednoczonych i dominiów brytyjskich, w innych rejonach świata wskaźniki te były jeszcze znacznie niższe[59]. Europa Zachodnia i Stany Zjednoczone były aż do II wojny światowej centrami gospodarczymi świata, ciesząc się najwyższym poziomem dochodu na głowę, większą innowacyjnością i przewagą konkurencyjną nad pozostałymi obszarami globu.

W drugiej połowie XX wieku modernizacja gospodarek Rosji i państw wschodnioeuropejskich przez wprowadzenie komunistycznej gospodarki nakazowo-rozdzielczej była tylko pozorną drogą na skróty ku Zachodowi. Po ustąpieniu dominacji ZSRR nad Europą Środkową i Wschodnią w 1989 r. system nakazowo-rozdzielczy nazywano tam czasem „najdłuższą drogą od kapitalizmu do kapitalizmu". W praktyce przyniosła ona rozkwit ekstensywnych metod gospodarowania i dlatego próba ta zakończyła się fiaskiem. Transformacja gospodarcza krajów Europy Środkowej i Wschodniej, rozpoczęta w 1989 r., oznaczała uwolnienie parametrów regulujących produkcję i wymianę oraz prywatyzację. Była to operacja bez precedensu w dotychczasowej historii. Przyniosła ona przyspieszenie tempa wzrostu gospodarczego i stopniowe wyrównywanie poziomu dochodu na głowę w stosunku do rozwiniętych państw zachodnich.

CYWILIZACJA ZACHODNIA

Wypada w końcu zdecydować się, jak rozumieć tytułowe pojęcie „cywilizacji zachodniej". Nie chodzi bowiem tylko o samą definicję cywilizacji ani o określenie geograficznego zasięgu tej cywilizacji, ale o jej cechy konstytutywne, o wartości, które ją tworzyły i tworzą oraz spajały i spajają w jedną całość. Można bowiem rozpatrywać cywilizację zachodnią osobno w płaszczyźnie ekonomicznej, społeczno-politycznej, prawnej czy duchowej, ale przecież są one ze sobą ściśle powiązane.

W płaszczyźnie ekonomicznej cywilizacja zachodnia wyróżniła się niezwykłą intensywnością działań, innowacyjnością, a przez to konkurencyjnością, które doprowadziły Europę, a potem USA na szczyty potęgi. Ogólnie rzecz biorąc, poszerzanie zakresu wolności w społeczeństwie dawało cywilizacji zachodniej podstawy przewagi konkurencyjnej oraz ogromnego przyrostu liczby ludności. Prowadziło

---

[59] Landes, *The Wealth and Poverty of Nations,* s. 232.

też do rozszerzania swobód obywatelskich i wykształcenia systemów politycznych opartych na rządach prawa, a nie tylko woli panujących. Chrześcijańskie rozumienie wolności stanowiło najpewniejszy fundament cywilizacji zachodniej.

Historia cywilizacji zachodniej jest wykładana na większości uniwersytetów zachodnich na podstawie obszernych podręczników, zawierających ogromne bogactwo faktografii, a jednak ściślejszych definicji tego pojęcia próżno by tam szukać. Najczęściej poprzestaje się tam na ogólnym stwierdzeniu, że „Zachód" to określenie miejsca, choć granice zasięgu cywilizacji zachodniej określane są różnie, od zawężającego to pojęcie do obszaru Europy i Ameryki Północnej do rozszerzającego, obejmującego także Amerykę Łacińską, Australię, Nową Zelandię i Południową Afrykę. W tym momencie najczęściej przywołuje się kolonizację europejską niektórych światowych peryferii. Co do treści zachodniej cywilizacji wymienia się ogólnikowo tradycję polityczną, systemy gospodarcze, metody badań naukowych, technologiczną innowacyjność, religię, literaturę i sztukę[60].

Co do szczegółów istnieje wiele sprzecznych opinii. Na przykład twierdzi się często i to mylnie, że krytyczna metoda naukowa powstała jako część zachodniej cywilizacji dopiero w epoce nowożytnej, po przezwyciężeniu wiary w wydaniu chrześcijańskim, dominującej w Średniowieczu, a nie weszła do niej jako dziedzictwo starożytnej filozofii greckiej i średniowiecznej scholastyki. Pomniejszając rolę chrześcijaństwa ignoruje się też często rolę pojęcia osoby ludzkiej jako podstawy zachodniej antropologii. Choć skuteczność jako atrybut działania podkreślana była i jest także w innych cywilizacjach, w cywilizacji zachodniej była ona najczęściej konfrontowana z zasadami moralnymi, wywodzonymi z Dekalogu. Unikatowa dla cywilizacji zachodniej jest też związana z tym dylematem chwiejna równowaga między władzą świecką i duchowną. O ile pierwszej najczęściej przyświecała idea skuteczności, o tyle w drugiej liczyły się także zasady.

Ważne jest również harmonizowanie praw i obowiązków oraz wolności i odpowiedzialności, dążenie do prawdy i sensu oraz przekonanie o obiektywnie istniejących regułach moralnych. Rozkwit agnostycyzmu w Europie świadczy o zachwianiu jej fundamentów duchowych. Chrześcijaństwo, a nawet ateizm opierały się na szukaniu prawdy o świecie i ludziach; agnostycy tej prawdy nie szukają i jest im z tym na ogół dobrze. Ważną cechą cywilizacji jest to, czy jej rozwój opiera się na doświadczeniu czy na teorii, a także czy przeważa w niej przekonanie o naturalnym rozwoju społecznym czy skłonność do odgórnego reformowania społeczeństwa. Nie bez znaczenie jest rola prawa natury czy też prawa stanowionego oraz waga, jaką przywiązuje się w niej do dobra ogółu lub dobra poszczególnych jednostek w oderwaniu od siebie. Przewaga pierwszego kryterium oznacza skłonność do kolektywnego autorytaryzmu, przewaga drugiego – skłonność do anarchii. Jest też w cywilizacji zachodniej istotne, jak rozstrzyga się relację między wiarą i rozumem. Mają one paradoksalnie jedna cechę wspólną: nie dają pewności. Rozumowo przesuwamy tylko horyzont poznania świata, ale do końca nie da się on wyjaśnić rozumem. Reszty

---

[60] Por. np.: Levack, Muir, Veldman, Maas, *The West*, ss. 3–9.

może dokonać wiara, oczywiście pod warunkiem, że jest rozumna. Istotą Zachodu jest więc uznanie obu i swoista harmonia między wiarą i rozumem.

Wypada zgodzić się z myślą Thomasa S. Eliota, który twierdził, że to chrześcijaństwo spięło trzy wielkie tradycje – Grecji, Rzymu i Izraela – w jedną całość oraz, że to chrześcijańska nauka o wolnej woli umożliwiała stałe kwestionowanie tradycji europejskiej, na przykład przez Voltaire'a, Nietzschego czy Marksa[61]. Idea wolności, będąca osią myśli końca XX wieku, w niczym nie kłóci się z regułami, na których oparta jest tożsamość Zachodu. Pod warunkiem wszakże, iż wolność jest rozumiana jako możliwość wyboru według wartości moralnych. Ponieważ współcześni Europejczycy nie potrafią już określić granic wolności i przestali rozumieć samych siebie, najczęściej wstydzą się siebie i opierają swój byt na płytkim fundamencie samych tylko przepisów prawa stanowionego, powstaje nowa wieża Babel, która już się rozpada[62].

Nie należy sobie wyobrażać, że istniała kiedyś cywilizacja zachodnia jako coś doskonałego, jako swoisty raj na ziemi, który właśnie tracimy. Przez stulecia rozwijała się ona tworząc wartości pozytywne i przezwyciężając kryzysy i wyzwania, które ją podkopywały lub w jakiejś mierze w wyniku walki z kryzysami umacniały. Konstytutywne cechy cywilizacji zachodniej pozwalały utrzymywać ją jednak w stanie względnie trwałym lub przywracać jej siły żywotne pomimo sił rozkładu. Nawet w okresie jej rozkwitu w Średniowieczu nie potrafiła ona rozwiązać kwestii sprawiedliwości w życiu społecznym ani wielu problemów teologicznych. Już w epoce nowożytnej, w czasie, gdy Kościół powszechny rozpadł się na zwalczające się odłamy, a wiarę w Boga podkopywał racjonalizm, cywilizacja zachodnia zachowała prężność i wiarę w swoje możliwości, nawet jeśli działo się to za cenę ekspansji kolonialnej i zbrodni handlu niewolnikami. Siłom rozkładu w XIX wieku towarzyszyły objawy postępu duchowego, jak choćby znoszenie niewolnictwa czy upowszechnienie humanitarnego traktowania jeńców wojennych. Obecnie jednak wydaje się, że siły rozkładu okazują się silniejsze i na naszych oczach cywilizacja zachodnia upada. O przyszłości trudno powiedzieć coś pewnego. Dość miarodajne są jedynie wskaźniki demograficzne, o których będzie mowa w ostatnich rozdziałach. W wielu krajach europejskich nie widać już dostatecznie potężnych sił, które ten rozkład mogłyby na dłuższą metę powstrzymać przed ekspansją islamu. W Stanach Zjednoczonych proces ten potrwa zapewne dłużej, choć i tam nie wiadomo, jak się skończy.

---

[61] Thomas S. Eliot, „Notes towards the Definition of Culture", cyt. wg: Davies, *Europa*, s. 9; Józef Życiński, *Europejska wspólnota ducha*, (Warszawa: Wydawnictwo Fundacji ATK, 1998).

[62] O. Maciej Zięba, *Demokracja i antyewangelizacja*, (Poznań: „W Drodze", 1997), s. 81; Douglas Murray, *Przedziwna śmierć Europy,* (Poznań: Zysk i S-ka, 2017).

Rembrandt van Rijn, „Mojżesz z tablicami prawa", obraz z 1659 r. Korzenie cywilizacji zachodniej tkwią mocno w Bibli.

Rozdział 2. Korzenie współczesności

KORZENIE JUDEOCHRZEŚCIJAŃSKIE

Protoplastami cywilizacji zachodniej byli w pewnym sensie Abraham, który uznał, że istnieje jeden Bóg – stwórca świata, a także Mojżesz ze swoim tablicami Dekalogu oraz autorzy Księgi Rodzaju, w której w metaforycznej formie zapisano wizję stworzenia świata i pochodzenia zła. Psalmy króla Dawida, „Pieśń nad pieśniami" czy księgi Hioba i Koheleta pozostają także punktami odniesienia dla twórców kultury zachodniej.

Choć judaizm i chrześcijaństwo czerpią z korzeni starotestamentowych, dramatyczne rozejście się ich dróg w pierwszych wiekach naszej ery legło u podstaw wielu dramatycznych wydarzeń z historii świata zachodniego. Rozejście to było nieuniknione z dwóch powodów. Po pierwsze, Świątynia jerozolimska, a po jej upadku przywódcy diaspory żydowskiej nie uznali Jezusa Chrystusa za Syna Bożego, który odkupił grzechy świata na krzyżu, a zmartwychwstając dał przykład tego, co dzieje się z człowiekiem po śmierci. W tradycji judaistycznej Chrystus i Jego uczniowie byli uważani za bluźnierców godnych potępienia[1]. W związku z tym Kościół uważał, że odrzucając Chrystusa wszyscy wierzący Żydzi są winni Jego śmierci, tak jakby sam Chrystus i Jego pierwsi uczniowie nie byli Żydami. Po drugie, w przeciwieństwie do judaizmu, który pozostał religią narodu żydowskiego, chrześcijaństwo stosunkowo szybko przekroczyło granice świata żydowskiego – judeochrześcijanie zanikli na początku IV wieku – stając się religią uniwersalną i podbijając stale nowe kraje i narody.

Choć rozejście się dróg chrześcijan i Żydów było nieuniknione, owoce tego procesu zatruwały cywilizację zachodnią od samego początku. Dowodem tego jest nie tylko cała historia dwóch ostatnich tysiącleci z jej straszliwą kulminacją w Holocauście, ale przede wszystkim początek sporu, a więc postać Chrystusa i Jego proces. Ostatnim przykładem tego, jak emocjonalnie podchodzą do tego wydarzenia niektórzy autorzy żydowscy, był film Mela Gibsona „Pasja"[2]. Krytycy Gibsona jakby nie chcieli zauważyć, że proces Chrystusa zakończył się wyrokiem

---

[1]   Por. np.: Mirosław S. Wróbel, *Jezus i jego wyznawcy w Talmudzie*, (Lublin: Wydawnictwo KUL, 2013), ss. 82 nn.

[2]   Choć trudno powiedzieć, żeby reżyser oskarżył wszystkich Żydów o śmierć Chrystusa, wielu wpływowych autorów z pasją rzuciło się na „Pasję". Dyrektor Ligi Antydefamacyjnej Abraham Foxman, dyrektor Centrum Szymona Wiesenthala rabbi Marvin Heir, sieć Messiah Truth oraz publicyści „New York Timesa" nazwali Gibsona antysemitą, Christopher Hitchens nazwał go faszystą, a publicysta „Washington Post" Charles Krauthammer określił go jako antysemitę i sadystę. Kenneth L. Woodward, „The 'Passion's' Passionate Despisers", *First Things*, June--July 2004, nr 144, ss. 13–16.

śmierci z inicjatywy Świątyni, ale arcykapłani nie chcieli lub nie mogli skazać go na śmierć i sprowokowali do tego prokuratora Judei Piłata, który wyrok wydał z pobudek czysto politycznych. Odpowiedzialność za to, co się stało, ponoszą więc nie tylko arcykapłani i kapłani Świątyni, ale przede wszystkim urzędnik rzymski. (Por. na ten temat bardzo interesującą książkę Pawła Lisickiego, *Kto zabił Jezusa?*). Dziwne jest w tym to, że obok żydowskich ortodoksów, którzy mogą czuć jakąś wspólnotę ideową z przywódcami Świątyni, do głosów potępienia Gibsona przyłączyli się laicy lub ateiści bez korzeni żydowskich. Skądinąd nie wszyscy autorzy o korzeniach żydowskich potępili Gibsona. Na przykład David Klinghoffer stwierdził, że teza o żydowskiej odpowiedzialności za śmierć Chrystusa nie jest wcale antysemicka i cytuje w tym kontekście Majmonidesa i inne autorytety żydowskie, wedle których arcykapłani i kapłani mieli rację usuwając „fałszywego proroka". *Notabene*, Klinghoffer docenił wpływ chrześcijaństwa na cywilizację zachodnią, ale skrytykował chrześcijańską teologię[3].

Świat żydowski jest podzielony w bardzo wielu kwestiach. Obok osób o poglądach laickich występuje tu cała gama osób wierzących w Boga, choć podchodzących do etycznych konsekwencji wiary w różny sposób. Jest to wyraźnie widoczne w odniesieniu do kwestii aborcji czy wykorzystywania embrionów do celów medycznych. Amerykańskie organizacje Żydów reformowanych, konserwatywnych i ortodoksyjnych na ogół dopuszczają wykorzystywanie komórek macierzystych z embrionów do celów medycznych jako usprawiedliwioną ofiarę na rzecz życia chorych. Wynika to z ich definicji życia, zaczynającego się rzekomo w czterdziestym dniu ciąży. Jednakże niektórzy autorzy żydowscy z USA, tacy jak głośny lekarz Leon Kass, czy publicysta Charles Krauthammer, utrzymują, że życie powstaje w chwili poczęcia. Jeden z rzeczników takiego stanowiska, Eric Cohen, przywołuje Stary Testament i księgę kabalistów „Zohar", gdzie zapisano wyraźny sprzeciw wobec zabijania embrionu. Pisze też, że „jako Żydzi wiemy dobrze, co znaczy traktowanie życia jednych ludzi jako mniej wartościowe lub jako przedmiot eksperymentów"[4].

PODZIAŁ KOŚCIOŁA ŁACIŃSKIEGO

Po tym jak w 1054 roku nastąpił ostateczny rozłam między Kościołem rzymskim i wschodnim, który zaostrzył różnice między Zachodem i cywilizacją bizantyjską, a następnie rusińską, późne Średniowiecze i początek ery nowożytnej przyniosły prawdziwą katastrofę Kościoła łacińskiego, która w dłuższej perspektywie przyczyniła się do podkopania jedności cywilizacji zachodniej.

Już w wieku XIV powstawały w Europie nowe zalążki myśli krytycznej wobec Biblii. Wiek XIV to także narodziny literatury w językach narodowych. Była

---

[3] David Klinghoffer, *Why the Jews Rejected Jesus: The Turning Point in Western History*, (New York: Doubleday, 2005), wg: Richard John Neuhaus, „Public Square", *First Things*, February 2005, nr 150, ss. 58–60.

[4] Eric Cohen, „A Jewish-Catholic Bioethics?", *First Things*, June-July 2005, nr 154, s. 7. Polski tekst znaleźć można w: *First Things*, wiosna 2007, nr 3, ss. 48–52.

„Triumf śmierci", obraz niderlandzkiego malarza Pietera Brueghla Starszego z 1562 r. Dzieło symbolicznie ukazuje równość wszystkich ludzi wobec bezlitosnej śmierci.

to już w sporej mierze literatura świecka. Wyrażała ona nie tylko autonomię kulturową poszczególnych państw, ale także stanowiła zalążek niezależności kulturowej od Kościoła. Ważniejszy konflikt powstał się jednak w samym Kościele. Był to konflikt między chrześcijaństwem „ubogim" i politycznie wyniosłym. Pierwszy symbolizował papież Celestyn V, który abdykował po kilku miesiącach rządów, drugi – papież Bonifacy VIII. Pierwszy karmił się myślą mistyczną Mistrza Eckharta, niemieckiego dominikanina, który nakazywał wyrzeczenie się własności i zdanie się na wolę Bożą. Drugi starł się z królem Francji Filipem Pięknym, choć nie zmusił go do uległości[5]. Po śmierci Bonifacego kilku następnych papieży panowało zbyt krótko i byli zbyt słabi, aby przeciwstawić się królowi Francji. Następca Klemensa V, Jan XXII, przeniósł się nawet bliżej króla Francji, do Awinionu, umacniając ponownie monarchiczny charakter władzy papieskiej. Kolejni papieże tylko umocnili tę tendencję. Klemens VI nadał siedzibie awiniońskiej przepych porównywalny ze świeckim dworem francuskim. Uczony Urban V i posiadający wiele cnót Grzegorz XI chcieli nawet wrócić do Rzymu, ale nic z tego nie wyszło. Nad Europą Zachodnią wisiało nadal widmo Czarnej Śmierci z 1347 roku oraz wojny angielsko-francuskiej. W wielu regionach liczba ludności spadła o połowę, a wszechobecna śmierć wpływała na nastroje życia codziennego.

---

[5] Por. np. J.N.D. Kelly, *Encyklopedia papieży*, (Warszawa: PIW, 1996), ss. 288–294.

Unia w Krewie z 1385 roku doprowadziła do ostatniego wielkiego nawrócenia w Europie – chrystianizacji litewskiej części Wielkiego Księstwa Litewskiego – ale nie zmieniło to wiele w kryzysie Kościoła rzymskiego.

Papieże byli coraz bardziej władcami politycznymi. Elekcja po śmierci Grzegorza XI w 1378 roku zapoczątkowała kolejny poważny kryzys papiestwa, zwany „schizmą zachodnią". Wyboru Urbana VI nie uznał bowiem król Francji Karol V, wspierając wybór antypapieża Klemensa VII z rodu hrabiów Genewy. Król francuski nie uznał również następcy Urbana, Benedykta XIII. Co więcej, kościoły lokalne przeżywały silne ruchy reformatorskie. Trwały burzliwe spory filozoficzne, dotyczące zwłaszcza fizyki, antropologii i etyki[6]. John Wycliffe w Anglii, a wkrótce potem Jan Hus w Czechach głosili chrześcijaństwo „ubogie", negowali nadrzędność roli papieża, krytykowali handel odpustami i żądali sekularyzacji dóbr kościelnych[7].

Zamieszanie osiągnęło szczyt na początku XV wieku, gdy obok Benedykta, zmuszonego do opuszczenia Awinionu, pojawili się już dwaj antypapieże. Inicjatywę rozwiązania konfliktu podjął cesarz Zygmunt Luksemburski, król Rzymu. Zwołał on Sobór w Konstancji (1414–1418), który miał się zająć uporządkowaniem władzy w Kościele. Sobór nakłonił dwóch antypapieży do rezygnacji i wybrał w 1417 roku papieża Marcina V. Sobór okazał się instancją w dużym stopniu nadrzędną w stosunku do urzędu papieskiego, ale Marcin V nie uległ „koncyliaryzmowi" i rządził w dawnym stylu. Sobór w Konstancji rozstrzygnął też spór między Polską i Zakonem Krzyżackim, który oskarżał Polaków o wspieranie pogańskich Litwinów przeciw katolickim rycerzom. Stojący na czele delegacji polskiej rektor Akademii Krakowskiej Paweł Włodkowic dowodził, że nawet poganie mają prawo do własnego państwa, a wiara pod przymusem nie jest ważna[8].

Kolejny, burzliwy Sobór w Bazylei, rozpoczęty w 1431 roku, mógł doprowadzić do reformy struktur kościelnych, ale stał się areną walki między zwolennikami „koncyliaryzmu" a zwolennikami prymatu papieża. Zakłóciły go polityczne walki w Italii, tak, że zaprzepaszczono szansę pojednania między Kościołem rzymskim i prawosławiem, jaką była Unia Florencka z 1439 roku. Gdy w 1453 roku Turcy zdobyli Konstantynopol, a tysiące jego mieszkańców wymordowali lub zamienili w niewolników, sułtan Mehmed Zdobywca zamienił największą świątynię chrześcijańską Hagia Sophia w meczet. Osłabiony zdobyciem Konstantynopola i likwidacją Cesarstwa Wschodniego Kościół prawosławny znalazł nowego

---

6 Stefan Świeżawski, *Między średniowieczem a czasami nowymi*, (Warszawa: Biblioteka „Więzi", 1983), ss. 11–75; Hermann Tüchle, C.A. Bouman, *Historia Kościoła, t. 3, 1500–1715*, (Warszawa: PAX, 1986), ss. 14–36.

7 W powstaniu pod wodzą Wata Tylera w Anglii w 1381 r. wzięli udział nie tylko chłopi, ale i ubodzy księża, jak John Ball, głoszący hasło *Whanne Adam dalfe und Eve span who was thanne a gentil man* („Gdy Adam kopał, a Ewa przędła, kto był wówczas szlachcicem?"). Kuliszer, t. II, s. 145.

8 *Historia dyplomacji polskiej X–XX wieku*, (Warszawa: Wydawnictwo Sejmowe, 2002), ss. 73–74.

Maryja z Dzieciątkiem, mozaika z IX w. w kościele Hagia Sophia w Konstantynopolu. Po zdobyciu tego miasta w 1453 r. Turcy zamienili świątynię w meczet.

obrońcę w Wielkim Księstwie Moskiewskim, choć jej tradycja polityczna jeszcze bardziej sprzyjała „cezaropapizmowi".

Kościół przeżył w XVI wieku potężne wstrząsy, które doprowadziły do wielkiego rozłamu. W literaturze i sztuce tego okresu widać fascynację antykiem, a nawet pogaństwem greckim i rzymskim. W Kościele zastanawiano się, jak pogodzić pojęcie grzechu i odkupienia z kultem natury i klasycznego humanizmu. Papieże z początku wieku, Juliusz II i Leon X, byli władcami bardziej cnotliwymi niż Aleksander VI, lecz zajmowali się głównie sztuką i budową wspaniałej Bazyliki Św. Piotra[9], toteż w chwili, gdy w październiku 1517 roku Marcin Luter przybił na drzwiach kościoła w Wittemberdze swoje 95 tez, papiestwo nie było przygotowane na to nowe wyzwanie. Luter doszedł do przekonania, że uczynki ludzkie stanowią zasługę tylko wtedy, gdy zaakceptuje je Bóg, a więc, że człowiek może być zbawiony jedynie poprzez łaskę Bożą. Mogło to wynikać z faktu, że w swoim życiu duchowym Luter był daleki od konsekwencji i harmonii. Głosił ascezę, ale miał problemy z własną cielesnością. Miał też poważne wątpliwości co do mistycznej obecności Chrystusa w konsekrowanej Hostii. W odniesieniu do kobiet cechowała go skrajna mizoginia[10]. Usprawiedliwienie przez wiarę, uzależnienie od niej zasługi w uczynkach i odwołanie się do Pisma Świętego w opozycji do tradycji były ważniejszymi odstępstwami Lutra od katolickiej ortodoksji niż jego słynna krytyka odpustów. Wezwany w 1520 roku, by się podporządkować Stolicy Apostolskiej, Luter odpowiedział trzema pismami, które odrzucały autorytet papieża. Żądaniu reformy Kurii rzymskiej i zniesienia celibatu towarzyszyły w nich postulaty powszechnego kapłaństwa chrześcijan, zniesienia sakramentów poza chrztem i Eucharystią oraz kultu świętych. Wypada zgodzić się z Jeanem Delumeau, że przyczyny Reformacji były głębsze niż tylko protest przeciw nadużyciom duchowieństwa. Były to przyczyny doktrynalne. Erazm z Rotterdamu był także surowym krytykiem głupoty, rytualizmu czy niemoralności, szerzących się często wśród kleru, ale do Lutra się nie przyłączył. Lutrowi chodziło w istocie o zmianę podejścia Kościoła do źródeł wiary, kapłaństwa i grzechu[11]. Spalił publicznie bullę wzywającą go przez oblicze papieża, a wezwany przez cesarza odmówił odwołania swych tez. Wsparty przez sporą część kleru z Prus i północnych Niemiec doprowadził wkrótce do odejścia z Kościoła powszechnego także większości kościołów skandynawskich i nadbałtyckich. Warto przy tym podkreślić, że szczególnie ważnym nośnikiem reformacji był druk, zapoczątkowany przez Johanna Gutenberga (1400–1468). Druk książek głoszących idee reformacji pozwolił na ich upowszechnianie poza tradycyjnym obiegiem informacji Kościoła.

---

[9]   Leopold von Ranke, *Dzieje papiestwa w XVI-XIX wieku*, (Warszawa: PIW, 1974), t. I, ss. 89–146; Kelly, *Encyklopedia papieży*, ss. 352 nn.

[10] Por. np. Grzegorz Kucharczyk, *Kryzys i destrukcja. Szkice o protestanckiej reformacji*, (Warszawa: Wydawnictwo Prohibita, 2017).

[11] Jean Delumeau, *Reformy chrześcijaństwa w XVI i XVII w.*, (Warszawa: PAX, 1986), t. I, ss. 13–40. Por. też: Tüchle, Bouman, *Historia Kościoła*, t. 3, ss. 37–87; Josep Ignasi Saranyana, José Luis Illianes, *Historia teologii*, (Kraków: Wydawnictwo M, 1997), ss. 157–190; John M. Todd, *Marcin Luter. Studium biograficzne*, (Warszawa: PAX, 1970).

31 października 1517 r., Marcin Luter przybija do drzwi kościoła w Wittenberdze 95 tez, wzywając do debaty nad stanem Kościoła. Jego wystąpienie doprowadziło do trwającego do dziś podziału w chrześcijaństwie.

Ferment wywołany działalnością Lutra zrodził wkrótce kolejne bunty przeciw papiestwu. W Szwajcarii dokonał tego Ulrich Zwingli, a we Francji Jan Kalwin (Cauvin). Kalwinizm rozprzestrzenił się w Niderlandach, Szkocji, na Węgrzech i w Siedmiogrodzie. Od papiestwa odłączył się też kościół angielski. Król Henryk VIII pragnął unieważnienia swego małżeństwa z Katarzyną Aragońską, ale nie uzyskał zgody papieża. Dlatego też pod presją Henryka w 1531 roku parlament angielski podporządkował kościół lokalny państwu w Akcie Supremacji. Katolicy wierni papieżowi byli prześladowani jako zdrajcy króla. Po krótkim panowaniu katolickiej królowej Marii, córki Katarzyny Aragońskiej, która gnębiła zwolenników supremacji, jej przyrodnia siostra Elżbieta I kontynuowała okrutne represje wobec katolików.

Reakcja Kościoła na wystąpienia Lutra i innych przywódców reformacji była niezbyt energiczna. Papieże z początku XVI wieku zdecydowanie nie stanęli na wysokości zadania. Holender Hadrian VI był w Rzymie obcy i rządził krótko, a Klemens VII był typowym władcą świeckim i bezradnie obserwował złupienie Rzymu przez rajtarów cesarskich (*Sacco di Roma* z 1527 roku). Choć Paweł III był obciążony czwórką dzieci i praktykami nepotyzmu, a także zajęty sztuką i budową Bazyliki Św. Piotra, zreformował Święte Kolegium i przygotował sobór, który miał być reakcją na reformację.

Sobór ten zainaugurowano w Trydencie w 1545 roku. Jego prace przeciągały się ze względu na niezwykle szeroką tematykę, a także rozbieżności zdań i ambicje osobiste różnych hierarchów. Sobór kontynuowali papieże Juliusz III i Paweł IV. W 1546 roku przyjęto, że tradycja apostolska winna być respektowana na równi z Pismem Świętym. W 1547 roku uchwalono doktrynę w kwestii usprawiedliwienia: nacisk położono na współpracę woli ludzkiej z łaską Bożą. Być może gdyby Kościół uczynił to wcześniej, można by uniknąć konfliktu z Lutrem i jego zwolennikami. Gdy obrady wznowiono, w 1551 roku przyjęto pojęcie transsubstancjacji, stwierdzono, że ostatnie namaszczenie jest sakramentem i określono konieczność spowiedzi ustnej. Papież Paweł IV zreformował Kurię rzymską i system dochodów Stolicy Apostolskiej, a jego następca Pius IV doprowadził do zakończenia soboru w 1563 roku. Przyjął on ostatecznie zasady nominacji i zadania kardynałów, organizacji synodów, biskupich wizytacji diecezji, a także określił zasady ważności małżeństwa i kanony dotyczące czyśćca, odpustów i kultu świętych. Dzięki dziełu Soboru Trydenckiego doprecyzowano doktrynę katolicką, zredagowano katechizm i nowe wydanie Wulgaty, jak również zreformowano brewiarz, mszał i martyrologium rzymskie[12].

Od XVI wieku wiara w „jeden, święty, powszechny i apostolski Kościół" napotykała w Europie na twardą rzeczywistość rozdarcia chrześcijaństwa. Pokój augsburski z 1555 roku powiązał wyznanie wiernych z władzą polityczną (zasada *cuius regio eius religio,* czyja władza, tego religia), co fatalnie wpłynęło na stabilność Europy. Pod koniec XVI wieku Wielkie Księstwo Moskiewskie było terenem prawosławia, Azję Mniejszą i Bałkany, zajęte przez muzułmańskich Turków, zamieszkiwali nadal w dużej części prawosławni Grecy i Słowianie, a na terenie Rzeczpospolitej Obojga Narodów spotykali się katolicy, prawosławni oraz, od Unii Brzeskiej z 1596 roku, grekokatolicy, którzy uznali prymat papieża. Katolicyzm utrzymał silną pozycję w Niemczech południowych i zachodnich, Francji, Włoszech, Austrii, Polsce i Litwie, a także w Hiszpanii i Portugalii.

Miało to ogromne znaczenie dla przyszłości Kościoła, gdyż te dwa ostatnie kraje stały się pionierami podboju obu Ameryk. Chrystianizacja ogromnych obszarów od Meksyku aż po Ziemię Ognistą przez katolików szła za kolonizacją polityczną nie bez napięć i konfliktów między hiszpańskimi i portugalskimi władzami oraz osadnikami, którzy byli gotowi bez skrupułów eksploatować miejscową ludność, a misjonarzami, którzy często bronili Indian przez wyzyskiem i eksterminacją. Tak czy inaczej, podczas gdy Europę rozdarła reformacja, Nowy Świat zaczął przyjmować katolicyzm. Dopiero na początku XVII wieku, wraz z przybyciem do Wirginii protestantów, obraz religijny Ameryki nieco się odmienił. Północ kolonizowali katoliccy Francuzi, Nową Anglię i niektóre wyspy na Morzu Karaibskim – protestanci z Anglii, a resztę Ameryki Północnej, Środkowej i Południowej – katoliccy Hiszpanie i Portugalczycy. Na Dalekim Wschodzie Filipiny skolonizowali katoliccy Hiszpanie, a Indonezję – kalwińscy

---

[12] Pierre Pierrard, *Historia Kościoła katolickiego,* (Warszawa: PAX, 1984), ss. 201–220; John W. O'Malley SJ, *Trydent. Co się zdarzyło podczas soboru,* (Kraków: WAM, 2014).

Obrady soboru trydenckiego przedstawione na XVI-wiecznej rycinie z dzieła „Speculum Romanae Magnificentiae". Sobór miał wypracować sposoby reakcji Kościoła na reformację.

Holendrzy. Misjonarze chrześcijańscy zaczęli też ponownie docierać do Chin i Japonii.

W rozdartej przez wojny chłopskie i religijne, a także zagrożonej coraz bardziej przez Turków Europie Zachodniej papieże starali się wzmacniać fundamenty Kościoła. Papież Pius V (1504–1572) ufundował Uniwersytet Gregoriański i ustanowił nuncjatury jako stałe przedstawicielstwa Stolicy Apostolskiej w różnych krajach. Sykstus V zreorganizował kongregację kierującą wymiarem sprawiedliwości w Kościele. Paweł V ukończył budowę monumentalnej Bazyliki Św. Piotra w Rzymie, choć jego nepotyzm i poparcie cesarza w Wojnie Trzydziestoletniej (1618–1648) nie przysporzyły mu chwały[13].

Kościołowi i chrześcijaństwu w ogóle, nawet podzielonemu, nie sprzyjały tendencje absolutystyczne w Europie, narastające od końca XVI wieku. W Anglii Elżbieta I nie tylko prześladowała katolików angielskich, ale zmasakrowała także

---

[13]   Kelly, *Encyklopedia papieży*, ss. 374–389.

kler irlandzki, nie uznający Aktu Supremacji. We Francji rzeź protestanckich hugenotów w 1572 roku za sprawą władzy królewskiej stanowiła apogeum walk religijnych. Edykt nantejski z 1598 roku, wprowadzający równouprawnienie katolików i protestantów, został jednak odwołany w 1685 roku przez panującego przez 64 lata „króla słońce" Ludwika XIV. Władcy z dynastii habsburskiej, przez pewien czas panujący w Hiszpanii i Niderlandach, prześladowali protestantów i w ogóle „heretyków" przy pomocy inkwizycji, co prowadziło do otwartych buntów w Niderlandach, a na początku XVII wieku w Czechach. To właśnie defenestracja posłów cesarskich w 1618 roku stała się bezpośrednią przyczyną wybuchu Wojny Trzydziestoletniej. Wojny tej nie można zresztą nazwać wprost wojną religijną, skoro po obu stronach stały państwa o innych afiliacjach wyznaniowych. Pokój westfalski z 1648 roku, kończący tę wojnę, był triumfem nie tylko Francji, ale w ogóle monarchii absolutnych. Jedynie Rzeczpospolita Obojga Narodów pozostawała państwem względnie otwartym dla wszystkich wyznań, lecz przeżywała coraz większe problemy polityczne. Rewolucja angielska XVII wieku w istocie umocniła pozycję anglikanów wobec katolików, a także umocniła atmosferę wrogości między odłamami chrześcijaństwa. Pod koniec Wojny Trzydziestoletniej, w 1647 roku, zwycięski wódz rewolucji angielskiej, purytanin Oliver Cromwell wznowił prześladowania katolików, szczególnie okrutne w Irlandii. Purytanie dyskryminowali też katolików w niektórych koloniach Ameryki Północnej, na przykład w Massachusetts[14].

Rozpad Kościoła powszechnego na zwalczające się odłamy, był czynnikiem zgubnym dla poczucia *Christianitas*, które i wcześniej okazało się zbyt słabe, by uratować Azję Mniejszą przed zalewem muzułmanów tureckich, ale jeszcze do XVI wieku było poważną siłą jednoczącą Europę. Katastrofa Kościoła ułatwiła jednak nowe procesy rozkładu cywilizacji zachodniej.

IDEA POSTĘPU

Przekonanie o kierunkowości zmian historycznych nie było obce starożytnym. Takiego właśnie „modelu" historii, dość powszechnie uznawanego, a wskazującego na wiek złoty, srebrny, brązowy i żelazny ludzkości dopatrzyć się można na przykład w dziełach Publiusza Owidiusza Naso i Tytusa Lukrecjusza Karusa[15]. U schyłku starożytności pewne elementy makrohistorii lub historii uniwersalnej można odnaleźć w chrześcijańskiej doktrynie drugiego przyjścia Chrystusa oraz w *Państwie Bożym* św. Augustyna, gdzie historię ludzkości ukazał on jako dzieje konfliktu między „miastem człowieka" i „miastem Boga"[16]. W europejskim Średniowieczu spierano się o istotę Bożej Opatrzności i działano pod wpływem tradycji lub lojalności klanowej. Czasem zauważano poprawę w jakiejś dziedzinie,

---

[14] Tüchle, Bouman, *Historia Kościoła, t. 3*, ss. 157–193; J.T. Ellis, *American Catholicism*, (The University of Chicago Press, 1955), ss. 5 nn.

[15] Owidiusz, *Przemiany*, wybór i tłumaczenie Anny Kamieńskiej, (Wrocław: Nasza Księgarnia, 1969), ss. 2–3; Lukrecjusz, *O naturze wszechrzeczy*, V, 925 nn.

[16] Św. Augustyn, *Państwo Boże*, (Kęty: Wydawnictwo ANTYK–Marek Derewiecki, 1998).

lecz na ogół nie myślano w kategoriach jakiegoś konkretnego celu, w którym świat miałby podążać poza Sądem Ostatecznym. Ludzie Średniowiecza zabijali się z chciwości, żądzy władzy lub z powodu poglądów religijnych, lecz nie w imię postępu. Zabijanie w imię postępu stało się wynalazkiem ery nowożytnej[17].

Idea, że świat zmienia się w określonym kierunku, nie była obca niektórym myślicielom Renesansu, takim jak Niccolo Machiavelli (1469–1527) lub Erazm z Rotterdamu (1466–1536), jednak pierwszym, który zasugerował, że istnieje w świecie postęp, był Jean Bodin (1530–1596) w „Metodzie jasnego zrozumienia historii" (*Methodus ad facilem historiarum cognitionem*, 1566). Inny Francuz, Louis Le Roy, nakreślił wkrótce drogę ludzkości od pierwotnego barbarzyństwa do społeczeństwa zorganizowanego. Wedle badacza historii postępu Johna Bagnella Bury'ego, pod koniec XVI wieku „idea postępu wisiała w powietrzu"[18]. W wieku XVII ideą postępu zajęli się też Anglicy, a szczególnie Francis Bacon (1561–1626). „To, że historia może być w istocie postępowa, to znaczy iść naprzód i do góry – a nie, jak myślał Arystoteles – tylko cykliczna lub być, jak sądzili kulturowi

---

[17] Por. np fundamentalne dzieło Roberta Nisbeta, *History of the Idea of Progress*, (New Brunswick, N.J.: Transaction Publishers, 1994), rozdziały 1–4.

[18] John Bagnell Bury, *The Idea of Progress. An Inquiry into Its Origin and Growth*, (New York: Dover Publications Inc., 1955), s. 43.

„Masakra w Noc św. Bartłomieja", obraz XVI-wiecznego francuskiego malarza Françoisa Dubois. Była to jedna z wielu krwawych wojen religijnych, w jakich Europa pogrążyła się w XVI i XVII w.

pesymiści od Hezjoda do Spenglera, ruchem opadającym lub wstecznym, stało się dla Bacona artykułem wiary"[19]. Co więcej, Bacon przyczynił się do utrwalenia przekonania, że szczęście na ziemi może być głównym celem człowieka. Innym badaczem o ambicjach stworzenia historii uniwersalnej był Giambattista Vico (1668–1744), który na początku XVIII wieku napisał *Naukę nową*. Choć przyznawał się on do wiary chrześcijańskiej, doszukiwał się w dziejach ogólnych prawidłowości, marząc o „wiecznej historii idealnej"[20].

Myśliciele Oświecenia byli bardziej dumni z postępu ludzkości. Epistemologia Johna Locke'a (1632–1704) zainspirowała encyklopedystów francuskich, którzy lansowali pojęcie „ery rozumu". Bernard le Bovier de Fontenelle głosił postęp w nauce i sztuce. Voltaire sądził, że nauka i rozum są siłami napędowymi historii. W końcu Jean-Jacques Rousseau (1712–1778) doszedł do wniosku, że ludzki rozum jest ostatecznym źródłem prawa. Jego „umowa społeczna" (*Du contrat social ou Principes du droit politique*, 1762) stała się fundamentem nowoczesnej filozofii prawa stanowionego. Nikt jak on nie zachęcił ludzi do kreowania zasad prawnych wedle ludzkiej woli. Mało kto zauważył, jak wielkie ryzyko niesie za sobą ta filozofia, zwłaszcza w rękach rewolucjonistów. Myśli Bacona i Rousseau rozwinęli wkrótce Anne-Robert-Jacques Turgot (1727–1781) i Nicolas de Condorcet (1743–1794). Ten ostatni miał zresztą okazję doświadczyć okrucieństwa ludzi, którzy jako pierwsi próbowali wcielić ideę postępu siłą. 25 marca 1794 roku, obawiając się aresztowania za przynależność do Girondy, Condorcet chciał zbiec z Paryża. Został jednak schwytany dwa dni później i uwięziony. Wkrótce potem znaleziono go martwego w celi. Wedle jednej teorii otruł się sam, wedle innej – ktoś mu w tym dopomógł[21].

Choć okropności rewolucji francuskiej mogły być ostrzeżeniem dla rzeczników postępu, hasło to stało się wręcz paradygmatem politycznej myśli XIX i XX wieku. W Stanach Zjednoczonych realizowano ją w sposób dość umiarkowany, jeśli nie liczyć masowego niewolnictwa, które nie przeszkadzało Ojcom Założycielom rozważać idei postępu. W Europie zaś postęp głosili praktycznie wszyscy rzecznicy liberalizmu, nacjonalizmu i socjalizmu. Odwoływali się przy tym do konstrukcji ducha dziejów Georga Wilhelma Friedricha Hegla (1770–1831). Do wielkiej syntezy Hegla nawiązywało potem wielu wybitnych myślicieli. Postęp był „duszą" systemu myślowego Auguste Comte'a (1798–1857), który skupiał się na kwestii określenia praw rządzących postępem. Formułując swe „prawo trzech stadiów" Comte stwierdzał, że światem rządzą idee oraz że każda idea przechodzi przez trzy fazy: wpierw umysł ją wytwarza, następnie uogólnia, by w końcu stwierdzić naturalne prawa rozwoju. Trzema głównymi przyczynami przemian historycznych

---

[19] David Simpson, „Francis Bacon (1561–1626)", *Internet Encyclopedia of Philosophy,* http://www.ies.utm.edu/bacon (22 III 2014).

[20] Giambattista Vico, *Nauka nowa*, tłumaczenie Jan Jakubowicz, oprac. Sław Krzemień-Ojak (Warszawa: PWN, 1966).

[21] Los Condorceta jest ironicznym, choć smutnym komentarzem do praktyki realizacji idei postępu siłą. Jean Tulard, Jean-François Fayard, Alfred Fierro, *Histoire et dictionnaire de la Révolution française: 1789–1799*, (Paris: R. Laffont, 1987), ss. 612 i 677. Por. też: Jacob Salwyn Schapiro, *Condorcet and the Rise of Liberalism* (New York, Octagon Books, 1963).

miały być, według Comte'a, różnice rasowe, klimatyczne i świadome działania polityczne[22].

Zwycięski marsz idei postępu w XIX wieku był oczywiście związany z burzliwym rozwojem techniki i przemysłu. Było to w pewnej mierze naturalne. Jednak wnioski, jakie wyciągano z tego postępu, były niezwykle dalekosiężne. Stanowiły one swoistą nową wiarę w naukę i nieograniczone rzekomo możliwości ludzkie. „Na gruzach *Christianitas*, wokół idei postępu, posiadającej teraz charakter prawdy transcendentalnej, rodzi się nowe społeczeństwo werytalne, starające się poznaną prawdę wcielić w życie. Będzie ono miało swoich (świeckich) kapłanów, swoje (świeckie) świątynie oraz swoich (świeckich) schizmatyków i heretyków. Będzie też miało swoje nieporównywalne z niczym wcześniej osiągnięcia i swoje – nieporównywalne z niczym wcześniej – klęski". Warto zaznaczyć, że wielkim krytykiem idei postępu kultywowanej przez kolejne pokolenia racjonalistów, był Christopher Dawson (1889–1970), jeden z najwybitniejszych historyków XX wieku. W jednym ze swoich dziś skrupulatnie zapomnianych dzieł dowodził, że teoria o religijnych korzeniach zacofania i „postępotwórczym" charakterze ateizmu nie wytrzymuje krytyki[23]. Na marginesie oczywistości postępu materialnego rozwijali swe poglądy ci, dla których postęp rozumiany w kategoriach ludzkiej sprawiedliwości był zbyt powolny i dla których należało go przyspieszyć na drodze rewolucji.

APOTEOZA REWOLUCJI

Historia ludzkości zna wiele przykładów gwałtownych zmian, a rewolucje połączone z mobilizacją wielkich mas społeczeństwa zdarzały się w różnych miejscach i różnych czasach. Jednakże idea rewolucji jako zaplanowanej akcji, która ma zrealizować zasadę postępu, to wynalazek stosunkowo świeży. Pierwszym tego rodzaju eksperymentem była rewolucja francuska. Warto choćby skrótowo przyjrzeć się jej akuszerom. Kiedy w styczniu 1789 roku Ludwik XVI zwołał Stany Generalne, poparł go nie tylko Stan Trzeci, ale także większa część szlachty i duchowieństwa. Wierzono na ogół, że Stany wprowadzą zasady monarchii konstytucyjnej. Oczywiście głównymi rzecznikami zmian byli przedstawiciele Stanu Trzeciego. Problem w tym, że pod wpływem stale rosnącej temperatury rewolucyjnej gorączki stawali się oni coraz bardziej radykalni.

W politycznej atmosferze Francji końca XVIII wieku ścierały się poglądy deistyczne, masońskie, antykościelne i gorączkowy libertynizm połączony z rewolucją obyczajową. Słowa wyrażały ducha wolności bez ograniczeń i same stawały się orężem politycznym w paryskich kawiarniach. Dyskutowano tam o futurystycznej powieści Louis-Sébastien Merciera *2240*, o utworach płodnego autora pornografii Restif de la Bretonne'a, który pierwszy użył słowa „komunistyczny", lub wyczynach

---

[22] Bury, *The Idea of Progress*, s. 290–295.
[23] O. Maciej Zięba, *Nieznane, niepewne, niebezpieczne? Szkic o Europie*, (Warszawa: PIW, 2011), ss . 86–87; Christopher Dawson, *Progress and Religion,* (Catholic University of America Press, 1929).

Szturm na Bastylię 14 lipca 1789 r. na obrazie Jeana-Pierre'a Houëla. Zdobycie tego paryskiego więzienia stało się symbolem rewolucji francuskiej, choć w Bastylii nie było żadnych więźniów politycznych.

markiza Alphonse François de Sade. W 1787 roku dziennikarz Nicholas Bonneville wrócił z Niemiec „oświecony" przez masona Johanna Joachima Bode i zaczął głosić nową wiarę, łączącą ezoteryczny symbolizm z demokracją bezpośrednią. Sylvain Maréchal lansował ateistyczny kult Rozumu. Przyjaciele Bonneville'a, skupieni w Powszechnej Konfederacji Przyjaciół Prawdy, planowali stworzenie światowej republiki literatów. Plany te nie były tak księżycowe, jak by się mogło wydawać, gdyż nie tylko oni sami uważali się za uprawnioną do rewolucji elitę, ale byli za taką uważani przez coraz szersze kręgi społeczeństwa. Któż miał bowiem ułożyć słowa „umowy społecznej"? Tysiące prostych ludzi z ulicy, czy wtajemniczeni przywódcy mas? Umowa ta miała gwarantować równość wszystkich mężczyzn i kobiet, ale jej realizacją musiała się zająć „bardziej równa" elita[24].

Pierwszy etap rewolucji rozpoczęło w dniu 17 czerwca 1789 roku ogłoszenie się przez Stan Trzeci – Zgromadzeniem Narodowym. Był to oczywisty akt rewolucyjnej uzurpacji. Wobec opozycji króla i duchowieństwa logicznym następstwem

---

[24] James H. Billington, *Płonące umysły. Źródła rewolucyjnej wiary*, (Wrocław: Wektory, 2012), s. 48 nn. *Notabene* Bonneville napisał poemat, w którym ogłosił, że Człowiek stanie się Bogiem dzięki powszechnemu braterstwu (tamże, s. 120). Ciekawe, czy znał on cytowane tu już słowa Księgi Rodzaju.

były kolejne kroki rewolucyjne. W dniu 14 lipca tegoż roku nastąpiło wydarzenie, które stało się symbolem rewolucji – zdobycie więzienia w Bastylii. Ironia sytuacji polegała na tym, że około tysiąc osób zdobyło Bastylię, w której siedziało siedmiu więźniów: czterech fałszerzy, jeden notoryczny morderca i dwóch wariatów[25]. Wkrótce potem uzurpatorskie Zgromadzenie Narodowe uchwaliło „Deklarację Praw Człowieka i Obywatela", w której zrezygnowano z określenia obowiązków obywateli, a wolność wyznania ograniczono do manifestacji nie naruszających „porządku publicznego". Ekspresję przekonań religijnych uzależniono więc wprost od woli ustawodawcy[26]. Wkrótce potem skonfiskowano własność Kościoła katolickiego, zlikwidowano zakony, a w dniu 12 lipca 1790 roku uchwalono „Cywilną konstytucję duchowieństwa", podporządkowując je państwu[27]. Opór Kościoła wobec tych posunięć był traktowany jako zdrada państwa i karany bardzo często śmiercią.

Radykałowie stale zyskiwali na znaczeniu, tym bardziej, że przeciw rewolucyjnej Francji wystąpiła monarchia habsburska. Represje odbywały się teraz pod hasłem zagrożenia nie tyle rewolucji, co państwa jako takiego. Skrajnym

---

[25] Simon Schama, *Citizens. A Chronicle of the French Revolution,* (Penguin Books, 2004), s. 344.
[26] http://www.legifrance.gouv.fr/Droit-francais/Constitution/Declaration-des-Droits-de-l-Homme-et-du-Citoyen-de-1789 (29 III 2014).
[27] http://history.hanover.edu/texts/civilcon.html (29 III 2014).

Egzekucja obywatela Ludwika Capeta (czyli króla Ludwika XVI) w dniu 21 stycznia 1793 r., ukazana na XVIII-wiecznej francuskiej rycinie. Terror był istotną częścią rewolucji francuskiej.

Napoleon Bonaparte z synem na obrazie francuskiego malarza Jeana Georgesa Viberta „Król Rzymu"
z 1900 r. Objęcie władzy we Francji przez Napoleona zakończyło rewolucyjny chaos i przemoc.

przejawem tej tendencji stały się wrześniowe masakry księży w 1792 roku[28],
a także nowy etap rewolucji, która zaczęła „pożerać własne dzieci". W Konwencie Narodowym jakobini likwidowali teraz bardziej umiarkowanych żyrondystów. „Święta Matka Gilotyna" pracowała dzień i noc[29]. Kalendarz chrześcijański zastąpiono świeckim, zamknięto wszystkie kościoły paryskie, a katedrę Nôtre Dame zamieniono na Świątynię Rozumu. W styczniu 1793 roku stracono też króla Ludwika XVI, a terror jakobiński osiągnął rozmiary masowego ludobójstwa podczas tłumienia katolickiego powstania w Wandei. Trudno wręcz opisać orgię mordów „piekielnych kolumn" rewolucyjnych. Do maja 1794 roku w wyniku ich działań zamordowano około 117 tysięcy mężczyzn, kobiet i dzieci[30]. Choć Konwent uchwalił też szereg ważnych ustaw likwidujących obowiązki feudalne czy ustanawiających powszechny system szkolny, rewolucja karmiła się przekonaniem, że ludzie są twórcami wszystkiego, nawet bóstwa. W dniu

---

[28] „Massacre aux Carmes", http://nouvl.evangelisation.free.fr/massacre_aux_carmes.htm (6 I 2012).

[29] Wynalazek Josepha-Ignace'a Guillotina stał się narzędziem popularnej rozrywki i ofiar sprawowanych w imię „wolności, równości i braterstwa". Billington, *Płonące umysły,* s. 62.

[30] Reynald Secher, *Ludobójstwo francusko-francuskie,* (Warszawa: Iskry, 2003) cytuje wiele koszmarnych scen takich mordów na cywilnej ludności Wandei. Szacunek liczby ofiar pochodzi stamtąd, s. 15.

7 maja 1794 roku lider jakobinów Maximilien de Robespierre (1758–1794) wygłosił mowę, w której podkreślił rolę kultu masońskiej Najwyższej Istoty dla państwa i stwierdził, że prawdziwym kapłanem Najwyższej Istoty jest Natura. Jego rozumienie prawa natury było jednak bliższe prawu dżungli niż Dekalogowi. Quasi-religijne imprezy masowe miały ukształtować nową wrażliwość mas. Na gruzach Bastylii ustawiono statuę Natury, organizowano publiczne uroczystości zastępujące chrzest i pierwszą komunię. W Świątyni Natury celebrowano nową Trójcę Świętą: Matkę-Naturę, Córkę-Wolność i Ducha Świętego Suwerenności Ludu[31].

W czasie rewolucji francuskiej tysiące księży i zakonnic padło ofiarą mordów ze strony fanatyków uszczęśliwiania ludzkości siłą. Zniszczono i zdesakralizowano wiele kościołów, w tym słynne opactwo w Cluny; w 1798 roku ta perła architektury romańskiej i symbol odrodzenia Kościoła w XI wieku, została sprzedana jako „dobro narodowe" za około dwa miliony franków trzem „uczciwym" obywatelom z Mâcon, Jeden z nich, niejaki Gemillon, porzucił stan duchowny, drugi zaś – nazwiskiem Batonard – który był kupcem winnym, uzyskał kontrakt oferując łapówkę w postaci wina wartego 7 tysięcy franków. Owi „uczciwi" obywatele wykorzystali wspaniałą bazylikę jako kamieniołom[32]. W bazylice Saint-Denis zlikwidowano groby królewskie, a szczątki królów wyrzucono na śmietnik. W Kaplicy Świętej (Sainte Chapelle) w Paryżu, wzniesionej przez świętego Ludwika IX, unicestwiono unikatowe relikwie. Fala zniszczenia nie ominęła Watykanu: w 1798 roku armia napoleońska zdobyła Rzym, a papież Pius VI zakończył życie na wygnaniu. Jego następca, Pius VII, został wybrany dopiero po pół roku pod opieką Austrii i wrócił do Watykanu po upadku Napoleona w 1815 roku. Terror jakobiński też miał swoje granice: kolejny przewrót z dnia 28 lipca 1794 roku obalił Dyrektoriat Konwentu, a Robespierre został stracony. Rewolucja zaczęła się stabilizować. We wrześniu 1795 roku uchwalono nową konstytucję i ograniczono rozmiary terroru. Sukcesy militarne Napoleona Bonaparte zakończyły ten etap rewolucji, a ogłoszenie cesarstwa położyło kres gwałtom, choć równowagę społeczną ustalono na nowym poziomie.

Prosta obserwacja, że rewolucja zabija swych zwolenników, nie odstraszyła kolejnych pokoleń jej rzeczników. Jedną z pierwszych organizacji rewolucyjnych po wygaśnięciu największego fermentu rewolucji francuskiej było Sprzysiężenie Równych François-Noël Babeufa (1760–1797), a wkrótce potem także Krąg Filadelfian. Kiedy Babeufa stracono, jego pomysły starał się realizować Filippo Buonarroti (1761–1837) we Włoszech. Stworzył on tajny związek Adelfian, oparty na okultyzmie i ideologii masońskiej. Charakterystycznym wspólnym mianownikiem tych organizacji był wojujący ateizm i swoboda seksualna. Starając się wykorzenić wpływy tajnych spisków, konserwatywne rządy europejskie używały coraz bardziej wyrafinowanych metod inwigilacji i prowokacji.

---

[31] Billington, *Płonące umysły*, ss. 59–62.
[32] Grzegorz Kucharczyk, *Christianitas. Od rozkwitu do kryzysu*, (Warszawa: Prohibita, 2015), s. 24.

WOJUJĄCY ATEIZM

Ateizm ma długą historię. Jego początki sięgają hinduskiej i greckiej refleksji nad istotą i pochodzeniem świata. Pionierami ateizmu w europejskim kręgu kulturowym byli Leukip, Demokryt, Epikur i sofiści. Wraz z triumfem chrześcijaństwa ateizm zanikł w Europie niemal zupełnie. Nawet w pismach Thomasa Hobbesa (1588–1673), który był w istocie ateistą, trudno dopatrzyć się zanegowania wprost istnienia Boga. Termin „ateizm" powrócił w niektórych kręgach intelektualnych Francji i Anglii w XVI i XVII wieku, a szczególnie w okresie Oświecenia. Pierwszym zagorzałym rzecznikiem ateizmu w postaci, którą można nazwać wojującą, był ksiądz Jean Meslier (1674–1729). Mimo że nie wierzył w Boga, ten dziwny człowiek do końca życia pozostał kapłanem. Umierając, oskarżył się sam o to, że głosił wiarę chrześcijańską. W opublikowanym po jego śmierci *Testamencie* znaleźć można tezy ateistyczne nie w postaci zwątpienia czy agnostycyzmu, lecz w radykalnej postaci wyznania wiary w nieistnienie Boga i uznania tej wiary za jedyny usprawiedliwiony pogląd na świat. Dziełem tym delektowali się potem wszyscy racjonaliści oświeceniowi we Francji. W 1793 roku francuski Konwent wnioskował, by wnieść pomnik księdzu Meslier, jako pierwszemu kapłanowi, który miał odwagę, by wyrzec się „błędów religijnych"[33]. W 1758 roku, Claude Adrien Helvétius opublikował swoje dzieło „O umyśle" (*De l'esprit*), a jego ateistyczna i utylitarna doktryna zyskała wielu zwolenników. Ateizm propagował wówczas także usilnie Paul Henri Thiry, znany jako baron d'Holbach (1723–1789). Widział on w religii źródło nienawiści i zbrodni. Jego materialistyczny światopogląd był przy tym silnie deterministyczny[34].

Pierwszym krokiem w kierunku przyjęcia ateizmu jako doktryny państwowej był kult Najwyższej Istoty w czasach rewolucji francuskiej. Pozornie nie zmienił on wiele w stosunku do dogmatów chrześcijańskich. W istocie zmiana była radykalna: o ile chrześcijanie wierzyli i wierzą, że Jezus Chrystus był wcieleniem Boga, o tyle Najwyższa Istota była konstruktem czysto ludzkim. Co więcej, adherenci kultu Najwyższej Istoty prześladowali wszystkich, którzy sprzeciwiali się zwierzchnictwu państwa nad wiarą obywateli.

Wojujący ateizm zyskał aktywnych promotorów wśród zwolenników lewicy heglowskiej, którzy negowali wszystko, co ich zdaniem ograniczało wolność i rozum. David Strauss (1808–1874) polemizował nie tylko z opisem nadnaturalnych zjawisk w Biblii, ale w ogóle z ideą prawdy absolutnej. Mimo że uważał Chrystusa za postać mityczną, tolerował chrześcijaństwo ze względu na jego wpływ na moralność w społeczeństwie. Również Bruno Bauer (1809–1882) dowodził, że cała historia biblijna jest mitem. Bardziej agresywny wobec wiary chrześcijańskiej był Ludwik Feuerbach (1804–1872); nie tylko głosił nieistnienie Boga, ale zajął się psychologiczną sylwetką ludzi wierzących, podważając ich zdolności

---

[33] Jan Meslier, *Testament,* (Kraków: PWN, 1955).
[34] Paul-Henri d'Holbach, *System przyrody,* (Warszawa: PWN, 1957); Marian Skrzypek, *Holbach,* (Warszawa: Wiedza Powszechna, 1978).

„Święto Istoty Najwyższej" na XVIII-wiecznej francuskiej rycinie. Kult Istoty Najwyższej został wprowadzony przez rewolucyjne władze w 1794 r. i miał zastąpić wiarę w Boga.

poznawcze. Jego zdaniem, chrześcijanie wyidealizowali Boga w reakcji na swoje własne ograniczenia[35]. Niski poziom badań biblijnych w Kościele pozwalał tym pisarzom na snucie dowolnych rozważań „naukowych" o kwestiach, które obecnie budzą u badaczy pozbawionych uprzedzeń znacznie mniej wątpliwości. Odtąd ateizm, często w agresywnej postaci, był częścią składową poglądów wielu intelektualnych luminarzy zachodnich.

NIHILIZM

Krańcowym przykładem amoralizmu epoki oświecenia była postać i twórczość markiza Alphonse'a François de Sade'a (1740–1814). Urodzony w rodzinie arystokratycznej, nie miał ograniczeń finansowych dla swoich szalonych pomysłów i eksperymentów. Już w młodości zetknął się z libertynizmem otoczenia. W wieku 14 lat przerwał intensywną naukę, zaciągnął się do wojska, a w wieku 17 lat wziął udział w pierwszej wielkiej orgii seksualnej, która trwała 120 dni. Mimo zawarcia ślubu regularnie oddawał się wszelkim rodzajom stosunków seksualnych, wliczając w to czyny bluźniercze i seks grupowy oraz zadawanie bólu partnerom i partnerkom, co czynił między innymi w swoim prowansalskim zamku Lacoste.

[35] Ludwik Feuerbach, *Wykłady o istocie religii*, (Warszawa: PWN, 1981).

Dwukrotnie aresztowany i zwalniany, nadal urządzał orgie libertyńskie, między innymi z lokajem, siostrą swej żony i prostytutkami. Z powodu otrucia czterech z nich został skazany na śmierć, ale zbiegł z kraju. Ponownie aresztowany i skazany przez króla Ludwika XVI, następne lata spędził w więzieniu, między innymi w słynnej paryskiej Bastylii. Podczas szturmu tłumu na to więzienie w lipcu 1789 roku krzyczał „Na pomoc! Mordują więźniów!". Zwolniony w 1790 roku, został nawet wybrany do Zgromadzenia Narodowego. Popierał republikę, ale sprzeciwiał się terrorowi jakobińskiemu, za co ponownie trafił do więzienia i ledwie uniknął gilotyny. W międzyczasie napisał kilka obszernych utworów o charakterze pornograficznym i agresywnie antychrześcijańskim, między innymi *Filozofia w buduarze*, *Sto dwadzieścia dni Sodomy, czyli szkoła libertynizmu* i *Justyna, czyli nieszczęścia cnoty*. De Sade był zajadłym ateistą. Pisał: „Mam gdzieś tego świadka! Moim największym zmartwieniem jest, że w rzeczywistości Bóg nie istnieje i że jestem wskutek tego pozbawiony przyjemności, jaką miałbym, mogąc go lżyć bardziej pozytywnie"[36]. Aresztowany ostatecznie w 1801 roku za publikację pornografii, trafił do domu wariatów w Charenton, gdzie uwiódł jeszcze czternastoletnią córkę pracownika tego zakładu.

Historia występków de Sade'a przyblakła w XIX wieku, jednak na początku XX wieku jego pisma odkryto i opublikowano na nowo, najpierw jako przyczynek do teorii odchyleń seksualnych. Przypadek de Sade'a posłużył jako wzorzec określenia „sadyzm". Później jednak jego libertynizm zaczął fascynować poetów modernistycznych, a Guillaume Apollinaire nazwał go „boskim markizem". Także surrealiści André Breton i Paul Éluard byli pod wrażeniem de Sade'a. Aldous Huxley określił go mianem „najpełniejszego i najbardziej skończonego rewolucjonisty w historii". Wieloletni redaktor naczelny *La Nouvelle Revue Française*, krytyk Jean Paulhan, napisał, że książki de Sade'a „przypominały mu święte księgi wielkich religii". Pisarz Georges Bataille, autor koncepcji „literatury transgresji", głosił za de Sade'em mistyczny nihilizm oraz „bezosobowy egoizm". Był też zdania, że żadne zachowanie seksualne nie jest nienormalne. „Transgresją" de Sade'a fascynował się też Michel Foucault i wielu innych luminarzy kultury XX wieku. Wszedł on stopniowo do kanonu literatury zachodniej[37].

Myślicielem, który doprowadził niewiarę do ostatecznych konsekwencji był Max Stirner (1806–1856), autor *Jedynego i jego własności*. Z pasją atakował on Boga za cechy, które mu przypisywał: „Nie sposób zaprzeczyć, iż Bóg dba tylko o Swoje, że zajmuje się tylko sobą, myśli jedynie o sobie i siebie tylko ma na względzie"[38]. Ponieważ Stirner stwierdził, iż Bóg jest tak niedobry, że go nie ma, zastąpił Boga człowiekiem, a konkretnie – sobą: „Dlatego – pisał – precz

---

[36] Cyt. wg: Marcel Neusch, *U źródeł współczesnego ateizmu,* (Paris: Édition du Dialogue, 1980), s. 23.

[37] Roger Shattuck, *Forbidden Knowledge. From Prometheus to Pornography,* (New York: St. Martin's Press, 1996), ss. 227 nn; Bogdan Banasiak, *Integralna potworność. Markiz de Sade – filozofia libertynizmu, czyli konsekwencje 'śmierci Boga',* (Łódź-Wrocław: Thesaurus, 1996); Pierre Klossowski, *Sade mój bliźni,* (Warszawa: Aletheia, 1990).

[38] Max Stirner, *Jedyny i jego własność* (Warszawa: Wydawnictwo Naukowe PWN, 1995), s. 4.

z wszelkimi sprawami, które nie są moimi sprawami (...) Moją sprawą nie jest sprawa Boga ani sprawa człowieka; nie jest nią Prawda, Dobro, Prawo czy Wolność – moja sprawa to tylko to, co Moje"[39]. Moralność i wiarę nazywał „więzieniem". Jednakże „wypędzenie Boga z nieba" nadwyrężyło wyraźnie jego logikę, gdyż w innym miejscu twierdził jednocześnie, że „miłość to jest to, co ludzkie w człowieku, a to co nieludzkie – to okrutny egoista". Sam więc zdefiniował swe poglądy jako nieludzkie. Istotnie, obsesyjne powtarzanie, że liczę się tylko Ja (zawsze pisany z dużej litery) doprowadziło Stirnera do twierdzenia, że „kto ma siłę, ten ma prawo". Konsekwencje tej deklaracji były dramatyczne. „Ja sam daję Sobie prawo, by zabijać, jeśli tylko Sobie tego nie zabraniam", bowiem „Ja decyduję, co jest moim prawem". I dalej: „Prawo to kretynizm (...) Siła to Ja sam (...) Siła i moc istnieją tylko we Mnie – Mocnym i Silnym". „Gdzie świat wchodzi Mi w drogę – a wchodzi Mi w drogę wszędzie – tam go pożeram". Sprowadzając Boga do człowieka, a człowieka do siebie, Stirner doszedł w istocie do wniosku, że może być jedynie człowiekiem dla siebie, bez żadnej właściwości. „Mam Siebie, toteż używam i rozkoszuję się Sobą" powiada Stirner, jakby się sam spłodził. Jedyny „Ja" jest więc tym, co każdy sobie zdoła wmówić. „Człowiek nie jest do niczego powołany" konkludował niemiecki autor[40]. Pogląd wyrażony w tych zdaniach usprawiedliwia naruszenie kodeksu karnego każdego cywilizowanego kraju.

Innym pisarzem, który utrwalił się w umysłach Europejczyków w szczególnie silny sposób, był Friedrich Wilhelm Nietzsche (1844–1900). Jest on bodaj skrajnym przykładem tego, jak wybitny intelekt podążający za gorączkowymi uczuciami może doprowadzić człowieka do sławy, ale także do katastrofy psychicznej i zatrucia źródeł myśli europejskiej. Twórczość Nietzschego przypomina bowiem ruch w błędnym kole. Straciwszy ojca pastora w dzieciństwie i wiarę w wieku kilkunastu lat, ten nieszablonowy umysł pogrążał się stale w zmaganiach z Bogiem, którego usiłował „uśmiercać" przez całe życie, brnąc w paranoiczne konstrukcje logiczne, aż do utraty zdrowia. Punktem wyjścia jego rozumowania, jeszcze w młodości, był, dość częsty problem pogodzenia Bożej miłości ze złem tego świata. Trudno powiedzieć na ile Nietzsche poznał chrześcijańską teologię zła – atrybutu duchów zbuntowanych przeciw Stwórcy. Dość, że odtąd stale wracał do początkowej myśli, że świat nie ma sensu, a prawda o nim jest paskudna. Nietzsche był świadom znaczenia „śmierci Boga" dla cywilizacji zachodniej, ale powtarzał swe tezy aż do bram szpitala psychiatrycznego[41].

---

[39] Tamże, s. 6.
[40] Cytaty ze s. 51, 55, 119, 222, 247, 356, 392.
[41] Podobno przekonanie to ugruntował podczas wycieczki w góry Górnej Engadiny w Szwajcarii w sierpniu 1861 roku. To dziwne, że piękno gór nasuwa jednym ludziom wrażenie wielkości dzieła Stwórcy, a innych – skłania do myśli zgoła przeciwnych. Damon Linker, „Nietzsche's Truth", *First Things*, September 2002, nr 12, s. 56. Por. też: Gilles Deleuze, *Nietzsche i filozofia*, (Warszawa: Wydawnictwo R, 1994); Rüdiger Safranski, *Nietzsche: biografia myśli*, (Warszawa: Czytelnik, 2003). O studiach nad Nietzschem pisał Jacek Filek: „Wszystkie te 'badania' mają za założenie nie traktować poważnie tego, co sam Nietzsche traktował z najwyższą

Tego rodzaju wojna z Bogiem, połączona z apoteozą rewolucji skutkowała „Katechizmem rewolucjonisty", którego autorem był albo Siergiej Nieczajew, albo Michaił Bakunin. W „Katechizmie rewolucjonisty" napisano: „Rewolucjonista – to człowiek stracony. Bezlitosny dla państwa i w ogóle dla całego układu klasowo-oświeconego społeczeństwa, nie powinien też od niego oczekiwać dla siebie litości. Między nimi i nim trwa skryta czy otwarta, ale nieustanna i nieprzejednana, na śmierć lub życie, wojna. Każdego dnia powinien być gotowy na śmierć. Powinien nauczyć się znosić tortury". O stosunku autorów do społeczeństwa i praworządności świadczą takie fragmenty: „Podłe społeczeństwo powinno być podzielone na kilka kategorii. Kategoria pierwsza – bezapelacyjnie skazanych na śmierć. Niech zestawią towarzysze listę takich skazanych w kolejności ich względnej szkodliwości dla sprawy rewolucyjnej, tak aby numery wcześniejsze likwidowane były przed numerami dalszymi. Przy tworzeniu takiej listy i dla wprowadzenia wskazanej wyżej kolejności należy kierować się bynajmniej nie osobistą nikczemnością danego człowieka, ani nawet nienawiścią rozbudzoną przez niego pośród towarzyszy czy pośród narodu. Ta nikczemność i nienawiść mogą nawet być częściowo i pożyteczne, przyczyniając się do wzniecenia buntu ludowego. Należy kierować się miarą korzyści, jaką powinno się wyciągnąć z jego śmierci dla sprawy rewolucji. Tak więc przede wszystkim powinni być zlikwidowani ludzie szczególnie szkodliwi dla organizacji rewolucyjnej i tacy, których nagła i gwałtownie zadana śmierć może wzbudzić we władzy najwyższy strach i pozbawić ją mądrych i energicznych działaczy, zachwiać jej siłą. Druga kategoria powinna się składać właśnie z tych ludzi, którym tylko czasowo darowane będzie życie, aby szeregiem swych nieludzkich postępków doprowadzili lud do nieuchronnego buntu. Do trzeciej kategorii należy bardzo wiele wysoko postawionego bydła lub indywiduów nie wyróżniających się specjalnym umysłem i energią, lecz dysponujących ze względu na pozycję bogactwem, powiązaniami, wpływami i siłą. Należy ich wykorzystywać na różne sposoby i możliwości, opłątać ich, sprowadzić na manowce, i zapanowawszy w miarę możliwości nad ich brudnymi tajemnicami, uczynić z nich niewolników. Ich władza, wpływy, związki, bogactwo i siła staną się niewyczerpaną skarbnicą i wydatną pomocą dla różnych przedsięwzięć rewolucyjnych"[42].

Mętne umysły rosyjskich nihilistów-rewolucjonistów, ożywionych nienawiścią do Boga i ludzi, znakomicie sportretował Fiodor Dostojewski w „Biesach".

UTOPIE KOMUNISTYCZNE

O projekcie społeczeństwa idealnego lub innymi słowy raju na ziemi, myślano już w starożytności. Być może pierwszym autorem takiej utopii był Platon w „Politei". Natomiast twierdzenie, że pierwsi chrześcijanie tworzyli komuny,

---

powagą. Dla nich to jest igraszką, jemu szło o życie". Jacek Filek, „Casus Nietzschego", *Tygodnik Powszechny*, 5 IX 1999 r.

[42] Jest rzeczą zastanawiającą, że tekst „Katechizmu" można znaleźć na stronie Stowarzyszenia Wolność-Równość-Solidarność bez żadnego komentarza, a więc w sposób aprobujący. http://www.wrs.rdl.pl/?q=node/9 (5 XI 2015).

Organem Międzynarodówki Komunistycznej było publikowane w różnych językach pismo „Kommunisticzieskij Internacjonał", mające propagować rewolucyjne idee w świecie. Na ilustracji wydanie angielskojęzyczne z października 1919 r.

jest nonsensem. Jezus Chrystus głosił Królestwo Niebieskie dla tych, którzy przestrzegali przykazań, ale nigdy nie planował idealnego społeczeństwa na ziemi. Niektóre zgromadzenia zakonne praktykowały ideały wspólnotowe, ale nie narzucały ich społeczeństwu. Takie idee przyświecały natomiast zwolennikom neoplatonizmu. W Średniowieczu kolektywizm promowali katarowie, bogomilcy, husyci i anabaptyści Thomasa Münzera. W słynnej „Utopii", opublikowanej po łacinie w 1516 roku, Thomas More rysował cechy społeczeństwa kolektywistycznego, jednak w sposób bardziej satyryczny niż postulatywny. Bardziej na serio traktował swój pomysł Tommasso Campanella (1568–1639). Jego *La città del Sole* („Miasto słońca"), opublikowane w 1602 roku, zawierało opis idealnego społeczeństwa, w którym dobra materialne, kobiety i dzieci były własnością wspólną. Nic dziwnego, że jako dominikanin Campanella miał kłopoty z Kościołem katolickim[43].

Radykalny egalitaryzm i kolektywizm propagowali później „diggerzy" i ich lider Gerrard Winstanley. Wspomniany ksiądz Meslier, który pełnił funkcje duszpasterskie wbrew swemu radykalnemu ateizmowi, zarysował projekt komun opartych na powszechnej równości. Autorami innych utopii byli Johann Valentin Andreae (*Christianopolis*), Samuel Gott (*Nova Solyma*), Samuel Hartlib (*Macaria*), a nawet Francis Bacon, który w swojej *Nowej Atlantydzie* zmagał się z tym samym problemem: każdy projekt idealnego społeczeństwa nie był idealny. Rozwiniętą utopię komunistyczną zaproponował Étienne-Gabriel Morelly (1717–1778) w dziele *Code de la Nature* („Kod natury", 1755). Jego zdaniem, zło w społeczeństwie zrodziło się wraz z własnością prywatną. Dlatego jego idealne społeczeństwo opierało się na braku własności prywatnej z wyjątkiem rzeczy codziennego użytku, na obowiązku pracy oraz dystrybucji dóbr przez państwo[44].

Pierwszym liderem politycznym, który usiłował wcielić utopię komunistyczną w życie, był wspomniany Babeuf podczas rewolucji francuskiej. Propagował on powszechną nacjonalizację przez Zgromadzenie Narodowe oraz obowiązek pracy. Formalnej demokracji towarzyszyć miał terror wobec przeciwników systemu. Elita rewolucyjna miała się więc zamienić w zinstytucjonalizowaną dyktaturę mniejszości. W XIX wieku praktyczne wzory wspólnot o charakterze komunistycznym tworzyli Robert Owen w osadzie New Harmony w amerykańskim stanie Indiana, Charles Fourier przy pomocy „falansterów" i Étienne Cabet, który na podstawie swojej powieści *Voyage et aventures de lord William Carisdall en Icarie* („Podróże i przygody lorda Williama Carisdall w Ikarii", 1840) próbował zrealizować podobną utopię w komunie Nauvoo w stanie Illinois. Wszystkie te eksperymenty zawiodły. Mimo to zwolennicy tych utopii nie ustawali w swoich wyznaniach wiary. Zachował się list Karola Marksa i Fryderyka Engelsa do Étienne Cabeta z 5 IV 1848 roku, w którym pisali oni: „Ani przez chwilę nie wątpimy, że wkrótce będziemy w stanie donieść panu o postępie ruchu komunistycznego w Niemczech"[45].

Zawsze istniały moralne argumenty na rzecz prób poprawy warunków życia społeczeństwa i większej sprawiedliwości. Los utopii społecznych pokazuje jednak dobitnie jak trudno było nie tylko sformułować kurację, ale nawet diagnozę przyczyn problemów społecznych. Materialistyczne i rewolucyjne próby podjęte w XX wieku oparte były nie tylko na fałszywym rozpoznaniu, ale narzucały lekarstwa, które okazały się gorsze niż choroba.

---

[43] Franciszek Pająk, *Filozofia Tommasso Campanelli 1568–1639*, (Wrocław: Wydawnictwo Uniwersytetu Wrocławskiego, 1980).

[44] Morelly, „Code of Nature (1755)" http://www.historyguide.org/intellect/morelly.html (7 IV 2014).

[45] „Letters of Marx and Engels 1848", http://marxists.org/archive/marx/works/1848/letters/48_04_05.htm (8 IV 2014).

MARKSIZM

Teoria marksowska miała trzy główne źródła: dialektykę Hegla, materializm Feuerbacha i teorię wartości opartej na pracy Davida Ricardo[46]. Karol Marks (1818–1883) przełożył deterministyczną dialektykę Hegla na materialistyczny język Feuerbacha. Marksowska wizja historii polegała więc nie na tym, że Duch Świata staje się w pełni Bogiem, ale że człowiek staje się w pełni człowiekiem. Historia była dlań procesem przemiany społeczeństw od wspólnoty pierwotnej do przyszłego komunizmu w wyniku zmian w procesie produkcji. Miało się tak dziać poprzez walkę przeciwieństw klasowych narastających w każdej formacji społecznej i prowadzących do rewolucyjnych przemian w stosunkach produkcji. Najwyższe stadium rozwoju ludzkości miało się, według Marksa, zacząć od rewolucji proletariackiej przeciw burżuazji. Ustanowienie dyktatury proletariatu i nacjonalizacja środków produkcji miały przynieść tak wielki rozwój ekonomiczny, że możliwa stałaby się realizacja hasła „od każdego wedle możliwości, każdemu wedle potrzeb"[47]. Zważywszy naturę człowieka, który na ogół dąży do minimalizacji wysiłku i maksymalizacji satysfakcji, hasło to brzmi całkowicie nierealnie.

Marksowska ontologia brała się z praktyki, ale praktyka – z teorii. Zapowiedź tego sprzężenia zwrotnego stanowi rzekomo obiektywna kategoria *Praxis*, wprowadzona przez Marksa i Fryderyka Engelsa (1820–1895). Obiektywizm tej przesłanki był jednak pozorny, bowiem praktykę tę rozumieli czysto materialnie. Co gorsza, nie dopuszczali oni myśli, że jest to założenie dowolne, lecz twierdzili, że jest to „obiektywny" i „naukowy" punkt wyjścia jedynie słusznej teorii. U Marksa i Engelsa widać niezdecydowanie co do tego, na ile *Praxis* obejmuje także zwrotne oddziaływanie myśli teoretycznej na działanie. Zagadnienie to, przypominające przysłowiową dyskusję, co było pierwsze, kura czy jajko, zostało rozstrzygnięte w praktyce budowania nowego systemu jednoznacznie: to praktyka wynikać miała z teorii, a nie na odwrót. Nic zresztą dziwnego, skoro sam Marks z dumą stwierdzał: „filozofowie dotychczas tylko rozmaicie interpretowali świat; chodzi zaś o to, by go zmieniać"[48]. Jeśli więc teoria nie zgadzała się z faktami, tym gorzej było dla faktów.

Antropologia marksizmu nie odpowiada jednak na pytanie, dlaczego świadomość ludzka, rzekomo zakorzeniona w materialnym jedynie bycie, jest na tyle samodzielna, by mogła zmieniać rzeczywistość, dlaczego trzeba ją zmieniać i w jakim kierunku. Marksizm wypracował pojęcie „świadomości klasowej", która miała to wyjaśnić, jednak bez powodzenia. W praktyce zdobycie władzy przez elitę

---

[46] Najważniejszą pracą polska ukazującą tę doktrynę wraz z jej konsekwencjami są Leszka Kołakowskiego *Główne nurty marksizmu,* (Londyn: Aneks, 1988).

[47] Główne pisma Marksa i Engelsa, w których można znaleźć podstawy ich teorii to: Karol Marks, *Krytyka programu gotajskiego,* (w:) Karol Marks, Fryderyk Engels, *Dzieła wybrane,* t. II, (Warszawa, 1951); Karol Marks, *Kapitał,* (Warszawa, 1951); Fryderyk Engels, *Anty-Dühring,* (Warszawa, 1948); Fryderyk Engels, *Pochodzenie rodziny, własności prywatnej i państwa,* (w:) *Dzieła wybrane,* t. II. (Warszawa, 1949); Karol Marks, Fryderyk Engels, *Manifest komunistyczny,* http://www.filozofia.uw.edu.pl/skfm/publikacje/marks-engels01.pdf (12 XI 2015).

[48] Karol Marks, *Tezy o Feuerbachu,* (w:) *Dzieła,* (Warszawa 1961), t. III, s. 25.

spiskową prowadziło do wprowadzenia nowego systemu na drodze przymusu. Jest zresztą zdumiewające, jak marksizm i rewolucja bolszewicka kopiowały próby stworzenia „nowego świata" i „nowego człowieka" podczas rewolucji francuskiej. Podobieństwo uderza także jeśli wziąć pod uwagę skalę przemocy i okrucieństw obu rewolucji. Marks i Engels mieli nadzieję, iż o ile „lud" francuski wyniósł do władzy burżuazję, o tyle w podobny sposób „klasa robotnicza" stworzy wyższy od kapitalizmu system – „socjalizm". Rewolucja jest jednak rewolucją i zawsze przynosi efekty niezbyt zamierzone przez swych wodzów. Tym bardziej, że w myśli marksowskiej istniało niebezpieczne założenie, że prawo, będące częścią klasowej „nadbudowy" społecznej, jest narzędziem w rękach klasy panującej, a więc, że może być dowolnie kształtowane.

W marksistowskiej ontologii materialistycznej brak jasnego określenia podstawowego pojęcia „materia". Engels pisał na przykład: „Cała materia poddana jest ruchowi w obrębie wiecznego nurtu i obiegu (...) Niezniszczalność ruchu i materii jest niepojęta (...) Rozżarzona materia systemów słonecznych (...) wytworzyła się w sposób naturalny w wyniku przeobrażeń ruchu"[49]. Jest to typowe tłumaczenie nieznanego przez nieznane. Marks twierdził, iż głównym atrybutem materii jest ruch. Marks i Engels, a za nimi Lenin i inni marksiści, przypisywali materii nie tylko ruch, ale takie cechy ontologiczne jak: niestworzoność, nieograniczoność, wieczność i samowystarczalność. Mało tego, zasada przechodzenia materii z form niższych do wyższych opiera się także w marksizmie na immanentnej cesze materii. Jednokierunkowość rozwoju świata nie jest więc przypadkiem, lecz dziełem organizacji wewnętrznej materii – tkwiących w niej sprzeczności oraz przechodzenia zmian ilościowych w jakościowe. Materia jest więc także bytem samoulepszającym się. Z grubsza rzecz biorąc, cechy przypisywane jej przez marksizm odpowiadają cechom nadawanym kosmosowi przez metafizykę panteistyczną, idącą za Parmenidesem („byt jest wszystkim") i indyjskimi „Upaniszadami" („istnieje Jednia"), oraz utożsamiającą byt materialny z boskim[50].

W istocie marksizm jest próbą wszystko wyjaśniającego determinizmu, bowiem opiera swój materializm historyczny nie na wyższości moralnej socjalizmu nad kapitalizmem, ale na zasadzie ogólnych praw rozwoju materii. Marks i jego naśladowcy uznawali przyczynę i skutek w poszczególnych przypadkach, natomiast sądzili, że w całej rzeczywistości przyczyny i skutki „zbiegają się i roztapiają w pojęciu powszechnego oddziaływania wzajemnego"[51]. W takim rozumieniu konieczności i przypadkowości widać kolosalną sprzeczność. Przyjęcie powszechnej współzależności przyczyn i skutków oznacza bowiem uniemożliwienie wszelkiego ruchu w czasie, a ruch ów jest przecież w marksizmie główną cechą materii. Wszystko powiązane ze wszystkim musiałoby po prostu stać w miejscu. Poza tym teoria ta ignoruje czas. Nie można przecież na serio dowodzić, że rewolucja

---

[49] Fryderyk Engels, *Dialektyka przyrody*, (Warszawa 1956), s. 122.
[50] Ten aspekt materializmu marksowskiego świetnie pokazał Claude Tresmontant, *Problem istnienia Boga,* (Warszawa: PAX, 1970), ss. 83 nn.
[51] Engels, *Anty-Dühring*, s. 30.

bolszewicka z 1917 r. miała jakiś wpływ na odkrycie Ameryki w 1492 r. Nie za-uważając niekonsekwencji, Marks i Engels przyjmowali walkę sprzeczności jako podstawowy mechanizm rozwoju świata i głosili dominację ogólnych praw histo-rycznych, a więc determinizm. Marksizm może więc być interesujący z punktu widzenia socjologii wczesnego kapitalizmu, ale jest bardzo wątpliwy jako teoria ekonomii i katastrofalny jako filozofia.

Teoria marksowska była kontynuowana na różne sposoby. Zazwyczaj element prometejski rozwijano razem z założeniem, że nowa organizacja produkcji zmieni społeczeństwo w sposób naturalny. Niektórzy radykalni ideologowie byli jednak zdania, że proces ten należy przyspieszyć w sposób rewolucyjny. Na przykład ra-dykalny socjalista francuski Auguste Blanqui (1805–1881) głosił konieczność wpro-wadzenia „komunizmu" na drodze rewolucji, którą miała pokierować elita spisko-wa. Jego „Instrukcja zbrojnego powstania" (*Instruction pour une prise d'arme*, 1866) była podręcznikiem rewolucji. Blankiści należeli do liderów Komuny Paryskiej w 1871 roku. Jej władze uchwaliły przejęcie zakładów pracy przez robotników, ale także rozdział Kościoła od państwa, tyle, że w praktyce rozdział ten miał polegać na zniszczeniu Kościoła i religii. Nienawiść blankistów do chrześcijaństwa miała wyraźny podtekst antysemicki[52]. Rozważania na temat przyczyn upadku Komuny Paryskiej zdominowały myślenie Karola Marksa oraz marksistów-rewolucjonistów: Karla Liebknechta, Róży Luksemburg i Włodzimierza Lenina.

UWIĄD ETYKI

Wiek XIX przyniósł w myśli zachodniej swoiste upojenie postępem naukowym i technicznym oraz związanymi z tym zmianami w życiu społecznym. W rozwoju socjologii, a więc nauki, która wykształciła się na dobre w XIX wieku, szczególną rolę odegrał pozytywizm. Wynikał on z przekonania, że podstawą filozofii może być tylko nauka. Filozofami, którzy zapoczątkowali ten typ myślenia, byli: twórca empiryzmu, wspomniany John Locke, szkocki sceptyk i empiryk David Hume (1711–1776) oraz John Stuart Mill (1806–1873). Nie wszyscy myśliciele pozyty-wistyczni tak siebie określali, ale przekonanie o prymacie doświadczenia, czyli empiryzm, oraz badań naukowych, czyli scjentyzm, było im wspólne.

Klasyczną doktrynę pozytywistyczną reprezentował wspomniany Auguste Comte. Główną jego tezą było stwierdzenie, że jedyną pewną wiedzą jest wiedza naukowa, osiągalna dzięki weryfikacji hipotez teoretycznych przez empiryczną metodę naukową. Siłą rzeczy pozytywiści stawiali główny akcent na nauki przy-rodnicze, odrzucając nie tylko religię, ale w ogóle metafizykę. Comte krytykował

---

[52] Kucharczyk, *Christianitas*, ss. 116–117. Mało znanym faktem z dziejów Komuny Paryskiej jest mord na arcybiskupie Paryża, Georges'u Darboyu. Ponieważ rząd odmówił jego wymiany za uwięzionego Blanquiego, główny oskarżyciel Komuny, Théophile Charles Gilles Ferré, rozkazał stracić arcybiskupa. Rev. Reuben Parsons, „The Clerical Victims of the Commune of 1871", *Studies in Church History*, t. VI, (Nowy Jork: Fr. Pustet & Co, 1901), ss. 85–110; Alistair Horne, *The Fall of Paris. The Siege and the Commune 1870–71* (London: Macmillan, 1965).

tradycyjną filozofię za to, że usiłowała znaleźć odpowiedź na pytania, na które nie ma odpowiedzi naukowej, na przykład o cel czy pochodzenie świata, zamiast ograniczać się do kwestii, w których możemy osiągnąć pewność. Choć Comte odrzucał istniejące religie jako zabobony, a katolicyzmu nienawidził, uważał, że ze względów praktycznych należy je zastąpić swoistą „humanistyczną" religią ludzkości. Wyobrażał sobie nawet kult Ludzkości w dawnych kościołach katolickich. Wydaje się, że Comte istotnie wierzył w wymyśloną przez siebie religię ludzkości. W liście do Johna Stuarta Milla pisał: „My, systematyczni pozytywiści, jesteśmy prawdziwymi następcami wielkich ludzi średniowiecza, podejmując pracę społeczną w miejscu, do którego przywiódł ją katolicyzm"[53]. Była to zresztą myśl bliska niektórym przywódcom rewolucji francuskiej. „Naukowy światopogląd" pozytywistów abstrahował od stwierdzalnego naukowo faktu stałego oddalania się horyzontu tajemnic w miarę postępów badań. Stawał się więc swoistym wyznaniem wiary w rozum i postęp jako zjawiska wystarczalne. Pozytywizm zawodził też całkowicie w etyce. Nie potrafił bowiem wyjaśnić podstaw wartościowania.

Prekursorem myśli, którą później nazwano pragmatyzmem, był wybitny matematyk, chemik, psycholog i filozof amerykański Charles Sanders Peirce (1839–1914), twórca semiologii, czyli badań znaków funkcjonujących w społeczeństwie. Odniesienie Peirce'a do rzeczywistości było dość dwuznaczne, skoro twierdził on, iż nauka zbliża ludzi do prawdy, ale jednocześnie prawdą może być to, co ludzi satysfakcjonuje. Trudno nie nazwać tego stanowiska relatywizmem. Pragmatyzmem określa się jednak głównie myśl Amerykanina Williama Jamesa (1842–1910), który oceniał twierdzenia metafizyczne ze względu na praktyczne konsekwencje. James studiował chemię, anatomię i medycynę, po czym zajął się głównie psychologią. Na tory rozważań filozoficznych wszedł dopiero w latach dziewięćdziesiątych XIX wieku. Przeciwstawiał się on też idei prawdy jako zgodności sądu z rzeczywistością na rzecz względności prawdy wobec użyteczności w spełnianiu ludzkich potrzeb. Również wiara winna być, jego zdaniem, oceniana w ten sposób, gdyż rzekomo chcemy ją przyjmować (*the will to believe*). Kluczowym jego stwierdzeniem jest teza, iż „teorie nie są kopią rzeczywistości, lecz mogą być użyteczne z pewnego stanowiska"[54]. Dla Jamesa stwierdzenie, że sąd jest prawdziwy, oznacza tylko, że okazał się skuteczny ze względu na cele, jakie sobie stawiamy. Metoda pragmatyczna była dla Jamesa „instrumentalnym" traktowaniem teorii. Teorie były więc dla niego tylko narzędziami, a nie odpowiedziami na pytania o rzeczywistość.

W potocznym rozumieniu pragmatyk to człowiek potrafiący skutecznie realizować swe cele. Pragmatyzm brzmi więc nowocześnie i profesjonalnie. Gdy mu się jednak bliżej przyjrzeć, widać, że bez zdrowego rozsądku i moralnej wrażliwości

---

[53] Jerzy Szacki, *Historia myśli socjologicznej,* (Warszawa: PWN, 1983), t. I, ss. 256 nn. Cyt. wg: Donald de Marco, Benjamin D. Wiker, *Architekci kultury śmierci,* (Warszawa: Fronda, 2004), s. 143.

[54] Cyt. wg: Adam Sikora, „James i pragmatyzm", (w:) *Filozofia i socjologia XX wieku,* (Warszawa: Wiedza Powszechna, 1965), s. 321; William James, *Pragmatyzm,* (Warszawa: PWN, 1957), ss. 108–123; Barbara Krawcowicz, *William James,* (Toruń: Wydawnictwo UMK, 2017).

prowadzi on na straszliwe manowce. Ojcowie założyciele pragmatyzmu z XIX wieku być może nie przeczuwali, jaki praktyczny użytek zrobią z niego ludzie następnego stulecia. Czołowy uczeń Jamesa, John Dewey (1859–1952) w ogóle zrezygnował z pojęcia prawdy na rzecz „zasadnej stwierdzalności", która była, według niego, funkcją nauki jako środka opanowania otoczenia[55]. Niebezpieczeństwo tkwiące w takim ujęciu prawdy zauważył Bertrand Russell, który ocenił je jako „kosmiczną bezbożność" wiodącą do upojenia człowieka swoją rzekomą mocą. Russell stwierdził dalej, iż „upojenie to jest największym zagrożeniem naszych czasów, a wszelka filozofia, która choćby mimowolnie mu sprzyja, potęguje groźbę wielkiej katastrofy społecznej"[56].

Bliskim pozytywizmowi i pragmatyzmowi poglądem był utylitaryzm, zapoczątkowany przez Francisa Hutchesona (1694–1746), ale obecny też u Hume'a, a szczególnie u Jamesa Milla (1773–1836) i Jeremy Benthama (1748–1832). Twierdzili oni, że działania człowieka muszą być, z punktu widzenia etyki, użyteczne dla niego i dla społeczeństwa. Etyczny utylitaryzm, pozornie bliski etyce chrześcijańskiej, prowadzić musiał jednak na manowce, gdyż w nie do końca jasny sposób definiował użyteczność. Jeśli bowiem, jak twierdził Bentham, postępowanie można nazwać moralnym, gdy zmierza do zapewnienia największego szczęścia największej liczbie ludzi, to pozostaje nadal niejasne, czym jest szczęście i czy szczęście jednych nie kłóci się ze szczęściem innych[57]. Pogląd, że użyteczne jest zwiększanie przyjemności, a zmniejszanie przykrości, zbliża do subiektywnego hedonizmu i trudno go przyjąć za drogowskaz życia społecznego.

Poglądy, w których naczelne miejsce zajęły: nauka, doświadczenie, użyteczność czy szczęście stały się niezwykle popularne ze względu na swoją łatwość i pozorną atrakcyjność, ale jednocześnie prowadziły do podważenia etyki chrześcijańskiej, w której pojęcie Boga stwórcy pełnego miłości „uniesprzecznia" różne aspekty rzeczywistości. Choć wspomniane poglądy pozornie nie brzmią zbyt groźnie, ich konsekwencją stała się bezradność współczesnej cywilizacji zachodniej wobec zagrożeń amoralizmu.

EWOLUCJONIZM

Pierwsze teorie „transmutacji" żywych organizmów głosili trzej wybitni biolodzy: Anglik Robert Grant oraz Francuzi Jean-Baptiste Lamarck i Étienne Geoffrey St. Hilaire. Ewolucjonizm stał się jednak niezwykle popularną teorią dzięki pracom Karola Darwina (1809–1882). Choć został on w dzieciństwie ochrzczony, jego zamożni rodzice byli w istocie wolnomyślicielami. Darwin nie ukończył

---

[55] John Dewey, „Authority and Social Change", (w:) *Authority and the Individual*, (Cambridge: Harvard University Press, 1937), ss. 183–184.

[56] Bertrand Russell, *A History of Western Philosophy*, (New York: Simon & Schuster, 1945), s. 827–828.

[57] Jeremy Bentham, *Wprowadzenie do zasad moralności i prawodawstwa*, (Warszawa: PWN, 1958), ss. 17–56; Halina Myślińska, *Bentham i jego system etyczny*, (Warszawa: Książka i Wiedza, 1964).

studiów medycznych, ale poznał dzięki nim teorie Granta, Lamarcka i St. Hilaire'a oraz przekonał się do materialistycznego objaśnienia pochodzenia życia na ziemi. Pod wpływem ojca objął plebanię Kościoła anglikańskiego i żył jako człowiek pozornie pogodzony z Bogiem, jednak był to jedynie akt konformizmu i hipokryzji, gdyż podczas studiów na uniwersytecie Cambridge ostatecznie odrzucił argumenty o Stwórcy jako architekcie zmian w przyrodzie. Darwin wciągnął się w studia przyrodnicze i podczas pięcioletniej wyprawy na statku HMS „Beagle" (1831–1836) badał zmiany, jakim ulegały gatunki organizmów żywych, tworząc teorię doboru naturalnego. W najsłynniejszej swej pracy „O powstawaniu gatunków drogą doboru naturalnego" (*On the Origin of Species by Means of Natural Selection*, 1859) tłumaczył zróżnicowanie żywych organizmów dziedziczeniem modyfikacji. Dalszym ciągiem jego prac teoretycznych było dzieło „O pochodzeniu człowieka i doborze w odniesieniu do płci" (*The Descent of Man and Selection in Relation to Sex*, 1871), w której dowodził, że jako gatunek człowiek wywodzi się od małp człekokształtnych[58].

Darwin zdawał sobie sprawę, że jego teoria podważa nie tylko chrześcijańską wizję stworzenia człowieka, ale także autonomię jego woli i tworzy podstawy relatywizmu moralnego. Dlatego przez wiele lat ukrywał swe poglądy aż do publikacji obu dzieł, które doprowadziły do prawdziwego przełomu w poglądach na ludzkie życie. Nawet później, obawiając się ostracyzmu ze strony tradycjonalistów, nie przyznawał się do ateizmu, lecz określał się mianem „agnostyka". Tak czy inaczej, teoria Darwina dała pozornie naukowe podstawy rasizmu, eugeniki i podkopała chrześcijańskie pojęcie prawa naturalnego[59]. W teorii Darwina brakuje dostatecznych dowodów na ciągłość zmian, gdyż nie stwierdzono wielu przypadków „ogniw pośrednich" miedzy gatunkami. Luki w teorii Darwina świetnie obnażył między innymi Tresmontant (*Problem istnienia Boga*). Jego zdaniem, ewolucja nie wyjaśnia w ogóle początku życia. Próba wyjaśnienia pojawienia się żywego mikroorganizmu na zasadzie przypadku oznacza uznanie zjawiska o niezwykle małym prawdopodobieństwie, gdyż składa się nań wielka ilość złożonych substancji chemicznych: związków i pierwiastków, które musiałyby połączyć się przypadkowo, a następnie rozwijać stopniowo od organizmów niższych do wyższych[60].

---

[58] Polskie wydania dzieł Darwina to: *O powstawaniu gatunków drogą doboru naturalnego, czyli o utrzymywaniu się doskonalszych ras w walce o byt*, (Warszawa: Redakcya Przeglądu Tygodniowego, 1885) oraz *O pochodzeniu człowieka* w: *Dzieła wybrane*, t. IV, (Warszawa: Wydawnictwo Rolnicze i Leśne, 1959). Oryginały wszystkich ważniejszych prac Darwina są dostępne na http://darwin-online.org.uk/contents.html#origin (15 II 2018).

[59] De Marco, Wiker, *Architekci kultury śmierci*, ss. 71–88.

[60] Pierre Lacomte du Noüy obliczył prawdopodobieństwo przypadkowego powstania cząsteczki białka jako $1:10^{321}$. Owen Gingerich, *Boski wszechświat*, (Warszawa: Wydawnictwo UW, 2008), s. 45. Podobnie można liczyć prawdopodobieństwo powstania organizmu świadomego, jakim jest człowiek. Teoretycznie przypadek taki oraz stopniowa ewolucja byłyby możliwe, ale byłby to cały łańcuch przypadkowych, „szczęśliwych" okoliczności (skoków ewolucji), w przeciwnym razie trwałoby to dłużej niż istnieje Wszechświat (Tresmontant, *Problem istnienia Boga*,

Karykatura Darwina i jego teorii zamieszczona na łamach angielskiego tygodnika satyrycznego „Punch" w 1882 r. Teoria ewolucji wywoła ogromne kontrowersje i sprzeciw wielu środowisk.

Choć niedostatecznie udowodniona, błyskotliwa teoria Darwina stała się fundamentem współczesnej biologii, a nawet filozofii, a pojęcie „darwinizmu" stało się potocznym synonimem biologicznego determinizmu, nie pozostawiającego wiele miejsca na ludzką wolę ani rozwój duchowy.

Rozwinięciem idei postępu i ewolucji było przekonanie, iż całym światem rządzi zasada ewolucji biologicznej i społecznej. Protagonistą tak rozumianego organicyzmu i ewolucjonizmu był angielski filozof i socjolog Herbert Spencer (1820–1903). Jego zdaniem, zasada ewolucji przebiegała na wszystkich poziomach rzeczywistości: nieorganicznym, biologicznym i społecznym, a także dotyczy kultury ludzkiej. Jeśli zaś ewolucja jest zasadą powszechną, uważał, to rzeczywistość społeczna wywodzi się z biologicznej, a ta – z nieorganicznej. Spencer przypuszczał, że pierwotną jej formą był animizm, natomiast politeizm i monoteizm powstał, jego zdaniem, z apoteozy wybitnych jednostek ludzkich[61]. Dowody na te hipotezy, jakie przytaczał, były jednak dość wątłe.

DZIEDZICTWO FREUDA

W filozoficznym dziedzictwie Sigmunda Freuda (1856–1939) widać wyraźnie sprzeczność między materialistycznym założeniami a mistycznym efektem jego teorii. Pochodził ze zlaicyzowanej rodziny żydowskiej. Urodził się na Morawach, ale w jego dzieciństwie rodzice przenieśli się do Lipska, a wkrótce potem do Wiednia. Z tym miastem związany był przez większość życia. Jego zainteresowania przyrodnicze rozwinęły się w epoce, w której elity intelektualne podążały coraz wyraźniej w kierunku scjentyzmu i materializmu, a jednocześnie fascynowały się niewytłumaczalnymi zjawiskami typu parapsychologicznego. W kręgach intelektualnych popularna stawała się teoria Darwina. Zaczynało dominować przekonanie o możliwości naukowego wyjaśnienia wszystkich zagadek tego świata. Po ośmiu latach studiów medycznych w 1881 roku Freud uzyskał doktorat na uniwersytecie wiedeńskim, jednak zamiast kariery akademickiej wybrał bardziej dochodową praktykę lekarską. Podczas praktyki w szpitalu paryskim zafascynował się leczeniem histerii przy pomocy hipnozy i odtąd, początkowo we współpracy z fizjologiem Josefem Breuerem (1845–1925), poświęcił się głównie badaniom psychoanalitycznym.

W badaniach tych usiłował w ścisły sposób ująć doświadczenia psychiczne osób chorych lub marzenia senne. Zakładał, że sny są fasadą skrywającą ludzkie życzenia poprzez wymogi kulturowe. W owych utajonych życzeniach upatrywał

---

s. 175 nn). „Prawo przyrody", na które powołują się niektórzy filozofowie, sprowadza Tresmontant do absurdu. Pisze on: „Materia to mnogość. Jakże by mogła ona sama powodować swe uorganizowanie?" (Tamże, s. 202).

[61] Leszek Kasprzyk, *Spencer*, (Warszawa: Wiedza Powszechna, 1967).

Sigmund Freud (1856–1939), słynny austriacki neurolog i psychiatra, twórca psychoanalizy. W swoich badaniach starał się w ścisły sposób ująć doświadczenia psychiczne osób chorych oraz ludzkie sny. Jego analiza przejawów „nieświadomości" jest dowolnym zbiorem przypuszczeń.

przede wszystkim motywów seksualnych. Naukowość tej metody jest oczywiście względna, bo opiera się w dużej mierze na swobodnych spekulacjach. Również jego analiza przejawów „nieświadomości" jest dość dowolnym zbiorem przypuszczeń. W pracy „Psychopatologia życia codziennego" (*Zur Psychopathologie des Alltagslebens,* 1901) analizował na przykład dowcipy i „przejęzyczenia", które to pojęcie weszło do kanonu języka potocznego jako „pomyłki freudowskie". Oryginalność jego badań i tez zyskała Freudowi wielką popularność i pociągnęła wielu naśladowców. W 1902 roku Freud otrzymał od cesarza Franciszka Józefa tytuł profesora nadzwyczajnego. Po wizycie w Stanach Zjednoczonych w 1909 roku psychoanalizę zaczęto tam, między innymi za sprawą neurologa Jamesa J. Putnama, przyjmować i popularyzować jako naukę.

Ważnym polem teorii Freuda było życie seksualne. Twierdził, że popęd seksualny rozwija się u dziecka od najwcześniejszego dzieciństwa, uogólniając poszczególne fazy tego rozwoju niezależnie od płci. Źródła zaburzeń psychicznych upatrywał w komplikacjach związanych z wypieraniem naturalnych skłonności seksualnych. Badacze życiorysu Freuda twierdzą, że tezy te oparł on na własnych doświadczeniach. Swoje teorie psychoanalityczne odnosił też Freud do plemion pierwotnych, twierdząc, że ich zachowania w dziedzinie totemów i tabu przypominają zachowania dzieci. Na tej podstawie sądził, że religię można ująć jako rodzaj „nerwicy natręctw", w której Bóg miał odgrywać rolę „wywyższonego ojca". Na początku lat dwudziestych XX wieku Freud skupił się na teorii popędów, wyróżniając dwa popędy podstawowe: popęd seksualny i popęd śmierci.

Ambicje Freuda sięgały znacznie ponad kliniczną praktykę psychiatryczną. Chciał on stworzyć rodzaj filozofii, opartej na naukowych rzekomo podstawach psychologii. Odróżnił świadomość od bardziej rzekomo wpływowej „nieświadomości". Tę ostatnią nazwał *id* – będące elementem nie poddającym się autokontroli, czasowi ani logice, swego rodzaju zbiorem naturalnych popędów. Od *id* odróżnił *ego* będące świadomością krytyczną, pośredniczącą między *id* i środowiskiem społecznym, a także *superego* będące zinternalizowanymi normami społecznymi. W 1927 roku Freud ogłosił pracę „Przyszłość pewnego złudzenia" (*Die Zukunft einer Illusion*), w której stwierdził, że religia jest złudzeniem, które godzi człowieka z okropnościami natury, okrucieństwem losu i rekompensuje mu cierpienia i wyrzeczenia. Wywody Freuda są tu bliskie marksowskiemu twierdzeniu o religii jako „opium dla mas"[62].

Pod koniec życia Freud uwierzył, że psychoanaliza jest odkryciem naukowym na miarę wielkich przełomów duchowych z przeszłości. Fascynowała go na przykład postać Mojżesza. Jednakże próba zharmonizowania nauki i materializmu z metafizyką

---

[62] Po zajęciu Austrii przez wojska niemieckie w 1938 roku Freud został wykupiony z rąk Gestapo i wyjechał do Anglii, gdzie śmiertelnie chory na raka poddał się eutanazji. Cztery jego siostry zginęły w niemieckich obozach koncentracyjnych. Zygmunt Freud, „Przyszłość pewnego złudzenia", w: *Dzieła, t. IV. Pisma społeczne,* (Warszawa: Wydawnictwo KR, 1998); Ingrid Kästner, Christina Schröder, *Zygmunt Freud (1856–1939). Badacz umysłu, neurolog, psychoterapeuta,* (Warszawa: Arboretum, 1997); Paul Ricoeur, *O interpretacji. Esej o Freudzie,* (Warszawa: Wydawnictwo KR, 2008); de Marco, Wiker, *Architekci kultury śmierci,* ss. 209–223.

była kompletnie niespójna. Sam Freud czuł się stale niedoceniany, jednak popularność jego teorii, często zupełnie nie opartych na racjonalnym rozumowaniu, lecz na dowolnych interpretacjach zjawisk, w niczym nie usprawiedliwiała tego stanowiska. Teorie Freuda w istocie zredukowały człowieczeństwo do funkcji czysto biologicznych. Człowiek Freuda nie posiada bowiem wolnej woli. Odrzucając racjonalność ludzkich wyborów i głosząc dominację ukrytych, często ciemnych stron ludzkiej świadomości, Freud utorował drogę wielu sprzecznym prądom myślowym XX wieku.

IRRACJONALIZM

Dążenie do odkrywania tego, co nieznane, jest stare jak ludzkość. W czasach nowożytnych, w dobie rozwoju poznania naukowego, dążenie to nabrało nowego znaczenia. Czym innym jest bowiem próba odkrycia rozumowego, opartego na logice i doświadczeniu, a czym innym wiara w istnienie wiedzy tajemnej, która może wyróżnić bardziej wtajemniczonych, oraz praktyk, które mogą tę wiedzę przybliżyć i opanować, pokonując niemal wszystkie bariery rzeczywistości. Wiarę tę nazywa się najczęściej ezoteryzmem, a praktyki – okultyzmem.

Pojęcie „ezoteryzm" pojawiło się w XIX wieku w pismach alzackiego teologa protestanckiego Jacques'a Mattera (1791–1864). Jest to bardziej podejście do rzeczywistości niż zbiór poglądów. Za podejściem tym kryje się dążenie do pogodzenia różnych sprzecznych poglądów i wykrycia jednolitej zasady rządzącej światem, ale innej niż Bóg, stwórca i źródło miłości. Jest w tym podejściu podejrzenie, iż świat jest ogromnym, żywym organizmem, przeniknietym energią duchową oraz że myślenie i praktyki magiczne mogą rozjaśnić zagadki natury świata. Ezoteryzm jest więc najogólniejszym określeniem stosunku do świata, jaki wynika z panteizmu. Ponieważ materializm ateistyczny jest w istocie formą panteizmu, myślenie ezoteryczne nie było także obce, tym, którzy „zabili Boga". Początków ezoteryzmu można się dopatrywać w filozofii Pitagorasa lub w gnozie, hermetyzmie, alchemii i astrologii. Pod koniec średniowiecza w kulturze zachodniej doszło do ponownego odkrycia gnozy i wiedzy tajemnej. Warto tu przypomnieć *Corpus hermeticum*, przełożony przez Marsilio Ficino na zlecenie Kosmy Mediciego. Postacią, która nadała temu, co później nazwano ezoteryzmem, nowego rozpędu był Giovanni Pico della Mirandola (1463–1494), genialny polihistor renesansowy, który dociekał jedności doktryn filozoficznych i astrologii[63].

O ile chrześcijaństwo zracjonalizowało poznanie, zwalczając magię, o tyle, odsuwając transcendentnego Boga i uniwersalne zasady etyczne, ezoteryzm stanowił powrót do magicznego podejścia do świata. Współpracownik Freuda, szwajcarski psycholog Carl Gustav Jung (1875–1961) przyczynił się jak mało kto do renesansu myślenia ezoterycznego, gdyż przybliżył irracjonalizm do rangi nauki. Jego matka była okultystką, a on sam pozostawał pod wrażeniem sennych koszmarów z dzieciństwa. W swoich pracach rozwinął ważne dla psychologii pojęcia kompleksu,

---

[63] Brian Copenhaver, „Giovanni Pico della Mirandola", https://plato.stanford.edu/entries/pico--della-mirandola (14 II 2018).

psychologii głębi oraz introwersji i ekstrawersji, choć niektóre wypracowane prze-zeń teorie są mocno kontrowersyjne. Traktował popęd płciowy jako specyficzny rodzaj energii. Na tym tle poróżnił się zresztą z Freudem. Interesował się też percepcją pozazmysłową, analizą snów i alchemią. W rozwoju teorii względności widział fizykalną analogię do swoich teorii psychologicznych. Uważał, że w połącze-niu tej teorii z badaniami psychologicznymi da się wyjaśnić zjawiska mistyczne[64].

Dla XX-wiecznej myśli ezoterycznej ważną postacią był René Guénon (1886–1951). Pochodził on z rodziny katolickiej, ale od młodości pozostawał pod wpły-wem organizacji okultystycznych i paramasońskich. W czasie I wojny światowej zerwał z ezoteryzmem, ale pod wpływem wrażenia duchowego kryzysu Zacho-du zajął się mistyką arabską, ożenił się z Egipcjanką i do końca życia pozostał w ezoterycznym zakonie sufickim. Także francuski filozof i antropolog Gilbert Durand (1921–2012), który wiązał myślenie symboliczne i wizualne z jakąś formą transcendencji, miał spory wkład we współczesny irracjonalizm. Innymi filozofa-mi i psychologami, którzy wspierali irracjonalizm, byli Włosi – Roberto Assagioli (1888–1974), twórca teorii psychosyntezy, oraz Julius Aviola (1898–1974), propa-gator „kultury hermetycznej i ezoterycznej" i tantr starożytnych Indii, a także rumuński religioznawca Mircea Eliade (1907–1986), którego teoria religii jest oparta na dość dowolnych spekulacjach, dalekich od badań empirycznych[65].

Ci i inni badacze stworzyli w pierwszej połowie XX wieku podatny grunt pod popularyzację teorii i działań ludzi, których pomysły w ogóle trudno zaliczyć do ra-cjonalnych, choć miały one często duży wpływ na poglądy dominujące w społeczeń-stwach Zachodu. Dotyczy to zwłaszcza rytuałów tajnych organizacji, takich jak różne odłamy masonerii, a także działalności wyznawców mistycznych wizji szwedzkie-go filozofa Emanuela Swedenborga (1688–1772), mesmeryzmu, czyli koncepcji sił magnetycznych wpływających na żywe organizmy, głoszonej przez niemieckiego lekarza Franza Mesmera (1734–1815), Zakonu Różokrzyżowców, Kościoła Gnostyc-kiego, okultyzmu francuskiego masona Eliphasa Levi (1810–1875), teozofii Heleny Bławatskiej (1831–1891), XIX-wiecznego spirytyzmu sióstr Kate, Leah i Margaret Fox w USA, ideologii francuskiego teoretyka spirytyzmu Allana Kardec (1804–1869), antropozofii austriackiego mistyka Rudolfa Steinera (1861–1925), Kościoła Scjentologicznego, Zakonu Martynistów, Hermetycznego Zakonu Złotego Brzasku czy poszukiwań brytyjskiego okultysty Aleistera Crowleya (1875–1947), który po-przez synkretyczny mistycyzm doszedł do satanizmu. Do teorii i działalności tych ludzi nawiązali w drugiej połowie XX wieku wyznawcy duchowości New Age[66].

---

[64] Jolande Jacobi, *Psychologia C.G. Junga*, (Warszawa: PAX, 1968).

[65] Robert T. Ptaszek, Diana Sobieraj (red.), *Ezoteryzm w kulturze zachodniej*, (Lublin: Wydawnic-two KUL, 2013); Aleksander Posacki SJ, *Ezoteryzm i okultyzm – formy dawne i nowe*, (Warsza-wa: Polwen, 2017).

[66] Por. szerzej: Jean Vernette, *Sekty*, (Warszawa: Oficyna Wydawnicza Volumen, 1998), ss. 108–130; Zbigniew Pasek (red.), *Ezoteryzm, okultyzm, satanizm w Polsce*, (Kraków: Libron, 2005), ss. 37–42.

Ezoteryzm stanowi powrót do magicznego podejścia do świata i powrót pogaństwa. Na ilustracji obraz „Sabat czarownic" hiszpańskiego malarza Francisco Goi.

Rozmaite formy irracjonalizmu stopniowo wypełniały próżnię duchową powstającą w społeczeństwach zachodnich w wyniku erozji chrześcijaństwa.

RASIZM

Twórcą nowoczesnej teorii społeczeństwa opartej na badaniu ras był francuski arystokrata Artur Gobineau (1816–1882). Co więcej, w traktacie *Essai sur l'inégalité des races humaines* („Szkice o nierówności ras ludzkich", 1853–1855) stworzył on swego rodzaju rasistowską historiozofię, w której starał się wyjaśnić dzieje państw i narodów przez analizę czystości rasowej lub jej braku. Twierdził on, że w najdawniejszych już czasach powstały trzy rasy: biała, żółta i czarna, które charakteryzowały się pewnymi stałymi cechami. Rasa biała składać się miała z wysokich blondynów o niebieskich oczach, a psychikę jej przedstawicieli cechować miała mała zmysłowość, wysoki poziom inteligencji, energia, talenty organizacyjne, bezinteresowność, odwaga oraz zmysł harmonii, porządku i honoru. Rasę żółtą charakteryzować miał niższy wzrost, ciemne włosy i oczy, wielka wytrwałość, praktyczność, średnia inteligencja i brak fantazji. Rasę czarną wyróżniać miała zmysłowość, fantazja i zdolności estetyczne, ale także słabość woli i zdolności organizacyjnych. Zdaniem Gobineau, tylko rasa biała była w przeszłości czynnikiem tworzącym cywilizacje na wysokim poziomie, a mieszanie ras nie wychodziło cywilizacjom na dobre. Wśród przedstawicieli rasy białej wyróżniał aryjczyków, czyli potomków starożytnych Ariów, którzy w celu zabezpieczenia czystości swej rasy stworzyli system kastowy w Indiach, a następnie podbili ogromne obszary na zachód od swej kolebki geograficznej, wytwarzając kulturę grecką, rzymską i germańską. Najniżej ocenił Gobineau Słowian, twierdząc, że są oni mieszanką ras, a więc mają najmniej cech kulturotwórczych. Jako wielbiciel arystokratyzmu, przejawem kryzysu cywilizacji nazywał demokrację. Jego poglądy były oparte na bardzo wątłych podstawach naukowych i zawierały elementy sprzeczne ze sobą[67].

Kontynuatorem doktryny rasistowskiej był francuski antropolog Georges Vacher de Lapouge (1854–1936), skądinąd marksista i działacz Francuskiej Partii Robotniczej. Podzielił on ludność europejską na przedstawicieli rasy aryjskiej (nordyckiej), alpejskiej i śródziemnomorskiej. Fascynował się osiągnięciami rasy aryjskiej i twierdził, że wskaźnikiem jej upadku jest rozwój kapitalizmu i demokracji, a za największe zagrożenia dla tej rasy uznawał fakt, że jej przedstawiciele najczęściej giną na wojnach, gdyż nie stronią od walki o swe ideały oraz są eliminowani w polityce i gospodarce przez niemoralne elementy z innych ras i mieszanek rasowych. Ogólnie rzecz biorąc, uważał, że kryzys kultury zachodniej wiązał się z wypieraniem rasy aryjskiej przez elementy mniej wartościowe[68].

---

[67] Henryk Olszewski, *Historia doktryn politycznych i prawnych*, (Warszawa: PWN, 1982), ss. 329–331.

[68] Philip Rees, *Biographical Dictionary of the Extreme Right Since 1890*, (New York-London: Simon & Schuster, 1990), s. 398.

Niemal rówieśnikiem Lapouge'a był Houston Steward Chamberlain (1855–1927). Był on synem brytyjskiego admirała, jednak wcześnie stracił matkę i niemal odrzucony przez ojca był wychowywany przez niemieckiego nauczyciela prywatnego, który wprowadził go w świat kultury niemieckiej. Zafascynowany Nietzschem i muzyką Richarda Wagnera, poślubił córkę kompozytora i wszedł do kręgu Bayreuth, niemieckich intelektualistów o poglądach nacjonalistycznych. Był też okultystą. Podstawowe dzieło Chamberlaina *Die Grundlagen des 19. Jahrhunderts* („Podstawy XIX wieku") doczekało się w Niemczech wielu, także popularnych wydań dotowanych przez Rzeszę Niemiecką. Rozwijając tezy Gobineau, głosił w nim pogląd o nierówności ras ludzkich. Wyróżniał cztery formacje cywilizacyjne oparte na rasie: grecką, rzymską, żydowską i teutońską, czyli germańską. Za najlepszą uznawał rasę teutońską, będącą zbiorem najbardziej wartościowych elementów rasy greckiej i rzymskiej. Teutonowie mieli „przebudzić się do światowego przeznaczenia" w średniowieczu. Największym wrogiem rasy teutońskiej była jego zdaniem rasa żydowska, charakteryzująca się wieloma czynnikami destrukcyjnymi. W rozważaniach Chamberlaina antysemityzm i teoria „rasy panów" uzyskały rangę „wiedzy naukowej", upowszechnianej na masową skalę. Ras żółtych, czarnych ani Słowian Chamberlain nie zaszczycił większą uwagą[69].

Na przełomie XIX i XX wieku teorie rasistowskie stały się więc niezwykle popularne nie tyle we Francji i Anglii, skąd pochodziły, ale w Niemczech. Syn aktora i reżysera scenicznego, Wilhelm Marr (1819–1904) był jednym z pierwszych niemieckich anarchistów komunistycznych. Gdy „odkrył" przyczynę społecznego zła w Żydach, zwrócił się ku antysemityzmowi, wieszcząc odwieczny niemal konflikt między światem germańskim i żydowskim. Był zresztą autorem określenia „antysemityzm", a w 1879 roku założył Ligę Antysemitów[70]. Gorliwym antysemitą był także inny socjalista, Eugen Dühring (1833–1921), którego teksty skłoniły Theodora Herzla do sformułowania idei syjonistycznej. Elementy rasistowskie i antysemickie zawierały też prace wybitnego ekonomisty Wernera Sombarta (1863–1941)[71], typowego przedstawiciela megalomanii środowisk naukowych XX wieku, który wyznawał i marksizm, i bliskie nazizmowi teorie rasistowskie. Nowoczesny antysemityzm stał się potężną siłą rozkładową cywilizacji zachodniej. W reakcji na fakt, że część żydowskiej elity europejskiej i amerykańskiej wytwarzała idee sprzeczne z podstawami tej cywilizacji, niektórzy ideolodzy i politycy rozwinęli teorie antysemickie, które zatruły umysły milionów szarych ludzi, pozornie broniących wartości Zachodu.

---

[69] Olszewski, *Historia doktryn politycznych i prawnych*, ss. 331–332; http://thirdreichocculthistory.blogspot.com/2011/08/houston-stewart-chamberlain.html (23 I 2018). W 1923 roku Chamberlain napisał list do Hitlera, w którym niemal namaścił go na wodza narodu niemieckiego. http://www.worldfuturefund.org/wffmaster/Reading/Germany/Chamberlain.htm (23 I 2018).

[70] Wilhelm Marr, *Der Weg zum Siege des Germanenthums über das Judenthum*, (Bern: Rudolph Costenoble, 1879).

[71] Werner Sombart, *Żydzi i życie gospodarcze*, (Warszawa: Miż i Lajek, 1913).

Fragment wnętrza znanej krakowskiej kawiarni Hawełka przy Rynku Głównym. Lokal ten był bardzo popularny wśród krakowian w okresie *Belle Epoque*, na przełomie XIX i XX w.

Rozdział 3. Wiek iluzji

SCHYŁEK *BELLE EPOQUE*

„Piękna epoka" (*La Belle Epoque*), w której żyły społeczeństwa najwyżej rozwiniętych krajów zachodnich na początku XX wieku, charakteryzowała się rosnącym napięciem międzynarodowym, samozadowoleniem sytych warstw społecznych, niepokojami wśród warstw upośledzonych, karmionych radykalnymi ideologiami oraz sprzecznymi prądami duchowymi.

Poczucie niezwykłych możliwości człowieka, jakie dominowało w społecznych elitach początku XX wieku, wynikało z niezaprzeczalnego postępu ludzkiej wiedzy i umiejętności. Trwająca od połowy XIX wieku druga rewolucja przemysłowa przyniosła ogromny przyrost produkcji, obrotów handlowych, a także postęp techniczny, który warunkował ten rozwój oraz zmieniał życie codzienne milionów ludzi. Obok tradycyjnego napędu parowego coraz częściej stosowano napęd elektryczny i spalinowy. Na ulicach miast pojawiły się tramwaje elektryczne i samochody spalinowe. Mieszkania i ulice coraz częściej oświetlano elektrycznością. Najbardziej obok węgla poszukiwanym surowcem energetycznym stawała się ropa naftowa. W przemyśle zbrojeniowym, budownictwie i transporcie coraz większą rolę odgrywała stal. Obok energetyki i przemysłu precyzyjnego rozwijały się nowe gałęzie przemysłu chemicznego. W przemyśle pojawiła się produkcja taśmowa, a w rolnictwie coraz szerzej stosowano nawozy sztuczne i maszyny rolnicze.

Ludzie przemieszczali się coraz szybciej. Poza rozbudową sieci kolejowej i drogowej, linie okrętowe zapewniały regularną komunikację między lądami. W 1903 roku bracia Orville i Wilbur Wright dokonali pierwszego udanego wzlotu samolotu napędzanego silnikiem spalinowym. Dzięki wynalazkowi telefonu przez Alexandra Bella i radia przez Guglielmo Marconiego informacje można było przekazywać na duże odległości w ułamku sekundy. Początek XX wieku przyniósł także rozwój fotografii, zapisu dźwięku, czyli fonografii, oraz filmu. Mechaniczny zapis rzeczywistości zmieniał ludzką wyobraźnię na masową skalę. Postęp notowano w medycynie: Louis Pasteur i Robert Koch stworzyli podstawy bakteriologii i szczepień, Wilhelm von Roentgen odkrył promienie X, a Joseph Lister wprowadził zasady antyseptyki. Albert Einstein i Max Planck przesuwali granice wyobraźni w fizyce[1].

Życie codzienne zmieniało się wśród szerokich kręgów społecznych. Wydłużało się przeciętne trwanie życia, poprawiała się zdrowotność i higiena,

---

[1] Por. np. Jean Carpentier, François Lebrun, *Historia Europy*, (Warszawa: Oficyna Wydawnicza Volumen, 1994), ss. 277–299; Norman Davies, *Europa*, (Kraków: Znak, 1998), ss. 807–953; John M. Roberts, *Twentieth Century. The History of the World, 1901 to 2000*, (Viking Press, 1999), ss. 17–38; *Wielka historia świata, t. X, Świat od Wiosny Ludów do I wojny światowej*, (Kraków: Oficyna Wydawnicza Fogra, 2006), ss. 445–457.

upowszechniano szkolnictwo. Ograniczano pracę kobiet i dzieci, szeroko stosowaną we wczesnych fazach rewolucji przemysłowej. Stopniowo, choć nierównomiernie skracano czas pracy, co prowadziło do wzrostu ilości czasu wolnego, wykorzystywanego na rozmaite rozrywki, na przykład sport. Obok popularnych form zajęć gimnastycznych i sportowych rozwijał się sport wyczynowy i zawody międzynarodowe. Od 1896 roku rozgrywano na przykład igrzyska olimpijskie. Powstały pierwsze publiczne plaże, a stroje kąpielowe skracano. Szybka urbanizacja prowadziła jednak do swoistej atomizacji społeczeństw, które łatwiej podlegały sterowaniu przez nowe środki przekazu: wielkonakładową prasę i radio. Coraz szerszy i szybszy obieg informacji tworzył społeczeństwo masowe. „Żyjemy w okresie brutalnej i bezwzględnej władzy mas", pisał José Ortega y Gasset[2]. Kultura masowa poddawana była laicyzacji, co osłabiało tradycje życia religijnego i obniżało autorytet władzy kościelnej. Zjawiskom tym sprzyjał rozwój ideologii socjalistycznej i innych prądów radykalnych: syndykalizmu i anarchizmu. Miały one coraz więcej zwolenników, gdyż mimo wzrostu średnio liczonego dochodu narodowego dysproporcje w podziale tego dochodu rodziły nastroje roszczeniowe.

W kulturze duchowej początku XX wieku ścierały się przeciwstawne prądy. Z jednej strony możliwości awansu społecznego i kompromisowe rozwiązania konfliktów społecznych w postaci ustawodawstwa socjalnego sprzyjały uznawaniu postępu i racjonalności w życiu społecznym, a nawet przekonaniu o nieograniczonych możliwościach nauki i instytucji politycznych. Nastrojom takim patronowali twórcy filozofii pozytywistycznej i utylitaryzmu etycznego. Rosnącą popularność zdobywała materialistyczna interpretacja teorii Darwina o pochodzeniu gatunków. Rozwijała się też psychologia i socjologia. Ludzie chcieli na nowo poznawać samych siebie i otaczający ich świat społeczny. Powstawały wizje pełne optymizmu poznawczego, a nawet moralnego, czego najlepszym przykładem są popularne powieści Jules'a Verne'a.

Rzadko zauważano, że postęp techniczny i cywilizacyjny przy kryzysie wartości nie likwiduje problemów społecznych, a stworzy nowe. Co więcej, postęp naukowy przynosił tyleż odpowiedzi na dręczące ludzi pytania, ile nowych pytań. Wynalazca, przedsiębiorca i mieszczanin podbijający świat był czasem traktowany nie jak promotor postępu, lecz jak bezmyślny filister, który działa mechanicznie. Piewcom różnych nurtów modernizmu wydawało się, że rzeczywistość jest bardziej tajemnicza i pełna sprzeczności niż głosili to piewcy postępu i scjentyzmu. Psychologia sięgała mrocznych sekretów ludzkiej jaźni. Nadczłowiek Nietzschego, który zastępował Boga egoizmem, okazywał się istotą niepanującą nad swymi popędami. Bunt przeciw rzeczywistości społecznej przybierał często postać skrajnych ideologii. Materialistyczna antropologia zaczynała zbliżać człowieka do zwierzęcia, którego świadomość i przeznaczenie pozostawały coraz większą tajemnicą. Tendencje te znajdowały wyraz w literaturze epoki, w dziełach takich pisarzy, jak

---

[2] José Ortega y Gasset, *Bunt mas,* (Warszawa: Muza S.A., 1995), s. 16.

Widok na wieżę Eiffla i tereny ekspozycyjne podczas Wystawy Światowej w Paryżu w 1900 r. Przełom wieków to okres silnego rozwoju ekonomicznego i przemysłowego wielu krajów.

Marcel Proust, Guillaume Apollinaire, Oscar Wilde, Franz Kafka, Henrik Ibsen czy August Strindberg[3].

Wszystkie te nowe i nierzadko sprzeczne tendencje znajdowały też oddźwięk w sztuce epoki. Modernizm w muzyce przyniósł zarówno stale patetyczny post-romantyzm Richarda Wagnera, rozbudowywaną orkiestrację Gustava Mahlera, fascynację folklorem Béli Bartóka, jak i impresjonistyczną finezję Claude'a Debussy'ego. Tradycyjna melodyka ustępowała miejsca eksperymentom harmonicznym. Obok elegancji budowli secesyjnych, architekci modernistyczni zaczynali stawiać funkcjonalność budynków nad ich pięknem. Wizualnym symbolem nowej epoki stawały się miejskie wieżowce. Symbolizm zakładał, że świat poznawany zmysłami jest złudą skrywającą prawdziwy, idealny świat, którego nie można poznać. Podczas gdy secesja stawiała sobie za cel estetyczne kształtowanie otoczenia człowieka, kubizm, którego prekursorem był Georges Braque, dążył do odtworzenia istoty przedmiotu, nie unikając deformacji postaci ludzkich, zaś abstrakcja zapoczątkowana przez Wassily Kandinsky'ego w ogóle odrywała przekaz plastyczny od rzeczywistości widzialnej i oddawała rzeczywistość wnętrza artysty. Podobnie fowiści malowali osobistą reakcję na motyw w dowolnych barwach. Ekspresjoniści ukazywali ciemne strony i lęki ludzkiej duszy. Futuryści lansowali przewartościowanie wszelkich wartości. W swoim manifeście artystycznym Filippo Marinetti pisał: „Chodźcie! Chodźcie! Kładźcie ogień pod szafy biblioteczne! Zmieńcie bieg kanałów, aby zatopić muzea! Co za radość widzieć pływające po wodzie, zdane na łaskę fal, podarte i wypłowiałe dawne, wspaniałe płótna!"[4] Niszczenie tradycji i przełamywanie tabu stawały się wspólnym mianownikiem większości ruchów intelektualnych i artystycznych w XX wieku. Nie rozróżniano przy tym najczęściej, co było w tej tradycji dobrego, a co złego.

Początek XX wieku obfitował także w rosnące napięcia międzynarodowe. Ich źródłem była rywalizacja Niemiec i Wielkiej Brytanii na morzach, Francji i Niemiec w północnej Afryce oraz Rosji i Austro-Węgier na Bałkanach. Europa podzieliła się na dwa wrogie obozy: angielsko-francusko-rosyjską Ententę oraz porozumienie Niemiec i Austro-Węgier. Kolejne konflikty nie przynosiły rozstrzygnięcia, toteż w każdej chwili groził wybuch wojny na wielką skalę. Stos pogrzebowy dawnej epoki był już ułożony. Wystarczyło rzucić zapałkę.

DWIE WOJNY ŚWIATOWE

Gdy w czerwcu 1914 roku wybuchła I wojna światowa, mało kto spodziewał się, że będzie ona miała tak dalekosiężne skutki. Była to pierwsza w historii wojna totalna. Liczba obywateli zmobilizowanych do armii sięgała w Niemczech i Francji

---

[3] Por. np.: Richard W. Bulliet (red.), *Historia XX wieku*, (Warszawa: Bertelsmann Media, 2001), ss. 11–55.

[4] Złowieszczo pięknie to brzmiało po włosku: *„Eccoli! Eccoli!... Suvvia! date fuoco agli scaffali delle biblioteche!... Sviate il corso dei canali, per inondare i musei!... Oh, la gioia di veder gal-leggiare alla deriva, lacere e stinte su quelle acque, le vecchie tele gloriose!"* https://it.wikisource. org/wiki/I_Manifesti_del_futurismo/Fondazione_e_Manifesto_del_futurismo (19 XII 2017).

po 20% ogółu ludności, w Austro-Węgrzech – 17%, we Włoszech – 15%, a w Wielkiej Brytanii – 13%[5]. W porównaniu z poprzednimi wojnami wzrosła znacznie siła ognia i uzależnienie powodzenia na froncie od sprawności państwa i jego gospodarki. W krajach walczących przeciętnie trzecia część wydatków państwa była przeznaczona na prowadzenie wojny. Wprowadzono nowe rodzaje broni, takie jak samoloty, gazy bojowe, czołgi i łodzie podwodne. Na masową skalę prowadzono wojnę psychologiczną i propagandę wojenną. Jak wiadomo wojna przyniosła najpierw zwycięstwo państw centralnych – Niemiec i Austro-Węgier – nad Rosją, przypieczętowane pokojem brzeskim w marcu 1918 r., a następnie klęskę tychże państw centralnych, z których Austro-Węgry rozpadły się jesienią tegoż roku, a Niemcy zmuszone były 11 listopada 1918 roku podpisać rozejm w Compiègne. Triumf Ententy był jednak pozorny, bowiem Francja i Wielka Brytania wyszły z wojny poważnie osłabione i niezdolne do skoordynowania swej polityki wobec państw pokonanych. Ujawniło się to szczególnie podczas konferencji pokojowej w Paryżu, zakończonej podpisaniem traktatu pokojowego z Niemcami w Wersalu w dniu 28 czerwca 1919 roku oraz traktatów pokojowych z pozostałymi państwami pokonanymi – Austrią, Węgrami, Bułgarią i Turcją.

Wojna przyniosła katastrofalne straty ludzkie. Zginął co szósty żołnierz francuski, co siódmy – niemiecki, co ósmy austro-węgierski i angielski oraz co dziewiąty żołnierz rosyjski. Co więcej, w powojennej Europie żyły miliony kalek i ludzi, dla których cierpienia frontowe pozostały na zawsze koszmarem. Wojna wyraźnie osłabiła dominację Europy w polityce światowej. Powojenna trauma osłabiła morale zwycięzców i rozbudziła nastroje rewizjonistyczne wśród pokonanych. W latach 1914–1918 główne państwa europejskie straciły w wyniku walk około 1/4 swojego potencjału gospodarczego, podczas gdy państwa pozaeuropejskie, nierzadko zasilane masową emigracją ze Starego Kontynentu, zyskały prawie tyle samo. Szczególnie wzrosła rola gospodarcza i polityczna Stanów Zjednoczonych, które stały się po 1918 roku pierwszą potęgą ekonomiczną świata. Mimo ogromnego wpływu na przebieg wojny w Europie oraz na kształt powojennego pokoju, USA nie ratyfikowały traktatu wersalskiego i wycofały się z polityki europejskiej. Choć powołano pierwszą globalną organizację międzynarodową, mającą stać na straży pokoju – Ligę Narodów – współtwórca nowej wizji pokoju światowego, prezydent USA T. Woodrow Wilson uległ wylewowi i nie zdołał zrealizować tej wizji. W wyniku wojny i rewolucji zniknęło wielonarodowe cesarstwo Habsburgów, a rewolucja w Rosji zlikwidowała despotyczną monarchię carską i przyniosła pierwsze w historii totalitarne rządy bolszewickie. W wyniku klęski państw centralnych i Rosji, w Europie Środkowej i Wschodniej mogło powstać kilka suwerennych państw, na przykład Polska, Czechosłowacja, Estonia, Łotwa i Litwa[6].

---

[5] Wg: Paul Kennedy, *The Rise and Fall of the Great Powers,* New York: Vintage Books, 1989, s. 274.

[6] Por. np.: R.R. Palmer, Joel Colton, *A History of the Modern World Since 1815*, (New York: Alfred A. Knopf, 1978), ss. 654–689; Janusz Pajewski, *Historia powszechna 1871–1918*, (Warszawa: Wydawnictwo Naukowe PWN, 1994), ss. 324–465; *Wielka historia świata, t. XI, Wielkie wojny XX wieku*, (Kraków: Oficyna Wydawnicza Fogra, 2006), ss. 7–169.

Francuscy żołnierze atakują pozycje niemieckie we Flandrii przy użyciu gazu i miotaczy ognia. Wielki światowy konflikt przyniósł zastosowanie nowych broni i technik wojskowych oraz miliony ofiar.

Głównymi determinantami międzywojennego układu sił w Europie było zwycięstwo Wielkiej Brytanii i Francji, którego państwa te nie były w stanie wykorzystać ze względu na dzielące je różnice, współpracę dwóch mocarstw pokonanych – Niemiec i Rosji – oraz wycofanie się Stanów Zjednoczonych z Europy. Będąc największą potęgą gospodarczą w świecie, USA tkwiły w izolacji, a ich zaangażowanie międzynarodowe ograniczało się co najwyżej do tradycyjnej strefy Ameryki Łacińskiej i to głównie w sensie ekonomicznym. Komunistyczny ZSRR stał się unikatowym mocarstwem ideologicznym, uważającym się za spełnienie praw historii, opierał swój rozwój na niewiarygodnym terrorze i dążył do rewolucji światowej. Czynnikiem zmiany był rewizjonizm Niemiec, odradzających się po klęsce lat 1914–1918. Na Dalekim Wschodzie pojawiła się nowa potęga o aspiracjach imperialnych – Japonia. Jednocześnie najliczniejsze państwo świata, Chiny, tkwiło w kryzysie i wojnie domowej.

Niepewność ładu wersalskiego skłaniała zwycięzców I wojny światowej do prób stabilizacji *status quo*. Wysiłki mające na celu wciągnięcie ZSRR we współpracę europejską, podjęte podczas konferencji w Genui, a także pojednawcza polityka Wielkiej Brytanii wobec Niemiec, nie tylko nie przyniosły skutku, ale zakończyły się porozumieniem Niemiec i bolszewickiej Rosji w Rapallo w 1922 roku. Politykę pojednania z Niemcami podjęła także Francja, godząc się na pakty lokarneńskie z 1925 r., w których Niemcy gwarantowały swą granicę zachodnią z Francją, ale nie wschodnią z Polską i Czechosłowacją. Mimo tych ustępstw niemiecka Republika Weimarska już w kwietniu 1926 roku podniosła współpracę z ZSRR na wyższy poziom, podpisując układ berliński. Wytrwałe starania dyplomacji amerykańskiej i francuskiej doprowadziły jednak do przełomu w stosunkach międzynarodowych w postaci paktu Brianda-Kellogga z 27 sierpnia 1928 roku o wyrzeczeniu się agresji, który wszedł w życie 24 lipca 1929 roku.

W momencie, gdy pokój europejski wydawał się ugruntowany przez podpisanie szeregu układów międzynarodowych, w 1933 roku w Niemczech doszło do objęcia władzy przez partię nazistowską Adolfa Hitlera. Zmierzał on do zmiany ładu wersalskiego i realizował ten cel skutecznie krok po kroku, nie wywołując większych sprzeciwów państw zwycięskiej koalicji, a jednocześnie ciesząc się zrozumieniem faszystowskich Włoch, które także miały ambicje imperialne. Traumą dla społeczeństw zachodnich był wielki kryzys gospodarczy lat 1929–1933. W kręgu państw akceptujących ład wersalski znalazł się wówczas ZSRR, zaniepokojony japońską inwazją Chin. W połowie lat trzydziestych doszło do zbliżenia francusko-sowieckiego. Brak reakcji Francji i Wielkiej Brytanii na remilitaryzację Niemiec skłonił Hitlera do aneksji Austrii w marcu 1938 roku, a następnie do wysunięcia żądania wobec Czechosłowacji przekazania III Rzeszy Sudetów. Kontynuując

Brytyjscy żołnierze, którzy 10 kwietnia 1918 r. padli ofiarą ataku gazowego i stracili wzrok. I wojna światowa zakończyła się ogromnymi stratami ludzkimi po obu stronach frontu.

ugodową politykę *appeasementu*, Francja i Wielka Brytania zgodziły się na cesję Sudetów podczas konferencji w Monachium we wrześniu 1938 roku[7].

Nie zaspokoiło to apetytów Hitlera, który wysunął następnie żądanie zrzeczenia się przez Polskę praw do Wolnego Miasta Gdańska oraz „korytarza pomorskiego" w zamian za wspólną akcję na wschodzie. Gdy Polska odrzuciła te żądania, w połowie marca 1939 roku Hitler dokonał inwazji Czechosłowacji. Skłoniło to Wielką Brytanię do porzucenia polityki *appeasementu*. Londyn i Paryż udzieliły gwarancji Polsce, a następnie przystąpiły do rokowań z ZSRR. Sowiecki dyktator Józef Stalin prowadził jednak podwójną grę. Z jednej strony oficjalnie negocjował z Francją i Wielką Brytanią, z drugiej zaś – prowadził poufne rozmowy z III Rzeszą. Ostatecznie w połowie sierpnia 1939 r. wybrał sojusz z Hitlerem. W dniu 23 sierpnia 1939 roku podpisano w Moskwie układ Ribbentrop-Mołotow, który formalnie był układem o nieagresji, a faktycznie, poprzez tajny protokół dodatkowy – układem sojuszniczym, w którym obie strony planowały podział Europy Wschodniej między siebie. Układ ten ułatwił Hitlerowi podjęcie decyzji o ataku na Polskę[8].

Formalnie rzecz biorąc, zbrojny konflikt europejski zaczął się 3 września 1939 r., gdy dwa dni po agresji na Polskę Francja i Wielka Brytania wypowiedziały wojnę Niemcom. Wojna rozpoczęła się jako starcie totalitaryzmu hitlerowskiego, sprzymierzonego ze stalinowskim ZSRR, ze światem zachodnich demokracji. Kierujące się żądzą podbojów Niemcy hitlerowskie, zachęcone międzywojenną słabością demokracji w zachodniej Europie i układem Ribbentrop-Mołotow, uderzyły na Polskę, wywołując straszliwą lawinę wydarzeń, które pochłonęły dziesiątki milionów ofiar. ZSRR odegrał w początkowej fazie wojny rolę wspólnika, który zadowala się niewielkimi zyskami, ale pozornie stoi w cieniu. Pozornie, gdyż Moskwa dokonała w dniu 17 września 1939 roku inwazji Polski, następnie w listopadzie tego roku – agresji przeciw Finlandii, a w lecie 1940 roku – przeciw Litwie, Łotwie, Estonii i Rumunii.

Dwuznaczność w stosunkach Niemiec i Sowietów trwała do momentu, gdy po rozgromieniu Francji wiosną 1940 roku Hitler uderzył na ZSRR w dniu 22 czerwca 1941 roku. Wówczas stał się możliwy sojusz rozpaczliwie szukającej pomocy Wielkiej Brytanii z ZSRR, a atak Japonii na Stany Zjednoczone w grudniu 1941 roku skłonił ostatecznie USA do udziału w wojnie przeciw państwom Osi, czyli Niemcom, Włochom i Japonii. Wielka Trójka – USA, ZSRR i Wielka Brytania – była jednak sojuszem osobliwym. Doraźnym celem ZSRR, państwa o ustroju totalitarnym, było odparcie najazdu Niemiec, ale w dalszej perspektywie Stalin widział w wojnie szansę na ekspansję komunistycznego imperium. Wielka Brytania gotowa była zapłacić każdą cenę za podtrzymanie radzieckiego wysiłku wojennego, by odwrócić od siebie groźbę inwazji niemieckiej oraz zachować

---

[7]   Martin Kitchen, *Historia Europy 1919–1939*, (Wrocław: Ossolineum, 2009; Henryk Batowski, *Między dwiema wojnami 1919–1939*, (Kraków: Wydawnictwo Literackie, 2001).

[8]   Por. np.: Hans von Herwarth, *Między Hitlerem i Stalinem*, (Warszawa: Bellona i Rytm, 1992), ss.153 nn; Richard Overy, *1939. Nad przepaścią*, (Warszawa: Wydawnictwo W.A.B., 2009).

Więzień hitlerowskiego obozu koncentracyjnego, który poniósł śmierć na drutach kolczastych podłączonych do prądu. Obozy koncentracyjne stały się narzędziem eksterminacji milionów ludzi uznawanych przez nazistów za zbędnych.

imperium kolonialne w możliwie jak największym stopniu. Stany Zjednoczone wyszły z izolacji, by pokonać państwa Osi Berlin-Rzym-Tokio, ale nie miały jasnej wizji swego miejsca w przyszłym świecie. Teoretyczną podstawą współdziałania Wielkiej Trójki była Karta Atlantycka i Deklaracja Narodów Zjednoczonych, głoszące szczytne ideały pokojowe.

Z punktu widzenia strategii wojennej członkowie Wielkiej Trójki także znajdowali się w różnej sytuacji. Najsilniejsze gospodarczo Stany Zjednoczone walczyły z Japonią na Pacyfiku oraz z Włochami i Niemcami w Afryce i Europie, starając się oszczędzać życie swych żołnierzy. Słabsza znacznie Wielka Brytania także walczyła na dwóch frontach: przeciw Japonii w Azji oraz przeciw Włochom i Niemcom w Afryce i Europie. Najsłabszy ekonomicznie ZSRR walczył na jednym tylko froncie – z Niemcami, korzystając z poważnej pomocy żywnościowej i sprzętowej sojuszników anglosaskich, którzy gotowi byli płacić wysoką cenę za udział ZSRR w koalicji. Stąd też, mimo szumnych deklaracji o demokracji i suwerenności, pod naciskiem sowieckim sojusznicy anglosascy zgodzili się na nieformalny początkowo podział sfer wpływów w Europie. Podczas konferencji w Teheranie pod koniec 1943 roku porzucono brytyjski plan ofensywy bałkańskiej i praktycznie uzgodniono monopol działań sowieckich na froncie wschodnim i angloamerykańskich na froncie zachodnim. W rezultacie wojska zwycięskiej koalicji wkraczały na terytorium pokonanych Niemiec z dwóch stron. O ile jednak Amerykanie i Brytyjczycy wsparli zasady demokracji w wyzwalanej przez siebie części Europy, we Włoszech, Francji, Belgii, Luksemburgu, Holandii i zachodnich Niemczech, o tyle ZSRR narzucił na zajmowanych przez siebie terenach władzę typu komunistycznego[9].

II wojna światowa uświadomiła brak granic ludzkiego barbarzyństwa i doprowadziła do dramatycznego podziału w Europie. Mimo stałego zagrożenia sowieckiego w latach powojennych, w pamięci zachodnich społeczeństw utrwaliła się klęska sił zła w postaci hitlerowskich Niemiec, które w czasie wojny dokonały bezprecedensowej masakry ludności żydowskiej, zwanej Holocaustem, a także zwycięstwo dobra w postaci nie tylko demokratycznych państw anglosaskich, ale także totalitarnego ZSRR. Dlatego, mimo okrutnych doświadczeń z tym systemem w powojennej Europie Środkowej i Wschodniej, komunizm był odtąd postrzegany na Zachodzie jako system uprawniony w sposób nieporównywalny z niemieckim nazizmem. Niezależnie od powojennej traumy związanej z wybuchem ludobójstwa, wojna pozostawiła głęboki ślad moralnego relatywizmu w ocenie tego, co się stało.

EUGENIKA

Doświadczenia obu wojen światowych miały ścisły związek z nowym podejściem do ludzkiego życia. Program eugeniczny ma swoje korzenie w apoteozie człowieka wbrew ograniczoności ludzkiej egzystencji. Przezwyciężanie tej ograniczoności było myślą przewodnią autorów, którzy lansowali wizję człowieka jako istoty samowystarczalnej, a więc „antropologię nieograniczoną". Być może kamień węgielny pod budowę owej kultury śmierci położył jeden z pierwszych sofistów, Protagoras z Abdery, który twierdził, że „wszystkich rzeczy miarą jest człowiek, istniejących, że istnieją, a nie istniejących, że nie istnieją"[10]. W czasach nowożytnych jednym z protoplastów eugeniki był Arthur Schopenhauer (1788–1860). „Otworzył on drzwi prowadzące rzekomo do świata rzeczywistego" i dostrzegł tam, iż rzeczą samą w sobie, pierwotnym źródłem wszystkiego jest wola, bezcelowa siła i motor wszelkiego ruchu. Jako jeden z pierwszych wyciągnął on ostateczne konsekwencje z ateizmu i stwierdził, że świat jest grą sił fizycznych i bezmyślnych przypadków[11]. Człowiekiem, który usunął transcendentne podstawy prawa i moralności, a prymat w ich tworzeniu przyznał ludzkiej „woli powszechnej" był Jean-Jacques Rousseau. Kolejnymi konsekwentnymi ateistami

---

[9] Por. np.: Palmer, Colton, *A History of the Modern World Since 1815*, ss. 791 nn; Henry Kissinger, *Dyplomacja*, (Warszawa: Philip Wilson, 1996), ss. 358–460; *Wielka historia świata, t. XI, Wielkie wojny XX wieku*, ss. 481 nn; Warren F. Kimball, *Roosevelt, Churchill i II wojna światowa*, (Warszawa: Książka i Wiedza, 1999); Wojciech Roszkowski, *Półwiecze. Historia polityczna świata po 1945 roku*, (Warszawa: Wydawnictwo Naukowe PWN, 2002), ss. 11–17; Jonathan Fenby, *Alianci. Stalin, Roosevelt, Churchill. Tajne rozgrywki zwycięzców wojny światowej*, (Kraków: Znak, 2007).

[10] Diogenes Laertios, IX, 8, 51.

[11] De Marco, Wiker, *Architekci kultury śmierci*, ss. 28–29.

Hitlerowska tablica propagandowa z 1935 r., ukazująca spadek jakości populacji w wyniku rozmnażania się osób upośledzonych i zachęcająca do eugeniki. W III Rzeszy eugenika stosowana była przez państwo.

i czcicielami ludzkiej woli byli Max Stirner, o którym była już mowa, oraz Friedrich Nietzsche.

Ważnym krokiem ku kulturze śmierci był darwinizm oraz jego piewcy i kontynuatorzy, tacy jak Francis Galton (1822–1911) i Ernst Haeckel (1834–1919). Choć był wybitnym statystykiem, psychologiem i geografem, Galton ponosi główną odpowiedzialność za odniesienie ewolucyjnej argumentacji Darwina do praktyki doskonalenia ludzkiego gatunku. We wstępie do swojej słynnej książki *Hereditary Genius* (1869) Galton napisał: „W tej książce sugeruję, iż naturalne zdolności człowieka są dziedziczone z tymi samymi ograniczeniami, jakie dotyczą form i cech fizycznych w całym świecie organicznym. W konsekwencji, tak jak łatwo jest (…) uzyskać, przez staranny dobór zarodowych psów czy koni, obdarzonych specjalnymi uzdolnieniami do biegu czy innymi właściwościami, tak byłoby całkiem praktyczne wyprodukowanie wielce uzdolnionej rasy ludzi poprzez rozsądne małżeństwa w ciągu kilku kolejnych pokoleń"[12].

To Francis Galton ukuł określenie „eugenika" wywodzące się od greckiego *eu-genos*, czyli „z dobrego rodu". Sam Galton pochodził zresztą z zamożnej rodziny fabrykanta broni, a w 1909 roku uzyskał od króla Edwarda VII tytuł szlachecki,

---

[12] http://galton.org/books/hereditary-genius (23 I 2018).

co oznaczało oficjalne poparcie dla idei eugenicznej w Wielkiej Brytanii. Popularyzując eugenikę Galton napisał nawet powieść *Kantsaywhere*, w której przedstawił utopijne społeczeństwo, oparte na starannej selekcji ludzi i podzielone na kasty. Osobniki podrzędne miały tam mieć ograniczone prawa rozrodcze i ponosić kary za nieprzestrzeganie praw reprodukcyjnych. Na ironię losu zakrawa fakt, że Galton i jego żona byli biologicznie niezdolni do spłodzenia potomstwa[13]. Warto zwrócić uwagę, że w świecie wiktoriańskim Galton szanował jeszcze instytucję małżeństwa. W dobie obecnej mówi się już otwarcie o „reprodukcji" ludzi bez ograniczeń.

Z poglądów eugenicznych jasno wynikało, kto ma prawo żyć, a kto nie. Darwinizm zyskał szybko bardzo wielu zwolenników w Niemczech. Jednym z nich był wspomniany Haeckel. Jako zaciekły wróg chrześcijaństwa wyznawał on swoistą formę panteizmu i twierdził, że chrześcijaństwo oderwało ludy germańskie od pierwotnych kultów natury oraz że muszą one powrócić do tej prawdziwej wiary. Jako niemiecki nacjonalista i rasista Haeckel był jednym z prekursorów volkizmu, czyli ideologii, głoszącej, że dusza człowieka jest częścią większej duszy ludu, a ta z kolei – częścią duszy świata. W tej neopogańskiej koncepcji świata nie było w ogóle miejsca dla Boga. Haeckel zresztą uprawiał także agresywną publicystykę antychrześcijańską, wyśmiewając na przykład *Credo* i chrześcijański kodeks moralny. Odrzucając moralność chrześcijańską Haeckel sugerował usuwanie nieuleczalnie chorych, obłąkanych, trędowatych, ludzi chorych na raka, „utrzymywanych przy życiu (...) bez najmniejszej korzyści dla siebie samych lub ogółu społeczeństwa". Zapowiadając „kulturę śmierci", Haeckel nazwał samobójstwo „czynem zbawiennym". Dla Haeckla życie nie było darem, lecz skutkiem namiętności, wobec czego jeśli „okoliczności życiowe nazbyt ciężką wywierają presję na nieszczęsną istotę, która zrodziła się bez własnej winy, z zapłodnionego jajeczka – jeśli zamiast oczekiwanego szczęścia nadeszły tylko troski i cierpienia, choroby i nieszczęścia wszelkiego rodzaju, ma ona niekwestionowane prawo położyć kres temu cierpieniu poprzez śmierć"[14]. Podobnie motywował Haeckel rzekome prawo matki do zabicia swojego płodu. Argumentacja Haeckla była postawą nazistowskiego programu eugenicznego, a i dziś znakomicie pasuje do tez piewców „kultury śmierci".

ANARCHIZM

Choć anarchizm, wywodzący się od Pierre Proudhona i Piotra Kropotkina, nie przybrał w XX wieku form instytucjonalnych, a nawet związki krajowe anarchistów były na ogół dość luźne, jego indywidualistyczny charakter wpłynął na wiele współczesnych pokoleń. Uczniami Proudhona byli malarze Gustave Courbet,

---

[13] De Marco, Wiker, *Architekci kultury śmierci*, s. 105.

[14] Ernst Haeckel, *The Wonders of Life*, ss. 112–114, za: De Marco, Wiker, *Architekci kultury śmierci*, s. 115. Warto wiedzieć, że Haeckel został upamiętniony przez nazwanie jego imieniem dwóch pięknych szczytów w Kalifornii i Nowej Zelandii.

Camille Pisarro, Georges Seurat i Paul Signac, a Oscar Wilde napisał pod wpływem Kropotkina esej „Ludzka dusza w socjalizmie" (*The Soul of a Man under Socialism*, 1891)[15]. Utopijne ideały anarchizmu sprzyjały radykalizacji metod politycznych. Nie mogąc rozszerzyć swych wpływów inaczej, anarchiści uciekali się często do zamachów terrorystycznych. Według włoskiego anarchisty Enrico Malatesty (1853–1932), stanowiły one „propagandę czynem". Działalność anarchistów przybierała różne nasilenie w różnych krajach. Bardzo często miała charakter antyreligijny i nihilistyczny.

Szczególnie silny był anarchizm w Hiszpanii, głównie wśród robotników Barcelony i chłopów Katalonii. W 1897 roku anarchiści zamordowali premiera Antonia Cánovas del Castillo. Założona w 1907 roku Solidarność Robotnicza (*Solidaridad Obrera*) zorganizowała w 1909 roku „tragiczny tydzień", podczas którego zginęło w wyniku zamachów terrorystycznych kilkaset osób, a zniszczeniu uległo kilkadziesiąt kościołów i klasztorów. Represje, jakie nastąpiły potem – między innymi stracono przywódcę ruchu Francisco Ferrera – zahamowały jego rozwój, ale w założonej w 1910 roku Narodowej Konfederacji Pracy (*Confederación Nacional del Trabajo,* CNT) anarchiści nadal odgrywali czołową rolę. W 1927 roku założyli oni Iberyjską Federację Anarchistyczną (*Federación Anarquista Ibérica*), która kierowała centralą CNT i kontynuowała „propagandę czynem". Obie federacje były tajne. Ujawniły się po zwycięstwie wyborczym „frontu ludowego" w 1931 roku, podobnie jak organizacja feministyczno-anarchistyczna Wolne Kobiety (*Mujeres Libres*). W grudniu 1933 roku anarchiści pod wodzą Buenaventury Durrutiego (1896–1936) rozpoczęli krwawo stłumioną rewolucję w Saragossie. Po puczu gen. Francisco Franco anarchiści stanowili obok komunistów filar republiki. Fabryki i koleje Katalonii zostały przejęte przez rady robotnicze, a chłopi przejmowali ziemię i organizowali komuny według wzorów Kropotkina. W grudniu 1936 roku czterech anarchistów weszło do rządu Francisco Largo Caballero, kompromitując antyrządowe zasady anarchizmu. W maju 1937 roku doszło do ostrego konfliktu między anarchistami i komunistami, którzy zaczęli się zwalczać wzajemnie równie brutalnie jak falangistów gen. Franco. Przyspieszyło to zwycięstwo tego ostatniego i likwidację eksperymentów anarchistycznych[16].

We Włoszech idee Bakunina propagowali między innymi Malatesta i Carlo Casiero. W 1898 roku włoski anarchista zamordował cesarzową Austrii Elżbietę (słynną Sissi) , a w 1900 roku z rąk anarchistów zginął włoski król Umberto I. Zamachy nie przybliżyły jednak w niczym utopijnych celów anarchizmu, a represje i niechęć opinii publicznej wobec terroryzmu zahamowały rozwój

---

[15] *Notabene*, wedle biografa pisarza Paolo Gulisano, Oscar Wilde, uznawany przez całe życie za skandalistę, a nawet skazany za homoseksualizm, pod koniec nawrócił się na katolicyzm. „Oscar Wilde zmarł jako katolik?", http://info.wiara.pl/doc/280630.Oscar-Wilde-zmarl-jako--katolik (27 II 2018).

[16] Piotr Laskowski, *Szkice z dziejów anarchizmu*, (Warszawa: Muza S.A., 2006), ss. 232 nn; http://www.rozbrat.org/historia/34-walki-spoleczne-na-swiecie/257-durruti-i-poczatki-hiszpanskiego-anarchizmu (10 I 2018); Daniel Grinberg, *Ruch anarchistyczny w Europie Zachodniej, 1870–1914*, (Warszawa: PWN, 1994).

ruchu we Włoszech. Część anarchistów przyłączyła się do partii komunistycznej, a niektórzy poparli faszyzm. We Francji anarchiści dokonali zamachu w Izbie Deputowanych w 1893 roku i zamordowali prezydenta Sidi Carnota w 1894 roku. Francuskim teoretykiem anarchizmu był Jean Grave (1854–1939). Po zwycięstwie bolszewików w Rosji anarchiści francuscy przyłączyli się w dużej mierze do partii komunistycznej, stopniowo opanowując centralę związkową Generalnej Konfederacji Pracy (*Confédération General de Travail*). W Niemczech kres działalności anarchistów położyło przejęcie władzy przez nazistów w 1933 roku. W USA anarchiści byli oskarżeni o zamach bombowy na Haymarket w Chicago w 1886 roku, a czterech przywódców ruchu stracono. Idee anarchistyczne propagowali w USA John Most i wydawca pisma *Anarchist* Benjamin Tucker (1854–1939). W 1901 roku anarchista polskiego pochodzenia Leon Czołgosz zamordował prezydenta Williama McKinleya. W 1903 roku Kongres USA uchwalił wydalenie anarchistów z kraju. Anarchizm był natchnieniem niektórych przywódców rewolucji w Meksyku. Występował też w Argentynie i Urugwaju[17].

Dość szczególne miejsce w historii anarchizmu zajmuje Emma Goldman (1869–1940). Urodzona w Kownie, w wieku 16 lat wyjechała do USA, gdzie w objęcia ruchu anarchistycznego pchnęło ją powieszenie czterech anarchistów po zamieszkach na Haymarket. Wcześnie wyszła za mąż, ale choć małżeństwo było nieudane, nie rozwiodła się, by zachować obywatelstwo amerykańskie. W Nowym Jorku poznała rosyjskiego anarchistę żydowskiego pochodzenia Aleksandra Berkmana i wraz z nim redagowała anarchistyczne pismo *Mother Earth*. Jej obsesją była miłość wolna od ograniczeń instytucji, tradycji, a nawet ról obydwu płci, narzuconych rzekomo przez społeczeństwo. Wydalona z USA podczas I wojny światowej Goldman wsparła rewolucję bolszewicką, ale z Rosji wyjechała z Berkmanem w 1921 roku, rozczarowana biurokracją i represjami. Choć w pracy *My Disillusionment in Russia* (1923) krytykowała użycie przemocy i uznała ją za uprawnioną metodę działania tylko w samoobronie, podczas wojny domowej w Hiszpanii gorąco poparła hiszpańskich anarchistów, odpowiedzialnych za masowe zbrodnie. Ostatecznie trafiła do Kanady, gdzie zmarła[18].

Po II wojnie światowej anarchizm był w odwrocie, co było m.in. związane z odbudową i dobrą koniunkturą gospodarczą. Pewna część dawnych anarchistów przyłączyła się do zorganizowanych partii komunistycznych. Choć bowiem socjalizm XIX wieku na ogół zwalczał terroryzm anarchistyczny, wizje komunistyczne i anarchistyczne miały pewne cechy wspólne, a ich zwolennicy mieli podobny, amoralny stosunek do podejmowanych środków politycznych. W kołach intelektualnych Zachodu utopię anarchistyczną propagowano nadal w uszlachetnionej wersji w postaci „teorii cywilnego nieposłuszeństwa", wypracowanej początkowo przez amerykańskiego pisarza Henry'ego D. Thoreau (1817–1862). Teorie anarchistyczne stały się znów modne pod koniec lat sześćdziesiątych XX wieku za sprawą amerykańskiego pisarza Paula Goodmana i angielskiego poety Herberta Reeda.

---

[17] Ludwik Kulczycki, „Anarchizm", w: *Encyklopedia Nauk Politycznych*, t. I, (Warszawa, 1937).
[18] Laskowski, *Szkice z dziejów anarchizmu*, ss. 466–472.

Wiele elementów anarchistycznych znaleźć można w ideologii „beatników" i „hippisów". W latach siedemdziesiątych wychodził w Anglii miesięcznik „Anarchy". W latach dziewięćdziesiątych XX wieku anarchizm stał się natchnieniem ruchów ekologicznych i antyglobalistycznych.

SYNDYKALIZM

Pierwsi syndykaliści nawiązywali do anarchizmu, gdy negowali potrzebę istnienia organizacji państwowej, do socjalizmu, gdy głosili walkę klas i chęć budowy społeczeństwa kolektywistycznego, a także do tradycji brytyjskich związków zawodowych, które miały być, według syndykalizmu, siłą zdolną do przekształcenia ustroju społeczno-politycznego. Syndykaliści byli zagorzałymi przeciwnikami demokracji opartej na systemie wielopartyjnym, a zamierzali wprowadzić swoiście rozumianą demokrację gospodarczą, w której główną rolę odgrywałyby związki zawodowe.

Ideologia, w myśl której związki zawodowe (po francusku *syndicats*) miały dokonać syndykalistycznej rewolucji w postaci strajku powszechnego lub „akcji bezpośredniej" i wprowadzić nowy ustrój oparty na zawodowej reprezentacji społeczeństwa, a nie na demokracji parlamentarnej i systemie wielopartyjnym, rozwinęła się najsilniej we Francji. Zalążki tak rozumianej ideologii znaleźć można jeszcze w teoriach Proudhona oraz w I Międzynarodówce, ale w postaci rozwiniętej wystąpiła ona we francuskiej Powszechnej Konfederacji Pracy (*Confédération Generale du Travail*, CGT), założonej w 1895 roku. Podstawowe tezy syndykalizmu sformułowano w „Karcie z Amiens", uchwalonej na kongresie CGT w 1906 roku.

Do głównych przedstawicieli syndykalizmu tego okresu należeli: Włoch Arturo Labriola oraz Francuzi: Fernand Pelloutier, Victor Griffuelhes, Hubert Lagardelle i przede wszystkim Georges Sorel (1847–1922), autor „Rozważań o przemocy"[19]. Był on zwolennikiem walki klas. Twierdził, że reformy częściowe opóźniają upadek formacji kapitalistycznej, wobec czego należy stosować radykalne metody walki z rządami burżuazji – bojkot i strajk powszechny. Wierzył jedynie w skuteczność działań świadomej celów elity robotniczej, bez pomocy intelektualistów, sądząc, że siłą napędową dziejów są zawsze walczące mniejszości. Negował możliwość współdziałania syndykalistów z socjalistami. Socjaldemokraci chcieli, jego zdaniem, reformy państwa, podczas gdy należało je zburzyć i stworzyć na zupełnie nowych zasadach demokracji zawodowej.

Przed I wojną światową syndykalizm przeniknął do Niemiec, USA i Wielkiej Brytanii, a zwłaszcza do Hiszpanii i Włoch, gdzie od 1914 r. działała Powszechna Konfederacja Pracy (*Confederazione Generale del Lavoro*). W latach 1911–1913 syndykaliści podejmowali liczne próby zorganizowania „akcji bezpośredniej", jednak bez powodzenia. Niektóre z tych prób krwawo stłumiła policja włoska i francuska. Wojna zahamowała rozwój ruchu. Część przywódców aresztowano jako

---

[19] Georges Sorel, *Rozważania o przemocy,* (Warszawa: Krytyka Polityczna, 2014); Kazimierz Wyka, *Georges Sorel,* (Warszawa, 1935).

niebezpiecznych anarchistów, inni zaś przyjęli orientację narodową. Po I wojnie
światowej ruch odrodził się we Francji, jednak w 1920 roku załamała się tu próba strajku powszechnego. Nieskuteczna okazała się podobna akcja związkowców
hiszpańskich i włoskich. Doprowadziło to do rozpadu ruchu na trzy odłamy. Syndykaliści rewolucjoniści, bliscy anarchizmowi, zwalczali nacjonalizm, a nawet patriotyzm, demokrację parlamentarną oraz intelektualizm. Stali się oni naturalnymi sojusznikami bolszewików. Sorel poparł rewolucję bolszewicką, a rewolucyjny
odłam centrali CGT zgłosił w 1921 r. akces do Kominternu. Syndykaliści narodowi
zbliżyli się do ruchów nacjonalistycznych, na przykład do Akcji Francuskiej oraz
ruchu faszystowskiego we Włoszech i Hiszpanii. Przez pewien czas przywódcą
tego skrzydła ruchu był Georges Valois (1878–1945), zanim nie przeszedł na pozycje bardziej umiarkowanego skrzydła syndykalistów reformistycznych. Zwalczali oni zarówno komunizm, jak i radykalny nacjonalizm oraz sądzili, że ustrój
syndykalistyczny – państwo oparte na federacji demokratycznych i samorządnych
syndykatów pracowniczych zorganizowanych w stałe „służby publiczne" – można
osiągnąć drogą ewolucyjną. Głosili też, w przeciwieństwie do anarchizujących
radykałów, że pracownicy umysłowi są także producentami. Głównymi rzecznikami tego odłamu ruchu byli: Valois oraz Leon Jouhaux (1879–1954), późniejszy
laureat pokojowej nagrody Nobla. W połowie lat trzydziestych syndykaliści refor-
mistyczni zdobyli przewagę w CGT, jednak pod koniec dekady musieli tam oddać
pole sympatykom komunizmu[20].

Wobec fiaska oddolnej „akcji bezpośredniej" narodowo nastawieni zwolennicy
antydemokratycznego populizmu zaczęli zasilać ruch faszystowski we Włoszech,
ruchy i partie o charakterze radykalno-nacjonalistycznym we Francji, Portugalii,
Hiszpanii i państwach Europy Wschodniej, a w Niemczech – partię Adolfa Hitlera.
Zamiast oddolnej, syndykalistycznej przebudowy systemu społeczno-ekonomicz-
nego partie te oferowały zmiany odgórne, inicjowane przez partię lub państwo.
Tak wprowadzano korporacje włoskie, portugalskie i niemieckie, których celem
było poddanie życia gospodarczego kontroli państwa bez formalnej nacjonalizacji, a także zapobieganie konfliktom społecznym. System ten nazywano często
korporacjonizmem.

W okresie międzywojennym syndykalizm utracił jednolity charakter prawie
we wszystkich krajach europejskich. We Włoszech większość działaczy syndyka-
listycznych przyłączyła się do partii faszystowskiej lub komunistów. W Hiszpanii
syndykaliści rewolucyjni odegrali dużą rolę w rządach republikańskich, jednak
wraz z klęską republiki ruch ich został rozbity. W Polsce antypaństwowe tezy
syndykalistów nie cieszyły się zbytnią popularnością toteż syndykalizm wystąpił
tylko w postaci reformistycznej. Popularny był w kręgach młodzieży związanej
z „Zetem", a zwolennikiem tej ideologii był Stanisław Brzozowski. Po II wojnie
światowej ideologia syndykalistyczna miała już znaczenie marginalne. We Francji

---

[20] Hanna Witkiewicz-Mokrzyska, *Syndykalizm francuski i jego znaczenie społeczne*, (Warszawa,
1936); Wojciech Roszkowski, „Dylematy społeczeństwa pracy", *Przegląd Powszechny*, 1984,
nr 12.

ruch związkowy uległ wpływom komunizmu i socjaldemokracji, choć idea „akcji bezpośredniej" powróciła w trakcie młodzieżowej rewolty w 1968 r. W krajach komunistycznych syndykalizm był ostro zwalczany jako sprzeczny z rządami partii, jednak znajdował mniej lub bardziej świadomych kontynuatorów, którzy widzieli w nim szansę na zreformowanie monolitu władzy partii i policji politycznej. W Polsce niektóre koncepcje wypracowane przez „Solidarność", jak „sieć", strajk czynny czy program Rzeczpospolitej Samorządnej, nawiązywały do syndykalizmu reformistycznego.

NAZIZM

Podobnie jak komunizm nie był tylko wybrykiem natury i zwyrodniałego umysłu Lenina i Stalina, tak i nazizm nie był tylko produktem opętania Hitlera. Obydwa te nurty totalitaryzmu wyrastały z głębokich korzeni intelektualnych zboczeń europejskich. Protagoniści Nietzschego często bronią go przed odpowiedzialnością za nazizm. Istotnie, Nietzsche swoich poglądów nie wprowadził w czyn, podobnie jak Stirner czy wspomniani już teoretycy rasizmu: Gobineau i Chamberlain. Natomiast praktyczne wnioski z tych teorii wyciągnęli już przed Hitlerem praktycy eugeniki.

Bliższym w czasie teoretykiem, którego poglądy ilustrują ducha nazizmu był Oswald Spengler (1880–1936). Choć w sensie praktycznym zdystansował się on od postępów nazizmu, to poglądy Spenglera są kwintesencją skrajnego darwinizmu społecznego oraz niemieckiej i socjalistycznej pychy. Pisał on między innymi: „Bez potęgi plany i zamiary są niczym (…) Wartościowa część niemieckiego proletariatu połączyć się musi z najlepszymi rzecznikami staropruskiego poczucia państwowego, wspólnie postanawiając ufundować państwo ściśle socjalistyczne i demokrację w pruskim sensie. Zespolić je musi jedność poczucia obowiązku, świadomość wielkiego zadania, wola posłuszeństwa w imię panowania, śmierć w imię zwycięstwa, (…) tego, do czego jesteśmy przeznaczeni, czym jesteśmy, co bez nas nie mogłoby istnieć"[21]. Spengler był fanem techniki – „wewnętrznej formy postępowania w walce równoznacznej z samym życiem" – a także głosił nietzscheańskie ideały „woli mocy" i nihilizmu, w którym człowieka uważał za „drapieżnika"[22]. Podobne hasła powtarzał nieraz Hitler.

Niemiecki narodowy socjalizm był ideologią rewolucyjną, w której splatał się niemiecki nacjonalizm, podrażniony klęską 1918 roku, z populizmem karmionym klęską wielkiego kryzysu i bezrobocia, ale była to, być może przede wszystkim – jak stwierdził jako pierwszy Hermann Rauschning[23] – „rewolucja nihilizmu",

---

[21] Oswald Spengler, *Duch pruski i socjalizm*, wg: Andrzej Kołakowski, „Wstęp", (w:) Oswald Spengler, *Historia, kultura, polityka*, (Warszawa: PIW, 1990), s. 13.

[22] Tamże, ss. 34–38.

[23] Hermann Rauschning poznał nazizm „od środka". Urodził się w Toruniu, a od 1926 roku był obywatelem Wolnego Miasta Gdańska. Po wstąpieniu do NSDAP przez krótki okres pełnił urząd prezydenta Senatu Gdańska. W wyniku konfliktu z gauleiterem tego miasta Albertem Forsterem ustąpił ze stanowiska, po czym, widząc, do czego zmierzają naziści, w 1936 roku

Adolf Hitler i nazistowscy dygnitarze na sesji parlamentu Rzeszy w berlińskiej Operze Krolla, do której przeniesiono obrady po pożarze budynku Reichstagu. Hitler doszedł do władzy w legalny sposób, na drodze wyborów parlamentarnych.

czerpiąca, w dużej mierze z duchowego dziedzictwa modernizmu oraz metod bolszewickiej Rosji. W sensie organizacyjnym nazizm był zresztą niezwykle bliski komunizmowi. W obu przypadkach partia rządząca pożarła państwo i uczyniła policję polityczną trzonem systemu, który oparto na terrorze i propagandzie.

W styczniu 1933 roku Hitler został kanclerzem Rzeszy i zapoczątkował proces, który był „kombinowanym zamachem stanu i zaaranżowaną przez górę rewolucją pod patronatem legalizmu". Początek procesu nie wyglądał na rewolucję. „Ale w czasach, które nastąpiły potem, niezliczonymi aktami terroru powetowano sobie ten brak, owym zaś aktom terrorystycznym nie towarzyszyła łagodząca okoliczność, jaką jest rewolucyjne wzburzenie. Mamy tu więc do czynienia z wyrachowanym na zimno okrucieństwem, z przerażającym cynizmem, z bodźcami, które działać muszą silniej i w sposób trwalszy niż otwarte akty przemocy rewolucyjnej"[24]. Nihilizm rewolucji nazistowskiej narastał wraz z uruchomieniem mechanizmu nieograniczonej żądzy władzy. Racja, jaką rzekomo było odrodzenie

---

wyjechał do Francji, a następnie do USA. Książkę, w której ukazał założenia i metody nazizmu – „Rewolucję nihilizmu" – opublikował po raz pierwszy w 1938 roku w wydawnictwie Europa Verlag, Zürich/New york 1938. Polskie wydanie: Hermann Rauschning, *Rewolucja nihilizmu*, (Warszawa: Niezależna Oficyna Wydawnicza, 1996).

[24] Tamże, s. 39–40.

narodu niemieckiego, degenerowała się przez szerzenie mitu rasowej wyższości Aryjczyków[25], a w tym głównie Niemców, oraz przez zatratę wszelkich skrupułów moralnych przez władze nazistowskie i żądne władzy miliony Niemców. Obsesją nazistów byli Żydzi. Wedle Hitlera Żyd był „pasożytem na ciele innych narodów (…) Jego rozmnożenie na całym świecie jest typowe dla pasożytów"[26]. Socjologia władzy nazistów opierała się na prostocie haseł, ich „nieomylności", mobilizowaniu uczuć, w tym tych najgorszych – pazerności, nienawiści czy zemsty – propagandowej agresji i nagiej sile. Wedle nazistów masy nie dają wiary małym kłamstwom, natomiast kłamstwa wielkie chętnie przyjmą. Inną zasadą nazizmu był nieustanny atak. Zwłaszcza w odpowiedzi na krytykę musiał to być atak znacznie silniejszy, zaskakujący zuchwałością i niemoralnością. To, że taktyka ta skutkowała w zdemoralizowanym świecie międzywojennych Niemiec, świadczyło o nich jak najgorzej.

---

[25] „Istnieje niezliczona ilość przykładów w historii – pisał Hitler – pokazujących z przerażającą szczerością, jak ciągle aryjska krew miesza się z krwią 'gorszych ludzi'. A to w rezultacie prowadzi do końca kultury zachowania rasy". Adolf Hitler, *Mein Kampf*, (Wrocław: Wydawnictwo XXL, 2005), s. 87.

[26] Tamże, s. 90.

Nazistowskie uroczystości dożynkowe we wrześniu 1934 r. Hitler w otoczeniu oficerów wchodzi przez szpaler partyjnych sztandarów na górę Bückeberg w centralnych Niemczech. Ważnym elementem hitleryzmu był daleko posunięty kult wodza.

Kiedy Rauschning pisał swoją „Rewolucję nihilizmu" nie wiedział jeszcze, do czego może ta rewolucja doprowadzić. Doprowadziła ona, na spółkę z sowieckim komunizmem – sojusznikiem z lat 1939–1941 – do inwazji Polski, Belgii, Norwegii, Francji i Jugosławii. Doprowadziła do mordowania polskich jeńców przez Wehrmacht, do akcji AB przeciw polskiej inteligencji, do nieludzkiego traktowania sowieckich jeńców, do rozbudowy niemieckich obozów śmierci oraz do „ostatecznego rozwiązania kwestii żydowskiej" czyli wymordowania wielu milionów europejskich Żydów w komorach gazowych i krematoriach.

W nazizmie degeneracji uległ i rozum, i wiara. Racjonalne pozornie przepisy prawa, takie jak ustawy norymberskie o obywatelstwie Rzeszy i ochronie „krwi i czci niemieckiej" z 1935 roku, czy przepisy i rozporządzenia niemieckich władz okupacyjnych w Polsce, oparte były na ideologicznych podstawach rasizmu. Zakazywanie druku i rozpowszechniania *Mein Kampf* [już niebowiązujące; od stycznia 2016 r. ukazało się w Niemczech setki tys. egz. tej książki opatrzonej przypisami naukowymi – przyp. red.] jest dość dziwnym zwyczajem w cywilizacji zachodniej, rzekomo opartej na wolności słowa, skoro trucizny duchowe zawarte w „dziele" Hitlera nie są gorsze niż te zawarte w pismach de Sade'a, Stirnera, Lenina, Stalina czy wielu współczesnych autorów. Usprawiedliwieniem tych zakazów wobec *Mein Kampf* może być fakt, że Hitler był nie tylko teoretykiem, ale także reżyserem straszliwych zbrodni. Ale czyż nie dotyczy to także pism i działań Lenina, Stalina czy Mao Zedonga? Notabene *Mein Kampf* jest utworem zdradzającym polityczną chytrość autora, ale jednocześnie jego ignorancję, intelektualną pychę, płytkość rozumowania i chaos myślowy[27]. Wiarę w Boga zastąpiła wiara w nieomylność *Führera*. Elita NSDAP, a za nią miliony Niemców powtarzały, że „wszyscy na tej ziemi wierzymy w Adolfa Hitlera, naszego wodza i wyznajemy, że narodowy socjalizm jest dla naszego narodu jedyną niosącą zbawienie wiarą"[28]. Na szczęście „tysiącletnia" III Rzesza potrwała jedynie 12 lat, ale pozostawiła po sobie w cywilizacji europejskiej trwały ślad skrajnej nikczemności. Stosy trupów w wyzwolonych przez Anglosasów kacetach nazistowskich były z pewnością dla nich szokiem. Kiedy jednak zaczęto zadawać pytanie „gdzie był Bóg w Auschwitz?" zapomniano zadać pytanie, gdzie umieścili Boga sprawcy straszliwych zbrodni nazizmu oraz ich ideowi ojcowie[29].

KOMUNIZM

Najbardziej agresywnym i destrukcyjnym ruchem XX wieku okazał się komunizm. Był on w istocie kombinacją marksizmu z rosyjską tradycją rewolucyjnych spisków. Mikołaj Bierdiajew pisał: "Marksizm został przystosowany do tradycji

---

[27] Hitler pisał tak: „Koniecznym warunkiem dla stworzenia lepszej natury ludzkiej nie jest państwo, ale rasa, która posiada w tym celu niezbędne własności". Tamże, s. 110.

[28] Rauschning, *Rewolucja nihilizmu*, s. 63.

[29] Ktokolwiek wiązałby nazizm z katolicymem, winien postudiować wypowiedzi nazistowskich bonzów, na przykład w kontekście papieskiej encykliki *Mit brennender Sorge* w 1937 roku. Grzegorz Musiał, „Antykatolicka prowokacja Hitlera", *Nasz Dziennik*, 24–26 XII 2016 r.

rosyjskiej i zrusyfikowany. Marksowski pierwiastek mesjanistyczny został połączony i zidentyfikowany z mesjańskim posłannictwem Rosji".[30] Tradycja ta wynikała z despotycznych rządów carów i poczucia beznadziejności społeczeństwa w obliczu władzy, a także z „cezaropapizmu" systemu rosyjskiego, w którym władza polityczna ściśle kontrolowała władzę duchowną i używała jej do celów politycznych. Dlatego teoretycy rewolucji rosyjskiej sądzili, że konieczne jest przywództwo o charakterze spiskowym, które uszczęśliwi lud w wyniku rewolucji.

Człowiekiem, który tego rodzaju „spiskową teorię historii" doprowadził do skrajności, był Włodzimierz Lenin (1870–1924). Jego zdaniem, proletariat nie musiał czekać na to, by warunki społeczne dojrzały do zmiany, a zacofana Rosja nie musiała przechodzić typowych dla Zachodu stadiów rozwoju. Przeciwnie, był on zwolennikiem rewolucji w „najsłabszym ogniwie kapitalizmu". Zmienił marksowską teorię rewolucji społecznej w rewolucję polityczną, w której elita proletariatu – czyli jego partia bolszewicka – miała zdobyć władzę w celu narzucenia nowego systemu społeczno-politycznego i wytworzyć „nowego człowieka". Wkrótce po zdobyciu władzy Lenin stwierdził: „Nie możemy opisywać socjalizmu tak, jakby socjaliści mogli nam go przynieść na tacy, ładnie udekorowanego. Tak nie będzie. Żaden problem nie został w historii rozwiązany bez użycia przemocy. Jeśli więc przemoc ma być stosowana przez klasę robotniczą, przez wyzyskiwanych przeciw wyzyskiwaczom – wtedy jesteśmy za przemocą"[31]. Nawoływał: „Żadnej litości dla wrogów ludu, wrogów socjalizmu, wrogów klasy robotniczej! Walka na śmierć i życie przeciw bogaczom i ich poplecznikom, intelektualistom burżuazyjnym; wojna przeciw łotrom, próżniakom i awanturnikom!"[32]

Partia bolszewicka, która przejęła władzę w Rosji, stała się zdyscyplinowanym oddziałem zawodowych rewolucjonistów, zorganizowanych wedle zasady „centralizmu demokratycznego", oznaczającej całkowity centralizm i brak demokracji. Co więcej, Lenin twierdził, że dyktatura proletariatu jest wyższym stadium demokracji. Używanie logiczne sprzecznych określeń było odtąd stałą praktyką terroryzowania umysłów.

Rewolucja bolszewicka w Rosji wygrała głównie dzięki temu, że bolszewicy przejęli program eserów w kwestii pokoju oraz nacjonalizacji ziemi, a po jego zrealizowaniu wprowadzili rządy terroru. Konstytuanta została rozgoniona, a terror z czasu wojny domowej utrzymano po jej zakończeniu. Używanie niczym nie ograniczonej przemocy, a więc masowych mordów, rozstrzeliwania bez sądu, tortur

---

[30] Nikolay Berdyaev, *The Russian Idea,* (London: Geoffrey Bles, 1947), s. 249. Gdzie indziej stwierdził on: „Rosyjski komunizm trudno pojąć ze względu na jego dwoistą naturę. Z jednej strony ma on charakter internacjonalistyczny i globalny, z drugiej zaś – jest on narodowy i rosyjski (...) Bolszewizm jest bardziej tradycyjnie rosyjski niż się na ogół sądzi. Jest on bowiem zgodny z główną charakterystyką rosyjskiego procesu historycznego". Nikolay Berdyaev, *The Origin of Russian Communism,* (London: Geoffrey Bles, 1948), ss. 7 i 107.

[31] Vladimir Lenin, „Report on the Activities of the Council of People's Commissars" (24 I 1918), *Collected Works,* t. 26, ss. 459–461.

[32] Vladimir Lenin, „How to Organize Competition?" (27 XII 1917), *Collected Works,* t. 26, ss. 411 i 414.

i obozów pracy przymusowej, w praktyce będących obozami śmierci, wynikało z logiki rewolucji w wydaniu bolszewickim. Lenin dowodził: „Nie dojdziemy nigdzie, jeśli nie uciekniemy się do terroru: spekulantów należy rozstrzeliwać na miejscu. Ponadto bandytów trzeba traktować podobnie: muszą być rozstrzeliwani na miejscu"[33]. Za czasów Stalina logikę tę stosowano na gigantyczną skalę. Choć po jego śmierci terror zelżał, pozostawał jednak nadal, wraz z masową propagandą, główną podporą systemu.

Upaństwowiony majątek produkcyjny zorganizowano w centralny system zarządzania „rad gospodarki narodowej" („sownarchozy") o strukturze regionalnej oraz Centralne Komitety („centry") i Główne Komitety („gławki") o strukturze branżowej. Na czele tego zarządu stała Najwyższa Rada Gospodarki Narodowej (NRGN). Gubernialne rady („gubsownarchozy") były zorganizowane na wzór NRGN. Nad całym systemem gospodarki nakazowo-rozdzielczej bolszewickiej Rosji, a potem ZSRR, zawisła gigantyczna machina biurokratyczna i mimo późniejszych modyfikacji trwała ona do końca systemu. Gospodarka bolszewicka od samego niemal początku opierała się też na pracy przymusowej. Pierwszym dokumentem, w którym zapowiedziano oficjalnie przymus pracy była Deklaracja Praw Ludu Pracującego i Wyzyskiwanego z 12 stycznia 1918 r. Obozy pracy przymusowej dla „wrogów ludu" zadekretowano jednak już w listopadzie 1917 roku. W świetle bolszewickiego terroru na ponury żart zakrawało wprowadzenie parafrazy określenia św. Pawła jako zasady „kto nie pracuje, ten nie je"[34] do Konstytucji RFSSR.

Trudno tu nawet w skrócie przedstawić główne aspekty praktyki komunizmu w XX wieku. Był to zarówno w wersji sowieckiej, chińskiej czy w wersjach pochodnych system ludobójczy. Ofiarą systemu padło około 73 miliony ludzi w Chinach, z czego około połowa w wyniku sztucznie wywołanego głodu lat 1960–1963, około 62 milionów w ZSRR, ponad 3 miliony w Korei Północnej, ponad 2,5 miliona w Kambodży, a dalsze miliony w Afganistanie, Wietnamie, Etiopii, Jugosławii, Mozambiku, Rumunii, Bułgarii, Angoli, Mongolii, Albanii, na Kubie, w Polsce, Czechosłowacji, na Węgrzech i w NRD[35]. Efektem dziesięcioleci rządów komunistycznych były też miliony ludzi deportowanych, złamanych psychicznie i życiowo, a także zahamowanie rozwoju gospodarczego. Niebagatelnym skutkiem tych rządów było pomieszanie pojęć i skuteczne zakłamanie świadomości historycznej kilku pokoleń oraz upowszechnienie kłamstwa i terroru jako metody rządzenia[36].

---

[33] „Meeting of the Presidium of the Petrograd Soviet With Delegates From the Food Supply Organizations", *Collected Works*, t. 26, s. 501.

[34] W oryginale: „Kto nie chce pracować, niech też nie je", 2 Tes, 3,10.

[35] Scott Manning, „Communist Body Count", http://www.scottmanning.com/content/communist-body-count/ (26 IV 2014). Por. też: Steven Rosefielde, *Red Holocaust*, (London, New York: Routledge, 2010). Oceny Rudolpha J. Rummela są nieco inne. Zgadza się on na 62 mln ofiar sowieckich, ale chińskie ocenia na 35 mln, nie uwzględniając ofiar głodu. Ofiary Czerwonych Khmerów ocenia na ponad 3 mln, wietnamskie na prawie 2 mln, jugosłowiańskie i północnokoreańskie – na około 1 mln. Rudolph J. Rummel, *Statistics of Democide. Genocide and Mass Murder since 1900*, (Münster: LIT Verlag, 1997), ss. 215–266.

[36] Por. np.: Richard Pipes, *Communism. A History*, (New York: Modern Library, 2001), ss. 66 nn; Alan Bullock, *Hitler and Stalin. Parallel Lives*, (New York: Alfred A. Knopf, 1992), ss. 461 nn;

Przywódcy rosyjskiej partii komunistycznej Włodzimierz Lenin i Józef Stalin na daczy w podmoskiewskich Gorkach we wrześniu 1922 r. Ofiarami komunizmu stały się miliony ludzi na całym świecie.

Ideologia komunistyczna okazała się skutecznym i trwałym narzędziem zmiany politycznego, społecznego i kulturowego krajobrazu XX wieku. Sukcesy komunizmu wynikały z kilku iluzji. Ideolodzy komunistyczni bardzo często używali mglistych lub sprzecznych w istocie terminów, na ogół unikając jasnego określenia, czym komunizm ma być. Woleli mówić, czym ma nie być. Problem bowiem w tym, że podstawowe założenia komunizmu są całkowicie utopijne. System, w którym każdy otrzymałby tyle, ile pragnie, a byłby zobowiązany do wysiłku

Robert Conquest, *Stalin. The Breaker of Nations*, (New York: Viking, 1991); Robert Service, *Stalin. A Biography*, (Oxford University Press, 2004); Jerzy Bajer, Waldemar J. Dziak, *Historia polityczna Chin 1839–2014*, (Warszawa, ISP PAN, 2015); John King Fairbank, *The Great Chinese Revolution, 1800–1985*, (New York: Perennial Library, 1987); Harrison E. Salisbury, *The Chinese Emperors. China in the Era of Mao and Deng*, (New York: Avon Books, 1992).

proporcjonalnego do swych zdolności jest absurdem. W skali społecznej ludzkie potrzeby mają charakter nieograniczony, a ludzka zdolność do poświęceń jest ograniczona. Podaż nigdy nie dogoniłaby popytu. Pomysł, że nacjonalizacja oznacza „uspołecznienie" jest równie absurdalny. Komunistyczny „naukowy światopogląd" miał ludzi nauczyć, że możliwości nauki są nieograniczone. Sam Lenin przyznał jednak kiedyś, że ludzka świadomość nie tylko odzwierciedla rzeczywistość, ale ją także kreuje[37]. Mentalność komunistycznych dyktatorów prawie zawsze, wbrew teorii, kreowała technologiczne zacofanie. W ideologii komunistycznej mieszano całkowicie pojęcia „subiektywny" i „obiektywny". Gnostycki dualizm absolutnego zła („burżuazyjny wyzysk", „reakcja", „wrogowie ludu" itd.) oraz absolutnego dobra („postęp", raj „społeczeństwa bezklasowego" czy „uspołecznienie") był gwałtem na racjonalności, do której komuniści się odwoływali. Materialistyczne rozumienie rzeczywistości oraz moralne uzasadnienie ostatecznego celu rewolucji stały w oczywistej sprzeczności. Wiara w urzeczywistnienie historycznej konieczności była czystą metafizyką, a z tą komuniści walczyli. Wiara, że ludzie mogą zrealizować raj na ziemi z zastosowaniem przemocy, jest oczywistym absurdem.

Wszystkie te potworności, sprzeczności i absurdy tłumaczono „dialektyką". Miała ona pomóc udowodnić, że komuniści mają zawsze rację, a także wykazać czym komunizm ma być lub nie być w zależności od okoliczności. Miała ona także zastraszać tych, którzy nie mogli uwierzyć, że białe jest czarne lub że czarne jest białe. W rezultacie władza stała się dla komunistycznej nomenklatury celem samym w sobie. Idealistyczne cele ulokowano poza horyzontem, zaś rzeczywistość zaczęto nazywać „socjalizmem realnym". Ten rodzaj nierealnej rzeczywistości, tak świetnie zilustrowanej w tytule powieści Aleksandra Zinowiewa „Przepastne wyżyny"[38], funkcjonował przez dziesięciolecia dzięki skutecznej, choć rabunkowej eksploatacji zasobów. Kiedy jednak tych zasobów siły roboczej, środowiska czy wreszcie środków finansowych zaczęło brakować, system doznał implozji. Grzechem pierworodnym komunizmu był jednak moralny relatywizm. Dawny czołowy funkcjonariusz komunistyczny Milovan Dżilas zauważył to także, zastanawiając się nad sumieniem i jego brakiem w rozumowaniu Stalina[39]. Być może to przyjęcie założenia, że normy moralne są zjawiskiem historycznym, a więc względnym, było najważniejszych czynnikiem, który doprowadził do katastrofy komunizmu. Niestety, założenie to jest nadal wszechobecne w kulturze Zachodu.

MIĘKKI ROZKŁAD

Wielu intelektualistów zachodnich zadaje pytanie, jak we wspaniałej cywilizacji zachodniej mogło dojść do potworności, które zrodził komunizm i nazizm.

---

[37] „Conspectus of Hegel's Science of Logic – Book III: Subjective Logic or the Doctrine of the Notion (December 1914)"; *Collected Works*, t. 38.

[38] Alexandr Zinoviev, *The Yawning Heights,* (New York: Random House, 1979).

[39] Milovan Dżilas, *Rozmowy ze Stalinem*, (Paryż: Instytut Literacki, 1962), s. 82.

Nie wiążą oni jednak tych potworności z prądami umysłowymi, które otaczały zbrodnicze ideologie totalitarne miękkim relatywizmem i wyrafinowanym intelektualnie przyzwoleniem na zło. Same pojęcia zła i prawdy zostały usunięte z tych refleksji filozoficznych. Z tego punktu widzenia warto się przyjrzeć temu, co do myśli XX wieku wniosła „szkoła frankfurcka", libertarianizm i inne prądy tej epoki.

Jednym z najważniejszych zjawisk intelektualnych XX wieku była filozoficzna „szkoła frankfurcka" zapoczątkowana w latach dwudziestych w Instytucie Badań Społecznych we Frankfurcie. Instytut założyli lewicujący intelektualiści niemieccy pochodzenia żydowskiego, którzy starali się na nowo przemyśleć marksizm w warunkach Republiki Weimarskiej. Kiedy dyrekcję instytutu przejął Max Horkheimer (1895–1973), prace instytutu skierowano ku badaniom empirycznym współczesnego kapitalizmu, tak aby skonfrontować marksowską krytykę społeczeństwa z realiami XX wieku. Po przejęciu władzy przez nazistów w Niemczech prace te przeniesiono do paryskiej École normale supérieure, gdzie kontynuowano badania sprzeczności kapitalizmu, nazwane „teorią krytyczną". Kolejną przeprowadzkę badaczy ze szkoły frankfurckiej spowodował wybuch II wojny światowej. Znaleźli się oni w większości w Stanach Zjednoczonych, gdzie Horkheimer, Theodor W. Adorno (1903–1969) i Herbert Marcuse (1898–1979) współpracowali w ramach nowojorskiego Institute for Social Research. Po II wojnie światowej część zwolenników szkoły frankfurckiej wróciła do Niemiec, gdzie „rekonstruowała" powojenną świadomość niemiecką. Przedstawiciel drugiego pokolenia szkoły, Jürgen Habermas (ur. 1929), stał się tam postacią dominującą w kręgach intelektualnych. Niektórzy nazywają Habermasa „nadwornym" filozofem Unii Europejskiej. Podobno był on faworytem Jacques'a Chiraca i Gerharda Schrödera. Paul Johnson wspominał wykład Habermasa na temat „Religia w sferze publicznej", którego wysłuchał w Londynie i po którym wyszedł zupełnie zdezorientowany, nie mogąc pojąć o co Habermasowi chodziło. Z właściwą sobie ironią Johnson zauważył, że główne dzieło Habermasa dotyczyło teorii komunikacji. „Skoro tak się sprawy mają, można by przypuszczać, że dołoży choć trochę starań, aby wykładać w sposób zrozumiały". Z tego, co można było zrozumieć, Habermas stwierdził, że nie ma różnicy między amerykańskimi fundamentalistami religijnymi a terrorystami islamistycznymi oraz że ludzie wierzący w Boga w ogóle sytuują się „poza sferą cywilizowanego dyskursu"[40].

Inni, jak Erich Fromm (1900–1980), kontynuowali kariery naukowe w USA, stając się klasykami współczesnej psychologii i socjologii.

Trudno tu pokrótce przedstawić wszystkie dokonania przedstawicieli szkoły frankfurckiej, a wiele z nich z pewnością zasługuje na uwagę. Na przykład analiza wpływu Oświecenia na cywilizację zachodnią Adorno czy jego krytyka kultury masowej, a także Fromma teoria osobowości totalitarnej są niezwykle interesujące. Problem ze szkołą frankfurcką polega jednak na tym, że wychodząc z materialistycznych założeń bliskich marksizmowi nie potrafili oni zauważyć normatywnej

---

[40] Paul Johnson, „Europejska impotencja", *The Spectator,* 3 IX 2005 r., za: *Forum,* 3–9 X 2005 r.

strony zjawisk społecznych i kulturowych, a przez to drążąc sprzeczności współczesnego społeczeństwa masowego, w istocie je pogłębiali. Tak było przede wszystkim w przypadku Marcusego, który stał się guru rewolucji obyczajowej lat sześćdziesiątych. Dostrzegając brak podstaw ekonomicznych do rewolucji społecznej, filozofowie związani ze szkołą frankfurcką kładli nacisk na ideologię i rewolucję kulturową, w czym zbliżali się wyraźnie do planów jednego z pionierów komunizmu we Włoszech Antonio Gramsciego (1891–1937). Szkoła frankfurcka była więc w istocie szkołą Nowej Lewicy, która w nowej postaci ugruntowywała fałsze starej lewicy[41]. Jej przedstawiciele nie byli wojującymi ateistami. Oni po prostu ignorowali pojęcie Boga, jakby uważając, że szanującemu się autorytetowi intelektualnemu nie wypada o Nim wspominać.

Wpływ szkoły frankfurckiej na myślenie elit zachodnich przełomu XX i XXI wieku ilustruje dobrze pomnik Adorno we Frankfurcie autorstwa Vadima Zakharova z 2003 roku. Jest to jednak dzieło mocno dwuznaczne. Przedstawia bowiem biurko i krzesło filozofa, zamknięte w szklanej kapsule, tak jakby pionier „teorii krytycznej" był czystą ideą, i to w istocie odciętą od świata rzeczywistego. W świecie tym liczy się jednak także to, czego ludzie nie mogą stworzyć i co nie pochodzi od ich samych. Jeśli więc wiara jest subiektywnym „założeniem", to niewiara w Boga jest tylko tym samym. Niewierzący nie wiedzą, że Boga nie ma, podobnie, jak wierzący, że On jest. Pytanie tylko, które „założenie" daje lepsze efekty.

O ile w pracach twórców szkoły frankfurckiej dopatrzyć się można elementów filozofii, o tyle poglądy libertarian są częściej czystą ideologią. Libertarianizm jest zbiorem poglądów, w których na czoło wybija się apoteoza wolności osobistej. Nie jest to więc nowe wcielenie liberalizmu, lecz raczej anarchizmu, popularne zwłaszcza w kręgach inteligencji odreagowującej zatrucie kolektywizmem komunistycznym lub rasistowskim. Jak w przypadku wielu innych ideologii, libertarianizm oparty jest na w gruncie rzeczy słusznym założeniu. Tym razem jest to założenie, że wszystkie działania ludzkie winny być rozpatrywane w perspektywie wolnej woli człowieka. Jeśli jednak abstrahuje się od społecznej strony ludzkiej natury oraz kwestii pochodzenia reguł moralnych, to dojść można łatwo do absurdów i nadużyć.

W odróżnieniu od klasycznego liberalizmu, który akcentował ograniczenie wolności jednostki przez wolność innych jednostek, libertarianizm od swych XIX-wiecznych początków był hasłem często używanym przez anarchistów w celu uniknięcia złych skojarzeń. Określenie „komunizm libertariański", użyte w czasie francuskiego kongresu anarchistycznego w 1880 roku, brzmi jednak jak oksymoron. Jak można sobie bowiem wyobrazić wspólnotowość opartą na skrajnym egoizmie?

---

[41] Max Horkheimer, Theodor W. Adorno, *Dialektyka oświecenia*, (Warszawa: Wydawnictwo IFiS PAN, 1994); Jürgen Habermas, *Teoria i praktyka. Wybór pism*, (Warszawa: PIW, 1983); Andrzej Szahaj, *Teoria krytyczna szkoły frankfurckiej. Wprowadzenie*, (Warszawa: Wydawnictwo Akademickie i Profesjonalne, 2008). Por. też interesujący wywiad Jacka Bartyzela dla „Teologii Politycznej": http://www.teologiapolityczna.pl/prof-jacek-bartyzel-szkola-frankfurcka-antonio-gramsci-i-nowa-lewica (19 XII 2017).

Pomnik niemieckiego filozofa Theodora W. Adorno we Frankfurcie nad Menem: jego biurko, lampa, krzesło i inne przedmioty osobiste zamknięte w szklanej kapsule. Adorno należał do filozoficznej „szkoły frankfurckiej", która przyczyniła się do degradacji myśli europejskiej.

Poszczególne nurty libertarianizmu różnią się pod względem stosunku do zakresu akceptacji władzy publicznej. Jedni libertarianie gotowi są zaakceptować władzę publiczną w stopniu gwarantującym bezpieczeństwo obywateli, inni chcą ją całkowicie usunąć. Prekursorami współczesnego libertarianizmu byli Amerykanie: były pastor Jay Albert Nock (1870–1945), który dowodził, że państwo jest wrogiem obywateli i prowadzi działalność przestępczą wymierzając kary i pobierając podatki, pisarka Ayn Rand (Alissa Rosenbaum, 1905–1982) oraz Murray N. Rothbard (1926–1995). Pisząc pod wrażeniem doświadczeń z młodości w ZSRR, Rand głosiła „filozofię obiektywistyczną" i uważała swe poglądy za „prawicowe", ale ulegała wyraźnie antropologii i etyce Nietzschego. Innym głośnym przedstawicielem libertarianizmu był Robert Nozick (1938–2002), który chciał ograniczyć działania państwa jedynie do ochrony obywateli[42]. W swoich naukach libertarianie nawiązywali do klasyków liberalizmu brytyjskiego oraz liberalnej

---

[42] Por. dwie powieści: Ayn Rand, *Źródło*, (Warszawa: Kameleon, 2002), Ayn Rand, *Cnota egoizmu*, (Poznań: Zysk i S-ka, 2015). Poza tym Rand opublikowała dość bełkotliwy „Hymn", który kończy jasnym przekazem: „A tutaj na portalu mojej twierdzy wyryję w kamieniu słowo, które ma być mym drogowskazem i sztandarem. Słowo, które nie zginie nawet wtedy, gdy my wszyscy padniemy w boju. Słowo, które na tej ziemi nigdy zginąć nie może, gdyż jest jej sercem i chwałą. Święte słowo: EGO". http://www.libertarianizm.pl/_media/

myśli ekonomicznej, ale w ich poglądach więcej jest odniesień do klasyka anarchizmu amerykańskiego Benjamina Tuckera (1854–1939). W latach siedemdziesiątych XX wieku wielu libertarian zbliżyło się do neoliberalizmu i popierało administrację Ronalda Reagana.

Swego rodzaju kanonem libertarianizmu pozostał „Manifest libertariański" Rothbarda, który w latach sześćdziesiątych, wraz z innym czołowym libertarianinem, Karlem Hessem (1923–1994), należał do działaczy lewackiej organizacji Students for a Democratic Society. Jak widać, między poglądami lewackimi i rzekomo prawicowym anarchizmem nie ma wielkich różnic. Widać to było podczas wieców studenckich rewolt w Europie Zachodniej i USA w 1968 roku. W swoim manifeście Rothbard pisał: „Libertarianie uważają (…) państwo za największego, odwiecznego i najlepiej zorganizowanego agresora, naruszającego nietykalność osób i ich mienia na skalę masową". Przedstawiając hipotetyczny konflikt interesów między dwiema grupami demonstrantów Rothbard nie ukrywał pretensji, że to państwo rozstrzyga, kto ma rację. Trzeba jednak zadać pytanie: a kto ma rozstrzygać – każdy obywatel? Broniąc pornografii i ganiąc publiczne prezentacje przemocy, Rothbard konkludował w charakterystyczny dla libertarian sposób: „Zagadnienie nie polega na tym, czy skutki pornografii są dobre, złe czy obojętne (…) lecz na tym, czy powinna być zakazana czy też nie. Według libertarian prawo – stosowanie siły w celu wymierzenia kary – w ogóle nie powinno tu mieć zastosowania, ponieważ nie można za jego pomocą zmuszać kogokolwiek do wyznawania jakiejś koncepcji moralności"[43]. Rothbard nie zauważył, że nie da się uniknąć rozpatrywania kwestii sprawiedliwości w kategoriach prawdy, dobra i zła, a także iż prawo stanowione było, jest i będzie zatrudnione do regulowania zachowań ludzkich, choćby dla ochrony obywateli przed przestępcami.

Paradoksem współczesnego świata jest to, że poglądy libertariańskie są coraz silniej promowane przy pomocy „politycznej poprawności", przybierając cechy oficjalnej ideologii, w której nikogo do niczego nie wolno zmuszać z wyjątkiem tego, że ma wielbić wolność i nie odwoływać się do prawdy. „Wyzwolenie", nieograniczona niczym „tolerancja" i „niedyskryminacja" stały się hasłami terroryzującymi całe społeczeństwa. Czy to jest jeszcze libertarianizm? Czy ludzi należy zmuszać do wolności? Tak jak w rezultacie fiaska mitu komunistycznego uznano w końcu, że osiągnięto „socjalizm realny", można by może zaproponować nazwanie praktycznego wcielania ideologii Rothbarda „libertarianizmem realnym".

NEW AGE

Dla duchowości szerokich kręgów społecznych Zachodu końca XX wieku charakterystyczny jest zespół przekonań i zachowań określanych często jako „Nowa

---

wolnosciowe_czytanki:prekursorzy:hymn.pdf (19 XII 2017). Por. też: Robert Nozick, *Anarchia, państwo, utopia*, (Warszawa: Aletheia, 2010).

[43] Murray N. Rothbard, *O nową wolność. Manifest libertariański*, (Warszawa: Fundacja Odpowiedzialność Obywatelska, Wydawnictwo Volumen, 2004), ss. 72, 132–133 i 140.

Era" (*New Age*). Nie jest to religia ani ruch społeczny, ale raczej zlepek różnych wierzeń, przekonań i marzeń, bezpostaciowe dążenia ludzi końca wieku do tego, by im było lepiej, ale bez trudu i osobistej odpowiedzialności. Pierwszym autorem, który nawiązał do znaku Wodnika jako symbolu, był Levi H. Dowling (1844–1911) w „Ewangelii Wodnika" (*The Aquarian Gospel of Jesus the Christ*, 1908), a drugą – okultystka i teozofka Alice Bailey (1880–1949). W 1937 roku francuski ezoteryk Paul Le Cour wydał książkę „Era Wodnika" (*L'Ère du Verseau*), w której dowodził, że ludzkość wychodzi z Ery Ryb, charakteryzującej się wojnami i nędzą, a wkracza w Erę Wodnika, która przyniesie obfitość dóbr materialnych i duchowych. Popularne media upowszechniły w połowie XX wieku modę na New Age publikując rewelacje na temat „rzeczy dziwnych i niewyjaśnionych". Duże znaczenie miał ruch hippisowski, a przebojowy musical *Hair* dał New Age nowe miano – „Ery Wodnika". Wiele dla rozpropagowanie mody New Age uczyniła Marylin Ferguson, autorka książki o „konspiracji Wodnika" (*The Aquarian Conspiracy*) i aktorka Shirley MacLaine, propagująca okultyzm i spirytyzm. Niektórzy wiązali New Age z podświadomością końca tysiąclecia nazywając go „nowym millenaryzmem".

New Age jest mieszaniną panteizmu, ezoteryki, gnozy, wiary w reinkarnację oraz synkretyzmu czerpiącego z różnych religii. Pośrednio nawiązuje do teorii „świadomości kosmicznej", akceptuje chrześcijańskie modlitwy uzdrawiające i ruchy charyzmatyczne. Ideologowie New Age twierdzą jednak, że Bóg jest nieosobową energią przenikającą wszystko, że Chrystus był jednym z mistrzów New Age, a grzech to nieuświadomienie sobie przez człowieka jego boskości[44]. Zwolennicy New Age wierzą w koniec epoki ciemnoty i gwałtu oraz początek ery miłości i światła, w horoskopy, astrologię, kabałę, tarota, istoty pozaziemskie (*Unidentified Flying Objects*, UFO) i reinkarnację. Sięgają do technik psychologicznych typu jogi, medytacji, aktywnej wizualizacji czy dynamiki grupowej, głoszą konieczność życia zgodnego z przyrodą, znaczenie diety oraz naturalnej medycyny. New Age jest próbą quasi--religijnej nobilitacji hedonizmu. Namawia do indywidualizmu, ale w celu realizacji szczęścia często skłania do poddania się kontroli zbiorowości, a przez to – władzy sekty. New Age miesza wnioski naukowe, na przykład w dziedzinie ekologii, dietetyki, czy psychologii z gołosłownymi przypuszczeniami w innych dziedzinach. Propaguje istnienie tajemniczej „sieci" zwolenników występujących w różnych postaciach i organizacjach. Schlebiając marzeniom do doskonałości i szczęścia prowadzi do nowej formy samoubóstwienia człowieka. Aktorka Shirley MacLaine mówiła: „jesteście bogami i postępujcie stosownie do tego", a inny przywódca New Age, Beniamin Creme twierdzi, że "człowiek jest bogiem w trakcie ujawniania się"[45].

---

[44] Mariusz Gajewski SJ, *Sekty i nowe ruchy religijne*, (Kraków: Wydawnictwo Salwator, 2009), ss. 140–156; Arnaud de Lassus, *New Age. Nowa religia?* (Warszawa: Fulmen, 1993), ss. 21–23. Por. też: Ks. Jeffrey Steffon, *Satanizm jako ucieczka w absurd*, (Kraków: WAM, 1993), ss. 80–90; Jean Ritchie, *Tajemniczy świat sekt i kultów*, (Warszawa: Książka i Wiedza, 1994), ss. 191–199; Randall Baer, *Inside the New Age Nightmare*, (Lafayette: Huntington House Inc., 1989); Russell Chandler, *Understanding the New Age*, (Dallas: Word Publishing, 1988); Walter Martin, *The New Age Cult*, (Minneapolis: Bethany House Publishers, 1989).

[45] D. Hunt, T.A. McMahon, *America: the Sorcerer's New Apprentice. The Rise of New Age Shamanism*, (Harvest House Publishers, 1988), s. 229.

New Age miesza wiedzę z wiarą. Jego wyznawcy chcą wiedzieć na pewno i od-żegnują się od tradycyjnej wiary chrześcijańskiej, ale nie zauważają, że są gotowi dać wiarę głupstwom. Nie jest to zresztą zjawisko nowe. Już dwa tysiące lat temu chrześcijaństwo było podmywane przez gnozę – specyficzną wiarę w rozum, która była w istocie zadufaną wiarą w bzdury rzekomo wtajemniczonych, w połączenie elementów chrześcijaństwa z numerologią, okultyzmem oraz kultami Wschodu. Gnozę można by nazwać starożytnym New Age.

Gnoza i gnostycyzm to pojęcia na ogół rzadko używane we współczesnym po-tocznym dyskursie politycznym i filozoficznym, a jednak mające fundamentalne znaczenie dla zrozumienia współczesnej duchowości, ukształtowanej obecnie w kul-turze, także kulturze masowej. Nawet fachowcy nie są zgodni w precyzyjnej definicji tych pojęć. Niektórzy używają tych pojęć zamiennie[46], inni podkreślają ich różne znaczenie. Ks. Wincenty Myszor na przykład definiuje gnozę jako „swoisty rodzaj wiedzy uzyskanej z poznania opartego na intuicji i kontemplacji, w odróżnieniu od wiedzy wynikającej z uczenia się i doświadczenia zmysłowego", podczas gdy przez gnostycyzm rozumie „ogólną nazwę nurtów myślowych opartych na gnozie", a rozwijających się od II wieku we wschodnich prowincjach cesarstwa rzymskiego[47]. Charakterystyczne dla gnostyckiego pojmowania świata jest specyficzne rozumie-nie religii jako wytworu intuicji raczej niż doświadczenia. O ile starożytni gnostycy odwoływali się do subiektywnych przeżyć, chrześcijanie podkreślali, że ich wiara oparta jest na świadectwie, a nie intuicjach. Współcześni gnostycy są także gotowi bardziej ufać własnym przeczuciom niż autorytetowi i tradycji, które są dla chrze-ścijan znacznie pewniejszą podstawą wiary niż subiektywne odczucia.

Obecnie gnoza wraca, między innymi w wersji pop, na przykład w serii powie-ści Dana Browna. Ostatnio popis popgnozy można było znaleźć w niemieckim tygodniku *Der Spiegel*, którego dziennikarz usiłował dojść „Kto stał za Jezusem". Sam tytuł artykułu niejakiego Matthiasa Schulza sugeruje, w stylistyce, którą nie-którzy może pamiętają z czasów komunistycznych, że cała historia Jezusa pachnie manipulacją jakiś ukrytych sił, tyle, że autor nie potrafi ich logicznie wskazać[48]. Najciekawsze jest przy tym to, że wszelkie próby „naukowych" interpretacji rze-komo nieprawdopodobnego przekazu ewangelicznego kończą się tym samym: nie da się go wytłumaczyć logicznie inaczej niż tak jak głoszą ewangelie.

FEMINIZM

Choć w tradycyjnym społeczeństwie przedkapitalistycznym kobiety były w du-żej mierze ograniczone w swoich rolach społecznych do zajęć domowych, to w go-spodarstwie wiejskim czy nawet w pałacach wyższych sfer brały one udział w ży-ciu społecznym na ogół na równi z mężczyznami. Sporą rolę w tym względnym

[46] Gilles Quispel, *Gnoza,* (Warszawa: PAX, 1988), s. 53 nn.
[47] Wincenty Myszor, „Gnostycyzm" i „Gnoza", *Religia. Encyklopedia PWN,* (Warszawa: Wydaw-nictwo Naukowe PWN, 2002), t. 4, ss. 200–202.
[48] Matthias Schulz, „Kto stał za Jezusem", *Der Spiegel,* cyt. za: *Forum,* 22 XII 2008 – 4 I 2009, ss. 28–39.

Karty do tarota służące do „przewidywania" przyszłości, często wykorzystywane przez zwolenników *New Age*. Ten pogański ruch zdobył wielką popularność w krajach Zachodu.

równouprawnieniu odegrało chrześcijaństwo, podkreślając godność kobiety jako żony i matki. W praktyce nie wyeliminowało ono do końca mizoginizmu, toteż niektóre kobiety już w Średniowieczu upominały się o równe traktowanie. Najbardziej znaną oponentką mizoginizmu w tym okresie był francuska pisarka Christine de Pisan (1364–1430). Była ona córką zamożnego weneckiego fizyka, który objął funkcje nadwornego astrologa króla Francji Karola V. Wychowana w otoczeniu dworskich intelektualistów, dziewczyna poznała dzieła klasyków literatury starożytnej i średniowiecznej. Wydana za mąż za królewskiego sekretarza, urodziła troje dzieci, ale gdy owdowiała w wieku 24 lat, musiała zarobić na siebie i dzieci, pisząc ballady miłosne dla dworu. Wzięła też udział w debacie nad powieścią Jeana de Meun „Powieść o Róży", wyszydzającą miłość rycerską. Skrytykowała wulgaryzmy wypaczające właściwe i naturalne miejsce seksualności, a także poniżanie kobiet przez autora, który podkreślał jedynie ich uwodzicielstwo[49]. Miejski tryb życia, w którym mężczyzna opuszczał dom idąc do pracy w fabryce czy urzędzie, spowodował wyostrzenie podziału ról w rodzinie, bardziej odsuwając kobietę

---

[49] https://www.biography.com/people/christine-de-pisan-9247589 (25 III 2018). Podobnie jak inne prekursorki równouprawnienia kobiet, takie jak Marie de Gournay (1565–1645) czy Aphra Behn (1640–1689), de Pisan była katoliczką broniącą Kościoła przed nieuprawnionymi zarzutami. Magdalena Żuraw, *Idiotyzmy feminizmu*, (Warszawa: Fronda, 2014), ss. 19–20.

od życia społecznego i bardziej uzależniając ją ekonomicznie od mężczyzny. Rozwój powszechnego prawa wyborczego w XIX wieku pozostawił kobiety na uboczu życia publicznego, gdyż prawo głosu przyznawano ekonomicznej głowie rodziny, płacącej podatki, czyli mężczyźnie. Zrodziło to sprzeciw w postaci nowoczesnych ruchów feministycznych. Początkowo skierowane one były głównie na uzyskanie praw wyborczych. Pierwszym państwem, które przyznało kobietom prawo wyborcze, była w 1893 roku Nowa Zelandia. Do 1918 roku prawo to przyznano kobietom w Wielkiej Brytanii, USA, Finlandii i Polsce.

Od lat sześćdziesiątych dwudziestego wieku feminizm stał się coraz szerzej rozpowszechnioną ideologią, co określa się mianem „drugiej fali feminizmu", w której wykształciły się współczesne odłamy tej ideologii: radykalny, anarchistyczny, homoseksualny, marksistowski, konserwatywny, a nawet chrześcijański. Wspólnym mianownikiem feminizmu jest krytyka kultury patriarchalnej, w której dominował mężczyzna. Jest pewną zasługą feminizmu, że podniósł tę kwestię, a także, iż sprowokował szukanie nowych odpowiedzi na pytania, na które musi sobie odpowiedzieć każdy człowiek. Czym kobiety i mężczyźni różnią się fizycznie i psychicznie? Jaka jest właściwa rola kobiety w społeczeństwie i w związku z tym jakie są jej prawa? Na ile niezależna może być kobieta od funkcji, w której jej mężczyzna nie zastąpi: w rodzeniu i pielęgnowaniu dzieci oraz szerzej: czy w skali społecznej kobiety i mężczyźni mogą być od siebie niezależni? Feminizm anarchistyczny, homoseksualny czy marksistowski można powiązać z anarchizmem, propagandą homoseksualizmu czy marksizmu. Feminizm konserwatywny czy chrześcijański nikomu nie szkodzi. Najbardziej złowieszczy jest natomiast feminizm radykalny.

Jedną z jego prekursorek była francuska pisarka Simone de Beauvoir (1908–1986), autorka słynnego powiedzenia, że „nikt się nie rodzi kobietą, lecz się nią staje". Jej książka „Druga płeć" (*Le deuxième sexe*, 1949) uznawana jest za klasykę feminizmu radykalnego. Autorka domagała się w niej wyzwolenia kobiet spod jarzma mężczyzn i macierzyństwa dzięki powszechnemu dostępowi do środków antykoncepcyjnych i aborcji. W istocie jednak trudno poglądy i życie de Beauvoir uznać za poważny punkt odniesienia dla feminizmu. Głosiła ona raczej dość wyrafinowany mizoginizm, wmawiając kobietom, że są zamknięte w „immanencji", czyli ograniczoności i przedmiotowości, podczas gdy mężczyznom przypisywała „transcendencję", czyli wolność i aktywność. Jej wezwania do wyzwolenia kobiet nie opierały się na zbyt solidnych podstawach, skoro sama żyła cały czas w cieniu mężczyzny swojego życia – Jean-Paul Sartre'a[50]. Bardziej ofensywny charakter miała myśl i działalność Elisabeth Badinter (ur. 1944), która także uznawała, że wyzwolenie kobiet spod panowania mężczyzn jest możliwe dzięki środkom antykoncepcyjnym i aborcji, a więc w przezwyciężeniu macierzyństwa[51]. Radykalizm

---

[50] De Marco, Wiker, *Architekci kultury śmierci*, ss. 181–193.

[51] Por. np.: Elisabeth Badinter, *Historia miłości macierzyńskiej*, (Warszawa: Oficyna Wydawnicza Volumen, 1998).

tej tezy powala swoją prostotą, tyle, że zwycięstwo tego rodzaju strategii wyzwolenia oznaczać musi koniec ludzkości.

Podobnie jak w marksizmie absolutnym złem była burżuazja, tak w radykalnym feminizmie rolę tę przypisano męskiej dominacji. Najgłośniejszymi przedstawicielkami feminizmu radykalnego stały się Mary Daly (1928–2010), Andrea Dworkin (1946–2005), Shulamith Firestone (1945–2012), czy Susan Faludi (ur. 1945). Ta ostatnia twierdzi na przykład, że kobiety są ofiarami „podstępnego" ataku na swoje prawa ze strony „tajnych gabinetów świata kultury"[52]. Już w latach siedemdziesiątych radykalne feministki wylansowały miłość lesbijską jako równorzędną, a nawet stojącą wyżej od heteroseksualnej. Ukoronowaniem zamieszania w tej dziedzinie stało się pod koniec lat dziewięćdziesiątych XX wieku pierwsze „małżeństwo" lesbijskie pastor luterańskiej Hilde Raastad z Norwegii, która podążyła za wcześniejszym związkiem dwóch norweskich pastorów, nadając ruchowi lesbijskiemu sankcję religijną[53]. Znany z surowej moralności seksualnej Luter pewnie się w grobie przewraca.

„Na początku był matriarchat", twierdzi z niezwykłą pewnością siebie inna radykalna feministka, Nickie Roberts, „była pracownica przemysłu erotycznego"[54]. Jej zdaniem moralność seksualna jest w ogóle efektem zwycięstwa mężczyzn w batalii o podporządkowanie sobie kobiet, a „dziwki" uważa za awangardę ruchu kobiet o wyzwolenie od tej dominacji. Wykazując kompletną ignorancję w wiedzy historycznej Roberts nazwała uporządkowanie chaosu seksualnego i niewątpliwe podniesienie statusu kobiety przez chrześcijaństwo „epoką nienawiści do kobiet", „męczeństwem seksualności" oraz „seksualną paranoją"[55]. Nade wszystko jednak Roberts ceni wolność. Analizując działania „abolicjonistów", stawiających sobie za cel wyciąganie prostytutek z bagna, autorka ta napisała: „Wroga prostytucji mentalność, powiązana z ograniczonym moralistycznym widzeniem rzeczywistości, doprowadziła do tego, że ostatecznie bardziej byli zainteresowani moralnością klasy robotniczej jako całości niż swobodami obywatelskimi prostytutek". Największym niebezpieczeństwem jest więc „ograniczone, moralistyczne widzenie rzeczywistości"[56]. Oznacza to mniej więcej tyle, że wolność wymaga braku jakichkolwiek reguł moralnych.

Kobieta współczesna podlega ogromnemu ciśnieniu mody. Modna jest zwłaszcza szczupła sylwetka. Można współczuć milionom kobiet, które nie są zadowolone ze swej figury i można rozumieć, że jest to dla nich duży problem. Po pierwsze jednak, niepokój o urodę stanowił problem wszystkich chyba kobiet od zarania dziejów. Staranie o atrakcyjność zewnętrzną leży bowiem w naturze kobiecej. Po drugie jednak, współczucie dla kobiecych niepokojów

---

[52] Susan Faludi, *Backlash. The Undeclared War against American Women*, (New York: Crown, 1991), ss. XVIII, XXII, 59.

[53] Nathan Garfunkel, „Ostentacyjny związek pani pastor", *Rzeczpospolita*, 26 VII 1997 r.

[54] Nickie Roberts, *Dziwki w historii. Prostytucja w społeczeństwie zachodnim*, (Warszawa: Volumen i Alfa, 1997), s. 15.

[55] Tamże, ss. 29–96.

[56] Tamże, ss. 405 i 542.

o wygląd zewnętrzny może, przy odrobinie ideologicznego zapału, prowadzić na manowce. Feministka Gloria Steinem podała oto za inną przedstawicielką tej ideologii, Naomi Wolf, informację, że co roku umiera w USA na anoreksję, wywołaną chorobliwą skłonnością do diety, około 150 000 kobiet. Informacja ta pochodziła pierwotnie od innej badaczki kwestii kobiecej, Joan Brumberg. Ta zaś z kolei uzyskała ją z Amerykańskiego Stowarzyszenia Anoreksji i Bulimii. Problem w tym, że liczba ta dotyczy wszystkich chorych na anoreksję, a nie jej ofiar. Tych było w 1983 r. niewiele ponad 100 osób, zaś w 1989 r. – niecałe 70[57]. Pomyłka „w górę" nie jest tu przypadkowa. Chodziło o uwypuklenie jeszcze jednego wymiaru tragedii kobiet. Nawet wrodzona chęć do podobania się obraca się przeciw nim!

Żądania zniesienia rzekomej dyskryminacji kobiet posuwają się poza granice dyskryminacji mężczyzn. W 1988 r. szerokim echem odbił się wyrok Najwyższego Sądu stanu Indiana, który odmówił ojcu prawa do współdecydowania o losie ciąży swej żony[58]. Radykalne feministki greckie zażądały zniesienia zakazu wstępu kobiet na Górę Athos, gdzie mieści się „mnisza republika" z około 20 klasztorami męskimi, niezależnymi od władzy państwowej, choć nie bardzo potrafiły wyjaśnić, po co[59]. Choć równouprawnienie w Szwecji jest chyba najwyraźniejsze na świecie, w kwietniu 2005 roku powstała tam jeszcze nowa partia o nazwie Inicjatywa Feministyczna (*Feministiskt Initiativ*), której program obejmował walkę nie tyle z dominacją mężczyzn ile z mężczyznami. Kiedy szefowa partia Gudrun Schyman zaczęła lansować homoseksualizm, spowodowało to zamieszanie w partii i odejście Tiiny Rosenberg, drugiej założycielki partii[60].

Efekty „wyzwolenia kobiet" okazały się co najmniej dwuznaczne. Profesor historii Sara Butler z Ohio State University napisała: „Rewolucja seksualna i ruch feministyczny, które miały doprowadzić do wyzwolenia kobiet, stworzyły w istocie społeczeństwo, w których mężczyźni dostają od kobiet to, co chcą – seks bez odpowiedzialności czy zobowiązania, podczas gdy kobiety są coraz bardziej sfrustrowane w swoich pragnieniach domu i dzieci". Dodaje też: „Mężczyźni i kobiety różnią się najbardziej w akcie prokreacji, gdy oboje wypełniają swe funkcje w sposób, jaki druga strona nie potrafi. Im dalej jednak odchodzimy od aktu prokreacji – do domu, miejsca pracy, życia społecznego czy politycznego – tym ostrożniej winniśmy formułować nasze twierdzenia o tym, co jest naturalnie kobiece lub męskie. Dyskusja koncentrująca się na naszych uspołecznionych ciałach pomoże

---

[57] Naomi Wolf, „The Beauty Myth", *The Sunday Times*, 9 IX 1990 r. ; „Liczby, które mają wzbudzić lęk", *Rzeczpospolita*, 5/6 XI 1994 r.

[58] Al Kamen, „Court: Husband Can't Veto Abortion", *Washington Post*, 15 XI 1988 r.

[59] *Rzeczpospolita*, 22 X 1997 r.

[60] „Szwedzkie feministki walczą o równość", *Rzeczpospolita*, 5 IV 2005 r.; Ivar Ekman, „Swedish feminism put to the test", *International Herald Tribune*, 20 X 2005 r. Spuśćmy zasłonę milczenia na takie twierdzenia niektórych feministek, jak te, że sukienka, wysokie obcasy czy biustonosz są narzędziami męskiej opresji wobec kobiet. Żuraw, *Idiotyzmy feminizmu*, ss. 45–49.

powstrzymać się od przesadnego podkreślania podobieństw i różnic, gdyż kiedy patrzymy na ludzkie ciało, widzimy i jedne, i drugie"[61].

POSTMODERNIZM

Dziwna sytuacja, w której zakwestionowano i wiarę, i rozum zaczęła się rozwijać w Oświeceniu, które „zabiło Boga", a więc Absolut, źródło prawdy i dobra. Bez odniesienia do prawdy nauce pozostaje jedynie pustosłowie. Na opustoszałe miejsce po Bogu i rozumie wkradły się mętne intuicje, zachcianki, przedsądy lub przesądy. Najbardziej zbrodnicze systemy XX wieku były jak najbardziej „naukowe". O ile Freud sprowadzał wszystko do seksu, o tyle Lenin i Stalin – do walki klas, a Hitler – do walki ras. „Rozum przeobrażony w przesąd to najgorsza forma przesądu", stwierdził Allan Bloom[62]. Zanim ktoś odniesie się więc do „naukowości", spytać należy, jak rozumie jej kryteria. Wtedy dość szybko okaże się, czy naprawdę używa rozumu, czy manipuluje przesądami. Niestety, wykluczywszy wiarę jako źródło poznania, luminarze nauki i kultury Zachodu XX wieku w końcu wykluczyli też umysł. John H. Hallowell zauważył, że „dominującą cechą klimatu intelektualnego naszych czasów jest – o ironio – antyintelektualizm"[63], Bloom zaś pisał: „Filozofia, wzgardzona i odrzucona przez naukę pozytywistyczną, mści się, przenikając w zwulgaryzowanej formie do opinii publicznej i szkalując naukę"[64].

Nie wiedząc, w czym pokładać nadzieję, współczesna elita umysłowa Zachodu tworzyła coraz bardziej skomplikowane konstrukcje, by uzasadnić swój autorytet, tyle, że wymagało to coraz większej sprawności erystycznej i hałasu medialnego. W tym sensie przypominali czarnoksiężnika z poematu Johanna Wolfganga Goethego „Uczeń czarnoksiężnika". Znał on ponoć tajemne sztuki, pozwalające mu opanowywać rzeczywistość. Współcześni zachodni czarodzieje cieszą się podobnym autorytetem „oświeconej" i „nowoczesnej" części opinii publicznej. Podobno znają oni ducha dziejów, podobno wiedzą, czym jest nowoczesność. Głoszą coraz większe wyzwolenie. Sprawnie żonglując słowami, domagają się równości wszystkich we wszystkim. Teksty luminarzy postmodernizmu trudno jednak nazwać filozofią. Są to najczęściej eseje z krytyki sztuki, w których skrzy się od tajemniczych aluzji, przypisów do przypisów i neologizmów w minimalnym stopniu związanych z rzeczywistością. Trudno zresztą tego oczekiwać od autorów, którzy starają się dopowiedzieć sens dziełom sztuki z natury swej wieloznacznym. Alegorie, symbole i ukryte znaczenia to jednak za mało, by wyjaśnić otaczający nas świat[65].

[61] Sara Butler, „Sex or Gender?", *First Things,* June-July 2005, nr 154, ss. 43 i 46.

[62] Allan Bloom, *Umysł zamknięty,* (Poznań: Zysk i S-ka, 1997), ss. 232 i 301.

[63] John H. Hallowell, *Moralne podstawy demokracji,* (Warszawa: Wydawnictwo Naukowe PWN, 1993), s. 30.

[64] Bloom, *Umysł zamknięty,* ss. 216–217.

[65] Por. np.: zbiór tekstów: Ryszard Nycz (red.), *Postmodernizm. Antologia przekładów,* (Kraków: Wydawnictwo Baran i Suszczyński, 1997).

Nie da się ukryć, że niektórzy z owych luminarzy są po prostu szarlatanami. Pouczająca jest kariera niejakiego Deepaka Chopry, hinduskiego endokrynologa, który na początku lat osiemdziesiątych XX wieku zwrócił się ku medytacji transcendentalnej i hinduskiej ajurwedzie. Prawdziwy sukces Chopry zaczął się od promocji jego książki o wiecznej młodości – w programie telewizyjnym Oprah Winfrey w lipcu 1993 r. Mądrości zawarte w tej książce – takie jak „wszystko, co robię, to boski moment wieczności" lub „ty i ja jesteśmy przyszłymi świętymi" – zachwyciły miliony Amerykanów pragnących szczęścia i wiedzy instant, a także urzekły sławnych ludzi, takich jak Demi Moore, Michael Jackson, Elisabeth Taylor, Madonna i Hillary Clinton, którym Chopra dostarczył metafizycznego uzasadnienia egoizmu[66]. O wpływie szarlatanów umysłu na współczesny świat niech zaświadczy Jean Houston, która pochlebiła Hillary Clinton, że „niesie brzemię pięciu tysięcy lat poddaństwa kobiet", za co pierwsza dama USA odwdzięczyła się dopuszczeniem Houston do rozmów z duchami przeszłości, które na ganku Białego Domu pomagały im w „samouzdrowieniu". Kiedy jednak Houston zaproponowała, by porozmawiać także z Jezusem Chrystusem, pani Clinton stwierdziła, że „byłoby to zbyt osobiste"[67].

Słoweński filozof Slavoj Žižek, pupil mediów zachodnich, uwielbia prowokacje, jednak pod względem umysłowym może budzić wątpliwości. „Chętnych do zmieniania świata – powiada – mamy aż za dużo, a chodzi o to, by go wreszcie poprawnie zinterpretować. Nie chodzi już o udzielanie właściwych odpowiedzi, tylko o szukanie właściwych pytań" – powiada słoweński myśliciel. Nikt jednak jeszcze świata nie zinterpretował przez pytania, ale przez próby odpowiedzi. Dla Žižka „punktem wyjścia jest stwierdzenie, że Bóg umarł. Co zostało? Duch Święty". W rozumieniu filozofa z Ljubljany „w chrześcijaństwie Duch Święty ma dużo wspólnego z wyidealizowanym kolektywem w wizji partii komunistycznej – to uświadomiona zbiorowość ludzi dobrej woli". Žižek wyznaje dalej, że w Nowym Testamencie najbardziej podoba mu się „Jezus jako leninista", zapowiadający, że nie przynosi pokoju tylko miecz, że – to interpretacja Žižka – potrzebna jest rewolucja. „Dzisiejszy marksista staje więc przed arcytrudnym pytaniem: co dalej?"[68] Žižek wie, że trzeba nam rewolucji, ale nie wie, po co.

Amerykański filozof Richard Rorty nie stroni od żadnej kwestii, ale nie ukrywa też, że niewiele z tego wszystkiego rozumie. O biednych w Ameryce powiada, że „nie mają dość pieniędzy, żeby być samolubni". Nie wie jednocześnie, dlaczego ludzie bywają niesamolubni. Sądzi, że z niewiadomego powodu w latach Wielkiego Kryzysu nagle „doszło w społeczeństwie do przemiany moralnej na wielką

---

[66] Podobni do Chopry czarownicy omamiali amerykański ludek takimi uroczymi sentencjami, jak „dopóki Bóg zna prawdę, możesz klientom mówić, co zechcesz" albo „pieniądze to sposób, w jaki Bóg mówi 'dziękuję'". Amerykański „przemysł samodoskonalenia" osiągnął wówczas rekordowe wyniki sprzedaży. Francis Wheen, *Jak brednie podbiły świat*, (Warszawa: Muza, 2005), ss. 64–69.

[67] Tamże, ss. 74, 75.

[68] „Jezus był leninistą. Ze Slavojem Žižkiem rozmawia Wojciech Orliński", *Wysokie Obcasy*, 6 VI 2009 r., ss. 46–49.

skalę". Gdyby nie New Deal, twierdzi, doszłoby w USA do rewolucji i „na 90 procent byłaby to rewolucja prawicowa". O polityce Ronalda Reagana wypowiadał się oczywiście krytycznie. „Gdyby prezydent nie zrobił takiego deficytu, myślę, że rok 1989 zdarzyłby się tak czy inaczej. Nie sądzę, żeby wydatki na zbrojenia tego dokonały. Reagan miał po prostu szczęście". O upadku komunizmu też mówi z rozbrajającą szczerością: „nie wiem jak to tłumaczyć. Myślę, że Gorbaczow był cudem". Jest oczywiście przeciwny temu, by „jeden kraj" – czyli jego własne Stany Zjednoczone – sprawował funkcje porządkowe w świecie i twierdzi, że w ogóle USA nie mają „narodowej polityki zagranicznej". Uznaje, że feminizm i „wyzwolenie gejów" to główny wkład współczesnej lewicy w skarbnicę ludzkiej myśli. Rorty sądzi, że łamią one solidarność społeczną po to, by „stworzyć jej lepszą wersję". Jak dawniejsi marksiści, Rorty pochwala więc burzenie, choć nie wie, co ma powstać na gruzach i nie zamierza się tym zajmować. Nie wie też, kogo obwiniać za degrengoladę masowej kultury i twierdzi, że „ruchu dziejów nikt nie rozumie. I nikt nie zrozumie nigdy"[69].

Jeszcze dalej posuwają się dekonstruktywiści. Są oni aktywnymi burzycielami świata, jaki dotąd starano się interpretować przez wiarę i rozum. Zdominowali oni nie tylko wydziały językoznawstwa w USA i Amerykańskie Stowarzyszenie Języków Współczesnych, ale pomieszali także języki na większości wydziałów humanistycznych. Jeden z jej zwolenników przyznał, że „dekonstrukcja, będąca z początku herezją, szybko przekształciła się w dogmat i w teologię, z własną siecią ewangelistów, kapłanów i inkwizytorów". Pewna matka ze zdumieniem dowiedziała się od córki, że na studiach, za które płaci ona 25 tysięcy dolarów rocznie, można dostać obniżony stopień za użycie słowa „rzeczywistość" bez użycia cudzysłowu[70].

O pojmowaniu „rzeczywistości" przez filozoficznych dekonstruktorów świadczy wypowiedź słynnego francuskiego burzyciela sensu Michela Foucault, który odwiedził Teheran po rewolucji Chomeiniego i podsumował swe obserwacje na temat jego barbarzyńskiego reżimu w następujący sposób: „Ich system prawdy różni się od naszego, który – co trzeba powiedzieć – jest bardzo szczególny, choć stał się niemal uniwersalny. Grecy mieli swój, Arabowie z Maghrebu swój. W Iranie jest on w znacznym stopniu wzorowany na religii o egzoterycznej formie i ezoterycznej treści. Oznacza to, że wszystko, co się mówi pod jasną formą tego prawa, odnosi się także do innego znaczenia. Mówienie czegoś, co ma inne znaczenie, nie jest więc godną potępienia niejasnością, lecz przeciwnie, niezbędnym i wysoko cenionym dodatkowym poziomem znaczenia"[71]. Czyżby Foucault nie zauważył, że to, co powiedział, nie znaczy nic?

W postmodernistycznym bełkocie materializm został zastąpiony przez wielokulturowość, dialektyka przez brak logiki, a rozum przez przypadkowe odruchy.

---

[69] „Wszędzie wokół tyle pieniędzy. Michał Cichy rozmawia z Richardem Rorty'm", *Gazeta Wyborcza*, 15/16 I 2000 r.

[70] Wheen, ss. 101–104.

[71] Tamże, ss. 106–107.

Wszystko, od historii do fizyki, stało się „tekstem" o nieskończonej czyli zerowej ilości znaczeń. Współcześni czarnoksiężnicy podobno potrafią odpowiedzieć na problemy współczesności, choć wydaje się, że wywołali ich więcej niż rozwiązali. W końcu przecież metafora Goethego jest ułomna. Naprawdę czarnoksiężnicy nie potrafią opanować skutków swych działań, a nawet – przeciwnie – sztuki czarnoksięskie prowadzą na manowce, gdyż występują przeciw naturze tego świata lub zgoła w ogóle przeciw temu światu. Jest on skomplikowany, a jego poznanie wymaga pokory, cierpliwości i zawierzenia Stwórcy. Stąd wielu ludzi pragnie łatwiejszej drogi, szukając przewodnika, który ich poprowadzi jakimś skrótem[72].

Świat zawsze wydawał się dziwny i trudny do zrozumienia. Ale przynajmniej luminarze nauki usiłowali go wyjaśnić. Teraz już nie. Niby to uprawiając filozofię, socjologię czy psychologię, luminarze współczesnej humanistyki wprowadzili do tych gałęzi wiedzy język „interdyscyplinarny", mieszając w nim bez ładu i składu pojęcia z dziedziny nauk ścisłych i tworząc niezrozumiały dla nikogo bełkot. Autorzy książki na ten temat cytują dziesiątki zdumiewających nadużyć słownych słynnych luminarzy „humanistyki" współczesnej[73].

Oto pierwszy z brzegu przykład. Słynny psychoanalityk Jacques Lacan uznał za konieczne zmieszanie seksuologii z topologią i geometrią osiągając, z pewnością w sposób niezamierzony, efekt groteski: „Ta część wspólna, o jakiej wspomniałem przed chwilą jako o tym, co pokrywa, co stoi na przeszkodzie przypuszczalnemu stosunkowi seksualnemu. Przypuszczalnemu jedynie, gdyż twierdzę, że dyskurs analityczny wspiera się tylko na takim twierdzeniu, że go nie ma, że nie można ustanowić stosunku seksualnego. Na tym polega postęp dyskursu analitycznego i tym właśnie określa on to, co naprawdę zachowuje ze statusu wszystkich innych dyskursów. Oto, opatrzony nazwą, punkt, który pokrywa niemożliwość stosunku seksualnego jako takiego". Także Luce Irigaray wszystko kojarzy się z seksem. Einsteinowskie równanie o zamianie masy w energię nazywa ona, nie wiadomo dlaczego, seksistowskim, a przyczyny słabszego rozwoju mechaniki cieczy niż mechaniki ciała sztywnego upatruje w maskulinizacji fizyki, gdyż płynność kojarzy się jej z kobiecością, a sztywność z męskością. Modny socjolog Jean Baudrillard z kolei miesza historię z geometrią („liniowa przestrzeń Oświecenia"), po czym konstatuje: „Nasze złożone, metastatyczne, wirialne systemy, skazane na wyłącznie wykładnicze wymiary (niezależnie, czy jest to wykładnicza stabilność czy niestabilność), na ekscentryczność i nieokreślone fraktalne rozmnażanie się przez podział, nie mogą już dotrzeć do końca. Skazane na intensywny metabolizm, na intensywną wewnętrzną metastazę,

---

[72] Przewodnik taki oczywiście nie odmawia swych usług. Przypomnijmy ową alegoryczną scenę z Księgi Rodzaju, gdy wąż rzekł do niewiasty: „Czy rzeczywiście Bóg powiedział 'nie jedzcie owoców ze wszystkich drzew tego ogrodu'?" Kiedy niewiasta potwierdziła, powtarzając słowa Boga „nie wolno wam jeść z niego, a nawet dotykać, abyście nie pomarli", kusiciel uspokoił ją: „Na pewno nie umrzecie, ale wie Bóg, że gdy spożyjecie owoc z tego drzewa, otworzą się wam oczy i tak jak Bóg będziecie znali dobro i zło". Rdz 3, 11–5.

[73] Alan Sokal, Jean Bricmont, *Modne bzdury*, (Warszawa: Prószyński i S-ka, b.d.)

wyczerpującą się w sobie i nie mają już żadnego przeznaczenia, żadnego końca, żadnej inności, żadnego losu (…) Dziś znamy tylko oznaki katastrofy, nie znamy już znaków przeznaczenia"[74]. Nic dodać, nic ująć. Spoza francuskiej emfazy wyziera katastrofa umysłu.

Tendencje obserwowane w zachodniej cywilizacji w ciągu XX wieku nasiliły się pod jego koniec i trwają nadal. Jest rzeczą dowiedzioną w historii, że cywilizacje psują się od głowy. Najpierw marnieją elity społeczne i intelektualne, a gdy zepsucie zatacza szersze kręgi i choroba przerzuca się na masy, widać już koniec cywilizacji. Tak działo się w starożytnym Rzymie i tak dzieje się w XX wieku z cywilizacją zachodnią. Dechrystianizacja elit rozprzestrzeniła się na całe społeczeństwa zachodnie, a wraz z nią poszerzała się przepaść między żądaniem praw i ograniczaniem odpowiedzialności. Godziło to w pierwszym rzędzie w podstawy etyki seksualnej. Rewolucja seksualna lat sześćdziesiątych podkopała fundamenty życia rodzinnego, a w końcu także zakwestionowała ludzką płciowość i istotę rodziny. Efektem zmian w hierarchii wartości i upowszechnienia stosunku do życia jako przedmiotu użycia stał się dramatyczny kryzys demograficzny. Wszystko to dałoby się, być może odwrócić, gdyby w elitach zachodnich zwyciężyła refleksja nad przyczynami kryzysu. Ponieważ tak się nie stało, mechanizm destrukcji rozwinął się do etapu, z którego prawdopodobnie nie ma już odwrotu. Logiczne następstwa tych wszystkich zjawisk wymagają pogłębienia, co będzie przedmiotem kolejnych rozdziałów tej pracy.

---

[74] Tamże, ss. 35, 87, 112–113 i 148–149.

Zniszczony przez Niemców podczas Powstania Warszawskiego kościół św. Franciszka na Nowym Mieście w Warszawie. Wrogość wobec religii i Kościoła była istotną cechą niemieckiego nazizmu.

Rozdział 4. Świat bez Boga

DECHRYSTIANIZACJA ZACHODU

Jedną z widocznych oznak oraz istotnych przyczyn kryzysu cywilizacji zachodniej jest dechrystianizacja. Obraz religijności współczesnych społeczeństw europejskich o proweniencji chrześcijańskiej jest mocno skomplikowany i niejednoznaczny. Na początku lat dziewięćdziesiątych na pytanie „czy wierzysz w Boga?" twierdząco odpowiadało 96% Irlandczyków, 90% Polaków, 85% Włochów, 81% Hiszpanów, 71% Brytyjczyków, 63% Amerykanów, około 60% Niemców z zachodnich landów (Wessis), 55% Węgrów i Słoweńców, 38% Szwedów i tylko 10% Niemców ze wschodnich landów (Ossis). Twierdzącą odpowiedź na pytanie o wiarę w życie pozagrobowe dało o około 10–20% populacji mniej. Obraz Boga u osób deklarujących się jako wierzący był jednak mocno zamglony. Większość chrześcijan na zachodzie nie uznawała Zmartwychwstania, a prawie jedna czwarta wierzyła w reinkarnację. Tylko co trzeci chrześcijanin zachodni godził się z wymaganiami etycznymi stawianymi przez chrześcijaństwo[1].

Na początku XXI wieku erozja chrześcijaństwa w Europie Zachodniej była już zupełnie oczywista. Wedle badań Instytutu Gallupa, 48% mieszkańców Europy Zachodniej prawie nigdy nie chodziło do kościoła. 49% Duńczyków, 52% Norwegów, 55% Szwedów i jeszcze więcej Czechów nie widziało w swoim życiu żadnego miejsca dla Boga[2]. Sytuacja była jednak bardziej zróżnicowana. Praktykujących najwięcej było na Malcie – 83%, w Irlandii – 65%, Polsce – 58%, na Słowacji i we Włoszech – po 40% i w Portugalii – 37%, najmniej zaś w Danii – 3%, Szwecji i Estonii – po 4%, na Łotwie – 6%, w Czechach i we Francji – po 8%, w Niemczech – 11%, a w Wielkiej Brytanii – 14%[3].

W ciągu ostatnich 20 lat chrześcijaństwo w Europie uległo dalszej erozji. W 2011 r. większość, bo około 76% mieszkańców Europy uważała się za chrześcijan, jednak wiarę w Boga deklarowała tylko niewielka część z nich. W latach 2005–2011 odsetek deklarujących wiarę w Boga spadł w Portugalii z 81 do 70%, we Francji – z 67 do 60%, w Austrii – z 54 do 44%, w Norwegii – z 32 do 22%. Najwyższy odsetek wierzących zanotowano na Malcie (94%), w Rumunii (90%) i na Cyprze (80%), najniższy zaś – w Czechach (16%), w Szwecji i Estonii (po 18%) i Norwegii (22%). Średnia Unii Europejskiej wyniosła 51%. Zdecydowaną niewiarę deklarowało 40% Francuzów, 30% Czechów, Szwedów, Holendrów oraz około 25% Estończyków, Norwegów, Niemców, Belgów, Słoweńców i Brytyjczyków.

---

[1] Marcin Przeciszewski, „Nieświadomi heretycy", *Spotkania*, 8 I 1992 r., s. 43; „Czy Bóg jest jeszcze popularny? Tak", *Gazeta Wyborcza*, 21 V 1993 r.

[2] Niall Ferguson, „Kto pod kim rowy kopie…", *The Atlantic*, styczeń 2005, za: *Forum*, 31 I–6 II 2005 r., s. 11.

[3] E[wa] Cz[aczkowska], „Wiara sobie, moralność sobie", *Rzeczpospolita*, 5 V 2004 r.

Najniższy odsetek deklarujących niewiarę występował w Rumunii (1%), na Malcie (2%), Cyprze (3%), Grecji (4%), Polsce (5%), we Włoszech (6%) oraz w Chorwacji i Irlandii (po 7%). Rosnący odsetek respondentów deklarował jednak wiarę nie tyle w Boga, ile w nieokreśloną „siłę duchową" lub życiową. Aż 84% Estończyków, 83% Szwedów, 80% Duńczyków i 78% Norwegów deklarowało, iż religia nie odgrywa w ich życiu większej roli. Na Malcie odsetek ten wyniósł 16%, w Rumunii – 18%, a w Polsce – 23%[4]. W tej sytuacji o większości krajów Europy, zwłaszcza zachodniej, można powiedzieć, że są „postchrześcijańskie", a dechrystianizacja jest jednym z najważniejszych czynników zaniku europejskiej tożsamości.

Wedle badań Toma Smitha z University of Chicago, wskaźnik zmian w wierze obliczony jako różnica między odsetkiem tych, którzy się nawrócili, a tymi, którzy wiarę stracili, był negatywny dla większości krajów zachodnich. Negatywny wskaźnik oznacza więc zakres laicyzacji tych krajów w latach 1991–2008. Na czele tej tabeli jest Holandia (-14%), a dalej: Hiszpania (-12,4%), Australia (-12%), Francja (-11,3%), Norwegia (-11,0%), Wielka Brytania (-10,1%) i Szwajcaria (-8,2%). Wskaźnik ujemny zanotowano także w przypadku Czech, Danii, Niemiec i Szwecji. Większych zmian nie zanotowano w Irlandii, USA, Polsce i Portugalii, natomiast wskaźnik pozytywny, czyli przyrost odsetka wierzących wystąpił na Łotwie (+11,9%), Słowenii (+8,5%) i Słowacji (+5,6%). Mimo braku danych dla Belgii, wydaje się, że wskaźnik Smitha byłby tu także wyraźnie ujemny[5]. O ile dawniej Europejczycy nieśli Dobrą Nowinę w świat pogański, o tyle na początku XXI wieku Europejczycy stali się w większości poganami[6].

Dramatyczna była na przykład sytuacja Kościołów chrześcijańskich w Niemczech. W latach 1990–2003 liczba zarejestrowanych ewangelików spadła w zachodnich landach z 39,0% do 35,2%, katolików – z 43,8% do 39,4%, w landach byłej NRD zaś ewangelików ubyło z 27,8% do 21,8%, a katolików – z 6,1% do 5,9%. Natomiast odsetek naprawdę praktykujących ledwie przekraczał 10%. Ponieważ formalna przynależność do określonego Kościoła oznacza skalę finansowania (z podatku kościelnego płaconego przez tych, którzy zdeklarowali w urzędach finansowych, że są wierzący), w przypadku niektórych diecezji lub parafii oznacza to poważne kłopoty materialne, a księża i hierarchowie stawali na głowie, by przypodobać się odchodzącym wiernym, a nie Bogu. Mimo to stale ubywało w Niemczech czynnych kościołów. Kościół św. Maksymina w Trewirze zamieniono na halę sportową, kościół w Willingen – na knajpę „Don Camillo", kościół św. Józefa w Waldfischbach – na magazyn mebli, kościół w Moringen – na fabrykę świec, a kościół w Ottersbach na muzeum motocykli[7]. Mimo wzrostu bogactwa

---

4   http://kosciol.wiara.pl/doc/2095874.Religijnosc-w-Europie (23 VI 2016 r.).

5   Tom W. Smith, „Beliefs about God across Time and Countries", Tabela 7, s. 16. http://www.norc.org/PDFs/Beliefs_about_God_Report.pdf (13 III 2018).

6   Niall Ferguson, *Cywilizacja. Zachód i reszta świata,* (Kraków: Wydawnictwo Literackie, 2013), s. 325.

7   Piotr Cywiński, „Dom Boży pod młotek", *Wprost,* 9 V 2004 r., ss. 96, 97.

Antyreligijny plakat radziecki z 1975 r. z kosmonautą i hasłem „Boga nie ma!". Szerzenie ateizmu było jednym z elementów oficjalnej państwowej propagandy w ZSRR.

Niemcy stracili orientację duchową. Wydaje się, że Niemcy boją się przeszłości i nie wiedzą, po co budować lepszą przyszłość. Niemiecki politolog pytał: „Co to jest szczęście? Czy to jest wzrost gospodarczy, czy może za dużo wzrostu przeciwdziała szczęściu?" i nie bardzo wiedział, jak odpowiedzieć[8]. W 2017 roku aż 85% Niemców w wieku od 18 do 34 lat stwierdziło, że nie potrzebuje Boga ani Kościoła[9].

Po tym, jak w 2000 roku uchwalono w Szwecji rozdział Kościoła od państwa, problematyczna stała się flaga tego kraju z żółtym krzyżem na niebieskim tle. Władze szkolne zaś oświadczyły, że ceremonia zakończenia roku szkolnego w kościele nie jest sprzeczna z prawem pod warunkiem, iż pastor nie wygłasza kazania, nie używa słowa „Bóg", nie śpiewa psalmów i nie udziela błogosławieństwa[10]. Przykłady tego rodzaju można by mnożyć.

Przywołane dane są bardziej dramatyczne niż się może wydawać. Być nowoczesnym to znaczy dla wielu Europejczyków nie wierzyć w nic. Dlatego David B. Hart twierdzi, że etos nowoczesności to nihilizm, a więc wyzwolenie z „poddaństwa" jakiejkolwiek wierze, jakiemukolwiek „absolutyzmowi" moralnemu i religijnemu, a także wyzbycie się pragnienia, by decydować o sposobie myślenia czy postępowania innych ludzi, ba, by nawet ich nie oceniać. „Żyjemy w epoce, w której za porozumieniem przytłaczającej większości ludzi główną wartością stała się święta i nienaruszalna wolność"[11]. Słowo „wybór", które pada najczęściej w tym kontekście nie znaczy na ogół nic, bowiem nie towarzyszy mu artykulacja żadnego sensownego i jasnego kryterium oraz celu owego wyboru.

Jak pisze George Weigel, „korzenie 'europejskiego problemu', którego doświadczają myślący Europejczycy i wielu Amerykanów, tkwią w XIX wieku, w dramacie humanizmu ateistycznego i związanego z nim triumfu sekularyzacji Europy Zachodniej. Sekularyzacja ta ma bardzo poważne konsekwencje publiczne. Oznacza upadek transcendentnej podstawy sądów moralnych w europejskim życiu publicznym i triumf tego, co Pierre Manent nazywa 'samouwielbieniem' i 'fatalną pychą', które doprowadziły do wielkiej wojny i jej dziedzictwa"[12]. Richard John Neuhaus zauważył z kolei, że kultura zachodnia ignorująca chrześcijaństwo jest „konstruktem kontrfaktycznym i dziwacznym. Jest ona tym samym uprzedzeniem, które odrzuciło odniesienie do chrześcijaństwa w preambule do konstytucji Unii Europejskiej (…) Mówienie o 'naszej kulturze' bez wzmianki o Jerozolimie, Synaju i Kalwarii, o Mojżeszu i Jezusie, o różnych permutacjach chrześcijaństwa i protestach przeciw jego hegemonii, to mówienie o kulturze nierozpoznawalnej przez

---

[8] Bertrand Benoit, „Time to face the music", *Financial Times Weekend,* 27–28 XI 2004 r.

[9] „Zanik pamięci. Wywiad Marcina Jakimowicza z Markiem Jurkiem", *Gość Niedzielny,* 24 XII 2017 r., s. 69.

[10] Anna Nowacka-Isaksson, „Kościół – tak, Bóg – nie", *Rzeczpospolita,* 17 VI 2005 r.

[11] Hart, *Chrześcijańska rewolucja a złudzenia ateizmu,* ss. 37–38 i 41.

[12] George Weigel, „Europe's Problem – and Ours", *First Things,* February 2004, nr 140, s. 23. Pierre Manent (ur. 1949) to francuski politolog i historyk idei, profesor École des hautes études en sciences sociales w Paryżu.

znakomitą większość Amerykanów. Jest ona nierozpoznawalna, bo jest fałszywa. Jest ona, mówiąc językiem akademickim, kontrkulturowa"[13].

Erozja chrześcijaństwa w społeczeństwach zachodnich jest rezultatem długiego procesu historycznego. Przebiegała ona w dwóch postaciach. Pierwszą można nazwać wypieraniem chrześcijaństwa przez działania, drugą zaś – zapominaniem chrześcijaństwa[14]. W pierwszym przypadku mamy do czynienia ze świadomymi akcjami mającymi na celu ograniczanie kultu i wpływu chrześcijaństwa na wybory moralne oraz wypieranie go z życia publicznego po to, by je osłabić w życiu prywatnym. W drugim przypadku mamy do czynienia z wpływem materializmu i konsumeryzmu, współczesnego trybu życia, złych wzorów płynących z samych kościołów chrześcijańskich, świeckich rozrywek zajmujących czas dawniej przeznaczany na praktyki religijne czy przyzwalanie na publiczne zachowania bluźniercze lub stojące w sprzeczności do zasad chrześcijańskich podczas gdy praktyki, a nawet przekonania religijne spychane są do sfery intymnej. Do dechrystianizacji Europy przyczyniła się w sporej mierze postawa bardzo wielu pastorów protestanckich oraz księży katolickich. Ich przesłanie sprowadzało się do tego, jak mówi z niewielką dozą przesady Alain Besançon, żeby „być miłym dla wszystkich i niczego od nikogo nie wymagać. Ludzie Kościoła są do tego stopnia tolerancyjni, że admirują wszystkie religie – z wyjątkiem własnej".

W rezultacie mieszkańcy Zachodu w dużej mierze zapomnieli o cnotach i grzechach. Zapomniano, że pod modnym pojęciem asertywności kryje się często pycha, że hasło „zasługujesz na to" i „jestem tego warta!" (perfumy, samochód, wycieczka itd.) apeluje do chciwości, że zaspokajanie „potrzeb seksualnych" ma często postać cudzołóstwa, że „maksymalizacja konsumpcji" prowadzi do nieumiarkowania w jedzeniu i piciu, że czas wolny spędzamy bardzo często pogrążeni w lenistwie, a „tolerancja" równa się pobłażaniu największym nawet wynaturzeniom.

WYPIERANIE

Fundamenty chrześcijaństwa podmywali już pisarze pogańscy z Celsusem na czele, manichejczycy oraz średniowieczne sekty katarów i albigensów. Tragedią chrześcijaństwa były dwa wielkie rozłamy: odpadnięcie prawosławia w 1054 r. oraz reformacja XVI wieku. Później zaś ogromną rolę odegrała między innymi zasada immanencji Barucha Spinozy. Wedle tej zasady należało odrzucić wszelkie sposoby tłumaczenia zjawisk przez odwoływanie się do przyczyn zewnętrznych, czyli transcendentnych. Spinoza pisał: „Każdy sam może interpretować Pismo, nie może istnieć żadna inna zasada jego interpretowania od naturalnego światła rozumu"[15]. Następnie pisma encyklopedystów i Artura Schopenhauera, masoni,

---

13 Richard John Neuhaus, „Public Square", *First Things,* June-July 2005, nr 154, s. 65.
14 „Los chrześcijaństwa w zjednoczonej Europie", *Fakt-Europa,* 27 IV 2005 r.
15 O. Joseph-Marie Verlinde, *Antychrześcijańskie oszustwa. Od apokryfów do Dana Browna,* (Kraków: Wydawnictwo AA, 2007), s. 20.

jakobini, młodohegliści z Davidem Straussem na czele, ateizm Ludwiga Feuerbacha i Karola Marksa, anarchiści i nihiliści z Maxem Stirnerem i Friedrichem Nietzschem na czele czy psychoanaliza Zygmunta Freuda. Wymienić należy także pisma Aldousa Huxleya, pragmatyzm, teozofię Heleny Bławatskiej, leninizm i stalinizm, satanizm Aleistera Crowleya oraz szkołę frankfurcką, nową lewicę i egzystencjalizm Jean-Paul Sartre'a[16].

Najbardziej brutalnie wypierano chrześcijaństwo w XX wieku. Całe to stulecie stało pod znakiem prześladowań chrześcijan, z których szczególnie wiele ucierpieli katolicy. Podczas masońskiej prezydentury Eliasa Callesa w Meksyku, w latach 1924–1928, fanatyczny antyklerykalizm władz doprowadził do wybuchu powstania *cristeros*, czyli obrońców Chrystusa Króla. W trakcie wojny domowej zginęło kilkadziesiąt tysięcy chrześcijan, a także zamordowano wielu księży i zakonnic. Jednym z męczenników za wiarę stał się o. Miguel Pro, rozstrzelany na podstawie fałszywych oskarżeń pod koniec 1927 r.[17]

Potworny wybuch nienawiści do Kościoła nastąpił w Hiszpanii po objęciu władzy przez partie lewicowe i republikańskie. Po powstaniu w Asturii zamordowano najpierw dwunastu kapłanów, siedmiu kleryków, 18 zakonników i spalono 58 kościołów. Od lipca 1936 roku prześladowania stały się masowe. W okrutny sposób pozbawiono życia 4 184 księży, 2 365 zakonników, 283 zakonnice oraz jedenastu biskupów. Zamordowano też dziesiątki tysięcy wiernych świeckich i zniszczono setki kościołów. Wśród wyrafinowanych tortur było przywiązywanie ofiar do zwłok i wystawianie na śmierć na słońcu. Strzelano do posągów świętych i bezczeszczono hostie podczas obscenicznych widowisk. Między innymi w lipcu i sierpniu 1936 r. zamordowano biskupa Jaen Manuela Basulto Jimeneza, biskupa Barbastro Florentino Asensio Barroso, Alfonso Lopeza i pięciu innych Braci Mniejszych Konwentualnych z Salamus, a we wrześniu 1936 r. na Hippodromie w Barcelonie rozstrzelano siostry Carmen Moreno i Amparo Carbonell[18].

---

[16] Por. np.: Marcel Neusch, *U źródeł współczesnego ateizmu*, (Paris: Editions du Dialogue, 1980), passim.

[17] Jacek Bartyzel, *Krzyż pośrodku księżyca. Historia i* ideario *meksykańskiego synarchizmu oraz katolickiej organizacji podziemnej* El Yunque *(1932–2012)*, (Biała Podlaska: Arte, 2012), ss. 116–136; „Masoneria w Meksyku chciała zniszczyć Kościół katolicki. Rozmowa z prof. Jackiem Bartyzelem", *Bibuła. Pismo niezależne,* http://www.bibula.com/?p=67896 (30 III 2018); Ann Ball, *Współcześni święci*, (Gdańsk: Exter, 1994), t. I, s. 352–361.

[18] Vicente Cárcel Ortí, *Mrok nad ołtarzem. Prześladowania kościoła w Hiszpanii w latach 1931– 1939,* (Warszawa: PAX, 2003); Robert Royal, *The Catholic Martyrs of the Twentieth Century*, (New York: Crossroads Books, 2000), ss. 107–130; *Osservatore Romano*, 1999, nr 5–6, s. 64; Ball, *Współcześni święci*, t. I, s. 383–386; Vittorio Mesori, *Czarne karty Kościoła*, (Katowice: Księgarnia św. Jacka, 1998), ss. 65–66. Tylko tego jednego dnia, 27 VII 1936 roku w Barcelonie stracono siedem zakonnic ze Zgromadzenia Matki Bożej Wniebowziętej. Tego samego dnia zamordowano w Barcelonie franciszkanina, kapucyna, benedyktyna, dominikanina, czterech salezjanów, a także sześciu innych księży. W Kordobie stracono karmelitę i pięciu

Meksykański zakonnik o. Miguel Pro tuż przed rozstrzelaniem przez siły rządowe, 23 listopada 1927 r. W wyniku działań laickich władz Meksyku w latach 1924– 1928 śmierć poniosło kilkadziesiąt tysięcy wierzących.

Hiszpańscy republikanie byli wręcz opętani nienawiścią do Kościoła i religii. Jeden z ministrów w rządzie Frontu Ludowego, Juan Peyro, pisał: „Zabić Boga, jeśli istnieje, w ogniu rewolucji, gdy lud rozpalony jest sprawiedliwą nienawiścią, jest środkiem bardzo naturalnym i ludzkim"[19].

Tysiące kapłanów i zakonników zginęło śmiercią męczeńską w hitlerowskich obozach zagłady. Symbolami nazistowskiej nienawiści do chrześcijaństwa było na przykład męczeństwo św. Maksymiliana Kolbego, bł. biskupa Michała Kozala, austriackiej siostry Marii Kafki, pastora Dietricha Bonhoeffera, a szczególnym świadectwem wspólnoty cierpienia – męczeńska śmierć św. Edyty Stein, która zginęła jako Żydówka, ale także jako zakonnica katolicka[20].

Prawdziwą Golgotę przeszli chrześcijanie w Rosji bolszewickiej, gdzie walka z religią była ważną częścią programu ideologicznego państwa. Przewodniczący powstałego w 1925 r. Związku Bezbożników, koordynującego tę walkę, Jemelian Jarosławskij, był członkiem władz KC WKP(b)[21]. Bolszewicki komisarz oświaty Anatolij Łunaczarski tak ujął politykę zwalczania religii: „Religia jest jak gwóźdź: jeśli w nią uderzysz, wbijesz jeszcze głębiej (...) Tu trzeba obcęgów. Religię trzeba chwycić, ścisnąć ją od dołu: nie uderza się jej, ale wyciąga, wyciąga z korzeniami"[22]. Ponieważ po II wojnie światowej Europę Wschodnią opanowali komuniści wspierani przez ZSRR, w krajach tego regionu zaczęto również okrutnie niszczyć chrześcijaństwo. Tragiczny los spotkał więc tysiące księży i biskupów w Albanii, Bułgarii, Czechosłowacji, Polsce, Rumunii i na Węgrzech. Na przykład greckokatolicki biskup słowacki Pavel Gojdicz został zadręczony na śmierć w więzieniu w Leopoldowie[23]. Litewskich księży Vaclovasa Balsysa, Justinasa Dabrilę i Jonasa Petrikę enkawudziści ukrzyżowali w lesie Budavone

---

[19] innych duchownych. W Tarragonie ofiarą siepaczy republikańskich padł ks. Narcis Felix Costa. W asturyjskim Oviedo zabito dwóch dominikanów. W niedalekim Murias de Aller stracono innego dominikanina. W Guadalajarze zginął salezjanin, a w El Otero stracono księdza. W Gironie zginął ksiądz. W Toledo zabito 12 duchownych. W Madrycie stracono księdza i wincentianina. W Valencii zginęli dwaj księża, tak samo w Albacete. W Ciudad Real zamordowano sześciu innych księży. W San Sebastian zginął mercedarianin. W Leida zamordowano czterech innych księży, a w Teruel – pijara i czterech innych księży. W Huesca zginął ks. Julián Pascual Nunell, a w Saragosie – ks. Juan José Soláns Alamán. W sumie tego dnia republikanie stracili lub zamordowali co najmniej 76 księży i zakonnic. W lecie 1936 roku tak było prawie co dzień.

[19] Cyt. wg: Kucharczyk, *Christianitas*, s. 131.

[20] Royal, *The Catholic Martyrs of the Twentieth Century*, ss. 131–215.

[21] Roman Dzwonkowski SAC, *Kościół katolicki w ZSRR 1917–1939. Zarys historii*, (Lublin: Towarzystwo Naukowe KUL, 1998); Marek Koprowski, *Kresy we krwi*, (Warszawa: Fronda, 2011); Piotr Gontarczyk, „Bezreligijność po bolszewicku", *Rzeczpospolita Plus Minus*, 14–15 XI 2009 r.; Royal, *The Catholic Martyrs of the Twentieth Century*, ss. 43–62.

[22] Cyt. wg: Jakub Maciejewski, *Ludzie czerwonego mroku*, (Kraków; Wydawnictwo M, 2017), s. 264.

[23] http://www.vatican.va/news_services/liturgy/saints/ns_lit_doc_20011104_beat-gojdic_en.html; http://www.yadvashem.org/righteous/stories/gojdic.html (5 III 2018; Jan Chryzostom Korec, *Po barbarzyńskiej nocy*, (Kraków; Wydawnictwo WAM, 1994), s. 53 i 75

„Bezbożnik przy pracy", dziennik wydawany w Związku Radzieckim w latach 20. XX w., promujący ateizm i walczący z religią. Dla wiary miało nie być miejsca w ojczyźnie proletariatu.

w czerwcu 1941 r[24]. Wyznawanie wiary było nagminnie przyczyną szykan, represji, a nawet śmierci.

Inną formą walki z chrześcijaństwem było promowanie fałszywych informacji. „Czarną legendę" Piusa XII lansowały z powodzeniem koła wrogie Kościołowi, za przykładem inspirowanego z Moskwy pisarza Rolfa Hochhutha, autora paszkwilanckiej sztuki „Namiestnik". Papieżowi temu zarzucano bierność wobec zbrodni hitleryzmu, a nawet sympatie proniemieckie, choć legenda ta oparta jest na faktach wyssanych z palca lub przeinaczonych. Niektóre środowiska żydowskie protestują przeciw procesowi beatyfikacyjnemu Piusa XII, zarzucając mu bierność wobec Holocaustu i pomoc nazistom. Istnieje jednak wiele świadectw Żydów uratowanych w czasie niemieckiej okupacji Rzymu dzięki pomocy papieża i kurii rzymskiej. *Notabene*, po śmierci Piusa XII nie kto inny jak minister spraw zagranicznych Izraela Golda Meir uczciła jego pamięć słowami: „Nasze czasy stały się bogatsze dzięki temu głosowi, mówiącemu donośnie o wielkich prawdach moralnych ponad zgiełkiem toczącego się konfliktu. Opłakujemy wielkiego sługę pokoju"[25]. „Czarną legendę", spreparowaną przez komunistów, powtarza się do dziś w odniesieniu do arcybiskupa Zagrzebia Alojzije Stepinaca, którego władze titoistowskiej Jugosławii skazały na 16 lat ciężkich robót za rzekomą współpracę z hitlerowcami oraz ustaszowskim rządem chorwackim w czasie II wojny światowej. Tymczasem istnieje bardzo wiele świadectw, iż występował on w obronie prześladowanych przez nazistów i reżim Ante Pavelicia[26].

Wydawać by się mogło, że wraz z upadkiem komunizmu zelżeje napór wrogów chrześcijaństwa. Niestety, nic takiego nie nastąpiło. Przeciwnie, pod koniec drugiego tysiąclecia „chrześcijanie to najbardziej prześladowana grupa religijna na świecie", jak twierdzi Nina Shea, ekspert amerykańskiej Komisji do Spraw Wolności Religii. Według Michaela Horowitza z Hudson Institute, na całym świecie prześladowaniom podlega około 200 milionów chrześcijan[27], głównie w Afryce i Azji. Polityczną wojnę z chrześcijaństwem prowadzą wielkie organizacje międzynarodowe, wspierane przez ONZ i Unię Europejską[28]. Najsilniejsze protesty przeciw prześladowaniom chrześcijan podnoszą się w USA, gdzie jednoczą one różne kościoły chrześcijańskie. W 1996 r. Dzień Modlitwy za Prześladowane Kościoły

---

[24] Juozas Prunskis, *Fifteen „liquidated" priests in Lithuania*, (Chicago, 1943); Bohdan Cywiński, *Ogniem próbowane*, (Rzym, 1982–1994), t. I-II; Andrzej Grajewski, *Kompleks Judasza. Kościół zraniony*, (Poznań: W Drodze, 1999); Royal, *The Catholic Martyrs of the Twentieth Century*, ss. 216 nn.

[25] Pierre Blet SJ, „Pius XII a druga wojna światowa w świetle dokumentów", *Osservatore Romano*, 1998, nr 12, s. 49–53; tegoż, *Pius XII i druga wojna światowa w tajnych dokumentach watykańskich*, (Katowice: Księgarnia św. Jacka, 2000).

[26] *Osservatore Romano*, 1998, nr 12, s. 9

[27] Katarzyna Wypustek, „Cierpienie wielkie jak świat cały", *Życie*, 18 XI 1997 r.

[28] Por. szerzej: David Limbaugh, *Prześladowanie. O tym, jak liberałowie prowadzą wojnę z chrześcijaństwem*, (Sadków: „Wektory", 2006); Eugenia Roccella, Lucetta Scaraffia, *Wojna z chrześcijaństwem. ONZ i Unia Europejska jako nowa ideologia*, (Częstochowa: Biblioteka „Niedzieli", 2005); Marguerite A. Peeters, *Globalizacja zachodniej rewolucji kulturowej. Kluczowe pojęcia, mechanizmy działania*, (Warszawa: Wydawnictwo Sióstr Loretanek, 2010).

Chrześcijańskie obchodzono w 5 tys. kościołów amerykańskich, a w 1998 r. – już w 100 tys. kościołów. Do protestów przyłączyli się także niektórzy publicyści laiccy i działacze pochodzenia żydowskiego[29]. Protesty w Europie są znacznie słabsze.

W ostatnich latach Europę zalała fala agresywnych i bluźnierczych akcji różnych środowisk lewackich. Bazylikę Sacre Coeur na szczycie Montmartre wybudowali pobożni paryżanie w geście zadośćuczynienia za klęskę w wojnie z Prusami i za Komunę Paryską. Stała się ona symbolem próby moralnego odrodzenia Francji i jako taka jest odtąd przedmiotem rozlicznych ataków ze strony wojujących antyklerykałów i ateistów. W marcu 2014 roku, w rocznicę wybuchu powstania paryskiego znanego jako Komuna Paryska, „nieznani sprawcy" wymalowali na drzwiach i w środku bazyliki hasła „Nie ma Boga, nie ma Mistrza, nie ma państwa". Nie był to zresztą odosobniony przypadek agresji tego rodzaju. Do profanacji katolickich miejsc kultu dochodzi we Francji coraz częściej. Obok działań radykałów islamskich sprawcami są najczęściej grupy skrajnie lewicowe, sataniści oraz anarchiści spod znaku Antifa[30]. W 2017 roku prokuratura holenderska umorzyła postępowanie w sprawie aktorów, którzy nakręcili film pornograficzny na krześle konfesjonału w kościele. Powołano się na brak podstaw prawnych oskarżenia[31]. W styczniu 2014 roku „nieznani sprawcy" zniszczyli dwa obrazy z Kalwarii Pacławskiej koło Przemyśla. Ich agresja skupiła się na twarzach Jezusa i Maryi[32]. Agresji słownej dokonują też często aktywistki polskiej Feminoteki[33]. Antykatolicką prowokację w dniu Miłosierdzia Bożego w kwietniu 2016 roku, gdy grupa aborcjonistek wtargnęła do kościoła świętej Anny, zakłócając Mszę świętą, promowała „Gazeta Wyborcza"[34]. Te same środowiska równie głośno głoszą walkę z „mową nienawiści"; nie dotyczy ona najwyraźniej wrogów Kościoła. Atak proaborcyjnych lesbijek na arcybiskupa Brukseli nie spotkał się z żadną reakcją ze strony rzeczników walki z „mową nienawiści", podobnie jak napaść tłumu na kurię arcybiskupią w Warszawie i wdarcie się półnagiej aktywistki Femenu do kościoła w Kolonii podczas Mszy świętej[35]. Wiosną 2017 roku kolejny skandal wywołał chorwacki reżyser Oliver Frljić wystawiając w warszawskim Teatrze Powszechnym „Klątwę" Stanisława Wyspiańskiego. Sam tekst oryginału był przenikliwą krytyką obłudy duchowieństwa, ale reżyser odbiegł od niego, prezentując bez większego sensu wiele scen prowokacyjnych i bluźnierczych. Między innymi aktorzy strzelali z krzyży, jedna z aktorek uprawiała seks oralny z figurą świętego

---

[29] Laurie Goodstein, „US Christians Protest Persecution Overseas", *International Herald Tribune*, 13 XI 1998 r.

[30] Gabriel Kayzer, „Profanacja bazyliki Sacre Coeur", *Gazeta Polska Codziennie,* 21 III 2014 r.

[31] Dorota Łosiewicz, „Bluźnierstwo nie przestępstwo", *W Sieci,* 21–27 VIII 2017 r.

[32] Małgorzata Pabis, „To była celowa profanacja", *Nasz Dziennik,* 4–6 I 2014 r.

[33] Magdalena Piejko, „Wściekły atak na Kościół ws. gender", *Gazeta Polska Codziennie,* 30 XII 2013 r.

[34] Antoni Zankowicz, „Lewacka nienawiść w Święto Miłosierdzia", *Gazeta Polska Codziennie,* 5 IV 2016 r.; Marzena Nykiel, „Feministki gorsze niż ZOMO", *W Sieci,* 11–17 IV 2016 r.

[35] „Genderyzm jak łysenkizm. Z prof. Ryszardem Legutko rozmawia Tomasz P. Terlikowski", *Do Rzeczy,* 3–9 II 2014 r.

Jana Pawła II, a inna organizowała wśród widzów zbiórkę pieniędzy na sfinansowanie zabójstwa Jarosława Kaczyńskiego[36].

Oczywiście, na marginesie każdej instytucji, po części choćby ludzkiej, są nadużycia, obłuda i inne negatywne zjawiska, ale autorzy atakujący Kościół starają się dowieść, że nie są one marginesem, ale wręcz istotą znienawidzonej przez nich instytucji. Kościół jest instytucją, której ludzie także grzeszą, jednak nie ma się to nijak w proporcji do oskarżeń, jakie są nań rzucane. Choć badania statystyczne wykazały, że skłonności pedofilskie cechuje nikły promil księży, a w środowiskach homoseksualnych ich odsetek sięga około 40%, to wrogowie Kościoła w swojej propagandzie odwracają te proporcje. Czyny pedofilskie duchownych, takich jak niesławnej pamięci arcybiskup Józef Wesołowski, wydalony przez Stolicę Apostolską ze stanu duchownego, zasługują na szczególnie potępienie, ale oskarżenia o takie czyny są także często wynikiem osobistych konfliktów z księdzem lub wręcz zaplanowanych akcji[37]. Tropiciele pedofilii w Kościele, nie zauważają też, jak o intymnych kontaktach z dziećmi wypowiadał się ich idol Daniel Cohn-Bendit ani jak zatuszowano w Belgii gigantyczny skandal pedofilski, w który zamieszany był ówczesny lider socjalistów tego kraju Elio Di Rupo[38].

Na początku XXI wieku nasiliły się próby ograniczania obecności symboli i zwyczajów chrześcijańskich w Zachodniej Europie. Co prawda, próby te dotyczyły także niektórych symboli i zwyczajów judaistycznych czy muzułmańskich, ale ze względu na ich znaczenie i masowość dotknęły głównie chrześcijan. Przykładem antykatolickiej obsesji władz francuskich była decyzja Rady Stanu z 2017 roku, która nakazała usunięcie krzyża z pomnika Jana Pawła II w Ploërmel. Francuskiej Radzie Stanu przeszkadzał najwyraźniej krzyż, ale nie miała nic przeciw organizowaniu przez mera Paryża „nocy ramadanowych" z pieniędzy publicznych[39]. Polityczne starcia o ustawianie krzyży w miejscach publicznych, tak częste we Francji, Stanach Zjednoczonych czy Kanadzie, mogłyby służyć za interesujący przykład rozumienia autonomii państwa i wyznań religijnych, gdyby nie fakt, że starcia te nasiliły się w ostatnich latach. W grudniu 2017 roku prasa doniosła na przykład o usunięciu krucyfiksów z lokali Czerwonego Krzyża w Belgii[40].

Ci, którzy zwalczają obecność tych znaków w sferze publicznej, powołują się najczęściej na „wrażliwość" jakiejś nieokreślonej grupy ludzi, w podtekście muzułmanów, choć oni sami często nie mają nic przeciw symbolom chrześcijańskim,

---

[36] Jan Przemyłski, „Profanacja zwana sztuką", *Gazeta Polska Codziennie*, 29 V 2017 r.; „Skandalista Oliver Frljić: pracowniku wkurz się. Z Oliverem Frljiciem rozmawia Witold Mrozek", *Gazeta Wyborcza*, 17 II 1917 r.

[37] Dorota Łomnicka, Wojciech Kamiński, „Pedofilem w Kościół", *Gazeta Polska Codziennie*, 20 I 2014 r.; Marzena Nykiel, „Fałszywe oskarżenie", *W Sieci*, 13–19 I 2014 r., ss. 16–19.

[38] Grzegorz Górny, „Łowcy pedofilów ślepi na lewe oko", *W Sieci*, 14–20 X 2013 r.

[39] Jan Przemyłski, „Ploërmel warte jest mszy", *Gazeta Polska Codziennie*, 31 X-1 XI 2017 r.; „Pomnik Jana Pawła II pozostanie w Ploërmel. Z Patrickiem Le Diffon, merem miasteczka Ploërmel, rozmawia Franciszek L. Ćwik", *Gazeta Polska*, 8 XII 2017 r., s. 34; Bogdan Dobosz, „Sprawa z Ploërmel triumfem Jana Pawła II", *Gazeta Polska Codziennie*, 9 XI 2017 r.

[40] *Sieci*, 4–10 XII 2017 r.

do których przywykli[41]. Z bożonarodzeniowych życzeń usuwa się słowo „Christmas", zastępując je tajemniczymi „świętami zimowymi", cenzuruje się kolędy, a z szopek usuwa się postacie Świętej Rodziny. Bohaterem Bożego Narodzenia stał się Mikołaj lub Santa Claus – już nie święty biskup Miry, tylko przybywający z Laponii staruszek w czerwonym płaszczyku i zabawnej czapie, który zastąpił Dzieciątko Jezus w Betlejem i całkowicie odwrócił znaczenie Bożego Narodzenia, stając się personifikacją kultury pozbawionej wymiaru religijnego. Współczesny wizerunek staruszka w czerwonym płaszczyku i czerwonej czapie stworzył Haddon Sundblom w 1930 roku na zamówienie koncernu Coca-Cola[42].

OFENSYWA LAICYZMU

Sekularyzacja nie dzieje się sama. To nie jest proces nieuchronny, związany mechanicznie z „modernizacją". Tę popularną „mądrość ludową" ugruntowali swego czasu luminarze nauk społecznych. „Jeśli istnieje jedna prawda, której uczy nas historia – powiadał Émile Durkheim – to mówi ona, że religia zajmuje coraz mniej miejsca w życiu społecznym"[43]. Teza Durkheima stała się samosprawdzającym proroctwem, dlatego, że całe pokolenia ludzi, którzy nie wierzyli w Boga, tylko w „postęp", usilnie nad tym pracowały. Dziś, po upadku utopii komunistycznej w sowieckiej wersji, widać wyraźnie, że w dążeniach wszystkich zwolenników raju na ziemi, wszystkich wyzwolicieli człowieka, prometejskich jego wybawicieli i misjonarzy postępu, chodzi nie tyle o poprawę warunków życia, ale nadal o stworzenie nowego człowieka, który nie wierzy w Boga.

Najbardziej konsekwentne i trwałe podstawy polityki laicyzacji zbudowano we Francji. Po prawie 120 latach zmagań między siłami „postępu" i tradycji, na mocy ustawy z 9 grudnia 1905 roku we Francji wprowadzono zasadę *laïcité*, oznaczającą nie tyle świeckość, co laickość państwa. Ustawę przeforsował rząd bloku lewicowego z Émile Combes'em (1835–1921) na czele. Już rok wcześniej rząd Combes'a, który był wysokiej rangi masonem, wypowiedział konkordat i doprowadził do zamknięcia 10 tysięcy szkół wyznaniowych, a tysiące księży i zakonnic opuściło Francję na skutek prześladowań. Francuska ustawa z 1905 roku wprowadziła rozdział Kościoła od państwa na warunkach, które w praktyce oznaczały zaangażowanie państwa w walce z religią. Na przykład budynki sakralne stały się własnością państwa lub samorządów lokalnych, a religię usunięto z programów szkół publicznych[44].

Wiele szkód Kościołowi katolickiemu wyrządziła pruska polityka *Kulturkampf* pod koniec XIX wieku. Podobne do francuskich, inspirowane przez masonerię,

---

[41] Grzegorz Dobiecki, „W obronie Bożego Narodzenia", *Rzeczpospolita,* 20 XII 2004 r.

[42] O historii Santa Clausa: Grzegorz Górny, „Zawrotna kariera Santa Clausa", *Sieci,* 4–10 XII 2017 r., ss. 116, 117.

[43] Cytat za: Richard John Neuhaus, „The Public Square", *First Things,* 2005, nr 3, s. 58.

[44] Grzegorz Kucharczyk, *Czerwone karty Kościoła,* (Dębogóra: Wydawnictwo Dębogóra, 2008), ss. 147–167; Roger Aubert et al., *Historia Kościoła. 1848 do czasów współczesnych,* (Warszawa: Instytut Wydawniczy Pax, 1985), t. VI, ss. 59, 60.

regulacje przyjęto w Portugalii po rewolucji 1910 roku, a także w czasie rządów republikańskich w Hiszpanii w latach trzydziestych, ale zostały one cofnięte po upadku rządów rewolucyjnych. We Francji jednak zasada *laïcité* przetrwała wszystkie perturbacje polityczne tego kraju w XX wieku.

Rozdział Kościoła od państwa przebierał w europejskich państwach chrześcijańskich najczęściej formę odgórnie narzuconej polityki państwa. Na przykład według jednolitego tekstu konstytucji belgijskiej z 1994 roku kapłani katoliccy, protestanccy, anglikańscy, prawosławni, judaistyczni i muzułmańscy są opłacani z budżetu państwa, co oczywiście uzależnia ich od woli rządzących. Co więcej, na mocy ustawy z 2 czerwca 2002 roku do grona związków wyznaniowych finansowanych z kasy państwowej dołączono Centralną Radę Świeckości, zrzeszającą walońskie Centrum Akcji Świeckiej i flamandzkie Zjednoczone Stowarzyszenia Liberalne prowadzące agresywną akcję dechrystianizacyjną[45].

Inaczej było od początku Stanów Zjednoczonych, których konstytucja, a właściwie „pierwsza poprawka" do tej konstytucji z 15 grudnia 1791 roku zakładała przyjazne relacje między związkami wyznaniowymi i państwem federalnym. Pierwsza poprawka głosi jedynie, że „Kongres nie ustanowi ustaw wprowadzających religię lub zabraniających swobodnego wykonywania praktyk religijnych ani

---

[45] https://en.wikipedia.org/wiki/Organized_secularism (13 III 2018).

Przebrane za duchownych uczestniczki tzw. Marszu Tolerancji idą ulicami Krakowa 21 kwietnia 2007 r.

Agresywne feministki z belgijskiego oddziału grupy Femen atakują metropolitę Brukseli abp. André-Josepha Léonarda. Takie akcje pozostają bezkarne.

ustaw ograniczających wolność słowa lub prasy lub naruszających prawo do pokojowych zgromadzeń i wnoszenia do rządu petycji o naprawę krzywd"[46]. Laicyzm nie jest więc promowany przez amerykańskie władze publiczne, choć jest programem niektórych stowarzyszeń i akcji społecznych. Na przykład w 1991 roku amerykańska Rada na Rzecz Świeckiego Humanizmu połączyła się z Komitetem Badań Naukowych nad Zjawiskami Paranormalnym w Centrum Badawcze (*Center for Inquiry*), które stało się największa organizacją laicyzacyjną w USA. W Stanach Zjednoczonych występuje nawet fenomen „kapłaństwa humanistycznego"[47].

Szczególną rolę w wypieraniu wiary w Boga z życia społecznego odegrali także „świeccy humaniści", łączący różne wątki ateistyczne z intelektualną pychą. W 1952 roku powstała Międzynarodowa Unia Humanistyczna i Etyczna.

---

[46] Por. Andrzej Pudło: *Konstytucja Stanów Zjednoczonych Ameryki*, (Warszawa: Wydawnictwo Sejmowe, 2002).

[47] W latach siedemdziesiątych takim kapłanem humanizmu stał się były katolicki kapelan Dartmouth College w stanie New Hampshire, Tom Ferrick, który zamiast nawracać studentów sam stracił wiarę i podjął „humanistyczną" misję na uniwersytecie Harvarda. Jego następcą na tym urzędzie został niejaki Greg Epstein, występujący jako „humanistyczny rabbi". Twierdzi on, że łączy tradycję judaistyczną z poglądem, że „ten świat jest jedynym, co mamy". https://www.theguardian.com/education/2010/jan/26/humanist-chaplains-universities (13 III 2018).

W swojej „deklaracji amsterdamskiej" z 2002 roku jej przywódcy stwierdzili, że humanizm jest „etyczny", „racjonalny", popiera demokrację i prawa człowieka, zakłada „osobistą wolność i społeczną odpowiedzialność", sprzeciwia się „dogmatyzmowi religijnemu i dąży do maksymalnej moralizacji człowieka[48]. Świeccy humaniści nawiązują do myśli Comte'a, a do swoich szeregów zaliczają między innymi dyrygenta Leonarda Bernsteina, noblistę Nielsa Bohra, szefa Worldwatch Institute Lestera R. Browna, lingwistę Noama Chomsky'ego, kompozytora Aarona Coplanda, pisarza Umberto Eco, etycznego sytuacjonistę Josepha Fletchera, feministkę Betty Friedan, ekonomistę Johna K. Galbraitha, biologa Juliana Huxleya, osławionego „Doktora Śmierć" Jacka Kevorkiana, członka zespołu The Beatles Johna Lennona, filozofa Karla Poppera, filozofa Richarda Rorty, pediatrę Benjamina Spocka, reżysera Andrieja Tarkowskiego, pisarzy Gore Vidala i Kurta Vonneguta i parę tuzinów mniej lub bardziej sławnych celebrytów.

W mniemaniu współczesnych luminarzy humanistyki, Richarda Rorty'ego i Gianniego Vattimo demokracja i społeczeństwo obywatelskie wymagają antyklerykalizmu. Obydwaj nie odżegnują się od nienawiści wobec duchownych. Ich rozumienie postępu polega na wychodzeniu z mroków kościelnej opresji ku światłu demokracji niesionemu przez nieustraszonych profesorów. Rorty i Vattimo nadają się świetnie do tej roli, gdyż nie lękają się odrzucić bagażu dotychczasowego języka filozoficznego. Nie używają argumentów, ale literackich chwytów[49]. Recenzent ich „dzieła", Paul Griffith, konkluduje: „Możemy zdiagnozować ich osiągnięcie jako fatalny przypadek *libido dominandi*, w którym ich ego zostało przedstawione w tak wielkich rozmiarach, że muszą opisać historię jako proces uwieńczony wybuchem ich własnego geniuszu". Rorty i Vattimo zapewne dobrze by się czuli w miejscowości Szumsk koło Ostroga w Zachodniej Ukrainie. Za czasów polskich, przed II wojną światową, tamtejsza parafia liczyła 3,5 tys. wiernych, obecnie zaś pięćdziesięciu. Co się stało? Czyżby społeczność Szumska przejrzała na oczy i samorzutnie odrzuciła wiarę w Boga? Niezupełnie. Wiernych najpierw komuniści deportowali, potem prześladowali, następnie jedyny kościół zamknięto i zamieniono na chlew, a w kwietniu 1985 r., u progu *pierestrojki*, wysadzono w powietrze. Rorty i Vattimo nie powinni się jednak przedwcześnie cieszyć. Ostatnio kościół odbudowano, gdyż taka była wola parafian, a także wielu ich niewierzących sąsiadów[50].

Chrześcijan nie posyła się jeszcze na arenę, jak w starożytnym Rzymie, ale załatwia się ich bałamutnym argumentem słownym, erystyką, produkcją „artystyczną" lub politycznym ostracyzmem. Przedstawiciele lewicy obyczajowej zaskakują niejednokrotnie obsesjami antyreligijnymi. Pod koniec 2004 roku minister Magdalena Środa, skądinąd profesor etyki, stwierdziła, że przemoc

---

[48] http://iheu.org/humanism/the-amsterdam-declaration (6 III 2018).
[49] Richard Rorty, Gianni Vattimo, *The Future of Religion*, (Columbia University Press, 2005).
[50] Paul J. Griffith, „Offer Declined", *First Things*, 2005, nr 6, s. 42. Tatiana Serwetnyk, „Kościół zburzyli, nie zniszczyli wiary", *Rzeczpospolita*, 10 VIII 2005 r.

wobec kobiet w Polsce jest związana pośrednio z tradycją polskiego katolicyzmu[51]. Osobistym wrogiem Pana Boga jest na przykład Jeremy Carrette, profesor filozofii brytyjskiego University of Kent, który zorganizował nawet grupę uczonych, którzy sporządzili raport, w którym stwierdzili, że ONZ jest organizacją „zbyt chrześcijańską"[52].

Wrogowie chrześcijaństwa aranżują też od czasu do czasu rewelacje „naukowe". We wrześniu 2013 roku profesor Karen Leigh King, która już wcześniej twierdziła, że ewangelie zawierają mizoginistyczne fałszerstwa, ogłosiła podczas kongresu studiów koptyjskich, że „odkryła" fragment gnostyckiego papirusu ze słowami Jezusa, mówiącego o swojej żonie. Rewelację spopularyzował niezastąpiony w takich sprawach *New York Times*. Choć okazało się dość szybko, że inkryminowany fragment papirusu jest współczesną fałszywką, autorytet naukowy pani King, *notabene* profesora katedry Hollisa w Harvard Divinity School, nie wydaje się nadszarpnięty[53]. W 2013 roku wybitny francuski fizyk Vincent Berger, autor 150 prac naukowych i rektor uniwersytetu Paris VII imienia Denisa Diderota, zwrócił się do socjalistycznych władz francuskich z postulatem nieuznawania przez państwo dyplomów uzyskanych na uczelniach katolickich[54].

Zasad chrześcijańskich nie rozumieją już w większości politycy. Socjalistyczny premier Hiszpanii José Luis Zapatero, który wygrał wybory dzięki zamachowi terrorystycznemu z marca 2003 r. (a który to zamach w pewnej mierze sprowokował, zapowiadając wycofanie wojsk hiszpańskich z Iraku), cieszył się ogromnym poparciem w tym postkatolickim kraju, gdzie 62% ludności akceptowało już „małżeństwa homoseksualistów", a 60% było za usunięciem religii ze szkół. Zapatero zaatakował katolicyzm za brak wyższych uczuć wobec homoseksualistów, mówiąc: „Nigdy nie zrozumiem, jak można głosić miłość jako podstawę życia i jednocześnie tak radykalnie odmawiać ochrony, zrozumienia i uczucia naszym sąsiadom, przyjaciołom, krewnym czy kolegom"[55].

W antychrześcijańskie manewry polityczne zaplątał się swego czasu brytyjski premier David Cameron. Najpierw, ryzykując rozłam w swojej partii konserwatywnej doprowadził do legalizacji „małżeństw" homoseksualnych, a potem chcąc odciągnąć wyborców od bardziej konserwatywnej partii UKIP, zaapelował, by „z większą ufnością myśleć o chrześcijańskim statusie naszego kraju, bardziej

---

[51] Piotr Semka, „Tyrania postępu", *Wprost*, 26 XII 2004 r., ss. 22–23; Dariusz Karłowicz, „Od antyklerykalizmu do antykatolicyzmu", *Rzeczpospolita*, 27 XII 2004 r. Maciej Rybiński skomentował ten absurd w następujący sposób: „Zawsze mi się wydawało, pewnie błędnie, że bicie kobiet jest przejawem braku kultury. Teraz okazało się, że bicie kobiet to element kultury chrześcijańskiej (...) i że bez jej przeorania, zniszczenia i zbudowania nowej, laickiej, nałogowi alkoholicy, sini od denaturatu i wina mszalnego, będą pod ochroną Kościoła i w imię Jezusa katować swoje żony i gwałcić córki". Maciej Rybiński, „Jeśli to Środa, jesteśmy na froncie ideolo", *Rzeczpospolita*, 11–12 XII 2004 r.

[52] Gabriel Kayzer, „Wrogowie Pana Boga", *Gazeta Polska Codziennie*, 7 I 2014 r.

[53] Paweł Lisicki, „Tajemnica Marii Magdaleny", *Do Rzeczy*, 16–29 XII 2013 r., ss. 30–33.

[54] Łukasz Sianożęcki, „Katolicki dyplom do kosza?", *Nasz Dziennik* 31 XII 2013–1 I 2014 r.

[55] Paweł Skibiński, „Co to za miłość?" *Ozon*, nr 5–6, 19 V–1 VI 2005 r., s. 30; Małgorzata Tyc--Ostrowska, „Rewolucja obyczajowa Zapatero", *Rzeczpospolita*, 1 X 2004 r.

ambitnie poszerzać rolę organizacji religijnych i z większym ewangelizmem mówić o wierze, która skłania nas do działania". Za te, dość umiarkowane, słowa na jego głowę posypały się gromy ze strony środowisk lewicowych i liberalnych[56].

W 2012 roku niepokój we Francji wzbudziły plany socjalistycznego ministra spraw wewnętrznych Manuela Vallsa, by stworzyć Krajowe Obserwatorium Świeckości, mające na celu „kształtowanie sposobów przekazywania 'moralności publicznej'", tak by rozeznać, które poglądy mogą stać się przejawem przemocy[57]. Teoretycznie chodziło o nawoływanie do przemocy na tle religijnym, ale wątpliwe, by instytucja odważyła się interweniować w sprawie radykalizmu islamskiego. Wiosną 2018 roku władze australijskiej stolicy Canberry nakazały księżom złamanie tajemnicy spowiedzi w przypadku wyznania nadużycia seksualnego. Ponieważ należy sądzić, że mało który na to się zdecyduje, chodzi raczej o budzenie przekonania, że Kościół ukrywa te nadużycia[58].

W Europie nasila się polityczna dyskryminacja chrześcijan. Komentując decyzję większości komisji Parlamentu Europejskiego o odrzuceniu jego kandydatury na komisarza w 2004 roku, Rocco Buttiglione stwierdził, że w ten sposób pogwałcono zasadę oddzielającą porządek moralny od prawa stanowionego. Nie interesowano się „określonym stanowiskiem czy linią polityczną, lecz sądem sumienia, dążąc do ustanowienia nowej ortodoksji, swego rodzaju nowej ateistycznej religii Unii. Dla tej nowej ateistycznej religii istnieje tylko jedna prawda, a mianowicie to, że żadna prawda nie istnieje". Wedle Buttiglionego „chciano upokorzyć jednego chrześcijanina, zastraszyć innych i pokazać, że wykluczenie odwołania się do Boga w konstytucji nie wynika z przypadkowych okoliczności, lecz jest pozytywnym wyznaniem wiary ateistycznej, relatywistycznej i antychrześcijańskiej"[59].

W 2017 roku francuski Komitet Laickości Republiki doroczną nagrodą uhonorował wielkiego mistrza narodowej loży Argentyny, socjologa i zwolennika feminizmu Smaïn Laachera i twórczynię ruchu Femen Innę Szewczenko. Szef komitetu Patrick Kassel, były wielki mistrz loży Wielkiego Wschodu, potępił ludzi, którzy kultywują ideę Francji jako „najstarszej córy Kościoła". Na huczną uroczystość przybyli między innymi mer Paryża – socjalistka Anne Hidalgo, obecny wielki mistrz Wielkiego Wschodu Daniel Keller i wspomniany Manuel Valls. Pani Hidalgo przedstawiła Szewczenko jako „wspaniałą postać laicyzmu, która broni praw i emancypacji kobiet". Sama Szewczenko uznała religię za zło, które wywiera „szkodliwe konsekwencje na los kobiet". Zaatakowała „prawicę", która „próbuje uciszyć głos Postępu". Szewczenko narzekała: „Codziennie słyszymy słowa wypowiadane w Watykanie, w Mekce czy w Jerozolimie, które podkreślają niższość kobiet". Zapewne w walce z tymi rzekomymi wypowiedziami pani Szewczenko i jej koleżanki z grupy Femen dokonały profanacji kościoła Madeleine i katedry Nôtre Dame w Paryżu, epatując gołymi piersiami i dzwoniąc w dzwony. W reakcji

---

[56] Aleksander Kłos, „Święte oburzenie ateistów z wysp brytyjskich", *Gazeta Polska Codziennie*, 24 IV 2014 r.
[57] Marta Ziarnik, „Bicz na katolików", *Nasz Dziennik*, 17 XII 2012 r.
[58] Franciszek Kucharczak, „Skok na dusze", *Gość Niedzielny*, 24 VI 2018 r.
[59] Rocco Buttiglione, „Upokorzyć chrześcijan", *Rzeczpospolita*, 13 I 2005 r.

władze francuskie ukarały nie bezczelne prowokatorki, ale pracowników ochrony katedry za rzekomo zbyt brutalną interwencję[60].

Erupcje wrogości do Kościoła i religii przybierają czasem formy zbiorowych seansów nienawiści. Po warsztatach w ramach Krajowej Konferencji Kobiet w argentyńskim mieście San Juan dniu 25 listopada 2013 roku kilka tysięcy aktywistów feministycznych i LGBT ruszyły w pochodzie na miejscową katedrę. Naprzeciw masie wrzeszczących bluźnierców, wśród których wyróżniały się rozebrane do pasa kobiety, stanęło 1,5 tysiąca młodych katolików. Pozwolili się pobić, opluć i znieważyć, otaczając świątynię kordonem i odmawiając różaniec. Nie dopuścili do profanacji katedry. Bezsilnie obserwowali tylko jak tłuszcza spaliła kukłę, przedstawiającą papieża Franciszka[61].

ROZKŁAD

Jak uczy historia, zewnętrzne ataki na Kościół nie były jednak na ogół tak skuteczne, jak tendencje, które mu zagrażają od środka. Tendencje te – nadmierna dowolność i nadmierny rygoryzm – przyczyniły się do większości napięć, konfliktów, herezji i walk w historii chrześcijaństwa. Są też groźne i dziś.

Odśrodkowa erozja chrześcijaństwa ma długą historię. Chronologicznie pierwszym zagrożeniem tego rodzaju była gnoza. Jak stwierdził w latach sześćdziesiątych wybitny badacz gnozy, „odkryto niedawno nieznaną religię powszechną"[62]. Zbiór papirusów gnostyckich odnaleziony w Nag Hammadi w 1946 roku uświadomił, jak szeroki zasięg miały w pierwszych wiekach ruchy gnostyckie. Poglądy zwolenników Szymona Maga, Menandra, setian, ofitów, Keryntosa, Karpokratesa, Marcjona, Bazylidesa z Aleksandrii, Walentyna czy manichejczyków, rzeczników dualizmu zła i dobra, miały rozmaitą inspirację – nierzadko świadomego fałszowania nauki Kościoła – ale także wynikały z mieszania różnych wątków filozofii natury, religii pogańskich z chrześcijaństwem pod hasłem uzupełnienia wiary przez „wiedzę". Gnoza była próbą swoistego pogodzenia chrześcijaństwa z filozofią pogańską, doktryną zbawienia przez wiedzę. Gnostycy twierdzili, że zło nie wynika ze złego użycia woli, lecz że tkwi immanentnie w świecie, w jego niedoskonałości, że zbawienie nie jest przejawem woli Boga, lecz że wynika z uświadomienia sobie przez człowieka swego boskiego początku albo wręcz boskiej natury, a także iż Bóg nie objawia się bezpośrednio, lecz za pośrednictwem bytów pośrednich lub poprzez kręgi „wtajemniczonych". Człowieczeństwo Chrystusa i jego śmierć na krzyżu interpretowali w sensie symbolicznym, rozmywając jego znaczenie odkupieńcze.

---

[60] Bogdan Dobosz, „Ofensywa dzikiego laicyzmu", *Gazeta Polska Codziennie*, 22 XI 2017 r. Działaczki Femenu mają też za sobą ścięcie krzyża poświęconego ofiarom NKWD w Kijowie w dniu 17 VIII 2012 roku. Nie wiadomo, czy bardziej przeszkadzał im krzyż, czy upamiętnienie zbrodni komunistycznej. Grzegorz Górny, „Lenin żywy, Fatima aktualna", *Sieci*, 30 X-5 XI 2017 r., s. 67.

[61] http://gosc.pl/doc/1799175.Drastyczne-filmy-Feministyczna-orgia-nienawisci (14 II 2014).

[62] Quispel, *Gnoza*, s. 59.

W czasach nowożytnych przełomowe znaczenie miała rewolucja francuska. Niezależnie od masakry ludzi Kościoła, wywołała ona fale katolickiego modernizmu, z którymi Kościół boryka się do dziś. Na początku XX wieku ks. Alfred Loisy stwierdził, że Kościół i jego dogmaty „nie spadły z nieba" i że podlegać muszą ewolucji. W 1902 roku doszedł on do wniosku, że Jezus nie chciał wcale założyć Kościoła. Innym krytykiem dogmatów wiary stał się Edouard Le Roy, który interpretował je jako zaprzeczenie wolności dociekań religijnych. W 1907 roku dekret Świętego Officjum *Lamentabili sane exitu* wymienił 65 twierdzeń modernistycznych nie do pogodzenia z zasadami wiary. Nawet jeśli reakcja Stolicy Apostolskiej wydać się może dziś niektórym zbyt rygorystyczna, trudno zaprzeczyć, że wielu katolickich modernistów dało powody do niepokoju o doktrynę[63].

Współczesnym wydaniem modernizmu jest zagrożenie liberalno-progresywne, które polega na przekonaniu, iż Kościół jest zbyt autorytatywny w doktrynie i zbyt autorytarny w sposobie funkcjonowania, że prawdziwą wspólnotę wierzących można zbudować na gruncie wolności, a więc także wolności interpretacji doktryny. Zwolennicy tej tendencji przyznają w istocie rację libertarianom mówiąc, że prawda i wolność to zjawiska konkurencyjne oraz że społeczeństwo liberalne wymaga uznania, iż nie ma jednej prawdy. Wyrazem erozji postaw religijnych w Kościele katolickim, w którym coraz więcej osób głosi tezę „Bóg – tak, Kościół – nie", stała się popularność niemieckiego teologa Eugena Drewermanna, który na początku lat dziewięćdziesiątych stanął w opozycji wobec dyscypliny doktrynalnej Kościoła, a skończył podważając wiarygodność Biblii oraz wikłając się w sprzecznościach logicznych. Na przykład odmawiał znaczenia sakramentom, ale skarżył się, że odebrano mu prawo ich udzielania[64]. Popularność Drewermanna jako „teologa" nie ucierpiała mimo oznak braku równowagi duchowej. W jego pismach Kościół jawi się jako organizacja totalitarna, a swoje przeżycia związane z suspendowaniem porównuje on do cierpień więźniów Kołymy.

Jeśli istnieniu Boga zaprzeczają ateiści, to można powiedzieć, że są w zgodzie ze sobą. Trudno jednak zrozumieć ateizm chrześcijan. Zapytany do jakiego Boga się modli, anglikański duchowny i filozof Don Cupitt odpowiada: „do Boga, który jest wytworem poetyckiej wyobraźni, ucieleśnieniem ludzkich aspiracji, symboliczną formą ogniskującą nasze uczucia kosmicznej miłości i wdzięczności". Innymi słowy, Cupitt modli się do Boga, którego sobie wymyślił. Mało tego, twierdzi, że nie doprowadził się do tego stanu sam, lecz że winien tego jest obiektywny proces ostatnich dwustu lat, gdy „pojęcie Boga tak się rozmyło". Cały problem tkwi w owym „się". Nawet jeśli ludzie tracą wiarę, to, zdaniem Cupitta, nie jest to ich sprawa, lecz wynik działania jakiś niejasnych sił, owego tajemniczego „się". Cupitt żąda „klarownego pojęcia Boga". Inaczej, powiada, można tylko „wierzyć w Boga, tak jak się wierzy w jakiś ideał, będąc jednocześnie przekonanym, że nie został on nigdzie zrealizowany". Anglikański filozof wydaje się mieć podświadomą pretensję, że w zbudowanym przez niego salonie krzywych luster nie widzi Boga,

---

[63] *Historia Kościoła*, (Warszawa: PAX, 1985), t. V, ss. 140–149.
[64] „Gott – ja, Kirche – nein", *Der Spiegel*, 20 XII 1993 r.

lecz tylko własną, wątpiącą twarz. „Prawda absolutna – twierdzi – nie jest osiągalna ani na gruncie religii ani w nauce. Czas najwyższy, abyśmy zdali sobie sprawę, że całe nasze myślenie i próby poznania świata nie mogą wykroczyć poza horyzont języka"[65]. Cupitt twierdzi z pewnością godną lepszej sprawy, że to „my jesteśmy autorami tych wszystkich opowieści", czyli najwyraźniej Pisma Świętego. Cupitt go jednak ewidentnie nie zna. Narzeka, że nie znalazł tam „racjonalnych dowodów", a tylko nakazy „posłuszeństwa wobec hierarchii". Twierdzi, że „Jezus nie był założycielem żadnego Kościoła"[66]. Protestując przeciw „moralnym rygorom" Cupitt podważa Dekalog, ale ignorowanie Pisma Świętego nie burzy dobrego samopoczucia Cupitta jako „chrześcijanina".

Rozmycie chrześcijaństwa posunęło się najdalej w kościołach protestanckich. W listopadzie 1995 roku biskup szkockiego kościoła episkopalnego z Edynburga Richard Holloway stwierdził, że normy zawarte w Biblii „są przestarzałe" i nie dają odpowiedzi na pytania nurtujące współczesnych ludzi. Synod Church of England z 1996 roku postanowił odstąpić od nauki o piekle. Luterańska pani biskup Sztokholmu zaproponowała nawet, by pousuwać z widoku publicznego krzyże, co byłoby dobrym gestem w stronę muzułmanów[67]. Na razie nie proponowała zmiany szwedzkiej flagi.

Obrona podstawowego kanonu prawd wiary Kościoła przed wpływami modernizmu skłaniała część hierarchii i duchowieństwa, a bardziej współcześnie także wielu świeckich, do głoszenia poglądów „bardziej papieskich niż sam papież", do łatwego potępiania wszelkich przejawów nowoczesności. Od tego rodzaju postawy w sprawach doczesnych nie byli zresztą wolni nawet niektórzy papieże. Na przykład Grzegorz XVI zakazał budowy kolei w Państwie Kościelnym nazywając ją *chemin d'enfer*[68]. Już w XX wieku, zachęceni przez antymodernizm Piusa X hierarchowie i działacze polityczni zaczęli tworzyć organizacje o charakterze integrystycznym. W latach 1909–1914 powstała na przykład tajna sieć zwana „Sodalitium pianum" lub „Sapiniere", kierowana przez biskupa Umberto Benigniego, a zajmująca się rejestracją wszelkich odchyleń w kierunku modernistycznym i hamująca rozważną refleksję nad stosunkiem Kościoła do świata współczesnego, zapoczątkowaną w czasie pontyfikatu Leona XIII.

Pułapkę stanowił katolicki nacjonalizm w postaci francuskiego gallikanizmu i austriackiego józefinizmu. Papież Pius X początkowo popierał monarchistyczną, nacjonalistyczną i antysemicką Action Française Charles'a Maurrasa. Dopiero kiedy niektórzy jej działacze zaczęli demonstrować agnostycyzm, w 1913 roku

---

[65] Cupitt powtarza tu stary błąd filozoficzny, na który niedawno zwrócił uwagę Mortimer J. Adler (*Dziesięć błędów filozoficznych*, Warszawa: Medium, 1995, s. 30), a mianowicie myli postrzeganie z istnieniem. Jak pisze Adler, człowiek może się znajdować wobec przedmiotu w trojakiej relacji: może go postrzegać, wspominać lub wyobrażać. Warto więc zapytać, jak można sobie wymyślić Boga jako przedmiot wykraczający poza postrzeganie, pamięć, a nawet wyobrażenie?

[66] Wszystkie cytaty: „Chrześcijaństwo bez Boga", *Rzeczpospolita*, 9/10 I 1999 r.

[67] „Zamiast krzyży drogowskazy do Mekki", *Gazeta Polska Codziennie,* 7 X 2015 r.

[68] Kelly, *Encyklopedia papieży*, s. 430.

Pius X cofnął organizacji swe uznanie, a w 1914 roku pisma Maurrasa zostały wciągnięte na kościelny indeks. W 1926 roku Pius XI ogłosił dekret zakazujący katolikom uczestnictwa w Action Française. Kiedy Maurras pojednał się z Kościołem, w 1939 roku Pius XII cofnął potępienie ruchu. Prawicowy ekstremizm typu faszystowskiego wydawał się jednak wielu katolikom atrakcyjnym instrumentem obrony przed komunizmem, ateizmem i materializmem. W dziele tym najdalej posunęli się niektórzy katolicy, a nawet księża chorwaccy i słowaccy aktywnie wspierając eksterminację Żydów w czasie II wojny światowej. Trudno jednak na tej podstawie twierdzić, że Kościół jako taki jest winien popularności faszyzmu czy nazizmu.

Dokonane na II Soborze Watykańskim *aggiornamento* [dostosowanie do dziejszego dnia – przyp. red.] wywołało rozmaite reperkusje. Uruchomiło ogromną aktywność niektórych kręgów kościelnych, ale także zachęciło pochopnych „progresistów" do własnych interpretacji tradycji i doktryny, a w konsekwencji rozmyło je i osłabiło oddziaływanie Kościoła na szerokie kręgi społeczeństw zachodnich. W reakcji na te zjawiska zrodził się współczesny integryzm, który często przywoływał pamięć papieża Piusa X. W 1988 roku abp Marcel Lefebvre wyświęcił samowolnie czterech biskupów, co automatycznie spowodowało obłożenie go klątwą. Abp Lefebvre powołał do życia Bractwo Piusa X, liczące obecnie około 400 kapłanów w całym świecie. Do kryzysu Kościoła katolickiego wypadnie jeszcze powrócić w następnych rozdziałach.

WSPÓŁCZESNY ATEIZM

Ważnym czynnikiem, który pogłębił dechrystianizację pokolenia lat sześćdziesiątych na Zachodzie, był musical *Jesus Christ Superstar*, którego premiera odbyła się na nowojorskim Broadwayu 12 października 1971 roku. Musical grany był w Londynie i wielu innych miastach, a na Broadwayu do 2012 roku. Muzykę do niego napisał Andrew Lloyd Webber, a słowa – Tim Rice. Przedstawienie ukazywało Chrystusa jako człowieka, obdarzonego niejasną misją mesjańską i niezwykłymi uzdolnieniami, ale pełnego wątpliwości co do tej misji oraz ludzkich zupełnie uczuć wobec uczniów i Marii Magdaleny. Proces Chrystusa pozbawiony jest kluczowej sceny, w której Chrystus przyznaje wobec arcykapłanów, że jest Synem Bożym, a całość kończy ukrzyżowanie, tak jakby nie było zmartwychwstania. Dość tandetne przedstawienie nie spotkało się początkowo z wielkim aplauzem, ale było usilnie lansowane i w końcu zyskało wielką popularność, mimo że w sposób oczywisty przeciwstawia się ewangelicznej opowieści o Odkupicielu, a nawet ukazuje Żydów w niekorzystnym świetle. Na zarzuty te Rice odpowiedział wprost, że nie widzi Chrystusa jako Boga, ale jako człowieka[69].

---

[69] http://www.jesuschristsuperstar.com (7 V 2018); Ellis Nassour, Richard Broderick, *Rock Opera: The Creation of Jesus Christ Superstar*, (Hawthorn Books, 1973).

Papież Pius XII (1876–1958), krytyk nazizmu i komunizmu, reformator liturgii. Kościołem katolickim kierował przez 19 lat w bardzo trudnych nie tylko dla chrześcijan czasach.

Cywilizacja zachodnia doszła obecnie do momentu, gdy można z całą powagą głosić tezy podobne do tych twierdzeń niejakiego Petera Watsona w „New York Times". Na pytanie o najgorszy wynalazek w historii ludzkości powiedział on: „Bez wątpienia etyczny monoteizm (…) Był on przyczyną większości wojen i bigoterii w historii"[70]. Bzdura ta stanowi kwintesencję kłamstw współczesnego ateizmu co do roli chrześcijaństwa w historii Zachodu. Być może Watson był pod wrażeniem obłędu współczesnych islamistów, zabijających w imię Boga. Nie czyni to jednak jego twierdzenia mniejszym absurdem. Jeśli fundamentalizm islamski jest groźny dla cywilizacji, to zdaniem Davida B. Harta, fundamentalizm współczesnych ateistów, „dryfujących po oceanie ignorancji, wzburzonym od czasu do czasu przez sztormy wojowniczego zadufania w sobie"[71], jest co najmniej równie groźny.

W porównaniu z dawnymi przeciwnikami chrześcijaństwa dzieła współczesnych piewców ateizmu, takich jak na przykład teoretyk nauki Daniel Dennett[72], zoolog Richard Dawkins[73], dziennikarz Christopher Hitchens[74], neurobiolog Sam Harris[75], czy Dan Brown, autor *Kodu Leonarda da Vinci*, są żałośnie płytkie. Jako „religioznawca" Dennett stosuje na przykład metodę „dowodzenia" przez kwantyfikację zjawisk nie poddających się mierzeniu i to w oparciu bardziej o intuicję niż fakty. Stosuje także język omijający rzeczywistość. Usiłuje dowieść, że wszystkie religie mają wspólny mianownik i stawia pytania zupełnie nieistotne, takie jak „czy religia zasługuje na naszą lojalność". Harris z kolei powtarza w kółko, że wszelkie formy religijności pozbawione są jakichkolwiek podstaw i że religia jest źródłem przemocy, podziałów i ucisku, toteż ze względu na pokój należy jej zakazać. „Badacze" typu Dennetta, Harrisa czy Dawkinsa twierdzą też, iż wierzący stanowią grupę ludzi nie poddających swoich wierzeń analizie naukowej. Są to popłuczyny po twórcach nowożytnego ateizmu, lansowane w masowych nakładach bez oparcia w żadnej poważnej analizie intelektualnej. David B. Hart dworuje sobie z „naukowych" pretensji tych autorów, wykazując, że ich metody pracy umysłowej są jak najdalsze od podstawowych kryteriów racjonalności i uczciwości badawczej. Pisze, iż chrześcijaństwo nie jest po prostu jedną z religii o niejasnych korzeniach. Oparte jest bowiem na wydarzeniu historycznym, znanym z przekonujących relacji. „Jest to relacja mężczyzn i kobiet, którzy doświadczyli druzgocącej porażki, jaką była śmierć ich ukochanego mistrza, lecz którzy równocześnie w krótkim czasie zaczęli rozgłaszać bezpośrednie doświadczenie jego żywej obecności poza grobem, gotowi, jak się zdaje, cierpieć raczej ubóstwo, więzienie, tortury i śmierć, aniżeli wyrzec się tego doświadczenia. Jest to także relacja człowieka, który nigdy nie znał Jezusa przed ukrzyżowaniem, prześladował

---

[70] *New York Times*, 11 XII 2005 r., cyt. za: Hart, *Chrześcijańska rewolucja a złudzenia ateizmu*, s. 19.
[71] Tamże, s. 18–19.
[72] Daniel Dennett, *Odczarowanie*, (Warszawa 2008).
[73] Richard Dawkins, *Bóg urojony*, (Warszawa 2007).
[74] Christopher Hitchens, *Bóg nie jest wielki*, (Katowice 2008).
[75] Sam Harris, *The End of Faith: Religion, Terror and the Future of Reason*, (New York 2004).

Scena z inscenizacji głośnego amerykańskiego musicalu „Jesus Christ Superstar", w którym Jezus przedstawiony został jako osoba ogarnięta ludzkimi słabościami i namiętnościami.

jego uczniów i który również uwierzył, że doświadczył zmartwychwstałego Chrystusa i to z taką wstrząsającą mocą, że wolał śmierć niż zdradę tej wiary"[76].

Pretensje współczesnych ateistów opierają się w dużej mierze na ignorancji, nieuprawnionych uogólnieniach i antyreligijnych obsesjach. Fakt, że ktoś zabija z powodów religijnych nie jest żadnym dowodem na to, że religia zabija. Jak pisze David B. Hart, „zabijają politeiści, zabijają monoteiści, zabijają ateiści. Zwłaszcza ta ostatnia grupa jest szczególnie skłonna do zabójstw, o czym zaświadcza historia dwudziestego wieku (…) To nie koniec. Ludzie zabijają także dla pieniędzy, ziemi, miłości, z urażonej dumy, z powodu nienawiści, zazdrości, ambicji. Zabijają z przekonań lub z braku przekonań". Różnica między złem dokonywanym przez chrześcijan i osób kierujących się innymi przekonaniami, na przykład demokracją, polega na tym, że chrześcijaństwo zakazuje czynienia zła, a w pozostałych przypadkach bywa różnie. Demokracja na przykład ma skłonność do zakazywania zakazów. Absurdalne jest przeświadczenie, że kierując się naturą unikniemy zła. Przyroda bowiem nie stosuje żadnych zasad moralnych. Dennett twierdzi, że teoria ewolucji może być źródłem pozytywnego prawa moralnego. Dalej poszedł tylko Marks, dowodząc, że nienawiść klasowa zbuduje bardziej sprawiedliwe społeczeństwo. Hart konkluduje: „Każdy system

---

[76] Hart, *Chrześcijańska rewolucja a złudzenia ateizmu,* s. 26–27.

etyczny rozwijany w oderwaniu od jakiejkolwiek prawdy transcendentalnej (...) to ułomna i krucha fikcja"[77].

Debata, jaka uruchomiono przy okazji popularności antychrześcijańskiego bestselleru Dana Browna *Kod Leonarda da Vinci* była zdumiewająca. Jej uczestnicy „odkrywali" na nowo źródła do krytycznej analizy Nowego Testamentu i oceniali je „krytycznie" z precyzją walca drogowego. Tymczasem poza pismami gnostyckimi, które wnoszą niewiele, nic nowego na ten temat nie wiadomo, a rewelacje zawarte w *Kodzie da Vinci* są odgrzewaniem sensacji, które produkowano w wielkich ilościach w pierwszych wiekach naszej ery w trakcie namiętnych polemik religijnych. Dla ukazania „wiarygodności" cytowanych w broszurze opinii wystarcza jedna kwestia. Elaine Pagels, profesor religioznawstwa na Princeton University, argumentuje, że pierwsze informacje, jakie posiadamy o Chrystusie, zostały spisane najwcześniej 20 lat po jego śmierci, a więc, że są to informacje „stosunkowo późne". Otóż nie tylko profesor Princeton, ale każdy, kto choć trochę orientuje się w historiografii starożytnej, powinien wiedzieć, że taki odstęp czasowy od wydarzenia do posiadanego dziś przekazu jest wyjątkowo krótki. Większość posiadanych przez nas dziś kopii starożytnych dzieł, nawet jeśli pisane były przez świadków wydarzeń (a jest to rzadkie), powstała wiele setek lat po napisaniu oryginału dzieła, a w przypadku Ewangelii mamy do czynienia z odstępem niecałych stu lat. Podsumowanie wszystkich błędów i przeinaczeń, zawartych w *Kodzie da Vinci* można znaleźć w książce Carl E. Olson, Sandra Miesel, *The Da Vinci Hoax* (Ft. Collins, 2004). Niedawna publikacja „Ewangelii Judasza", w której zdrada Iskarioty jest przedstawiona jako jego pozytywny wkład w zbawienie, była znana wcześniej jedynie z fragmentów i komentarzy, między innymi św. Ireneusza i św. Epifaniusza. Dzięki obecnej publikacji możemy ją poznać w większej części, co jednak nie zmienia jej miejsca wśród apokryfów gnostyckich z pierwszych wieków ery chrześcijańskiej. „Ewangelia Judasza", jest związana z działalnością sekty kainitów, którzy odwracali znaczenie dzieła odkupienia, usprawiedliwiając Judasza, ale także Kaina, Ezawa i inne negatywne postacie z Biblii. Dobrze, że odnaleziono pełniejszy tekst „Ewangelii Judasza", gdyż można teraz przestudiować dokładniej jego miejsce w obfitej literaturze gnostyckiej. Trzytomowe studium apokryfów pod redakcją ks. Marka Starowieyskiego stanowić może cenny przewodnik po tej literaturze, ukazujący genezę i znaczenie poszczególnych, bardzo zresztą zróżnicowanych pism tego rodzaju[78].

Dan Brown opisał więc Jezusa nie takiego, w jakiego wierzyli pierwsi chrześcijanie, ale takiego, którego wymyślali późniejsi heretycy: Marcjon, Ariusz, gnostycy czy Pelagiusz. Problem jest w tym, że współcześni przeciwnicy chrześcijaństwa używają apokryfów jako podstaw alternatywnego tłumaczenia życia i misji Chrystusa. Dotyczy to zarówno „poważnych" debat naukowych, które nazwano już „gnostycyzmem z Princeton", jak i kultury masowej, czego szczególnym przejawem jest *Kod da Vinci*. Jest jednak wspólny mianownik tych deliberacji. Jest

---

[77] Tamże, ss. 28 i 31.
[78] Ks. Marek Starowieyski (red.), *Apokryfy Nowego Testamentu*, (Kraków: WAM, 2003), t. I–III.

nim założenie z góry, że czterej ewangeliści są w błędzie, że Chrystus nie był Bogiem-Człowiekiem, a cała tradycja, która wyrosła z tego przekonania, a więc całe chrześcijaństwo, opiera się na manipulacji. Jest charakterystyczne, że autorzy, którzy ochoczo komentują „odkrycia" Browna, nawiązują jedynie do literatury gnostyckiej, a także do późniejszych utworów okultystycznych i feministycznych. Ignorują zaś pisma chrześcijańskie. A wszystko w duchu „spiskowej teorii dziejów", którą zapewne ich światłe umysły odrzucają. Kręcą się oni w błędnym kole dowolnych spekulacji, często sami sobie przeczą, a w końcu ujawniają bezsilność w logicznym wytłumaczeniu fenomenu Chrystusa innym niż chrześcijańskie.

W neognostyckich deliberacjach nie rozróżnia się też na ogół dobra i zła. Jest tylko gra o władzę w tym świecie. Zamiast przypomnienia niezwykłych słów Chrystusa z kart Ewangelii, mamy domysły o znaczeniu postaci spoczywającej obok Chrystusa na obrazie Leonarda da Vinci, mamy spekulacje na temat Zakonu Syjonu, który nie wiadomo, czy w ogóle istniał, mamy „odkłamywanie" roli Marii Magdaleny, mamy odczytywanie tajnych znaków w jakimś kościele, mamy całą masę nieznanych faktów, które oczywiście są nieznane dlatego, że zostały zatajone. Nie znając Ewangelii, czytelnik Browna może się dać uwieść wątkom sensacyjnym i kryminalnym i nawet nie zauważy, że przyjmuję logikę spisku zamiast logiki wiary. Zamiast dwu tysięcy lat tradycji wiary w Boga, mamy piramidę bzdur. Jak tłumaczy jeden z organizatorów „debat" wokół *Kodu da Vinci*, Dan Burstein, „nasza materialistyczna, technologiczna, naukowa, zalewana informacją kultura spragniona jest nie tylko pożywki intelektualnej wielkich idei, ale także poczucia sensu i znaczenia"[79]. Stąd bierze się, jego zdaniem popularność *Kodu da Vinci*. Może i tak jest, tyle tylko, że sens ów do niedawna dawało chrześcijaństwo, a obecnego chaosu umysłowego, jaki powstał po jego wyparciu, nie daje się wypełnić stale nowymi rewelacjami o tajemnych spiskach, ukrywających „prawdziwą wiedzę". Ponieważ nie wiadomo, jaka jest to wiedza, chaos tylko się wzmaga. Jest to zresztą echo niezwykłej mody na ezoteryzm w popkulturze ostatnich dekad.

Najbardziej poczytni autorzy na świecie, tacy jak Joanne K. Rowling, Paulo Coelho czy Stephenie Meyer w milionowych nakładach propagują ideologię ezoteryczną i okultystyczną, często odwołując się do najmłodszych czytelników.

Bardziej wyrafinowany czytelnik może się nie poddać zalewowi antychrześcijańskich bzdur w mediach, lecz przeciętny odbiorca tych treści znajdzie na przykład w wielkonakładowym *International Herald Tribune* wynurzenia byłego anglikańskiego biskupa Edynburga, Richarda Hollowaya, który roztrząsa sytuację, w której „Bóg umarł"[80]. W jego wywodach widać całą drogę, jaką przebywa człowiek tracący wiarę na własne życzenie. Holloway twierdzi, że „Bóg umarł od tysięcy ran zadanych mu przez jego własnych wyznawców". Nie zauważa, że twierdzenie to ujawnia fundamentalne niezrozumienie chrześcijańskiej koncepcji Boga, transcendentnego bytu, który jest miłością. To nie człowiek wybrał Boga, lecz Bóg wybrał człowieka. Kto tego nie pamięta, przestaje być chrześcijaninem.

---

[79] Dan Burstein (red.), *Secrets of the Code* (London: Orion Books, 2005), s. XXV.
[80] Richard Holloway, „Now that God is dead", *International Herald Tribune*, 12 I 2005 r.

Holloway ubolewa, że wysiłki na rzecz „liberalizacji" chrześcijaństwa zawiodły, gdyż nie ujawniły wszystkich „absurdów", które ludziom podawano do wierzenia. Holloway uwierzył więc w „moralne zużycie" chrześcijaństwa i zapragnął „inwestycji restytucyjnych", czyli odtworzeniowych. Te inwestycje, mające unowocześnić park maszynowy chrześcijaństwa, to kapłaństwo kobiet, akceptacja homoseksualizmu, aborcji i eutanazji, a więc zaprzeczenie chrześcijaństwa. Być może dla Hollowaya ideałem byłaby wspólnota „luterańska" z kalifornijskiego miasteczka Ebenezer, powstała i kierowana przez pastora Stacy Boorna, która „mocno stoi przy tradycji chrześcijańskiej w celu odtworzenia boskości przez przywrócenie jej kobiecości w teologii, liturgii, strukturach kościelnych, sztuce, języku, praktykach, przywództwie i aktach miłosierdzia"[81].

Poczucie bezpieczeństwa jest jednym z najsilniejszych ludzkich pragnień. Niepewność, w jakiej toczy się nasze życie i ryzyko, jakie towarzyszy wszystkim naszym działaniom, to zaprzeczenie uczucia bezpieczeństwa, jakie wielu z nas ma szczęście pamiętać z dzieciństwa. Ale nawet ci, którzy tego nie doświadczyli, tęsknią za pewnością i bezpieczeństwem. Tym pierwszym jest może łatwiej, tym drugim – trudniej, ale wszyscy chcielibyśmy oprzeć się na czymś, co nas nie zawiedzie. Członek słynnej rockowej supergrupy Pink Floyd, Roger Waters, stwierdził niedawno, iż marzy o świecie bez religii. Dlaczego? Otóż jego zdaniem wiara łamie ludziom życie. „Gdyby choć było jasne, że Bóg istnieje, to byłoby fajnie". Wszystko by było jasne i proste. „Ale ta niepewność – jest Bóg czy Go nie ma – nie pozwala nam naprawdę wziąć swych spraw we własne ręce"[82]. W wyznaniu starzejącego się gwiazdora przejmuje dziecięca wręcz pretensja, że nic w życiu nie jest proste i łatwe, że nie ma gwarancji bezpieczeństwa jego obsługi. Wydaje mi się, że tak myśli bardzo wielu ludzi. Dlaczego nie wiemy, tylko musimy wierzyć? Ba, nawet wierząc w Boga bardzo często traktujemy go jako instytucję ubezpieczeniową w ludzkim sensie. Pomodlimy się, poprosimy, a więc wykupimy polisę ubezpieczeniową i w razie wypadku wszystko powinno być dobrze. A tymczasem nie zawsze jest, więc zanosimy pretensje do ubezpieczyciela.

Los człowieka jest trudny. Nasze życie pełne jest niespodzianek, często przykrych. Nie możemy uniknąć cierpienia. Nie wiemy na pewno, jak to się wszystko skończy. Ale z potrzeby pewności na ogół się wyrasta, gdyż jest to cecha dziecięca. Dziecko łatwiej stanie się dorosłym, gdy otrzyma odpowiednią dawkę poczucia bezpieczeństwa i pewności na starcie, ale później musi sobie uświadomić, że przedłużeniem tego poczucia może być tylko wiara w Boga, że inaczej zawsze pozostanie się zagubionym dzieckiem. Dzisiejsi dorośli mieszkańcy Zachodu, tacy jak Waters, zachowują się odwrotnie. Albo nie otrzymali owego kapitału początkowego wiary, albo go roztrwonili. Jak dzieci obnoszą się z pretensjami do życia,

---

[81] Richard John Neuhaus, „The Public Square", *First Things*, 2005, nr 6, s. 74.
[82] Roger Waters, „Ich habe einen Traum", *Die Zeit*, 16 II 2006 r., s. 70.

Adam i Ewa na miedziorycie XV-wiecznego niemieckiego malarza i grafika Albrechta Dürera. Coraz częściej zdarza się, że starotestamentowe przekazy stają się przedmiotem manipulacji naukowców, literatów czy reżyserów.

które nie zaspokaja ich oczekiwań. Co więcej, im mniejszy ów kapitał, tym większe oczekiwania, że życie będzie jednym pasmem atrakcji i sukcesów oraz tym większe rozgoryczenie, że nie jest. Winę za to wszystko ponosi oczywiście Bóg, który nie daje jasnych gwarancji, który jest wobec tego tak niedobry, że pewnie Go nie ma.

ANTROPOLOGIA „NIEOGRANICZONA"

Niezależnie od tego, czy mamy do czynienia z ateizmem „miękkim", odzianym w szaty agnostycyzmu, czy ze współczesnymi formami ateizmu wojującego, sprawa sprowadza się do tego, jaka koncepcja człowieka wyłania się po „śmierci Boga". Michał Gierycz przypomniał niedawno rozróżnienie Thomasa Sowella wizji człowieka i społeczeństwa „ograniczonej" i „nieograniczonej"[83]. W wizji pierwszej dominuje pojęcie tak czy inaczej zdefiniowanego dobra, w drugiej zaś – priorytetem jest wolność, która w praktyce walki politycznej owocuje zjawiskami zupełnie odwrotnymi. Wolność „liberalna", ograniczająca działania człowieka przez wolność innych ludzi, dawno już ustąpiła tu wolności anarchicznej, która przełamuje wszelkie bariery ignorując wolność innych osób. Można sobie też zadać pytanie, czy jest tak, jak pisze Gierycz, że „w wizji ograniczonej rozum jest traktowany z dużo większym dystansem" niż w wizji nieograniczonej[84]. To przecież rozum nakazuje dostrzegać ludzkie ograniczenia i nie rozszerzać zakresu spraw podlegających decyzjom politycznym na obszar natury. I to brak rozumu każe niektórym politykom używać haseł wolnościowych w odniesieniu do zjawisk, które niszczą tkankę społeczną.

Tezy zwolenników wizji nieograniczonej, o tym, że prawo jest tworem człowieka, interpretowanym przez „kompetentnych" sędziów dla osiągnięcia „pożądanych" społecznie rezultatów, są w istocie rodzajem błędnego koła tłumaczenia nieznanego przez nieznane i prowadzą wprost do marksistowskiej teorii prawa jako wyrazu woli klasy panującej. Teoria ograniczoności wynika z Księgi Rodzaju, gdzie Bóg zakazał Adamowi i Ewie spożywania owocu z „drzewa poznania dobra i zła". Metafora ta barwnie oddaje ograniczenie ludzkiej kondycji w kontekście poznania, mimo, że gdzie indziej Księga Rodzaju sugeruje wyposażenie człowieka w wolną wolę. Wolność jest więc tu swobodą wyboru, ale dobro wymaga respektowania zasad (można je nazwać "prawem naturalnym"), które nie człowiek ustanowił. Przed chrześcijaństwem zauważał to i Sokrates, i Hipokrates. Paradoksalnie to antropologia „ograniczona" broni wartości życia, godności osoby ludzkiej, między innymi przejawiającej się w jej dwoistej postaci mężczyzny i kobiety, stanowiącej warunek małżeństwa i prokreacji, a także rozumność i społeczność człowieka. Ważnym argumentem za antropologią ograniczoną w kontekście płciowości jest genetyka. Ludzkie komórki płciowe, czyli gamety, nie chronią swego

---

[83] Michał Gierycz, *Europejski spór o człowieka. Studium z antropologii politycznej*, (Warszawa: Wydawnictwo Naukowe UKSW, 2017), s. 163.

[84] Tamże, s. 165.

kodu genetycznego tak jak inne komórki, lecz tracą go w momencie zapłodnienia. Powstała w ten sposób zygota ma już swój własny, unikatowy kod genetyczny. Zachowując niektóre cechy kodu rodziców, jest to kod odrębny, należący do nowej osoby gatunku ludzkiego[85]. Również zdrowy rozsądek podpowiada, że istnieją dwa podstawowe ograniczenia człowieka: niedoskonałość i stworzoność nie przez siebie samego. Obydwa sprowadzą się w istocie do tego samego: człowiek jest niedoskonały, bo nie jest Bogiem.

CZŁOWIEK BEZ NATURY

Wedle luminarzy Oświecenia doskonałość człowieka pierwotnego wynikała z tego, że był on produktem natury, a nie Boga. Istota rozróżnienia antropologii ograniczonej i nieograniczonej sprowadza się więc do kluczowego pytania o istnienie Boga. Rzekoma „nieograniczoność" człowieka od natury sugeruje "płynność" natury ludzkiej i możliwość „stwarzania się" człowieka przez niego samego oraz zaciera granicę między człowiekiem a zwierzętami. Ostateczne, szokujące konsekwencje z tego wyciągnął niedawno australijski etyk Peter Singer, o którym będzie jeszcze mowa.

W człowieku „nieograniczonym" nie ma więc żadnej stałej natury, a jedyną cechą odróżniającą go od zwierząt jest „samodoskonalenie", choć – i tu brakuje komentarza autora – jego powody i kryteria pozostają tajemnicą. Również etyka utylitarna, cechująca antropologów „nieograniczonych" nie posiada trwałej podstawy, gdyż użyteczność jest mocno względna. Rzekoma racjonalność tej wizji człowieka staje pod znakiem zapytania. Jeszcze więcej problemów do rozwiązania stawia antropologia kolektywistyczna[86]. W rezultacie, pisze Michał Gierycz, „Niewiara w istnienie głębszych niż naukowo osiągalne uzasadnień sensu i moralności powoduje, iż w nurcie antropologii nieograniczonej doświadczenie bezpośredniości wartościowania utożsamione zostaje z edukacją uczuć, które mogą być dowolnie ukształtowane w procesie socjalizacji (…) tutaj rozum służy do demaskacji wszelkich (…) uzasadnień moralności", oraz dalej: „antropologia nieograniczona, jeśli chce uniknąć mielizny podważenia idei nienaruszalnej godności, może ją przyjmować jedynie bez uzasadnienia: jako imperatyw rozumu praktycznego lub aksjomat"[87].

Narzeka się często na współczesnego „człowieka bez tożsamości". Trudno się jednak dziwić jego narodzinom, skoro trudziły się nad tym usilnie ostatnie pokolenia antropologów i socjologów, minimalizując lub wręcz zacierając różnicę między człowiekiem i innymi gatunkami oraz maksymalizując różnice w obrębie gatunku ludzkiego. Zgromadzono też całe biblioteki dzieł, w którym pozbawiano człowieka wyjątkowej natury gatunkowej. W konsekwencji duża część dzisiejszych

---

[85] Jan Grosfeld, „Źródła tożsamości seksualnej współczesnych Europejczyków. Kryzys czy nadzieja?" (w:) „Inny" człowiek w „innym" społeczeństwie? Europejskie dyskursy, (Warszawa: Wydawnictwo Centrum Europejskiego Uniwersytetu Warszawskiego, 2008), ss. 109–117.

[86] Gierycz, Europejski spór o człowieka, ss. 233–240.

[87] Tamże, ss. 241–242 i 247.

„humanistów" za swój przyjmuje prosty osąd wyrażony przez Maurice Merleau-
-Ponty'ego, iż „naturą człowieka jest nie mieć natury"[88]. Świadomość wagi błędu
co do braku natury ludzkiej jest przy tym odwrotnie proporcjonalna do jego znaczenia i konsekwencji. Obiegowa mądrość każe nam wierzyć, iż człowiek to też
tylko zwierzę, tyle że bardziej przemyślne i okrutne.

Mimo iż możemy odczuwać pewne rozrzewnienie genetyczną bliskością małp
i ludzi, zachodzi między nimi różnica, której nie da się wytłumaczyć jedynie przy-
stosowaniem gatunków do warunków życia. To być może prawda, że szympanse
czy goryle poddane specjalnemu treningowi przez Jane Goodall i Dian Fossey
ujawniły pamięć, zdolność do wzruszeń i ekspresji, a także zdolność do używania
narzędzi[89], ale cechy te nie dorównują w żadnej mierze ludzkiej zdolności do autorefleksji oraz rozwoju funkcji umysłu i wyższych uczuć, owocujących twórczością.
Stawianie małp niemal na równi z gatunkiem ludzkim jest dziwacznym masochi-
zmem współczesnego człowieka.

Antropolodzy podkreślający zróżnicowanie kulturowe grup ludzkich zauważają,
że dla ludzi wspólne jest to, że muszą jeść, pić i się rozmnażać. Wyciągają stąd
wniosek, iż pod względem fizycznym nic nas nie różni od zwierząt. Nie wiadomo
tylko dlaczego zapomina się tu o niezwykłym bogactwie zdolności umysłowych
i uczuciowych, które oczywiście ludzie różnie wykorzystują, ale których nie dzie-
limy z żadnym innym gatunkiem. Akcentując zróżnicowanie języków, wierzeń,
obyczajów, struktur społecznych, norm postępowania i innych elementów kultury
zapomina się, że są one cechami, których zwierzęta nie posiadają. Mówi się za to,
że gatunek ludzki nie ma jednolitej natury. Praktycznym rezultatem tej tezy jest
cały szereg nadużyć w postaci dzielenia ludzi na lepszych i gorszych ze względu
na rasę, klasę, płeć i inne wyróżniki, a także podkopywanie fundamentu ludzkiej
cywilizacji – poczucia specjalnej godności osoby ludzkiej. Nie przypadkiem zresztą
doktryny, które najbardziej drastycznie uzależniały wartość człowieka od rasy czy
klasy – nazizm i komunizm – czerpały obficie z materializmu antropologicznego,
prowadząc do najdalej posuniętego „zezwierzęcenia" człowieka w praktyce. Po-
twierdziło się ostrzeżenie Johna H. Hallowella, że „jeśli ludzie będą dość długo
twierdzić, iż nie różnią się zasadniczo od zwierząt, to nie będą mogli się nawet
uskarżać, iż traktowani są jak zwierzęta"[90].

Tymczasem dowody, które się przytacza na brak natury ludzkiej, świadczą
o czymś wręcz przeciwnym. Różnice kulturowe oczywiście istnieją, ale nie świadczą one wcale o niejednorodności gatunku ludzkiego, tylko, przeciwnie, właśnie
o jego naturze i odrębności od świata zwierzęcego. Które bowiem zwierzęta potrafią rozwinąć abstrakcyjne pojęcia i formy językowe, wierzenia i normy moralne, obyczaj i samoświadomość? Przecież „potencjalność" człowieka, zdolnego
do wykształcenia tego wszystkiego, najwyraźniej stanowi o jego naturze! „Żadne

---

[88] Cyt. wg: Adler, *Dziesięć błędów filozoficznych*, s.139. Por. też: Zbigniew Stawrowski, *Wokół idei wspólnoty*, (Kraków: Ośrodek Myśli Politycznej, 2012), ss. 13 nn.

[89] Peter Singer, *O życiu i śmierci*, (Warszawa: PIW, 1994), ss. 191–192.

[90] John H. Hallowell, *Moralne podstawy demokracji*, (Warszawa: Wydawnictwo Naukowe PWN, 1993), s. 79.

zwierzę – stwierdza Mortimer Adler – nie jest własnym tworem w wyżej wskazanym sensie"[91].

Równie szkodliwe efekty wywołały próby pozbawiania człowieka społecznej cechy jego natury. W starożytności i średniowieczu różne szczeble organizacji społecznej, od rodziny przez plemię aż do państwa uznawane były za zjawiska naturalne. Dopiero Hobbes i Rousseau zakorzenili współczesne mniemanie, że „naturalny stan" człowieka polega na egoizmie i anarchii, a organizacja społeczna jest wynikiem umowy między ludźmi. Teoria „umowy społecznej" utorowała drogę społeczeństwu obywatelskiemu, ale zabiła w ludziach poczucie naturalności związków między nimi. Kontrakt stał się podstawą nie tylko życia społecznego i gospodarczego, ale także rodzinnego. Kontraktowość stosunków międzyludzkich tylko pozornie porządkuje życie społeczne, podobnie jak „planowość" pozornie porządkowała gospodarkę nakazowo-rozdzielczą. Jednocześnie bowiem kontraktowość zagłusza spontaniczny odruch empatii, wychodzenia człowieka naprzeciw drugiemu człowiekowi, które, obok egoizmu, także znajduje się w naturze ludzkiej. Jest bowiem faktem stwierdzonym przez psychologów, że gdy noworodek usłyszy płacz innego dziecka, sam zaczyna płakać. Na tej podstawie Martin Hoffman z New York University twierdzi, że jest to pierwszy wyraz ludzkiej empatii[92].

EWOLUCJONIŚCI

W Stanach Zjednoczonych rozgorzała walka między wyznawcami darwinizmu i zwolennikami Inteligentnego Projektu, jak eufemistycznie nazywają siebie samych kreacjoniści. Jedni wierzą, że teoria ewolucji już wyjaśniła świat i pochodzenie człowieka lub że je wkrótce wyjaśni. Drugich razi w darwinizmie nieobecność Boga i degradacja człowieka do roli jedynie wyżej rozwiniętego zwierzęcia. Spór przeniósł się do szkół i domów, a emocje zaostrzyły i sprymitywizowały argumentację obu stron. Ponieważ spór stał się kwestią polityki szkolnej, do akcji wkroczyły instytucje państwa amerykańskiego. W 1987 r. Sąd Najwyższy USA orzekł, że kreacjonizm szerzy poglądy religijne, toteż należy go usunąć z lekcji biologii. W odpowiedzi kreacjoniści zaczęli dochodzić swych racji na drodze sądowej. Niektórzy z nich traktują zresztą całe Pismo Święte dosłownie, wikłając się w trudnościach. Na przykład profesor inżynierii Andrew McIntosh z University of Leeds dosłownie interpretował Księgę Rodzaju i z powagą wracał do tezy, iż świat powstał około 6 tysięcy lat temu[93].

Dlatego też ks. Michał Heller oponował przeciw argumentacji zwolenników Inteligentnego Projektu, używających terminu „kreacjonizm" jako teorii rzekomo naukowej, która nie znosi przypadku. Teoria Inteligentnego Projektu brzmi rzeczywiście podobnie mechanicystycznie jak teoria ewolucji: „Czego nauka nie

---

[91] Adler, *Dziesięć błędów filozoficznych*, s. 145.
[92] *Charaktery*, 1999, nr 2, s. 4.
[93] Andy McIntosh, *Księga Rodzaju*, (Warszawa: „Vocatio", 2012), s. 47.

jest w stanie wyjaśnić, a więc dziury w naszym rozumieniu świata, ma być śladem Inteligentnego Projektu. Nie za bardzo jednak inteligentnego, skoro pozostały w nim luki", pisze Heller. Uważa on, że teoria Inteligentnego Projektu w isto-cie ośmieszyła chrześcijaństwo i woli raczej określenie Alberta Einsteina, który chciał zrozumieć Zamysł Boga (*The Mind of God*)[94].

Prawda o pochodzeniu świata spoczęła w rękach prawników amerykańskich, co zmobilizowało obrońców państwa prawa do podnoszenia coraz to nowych argu-mentów przeciw Bogu oraz szukania sojuszników w świecie nauki oraz mediów. Niedawno odezwał się wspomniany już profesor Dennett z Tufts University. Wy-znaje on tradycyjny, skrajny determinizm i mechanicyzm, powtarzając twierdze-nie, że „w naturze występują schematy wytwarzane przez pozbawione duszy, mechanicznie przebiegające procesy". Gdyby tak było, wraz z postępem wiedzy bylibyśmy zdolni coraz lepiej je rozpoznawać i prognozować, a więc coraz lepiej przewidywać przyszłość. Tak jednak nie jest. Nadal o przyszłości nie możemy powiedzieć nic pewniejszego niż dotąd. Dennett najpoważniej w świecie twierdzi, iż fizycy, którzy sympatyzują z darwinizmem, przypuszczają, że „obecny wszech-świat przebił się na drodze swego rodzaju ewolucyjnej selekcji spośród wielu roz-maitych wszechświatów"[95]. Cóż za wspaniała podstawa wiary w to, że „rola Boga od wieków się kurczy"! Zdaniem Dennetta ewolucja wszystko wyjaśnia, tylko nie bardzo wiadomo, jak. Spełniło się złowieszcze spostrzeżenie Darwina, że „diabeł w postaci pawiana jest naszym pradziadem"[96].

W wywodach Dennetta pełno jest półprawd i przeinaczeń, wynikających z igno-rancji. Dennett twierdzi, że religia nie uczy moralności, tylko poddaje osobę auto-rytetowi grupy. Chyba nigdy nie słyszał chrześcijańskiej nauki o sumieniu i wolnej woli. Twierdzi, że nagroda za zasługi i kara za grzechy są „obraźliwe dla ludzi", że powinni postępować bezinteresownie. Kłania się teologia chrześcijańska, któ-rej Dennett po prostu nie zna. Najgłębsza motywacja moralna chrześcijanina nie polega bowiem na lęku przed karą, ale na pragnieniu zbliżenia się do Bożej Mi-łości. Dennett zakłada, że wszystko, co obserwujemy, jest wynikiem ewolucji, że jej skomplikowany mechanizm w nieuchronny sposób prowadzi do tego, co jest. Problem w tym, że nie przybliża to nas ani trochę do poznania tego, co będzie, ani też zresztą tego, co było. Na ogół wydaje się nam, że jesteśmy dziś, tu i teraz. Ale czy w ogóle byliśmy? Gdzie jest ta nasza przeszłość, która nas determinuje?

---

[94] Michał Heller, *Filozofia przypadku*, (Kraków: Copernicus Center Press, 2012), s. 233. Kom-pleksowe wyjaśnienie sprzeczności między darwinowską teorią makroewolucji i chrześcijań-ską doktryną stworzenia wynikającą z Pisma Świętego znaleźć można w: o. Michał Chaberek, *Stworzenie czy ewolucja* (Warszawa: Fronda, 2014). Amerykański dominikanin polskiego po-chodzenia zauważa na przykład, że teoria Darwina nie ma dostatecznych podstaw empirycz-nych, gdyż w świetle danych kopalnych niektóre gatunki powstały nagle, a inne pozostają nie-zmienione przez dziesiątki milionów lat. Por. też: „Stworzenie to nie ewolucja. Z o. Michałem Chaberkiem rozmawia Piotr Włoczyk", *Do Rzeczy*, 29 I-4 II 2018 r.

[95] „Coraz mniej miejsca dla Stwórcy. Rozmowa z Danielem Dennettem", *Der Spiegel*, 24 XII 2005 r. za: *Forum*, 2–8 I 2006 r., s. 58–60.

[96] Wg: Joerg Blech, Rafaela von Bredow, Johann Grolle, „A jeśli Darwin się mylił …", *Der Spiegel*, 23 XII 2005 r. za: *Forum* 2–8 I 2006 r., s. 53.

A więc jeśli Dennett nie doświadcza Boga, to nie znaczy, że Go nie ma. Jego istnienie nie zależy też wcale od statystycznej większości ludzi, którzy w Niego wierzą albo nie wierzą.

Dennett chyba naprawdę nie zastanowił się nad przypadkiem i koniecznością. Nie jest oczywiście tak, że „jedynym źródłem przypadkowości w świecie jest nasza ignorancja". Ewolucji świata nie da się jednak wyjaśnić bez przyjęcia, że jej przyspieszenia miały charakter „przypadkowy". Ks. Heller pisał: „przypadek (…) nie niszczy matematyczności świata (…) Wręcz przeciwnie: jest elementem bardzo misternie wkomponowanym w matematyczną strukturę świata. Racjonalność nie załamuje się na przypadkach. Racjonalność, która by się na czymkolwiek załamywała, nie byłaby racjonalnością". I dalej: „w pytaniu: 'Bóg czy czysty przypadek?' wyraźnie pobrzmiewa echo manicheizmu", który dowodził, że „Bóg nie panuje nad wszystkim, że istnieje siła, która mu się sprzeciwia". Jak więc pogodzić pozorną sprzeczność zawartą w pytaniu: „czy Wszechświat jest dziełem Boga czy czystego przypadku?" Ewolucję świata odwołuje Heller do fizycznego pojęcia „nieliniowego układu dynamicznego" – nadającego się też do charakterystyki każdego organizmu żywego – ale podlegającego „fluktuacjom", które „atakują układ" z zewnątrz tego układu, choć wedle swoich własnych, racjonalnie wyjaśnialnych przyczyn. Nowa jakość w dynamicznym, lub innymi słowy ewolucyjnym, rozwoju powstaje więc w wyniku „emergencji". „Świat makroskopowy jest pełen przypadków tylko czekających na to, by skorzystać z „wolnych miejsc" w siatce praw przyrody i wykonać swoje zadanie (…) W każdej minucie albo i częściej swoimi działaniami zapoczątkowujemy ciągi przyczynowe, które by nigdy nie nastąpiły, gdyby nie nasze czynności. Z punktu widzenia świata są one całkowicie przypadkowe". Jeśli tak, to zasadne jest pytanie: „czy to wszystko mieści się w Bożym Zamyśle dla Wszechświata, czyli Wielkiej Matematycznej Matrycy, której Wszechświat podlega? (…) Jeśli człowiek ma wolną wolę, to Wielka Matryca musi być taka, żeby wolna wola w obrębie Wszechświata była możliwa (…) Przypadki – konkluduje Heller – nie są klęską Matrycy, lecz jej bardzo subtelną strategią. Siła Wielkiej Matrycy polega na tym, że każdy kto chce wykazać, że jej nie ma lub ograniczyć jej skuteczność, jeżeli tylko posługuje się racjonalnymi argumentami, sam korzysta ze środków, które dostarcza Matryca"[97]. Na klasyczne pytanie o zło w świecie jako argument przeciw istnieniu Boga Heller odpowiedział cytując św. Tomasza z Akwinu. Mówił on, że jeśli zło istnieje, to istnieje Bóg, bo gdyby Go nie było, nie byłoby różnicy między dobrem i złem. Ponadto twierdził, że „moc przyczynowania" pochodzi od Boga, ale defekty w działaniu stworzeń pochodzą od nich samych.

W rozważaniach nad przypadkiem i koniecznością ważna jest kwestia czasu. To, co było, wydaje się nam konieczne i oczywiste, a to, co będzie – niekonieczne lub przypadkowe. Ale jeśli się stanie – czy będzie konieczne? Dlaczego mamy natrafić na te, a nie inne książki, spotkać tych, a nie innych ludzi? Może to jest

---

[97] Heller, *Filozofia przypadku,* ss. 207–316.

niekonieczne lub nieoczywiste, a może cudowne? Przy poczęciu każdy człowiek otrzymał jedyny w swoim rodzaju, unikatowy kod genetyczny. Życie każdego z nas jest więc naznaczone stemplem wyjątkowości oraz zmianami pod wpływem okoliczności i własnych wyborów. A wszystko to rozgrywa się nie wiadomo kiedy: w przeszłości, której już nie ma, w przyszłości, której jeszcze nie ma, czy też w teraźniejszości, która jest co najwyżej złudnym mgnieniem oka między tym, co było, a tym, co będzie?[98] A może nieskończenie krótka teraźniejszość jest nieskończenie długą wiecznością?

CO ZAMIAST BOGA?

Kiedy braknie wiary w Boga, powstałą próżnię wypełniają różne idole i majaki. W marcu 2005 roku w *International Herald Tribune* ukazała się duża reklama Maharishi Vedic University for Peace, posiadającego adres w Holandii, zachwalająca usługi edukacyjne tej instytucji. Głosiła ona między innymi: „Zachęcamy, by każdy rząd, czy to oparty na demokracji, monarchii, dyktaturze, komunizmie, czy to innym systemie administracyjnym, wzniósł się do poziomu niezwyciężoności (*invincibility*) przez poznanie i praktyczne poparcie niezwyciężonej siły Totalnego Prawa Natury, Konstytucji Świata i Woli Boga, które rządzą szerokim wachlarzem stale rozszerzającego się świata galaktyk w doskonałym ładzie". Konkluzja reklamy była bardziej konkretna, choć równie szalona: „Książąt (*rajas*) Globalnego Państwa Światowego Pokoju uczymy jak stworzyć Królewską Unię Niezwyciężonych Państw. W ten sposób świat będzie Niebem na Ziemi"[99]. Nie do wiary! A jednak widocznie ktoś w to wierzy.

Ludzie Zachodu nie wierzą już politykom ani naukowcom, ale wierzą celebrytom. Nie wierzą lekarzom, ale ufają uzdrowicielom i zielarzom oferującym leczenie „holistyczne" i „naturalne". Wszelkie alternatywne metody zasługują na zaufanie, ponieważ są alternatywne. Lepiej więc zaufać celebrytom, którzy jak Madonna, Britney Spears czy Demi Moore noszą kabalistyczne czerwone nitki wokół przegubów dla ochrony przez złymi mocami[100]. Zabobon osiągnął niewiarygodne rozmiary. Ocenia się, że na początku XXI wieku pracowało we Włoszech około 350 tysięcy wróżbiarzy, a więc wielokrotnie więcej niż księży katolickich. W Wielkiej Brytanii specjalistów od „medycyny alternatywnej" jest więcej niż lekarzy rodzinnych. Hillary i Bill Clintonowie korzystali z usług „psychologów alternatywnych" w rodzaju Jean Houston, która pomagała Hillary Clinton kontaktować się z duchami. Tony i Cherie Blairowie urządzili gabinet premiera Wielkiej Brytanii według zasady *feng shui* i korzystali z usług Carole Caplin z sekty Exegesis jako „guru od stylu życia". Cherie Blair nosiła też „tarczę bioelektryczną" z kwarcu, która miała ją otaczać „kokonem energii", a wraz z mężem poddała się meksykańskiemu rytuałowi pogańskiemu „ponownego narodzenia". Okultyzm

---

[98] Pisał o tym już św. Augustyn, *Wyznania*, I, 6 i XI.
[99] Por. *International Herald Tribune,* 2 III 2005 r.
[100] Frank Furedi, „The age of unreason", *The Spectator,* 22 XI 2005 r.

Scena i bawiąca się młodzieżowa publiczność podczas festiwalu muzyki elektronicznej Electric Daisy Carnival w Las Vegas. Hałaśliwa muzyka i rozrywka stanowią treść życia dla milionów młodych ludzi na Zachodzie.

rozkwitł szczególnie po sukcesie wydawniczym serii powieści o Harrym Potterze[101]. Współcześni neopoganie są gotowi uwierzyć we wszystko, ale nie w to, że stworzył ich dobry Bóg.

Trudno orzec, w co wierzy James Cameron, autor *Titanica*, który dostał za ten film Oscara i krzyknął wtedy „Jestem królem świata!" (*I'm the king of the world!*). W filmie „Otchłań" każe nam wierzyć, że można utonąć i zostać potem skutecznie „zdehydrolizowanym", jak główna bohaterka, lub że można przeżyć w skafandrze nurka na głębokości pięciu kilometrów, gdzie światem rządzi Coś dobrego, jacyś ceniący miłość Obcy. Hollywoodzkie wyznanie wiary wypełnia na ogół pustkę po usunięciu Boga majakami, które nie wymagają niczego poza bujną wyobraźnią.

Współcześni „racjonaliści" nie zauważają na ogół, że próżnię powstającą w wyniku upadku tradycyjnej religijności i wiary wypełniają zabobonne praktyki w rodzaju astrologii czy horoskopów, a także sekty i kulty, z których jedne bliższe są dawniej powstałym religiom, inne zaś – stanowią rezultat machinacji finansowych, podatności na manipulację psychologiczną lub wręcz aberracji umysłowych. W latach osiemdziesiątych XX wieku szacowano liczbę sekt w Wielkiej Brytanii na około 500, a liczbę ich członków – na około pół miliona. W USA notowano

---

[101] Zbigniew Wojtasiński, „Zaćmienie umysłu", *Wprost,* 29 I 2006r., ss. 73–75.

wówczas około trzy miliony wyznawców zrzeszonych w około trzech tysiącach sekt[102]. Istotą wszystkich sekt i kultów jest wpajanie potencjalnym zwolennikom, że nie uzyskają szczęścia lub zbawienia poza ściśle określonymi ramami organizacyjnymi i bez posłusznego wypełniania poleceń „wtajemniczonych" przywódców. W związku z tym w wielu sektach stosuje się wyrafinowane techniki nacisku i manipulacji, łącznie z „praniem mózgu". Większość sekt opiera się też na finansowym wykorzystywaniu posłuszeństwa członków, co często prowadzi do gromadzenia ogromnych bogactw w ręku uzurpatorów.

Formy zbliżone do tradycyjnych religii przybiera Kościół Mormonów oraz Świadkowie Jehowy, którzy jednak kierują się mentalnością zamkniętej sekty wtajemniczonych. Niektóre z sekt uprawiają nieograniczoną żadnymi tabu aktywność seksualną. Należą do nich Dzieci Boga (*Children of God*) Davida Berga, zwanego Moses Davidem, a także sekta Shree Rajneesha. Inne grupy stanowią organizacje o rozległych interesach finansowych, czerpiące ogromne zyski z usług ślepo oddanych członków. Przykładem takiej sekty jest Kościół Zjednoczenia (*Unification Church*), założony przez Sun Myung Moona, pochodzącego z Korei Północnej „mesjasza", który twierdzi, że Chrystusowi nie powiodło się dzieło zbawienia, toteż sam je dokończy. Przy okazji Moon stał się multimiliarderem posiadającym dzięki własnym mediom wpływy w wielu krajach i głoszącym radykalnie prawicowe poglądy polityczne. Poza Kościołem Zjednoczenia kieruje on Światowym Stowarzyszeniem Mediów (*World Media Association*). Między innymi Moon jest współwłaścicielem dziennika *The Washington Times*[103]. Ruchowi czcicieli Hare Kriszny bardzo pomógł okres rewolucji hippisowskiej. Również i ten ruch uległ rozkładowi na skutek narkomanii, korupcji, a nawet skrytobójstw.

Wikkanie z kolei to grupa założona przez emerytowanego urzędnika brytyjskiego Geralda Gardnera, a rozkrzewiona po 1939 r. przez Doreen Valiente. Wikkanie hołdują kultowi Bogini, utożsamianej z przyrodą, oraz przekonaniu, że cielesność i seksualność są siłami pozytywnymi. Odbywają rytuały, polegające na zakreślaniu „świętego kręgu", wspólnym spożywaniu posiłków i tańcach. Często wspominają „czasy palenia" czarownic wyolbrzymiając ich ofiary i nadając im wymiar męskiej represji przeciw kobiecości. Posiadają „Księgę Cieni" (*Book of Shadows*), ale jej wersje różnią się, podobnie jak różne zgromadzenia ruchu. Obrzędy Wikkan przypominają kult Kory, choć zmieszany z hinduskim panteizmem, motywami New Age, radykalnym feminizmem, a także wiedzą tajemną połączoną w osobliwy sposób z kultowo traktowaną „tolerancją" dla innych. Kult kobiecego ciała stanowi tu specyficzne połączenie

---

[102] Ritchie, *Tajemniczy świat sekt i kultów*, s. 8.

[103] „The Media: Society's Conscience. Excerpts from Rev. Moon's Address at the 10th World Media Conference", *Washington Post*, 24 III 1989 r.; „Rev. Moon Rising Political Influence", *US News & World Report*, 27 III 1989 r., s. 27–30; Pascal Privat, Robin Bulman, „The Dark Side of the Moon", *Newsweek*, 23 XII 1991 r., s. 40; Waldemar Wojnar, „Sekty piorą mózgi", *Życie Warszawy*, 22/23 I 1994 r.

feminizmu z upodobaniem do seksu. Wikkanie występują głównie w Kalifornii[104]. Różne formy kultów pogańskich stały się siódmym najliczniejszym wyznaniem w Wielkiej Brytanii. Dla neopogan wrogiem są oczywiście Kościoły chrześcijańskie, a zwłaszcza Kościół katolicki, oskarżany o prześladowania pogan od IV wieku, o palenie czarownic i inne okropieństwa[105].

Sporą popularność zdobył brazylijski Kościół Powszechny Królestwa Bożego. Sekta ta jest potężnym przedsiębiorstwem nie gardzącym dochodami z brazylijskiego handlu narkotykami i dziecięcej pornografii. Jeden z jej przywódców, Sergio von Helde, wsławił się skopaniem obrazu Matki Boskiej podczas audycji telewizyjnej[106]. Jeszcze większą popularność zdobyli „scjentolodzy", sekta założona po II wojnie światowej przez hochsztaplera i maniaka Lafayette Rona Hubbarda, do której należy wiele sławnych gwiazd kina, takich jak Tom Cruise i John Travolta[107]. W odpowiedzi na niewiarę ludzi cywilizacji zachodniej w swoje siły powstają też liczne fundamentalistyczne inicjatywy rasistowskie, takie jak amerykańskie związki Christian National Identity, Aryan Nations czy World Church of Creator[108].

Na przełomie tysiącleci nasilały swą działalność sekty apokaliptyczne, twierdzące, że Ziemię opanowały siły zła lub że bliski jest koniec świata, a nierzadko propagujące samobójstwo. Do sekt takich należała francusko-kanadyjska Świątynia Słońca, której 69 członków popełniło samobójstwo pod koniec 1995 r., czy też amerykańska Gałąź Dawida, która utworzyła prawdziwą twierdzę w Waco w stanie Teksas. Po siedmiu tygodniach oblężenia, w dniu 9 IV 1993 r. amerykańskie siły bezpieczeństwa zaatakowały farmę w Waco, gdzie w swoistym arsenale zamknął się przywódca sekty David Koresh. W wyniku akcji zginęło 87 członków sekty[109]. Szczególnie groźną formą sekt są grupy powstająca na podstawie eksperymentów ze świadomością, a więc na przykład „est", Lifespring, Exegesis w krajach anglosaskich, czy Białe Bractwo na Ukrainie. Białe Bractwo założył w 1992 r. pracownik kijowskiego Instytutu Cybernetyki, współpracującego z KGB, Jurij Kriwonogow, który ogłosił swoją kochankę, Marię Cwigun, wcieleniem Boga

---

[104] Margot Adler, *Drawing Down the Moon: Witches, Druids, Goddess-Worshippers and Other Pagans in America Today*, (Boston: Beacon Press, 1979); Scott Cunningham, *Wicca: A Guide for the Solitary Practitioner*, (St. Paul, MN: Llewellyn, 1992).

[105] Mary Wakefield, „We are all pagans now", *The Spectator*, 18 XII 2004 r.

[106] Mirosław Banasiak, „Sekta biznesowa", *Gazeta Wyborcza*, 5 I 1996 r.; M.T-O., „Demonstracje adeptów", *Rzeczpospolita*, 8 I 1996 r.

[107] Ks. Andrzej Zwoliński, *Scjentologia*, (Kraków: WAM, 2007); Jean Vernette, *Sekty*, (Warszawa: Oficyna Wydawnicza Volumen, 1998). Na temat manipulacji dokonywanych w „kościele scjentologicznym" por. relację Tory Christman, która w latach 1969–2000 należała do tego „kościoła" i poznała jego tajniki. „Byłam scjentologiem. Z Tory Christman rozmawia Piotr Włoczyk", *Do Rzeczy*, 4–10 V 2015 r. Główne prawdy wiary scjentologów brzmią jak tandetna powieść *science fiction*. Niewiarygodne uwiedzenia bzdurami scjentologów, a zwłaszcza skalę ich przedsięwzięcia ujawnili dziennikarz śledczy Lawrence Wright i reżyser Alex Gibney. „Najlepiej wierzyć tylko trochę. Z Alexem Gibney rozmawia Wojciech Orliński", *Gazeta Wyborcza*, 30–31 V 2015 r.

[108] Katarzyna Wypustek, „Amerykański rynek nienawiści", *Życie*, 9 IX 1998 r.

[109] Piotr Kasznia, „Apokalipsa według Świątyni Słońca", *Rzeczpospolita*, 4 I 1996 r.; „Day of Judgement", *Newsweek*, 3 V 1993 r., ss. 12–17.

na Ziemi i metodami biocybernetycznymi skłonił dziesiątki tysięcy wychowanej w ateizmie młodzieży ukraińskiej i rosyjskiej do uwierzenia, że w 1993 r. nastąpi koniec świata. W 1996 r. skazano przywódców sekty na wysokie kary więzienia[110]. Stosują one często propagandę działalności charytatywnej, terapeutycznej lub naukowej, lecz wykorzystują wyrafinowane techniki psychiatryczne prowadzące często do nieodwracalnych zmian świadomości. Kulminacją zła w sektach jest terroryzm i satanizm. Sekty terrorystyczne są gotowe skrytobójczo zabijać na rozkaz swoich paranoidalnych przywódców, zaś sataniści w potajemnych obrzędach uwielbiają Zło i uprawiają rytualne mordy. Wielbiciele Szatana nawiązują do działań zmarłego w 1947 r. w obłędzie Aleistera Crowleya, czy twórcy „Satanistycznej Biblii" i Kościoła Szatana Antona LaVey. Jego członkinią była aż do tragicznej śmierci aktorka Jayne Mansfield[111].

W imię czego walczy się z Kościołem i w ogóle z chrześcijaństwem? Fundamentaliści muzułmańscy i hinduistyczni to raczej zwolennicy swoiście rozumianej prawdy, komuniści – postępu realizowanego siłą. Na Zachodzie często spotykanym uzasadnieniem jest rzekoma obrona wolności. Jak można atakować coś z tak różnych punktów? Właściwie nie ma w tym nic nowego. Głosząc prymat miłości rozumianej jako *caritas* a nie *eros,* chrześcijaństwo zawsze było znakiem sprzeciwu i budziło agresję.

WIARA I ROZUM

O materialnej wystarczalności lub niepoznawalności świata chętnie opowiadają językoznawcy, tacy jak Noam Chomsky, ale rzadziej fizycy. Tymczasem właśnie wielu współczesnych fizyków opisuje Wszechświat jako efekt Wielkiego Wybuchu i uznaje życie na Ziemi jako fenomen całkowicie unikatowy. Prawdopodobieństwo powstania życia na Ziemi w wyniku zbiegu tysięcy sprzyjających czynników takich jak odpowiednia odległość od słońca, równowaga grawitacji i siły odśrodkowej w utrzymaniu atmosfery, odpowiednia temperatura czy ilość wody, było niezwykle małe. Świetnie ilustruje to seria maszyn do *black jacka*, które zamiast trzech parametrów muszą dostroić ich setki, a nawet tysiące. W rozważaniach tych pada określenie „dopasowanie" (*fine tuning*) we Wszechświecie jako fenomen równoczesnego zaistnienia tych wszystkich warunków życia. Sir John Polkinghorne, laureat Nagrody Templetona za rok 2002, a ponadto ksiądz anglikański, nazywa to zasadą „antropiczną", zauważając, że wszystkie stałe fizyczne mają takie wartości, które umożliwiają powstanie życia[112]. Co więcej, sam Wielki Wybuch, który wywołał szok i histeryczne reakcje ateistów, mieści w sobie wiele zagadek. „Czy nie jest to zadziwiające – pytał ks. Michał Heller – że rzeczywiste procesy

---

[110] „Białe Bractwo wciąż ma wyznawców", *Życie Warszawy*, 27 II 1996 r.

[111] Steffon, *Satanizm jako ucieczka w absurd*, ss. 99–161; Ritchie, ss. 200–212; James LeBar, *Cults, Sects and the New Age*, (Huntington: Our Sunday Visitor Inc., 1989).

[112] Ks. Tomasz Jaklewicz, „Ksiądz fizyk z Cambridge", *Gość Niedzielny*, 21 IX 2014 r., ss. 36–37.

kwantowe są posłuszne jakimś abstrakcyjnym operacjom matematycznym?"[113]
Jak wyjaśnić fakt, że w rozszerzającym się Wszechświecie od początku istniała
zasada „kosmicznej inflacji", sformułowana przez Alana Gutha, a polegająca
na równowadze między energią ekspansji i grawitacyjnym hamowaniem? Jak
wyjaśnić fakt, że w kosmosie istnieje „promieniowanie tła", będące jak gdyby
echem Wielkiego Wybuchu? Czym jest „ciemna materia", która stanowi prawdopodobnie 90% masy Wszechświata, ale co do występujących w niej cząstek
elementarnych nie ma jasności? Jak wyjaśnić jednokierunkowość mechanizmu przemiany pierwiastków „lżejszych" w „cięższe"? A co mówią o naturze
wszechświata fale grawitacyjne, przewidywane teoretycznie już pod koniec lat
pięćdziesiątych, a stwierdzone doświadczalnie w dniu 17 sierpnia 2017 roku?
Za ich odkrycie nagrodę Nobla otrzymali Reiner Weiss, Barry Barish i Kip
Thorpe[114]. Czy nie jest to wszystko argumentem na rzecz „dostosowania"
Wszechświata do powstania życia?[115]

Wbrew utrwalonemu poglądowi scjentystycznemu, współczesna nauka,
a zwłaszcza nauki przyrodnicze, nie stoją w sprzeczności z wiarą chrześcijańską[116]. Materialistów powinna zainteresować teoria Rogera Penrose z Oxfordu
i Stuarta Hameroffa z University of Arizona, że świadomość ludzka jest zależna od „biologicznie 'orkiestrowanych' obliczeń kwantowych dokonywanych
w zbiorach mikrotubuli[117], w których stwierdzono występowanie cząstek elementarnych przeżywających śmierć komórki. Jeśli rację mają Penrose i Hameroff, to kwantowa natura świadomości może być, w związku z dwoistą naturą
kwantów, wyjaśnieniem mechanizmu przechodzenia świadomości, lub innymi
słowy duszy, z tego świata do innego[118]. Materialiści z pewnością przyjmą bez
zmrużenia oka tezę fizyka kwantowego, iż „pięciowymiarowy świat pozwala
powiązać grawitację ze zjawiskami elektromagnetycznymi"[119], ale czy nie mają
wątpliwości, co mówi to o naturze materii i bytu? W reakcji na książkę Ste-
phena Hawkinga *Wielki projekt* oksfordzki profesor matematyki John Lennox,
powiedział: „Nonsens pozostaje nonsensem nawet w ustach fizyka światowej

---

[113] Heller, *Filozofia przypadku*, s. 177.

[114] Krzysztof Meissner, „Na fali grawitacyjnej w głąb kosmosu", *Turning Points. Global Agenda, The New York Time* i *Gazeta Wyborcza*, 30 XII 2017/1 I 2018 r.; Marek Oramus, „Osierocone dziecko Einsteina", *Rzeczpospolita Plus Minus*, 21–22 X 2017 r.

[115] Por. np. Owen Gingerich, *Boski Wszechświat*, ss. 55–84; Leslie Rosenberg, „Kosmos w prze-ważającej części zbudowany jest z czegoś, czego nie widzimy", *Scientific American*, 2018, nr 2, ss. 52–57; Lawrence Joseph Henderson, *The Fitness of the Environment*, (Andesite Press, 2015).

[116] Stephen M. Barr, „Retelling the Story of Science", *First Things*, March 2003, nr 131, ss. 16–25; Gingerich, *Boski Wszechświat*, passim.

[117] https://pl.wikipedia.org/wiki/Mikrotubula (10 XI 2016).

[118] Roger Penrose, PhD, OM, FRS, Stuart Hameroff, MD „Consciousness in the Universe: Neu-roscience, Quantum Space-Time Geometry and Orch OR Theory", *Journal of Cosmology*, 2011, Vol. 14, http://journalofcosmology.com/Consciousness160.html (10 XI 2016).

[119] „Drgawki czasoprzestrzeni. Z prof. Markiem Demiańskim rozmawia Marek Oramus", *Rzecz-pospolita Plus Minus*, 22–23 IV 2017 r., ss. 38–39.

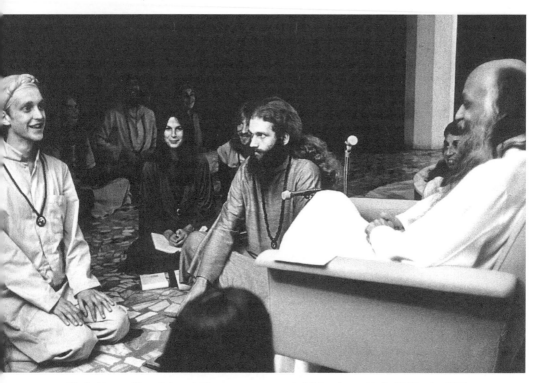

Hinduski guru Shree Rajneesh i jego wyznawcy w siedzibie sekty w hinduskiej Punie, 1977 r.
Popularność ruchów głoszących rozmaite rodzaje duchowości od lat rośnie w wielu krajach świata.

klasy". Czym sobie Hawking zasłużył na taką ocenę? Chyba jednym zdaniem ze wspomnianej książki: „Hipoteza Boga nie jest potrzebna (…) ponieważ świat potrafi stworzyć sam siebie"[120].

Pretensje współczesnych „racjonalistów" do wiedzy pewnej są doprawdy komiczne. Wiedza ludzka posuwa się istotnie szybko naprzód, ale stale pozostaje margines pytań, na które nie potrafimy odpowiedzieć. W ostatnich dziesięcioleciach pojawiły się niesamowite zdjęcia makrokosmosu i mikrokosmosu, ale horyzont poznania stale się przesuwa. Przedstawiając skalę rzeczywistości od cząstek elementarnych aż po granice rozszerzającego się Wszechświata z jego tajemnymi czarnymi dziurami, promieniowaniem tła, zakrzywieniem czasoprzestrzeni, falami grawitacyjnymi i innymi odkryciami doby współczesnej, dyrektor nowojorskiego Columbia Astrobiology Center Caleb Scharf konkludował: „Co znajduje się poza bytem, który my nazywany Wszechświatem, czyli poza wszystkim? Co może być 'na zewnątrz' jasnego, pełnego pyłków pomieszczenia naszej obserwowalnej rzeczywistości? To niezwykle ważne pytania, a w bardzo realnym sensie wszystko to, co jest 'na zewnątrz' naszego Wszechświata musi obecnie być dla nas po prostu

---

[120] Jacek Bacz, „Ateizm misyjny", *Do Rzeczy,* 10–17 IV 2017 r., ss 90–91.

„nie-Wszechświatem"[121]. Horyzont pełnego poznania stale się przesuwa. „Nasze pytania – pisał Michał Heller – częściej i usilniej uderzają o ograniczenia metody, w oparciu o którą są stawiane i dzięki której mogą się rozwijać. Jest to – nierzadko dość bolesne – oświadczenie bariery, przez którą nie można się przebić (…) W miarę ciśnienia pytań bariera nie pęka, pozostaje nadal absolutnie szczelna, ale odsuwa się coraz dalej". Konkludował więc: „Wszystkie pytania nauki stawiane są wewnątrz Wszechświata i – niejako z definicji – na zawsze wewnątrz Wszechświata pozostaną"[122]. Jeśli tak, to wiedza pełna istnieje tylko poza Wszechświatem.

Świat nie tłumaczy się sam przez się, a w każdym systemie myślowym, co udowodnił logik austriacki Kurt Gödel (1906–1978), można dowieść tylko tego, co tkwi w jego założeniach[123]. Rozum i wiara są więc sobie nawzajem potrzebne, ba, niezbędne. „Rozum – pisał papież św. Jan Paweł II – pozbawiony wsparcia ze strony Objawienia, podążał bocznymi drogami, na których istniało ryzyko zagubienia jego ostatecznego celu. Wiara, pozbawiona oparcia w rozumie, skupiła się bardziej na uczuciach i przeżyciach, co stwarza zagrożenie, że przestanie być propozycją uniwersalną. Złudne jest mniemanie, że wiara może silniej oddziaływać na słaby rozum; przeciwnie, jest wówczas narażona na poważne niebezpieczeństwo, może bowiem być sprowadzona do poziomu mitu lub przesądu. Analogicznie, gdy rozum nie ma do czynienia z dojrzałą wiarą, brakuje mu bodźca, który kazałby skupić uwagę na specyfice i głębi bytu"[124]. Ludzkie poznanie opiera się więc i na wiedzy, i na wierze.

---

[121] Caleb Scharf, „Wszechświat w powiększeniu", *Scientific American. Świat Nauki,* 2018, nr 2, s. 68.

[122] Michał Heller, „Ewolucja kosmologiczna – problem i pytania", (w:) Jerzy Janik, Piotr Lenartowicz SJ (red.), *Nauka – religia – dzieje. II seminarium interdyscyplinarne w Castel Gandolfo 6–9 września 1982 roku,* (Kraków: Wydział Filozoficzny Towarzystwa Jezusowego, 1984), ss. 16–17.

[123] Jest to oczywiście uproszczenie fundamentalnego dla współczesnej filozofii nauki „twierdzenia o niezupełności" Gödla. Por. Stanisław Krajewski, *Twierdzenie Gödla i jego interpretacje filozoficzne,* (Warszawa: Wydawnictwo IFiS PAN, 2003).

[124] Jan Paweł II, *Fides et ratio,* 48.

George Soros, amerykański spekulant giełdowy, miliarder i finansista, propagator społeczeństwa otwartego i ateizmu na całym świecie.

Rozdział 5. Śmierć prawdy

A prawda jeszcze się sama oszukuje,
że ot tak, po prostu
sama przez się
stanie przed naszymi oczami.
I zawsze niepoprawna,
Traci jedyną szansę
żeby wyjść na wierzch
w wielkim wyścigu kłamstwa.
I mimo wszystko, choćbyśmy Bóg wie jak
udawali głuchoniemych
i tępych na umyśle, i ślepych,
poznajemy ją po sińcach[1].

Błaga Dymitrowa, „Naiwność"

TRIUMF LIBERTARIANIZMU

Antynomia wolności i prawdy wydaje się stanowić rdzeń problemów współczesnego świata zachodniego[2]. Ten fakt jest rezultatem doświadczeń czasów powojennych, ale może przede wszystkim triumfu libertarianizmu jako najważniejszej doktryny końca XX wieku. W myśl zwolenników tej doktryny duch Zachodu, wyczerpany potwornymi doświadczeniami XX wieku, winien pogodzić się z istnieniem przeciwstawnych prądów oraz opinii i tak zorganizować społeczeństwo, by mogli w nim znaleźć swoje miejsce i chrześcijanie i Żydzi, i heteroseksualiści i homoseksualiści, i anarchiści i komuniści, i wyznawcy każdej innej doktryny, byle tylko zaakceptowali najświętszą zasadę tolerancji. W doktrynie libertariańskiej odnaleziono rzekomo klucz do pokojowego współistnienia i społecznej harmonii pod warunkiem wyrzeczenia się przez wszystkich członków społeczeństwa jakiejś nadrzędnej prawdy o świecie[3]. Doktryna ta zawiera jednak całkowicie utopijne założenie; takie mianowicie, iż wyrzekając się prawdy nadrzędnej niektórzy członkowie społeczeństwa nie wykorzystają swojej przewagi ekonomicznej lub politycznej, by narzucać innym tolerancję w swojej wersji. Co więcej, wyrzeczenie się prawdy nadrzędnej łatwiej przychodzi tym, którzy i tak mają co do jej istnienia wątpliwości niż tym, którzy są do niej przywiązani. Siłą rzeczy ci drudzy są w systemie libertariańskim ograniczani znacznie bardziej niż ci pierwsi. Jeśli więc przyjąć,

---

[1] *Literatura na świecie*, 1978, nr 4 (84), s. 121.
[2] Maciej Zięba, *Demokracja i antyewangelizacja*, (Poznań: W Drodze, 1997), s. 41.
[3] Por. Ryszard Legutko, *Etyka absolutna i społeczeństwo otwarte*, (Kraków: Arcana, 1995), ss. 24 nn.

że zasada ta jest podstawą pokoju społecznego, to wymaga ona bezwzględnego przestrzegania i zasługuje na wprowadzanie nawet pod przymusem. W systemie libertariańskim nie ma więc tolerancji dla wrogów tolerancji, przy czym w praktyce o tym, kto jest wrogiem tolerancji, decydują ci, którzy mają władzę i pieniądze.

Teorię libertariańską wsparł Karl Popper (1902–1994) na podstawie analizy dzieł Platona i w ogóle spuścizny starożytnych Greków. Jego konkluzja wydawać się mogła jedynie słuszna po potwornościach totalitaryzmu: „Jeżeli wzdragamy się przed niesieniem naszego krzyża, krzyża ludzkości, rozumu, odpowiedzialności, jeżeli brak nam odwagi i cofamy się przed presją, to musimy być świadomi jedynej drogi, jaka się przed nami otwiera: możemy wrócić do stanu bestii. Jeżeli jednak chcemy pozostać ludźmi, to jedyną drogą jest ta, która prowadzi do społeczeństwa otwartego", a więc takiego, w którym „jednostka ma prawo do osobistych decyzji"[4]. Tymczasem między swobodą decyzji osobistych a narzucaniem innym członkom społeczeństwa swoich bezwzględnych racji jest jednak daleka droga.

Obok tolerancji drugą świętością libertarian jest wolność. Marzą oni o tym, by społeczeństwo otwarte pozwoliło im stale poszerzać zakres wolności osobistych. W libertariańskiej utopii chcieliby oni móc być wszystkim po trosze. Parafrazując Platona, Ryszard Legutko ironizował, iż marzą oni, by być „religijnym poetą rankiem, ateistycznym filozofem po południu, a prawicowym mieszczaninem wieczorem"[5]. Gorzej, że chcą, a obecnie też coraz częściej mogą być i heteroseksualistą, i homoseksualistą, a nawet i mężczyzną, i kobietą. „Jest zadziwiające – pisze Legutko – że współcześni prorocy różnorodności, którzy nie przestają mówić o białych, czarnych, Europejczykach, nie-Europejczykach, mężczyznach, kobietach, itd., jako o wspólnotach kulturowych, jednocześnie powstrzymują się od dialogu na temat wartości tego, co członkowie owych grup – na przykład Żydzi, muzułmanie, konfucjaniści, katolicy, liberałowie, konserwatyści – wnieśli do wspólnego dziedzictwa ludzkości; taka ocena spotkałaby się z zarzutem rasizmu, seksizmu czy kulturowego imperializmu (…) Jeśli to, co wszystkie kultury wnoszą do wspólnego dziedzictwa, posiada taką samą rangę oraz jeśli jednostce nie wolno oceniać porządku politycznego w kategoriach bardziej uniwersalnej hierarchii kulturowej, to narzuca się wniosek, iż z punktu widzenia owego porządku konstytuujące go kultury są bezwartościowe"[6].

Libertariańska idea społeczeństwa otwartego wydawać się mogła piękna i bezalternatywna w chwili, gdy upadał komunizm. Brzmi jednak zupełnie inaczej po ćwierć wieku i w obliczu zupełnie nowych zagrożeń. Powstaje bowiem pytanie na co ma być otwarte owo nowoczesne społeczeństwo: na kpiny z wszelkich wartości, jakie uprawiają zachodnie media z *Charlie Hebdo* na czele, czy na wojujący islam, dla którego Europa to już „Dom Wojny". Wolność w rozumieniu jednego z głównych promotorów społeczeństwa otwartego, George'a Sorosa, nie ma

---

4 Karl R. Popper, *Społeczeństwo otwarte i jego wrogowie*, (Warszawa: Biblioteka „Krytyki", 1987), t. I, ss. 126 i 144.

5 Legutko, *Etyka absolutna i społeczeństwo otwarte*, s. 52.

6 Tamże, s. 53. Podobną refleksję można by wysnuć z widoku banknotów euro. Nie ma na nich żadnych wizerunków, które odwoływałyby się do konkretnych treści dziedzictwa europejskiego.

bowiem treści pozytywnej, a jedynie negatywną, jest znoszeniem ograniczeń, lecz nie wiadomo, co ma tworzyć. Soros milczy w ogóle w sprawie pozytywnych treści społeczeństwa otwartego, a chciałoby się wiedzieć, co nam ma ono w tym względzie do zaoferowania: hasła wolnorynkowe przykrywające dominację wielkich korporacji ponadnarodowych, „zdrowie reprodukcyjne" w postaci mordowania milionów nienarodzonych dzieci czy inflację głupoty i wulgarności w mediach?[7] Wobec 18 mld dolarów, które starzejący się potentat podarował różnym swoim fundacjom krzewiącym „liberalną demokrację" i „otwarte społeczeństwo", żadne wartości mogą nie mieć znaczenia, zwłaszcza te, których ktoś chce naprawdę bronić. Władza i pieniądze skutecznie ograniczają więc wolności w społeczeństwie otwartym. Kulisy funkcjonowania społeczeństwa otwartego ujawnili na przykład dziennikarze z Międzynarodowego Konsorcjum Dziennikarstwa Śledczego w ramach tak zwanych Paradise Papers. Okazało się, że w rajach podatkowych inwestowali w celu uniknięcia opodatkowania w kraju rodzinnym tacy propagatorzy otwartego społeczeństwa jak wokaliści Bono i Madonna czy Stephen Bronfan – jeden ze sponsorów kampanii lewicowego premiera Kanady Justina Trudeau[8].

„Demokracja bez wartości łatwo zamienia się w jawny lub zakamuflowany totalitaryzm" pisał Jan Paweł II[9]. Czy jednak wolność i wartości muszą być sobie przeciwstawne? Być może prawda bez wolności prowadzić musi do przymusu, ale wolność bez prawdy prowadzi do anomii i bezsensu.

NOWE LEWICE

Do sukcesów libertarianizmu w świecie przyczyniły się najbardziej różnego rodzaju poglądy lewicowe, chętnie relatywizujące pojęcie prawdy po to, by zawłaszczyć monopol na jej posiadanie. Określenia „lewica" używa się zazwyczaj w liczbie pojedynczej. Jednakże ze względu na kompromitację dawnych wcieleń lewicy stale powraca termin „nowa lewica", który ma na celu ukrycie tego, co poprzednia lewica popsuła, i podtrzymanie mitu, że „wartości lewicowe" nadal są aktualne. Wydaje się, że cechą tak rozumianej, stale odtwarzającej się lewicy nie jest większa równość czy też większa sprawiedliwość, lecz stworzenie nowej cywilizacji i nowego człowieka, przy czym jasno określa się to, co należy zniszczyć, a niejasno – to, co chce się zbudować. Stąd liczba mnoga w tytule tego podrozdziału.

Stara lewica była albo koszmarem, albo żałosnym spektaklem. W czasie gdy reżim północnokoreański groził światu bronią atomową, miliony jego poddanych zmarło z głodu. Maoistowska partyzantka nepalska stosowała metody znane

---

[7] Soros jest alergiczny na treści narodowe i religijne. Obawia się, że Orbán i Kaczyński „próbują wykorzystać mieszankę nacjonalizmu etnicznego i religijnego, aby umocnić się u władzy". Obawia się, że zmierzają oni do stworzenia systemów podobnych do Węgier Horthy'ego i Polski Piłsudskiego. Proroctwo to ma raczej wątłe podstawy dowodowe. „Europa na skraju załamania. Wywiad z George'm Sorosem", *Gazeta Wyborcza*, 23 I 2016 r.

[8] Joanna Kowalkowska, „Zdemaskowali przekręty światowych milionerów", *Gazeta Polska Codziennie*, 7 XI 2017 r.

[9] Jan Paweł II, *Centesimus annus*, 46.

Działaczka grupy Femen demonstruje na ołtarzu katedry w Kolonii podczas bożonarodzeniowej Mszy św. 25 grudnia 2013 r. Napis na ciele kobiety brzmi: „Jestem Bogiem".

z innych krajów komunistycznych[10]. W Europie stara lewica to już tylko złe wspomnienia. Gdy wiekowy Karel Hoffman, jeden z czołowych komunistów czechosłowackich, szedł w sierpniu 2004 r. na cztery lata do więzienia, żegnała go niewielka grupa towarzyszy, dla których pozostał niezłomnym bohaterem. Hoffman szedł do więzienia z podniesioną głową. „Byłem komunistą i zostanę nim do śmierci" powiedział[11]. Prawdziwy komunista – traktuje nadal totalitarny reżim kontrolowany zza granicy jako cel wyższej rangi niż wolność i suwerenność własnego kraju.

Komunizm nie przeszedł jednak do historii. Werbalnie jeszcze trwa. Wyjątkowo przewrotna jest narracja komunistów zachodnich. Twierdzą oni bez zmrużenia oka, że praktyka sowiecka nie była komunizmem oraz że prawdziwy komunizm jest jeszcze do zrealizowania, choć nie bardzo wiadomo, jak i po co. Przez cały okres po II wojnie światowej partie komunistyczne odgrywały w życiu politycznym większości krajów Zachodniej Europy ogromną rolę. Jeden z budynków Parlamentu Europejskiego nazwany jest nawet imieniem czołowego komunisty włoskiego Altiero Spinellego, współautora „manifestu z Ventotene" z 1941 roku,

---

[10] Na początku XXI wieku rebelianci maoistowscy schwytali kilkudziesięciu żołnierzy armii królewskiej i po zadaniu im tortur zabili strzałem w tył głowy. Stare wzorce NKWD nie straciły aktualności. „Krwawa bitwa z maoistami", *Rzeczpospolita,*10 VIII 2005 r.

[11] Patrycja Bukalska, „Czerwony dinozaur", *Newsweek Polska,* 22 VIII 2004 r., ss. 44–45.

w którym zapowiadano zniesienie granic w Europie, ale także „nowe państwo"
stworzone przez „dyktaturę rewolucyjnej partii" w celu „nowej, prawdziwej demokracji"[12]. Prokomunistyczne sympatie są wręcz standardem w mediach liberalnych[13]. Choć szyld komunistyczny stracił na popularności, nawet po upadku ZSRR
dawni komuniści zachodni trzymają się swej tradycji ideowej i odgrywają ogromną
rolę w Unii Europejskiej. Zmienili tylko nieco hasła i stroje. Pamięć o dziedzictwie
marksizmu kultywują też oficjalni przedstawiciele Unii Europejskiej. Marks zajmuje poczesne miejsce w stałej ekspozycji Domu Historii Europejskiej w Brukseli, a w dwusetną rocznicę urodzin Marksa, przewodniczący Komisji Europejskiej,
luksemburski „chadek" Jean-Claude Juncker, wygłosił w bazylice (!) w Trewirze
przemówienie propagujące postać człowieka, którego myśl zapładniała największych zbrodniarzy XX wieku. Odsłonięto tam także pomnik Marksa ufundowany
przez Chińską Republikę Ludową, nadal kultywującą komunizm[14].

---

[12] „Manifest z Ventotene". https://www.racjonalista.pl/kk.php/s,10109 (25 II 2018).

[13] Na przykład dziennikarz *Le Monde* Patrice de Beer witał wkroczenie Czerwonych Khmerów
do Phnom Penh w 1975 roku jako zwycięstwo wyzwolicieli. Thérèse Delpech, *Powrót barbarzyństwa w XX wieku,* (Warszawa: Media Lazar, 2009), s. 87.

[14] Paweł Kryszczak, „KE świętuje urodziny Marksa", *Gazeta Polska Codziennie,* 7 V 2018 r.

Szef Komisji Europejskiej Jean-Claude Juncker wygłasza przemówienie z okazji 200. rocznicy urodzin
Karola Marksa podczas uroczystości w Bazylice Konstantyna w Trewirze w Niemczech. W Europie
Zachodniej coraz więcej świątyń przestaje pełnić swoje religijne funkcje.

Trucizna komunistyczna zatruła przede wszystkim uczelnie zachodnie. Postacią niemal symboliczną dla tego procesu był francuski filozof Louis Pierre Althusser (1918–1990). Urodził się on koło miasta Algier w Algierii francuskiej jako syn oficera oraz gorliwej katoliczki, która była nauczycielką. Była to rodzina raczej zamożna, a dzieciństwo miał Althusser raczej szczęśliwe, choć pisał później, że matka poświęcała mu za mało czasu i miłości. W 1930 roku rodzina przeniosła się do Marsylii, gdzie jego ojciec pracował w banku. Młody Althusser skończył tu liceum, należąc do kręgu młodzieży katolickiej. Był młodzieńcem raczej zamkniętym i myślał nawet o wstąpieniu do zakonu. W 1939 roku został przyjęty do École Normale Supérieure (ENS) w Paryżu, ale został wciągnięty do wojska i w wojnie z Niemcami dostał się w 1940 roku do niewoli. II wojnę światową spędził w obozie jenieckim w Szlezwiku-Holsztynie. Zetknął się tu z marksistami i przeżył depresję. Po wojnie studiował na ENS, gdzie związał się z lewicowym ruchem „księży robotników". Poznał także Hélène Rytmann, starszą o parę lat Żydówkę, która była komunistką i działała w czasie wojny w ruchu oporu, i związał się z nią. Pod jej wpływem w 1948 roku wstąpił do Francuskiej Partii Komunistycznej (FPK). Po skończeniu studiów podjął pracę w ENS i odtąd stale drążył marksizm. Z uporem godnym lepszej sprawy sądził, że komunizm da się pogodzić z katolicyzmem. Działał w ruchu pokoju, ale przede wszystkim teoretyzował, coraz bardziej pogrążając się w umysłowej schizofrenii. Jego praca „Czytając 'Kapitał'" jest bełkotliwym dowodzeniem tezy o nierozumieniu Marksa przez potomność. Althusser wypracował koncept „praktyki teoretycznej" w interpretacji świata, ale było to zamknięcie się na rzeczywistość w świecie teorii i „samoobrona paranoika". Oskarżony przez władze FPK o brak „humanistycznych treści", podczas studenckiej wiosny 1968 roku Althusser poddał się leczeniu psychiatrycznemu, ale także złożył samokrytykę, popierając na przykład sowiecką interwencję w Czechosłowacji. Mimo ogromnej ilości wcześniejszych tekstów dopiero w 1975 roku uzyskał doktorat. Mimo to cierpiał na manię prześladowczą i walczył z myślami samobójczymi, w czym znalazł bratnią duszę w Rytmann, z którą się w końcu ożenił. W dniu 16 listopada 1980 roku udusił żonę, ale nie został skazany za morderstwo ze względu na orzeczenie niepoczytalności. Spędził trzy lata w zakładzie psychiatrycznym, ale życie zakończył na wolności w 1990 roku[15].

Althusser był postacią samą w sobie. Pytanie tylko – dlaczego ktoś chciał go słuchać i czytać? I tu dochodzimy do tragicznej prawdy o Zachodzie. Sposób myślenia Althussera o świecie znajdował korzenie w marksizmie i sile partii komunistycznej, której działacze wynosili takie nieszczęsne indywidua na katedry akademickie, z których ci mogli wieszczyć światu swe chore przemyślenia.

W 2000 roku nakładem Harvard University Press wydano obszerne studium Michaela Hardta i Antonio Negriego *Empire*[16]. Nawiązując do klasycznego marksizmu autorzy zawarli w nim analizę współczesnego świata w duchu walki przeciwieństw, dominacji klasowej międzynarodowych korporacji i ich „nadbudowy" ideologicznej.

---

[15] Roger Scruton, *Intelektualiści nowej lewicy*, (Poznań: Zysk i S-ka, 1999), s. 141.
[16] Michael Hardt, Antonio Negri, *Empire*, (Harvard University Press, 2000)

Dzieło zyskało entuzjastyczne recenzje nowej lewicy w rodzaju słoweńskiego filozofa Slavoja Žižka oraz *New York Timesa*. Hardt i Negri nakreślili obraz alternatywy dla świata zdominowanego przez burżuazję. Nie ma w niej szansy nawet na „iluzję Boga transcendentnego". To człowiek ma wytworzyć ten nowy, wspaniały świat sprawiedliwości, który znajdzie w nietzscheańskim raju poza dobrem i złem. Wiadomo więc, kto jest wrogiem, wiadomo, że trzeba go zniszczyć, ale nie bardzo wiadomo, jak można stworzyć lepszy świat. Hardt i Negri nie ustają w wierze, że obalenie globalnego kapitalizmu jest możliwe i że da się zbudować raj na ziemi. Fakt, że poprzednie próby kosztowały życie stu milionów ofiar komunizmu, nie wydaje się ich specjalnie przejmować. Negri na przykład rozpoczął swą karierę intelektualną od Czerwonych Brygad i brał udział w mordzie na Aldo Moro. Aby uniknąć wieloletniego więzienia czmychnął do Francji, gdzie przygarnął go uniwersytet paryski. Wykładając tam stał się ulubieńcem filozofa Gilles'a Deleuze'a i poznał swego późniejszego współautora, Michaela Hardta, wykładowcę literatury z Duke University. Pod koniec życia Negri postanowił wrócić do ojczyzny i odcierpieć karę. Trudno jednak mówić o prawdziwej karze, gdyż wyrok odsiadywał w areszcie domowym, z którego mógł swobodnie wychodzić, by doznawać wyrazów uznania ze strony lewackich dziennikarzy i intelektualistów[17]. Wpisuje się to w klimat Unii Europejskiej, gdzie dominuje prymat „resocjalizacji" przestępców nad dotkliwością kary, co w istocie oznacza większą troskę o przestępców niż o ich ofiary[18]. W rezultacie przestępcy pozostają przestępcami.

„Marksista nieugięty, nie wstydzący się, ale pełen wątpliwości", Christopher Hitchens nadal uwielbia Che Guevarę. „Był wzorem niedościgłym – pisze – dla takich jak ja mieszczańskich romantyków, bo pociągnął do końca wybór rewolucjonisty, walczył i zginął za sprawę"[19]. Wielbicielom Che Guevary nie przeszkadza zbrodnicza kariera tego rewolucjonisty, który lubił osobiście skazywać na śmierć i wykonywać wyroki na „wrogach". Mówił zaś tak: „Musimy przede wszystkim podsycać naszą nienawiść aż do paroksyzmu. Nienawiść jako składnik walki, nieprzejednana nienawiść do wroga, która może wyzwolić istotę ludzką z jej naturalnych ograniczeń i zamienić ją w zimną, gwałtowną, wybiórczą i efektywnie zabijającą maszynę"[20].

Robert H. Bork dokonał interesującego porównania nowej lewicy do niemieckiego nazizmu i włoskiego faszyzmu. We wszystkich przypadkach „ruch" był wszystkim, człowiek zaś był ważny, o ile był jego częścią. „Ruch" ożywiała nienawiść do „systemu". Wszystkie te ruchy wierzyły w przemoc, choć nowa lewica skrupulatnie skrywa tę wiarę za szyldem pacyfizmu. Zarówno nowa lewica, jak i prawicowe ekstremizmy gloryfikują młodzież i w sposób niecenzuralny określają wroga. Wszędzie obok hurrademokratycznych haseł występuje elityzm przywódców, rzekomo reprezentujących „wolę większości"[21].

---

[17] Brian C. Anderson, „The Ineducable Left", *First Things*, February 2002, nr 120, ss. 40–44.

[18] Lech Jaworski, „Współczucie dla zbrodni", *Wprost*, 7 XI 2004 r., ss. 38–40.

[19] Sean O'Hagan, „Lenin w wersji macho", *The Observer*, 11 VIII 2004 r., za: *Forum*, 11–20 III 2005 r., ss. 42–46

[20] Fragment „Testamentu politycznego" Ernesta Che Guevary, wg: Grzegorz Górny, „Sto lat potworności (1917–2017)", *Sieci*, 30 X–5 XI 2017 r., s. 63.

[21] H. Bork, *Slouching Towards Gomorrah* (New York: ReganBooks, 1996), ss. 46–48.

Lansując hasła *make love not war*, Nowa Lewica lat sześćdziesiątych poszła w istocie za głosem nihilizmu. Czemu na przykład lewica broniła zbrodniarzy? Pierwszy sekretarz Francuskiej Partii Socjalistycznej, François Hollande, a także socjalistyczny mer Paryża, Bertrand Delanoe i grono lewicowych członków rady miejskiej francuskiej stolicy, którzy przeforsowali uchwałę o „wzięciu pod ochronę przez miasto Paryż" Cesare Battistiego, podpisali też apel przeciw ekstradycji do Włoch tego „włoskiego pisarza". Czym się naraził Battisti władzom włoskim? Otóż jako założyciel i szef organizacji komunistycznej Zbrojni Proletariusze na Rzecz Komunizmu zajmował się ekspropriacjami, a następnie zlecił zamordowanie mediolańskiego jubilera, który miał nieszczęście zabić w samoobronie rabującego go członka wspomnianej bojówki komunistycznej. Skazany na dwanaście lat, Battisti uciekł z więzienia po dwóch latach. W 1990 r. przybył do Francji, korzystając z azylu politycznego, przyznanego mu przez prezydenta François Mitteranda. W międzyczasie prokuratura włoska ustaliła, że Battisti wydał „wyrok śmierci" na innego kupca, który odmówił „kontrybucji" na rzecz bojówkarzy, Battisti także uczestniczył w egzekucji dwóch innych „sługusów reżimu" – policjanta i strażnika więziennego. W czerwcu 2004 r. Sąd Apelacyjny w Paryżu, ten sam, który odmówił ekstradycji Battistiego w 1991 r., w końcu przychylił się do wniosku włoskiego wymiaru sprawiedliwości. Nikt nie nękał także Paolo Persichettiego, zabójcy z Czerwonych Brygad, który prowadził nawet zajęcia z socjologii w jednej z paryskich szkół wyższych aż do ekstradycji do Włoch w 2002 roku[22]. Historia włoskiego bojówkarza komunistycznego nie byłaby może warta wzmianki, gdyby nie akcje w jego obronie szanowanych powszechnie francuskich przywódców socjalistycznych.

A jak świadczy o francuskim państwie prawa kariera adwokata Jacques'a Vergesa? Urodził się on jako syn Francuza i Wietnamki, prawdopodobnie w Laosie, podówczas kolonii francuskiej. Podczas studiów prawniczych w Paryżu zaprzyjaźnił się ze studentem pochodzącym z Kambodży, który potem zasłynął jako Pol Pot, jeden z najstraszliwszych masowych morderców w historii. Z nienawiści do kolonializmu Verges zapisał się do Francuskiej Partii Komunistycznej. W latach 1950–1954 był przewodniczącym Międzynarodowego Związku Studentów w... Pradze czeskiej, który to związek był kuźnią kadr wywiadu sowieckiego. Po uzyskaniu aplikacji adwokackiej Verges bronił między innymi terrorystów algierskich. Z jedną z oskarżonych terrorystek wziął nawet ślub. Za kontakty z tymi terrorystami trafił na dwa miesiące do więzienia, ale szybko odzyskał prawo wykonywania zawodu i po formalnych wystąpieniu z partii komunistycznej zajął się zwalczaniem syjonizmu. Od 1970 roku bawił w Kambodży i następne osiem lat jego życia stanowi nieznaną kartę. Prawdopodobnie dołączył do Czerwonych Khmerów, choć do tego nigdy się nie przyznał. Bronił między innymi słynnego zabójcy na zlecenie polityczne Ilicha Ramireza Sancheza, czyli Carlosa, a także szefa lyońskiego Gestapo, Klausa Barbie. Dzięki temu, a także dzięki wielu książkom stał się bogatym człowiekiem.

---

[22] Anatol Arciuch, „Czerwony męczennik", *Nowe Państwo*, 2004, nr 9, ss. 33–35; Grzegorz Dobiecki, „Paryż, ciepły kąt dla terrorysty", *Rzeczpospolita*, 7 VII 2006 r.

Idee komunizmu ciągle żyją w niektórych państwach. Na zdjęciu wizerunek rewolucjonisty Che Guevary na jednym z budynków na Kubie.

Korzystając z zainteresowania mediów lansował ściśle komunistyczną wizję świata, w której głównym wrogiem był „imperializm" amerykański i syjonizm[23].

Nowe lewice stale się odtwarzają w nowych postaciach. Po latach gorzkich doświadczeń lewackich, Peter Collier i David Horowitz doszli do wniosku, że „prawica chce utrzymać (a lewica podminować) sprawną demokrację; lewica broni (a prawica chce zniszczyć) szkodliwe mity o raju na ziemi". Pierwsza ofiarą rewolucji jest bowiem prawda[24]. Kiedy stwierdzono, że w swej rozprawie doktorskiej Salvador Allende wychwalał rasizm, antysemityzm i eugenikę, lansował sterylizacje umysłowo chorych i odmówił ekstradycji nazistowskiego zbrodniarza Walthera Rauffa, odpowiedzialnego za konstrukcję ruchomych komór gazowych, informacje te nie wpłynęły w żadnej mierze na popularność „lewicowego" męczennika z Chile[25].

Stałą praktyką wiedzących lepiej lewicowców jest zaprzeczanie oczywistym faktom. Taka jest reguła: jeśli fakty nie zgadzają się z teorią, tym gorzej dla faktów. Choć więc doktryna marksistowska nigdy nie sprawdziła się w praktyce,

---

[23] Ludwik Lewin, „Mecenas katów", *Wprost*, 11 IV 2004 r., s. 98.
[24] Peter Collier, David Horowitz, *Destructive Generation*, (New York: Free Press, 1996), ss. 247–249.
[25] Jens Gluesing, Christina Haabe, „Plama na ikonie", *Der Spiegel*, 14 V 2005 r. za: *Forum*, 23–28 V 2005 r., ss. 60–61.; Krystyna Grzybowska, „Plama na ikonie", *Wprost*, 29 V 2005 r., ss. 74–75; „Czarny czerwony. Rozmowa z Victorem Fariasem", tamże, ss. 76–77.

a zawsze zaś prowadziła do przymusu, nadal podtrzymuje się mit o tym, że lewica walczyła i walczy o wolność. Marksistowski komunizm doprowadził do śmierci największej liczby ludzi w XX wieku, a mimo to stale znajduje naśladowców i jest akceptowany jako uprawniony sposób patrzenia na świat. To, co łączy starą i nową lewicę, to zamknięcie się na świat w twierdzy teorii. Stąd skazana jest ona na powtarzanie swej przeszłości[26]. Dla nowych lewic, niezależnie od jej okrzyków na temat wolności i demokracji, prawdziwym wrogiem jest społeczeństwo otwarte. Nowa lewica nie tylko nie wierzy w Boga, ale nawet w prawo naturalne, ignoruje i nie rozumie wiary jako naturalnej potrzeby człowieka, a w efekcie wytwarza własne bożki lub sama ustawia się na opustoszałym piedestale Najwyższego.

Nowe lewice są wielbicielkami wolności doprowadzonej poza skraj prawa i zdrowego rozsądku. Istotne dla rewolucji psychodelicznej lat sześćdziesiątych były hasła „zabrania się zabraniać", „rób co chcesz" lub „jeśli jest to przyjemne, rób to". Dziedzictwem tamtych lat jest nie tylko zatrucie liberalizmu trucizną anarchii i nihilizmu. Współcześni „liberałowie" z dawnej Nowej Lewicy, kierujący obecnie instytucjami, które chcieli zniszczyć, są skazani na kłamstwo lub co najmniej rozmywanie prawdy. Tradycyjny program lewicy akcentował prawo wszystkich do udziału w podziale bogactwa. Dla nowych lewic nie jest on już oczywisty. Często bronią one zaciekle swego udziału w finansowej oligarchii. Jeśli chodzi o sukces w zdobyciu władzy można odejść od dawnych schematów i przejąć hasła liberalne, jak to uczynili to na przykład polscy postkomuniści lub Tony Blair w Wielkiej Brytanii. Z lewicowości pozostał tylko poznawczy i moralny relatywizm.

W 2004 r. socjaliści, liberałowie, zieloni i komuniści zablokowali wybór Rocco Buttiglionego na komisarza Unii Europejskiej z ramienia Włoch. Nie zaakceptowali tego co powiedział podczas przesłuchania przed komisją Parlamentu Europejskiego: „Mogę sądzić, że homoseksualizm jest grzechem, ale nie ma to żadnego znaczenia dopóki nie mówię, że homoseksualizm jest przestępstwem"[27]. W Parlamencie Europejskim przeważyły jednak głosy lewaków, którzy jak Daniel Cohn-Bendit powiadają, że „bez sekularyzacji demokracja nie funkcjonuje prawidłowo" albo ciepło wspominają czasy młodości, gdy wyznawali maoizm lub trockizm, „bijąc się o więcej wolności dla wszystkich"[28]. Czasem wydaje się, że istotą nowych lewic jest dokładne odwrócenie znaczeń i zakłamanie rzeczywistości.

Symbolem degeneracji mentalnej Europy Zachodniej jest właśnie kariera Daniela Cohn-Bendita. Jako wiceszef frakcji Zielonych w Parlamencie Europejskim, w 2013 roku, wraz z szefem frakcji liberalnej tego ciała, Guy Verhofstadtem, ogłosił on apel „Wstań, Europo!" w którym nawoływali do stworzenia państwa europejskiego o wspólnej walucie, wspólnej polityce zagranicznej i armii, państwa, które otrzymałoby miejsce w Radzie Bezpieczeństwa ONZ. Argumentowali,

---

[26] Collier, Horowitz, *Destructive Generation,* s. 319.

[27] „Oto, co myślę naprawdę. Z Rocco Buttiglione rozmawia Jarosław Mikołajewski", *Gazeta Wyborcza,* 20–21 XI 2004 r.; Rocco Buttiglione, „Upokorzyć chrześcijanina", *Rzeczpospolita,* 13 I 2005 r.; Rocco Buttliglione, „Upokorzyć jednego, by przestraszyć wszystkich", *Gość Niedzielny,* 23 I 2005 r., ss. 30–31

[28] „Cohn-Bendit: ktoś musi nas zastąpić", *Gazeta Wyborcza,* 10 VII 2006 r.

że przyszłość Europie zapewni rozmycie różnic etnicznych. Jak sobie wyobraża Cohn-Bendit europejskie państwo, skoro Europejczyków tak wiele dzieli? Różnice te trzeba zniwelować, a następnie zlikwidować. W terminologii totalitarnej nazywało się to *Gleichschaltung*. W jaki sposób chce to uczynić „demokrata" Cohn-Bendit? Nawiązując do młodzieńczych lat, gdy brał udział w rewolucji lat sześćdziesiątych. Przyjaźnił się z przywódcami Rote Armee Fraktion, na sali sądowej wykrzykiwał pod adresem Andreasa Baadera i Gudrun Ensslin „to są nasi!" Popierał, a nawet prawdopodobnie praktykował seks z dziećmi[29]. Po latach tak to tłumaczył: „Eksperymentowaliśmy po prostu z seksualnością. Poszukiwałem nowej definicji moralności w seksie". Po prostu. Żadnych wyrzutów. Eksperymenty komun Cohn-Bendita polegały na wprowadzaniu dzieci w życie seksualne po to, by całkowicie wyzbyły się zahamowań i skrupułów. Cohn-Bendit nadal jest zajadłym krytykiem rodziny i uczuć narodowych. Krwawe doświadczenia RAF komentuje tak: „Nasze pokolenie stworzyło warunki dla tych, którzy posklejali strzępy różnych ideologii i uczynili z nich podstawę intelektualną do działania. Terror RAF był jednak wymierzony w konkretne osoby z establishmentu, a ten w niewinnych ludzi"[30]. Na temat swojej haniebnej fascynacji chińską rewolucją kulturalną, w czasie której dochodziło do masowych mordów, a nawet kanibalizmu[31], ani Cohn-Bendit, ani inni czołowi politycy zachodni, którzy w młodości podzielali jego poglądy, nie chcą w ogóle mówić.

Najlepszą charakterystykę różnych odmian współczesnych nowych lewic przedstawił Michał Łuczewski w krótkim, żartobliwym szkicu, który warto analizować na studiach politologicznych: „Lewicowość objawia się słowotokiem, metaplaniną (porównaj wyniki longitidunalnych badań prof. Ernesta Gellnera, Londyn, 1992 r.). Charakteryzuje ją zespół „wyniosłej głębi" (porównaj z klasyczną już diagnozą prof. Karla R. Poppera), nieumiejętność koncentracji, bełkot, nieartykułowane krzyki (…) Część zdiagnozowanych pacjentów utrzymuje, że przemawia w imieniu tych, którzy milczą (…) Badani nagminnie identyfikują się nie tylko z innymi ludźmi (Habermas, Lacan), ale także z bytami kolektywnymi, takimi jak proletariat (tzw. marksizm), chłopstwo (maoizm) oraz wykluczonymi (markuzjanizm). Osobnicy w najdalszym stadium choroby nierzadko utożsamiają się ze wszystkimi ludźmi (nazywanymi w ich idiolekcie „ludzkością"), a także zwierzętami, zwłaszcza z rodziny prymatów. Być może najpoważniejszym zaburzeniem osobowości występującym w syndromie lewicowości jest jednak utożsamianie się z obiektami nieożywionymi, takimi jak kontynenty i regiony geograficzne (Afryka, Trzeci Świat) (…) W ostatnich latach coraz powszechniejsze stały się zaburzenia seksualności, przejawiające się albo w obsesyjnym zafascynowaniu tematami tabu (chichot z powodu wszystkiego, co może uchodzić za seksualną aluzję), albo we wzmagającej się identyfikacji z orientacjami i podorientacjami seksualnymi (…)

---

[29] Przyznał się do tego w książce *Le grand bazar* z 1975 roku, a w 1982 roku w studiu France2 wychwalał erotyczne zabawy z pięciolatką. Olga Doleśniak-Harczuk, „Przeszłość Cohn-Bendita dobija Zielonych", *Gazeta Polska,* 8 V 2013 r.

[30] Anna Zechenter, „Daniel Cohn-Bendit i jego demony", *Nasz Dziennik,* 22 V 2013 r.

[31] Pisał o tym Zheng Yi, *Scarlet Memorial,* (Boulder, Colo.: Westview Press, 1996).

Charakterystyczna dla badanych jest mania prześladowcza połączona z paranoidalnym syndromem teorii spiskowych. Osoby cierpiące na te przypadłości czują się zagrożone przez bliżej nie sprecyzowane siły: Rodzinę, Naród, Religię, Konserwatyzm, Prawicę, Tradycję (…) Badani, paradoksalnie, nie dostrzegają obiektów o większych rozmiarach, wszędzie widzą to, co mniejsze (*das Minderheit, the Minor,* czasem „mniejszość") (…) Prowadzi to do postępującego wytrzeszczu oczu, a z czasem także martwoty spojrzenia i otępiałości (…) Jedna z najbardziej interesujących i śmiałych hipotez, dostarczających całościowego wyjaśnienia powstawania choroby lewicowości, głosi, że stanowi ona swoistą racjonalizację egoizmu, socjopatii, ignorancji oraz bierności"[32].

CO TO JEST PRAWDA?

Pierwszą ofiarą nowych lewic jest zawsze prawda. Słowo „prawda" stało się w potocznym dyskursie na Zachodzie intelektualnym tabu. Ciągle słyszymy, że „prawda jest niejednoznaczna", że „jest wiele prawd" lub „prawda leży pośrodku". „Prawda", a zwłaszcza „jedna prawda" brzmi dziś prowokująco. Szczególną odpowiedzialność za skompromitowanie tego słowa ponoszą bolszewicy, którzy swój organ propagandowy nazwali „Prawda" i przez dziesięciolecia lansowali tam niewiarygodne wręcz kłamstwa. Część odpowiedzialności ponoszą też tak zwani intelektualiści. Jak wielu profesorów dziwi się dziś lub uśmiecha pobłażliwie, słysząc, że obowiązkiem uczonego jest poszukiwanie prawdy! Jak wielu powtórzy słowa Piłata „a cóż to jest prawda?"

W obszernym haśle o prawdzie zamieszczonym w internetowej „Encyklopedii filozofii Stanfordu" profesor Northwestern University Michael Glanzberg napisał, że „prawda jest jednym z centralnych pojęć w filozofii. Jest także jednym z największych. Prawda była sama w sobie przedmiotem sporów przez tysiąclecia. Co więcej, cała masa problemów filozoficznych odnosi się do prawdy, albo opierając się na tezach o prawdzie, albo zakładając jakieś tezy o prawdzie"[33].

Istotnie, pojęcie prawdy nurtowało myślicieli od zawsze. Klasyczną definicję prawdy sformułował św. Tomasz z Akwinu, parafrazując słowa Arystotelesa w formule *veritas est adaequatio intellectus et rei* („Prawda jest zgodnością myśli i rzeczy"). W związku z tym święty Tomasz wypracował trzy definicje prawdy: metafizyczną („prawdą jest to, co istnieje"), teoriopoznawczą („prawdą jest myśl zgodna z rzeczywistością") i logiczną („wszystko, co wskazuje na prawdę, prowadzi do niej")[34]. Przy prostej analizie współczesnej cywilizacji można by na tych definicjach poprzestać, ale trzeba jednak pamiętać, że sprawa nie jest aż tak prosta. Już w starożytności formułę Arystotelesa podważył Epimenides z Krety w swoim twierdzeniu „Kreteńczycy zawsze kłamią" (wersja „paradoksu kłamcy"). Paradoks ten znał święty Paweł, pisząc w Liście do Tytusa, że „powiedział jeden

---

[32] Michał Łuczewski, „Lewicofrenia", *Wprost*, 12 VI 2005 r., ss. 60–64.
[33] Michael Glanzberg, „Truth", https://plato.stanford.edu/entries/truth (8 III 2018).
[34] Św. Tomasz z Akwinu, *Summa theologiae*, 1, 16, 1.

z nich (…) 'Kreteńczycy zawsze kłamcy', złe bestie, brzuchy leniwe'. Świadectwo to jest zgodne z prawdą"[35].

Współcześnie funkcjonuje wiele, często uzupełniających się teorii prawdy. Między innymi teoria odniesienia, lansowana przez Bertranda Russella, a nawiązująca w istocie do definicji teoriopoznawczej św. Tomasza, głosi, że prawdą jest to, co odnosi się do faktów. Teoria spójności głosi, iż „prawda jakiegoś twierdzenia polega na spójności z określonym zbiorem innych twierdzeń"[36]. Tu zgłosić można by wątpliwość polegającą na tym, że każde twierdzenie można odnieść do dowolnej liczby fałszywych twierdzeń. Teoriopoznawczą definicję Akwinaty zakwestionował Immanuel Kant, twierdząc, że ocena zgodności myśli z rzeczywistością jest zawsze subiektywna[37]. Subiektywności tej nie unikniemy, niestety, nigdy i pozostaje jedynie przyjęcie skromnej definicji Arystotelesa oraz obserwowanie konsekwencji zakwestionowania pojęcia prawdy jako takiej.

O. Maciej Zięba rozróżnił swego czasu cztery najczęściej występujące postawy wobec prawdy. Po pierwsze, fundamentaliści religijni są przekonani, że dzięki Bogu znają prawdę. Po drugie, postawa prawdziwie religijna każe sądzić, że prawdę posiada tylko Bóg. Po trzecie, agnostycy twierdzą, że nie wiedzą, czy istnieje Absolut (Bóg) i jedna prawda. Po czwarte natomiast, fundamentaliści-relatywiści są pewni, że nie istnieje ani Absolut, ani jedna prawda[38]. O. Zięba zaobserwował też wzajemne napędzanie się obu skrajnych postaw.

W istocie jednak wymienione postawy występują bardzo często w postaci mieszanej. Wielu ludzi wierzących nie potrafi jasno określić swego miejsca wobec prawdy i Absolutu twierdząc, że skoro prawdą jest Bóg i skoro Ja w niego wierzę, to Ja mam całą prawdę. O postawę prawdziwie religijną nie jest więc łatwo. Wymaga ona pokory. Także postawy agnostyczne i fundamentalnie relatywistyczne często się zacierają i nakładają. Ktoś, kto twierdzi, że nie wie, czy istnieje Bóg, bez zmrużenia oka potrafi wejść w spór dowodząc, że Go nie ma. Z nałożenia wspomnianych dwóch postaw powstaje coś pośredniego, co można by nazwać postawą nie tylko przeciw Absolutowi, ale i przeciw wierze w rozum. Twierdzenie „nie wierzę w Boga" oznacza bezpodstawne twierdzenie „wiem, że nie ma Boga i jednej prawdy". Rozum nie potrafi jednak udowodnić, że czegoś nie ma. Paradoksalnie mieszanina ta występuje nie tylko wśród zwykłych ludzi, którzy często używają uproszczonych argumentów, ale także wśród intelektualistów, których winna cechować szczególna staranność w doborze słów.

Główne nurty filozoficzne ostatniego stulecia obaliły najpierw Boży Absolut, a ostatnio – także rozum. Współczesna walka z rozumem wyraża się w instynktownym powtarzaniu piłatowego pytania oraz w bardzo nerwowych reakcjach

---

[35] Św. Paweł, *List do Tytusa,* 1, 12–13.

[36] Michael Glanzberg, „Truth", tamże; Marian David, „The Correspondence Theory of Truth", https://plato.stanford.edu/entries/truth-correspondence; James O. Young, „The Coherence Theory of Truth", https://plato.stanford.edu/entries/truth-coherence (8 III 2018).

[37] Immanuel Kant, *Lectures on Logic,* (Cambridge University Presss, 1992), cyt. wg: "Truth", https://en.wikipedia.org/wiki/Truth (8 III 2018).

[38] Maciej Zięba OP, „Przeciw bożkowi Rozumu", *Tygodnik Powszechny*, 31 V 1992 r.

na próby podtrzymywania poglądu, że jednak prawda jest jedna oraz że obowiązkiem, zarówno uczonego, jak i każdego człowieka, jest jej dociekanie. Charakterystyczne dla owej nerwowości jest zawołanie „prawda nas zniewoli", powtarzane obecnie z wielu katedr filozofii. Zmitologizowana „wolność od prawdy" paraliżuje filozofów próbujących odbudować jakieś zasady poznania świata, a ów modny mit jest ulubionym tematem mediów, które żyją z łatwych uogólnień i epitetów.

Wielcy filozofowie dawnych czasów dociekali prawdy, chcąc wiedzieć, jak się rzeczy mają. Gardząc uciechami świata, byli przez to ludźmi wolnymi. Późniejsi filozofowie zdekomponowali świat i metody jego poznania. Zredukowali człowieka do rozumu, ekonomii czy popędów. Ich człowiek nie ma już tożsamości. Pola redukcji wykluczyły właściwie jego istnienie. Filozofowie sprowadzili siebie i swych słuchaczy do spontanicznych odruchów i niejasnych emocji nazywanych mylnie „wolnością". Życie umysłowe zamieniono w dużej mierze w „powieść idioty", jak powiada Allan Bloom[39]. Językoznawstwo nie przypadkiem stało się „królową" nauk współczesnych, bo zajmuje się względnością słów.

We współczesnej „Szkole im. Poncjusza Piłata" wykłada się liczne nauki. Niewiele z nich jednak wynika. Jest tam historyzm, zdefiniowany ironicznie przez Leszka Kołakowskiego jako sąd, „że dziś to prawda, a jutro co innego", jest pozytywizm („żebyś nie tracił czasu na głupie pytania, np. dlaczego coś jest takie czy inne lub co jest dobre albo złe"), postmodernizm („że wszystko wolno"), relatywizm („że może być tak, a może być owak"), filozofia Nietzschego („że wszystko ze wszystkim się bije i tak już zawsze będzie, a sensu to żadnego nie ma"), dekonstrukcjonizm („że co by się nie mówiło, to i tak nic to nie znaczy"), a także egzystencjalizm („że i ty możesz być postacią tragiczną"– to wszystko określenia Kołakowskiego)[40].

Nic dziwnego, że kształcony w takiej szkole przeciętny obywatel przeciętnego kraju zachodniego przychyla się do teorii, że „punkt widzenia zależy od punktu siedzenia, a „prawda jest niejednoznaczna". A intelektualista? Czy powinien być mądrzejszy? Pewnie powinien, ale można wątpić, czy jest. Słowo „intelektualista" także uległo deprecjacji. I nic dziwnego, skoro wyrafinowany erudyta po wielu latach studiów i rozmyślań dochodzi do przekonania, że „formy życia same się logicznie i psychologicznie uprawomocniają"[41]. Intelektualiści do niedawna szczycili się rozumem, choć nie mogli dodać sobie nawet łokcia wzrostu. Teraz nie szczycą się ani rozumem, ani prawdą. Więc po co są? „Każdy, kto zawodowo oddaje się kontemplacji na prestiżowej i dobrze płatnej posadzie, a jednocześnie sądzi, że nie ma czego kontemplować, znajduje się w trudnym położeniu zarówno wobec siebie, jak i społeczeństwa" zauważył Bloom[42].

---

[39] Allan Bloom, *Umysł zamknięty*, (Poznań: Zysk i S-ka, 1997), s. 232.

[40] Leszek Kołakowski, „Wielka encyklopedia filozofii i nauk politycznych", *Tygodnik Powszechny*, 2 VIII 1992 r.

[41] Opinia C.D. Klievera wg: Zygmunt Bauman, „Prawodawcy i tłumacze", (w:) Ryszard Nycz (red.), *Postmodernizm*, (Kraków: Wydawnictwo Baran i Suszczyński, 1997), s. 285.

[42] Bloom, *Umysł zamknięty*, s. 373.

Jakie to wszystko ma znaczenie? Bardzo praktyczne. Kim jest dziś przeciętny współczesny, zachodni uczony? Czy nie jest przypadkiem ewangeliczną solą, która zwietrzała? I czym ją posolić? „Współczesny człowiek was potrzebuje," powiedział Jan Paweł II w 1997 r. do zebranych w krakowskim kościele św. Anny ludzi nauki i kultury, ale dodał także, że „każdy intelektualista, bez względu na przekonania, jest powołany do tego, by (...) spełniał funkcję sumienia krytycznego wobec tego wszystkiego, co człowieczeństwu zagraża lub go pomniejsza"[43]. Papież zobowiązał wszystkich pracowników nauki do trudu poszukiwania prawdy o człowieku i świecie. Wskazał, że choć nikt nie może rościć sobie pretensji do posiadania monopolu na prawdę, jest ona jedna, a jaka – niech się ludzie mądrzy starają dowiedzieć. Twierdzenie, że nie ma prawdy lub że jest ona niepoznawalna, przekłada się na przekonanie, że każda opinia może być uzasadniona, a więc na przykład, że nie wiadomo, dlaczego ktoś ma żyć, a ktoś inny – nie. W procesie sądowym występuje jeszcze czasem pojęcie „prawdy materialnej", na której winien opierać się wyrok. Co zrobimy, jeśli to pojęcie całkowicie się wyruguje? Jak w przypadku Piłata, ostateczną ceną wątpliwości co do prawdy może być śmierć.

CO JEST, A CZEGO NIE MA?

Mało kto zauważa, że w epoce fizyki kwantowej powstał na nowo problem definicji bytu. Jak mamy to pojęcie zdefiniować, jeśli kwant światła, czyli foton, nie ma masy początkowej i porusza się z prędkością światła, czyli że w stosunku do obserwatora nie ma rozciągłości? Co więcej, zasada nieoznaczoności Wernera Heisenberga (1901–1976) mówi, że nie można z dowolną dokładnością ustalić jednocześnie położenia i pędu cząstki, co jest konsekwencją korpuskularno-falowej teorii kwantów. Zagadki fizyki kwantowej nie mogą przekreślić podstawowego pytania o to, co jest, a czego nie ma, co jest faktem, a co nie.

Zabójców pojęcia prawdy było w cywilizacji zachodniej wielu. Dwoma bodaj największymi okazali się Marks i Engels, którzy w kwestii bytu głosili hasła doskonale sprzeczne. Engels zgadzał się z twierdzeniem, iż istnieje obiektywna prawda w rozumieniu Arystotelesa, czyli jako odbicie rzeczywistości, a także jako absolutnego poznania wycinka rzeczywistości, na przykład w twierdzeniu, że 2 + 2 = 4. Jednocześnie jednak marksizm głosił, że wszelkie poznanie ma charakter społeczny. W społeczeństwie, w którym istnieją klasy panujące, deformują one poznanie i dopiero „klasa robotnicza" wyrażać miała „interesy wszystkich sił postępowych" i być „obiektywnie zainteresowana w poznaniu wolnym od partykularnych ograniczeń i mistyfikacji"[44]. W sumie nie wiadomo więc, czy ostatecznym kryterium prawdy jest w marksizmie obiektywne poznanie faktów, czy też świadomość klasowa. Praktyka komunizmu marksistowskiego pokazała,

---

[43] *Jan Paweł II w Polsce. 31 maja 1997 – 10 czerwca 1997. Przemówienia, homilie*, Kraków: Znak, 1997, s. 186.

[44] Engels, *Anty-Dühring*, s. 104; Karol Marks, Fryderyk Engels, *Manifest komunistyczny*, (w:) *Dzieła*, (Warszawa 1962), t. IV, s. 522.

iż w konflikcie między „świadomością klasową" a faktami sprawa kończyła się źle dla faktów, poddanych „woli klasy panującej".

Natomiast problem faktu, czy potwierdzonego zaistnienia najwyraźniej sprawia wielką trudność wielu współczesnym intelektualistom zachodnim. Amerykański filozof pochodzenia austriackiego Paul Feyerabend (1924–1994), wieloletni wykładowca uniwersytetu w Berkeley, dowodził, że skoro wszelkie metodologie mają swe ograniczenia – nie da się tego ukryć w świetle twierdzenia Gödla – powinna obowiązywać zasada „wszystko uchodzi". Wniosek, jaki z tego wyciągał, dość logiczny w swojej paranoi, brzmiał, iż racjonalność jest równa nieracjonalności, a taki czy inny sąd jest tylko i wyłącznie efektem przymusu. Oto w szkole przedstawia się dzieciom opinie, a nie fakty. Nie mówi się im, że „zdaniem niektórych ludzi Ziemia obiega Słońce (…) Stwierdza się: Ziemia obiega Słońce, a wszystko inne to czysty idiotyzm"[45]. Doprawdy trudno o jaśniejszy przykład idiotyzmu relatywisty.

Podobny, jeszcze bardziej szkodliwy przykład, przytaczają autorzy pracy *Modne bzdury* Alan Sokal i Jean Bricmont. W pewnym współczesnym podręczniku epistemologii, czyli nauki o poznaniu, znaleźli taką oto definicję faktu: „To, co powszechnie jest nazywane faktem, stanowi interpretację sytuacji, której nikt, przynajmniej chwilowo nie chce podważać"[46]. Wynika z tego, że jeśli ktokolwiek „zechce" inaczej zinterpretować ową „sytuację" fakt przestanie być faktem. *Notabene*, istnienie kwantów nie podlega wątpliwości. Problem jest tylko z ich naturą fizyczną, a to stanowi kłopot dla tych, którzy sądzą, że poza tym światem nie ma nic. To, że rzeczy tego świata są względne, nie oznacza, że nie istnieje inny byt, mało tego – wydaje się, że jest on jedynym wytłumaczeniem tego świata.

TYRANIA PEWNOŚCI

Korzenie totalitaryzmu tkwią głęboko w historii XIX i początku XX wieku. Nawet wcześniej zdarzały się przypadki rewolucyjnego idealizmu zamieniającego się w tyranię. Wymienia się przy tym wyprawy krzyżowe, Inkwizycję i komunę muensterską anabaptysty Jana z Leidy z 1534 r. albo terror francuskiej rewolucji i masowe mordy na ludności Wandei pod koniec XVIII wieku. Czy słuszne jest jednak stwierdzenie Daniela Chirota, iż to monoteizm w wydaniu mojżeszowym, chrześcijańskim czy wreszcie muzułmańskim, szczególnie sprzyjał absolutnym interpretacjom świata, a przez to stanowił idealną pożywkę dla tyranii i totalitaryzmu?[47]

---

[45] Napisał to w książce *Against Method*, cyt. wg: Francis Wheen, *Jak brednie podbiły świat*, (Warszawa: Muza S.A, 2005), s. 125.

[46] Sokal, Bricmont, ss. 105–106.

[47] Daniel Chirot, *Modern Tyrants. The Power and Prevalence of Evil in Our Age*, (New York: The Free Press, 1994), s. 17.

Podchód pierwszomajowy w Krakowie w latach 60. XX w. Na budynku widoczne wizerunki klasyków marksizmu-leninizmu: Karola Marksa, Fryderyka Engelsa i Włodzimierza Lenina. Sowiecki komunizm trzymał się wtedy jeszcze mocno.

Można mieć co do tego zasadnicze wątpliwości. Przede wszystkim nie należy rzutować wstecz pojęć i zjawisk z czasów nam współczesnych. Większość tyranii sprzed rewolucji przemysłowej i powstania otwartego społeczeństwa masowego nie miała wiele wspólnego z ideową pewnością o posiadaniu monopolu na prawdę, a jeśli nawet związek taki istniał, to nie były to tyranie totalitarne, typowe dla XX wieku. Spór o to, czy Inkwizycja lub terror jakobiński przyniosłyby w XX wieku tyle samo ofiar, co komunizm lub nazizm, jest bezprzedmiotowy, bo w wieku XIV i XVIII nie istniały środki techniczne umożliwiające masowy terror fizyczny oraz manipulacje ludzkimi postawami. Sam Chirot zauważa, iż „żadna tyrania ideologiczna w historii nie była tak absolutna i niszcząca jak dwudziestowieczny nazizm i komunizm"[48].

Niemniej szukając ideowych korzeni totalitaryzmu XX-wiecznego warto rozważyć zaproponowane przez Chirota pojęcie „tyranii pewności". Nauczycielami owej „naukowej" pewności byli między innymi Marks i Engels, którzy „odkryli" rzekomo obiektywne prawa historii, pozytywista Comte, prekursorzy nowoczesnego rasizmu, antropolodzy Gobineau i Chamberlain oraz twórca teorii ewolucji Darwin, który zachęcił do biologicznego redukcjonizmu w ocenie natury ludzkiej. Naukowa pewność XIX wieku była jednak czymś jakościowo różnym od dawnej „pewności" religijnej. Religijne rozumienie transcendencji do pewnego stopnia hamowało zapędy tych, którzy byliby skłonni realizować ostateczną prawdę o świecie. Natomiast coraz pewniejsi stawali się „uczeni" twierdzący, iż to nauka, a ściślej rzecz biorąc – nauki społeczne, prowadzą do „ostatecznego wyjaśnienia" zagadek tego świata. Swego czasu Ewa Bieńkowska zauważyła zwodnicze skutki wiary w „wielkość idei przewodniej"[49]. Krytyka wiary jako źródła totalitaryzmu jest chybiona, gdyż to nie sama wiara zwodziła konstruktorów totalitaryzmu, ale postawa „wierzę, że wiem", bardziej typowa dla scjentyzmu dominującego w myśli europejskiej od połowy XIX wieku niż dla współczesnych religii.

Tyrania „pewności naukowej" rozwinęła się na glebie społecznej dzięki środkom masowej komunikacji. Zarodkami tej tyranii były hasła nacjonalizmu integralnego upowszechniane w postaci spontanicznych odruchów wrogości etnicznej oraz teorie klasowe rodzące aktywną wrogość między grupami społecznymi o różnym statusie materialnym. Nietolerancja rasowa i klasowa napędzały się zresztą wzajemnie i przenikały, co znalazło wyraz w płynności zaplecza społecznego ruchów socjalistycznych i nacjonalistycznych na początku XX wieku. Środowiskiem ekonomicznym, w którym rozwijały się korzenie „tyranii pewności" był rozwój kapitalizmu. Przynosił on nie tylko oznaki triumfu człowieka nad przyrodą, ale i równie widoczne różnicowanie się poziomu i sposobu życia różnych warstw społecznych, a także rodził protesty zarówno ze strony rzeczników „tradycji narodowej" jak i wyznawców „sprawiedliwości społecznej". Pierwszych raziła wszechwładza pieniądza oraz upadek moralności i tradycyjnych więzi społecznych, drugich – wyzysk i nierówność. W XIX wieku nastąpił burzliwy rozwój

---

[48] Tamże, s. 17.
[49] Ewa Bieńkowska, „Cienie w pieczarze", *Znak*, 1999, nr 2, s. 37.

kapitalizmu, ale jeszcze szybciej rosła liczba osób gotowych czynnie go zwalczać. Owym spontanicznym odruchom wrogości rasowej i klasowej, które istniały w rozmaitych postaciach i wcześniej, szczególnego wigoru dodawała ideologia, stanowiąca przekład hipotez nauk społecznych na język zrozumiały dla mas. Hipotezy te stawały się prawdą objawioną, której owe masy miały się poddać.

Określenie „masy" pojawia się w słowniku politycznym właśnie na progu totalitaryzmu. Oznacza zbiorowiska jednostek, które wyrwane zostały z dawnych więzów rodzinnych i sąsiedzkich oraz pozbawione tradycyjnego systemu wartości. „Nie ma już bohaterów – pisał José Ortega y Gasset – jest tylko chór"[50]. Większość totalitarnych projektów uszczęśliwienia ludzkości, które skończyły się masowym ludobójstwem, wychodziła z założeń naukowych przetłumaczonych na masowy język ideologii. Wystarczy przypomnieć „teorie" Alfreda Rosenberga, „naukowy komunizm" praktykowany w ZSRR, „intelektualne" koncepty Czerwonych Khmerów i Świetlistego Szlaku, a także, tylko pozornie bardziej cywilizowane, socjaldemokratyczne teorie eugeniki w krajach skandynawskich. Totalitarna propaganda „jedynie słusznej" ideologii nie tylko zawierała szeroki arsenał środków perswazji, ale, jak zauważyła Hannah Arendt, stosowała także „zawoalowane pogróżki" wobec wszystkich, którzy nie byli przekonani o jej słuszności[51].

Ideałem totalitaryzmu był „nowy człowiek", którego zachowania są przewidywalne – człowiek pozbawiony woli i zdolności do samodzielnego wartościowania. W jakimś sensie człowiek taki przeżył upadek totalitaryzmu hitlerowskiego w postaci nieskruszonego esesmana. Przeżył także fiasko komunizmu radzieckiego w postaci „niewinnych" zbrodniarzy, rzekomo uwikłanych jedynie w historyczną konieczność, relatywizujących normy moralne, minimalizujących własną odpowiedzialność, a nawet zasadę prawdy i odpowiedzialności w ogóle. „Tyrania pewności" zagraża cywilizacji zachodniej także w dobie dominacji libertarianizmu.

POLITYCZNA POPRAWNOŚĆ

Brytyjska pisarka Doris Lessing zauważyła liczne ślady komunistycznej „nowomowy" i komunistycznej mentalności we współczesnym stylu pisania o sprawach społecznych. „Mętny język akademii nie zaczął się od komunizmu – zauważa Lessing – ale drętwa mowa i wielosłowie komunizmu mają swoje korzenie w świecie niemieckich uniwersytetów. Teraz zaś stały się swoistą pleśnią, która porasta świat"[52]. Autorka, zresztą dawniej zwolenniczka komunizmu, odkryła wpływ komunistycznego pustosłowia i języka perswazji na to, co pisze się dziś na wydziałach humanistycznych zachodnich uniwersytetów. Często w tekstach tych łatwo rozpoznać owo niezachwiane przekonanie do spraw wątpliwych, ten sam bełkot logiczny i to samo przeświadczenie o wykryciu reguł rzekomo rządzących

---

[50] Ortega y Gasset, *Bunt mas*, s. 10.
[51] Hannah Arendt, *Korzenie totalitaryzmu*, (Warszawa: Biblioteka Kwartalnika Politycznego „Krytyka" i NOWa, 1989), t. I, s. 273.
[52] Doris Lessing, „Upiory przeszłości", *Europa*, 20 X 2007 r.

rzeczywistością. Mało tego, nierzadko słychać w tym języku ukryte groźby. Kwintesencją tego sposobu komunikowania jest polityczna poprawność, podobnie jak komunizm wypływająca z pozornie szlachetnych pobudek szacunku dla człowieka, ale w istocie obracająca się przeciw niemu.

„Czy polityczna poprawność ma jakąś zaletę?", pytała Lessing. I odpowiada twierdząco, wskazując, że skłania ona nas do przyjrzenia się naszym postawom. „Problem w tym – pisze autorka – że jak to bywa z ruchami masowymi, skrajny margines szybko przestaje być marginesem; ogon zaczyna machać psem. Na każdą osobę, która spokojnie i rozsądnie wykorzystuje ideę poprawności politycznej do zbadania przyjętych przez nas założeń, przypada dwudziestu oszołomów, których prawdziwym motywem jest pragnienie władzy nad innymi". To prawda. Nietolerancja, którą miała uleczyć polityczna poprawność, zamienia się w nietolerancję politycznej poprawności. Z doświadczenia sowieckiego, pisała Lessing, „nie płyną dla Europy żadne pozytywne nauki". Z wyjątkiem, dodać by można, nauk negatywnych, gdyż wśród elit Zachodniej Europy bardzo częsta jest niechęć do oceny komunizmu, związana z nieczystym sumieniem.

W eseju Lessing znajdziemy wiele myśli bliskich osobom ze zdumieniem odczytującym ślady komunizmu w mentalności zachodniej. A jednak jest w tym eseju coś, z czym zgodzić się trudno. „Jestem pewna – pisze Lessing – że mentalność komunistyczna jest wzorowana na religii, chrześcijaństwie i dialektyce judaizmu". Autorka najwyraźniej uważa, że każda przekonanie o istnieniu prawdy niezależnej od naszej woli grozi przymusem. Lessing myli się tu zasadniczo. Istnieją prawdy obiektywne, które wolno, a nawet należy głosić. Są to prawdy dające się zweryfikować. Takie prawdy jak to, że dwa plus dwa równa się cztery lub że odpowiedzialna miłość buduje, a nieodpowiedzialność i nienawiść niszczą. Lessing przytacza przykład wielkich pisarzy rosyjskich XIX wieku, którzy nie pisali swych dzieł wedle programu teoretycznego „posłannictwa" i byli nieraz krytykowani za analizę zachowań jednostki, a nie społeczeństwa, a mimo to, właśnie poprzez opis doświadczenia indywidualnego, oddziaływali na postawy społeczne. Autorka pomija jednak kwestię, dlaczego tak się działo. Czy było to tylko skutkiem ich literackiej wirtuozerii, czy też głębokiej motywacji moralnej, wypływającej z wiary, którą potrafili przekazać w tak mistrzowski sposób?

Polityczna poprawność, lansowana w niektórych kołach intelektualnych Zachodu, wiedzie na manowce. Publikuje się tam nowe wersje Biblii, w których Bóg Ojciec musi być Ojco-Matką, aby nie razić feministek, a Jego „prawica" staje się „mocarną ręką", żeby uniknąć kontekstu politycznego i obrażania mańkutów. „Romeo i Julia" są krytykowani za dyskryminację homoseksualistów, a „Otello" – za rasizm. W szkołach unika się nauczania norm etycznych, bo musi ona być rzekomo zawsze konkretną etyką, chrześcijańską, buddyjską lub muzułmańską, a to graniczy z dyskryminacją pozostałych grup wyznaniowych. W rezultacie słowo „ukraść" zastępuje się czasem określeniem „wziąć", a „zabijanie" nazywa się „pozbawianiem życia". Uśmiech skierowany w niewłaściwą stronę może być zakwalifikowany jako „seksualne napastowanie". Każdy pogląd staje się przesądem. Łatwo dostrzec ślepy zaułek, w jaki brną zwolennicy „politycznej poprawności".

Mało kto zauważa jednak, że wynika on z błędnego koła wolności jako celu w sobie. Gdy likwiduje się miłość, szacunek dla drugiego człowieka można wyegzekwować tylko na drodze prawnej, a „potrzeby seksualne" najlepiej zaspokajać przez masturbację lub z partnerami obojętnymi uczuciowo, co broni przed uzależnieniem[53]. Wolność w takim wydaniu dehumanizuje człowieka w stopniu podobnym co zniewolenie.

Błyskotliwym zwycięstwem pewnej francuskiej posłanki zakończyło się swego czasu w Parlamencie Europejskim głosowanie nad jej sprawozdaniem w sprawie równości kobiet i mężczyzn w dostępie do sztuk scenicznych. Francuzka owa postulowała na przykład, aby w celu zapewnienia równości szans przesłuchania artystów odbywały się zza parawanu. W przypadku skrzypków miałoby to jeszcze jakiś sens, ale w przypadku śpiewaków lub śpiewaczek? Czy ktoś nie powinien jednak rozpoznawać ich jako mężczyzny i kobiety? Ale czy przypadkiem ktoś kogoś tu nie obrazi? Jak widać polityczna poprawność graniczy czasem z absurdem.

Sprawą „języka neutralnego płciowo" zajęła się Komisja Parlamentu Europejskiego do Spraw Równości Kobiet i Mężczyzn, publikując broszurę pod takim tytułem ze wstępem sekretarza generalnego Parlamentu, Haralda Rømera[54]. Zachęcił on wszystkich pracowników unijnych do stosowania zawartych w broszurze wytycznych. Problem w tym, że nie bardzo wiadomo, jakich. „Celem języka neutralnego płciowo jest unikanie wyboru słów, które można zinterpretować jako tendencyjne lub poniżające, ponieważ sugerują wyższość jednej płci nad drugą", napisali autorzy broszury. Założenie piękne, choć w praktyce niewykonalne przez wdrażanie instrukcji. Chaos pojęciowy, jaki wprowadza broszura, jest nawet gorszy niż zwyczaj, który chce się temperować. „Niektóre wyrażenia w jednym języku – pisze się w broszurze – mogą być do przyjęcia, a w innym – są kontrowersyjne (np. *human rights* i *Menschenrechte* w jednej strony, a *droits de l'homme* z drugiej strony)". Doprawdy trudno zrozumieć co tu jest do przyjęcia, a co nie. W języku angielskim używa się określenia oznaczającego „prawa ludzkie", natomiast po francusku *homme* ma podwójne znaczenie („mężczyzna" i „człowiek"). Domyślam się, że określenie angielskie jest do przyjęcia, a Francuzi nie dorośli jeszcze do poprawności „płciowej" języka. Na szczęście po polsku mówi się o prawach człowieka, więc na razie nikt Polaków się nie czepia.

Problem jednak w tym, że zwyczaj językowy jest czymś niezwykle mocnym, a tworzenie na siłę neologizmów lub używanie żeńskich odpowiedników jest na ogół sztuczne, a może też być mylące. Na przykład, „sekretarz" i „sekretarka" mają różny odcień znaczeniowy. Na szczęście, we wnioskach autorzy odnieśli się do zasad zdrowego rozsądku. „Szanse na akceptację języka pozbawionego tendencyjności są większe – piszą – jeżeli jest on naturalny i nienatarczywy". To bardzo słuszny wniosek. Nasuwa on jednak wątpliwość co do celowości wydania omawianej broszury. Jest ona typowym produktem „moralności proceduralnej" i to bezsilnej. Starając się ustalić jakieś zasady, ostatecznie odwołano się

---

[53] Katarzyna Ziabicka, „Poglądy to przesądy", *Gazeta Wyborcza*, 15/16 X 1994 r.

[54] Harald Rømer (red.), *Język neutralny płciowo*, (Bruksela: Parlament Europejski, 2008).

do kryterium zdrowego rozsądku. Równości mężczyzn i kobiet nie da się bowiem zadekretować, zwłaszcza „we wszystkich dziedzinach". Wystarczy odwołać się do równej godności obu płci i wzajemnego szacunku.

Polityczna poprawność dotknęła też strojów. Nie chodzi przy tym o to, że na plaży „opcjonalnej" jedni ludzie chodzą w kostiumach, a inni nago, ale o noszenie „symboli religijnych", przy czym symbolem takim może być zarówno krzyżyk, jak i chusta. „Neutralność światopoglądowa" państwa wygląda we Francji w ten sposób, że uchwalona tam w 2013 roku „karta laickości" zakazała noszenia „ostentacyjnych" symboli religijnych w szkołach i kwestionowania treści nauczania. „Każdy ma prawo do swoich poglądów, ale nie do tego, by na podstawie wiary kwestionować przebieg lekcji bądź w nich nie uczestniczyć", oświadczył francuski minister edukacji Vincent Peillon[55]. Znaczy to tyle, że każdy może mieć poglądy, byle ich nie ujawniał. Tym bardziej dotyczy to strojów, które przecież rzekomo ujawniają przekonania religijne. Chrześcijański symbol krzyża, stanowiący istotę wiary, został tu zrównany z chustą, którą noszą kobiety ze wschodu, zresztą nie tylko muzułmanki, ale także chrześcijanki. Z drugiej strony nagie parady rowerzystów, przemierzające regularnie wielkie miasta zachodnie, nikogo nie mają razić. Czyż nie są wyznaniem świeckiej religii „neutralności światopoglądowej"?

INTELEKTUALIŚCI

Szczególnie skutecznymi zabójcami prawdy w życiu publicznym okazali się w XX wieku tak zwani intelektualiści. George Bernard Shaw mówił „ludziom radzieckim" podczas swej wizyty w ZSRR w 1931 r.: „Kiedy doprowadzicie swój eksperyment do ostatecznego zwycięstwa, a wiem, że tak będzie, my na Zachodzie, którzy jeszcze bawimy się w socjalizm, będziemy musieli podążyć za wami, czy tego chcemy, czy nie"[56]. Shaw był marksistą. Marksizm oznaczał dlań konieczność triumfu socjalizmu, a to z kolei równało się poparciu dla ZSRR i Stalina. Po spotkaniu ze Stalinem w ZSRR Shaw stwierdził, że nigdy nie słyszał człowieka, który by tak „świetnie mówił". Stalin był dla Shawa „typem szczerym i dowcipnym, wykształconym jako duchowny", człowiekiem mówiącym „wszystko co chce, ale bez urazy, cierpliwym, pewnym, pozwalającym dyskutować do woli i rozbrajającym każdy nasz atak uśmiechem, w którym nie ma złośliwości, ale również nie ma łatwowierności". Po powrocie ze spotkania ze Stalinem do hotelu Metropol reporterzy zgromadzili się tłumnie, a Shaw zgodził się dać krótkie oświadczenie do prasy. „Stalin – powiedział – ma wspaniałe, czarne wąsy"[57]. W grudniu 1937 r.,

---

[55] „Karta laickości w szkołach", *Gazeta Polska Codziennie*, 10 IX 2013 r.

[56] Wypowiedź George'a Bernarda Shawa dla *Prawdy*, przedrukowana w *Daily Worker*, 29 VII 1936 r. Cyt za: R. Palme Dutt, „George Bernard Shaw", *Labour Monthly Pamphlet*, 1951, nr 1, s. 3

[57] Michael Holroyd, „Fellow Traveller", *The Sunday Times*, 15 IX 1991 r.

Pisarz George Bernard Shaw (1856–1950) z sympatią wyrażał się o Stalinie, a o sobie mówił, że jest komunistą. Lewicowi intelektualiści na całym świecie wspierali komunizm i jego ojczyznę – Związek Radziecki.

Szef NKWD Ławrientij Beria z córką Stalina Swietłaną na kolanach. Przy stole siedzi Stalin. Zdjęcie z lat 30. XX w. Mimo zbrodni popełnianych w ZSRR kraj ten i jego ideologia cieszyły się na świecie wielką popularnością.

w szczytowym okresie „wielkiej czystki", Shaw napisał: „Rosja jest przykładem dla całego świata, przykładem ogromnej wyższości socjalizmu nad kapitalizmem, pod względem gospodarczym, społecznym i politycznym". Jeszcze w wywiadzie prasowym z 1950 r. Shaw stwierdzał, że czuje się komunistą oraz że „przyszłość należy do kraju, który poniesie komunizm najdalej i najszybciej"[58]. Gdyby ta wizja miała się spełnić, nie wiadomo, czy sam Shaw nie padłby jej ofiarą. Choć i dziś nie brakuje ludzi, którzy nazywają pisarza humanistą, z uczuciami ludzkimi też miał Shaw problem. Niech mu te miliony ofiar Kołymy wybaczą, że stanął po stronie ich katów.

Wśród zachodnich piewców ZSRR było sporo ludzi nie związanych z marksizmem. Udział w „tworzeniu historii", nierzadko z użyciem siły, był dla wielu z nich swoistym wyzwaniem, przygodą „zaangażowanego" twórcy. Cóż zawiodło Ernesta Hemingwaya do Hiszpanii w czasie wojny domowej? Pogoń za przygodą? Ale cóż kazało mu sympatyzować z Brygadami Międzynarodowymi? Jednym z ważnych motywów, który skłaniał twórców zachodnich do popierania komunizmu, była nienawiść do nazizmu i faszyzmu. Podczas zjazdu pisarzy amerykańskich w czerwcu 1937 r. Hemingway powiedział: „Jest tylko jeden system rządów, który nie może

---

[58] Dutt, „George Bernard Shaw", tamże, ss. 12–14.

zrodzić dobrych pisarzy, a tą formą rządów jest faszyzm". Nieprzypadkowo użył terminu upowszechnionego przez propagandę sowiecką, bowiem, jak dowiedzieliśmy się niedawno, był agentem NKWD[59]. Jeszcze bardziej bezpośrednio włączyli się w akcje komunistów dwaj wielcy malarze meksykańscy. Diego Rivera udostępnił swą willę Lwowi Trockiemu, natomiast David Alfaro Siqueiros, autor słynnych murali i histeryczny wielbiciel Stalina, kierował bojówką terrorystyczną, która dokonała pierwszego, nieudanego zamachu na Trockiego[60].

Zachodni miłośnicy komunizmu byli niejednokrotnie krytykowani przez propagandę komunistyczną. Jean-Paul Sartre został określony przez radzieckiego komisarza literackiego Aleksandra Fadiejewa „szakalem z maszyną do pisania", lecz, mimo to, w 1952 r. włączył się w kampanię propagandową Francuskiej Partii Komunistycznej, a dwa lata później pojechał do ZSRR i napisał serię panegiryków o Kraju Rad. Zauroczenie zgoła niezwykłe, bo bez wyraźnej wzajemności. Niektórzy „intelektualiści" ujawniali wprost wstręt do najcenniejszych wartości kultury. Bertold Brecht, przybity tajnym referatem Nikity Chruszczowa na XX Zjeździe KPZR, protestował przeciw jego publikacji tłumacząc: „Mam konia. Kuleje i ma parchy, jest szpotawy. Ktoś przychodzi do mnie i mówi mi: 'ten koń kuleje, jest szpotawy i ma parchy'. Ten ktoś ma rację, ale co mi z tego? Nie mam innego konia". Brecht nie zauważał, że konie są nie tylko szpotawe, ale i zdrowe i rasowe, a także, iż istnieje cała masa innych zwierząt. A jednak wybrał konia wadliwego i twierdził, że to jedyny wybór. To mało „intelektualny" wywód. Uwiedzenie komunizmem nie wynikało z analizy intelektualnej, lecz było raczej rezultatem zauroczenia mocą sprawczą komunizmu. „Intelektualista", który czuł bezsilność swoich myśli i słów, oddawał się w niewolę idei, za którą stała siła. W ten sposób sam czuł się silniejszy. Sartre stwierdził kiedyś: „dla mnie zasadniczym problemem jest odrzucenie teorii, według której lewica nie powinna odpowiadać przemocą na przemoc"[61]. Otóż wiara w przemoc jako siłę sprawczą historii była ważnym składnikiem owego opium dla intelektualistów, o którym mówił Raymond Aron[62].

Innym składnikiem tej piekielnej mikstury, która usprawiedliwiała największe nawet zbrodnie XX wieku, była zwykła pycha. Jest ona pułapką każdego, kto poznawszy wiele sądzi, że poznał wszystko, że jest w stanie sformułować prostą diagnozę dla świata i zaaplikować mu równie proste i skuteczne lekarstwo. Pułapka ta była tym groźniejsza, że przekonanie o własnej wiedzy bardzo często odbiera ludziom wykształconym wrażliwość moralną. Czują się oni powołani do krytykowania i pouczania innych, ale sami odrzucają normy moralne. Czują się rzecznikami „mas", które należy uszczęśliwić, ale przeszkadza im konkretny człowiek, który nie stoi na wysokości zadania, ba, swoją niedoskonałością utrudnia jego

---

[59] Drahoslav i Ivan Machalowie, *Hemingway reporter*, (Katowice: „Śląsk", 1984), s. 299; Tomasz Łysiak, „Operacja Argo", *Gazeta Polska,* 18 VII 2018 r.

[60] Nikołaj Zieńkiewicz, *Kremlowska księga zamachów*, (Warszawa: Prószynski i S-ka, 1995), ss. 32–39.

[61] Paul Johnson, *Intelektualiści*, (Warszawa; Editions Spotkania, 1988), ss. 214, 262, 272 i 276.

[62] Raymond Aron, *Opium intelektualistów*, (Warszawa: Muza S.A., 2000).

realizację. Zasłuchani w swój głos, nie słyszą najprostszych nawet argumentów. Niestety, w pułapkę tę wpadło bardzo wielu intelektualistów" XX wieku[63].

Pojęcia „intelektualista" w ogóle się nadużywa. Komunizm, polegający w istocie na wierze w szczęście ludzkości realizowane przemocą, został wymyślony i w dużej mierze zapoczątkowany przez specyficzny typ „intelektualistów". Byli to ludzie posiadający pewną wiedzę, ale pozbawieni minimum mądrości, które każe człowiekowi rozumnemu oceniać, co wie, a czego nie wie, oraz minimum pokory, która nakazuje stale myśleć o tym, czy głoszone teorie znajdują jakiekolwiek odbicie w rzeczywistości. Swoją fragmentaryczną wiedzę traktowali owi „intelektualiści" jako wiedzę o wszystkim, jako stan osiągnięcia Prawdy. Była to prosta konsekwencja ateizmu i ubóstwienia rozumu ludzkiego. Protoplastów owego uzurpatorskiego „intelektualizmu" szukać by należało pod koniec XVIII wieku, a także w całym następnym stuleciu, w „wieku ideologii". Fiodor Dostojewski nazywał ten fenomen „półwiedzą". „Półwiedza – pisał – jest tyranem, jakiego jeszcze nigdy nie znano. Tyranem, który ma swoich kapłanów i niewolników, przed którym korzą się wszyscy z miłością i przesądnym strachem, nieznanym dotychczas, przed którym drży nawet sama wiedza, bezwstydnie potakująca półwiedzy"[64].

Cała prawie myśl marksowska była tego rodzaju „półwiedzą". To marksizm bowiem usunął z tradycji europejskiej pojęcie transcendencji, zrelatywizował normy moralne, uzależnił człowieka od materii i kazał mu szukać raju na ziemi głównie przy pomocy „obiektywnych praw historii" oraz siły. To marksizm też wylansował w praktyce hasło „cel uświęca środki". Korzenie tak rozumianego „intelektualizmu" mogą być jeszcze bardziej wstydliwe. Kim był Louis Aragon, który w poetyckim uniesieniu wieszczył: „Niech żyje GePeU na przekór wszystkim wrogom Proletariatu"[65]? Kim byli Paul Éluard, Pablo Picasso, George Bernard Shaw, Romain Rolland i inni wielbiciele ZSRR? Czy naprawdę pracowali intelektem? Czy raczej uczuciami? Być może ich protoplastą był Nietzsche, który swoją filozofię wysnuł z emocji. „W życiu prócz stopnia mocy nie ma niczego, co miałoby wartość – przyjąwszy właśnie, że samo życie jest wolą mocy", pisał w tragicznym natchnieniu Nietzsche, uznawszy za pewnik, że „nie ma prawdy" i „nie ma absolutnego charakteru rzeczy, żadnej 'rzeczy w sobie'". Była to jednak przesłanka nie tyle rozumowa, co emocjonalna, o czym świadczy dalszy wywód Nietzschego: „faza namiętnego Nie i czynienia Nie: wyładowuje się w nim nagromadzona żądza afirmacji, adoracji... faza pogardy nawet dla Nie... nawet dla wątpienia... nawet dla ironii... nawet dla pogardy... katastrofa: czy kłamstwo nie jest czymś boskim... czy wartość wszystkich rzeczy nie na tym polega, że są one fałszywe?"[66] Od takiej

---

[63] Wiele przykładów skandalicznych postaw „intelektualistów" zachodnich wobec praktyk komunizmu sowieckiego omawia Dariusz Tołczyk, *Gułag w oczach Zachodu*, (Warszawa: Prószyński i S-ka, 2009).

[64] Fiodor Dostojewski, *Biesy*, (Warszawa: PIW, 1977), s. 246.

[65] Cyt. wg: Stephane Courtois, Nicolas Werth, Jean-Louis Panne, Andrzej Paczkowski, Karel Bartosek, Jean-Louis Margolin, *Czarna księga komunizmu*, (Warszawa: Prószyński i S-ka), 1999, s. 289.

[66] Friedrich Nietzsche, „Zapiski o nihilizmie", wg: *Znak*, 1994, nr 6 (469), ss. 43, 46 i 56.

Karol Marks (1818–1883), niemiecki filozof i ekonomista. Marksistowski komunizm doprowadził do śmierci największej liczby ludzi w XX w., a mimo to nadal znajduje zwolenników.

gorączkowej, obsesyjnej, czy wręcz szaleńczej diagnozy tego świata tylko krok do przyjęcia, że lekarstwem na jego bolączki jest siła.

Współcześni „intelektualiści" przypominają nie mędrców poszukujących prawdy o świecie, ale raczej artystów pragnących zaspokoić swe pragnienie oryginalności na „scenie publicznej". Na scenie tej, wymagającej pomysłowości w autokreacji, dobrze widać jedynie to, co szokuje, co stanowi zaprzeczenie dotychczasowych poglądów. Dobrze się na niej sprzedawały paradoksy, słowne piruety i „obalanie tabu", czyli mówiąc uczenie – „transgresja". Scena potrzebowała nie tylko ubranych w czarne swetry studentów pijących po nocach w kawiarniach Paryża, ale i „filozofa" w okularach, który prawił: „koniec końców, trzeba powiedzieć – tak lub nie – i samemu za cały wszechświat zadecydować o prawdzie. Otóż owa decyzja jest aktem metafizycznym i absolutnym (...) albowiem owo 'tak', które wreszcie należy wypowiedzieć, by nadeszło królestwo prawdy, wymaga nieskończenie wielkiej mocy, użytej całkowicie za jednym zamachem (...) 'Tak' człowieka nie różni się zatem od 'tak' Boga"[67]. Absolutyzując wolność i przypisując człowiekowi moc Boga w rozpoznaniu prawdy, Sartre upajał siebie i swoich słuchaczy iluzją, która potrzebowała mocy sprawczej. „Intelektualista" jako artysta-filozof sceniczny był

---

[67] Jean-Paul Sartre, „Wolność kartezjańska", (w:) *Filozofia i socjologia XX wieku*, (Warszawa: Wiedza Powszechna, 1965), t. II, s. 313.

gotów oddać siebie i swych zwolenników nawet pod rozkazy obcego mocarstwa, by zdobyć szansę realizacji tej iluzji[68].

Ideologiczna „półwiedza", próżność i szukanie siły sprawczej pomagały w przeistaczaniu się niektórych zachodnich „intelektualistów" w rewolucyjnych komisarzy. Chyba, że tak jak George Orwell, potrafiliby oni opanować zwodnicze emocje oraz pychę i zacząć uczciwie myśleć.

RELATYWIZM HISTERYCZNY

Dlaczego zwolennicy sprowadzania natury człowieka do zera i przypisywania mu jedynie zmiennej i względnej kultury, mają zazwyczaj tyle rewolucyjnego zapału? Jak mamy bronić praw człowieka, gdy negujemy jego naturę? Do czego ma on prawo? Czy także do zachowań, które niszczą i osobę, i społeczeństwo? Czy jest to, jak twierdzi Jacek Żakowski, prawicowy pogląd o normach „narzucanych z zewnątrz"[69], czy zdrowy rozsądek? Histeryczni relatywiści uważają najwyraźniej, że mamy nieograniczone prawo wyboru. Tak nie jest. I nie chodzi jedynie o prawo ciążenia, któremu mało kto się oparł. Zwolennicy wolności bez granic chcą nawet wybrać sobie najwygodniejszego Boga, takiego, który niczego od nas nie wymaga, a każdego wesprze w potrzebie. To dziecinada. Jeśli Bóg jest, to taki, jaki jest, a nie taki, jakiego my chcemy. Czy chcemy czy nie, pewne prawa natury i logiki są nam dane. Anglosasi nazywają to *fact of life*, czyli prawdą, z którą się nie dyskutuje. A jednak histeryczni relatywiści często kwestionują zdrowy rozsądek i to nerwowo. W ich emocjonalnych połajankach nie na temat widać niezdolność do merytorycznej dyskusji. Słysząc odmienny pogląd, obrażają się i krzyczą, nie tłumacząc nawet dlaczego. „Mnie nie interesuje prawda, mnie interesuje dialog", powiada pewna profesor filozofii z Polskiej Akademii Nauk[70]. Tymczasem dialog okazuje się nieokiełznanymi popisami erystyki.

W sejmowej debacie nad komunizmem na początku kwietnia 1998 r. polscy postkomuniści wzywali, by nie dociekać prawdy o komunizmie, bo jest ona niejednoznaczna, a ponadto dlatego, że doprowadzi to tylko do eskalacji pretensji i podziałów. Można by zrozumieć obawy tych polityków przed głosowaniem za tym, co jest prawdą, gdyby w innych kwestiach nie rwali się oni do stosowania procedur demokratycznych dla jej ustalenia, na przykład w kwestii aborcji. Można też rozumieć niepokój przed narastaniem agresji w życiu publicznym, ale obawiam się, że unikanie dochodzenia prawdy jest wyjściem równie złym. Wpisuje się bowiem we wszechobecną moralną teorię względności. Jakże często słysząc słowo

---

[68] Puste miejsce po Bogu zapełniał Sartre potworami. Przypomina to niezwykłą scenę opisaną przez Herberta Lottmana. Oto w latach trzydziestych w jednym z salonów literackich Paryża pisarz André Gide sięgnął po ciastecko. Nie przestał jednak mówić i gestykulować aż do chwili, gdy pies gospodarzy podskoczył i porwał mu owo ciastko. Oto pożytek z lewicowego „intelektualisty": gada i gada, a korzysta z tego bestia. Herbert R. Lottman, *Lewy brzeg*, (Warszawa: PIW, 1997), ss. 52–53.

[69] Jacek Żakowski, „Lewica, prawica, nerwica", *Polityka,* 4 II 2006 r., s. 49.

[70] Paweł Paliwoda, „RP bożych prostaczków", *Wprost,* 12 VI 2005 r., s. 38.

„wartość" lub „prawda", współczesne autorytety podnoszą alarm, że oto gwałci się wolność. Jak mówi Allan Bloom, względność jest w określonych kręgach wręcz „wymogiem moralnym, koniecznym warunkiem wolności społeczeństwa"[71].

W myśli postmodernistycznej zabronione jest wartościowanie, a argumenty rozumowe zastępuje dialektyka, erystyka, wielosłowie, fantazjowanie, a nierzadko podniesiony głos[72]. Przez teksty Zygmunta Baumana trudno przebrnąć, ale w rozmowie ujawnił on, o co tu naprawdę chodzi. Okazuje się, że wszystko jest znacznie bardziej skomplikowane niż się wydaje, że właściwie to nic nie wiadomo oraz że „nic z tego, co najważniejsze, nie zostało jeszcze powiedziane. I nie wiadomo, czy będzie"[73]. Wydawać by się mogło, że Bauman nie czytał nic z tego, co zostało już napisane, ale oczywiście to nieprawda. Przeciwnie, przeczytawszy, doszedł do wniosku, że tam nic nie ma. Przykry wniosek. Wynika on chyba z poczucia nudy lub z braku kryterium oceny. W historii myśli powiedziano bowiem już bowiem chyba wszystko, i mądrze, i głupio. Jeśli cała ta spuścizna robi wrażenie chaosu lub pustki, to tylko dla tego, kto rezygnuje z kryterium sensowności. Myśl wolna od tego kryterium wytwarza dowolne zdania, cieszy się krótko ich atrakcyjnością i leci dalej w pustkę. W dzisiejszym świecie myśl ludzka została owładnięta manią samobójczą. Stale nienasycona w negacji, zwątpieniu i redukcji, „wolna myśl nie ma już co kwestionować, ponieważ zakwestionowała samą siebie", jak napisał już dość dawno Gilbert Keith Chesterton[74].

Trudno jednoznacznie powiedzieć, co czyni teorię względności prawdy tak popularną. Jednym z powodów, dla których brnie się dziś w to niesłychane bezdroże, jest lenistwo, innym – chęć usunięcia ze swego życia poczucia odpowiedzialności, jeszcze innym – cynizm. Co ciekawe, schorzenia owe kwitną także w krajach odległych od doświadczenia komunistycznego. Niechęć do prawdy wynika być może także z tego, że często jest ona trudna, nieestetyczna oraz że zakłóca dobre samopoczucie. Głęboko niesłusznym mitem jest jednak przekonanie, że przeżywanie wartości musi prowadzić do fanatyzmu, że każdy pogląd zawiera w sobie element demagogii lub manipulacji oraz że w związku z tym należy dążyć do sytuacji i rozwiązań „neutralnych światopoglądowo". Zapewne zwolennicy owej „neutralności światopoglądowej" nie do końca sobie uświadamiają co czynią. W istocie eliminują bowiem cywilizację. Przez wieki całe ludzie trudzili się, by przezwyciężać złe zwyczaje, niesprawiedliwość, okrucieństwo, nadużycia władców i inne ciemne strony ludzkiego żywota, a obecnie część „neutralnych światopoglądowo" intelektualistów, a w ślad za nimi nierzadko także „szary człowiek", kwestionują oceny moralne ludzkich działań i jakąkolwiek prawdę o świecie. Konsekwencją takiej postawy jest zrównanie zbrodni i osiągnięć, wierności i zdrady, bohaterstwa i tchórzostwa, mądrości i głupoty, kłamstwa i prawdy. Obrazowo rzecz ujmując, zwolennicy teorii o istnieniu wielu prawd chcą się przejrzeć w roztrzaskanym lustrze.

---

[71] Bloom, *Umysł zamknięty*, s. 27.
[72] „Tęcza dla daltonistów", *Życie*, 22/23 II 1997 r.
[73] „To, co najważniejsze, nie zostało jeszcze powiedziane". Rozmowa Jarosława Naliwajki SJ z Zygmuntem Baumanem, *Przegląd Powszechny*, 1999, nr 1, s. 47.
[74] Gilbert Keith Chesterton, *Ortodoksja*, (Gdańsk-Warszawa: Exter „Fronda", 1996), s. 42.

Barykady na jednej z ulic we francuskim Bordeaux podczas młodzieżowej rewolty w maju 1968 r.

Rozdział 6. Rewolucja lat sześćdziesiątych

SPOŁECZNE KORZENIE REWOLUCJI

Obyczajowa rewolucja lat sześćdziesiątych, która przyspieszyła upadek cywilizacji zachodniej, była rezultatem wielu czynników, z których jednym z poważniejszych była zmiana pokoleniowa. W opozycji do przedstawicieli pokolenia wojennego, które przeżyło koszmar wojny, ale traktowało odbudowę normalnego życia jako zadanie, któremu na ogół sprostało, pokolenie ludzi urodzonych zaraz po wojnie czerpało garściami z owoców tej odbudowy i dobrej koniunktury lat pięćdziesiątych, nie ceniąc sobie tak samo pracy, obowiązku i przewidywalności, które były podstawą powojennej koniunktury. W latach pięćdziesiątych stałemu wzrostowi dobrobytu społeczeństw zachodnich i narastającej rewolucji naukowo--technicznej towarzyszyły szybkie przemiany społeczne. Były one najgłębsze w USA, ale stopniowo przenikały także do Zachodniej Europy. W latach sześćdziesiątych dokonała się w wysoko rozwiniętych krajach Zachodu swoista rewolucja edukacyjna. Szybko rósł zwłaszcza odsetek młodzieży podejmującej naukę na poziomie wyższym, przez co teorie przełamujące dotychczasowe wyobrażenia i standardy zyskiwały popularność. Zjawiskiem o ogromnych konsekwencjach był wzrost zatrudnienia zamężnych kobiet, wynikający z pragnienia pełniejszej realizacji osobowości i osiągania coraz wyższego poziomu konsumpcji w rodzinie. O ile w 1960 r. pracowało zawodowo w USA około 30% zamężnych kobiet, o tyle w dziesięć lat później wskaźnik ten przekroczył już 40%[1]. Coraz bardziej powszechny stawał się model rodziny, w której oboje małżonkowie pracowali. Efektem tego było wcześniejsze usamodzielnianie się młodzieży, która często jeszcze w trakcie nauki podejmowała dorywcze zajęcia zarobkowe i tworzyła coraz chłonniejszy rynek specyficznych dóbr konsumpcyjnych.

Na początku lat sześćdziesiątych w Stanach Zjednoczonych do głosu zaczęło dochodzić liczne pokolenie urodzone w coraz lepszych warunkach materialnych i cieszące się łatwiejszym dostępem do nauki (*baby boomers*). Coraz większa część młodzieży szła na studia. O ile w 1945 r. studiowało w USA około 1,7 mln osób, a na uniwersytetach pracowało około 165 tys. osób, o tyle w 1970 r. odpowiednio 7,0 mln i 500 tys. osób. Jeszcze niedojrzali życiowo, a już stanowiący potężną masę niby samodzielnych ludzi, studenci stali się żywiołem niszczycielskim. Podobnie jak wyjeżdżający ze wsi do miast robotnicy XIX wieku, studenci zrywali korzenie łączące ich z tradycją domu i nawzajem nakręcali się do buntu przeciw światu „starych". Wyrwanie się spod kontroli rodziców i popisywanie się przed rówieśnikami było istotnym składnikiem psychicznym tej rewolucji. Świat postrzegali

---

[1]   James V. Henretta, Elliot W. Brownlee, David Brody, Susan Ware, *America's History since 1865*, (Chicago: The Dorsey Press, 1987), s. 857.

w kategoriach wolności oraz nudy i poszukiwania „prawdziwego doświadczenia" (seks, narkotyki i rock, czyli *sex, drugs and rock and roll*)[2].

Niektórzy autorzy datują początek rewolty lat sześćdziesiątych na czerwiec 1962 r., gdy w miejscowości Port Huron w amerykańskim stanie Michigan zebrała się konwencja organizacji Studenci na Rzecz Demokratycznego Społeczeństwa (*Students for a Democratic Society*, SDS). Uchwaliła ona, na podstawie projektu Toma Heydena „Oświadczenie z Port Huron", przydługi manifest programowy, dotyczący ni mniej, ni więcej, tylko budowy nowego społeczeństwa, nowego człowieka i nowego świata. Grono niedojrzałych emocjonalnie i umysłowo młodych ludzi uwierzyło w swą misję zbawienia ludzkości. Opisali oni swą nienawiść do świata zastanego, nie pisząc jednak, jak miałoby dojść do pożądanej jego odmiany. Najogólniej rzecz biorąc, w ślad za poprzednimi pokoleniami lewicy uznali oni, że natura ludzka została skażona nie przez grzech, lecz przez instytucje społeczne. Ponieważ zaś słabi ludzie nie tylko je stworzyli, ale ich bronią, w dziele odnowy potrzebne będzie zniszczenie tych instytucji, a także złamanie tych, którzy by je ochraniali. Dla Nowej Lewicy amerykańskiej zbawienie miało przyjść przez politykę. Jaki byłby ten nowy człowiek – tego sami nie wiedzieli. „Celem człowieka i społeczeństwa winno być odnalezienie tego, co w życiu jest autentyczne w sensie osobowym" stwierdzono jedynie w dokumencie. A zatem przy pomocy działań politycznych zamierzano wydobyć ludzi z izolacji i alienacji ku sensowi „życia osobowego". Niepostrzeżenie usunięto z pola widzenia sens życia, jaki dawała tradycyjna religia, a na to miejsce sprowadzano politykę. Innymi słowami opisano to samo, co robiły poprzednie pokolenia radykalnej lewicy. Wielkim wrogiem stał się amerykański *establishment*, a w istocie Ameryka jako system. Sesja SDS w Port Huron, na której przyjęto „Oświadczenie", trwała całą noc, a nad ranem uczestnicy wzięli się za ręce i obserwowali wschód słońca nad jeziorem. Wydawało się im, że biorą udział w dziejowym wydarzeniu, które zapoczątkuje Nowy Początek ludzkości[3].

Wyobrażenia o świecie i aspiracje tego pokolenia znajdowały wyraz w modnych przebojach, które kwalifikowano początkowo jako antywojenne *protest songs*, a potem coraz częściej ogólnym mianem *rock and roll*. Swego rodzaju hymnem zapowiadającym rewolucję lat sześćdziesiątych była pieśń Boba Dylana *Times, They Are A-Changing* z jesieni 1963 roku, utrzymana w konwencji katastroficznej pieśni ludowej:

Come gather, round people / Wherever you roam
And admit that the waters / Around you have grown
And accept it that soon / You'll be drenched to the bone
If your time to you / Is worth savin'
Then you better start swimmin' / Or you'll sink like a stone
For the times they are a-changin'[4].

---

[2]   Robert H. Bork, *Slouching Towards Gomorrah* (New York: ReganBooks, 1996), s. 22.

[3]   Tamże, s. 25–31.

[4]   https://www.azlyrics.com/lyrics/bobdylan/thetimestheyareachangin.html (13 III 2018). Choć istnieją nawet niezłe polskie tłumaczenia przebojów lat sześćdziesiątych, smak tych tekstów poznać można najlepiej po oryginałach.

PRZYZWALANIE

Kultura przyzwolenia rozwinęła się w obecną postać pod wpływem libertaria-nizmu i jego podstawowej zasady swoiście rozumianej tolerancji. Początki XX--wiecznej kultury przyzwolenia sięgają jednak zapewne społeczeństwa mieszczań-skiego, w którym zachowania niemoralne nie były akceptowane, ale tolerowane w tak zwanych wyższych sferach. Mieszczańska hipokryzja była jednak swego rodzaju hołdem składanym cnocie aż do lat sześćdziesiątych XX wieku, gdy tamy puściły. Ważnym czynnikiem zmian były też masowe media, które walczyły o czy-telnika starając się epatować go sensacją, także obyczajową.

Pierwsze zmiany zapoczątkowała I wojna światowa. Straszliwe doświadczenia frontowe mężczyzn i osamotnienie pozostałych w domach kobiet rodziły pewne rozluźnienie obyczajów. Powojenną traumę rozładowywano przez coraz odważniej-sze zabawy. Stąd określenie *the roaring twenties*, „ryczących lat dwudziestych", kiedy w Europie Zachodniej i USA zapanowała moda na jazz i kabaret. Ponieważ źródłami tych produkcji była kultura plebejska – teksty ówczesnych bluesów nie-rzadko nawiązują w mniej lub bardziej zawoalowanej postaci do uciech cielesnych i problemów półświatka – przyzwolenie na „podkasaną muzę" rosło wraz z po-pularnością przebojów i gwiazd, które często podtrzymywały swoją popularność przez skandale. Erotyka stała się także tematem popularnym za sprawą psycho-analizy oraz badań nad psychologią i fizjologią seksu popularyzowanych w me-diach. Symbolem tego etapu przyzwolenia stała się Josephine Baker (1906–1975), urodzona w slumsach St. Louis tancerka i piosenkarka, która nie przebiła się w USA ze względu na czarną skórę, ale zrobiła karierę w bardziej „tolerancyjnej" Francji, gdzie nie do końca szokował jej biseksualizm i gdzie „podkasana muza" w postaci kabaretów z półnagimi girlsami święciła triumfy. Jako pierwsza gwiaz-da show businessu Baker występowała w paryskich kabaretach z odsłoniętym biustem. Innym symbolem tej epoki było pojawienie się pierwszych klubów nu-dystycznych, a po II wojnie światowej – rozkwit lokali ze striptizem.

Przyzwalanie stało się mechanizmem zmian obyczajowych w XX wieku. W re-zultacie okazało się, że dobrobyt i kultura nie są gwarancją, iż ktoś z głupoty czy nudów nie zechce tych zdobyczy zniszczyć. Szaleńcze pomysły na stworzenie nowego człowieka nieraz rodziły się w głowach ludzi niespecjalnie pokrzywdzo-nych przez życie. Historia młodzieżowych buntów na Zachodzie dodała do dziejów tragifarsy „postępu" nowe rozdziały. Depresyjne nastroje wśród młodych twór-ców i naukowców nasilały się po obu wojnach światowych XX wieku. II wojna światowa zmobilizowała społeczeństwa do wysiłku, toteż w czasie jej trwania nie mówiono o bezsensie życia, natomiast powojenny pokój temu sprzyjał. Tak było z buntami lat czterdziestych i pięćdziesiątych. Pierwsza ich fala przyszła we Fran-cji wraz z modą na egzystencjalizm, a w USA w postaci „bitników". W twórczości Williama S. Burroughsa, Neala Cassady'ego, Allena Ginsberga czy Jacka Kerouaca Ameryka jawiła się jako system przeżarty hipokryzją, który należało w całości odrzucić. Bitnicy wiedli żywoty wędrownych mędrców, pili, narkotyzowali się i uprawiali niczym nieograniczony seks. A także o tym wszystkim pisali.

Rozwój kultury konsumpcyjnej przyspieszało upowszechnienie wizualnych nośników informacji, przede wszystkim zaś telewizji. Od połowy lat pięćdziesiątych w USA, a od początku lat sześćdziesiątych w Europie Zachodniej znakomita większość rodzin posiadała telewizor, co powodowało zmiany sposobu życia. Oglądając telewizję członkowie rodziny spędzali coraz więcej czasu w sposób bierny. Telewizja miała zwłaszcza ogromny wpływ na kształtowanie wyobraźni oraz zdolności do komunikowania się wśród dzieci i młodzieży.

Młodzież podejmująca pracę szybciej uniezależniała się od rodziców tworząc odrębną podkulturę w opozycji do świata dorosłych. Symbolem nowej generacji i odbiciem jej zachowań stała się kariera angielskiego zespołu The Beatles, a następnie rozwój ruchu hippisów w Stanach Zjednoczonych[5]. Wprowadzenie na rynek pigułki antykoncepcyjnej w 1962 roku przyspieszyło przemiany obyczajowe. Zachęcała ona coraz więcej kobiet do akceptacji stosunków przedmałżeńskich lub pozamałżeńskich. Swobodna aktywność seksualna stawała się wręcz nakazem mody, lansowanej w popularnych piosenkach. Wyrazem upowszechnienia swobodnych wzorców obyczajowych młodego pokolenia była moda na minispódniczki zapoczątkowana w połowie dekady oraz coraz częstsze publiczne obnażanie biustu od końca lat sześćdziesiątych.

Wraz ze zwężaniem się sfery intymności w kulturze masowej oraz zacieraniem się różnic między sztuką i pornografią gwałtownie rozwijał się masowy przemysł pornograficzny. Seks stał się centrum zainteresowania młodego pokolenia, co określono jako „rewolucję seksualną" lub *sexplosion*. Stale przesuwano granicę wrażliwości w muzyce rockowej, w której popularność zdobywały zespoły grające coraz głośniej i używające coraz bardziej wulgarnych słów. Dosłowność w ukazywaniu fizycznej przemocy zdominowała ekrany kinowe i telewizyjne. Społeczeństwa zachodnie coraz szerzej akceptowały niekonwencjonalne, a nawet szokujące dotąd zachowania (*permissiveness*). Zaspokajanie potrzeby szczęścia i przyjemności bez uwzględniania odpowiedzialności za swe czyny stało się nową wiarą młodego pokolenia. Choć obniżanie konwencjonalnych barier między ludźmi miało i dobre strony, stwarzało ono także wielkie niebezpieczeństwo negacji jakichkolwiek norm moralnych. Komercjalizacja życia na Zachodzie powodowała szybkie upowszechnianie nowych wzorów.

„DRUGA WOJNA SECESYJNA" W USA

Rewolucja społeczna lat sześćdziesiątych była na Zachodzie tak głęboka, że w odniesieniu do Stanów Zjednoczonych Robert H. Bork nazwał ją „drugą

---

[5] Określenie „hippie" pochodzi od terminu „to be hip" ze slangu młodzieżowego, oznaczającego „bycie na fali". Arnold S. Rice, *American Civilization Since 1900,* (New York: Barneds and Noble, 1983), s. 150.

Popularna czarnoskóra amerykańska tancerka Josephine Baker podczas występu w paryskiej Folies Bergère. Artystka chętnie eksponowała swoją seksualność na scenie.

wojną secesyjną"[6]. Oprócz zmian pokoleniowych, paliwem amerykańskiej rewolucji obyczajowej była interwencja USA w Wietnamie. W latach sześćdziesiątych w społeczeństwie amerykańskim nasilały się protesty przeciw tej interwencji ze względu na obowiązkowy pobór do wojska. Nasilały się strajki okupacyjne i marsze protestacyjne. W listopadzie 1969 roku 250 tysięcy osób maszerowało na Waszyngton, protestując przeciw wojnie w Wietnamie. Studenci protestowali na uniwersyteckich kampusach przeciw badaniom prowadzącym do doskonalenia techniki wojskowej, na przykład prac nad napalmem. Można się zastanawiać, czy wojna wietnamska była okazją, czy autentycznym powodem rewolucji lat sześćdziesiątych. Studenckie protesty były bliższe obalenia rządu we Francji, Włoszech czy Niemczech niż w Stanach Zjednoczonych, które tę wojnę naprawdę prowadziły. Zastanawiające też jest, że podobnych protestów nie wywołała wojna w Korei piętnaście lat wcześniej. Argument, że protestującym chodziło o los nieszczęsnych Wietnamczyków, też jest bardzo wątpliwy, zważywszy obojętność rewolucjonistów na to, co stało się z ludnością Wietnamu Południowego po triumfie komunistów. Na przykład Jane Fonda, która odwiedziła Hanoi w czasie interwencji amerykańskiej i stwierdziła, że wstydzi się działań USA oraz że walka komunistów jest jej walką, nie zająknęła się ani słowem, gdy okazało się, że jej północnowietnamscy sojusznicy wymordowali setki tysięcy ludzi, a drugie tyle umieścili w okrutnych „obozach reedukacyjnych"[7].

Innym paliwem tej rewolucji była segregacja rasowa. Od początku lat sześćdziesiątych w stanach południowych nasilały się akcje protestu przeciw segregacji i dyskryminacji Murzynów, zapoczątkowane jeszcze pod koniec lat pięćdziesiątych. W lecie 1963 roku nastąpiło apogeum tych protestów w postaci bojkotów, zbierania podpisów, demonstracji ulicznych i strajków okupacyjnych w miejscach publicznych. Mimo propagandy pokojowych metod protestu ze strony większości przywódców ruchu murzyńskiego z pastorem Martinem Lutherem Kingiem na czele, w maju 1963 roku doszło w Birmingham w stanie Alabama do rozlewu krwi. Usiłując zapobiec narastaniu czarnej rewolucji prezydent John F. Kennedy skierował do Kongresu projekt ustawy o prawach obywatelskich. W celu wsparcia tej inicjatywy przywódcy ruchu murzyńskiego zorganizowali w czerwcu tegoż roku „marsz na Waszyngton". Podczas 200-tysięcznej manifestacji przed waszyngtońskim Lincoln Memorial pastor King wygłosił słynne przemówienie, w którym użył powtarzającego się motywu o marzeniu o wolności i równouprawnieniu wszystkich obywateli USA („*I had a dream*")[8].

Prezydent Kennedy nie zdołał zrealizować równouprawnienia czarnej ludności USA; w listopadzie 1963 roku został zamordowany w Dallas w stanie Teksas. Śmierć prezydenta stała się szokiem dla milionów Amerykanów. Wydarzenie to uświadomiło wielką rolę środków przekazu. Wiadomość rozeszła się

---

[6] Bork, *Slouching Towards Gomorrah*, s. 21.
[7] Tamże, ss. 17–19.
[8] http://www.americanrhetoric.com/speeches/mlkihaveadream.htm (15 IV 2018).

w błyskawicznym tempie – już po pół godziny 68% Amerykanów wiedziało, co się stało[9]. Do dziś nie wiadomo właściwie jednak, dlaczego się tak stało. Zaprzysiężony jako następca Kennedy'ego wiceprezydent Lyndon B. Johnson próbował wyjść naprzeciw rosnącej fali niezadowolenia mas murzyńskich. W 1964 roku uchwalono przełomową ustawę o prawach obywatelskich (*Civil Rights Act*), zapewniającą równy dostęp wszystkich obywateli do urządzeń użyteczności publicznej oraz szkół, a także zakazującą dyskryminacji ze strony pracodawców i związków zawodowych. Dzięki temu Johnson wygrał też wybory prezydenckie w listopadzie 1964 roku. Rok później Kongres uchwalił ustawę o prawie głosu (*Voting Rights Act*), dzięki czemu pod koniec dekady głosować mogła już większość czarnej ludności. Mimo to stale powtarzały się krwawe zajścia na tle rasowym, związane z lekceważeniem praw obywatelskich przez lokalne władze oraz radykalizacją ruchów murzyńskich. W połowie lat sześćdziesiątych czołową organizacją propagującą przemoc ze strony Murzynów byli Czarni Muzułmanie (*Black Muslims*) – których przywódca Malcolm X został zastrzelony przez przedstawicieli rywalizującej frakcji w 1965 roku – oraz Czarne Pantery (*Black Panthers*). Przywódcy rewolucji murzyńskiej otwarcie głosili hasła przejęcia władzy w USA siłą. Pomimo postępów w prawnym równouprawnieniu czarnej ludności trwały „gorące lata"

---

[9] Henretta, Brownlee, Brody, Ware, *America's History since 1865,* s. 878.

John F. Kennedy z żoną Jacqueline jadą ulicami Dallas tuż przed śmiertelnym zamachem na prezydenta. Do dziś wszystkie tajemnice tego zabójstwa nie zostały dokładnie wyjaśnione.

walk rasowych w nowojorskim Harlemie, dzielnicy Watts w Los Angeles, Milwaukee, a także w Detroit, gdzie w 1967 roku spalono jedną czwartą centrum miasta. Po zamordowaniu pastora Kinga przez białego ekstremistę w Memphis w stanie Tennessee w kwietniu 1968 roku, walki osiągnęły apogeum. W Waszyngtonie Gwardia Narodowa ochraniała Kapitol i dzielnicę federalną przed protestującymi, którzy spalili dużą część okolicznych gett murzyńskich. Impet ruchów wyczerpał się wraz z postępami praktycznej emancypacji Murzynów, podziałami wśród czarnej ludności USA i słabnięciem radykalizmu białych przeciwników równouprawnienia[10].

Skrajny indywidualizm prowadził tymczasem białych inicjatorów „Oświadczenia z Port Huron" poprzez skrajny egalitaryzm ku skrajnemu zniewoleniu. Szukanie autentyczności miało się dokonywać w grupie, pod przewodnictwem agitatorów, lansujących wulgarny język, wolność seksualną i narkotyki. Egzaltacja wolnością miała się wkrótce zamienić w egzaltację gwałtem. Pod hasłami typu *make love not war* kryło się podporządkowanie i coraz bardziej jawna przemoc. Naśladowcy nowych rewolucjonistów stali się „stadem niezależnie myślących", jak ironicznie stwierdził Harold Rosenberg[11]. Trudno orzec, czy w amerykańskiej rewolucji lat sześćdziesiątych było więcej trucizny politycznej czy obyczajowej. Zażywanie jednej skłaniało do drugiej i na odwrót.

Szczególnym wyrazem pokoleniowego buntu stała się moda na „dzieci-kwiaty" oraz „rewolucja hippisowska". Jednym z prekursorów tego ruchu był Ken Kesey i grupa jego przyjaciół, zwana Merry Pranksters („Weseli figlarze"), którzy podróżowali po Oregonie i Kalifornii od 1964 roku w pomalowanym na jaskrawe barwy autobusie szkolnym. Ich przygody opisał Tom Wolfe w książce *The Electric Kool-Aid Acid Test* („Próba kwasu w elektrycznej oranżadzie", 1968). Kesey jawił się w tej opowieści niemal jako prorok nowego wyznania, którego praktyki z LSD miały na celu wytworzenie „międzyosobowości" grupowej. Dzielili się oni chętnie „kwasem" przy dźwiękach takich zespołów jak The Greatful Dead.

Wraz z początkiem marszów protestacyjnych Ruchu na Rzecz Wolności Słowa (*Free Speech Movement*) już w październiku 1964 roku zaczęło się szaleństwo Berkeley. Od protestów przeciw wojnie w Wietnamie ich uczestnicy szybko przeszli do postulatów wolności seksualnej, a następnie władzy „ludu". Demonstracje pokojowe szybko zamieniły się w wymianę ciosów z policją. Protestujący walczyli pod hasłami „będziemy bronić naszej kultury narkotyków" oraz „stworzymy 'duchowy socjalizm' w Berkeley". Anarchia rozlewała się coraz szerzej. Stróże prawa stali się „wrogami ludu", a przestępcy – jego sojusznikami. W latach siedemdziesiątych powstała Akcja Obywatelska Berkeley (*Berkeley Citizens Action*), która w końcu opanowała Radę Miejską miasta pod hasłami skrajnie kolektywistycznymi i anarchistycznymi. Jej szefem został wkrótce Gus Newport,

---

[10] Godfrey Hodgson, *America in Our Time*, (New York: Vintage, 1976), ss. 179–224; Benjamin Muse, *The American Negro Revolution*, (Bloomington: Indiana University Press, 1968); Malcolm X, Alex Haley, *The Autobiography of Malcolm X*, (New York: Random House, 1965).

[11] Bork, *Slouching Towards Gomorrah*, s. 30.

wiceprzewodniczący sterowanej z Moskwy Światowej Rady Pokoju. Gdy Stany Zjednoczone dokonały inwazji Grenady, poprowadził on demonstrację, podczas której spalono flagę USA. „Rewolucjoniści" z Berkeley doprowadzili do anarchii w mieście. „Park Ludowy" nie stał się miejscem radosnych zabaw „nowych ludzi", lecz siedzibą mętów, dopuszczających się rozbojów i gwałtów na mieszkankach miasta. Któraś z przywódczyń komuny Berkeley miała nadzieję, że nawet psy poczują się tam równe. Po pewnym czasie zauważyła, nie bez żalu, że spuszczone ze smyczy łączą się w stada, na których czele zawsze staje superpies. Wniosek, jaki wyciągnęła z doświadczenia Berkeley, był doprawdy smętny: „Nie tylko nie wytworzyli Nowego Człowieka. Nie stworzyli nawet Nowego Psa"[12].

Prekursorem hippisowskiego stylu życia był także Chandler A. Laughlin, który wraz z kilkudziesięcioma innymi osobami praktykował seanse z narkotyzującym peyotlem w „Red Dog Saloon" w Virginia City w stanie Nevada, nawiązując do szamańskich praktyk Indian. Nazywali to Red Dog Experience, a ich ulubionymi zespołami byli Jefferson Airplane oraz Big Brother and the Holding Company. Do tego ostatniego dołączyła w 1966 roku słynna potem Janis Joplin. Niewielkie komuny hippisowskie powstały już wówczas w wielu miejscach, głównie w Kalifornii i w Nowej Anglii. W tym samym czasie w Newton w stanie Massachusetts Timothy Leary i Richard Alpert powołali Międzynarodową Fundację na Rzecz Wewnętrznej Wolności (*International Foundation for Internal Freedom*), zajmując wkrótce wraz ze swoimi zwolennikami ogromną farmę w Millbrook w stanie Nowy Jork. Większe imprezy, podczas których zażywano narkotyki i uprawiano wolną miłość, organizowano od lata 1965 roku. Kiedy w październiku 1966 roku stan Kalifornia zdelegalizował LSD, mekką hippizmu stało się San Francisco, gdzie w dzielnicy Haight-Ashbury skupiły się komuny wolnej miłości i gdzie zorganizowano kilkusetosobowy protest „The Love Pageant Rally". W styczniu 1967 roku parę tysięcy hippisów zawodziło już wspólnie *Hare Krishna* podczas Mantra Rock Dance. Obok koncertów zespołów rockowych grupa The Diggers organizowała też narkotyczne przedstawienia uliczne.

Ideologowie „rewolucji hippisowskiej" w rodzaju przywódcy Nowej Lewicy Toma Haydena lub anarchisty Abbie Hoffmana wypowiadali wojnę nie tylko tradycyjnym wartościom społeczeństwa mieszczańskiego, ale wartościom i normom jako takim. Abbie Hoffman był początkowo działaczem ruchu *non-violence*, ale przez protesty przeciw wojnie w Wietnamie doszedł do haseł zgoła przeciwnych, jak „przenieś rewolucję do domu – zabij rodziców" (*Bring the revolution home – kill your parents*). Wywoływał entuzjazm swoimi happeningami w rodzaju rozrzucania pieniędzy na giełdzie nowojorskiej. Zorganizował Międzynarodową Partię Młodzieży (*International Youth Party*). Był autorem słynnego powiedzenia „nie wierz nikomu powyżej trzydziestki". Kiedy ukuł to hasło miał 31 lat[13]. Dziesiątki tysięcy młodzieży porzucało szkołę i studia, rozpoczynając nowe życie w zwartych zbiorowiskach niektórych wielkich miast, jak East Village w Nowym Jorku czy

---

[12] Collier, Horowitz, *Destructive Generation*, s. 242.
[13] „'60s Protest Leader Abbie Hoffman Dies at 52", *Washington Post*, 14 IV 1989 r.

Haight-Ashbury w San Francisco. Modne stały się stroje wzorzyste („dzieci-kwiaty") lub podarte i brudne, a także długie włosy, narkotyki i wolna miłość. W maju 1967 roku przebojem stała się piosenka *San Francisco* Scotta MacKenzie, w której zapraszał on do miasta „dzieci-kwiatów". Wydarzeniem przełomowym był debiut sceniczny przedstawienia „Hair" w październiku tegoż roku, popularyzującego mętną ideologię hippisowską.

Legendą pokolenia „hippisowskiego" stał się festiwal muzyczny w Woodstock w sierpniu 1969 roku. Na farmie w miejscowości Bethel koło Nowego Jorku zebrało się wtedy pod hasłem *Peace, Love and Happiness* około 400 tysięcy ludzi. Organizatorami imprezy byli: Michael Lang, John Roberts, Joel Rosenman i Artie Kornfield. Występowali między innymi: Melanie, Jimi Hendrix, Janis Joplin, The Who, Santana i The Greatful Dead. Podczas festiwalu doszło do licznych przestępstw, jedna osoba zmarła po przedawkowaniu narkotyków, druga zginęła pod kołami traktora, a trzecia – spadając ze sceny. Imprezy nie przerwano mimo chaosu i nieudolności samorządu zarządzającego imprezą. Uczestnicy wspominają jednak Woodstock jako wydarzenie „kultowe"[14]. Rewolucja młodzieżowa, rozumiana początkowo jako wyzwolenie, zamieniała się stopniowo w anarchiczną autodestrukcję. Dzielnice „dzieci-kwiatów" z wolna opanowywali handlarze narkotyków, a część uciekającej w seks, rock i halucynacje młodzieży stawała się podatna na przemoc. Wzorcem postępowania stali się na przykład bohaterowie filmu *Bonnie and Clyde* – para gangsterów ukazanych w sympatycznym świetle. Szczególnym „produktem ubocznym" młodzieżowej rewolucji lat sześćdziesiątych w USA stał się mord na aktorce Sharon Tate i jej towarzystwie dokonany przez komunę Charlesa Mansona w 1969 roku.

W mentalności przywódców amerykańskiej „drugiej wojny secesyjnej" dominowała chęć „przełamywania barier". Ich hymnem stała się piosenka The Doors *Break on Through to the Other Side*. Na przykład młoda prawniczka Fay Stender zajadle broniła młodocianego zabójcę policjanta, Huey Newtona, członka zbrojnej organizacji Czarnych Panter, dowodząc że morderca był w istocie ofiarą rasizmu i systemu, w którym młodzi Murzyni nie mają żadnych szans na awans społeczny. Następnie Stender podjęła się obrony trzech czarnych zabójców strażnika więzienia Soledad. Co więcej, rozpoczęła kampanię publiczną w ich obronie, pisząc i publikując swe intymne listy do jednego z nich. Manifestując swój protest wobec systemu i jakby chcąc wyzwolić się ze swego „klasowego pochodzenia", Stender nawiązała bowiem stosunki seksualne zarówno z Newtonem, jak i jednym z „Braci z Soledad", wielokrotnym recydywistą George'em Jacksonem. W sierpniu 1971 roku, podczas zbrojnej próby uwolnienia się z więzienia San Quentin, Jackson zabił kilka osób, po czym sam zginął od kul strażników. Zbrojne grupy Czarnych Panter ćwiczyły już z bronią w ręku, szykując się do czarnej rewolucji w USA. Widząc co się dzieje, Stender wycofała się z prowadzenia spraw Czarnych

---

[14] Michael Lang, *The Woodstock Experience,* (Genesis Publications, 2009); Joseph P. Heath, *Nation of Rebels: Why Counterculture Became Consumer Culture,* (Collins, 2004); Christoph Gruneberg, Jonathan Harris, *Summer of Love: Psychedelic Art, Social Crisis and Counterculture in the 1960s,* (Liverpool University Press, 2005); O. Zdzisław Gogola, *Dzieje ruchu hippisowskiego,* (Warszawa: Bratni Zew, 2011).

W latach 60. XX w. w Stanach Zjednoczonych wybuchła „rewolucja hippisowska". Na zdjęciu festiwal muzyczny w Woodstock w sierpniu 1969 r., który stał się legendą pokolenia hippisowskiego.

Panter. Urodziła syna, wyszła za mąż, choć obracała się w kręgach feministycznych i była praktykującą lesbijką. W 1979 r. jeden z dawnych kumpli Jacksona zmusił ją do podpisania oświadczenia, że zdradziła „sprawę George'a Jacksona", a następnie obrabował ją i wystrzelił w jej ciało pięć kul. Stender została kaleką, a w maju 1980 r., nie mogąc znieść bólu od ran, popełniła samobójstwo[15].

Inny przykład politycznego szaleństwa lat sześćdziesiątych w USA to historia ruchu Weather Underground, kierowanego przez parę „rewolucjonistów", Billy Ayersa i Bernardine Dohrn. Nie ograniczali się oni, wraz ze swymi kompanami, do narkotyków i seksu grupowego, ale planowali zbrojną rewolucję antykapitalistyczną. Wywodzili się z odłamu Action Faction ze strajku na Columbia University w Nowym Jorku. Dohrn zdobyła sobie wówczas poklask, deklarując się jako „rewolucyjna komunistka". Całe to grono znudzonych, białych pasożytów po prostu nienawidziło Ameryki. Inny z wodzów tej grupy, Jim Mellen, twierdził, zgodnie z hasłami maoizmu, że powstańcy z gett murzyńskich są częścią wyzwoleńczego ruchu „światowej wsi" przeciw „światowemu miastu" oraz że ich biali sojusznicy winni otworzyć im bramy Ameryki od wewnątrz. Działacze Weather Underground i podobnych im organizacji wielbili Fidela Castro, Viet Cong i wszystkich wrogów Ameryki. Podczas gdy ich uliczne burdy miały na celu „zmiażdżenie"

---

[15]   Collier, Horowitz, *Destructive Generation*, ss. 21–66.

burżuazyjnego zakazu gwałtu, w podobnym, maoistowskim duchu nawoływali oni do „zmiażdżenia burżuazyjnej monogamii". „Wyzwolenie seksualne" było częścią tego programu. Seanse samokrytyki były brutalne, ale na szczęście nie tak groźne, jak w ZSRR lub Chinach, gdyż wszystko działo się w otoczeniu państwa prawa[16].

W grudniu 1969 r. czterystuosobowa Rada Wojenna Weather Underground spotkała się w Flint w stanie Michigan. Dohrn powitała zebranych i specjalnego gościa, Toma Heydena, ówczesnego męża Jane Fondy. Heyden zapowiedział, że należy przejść do „poważnej roboty", a Dohrn wezwała do walki zbrojnej przeciw kapitalizmowi, wychwalając działanie bandy Charlesa Mansona i pozdrawiając go zaocznie palcami wzniesionymi w satanistycznym geście. Zamiast walki zbrojnej „rewolucjoniści" wyżywali się głównie w grupowym seksie i narkotykach. W końcu jednak „kolektyw" z Greenwich Village w Nowym Jorku zdetonował bombę w tamtejszym ratuszu. Trzy osoby zginęły. Grupa zeszła do podziemia i kontynuowała swą „walkę". W ciągu sześciu lat działalności detonowała kilkanaście ładunków, między innymi w łazience na waszyngtońskim Kapitolu. Ofiarami padali najczęściej sami zamachowcy. Niedobitki próbowały się połączyć z Komunistyczną Partią USA. Inni działali w coraz większym rozproszeniu i stopniowo byli wyłapywani przez policję. Dohrn i Ayers zostali ujęci w 1980 r., ale nic im się nie stało[17].

Fala gwałtownych zajść na uniwersytetach w 1969 r. przyniosła klęskę wolności słowa. Tłumy studentów szły za najbardziej radykalnymi agitatorami, którzy jak Thomas Jones z Cornell University groził "faszystowskim" wykładowcom użyciem siły i zapowiadał, że uniwersytet ma tylko trzy godziny, by spełnić zwariowane postulaty protestujących albo spłonie. Podobnie było w Yale, na Harvardzie, University of Chicago i na kilkudziesięciu innych uczelniach. Kulminacja gwałtów nastąpiła na początku maja 1970 r., gdy znienawidzony przez „rewolucjonistów" prezydent Richard Nixon postanowił rozciągnąć działania wojenne przeciw komunistom na Kambodżę. Podczas czterodniowych zamieszek na Kent State University w stanie Ohio studenci wybijali szyby, niszczyli samochody, podpalali sklepy. Gdy pojawiła się policja, starcia przybrały na sile, toteż władze wezwały Gwardię Narodową, która otworzyła ogień do protestujących. Zginęło czworo studentów. Masakra na Kent State stała się legendą rewolucji lat sześćdziesiątych, ale także przyniosła przesilenie, po którym fala zaczęła się cofać.

REWOLUCJA W EUROPIE ZACHODNIEJ

Również w Europie Zachodniej lata sześćdziesiąte przyniosły nasilenie nowych zjawisk społecznych i obyczajowych. W zachodniej Europie pojawiły się ruchy

---

[16] Tragedia powtórzona przez Nową Lewicę amerykańską zamieniała się często w farsę, jak wtedy, gdy pewna członkini Weather Underground została napiętnowana i usunięta z grupy za to, że przysnęła zamiast stać na straży przed atakiem policji. Tamże, ss. 76–93.

[17] Tamże, ss. 95–119.

Ważnym elementem kultury hippisowskiej był pacyfizm wyrażający się w haśle *Make love, not war* (Czyń miłość, nie wojnę).

„opozycji pozaparlamentarnej" i bunty studenckie. Ich podłożem były pokoleniowe przemiany kulturowe, frustracje studentów i absolwentów wyższych uczelni poszukujących pracy oraz naiwny anarchizm będący reakcją na dobrobyt, porządek i brak głębszych problemów. W tych warunkach popularne stawały się hasła lewackich grupek związanych często z awangardą artystyczną, atakujących systemy zachodnie pod hasłami wolności.

Ważnym preludium ideowym tej rewolucji był rozwój „sytuacjonizmu", ideologii społeczno-artystycznej, wywożącej się z anarchizmu i marksizmu, a czerpiącej też natchnienie z Freuda, Wilhelma Reicha i proroka „komunizmu kulturowego" Antonio Gramsciego. W 1957 roku sytuacjoniści założyli pismo „Internationale Situationiste", w którym lansowali pogląd, iż kapitalizm podzielił społeczeństwo na producentów i konsumentów oraz widzów i aktorów, co zredukowało do minimum wolność twórczą. Sprzeciwiali się istniejącemu podziałowi pracy, a nawet pracy jako takiej, głosząc potrzebę skierowania energii ku twórczości spontanicznej. Ich postulatem była „rewolucja życia codziennego" przez wyzwolenie z narzuconych przez kapitalizm ról społecznych oraz odejście od odgrywanego w tej sytuacji „spektaklu". Początkowo większą rolę w ruchu odgrywali artyści, tacy jak duński malarz Asger Jorn, z czasem jednak przewagę zdobyli w nim lewaccy ideologowie polityczni, tacy jak Guy Ernest Debord (1931–1994). Jego ideologię można w skrócie nazwać komunizmem anarchistyczno-hedonistycznym[18]. Czołowym ideologiem anarchistycznej Nowej Lewicy stał się Herbert Marcuse.

Obyczajowa rewolucja w Europie rozwijała się nieco później niż w Stanach Zjednoczonych. Początek lat sześćdziesiątych był w Wielkiej Brytanii okresem rozgoryczenia związanego z rozpadem imperium, dość wolnym tempem wzrostu gospodarczego i stagnacją warunków życia, a także blokowania przez Francję wejścia kraju do EWG. Problemem w epoce pokoju i dobrobytu była tu co najwyżej nierówność społeczna. Na tym tle dokonywały się szybkie zmiany obyczajowe, które uczyniły z Anglii centrum kultury młodzieżowej. Przełomową rolę odegrały brytyjskie zespoły rockowe, uprawiające styl przejściowo zwany Merseybeat, a następnie stale poszerzające repertuar, tak jak The Beatles, czy The Rolling Stones, a także moda angielska. To w Londynie Mary Quand wylansowała modę na minispódniczki. W maju 1965 roku w Amsterdamie powstał, inspirowany francuskim sytuacjonizmem ruch Provo, założony przez artystę-performera Roberta Jaspera Grootvelda oraz anarchistów Roela van Duijna i Roba Stolka. Grupa aktywistów Provo organizowała rozmaite happeningi inspirowane anarchizmem, dadaizmem oraz pojęciem wolności absolutnej w duchu Marcusego i markiza de Sade. W czerwcu 1966 roku manifestacje młodzieży Berlina Zachodniego przeciw amerykańskiej interwencji w Wietnamie wykazały wzrost wpływów lewackich organizacji młodzieżowych. W styczniu 1967 roku strajki studenckie wybuchły w London School of Economics, gdzie powstał Radykalny Związek Studencki

---

[18] Guy Debord, *Społeczeństwo spektaklu,* (Gdańsk: Wydawnictwo Słowo/Obraz Terytoria, 1998); https://magivanga.com/2012/04/21/sytuacjonisci-miedzynarodowka-sytuacjonistow-situation niste-internationale (15 III 2018).

(*Radical Students Alliance*). W tym samym czasie w Berlinie powstała Kommune 1, radykalna grupa łącząca hasła rewolucji z hippisowskim stylem życia. Przywódca tej komuny, Dieter Kunzelmann, twierdził, że opresyjna z natury rodzina jest produktem „faszyzmu", toteż mężczyźni i kobiety mogą się rozwijać swobodnie tylko w wolnych związkach w ramach większej wspólnoty. Wraz z innym aktywistą Kommune 1, Fritzem Teuflem, zbliżył się on pod koniec lat sześćdziesiątych do lewackiego podziemia terrorystycznego[19]. W styczniu 1968 roku gwałtowne demonstracje młodzieżowe w Bremie zakończyły się wprowadzeniem tam stanu wyjątkowego.

Okres względnego spokoju we Francji skończył się na początku 1968 roku, gdy na skutek cięć budżetowych na cele socjalne ujawniły się pokłady społecznego niepokoju. W lutym zastrajkowali studenci uniwersytetu Nanterre, będącego filią Sorbony, a 22 marca tegoż roku, po aresztowaniu przywódców lewackiego Narodowego Komitetu na Rzecz Wietnamu, ich koledzy założyli Ruch 22 Marca i rozpoczęli strajk okupacyjny uniwersytetu pod wodzą Daniela Cohn-Bendita. Na początku kwietnia rewolucjoniści niemieccy skupieni wokół Andreasa Baadera i Gudrun Ensslin podpalili dom towarowy we Frankfurcie nad Menem.

Na początku maja 1968 roku strajki studenckie rozlały się na cały Paryż. Akcją kierowała Krajowa Unia Studentów Francuskich (*Union nationale des étudiants de France*), ale głównymi jej motorami były organizacje trockistowskie i maoistyczne. Przywódcy ruchu studenckiego w rodzaju Cohn-Bendita głosili hasła lewackie i anarchistyczne, żądając współudziału studentów w rządzeniu uczelniami i obniżenia wymogów programowych. W „nocy barykad" z 9 na 10 maja doszło w paryskiej Quartier Latin do krwawych starć protestujących studentów z policją, w czasie których prawie 400 osób odniosło rany. Rozpoczął się strajk okupacyjny Sorbony, którą ogłoszono wolną komuną. Strajki okupacyjne na znak solidarności ze studentami francuskimi wybuchły w Mediolanie, Rzymie, Wenecji i Trydencie, a na przełomie maja i czerwca także w Londynie, Oksfordzie oraz w renomowanych szkołach artystycznych Hornsey i Guilford. Jednocześnie miliony robotników przystąpiły do strajku, żądając podwyżek płac i udziału w zarządzie fabrykami. Komunistyczna francuska centrala związkowa CGT okazała się zbyt mało radykalna w realizacji postulatów robotniczych, toteż komuniści nie zyskali wiele na wybuchu społecznego protestu[20].

Wiosna 1968 r. była w RFN niewiele mniej „gorąca" niż we Francji. W Socjalistycznym Związku Studentów Niemieckich (*Sozialistischer Deutscher Studentenbund*) dominowali ludzie o poglądach radykalnych, zafascynowani chińską „rewolucją kulturalną". Po tym, jak w kwietniu neonaziści dokonali zamachu na lewackiego przywódcę studenckiego Rudiego Dutschke, 12 tysięcy studentów przez

---

[19] William Grames, „Fritz Teufel, a German Protester in the '60s, Dies at 67", http://www.nytimes.com/2010/08/08/world/europe/08teufel.html (15 III 2018).

[20] Kazimierz Sidor, *Rewolta studentów*, (Warszawa: Książka i Wiedza, 1973), ss. 25–76; Alain Touraine, *Le mouvement de mai ou le communisme utopique*, (Paris: Editions de Seuil, 1968); Alain Delale, Gilles Ragache, *La France de 68*, (Paris: Editions de Seuil, 1978); Leszek Kołodziejczyk, *Paryskie noce barykad*, (Warszawa: Książka i Wiedza, 1969).

parę dni walczyło z policją w Berlinie Zachodnim. Starcia przetoczyły się przez niemal wszystkie miasta uniwersyteckie RFN[21]. Strajkowali też studenci w Belgii, Holandii, Szwecji, a nawet Jugosławii.

W ślad za sytuacjonistami czy też amerykańskimi hippisami środowiska młodzieży chwytały hasła wolności seksualnej i propagowały używanie narkotyków. Hasło „rewolucja" było na ustach wszystkich. Symbolami ruchu były w Zachodniej Europie portrety Mao Zedonga i latynoamerykańskiego rewolucjonisty Che Guevary. Na ulicach i placach niektórych miast Zachodniej Europy, na przykład Amsterdamu, hippisi publicznie zażywali narkotyki i uprawiali seks. Bunt ten wykorzystał natychmiast przemysł rozrywkowy, lansując skomercjalizowaną kontestację w muzyce, strojach i pornografii. Niemieckie kręgi lewicowe wyłoniły w końcu podziemie terrorystyczne. W połowie maja 1970 roku grupa zbrojna pod wodzą Ulrike Meinhof odbiła Baadera i zabiła konwojującego go policjanta, zapoczątkowując rewolucyjną działalność grupy Baader-Menhof i Frakcji Armii Czerwonej (*Rote Armee Fraktion*)[22]. Społeczeństwa i kultura Zachodu coraz bardziej przypominały węża zjadającego własny ogon.

PROPAGANDA SEKSU

Zachodnia rewolucja obyczajowa nie działa się sama, lecz była w dużej mierze stymulowana przez „ekspertów", media i przemysł rozrywkowy. Rewolucja ta w pierwszym rzędzie objęła intymną sferę ludzkiej seksualności, a następnie rodzinę i tożsamość płciową człowieka. Należy przy tym rozróżnić to, co było postępem medycznych badań naukowych nad ludzką seksualnością i prokreacją od tego, co było propagowaniem promiskuityzmu w oparciu o fałszywe kryteria moralne, a nawet fałszywe przedstawienie rzeczywistości.

Jednym z dość wątpliwych autorytetów naukowych, który przyczynił się do rewolucji seksualnej przez kłamliwą propagandę była Margaret Mead (1901–1978), głośna antropolożka amerykańska, która za sprawą swego mentora, Franza Boasa, prekursora relatywizmu kulturowego, przeprowadziła powierzchowne badania kultury mieszkańców Samoa i Nowej Gwinei, przedstawiając ich zachowania seksualne jako pozbawioną zahamowań wolną miłość. Stworzyła przez to fałszywe wrażenie, że wolna miłość była stanem naturalnym człowieka pierwotnego. Obie książki Mead, opublikowane w 1928 i 1930 roku, zrobiły furorę i wyrobiły jej renomę wybitnego naukowca, choć wnioski te były zupełnie fałszywe. Mead nie miała nawet minimalnej znajomości lokalnych języków. W rzeczywistości, zwłaszcza na Samoa, dziewictwo było zawsze wysoko cenione, także przed przyjęciem chrześcijaństwa. Obie książki były jedną z największych mistyfikacji naukowych XX wieku[23].

---

[21] Sidor, *Rewolta studentów*, ss. 86 nn.

[22] Por. szerzej: Victor Grotowicz, *Terroryzm w Europie Zachodniej,* (Wrocław-Warszawa: Wydawnictwo Naukowe PWN, 2000).

[23] Margaret Mead, *Coming of Age in Samoa,* (New York: William Morrow & Company, 1928); Margaret Mead, *Growing Up in New Guinea,* (Blue Ribbon Books, 1930); Derek Freeman, *The*

Młodzieżowa rewolucja 1968 r. miała lewicowy charakter i skierowana była przeciwko zastałym mieszczańskim porządkom. Na zdjęciu napis wykonany przez studentów w jednej z sal uniwersytetu w Lyonie.

Alfred Kinsey (1894–1956) z kolei był entomologiem i zoologiem. Niezbyt udane życie rodzinne rekompensował sukcesami naukowymi w dziedzinie biologii i pasjami erotycznymi. Był biseksualistą i nakłaniał rodzinę do nudyzmu. W końcu od zainteresowań innymi gatunkami przeszedł do badań nad seksualnością ludzi. W 1947 roku założył na University of Indiana Instytut Badania Płci i Reprodukcji. W swoim kręgu naukowym stworzył rodzaj wspólnoty, której członkowie uprawiali seks bez żadnych ograniczeń, filmując zbliżenia rzekomo w celach naukowych. Największy rozgłos przyniosły mu dwa opracowania: wydane w 1948 roku *Sexual Behavior in the Human Male* („Zachowania seksualne mężczyzn") oraz opublikowane w 1953 roku *Sexual Behavior in the Human Female* („Zachowania seksualne kobiet"). Oparte one były na badaniach statystycznych, w których jednak Kinsey i jego współpracownicy dokonali całkowitej manipulacji próbami tak, aby dowieść, że w ludzkich zachowaniach seksualnych nie ma norm oraz że zachowania perwersyjne są bardziej powszechne niż naprawdę. Wedle jego „badań" 85% mężczyzn współżyło przed ślubem, 70% utrzymywało kontakty z prostytutkami, 37% miało za sobą doświadczenia homoseksualne, a 17% rolników uprawiało

Fateful Hoaxing of Margaret Mead. A Historical Analysis of Her Samoan Research, (Boulder, Colo.: Westview Press, 1999); De Marco, Wiker, *Architekci kultury* śmierci, ss. 253–269.

229

zoofilię. Problem w tym, że 1/3 jego próby była karana za przestępstwa seksualne, a 10% stanowili bywalcy klubów gejowskich. Za małżeństwo uznał Kinsey każdy nieformalny związek osób spotykających się co najmniej przez rok, a za osoby z wyższym wykształceniem – każdego, kto zaliczył jakikolwiek kurs akademicki[24].

Innym propagatorem wolnej miłości był francuski pisarz Émile Armand (1872–1963). Jego ojciec był uczestnikiem Komuny Paryskiej i choć w młodości Armand zetknął się z chrześcijaństwem, wkrótce odkrył anarchizm i związał się z przywódcami tego ruchu, Jeanem Grave i Sébastienem Faure. Już w 1907 roku wydał utwór sławiący „wolność seksualną" pod tytułem *De la liberté sexuelle* („O wolności seksualnej"), a jego książka *La révolution sexuelle et la camaraderie amoureuse* („Rewolucja seksualna i braterstwo miłosne", 1934) była pełnym wykładem ideologii wolnej miłości jako czynnika rzekomo cementującego wspólnotę opartą na seksie w opozycji do „zazdrości" seksualnej i innych ograniczeń.

Jednym z autorów i działaczy najbardziej „zasłużonych" dla rewolucji obyczajowej XX wieku był Wilhelm Reich (1897–1957), austriacki lekarz i psychoanalityk pochodzenia żydowskiego. Urodzony we wsi Dobrzanica w galicyjskim powiecie Przemyślany, od dzieciństwa był wręcz ogarnięty manią seksualną[25]. Podczas studiów medycznych w Wiedniu zetknął się z Sigmundem Freudem, po czym włączył się w ruch psychoanalityczny. W 1929 roku odwiedził ZSRR, po czym orzekł o konieczności przeprowadzenia rewolucji seksualnej w celu ustanowienia społeczeństwa komunistycznego. Po powrocie opublikował w piśmie Komunistycznej Partii Niemiec (KPN) artykuł o związku materializmu dialektycznego i psychoanalizy. Był rzecznikiem nieograniczonej aktywności seksualnej, a sumienie uznawał za rodzaj tyranii. Poglądy te znalazły wyraz w jego pracy „Seksualność w walce kulturowej. O socjalistyczną przemianę człowieka" (*Die Sexualität. Zur sozialistischen Umstrukturierung des Menschen*, 1936). Szczególnie interesował się orgazmem, a w latach trzydziestych XX wieku wsławił się tym, że podczas badań masował pacjentów w celu wywołania ekstazy. W 1939 roku przeniósł się do Nowego Jorku, gdzie starał się dowieść istnienia specjalnej energii wyzwalanej podczas orgazmu, którą nazwał „orgonem". Zbudował nawet akumulator „orgonu". Już w 1946 roku głosił w USA „rewolucję seksualną" i pochwałę aborcji. Nie zdobył jednak uznania naukowego. Wyrażał na przykład niepokój, czy próby z bronią jądrową nie utrudniają gromadzenia owej energii seksualnej. Jako były członek partii komunistycznej był oskarżony o prowadzenie nielegalnych badań. Nie zastosował się do decyzji amerykańskiego sądu, który nakazał zaprzestanie tych badań,

---

[24] Ks. Piotr Mazurkiewicz, *Dwie wieże i minaret. Szkice z katolickiej nauki społecznej,* (Warszawa: Wydawnictwo Naukowe UKSW, 20170, s. 61. Oszustwa Kinseya opisuje szczegółowo Judith A. Reisman, Edward W. Eichel, *Kinsey – seks i oszustwo,* (Warszawa: Antyk, 2002).

[25] Wiązało się to być może z jego seksualnym wykorzystywaniem w dzieciństwie oraz z tragiczną śmiercią jego rodziców. Jego matka popełniła samobójstwo, po tym jak za jego sprawą ojciec dowiedział się o jej zdradzie, której Wilhelm jako dziecko był świadkiem, ojciec zaś zmarł w rezultacie traumy cztery lata później. De Marco, Wiker, *Architekci kultury śmierci,* ss. 225 nn.

totež skazano go na dwa lata więzienia. Skonfiskowano i spalono większość jego dzieł, a on sam zmarł w więzieniu z podejrzeniem obłędu[26].

REWOLUCJA SEKSUALNA

Choć wszystkie trzy elementy w rewolucyjnym sloganie *sex, drugs and rock and roll*, był ze sobą związane, człon pierwszy odegrał najbardziej przełomową rolę i pozostał najtrwalszym efektem lat sześćdziesiątych. Zasadnicza zmiana w moralności seksualnej młodego pokolenia wynikała z zachęt oraz z przełamywania barier. Zachęty płynęły od starszych „autorytetów", z popularnych mediów, mody i muzyki popularnej. Medium, które szczególnie przyczyniło się do popularyzacji wolnej miłości na początku lat sześćdziesiątych był miesięcznik *Playboy*, redagowany pod kierownictwem Hugh Hefnera, który coraz odważniej prezentował nagość swych modelek i publikował teksty przedstawiające seks jako rozrywkę, także piórami popularnych pisarzy, takich jak Vladimir Nabokov, Saul Bellow, John Cheever, Doris Lessing czy John Updike. Zachęt dostarczali prorocy kontrkultury, tacy jak Ken Kesey, Allen Ginsberg czy William Burroughs. Zachętę stanowiły także popularne przeboje, w których aluzje do seksu stawały się coraz bardziej dosłowne. Barierą, którą zniesiono na początku lat sześćdziesiątych, było upowszechnienie pigułki antykoncepcyjnej, która zdejmowała z dziewcząt obawy przed zajściem w ciążę.

Polem, na którym rozpoczęła się w dużej mierze rewolucja seksualna, były akademiki amerykańskich uczelni. Jeszcze w 1960 roku apel profesora Leo Kocha z University of Illinois, by uznać swobodę stosunków seksualnych „dojrzałych do ich odbywania" młodych ludzi, spotkał się z gwałtowną reakcją władz uczelni, które profesora zwolniły. Dwa lata później rektor Vassar College w stanie Nowy Jork przypomniała studentkom, że „przedmałżeńskie stosunki seksualne są zachowaniem obraźliwym i wulgarnym", jednakże tamy wkrótce puściły, a pod koniec dekady praktycznie wszystkie akademiki amerykańskie były koedukacyjne i nie stosowały żadnych ograniczeń we wzajemnych wizytach studentów i studentek[27].

Studenci znieśli te ograniczenia argumentując, że skoro mając 18 lat mogą iść na wojnę, to nie widzą powodu, by nie uprawiać seksu, kiedy zechcą. Popularne stawały się też zajęcia z etyki seksualnej, na których często lansowano wolną miłość. Niezwykłą popularność zdobyły powieści *science fiction* Roberta Heinleina, opisujące komunę uprawiającą seks grupowy. Szczególną rolę w likwidacji barier wstydu i popularyzacji nieograniczonej aktywności seksualnej odegrały niektóre gwiazdy rocka. Były one „osobowościami fallicznymi, które uprawiały seks z całym narodem". Jim Morrison z zespołu The Doors chwytał się podczas występów

---

[26] James R. Petersen, *Stulecie seksu*, (Poznań: Rebis, 2002), s. 216; Mathias von Gersdorf, „Polityka demoluje rodzinę", *Nasz Dziennik*, 7 V 2013 r. Por. też: Michael Cattier, *The Life and Work of Wilhelm Reich*, (Horizon Press, 1970); Ira H. Cohen, *Ideology and Unconsciousness: Reich, Freud, and Marx*, (New York University Press, 1982).

[27] Petersen, *Stulecie seksu*. ss. 289–290.

za genitalia i symulował seks oralny. W Miami udawał, że się onanizuje i próbował się obnażyć, co skończyło się jego aresztowaniem"[28]. Podczas *human be-in* w Golden Gate Park w styczniu 1967 roku około 20 tysięcy młodych ludzi odśpiewało *Happy Birthday* 35-letniej Lenore Kandel, która odczytała fragmenty swojego tomiku *The Love Book*, zawierającego wyjątkowo odważne metafory erotyczne. Kulminacją wybuchu wolnej miłości było wśród hippisów "Lato Miłości" 1967 roku, gdy około 100 tysięcy młodych ludzi zgromadziło się w San Francisco na wezwanie z piosenki *San Francisco* Scotta McKenzie, który obiecywał:

> *If you're going to San Francisco*
> *Be sure to wear some flowers in your hair.*
> *If you're going to San Francisco*
> *You're gonna meet some gentle people there,*
> *For those who come to San Francisco*
> *Summertime will a love-in there*[29].

W październiku 1967 roku w Nowym Jorku odbyła się premiera musicalu *Hair*, w którym wolna miłość została przedstawiona jako element kultury pokoju, empatii i zgody z naturą w duchu "Ery Wodnika". Dwa najważniejsze songi musicalu – *Aquarius* i *Let the Sunshine in* – roznosiły to przesłanie po listach przebojów. Kolejnym krokiem w upowszechnianiu promiskuityzmu był album Johna Lennona i Yoko Ono "Unfinished Music No 1: Two Virgins" z listopada 1968 roku, na którego okładce oboje sfotografowali się nago. Lennon nie był wtedy jeszcze rozwiedziony, a niedługo potem upowszechnił intymne szczegóły swego pożycia z Japonką. Wolna miłość stawała się codzienną niemal i wręcz ostentacyjną praktyką setek tysięcy młodych ludzi na Zachodzie. Filmy, przedstawienia teatralne i literatura masowa upowszechniały dosłowność w opisie i pokazywaniu zbliżeń seksualnych. Przykładem był brytyjski musical *Oh, Calcutta* z 1969 roku, w którym jednoznaczne sceny erotyczne prezentowali nadzy aktorzy. Teksty do musicalu w reżyserii Kennetha Tynana napisali między innymi Samuel Beckett, Edna O'Brien i John Lennon. Tłumy fanek wypełniały garderoby gwiazd rocka, by się im oddawać. Ponieważ dziewczęta przestawały się wstydzić czegokolwiek, młodzi mężczyźni wpadli w euforię. Obsesyjne wręcz traktowanie seksu znalazło wyraz w mantrze wyśpiewanej przez nowojorski zespół The Fugs:

> *Do you like boobs a lot?*
> *(Yes, I like boobs a lot)*
> *Why d'you like boobs a lot?*
> *(You gotta like boobs a lot)*[30].

---

[28] Tamże, s. 296.

[29] http://www.metrolyrics.com/san-francisco-be-sure-to-wear-flowers-in-your-hair-lyrics-scott-mc-kenzie.html (15 IV 2018).

[30] https://genius.com/The-fugs-boobs-a-lot-lyrics (15 III 2018).

Ruch hippisowski słynął z zamiłowania do środków odurzających, a hippisi z upodobaniem wprowadzali się w stan psychodelii.

PSYCHODELIA

Innym trwałym i niezwykle szkodliwym skutkiem rewolucji lat sześćdziesiątych stała się narkomania. Pionierami mody na używanie narkotyków byli brytyjski pisarz Aldous Huxley (1894–1963), autor „Nowego wspaniałego świata", badacze kultur indiańskich, opartych na zażywaniu narkotyków, tacy jak Richard E. Schultes, psychiatra Humphry Osmond, który pierwszy użył terminu „psychodelia" na określenie terapii narkotykowych, psycholog i wykładowca na Harvardzie w latach 1959–1963 Timothy Leary (1920–1996), a także poeci z grupy beatników. Kariera Leary'ego jest być może najlepszą ilustracją kultury psychodelicznej. W początkowych badaniach psychologicznych interesował się on procesami interpersonalnymi w diagnostyce zaburzeń psychicznych. Podczas podróży do Meksyku spróbował halucynogennych grzybów zawierających psylocybinę i po powrocie na uczelnię w 1960 roku zaczął wraz z Richardem Albertem badać wpływ tej substancji na psychikę, za co obaj zostali usunięci z uniwersytetu. Obydwaj rozwinęli wówczas swoistą filozofię, polegającą na dążeniu do przekraczaniu granic świadomości przy pomocy narkotyków. Leary założył Ligę Duchowych Odkryć (*League for Spiritual Discovery*), która traktowała zażywanie LSD jako rodzaj sakramentu, co miało mu pomóc w legalizacji tej substancji na gruncie wolności religijnej. W latach 1966–1967 występował na kampusach uniwersyteckich z prezentacją „Śmierć umysłu" (*Death of the Mind*), ukazującą przesuwanie horyzontu poznania pod wpływem narkotyków. Podczas hippisowskiego happeningu w San Francisco w 1967 roku użył popularnej potem mistycznej frazy *turn on, tune in, drop out* [włącz się, dostrój, odleć]. Pierwsza część frazy oznaczała uruchomienie wewnętrznych mechanizmów psychicznych pod wpływem narkotyku, część druga – zestrojenie się z otoczeniem, a część trzecia – odkrycie nowych, nadzwyczajnych możliwości. Podczas konferencji prasowej w Nowym Jorku we wrześniu 1966 roku Leary tłumaczył: „Jak w każdej wielkiej religii przeszłości, szukamy boskości w nas samych, by wyrazić objawienie życia i uwielbienie wiary w Boga"[31].

Kulturę rewolucji lat sześćdziesiątych można określić mianem „psychodelii", czyli stanu świadomości będącego połączeniem spokoju oraz wzmożonej wrażliwości na bodźce muzyczne i wizualne, a więc zmysłowe i estetyczne z wyłączeniem rozumu. Siłą nośną psychodelii było upowszechnienie LSD. Poza hippisowskimi guru propagandą LSD zajmowali się prawie wszyscy muzycy rockowi tej epoki, od Beatlesów, przez Rolling Stonesów do Jimiego Hendrixa. W styczniu 1966 r. w kalifornijskim Fillmore Hill około 2 400 osób wzięło LSD i razem „odleciało". Wszystkie imprezy hippisowskie były seansami narkomanii i seksu bez zobowiązań, tym bardziej, że LSD intensyfikować miało doznania seksualne. „Rewolucjoniści" w rodzaju Keseya, Hoffmana, Haydena czy Leary'ego stanowili tu awangardę „ludu". „Ludem" byli hippisi[32].

Pierwszym hymnem na cześć LSD był przebój The Beatles *Lucy in the Sky with Diamonds* (1967), którego słowa zachęcały do wejścia w nierealny świat wizualnych fantazji[33]. O wrażeniach pod wpływem LSD czy innych narkotyków śpiewała też z wielkim zapałem Grace Slick z zespołem Jefferson Airplane[34].

Innym zespołem, który reklamował muzykę psychodeliczną byli The Greatful Dead. W oparciu o tradycyjnego bluesa eksperymentowali oni z brzmieniami przypominającymi halucynacje. Stąd stali się prekursorami *acid rocka*, występując podczas *acid tests*, czyli imprez, podczas których słuchacze pili napoje z LSD. Niektórzy artyści psychodelii dość szybko zorientowali się co do skutków tego

---

[31] https://magivanga.com/2012/06/15/ona-dochodzi-kolorowo-wywiad-z-timothy-learym-playboy; https://en.wikipedia.org/wiki/Turn_on,_tune_in,_drop_out (25 IV 2018).

[32] „Ubierali się jak Tarzan, włosy mieli jak Jane, a śmierdzieli jak Cheetah", definiował ich znany z ciętego języka Ronald Reagan. Jerzy Jarniewicz, „Rysopisy straceńców", *Gazeta Wyborcza*, 31 V 2005 r.

[33] https://genius.com/The-beatles-lucy-in-the-sky-with-diamonds-lyrics (9 IV 2018).

[34] https://www.azlyrics.com/lyrics/jeffersonairplane/whiterabbit.html (15 III 2018).

szaleństwa. Gwiazda „Lata Miłości", Melanie Safka, śpiewała w 1970 roku już trochę inaczej:

Momma, Momma, I fear you reared me wrong,
Momma, Momma, I fear you reared me wrong,
'Cause I pick up my head, can't tell where I belong
Momma, Momma, something's hurting me bad,
Momma, Momma, something's hurting me bad,
I have a yearning for something that I never had.
Oh, sometimes I feel my life has come and gone,
Sometimes I feel my life has come and gone,
I live in this world but I'm only looking on[35].

ROCK

Siłą napędową młodzieżowej rewolucji lat sześćdziesiątych była muzyka rockowa, której ewolucja i różnorodność gatunkowa wymagałyby odrębnego studium. Ewolucja ta zaczęła się od prostych, rytmicznych przebojów Billa Haleya i Elvisa Presleya z końca lat pięćdziesiątych i stosunkowo prostych początkowo utworów zespołu The Beatles, którego fenomenalna kariera i histeryczne reakcje młodzieżowe osłupiły opinię publiczną. John Lennon, Paul McCartney, George Harrison i Ringo Starr zrewolucjonizowali modę i obyczajowość młodzieży, a także przez coraz bardziej wyrafinowane teksty wprowadzili ją w świat nowych pojęć i „wyzwolonej" etyki. Beatlesi byli religijnie obojętni. W wywiadzie dla „Evening Standard" z marca 1966 roku John Lennon wyraził się nawet wyniośle, że chrześcijaństwo przeminie, podczas gdy jego zespół jest bardziej popularny niż Jezus Chrystus. Uwagi te, opublikowane w gazecie, nie wywołały większej reakcji w Wielkiej Brytanii, ale w USA odezwały się głosy protestu ze strony środowisk chrześcijańskich[36].

W pierwszej połowie lat sześćdziesiątych furorę zrobiły brytyjskie zespoły zafascynowane czarnym *rhythm and bluesem*, takie jak The Rolling Stones, The Animals czy The Yardbirds. Brytyjskie zespoły rockowe zapłodniły z kolei amerykańską scenę muzyczną, gdzie jedną ze sztandarowych pieśni rewolucji lat sześćdziesiątych był stary *gospel* „We Shall Overcome", spopularyzowany przez Joan Baez i Pete Seegera oraz gdzie jak zwykle panowała ogromna różnorodność gatunkowa, od czarnego brzmienia z Detroit, reprezentowanego przez The Supremes czy Marvina Gaye, klasycznego, choć „zelektryfikowanego" bluesa, rocka latynoskiego Carlosa Santany, *cajun* ze stanów południowych, *rhythm and bluesa* Chucka Berry'ego i Raya Charlesa, *bluegrass*, muzykę *country* w różnych odmianach od Johnny'ego Casha do Jimmy Reevesa, aż po śpiewane poezje Boba Dylana.

---

35 http://www.lyricsfreak.com/m/melanie/momma+momma_20257171.html (15 III 2018).
36 Jonathan Gould, *Can't Buy Me Love. The Beatles, Britain and America,* (Piatkus, 2008), s. 342.

Postacią symboliczną dla pokolenia obyczajowej rewolucji drugiej połowy XX wieku stał się właśnie Dylan. Urodził się jako Robert Zimmermann w Duluth w stanie Minnesota w 1941 roku. Jego dziadkowie ojczyści przybyli z Odessy do USA po rosyjskich pogromach w 1905 roku. Mało wiadomo o jego dzieciństwie, ale choć prawdopodobnie uczył się śpiewu w synagodze, nigdy potem nie wykazywał przywiązania do wiary przodków. Po przerwaniu studiów w Minneapolis przeniósł się do Nowego Jorku, gdzie pod wpływem spotkania z legendą amerykańskiego *folku* Woody'm Guthrie zaczął śpiewać klasyki tego gatunku pod pseudonimem Dylan. Pierwszy jego album nie spotkał się ze specjalnym uznaniem, ale drugi – „Freewheeling" (1963) – stał się sensacją ze względu na oryginalną artykulację głosu, a przede wszystkim ze względu na poezję, która trafiała w ducha epoki. Z tego albumu pochodziła pieśń *Blowing in the Wind*, która stała się klasykiem muzyki amerykańskiej. Po zapoznaniu się z brytyjskim rockiem, postanowił zbliżyć się do estetyki gitar elektrycznych i nagrał kolejne wielkie przeboje z fascynującymi tekstami, mówiącymi o niepokojach egzystencjalnych (*Like a Rolling Stone* czy *All Along the Watchtower*). Odtąd stale zaskakiwał publiczność wyrafinowaną, często wieloznaczną poezją swych utworów, lansowanych także przez wszystkich najważniejszych artystów epoki. W 2016 roku, w wieku 75 lat, otrzymał literacką Nagrodę Nobla[37].

W połowie lat sześćdziesiątych w USA wyrosły zespoły lansujące kulturę hippisowską, takie jak The Byrds czy The Doors, które niosły rewolucyjne przesłanie. Założona w 1965 roku grupa The Doors wzięła swą nazwę od tytułu książki Aldousa Huxleya *The Doors of Perception*, a w swojej muzyce drążyła możliwości przekraczania ludzkich ograniczeń zmysłowych i poznawczych.

Choć bezpośrednie inspiracje rockowych przebojów mogły być różne, niektóre nich brzmiały jak ostrzeżenie przed wojną – jak słynny refren *War, children is just a shot away* z piosenki *Gimme Shelter* zespołu The Rolling Stones – lub jak głos roznamiętnionego poszukiwacza przygód z przeboju *Summer in the City* zespołu The Loving Spoonful:

Cool town, evening in the city,
Dressing so fine and looking so pretty,
Cool cat, looking for a kitty,
Gonna look in every corner of the city,
Till I'm wheezing like a bus stop
Running up the stairs, gonna meet you at the rooftop[38].

---

[37] Bob Dylan, *Kroniki,* (Warszawa: Wydawnictwo Czarne, 2014); Stephen T. Erlewine, „Bob Dylan. Biography", https://www.allmusic.com/artist/bob-dylan-mn0000066915/biography (16 III 2018); David Boucher, *Dylan i Cohen, poeci rocka,* (Warszawa: Niebieska Studnia, 2016).

[38] https://genius.com/The-lovin-spoonful-summer-in-the-city-lyrics (9 IV 2018).

Bob Dylan (ur. 1941 r.), amerykański pieśniarz, kompozytor i poeta, postać ważna dla pokolenia obyczajowej rewolucji drugiej połowy XX w.

Choć przebieranie się mężczyzn za kobiety i na odwrót ma dłuższą tradycję, moda na to nasiliła się zwłaszcza pod koniec lat sześćdziesiątych w postaci tak zwanych *drag queens* i *drag kings* – postaci bardziej gruntownie wchodzących w zamienne role seksualne. W proroczych słowach piosenki „Lola" wokalista zespołu The Kinks opisywał swoje doświadczenie z *drag queen* o tym imieniu i śpiewał:

Girls will be boys and boys will be girls.
It's a mixed up, muddled up, shook up world.

Puenta utworu jest jednak optymistyczna:

Well, I'm not the world's most masculine man,
But I know what I am and I'm glad I'm a man
And so is Lola[39].

Wydaje się jednak, że optymizm ten był przedwczesny. Muzyka rockowa przestawała być tylko podnietą do zabawy, a stawała się wyrazem i inspiracją postaw życiowych, w których dominowało dążenie do nadzwyczajnych przeżyć, ale także zwątpienie, lęki i poczucie alienacji. Niezwykle popularny wówczas duet Simon and Garfunkel zawarł to w proroczych słowach piosenki *Sound of Silence*:

In the naked light I saw
Ten thousand people, maybe more,
People talking without speaking,
People hearing without listening
People writing songs that voices never share
And no one dared disturb the sound of silence

W drugiej połowie dekady bohaterami wyobraźni pokolenia stali się piewcy anarchicznego hedonizmu, jak Jimi Hendrix[40] i Janis Joplin, a także gwiazdy rocka „progresywnego", jak Pink Floyd, oraz *hard rocka*, którego pionierami były zespoły Deep Purple, Led Zeppelin czy wreszcie Black Sabbath, wprowadzający poprzez histeryczne śpiewy Ozzy Osbourne'a elementy pesymistycznego okultyzmu.

Stale zwiększono siłę wzmacniaczy, przez co koncerty tych zespołów stawały się seansami zbiorowych transów. W scenicznych ekstrawagancjach gubiono lub świadomie zatracano jakikolwiek większy sens. Lata sześćdziesiąte przyniosły niesamowity rozwój zjawiska fanów gwiazd rocka – młodych ludzi,

---

[39] http://www.lyricsfreak.com/k/kinks/lola_20079021.html (14 V 2018).
[40] Jimi Hendrix, wybitny wirtuoz gitary elektrycznej, grał najczęściej ze swym zespołem pod wpływem narkotyków. Podobnie jak większość gwiazd rocka, uprawiał miłość fizyczną z setkami wielbicielek (*groupies*). Kres kariery Hendrixa i Joplin położyło przedawkowanie narkotyków. „Riding on a Rainbow", *The Guardian*, 30 VIII 1990 r.

którzy polubiwszy jakąś gwiazdę, gotowi byli wielbić ją bezwarunkowo, akceptując bezkrytycznie nawet skrajnie ekstrawaganckie lub niemoralne jej zachowania. Królując na scenach, gwiazdy te z kolei nie cofały się przed niczym, by przyciągnąć uwagę fanów. Muzyka rockowa wyrażała, ale i kreowała emocje. Była, obok narkotyków i seksu, paliwem tej rewolucji. Działała na emocje, a nie na rozum. Pozostawiła w pamięci całego pokolenia wadliwe stereotypy[41]. Zespoły rockowe lat sześćdziesiątych odegrały rolę średniowiecznego Szczurołapa. Wedle znanej opowieści, czarował on swą grą na flecie i wyprowadzał z miasta szczury, ale z zemsty za marną zapłatę zrobił to samo z dziećmi. Rockmani lat sześćdziesiątych uwiedli i „wyprowadzili do lasu dzieci, a następnie je zmasakrowali"[42].

---

[41] Interesującą ilustracją przemian obyczajowych, stylu życia i destrukcyjnego wpływu show-biznesu na życie osobiste gwiazd rocka i ich towarzyszek życiowych jest zbiór wywiadów: Victoria Balfour, *Rock Wives,* (Beech Tree Books, 1986). Choć wiele z tych kobiet zachowało minimum zdrowego rozsądku, zostały potraktowane przez lidera Rolling Stones, Micka Jaggera, wyjątkowo cynicznie: „Żony rockendrollowców? Ach, nie znoszę ich! Na szczęście tylko parę z nich kręci się jeszcze, ale szczerze mówiąc, nie wiem, skąd bierze się ich czelność, by iść dalej, mimo ich strasznych porażek". Tamże. s. 19.

[42] Bork, *Slouching Towards Gomorrah*, s. 24.

Johnny Rotten, lider i wokalista angielskiej grupy punkrockowej Sex Pistols. Po erze „dzieci-kwiatów"
nastała na Zachodzie moda na buntowniczy *punk*.

Rozdział 7. Dzieci rewolucji

AMERYKAŃSKA WOJNA KULTUR

Na początku lat siedemdziesiątych zespół T.Rex wylansował przebój o „dzieciach rewolucji" (*Children of the Revolution*) zapewne nie zdając sobie sprawy, jak ironicznego i smutnego kontekstu to określenie nabierze. Miliony młodych ludzi z tamtych lat upowszechniło zachowania rozkładające tradycyjne społeczeństwo. Choć ich postawy wynikały czasem z protestu przeciw złej rodzinie, w której dominował pieniądz i egoizm, to skutki rewolucji obyczajowej lat sześćdziesiątych okazały się jeszcze gorsze. Rewolucja przeciw „złym" rodzicom okazała się „samotną matką, a jej dzieci – półsierotami". Autorka znanej książki analizującej postawy osób z rodzin rozbitych, Claire Berman, doszła do prostego wniosku, że „dziura w ich sercu jest przeogromna. Mają oni poczucie utraty czegoś, co im się należy jako prawo przyrodzone – prawa do posiadania dwojga rodziców"[1].

Wigor rewolucyjny wypalił się w USA na początku lat siedemdziesiątych, choć społeczne i kulturowe konsekwencje rewolucji lat sześćdziesiątych okazały się niezwykle trwałe i głębokie. Z wielkich planów o rewolucji pozostało uzależnienie od hedonizmu, narkotyków, nieuporządkowane życie osobiste, jakieś najczęściej zagubione dzieci z rozbitych związków, upodobanie do różnych odmian Wiedzy Tajemnej, Ery Wodnika, neopogaństwa czy religijny wręcz stosunek do środowiska naturalnego. Wiele osób pokolenia lat sześćdziesiątych osiadło na uniwersytetach, gdzie zaczęło zatruwać swym relatywizmem lub anarchiczną wiarą nowe pokolenia Amerykanów, przyznając stypendia i dożywotnie kontrakty profesorskie ludziom podobnym do siebie.

Gdzie można było pójść z psychodelicznym bagażem ideowym? Niektórzy, jak Jane Fonda, zajęli się aerobikiem, zdrową żywnością, joggingiem lub nawet biznesem. Wielu przedstawicieli Nowej Lewicy amerykańskiej pogodziło się ze starszym pokoleniem prosowieckich komunistów, których dawniej oskarżali o bierność i służenie obcym interesom. Dla niektórych dzieci lat sześćdziesiątych otrzeźwienie przyszło wraz z informacją, że w pierwszych dwóch latach po zajęciu Wietnamu Południowego komuniści wymordowali tam więcej ludzi, niż zginęło w czasie 13 lat wojny, w której brali udział Amerykanie, lub że Czerwoni Khmerzy zabili około dwóch milionów rodaków. Najbardziej upartym przedstawicielom Nowej Lewicy amerykańskiej lat sześćdziesiątych nawet i to nie pomogło otrzeźwieć. Mitowi Castro nie zaszkodził w ich oczach nawet fakt, że wysłał on swe wojska do Afryki, gdzie pomógł Mengistu Hajle Mariamowi wymordować około 100 tysięcy Etiopczyków. Cóż to znaczyło wobec „słusznej sprawy" światowej

---

[1] Amitai Etzioni, *The Spirit of Community. The Reinvention of American Society*, (New York: Simon and Schuster, 1993), s. 75.

rewolucji! Przedstawiciele Nowej Lewicy nadal wspierali podobne działanie w Nikaragui i Salwadorze. Burmistrz Newport, zapytany o wpływy komunistów w Radzie Miejskiej Berkeley, odparł: „Nie przeszkadzają mi komuniści. Mój problem to republikanie i demokraci"[2].

Rewolucjoniści amerykańscy lat sześćdziesiątych nie obalili na szczęście systemu politycznego Stanów Zjednoczonych. „Milcząca większość" Amerykanów wygrała. Ale psychodeliczni rewolucjoniści zatruli duszę Ameryki. Jak przyznali po latach Peter Collier i David Horowitz, podobnie przenikliwi krytycy tego fenomenu jak George Orwell, Arthur Koestler czy Leszek Kołakowski w odniesieniu do stalinizmu, totalitaryzm zaczyna się od opanowania rzeczywistości przez ideę raju na ziemi, od przekonania, że człowieka można odkupić przez politykę. W imię tak rozumianej idei rewolucjoniści byli i są gotowi kłamać, zabijać, usprawiedliwiać każde głupstwo, każdą niegodziwość, każdą zbrodnię. Dzieje się tak ponieważ „w rewolucyjnej religii, Droga, Prawda i Życie należą nie do Boga w niebie, ale do człowieka na ziemi"[3].

Wybór Ronalda Reagana w 1980 r. i porażka wielu superliberalnych senatorów w kolejnych wyborach do Kongresu wydawały się zakończyć epokę nowej amerykańskiej rewolucji. Duch lat sześćdziesiątych odżył jednak w latach osiemdziesiątych i wyniósł do władzy w instytucjach politycznych, mediach i biznesie dzieci tamtej dekady. Kulminacją tego procesu był wybór Billa Clintona na prezydenta w 1992 r. Nowa fala rozkładu Ameryki rozlała się szeroko za jego rządów: moda na przeboje *rap* z wezwaniem do zabijania policjantów, rosnąca liczba ciąż nastolatek, wszechobecność przemocy w mediach, dziki feminizm, promocja homoseksualizmu, ruch praw zwierząt, „polityczna poprawność" na uniwersytetach oraz publiczna debata nad tym, czy to, co robił Clinton z Moniką Lewinsky na stole w Owalnym Pokoju Białego Domu, to seks czy nie. Przestano poszerzać definicję przyzwoitości: po prostu to pojęcie zniknęło. Zniknęło też pojęcie prawdy. Zamiast niego pojawiła się „wielokulturowość" i „dyskurs" jako cel. Clinton mawiał, że charakter to „podróż, a nie jej cel"[4]. Jego żona niewiele oddaliła się też od tego, co jako Hillary Rodham mówiła w 1969 r. na wiecu na uniwersytecie Wellesley o polityce jako sztuce „czynienia tego, co wydaje się niemożliwe, możliwym (...) Nie interesuje nas przebudowa społeczna, ale przebudowa człowieka"[5]. Nadal myśli o utopii stworzenia Nowego Człowieka, choć nie bardzo wie, jakiego.

Amerykańska wojna kultur ma wymiar nie tylko narodowy, ale i religijny. Z jednej strony widzimy przekonanie, że Stany Zjednoczone są szczególnym dziełem Opatrzności, z drugiej kolejne „herezje" podważają tę wiarę. Wizualnym symbolem amerykańskiej tożsamości jest sztandar z gwiazdami i paskami. Częstotliwość demonstrowania tej flagi jest wyrazem silnych na ogół patriotycznych uczuć Amerykanów, zwłaszcza w godzinie próby. W dniu 11 września 2000 r.

---

[2] Collier, Horowitz, *Destructive Generation*, s. 186.
[3] Tamże, s. 313.
[4] Richard John Neuhaus, „The Public Square", *First Things*, 2005, nr 5, s. 65.
[5] Bork, *Slouching Towards Gomorrah*, s. 86.

Bill Clinton z Moniką Lewinsky w Pokoju Owalnym w Białym Domu. Romans prezydenta ze stażystką stał się w USA wielkim skandalem.

sklepy Wal-Mart sprzedały w całych Stanach Zjednoczonych 6 400 flag amery-kańskich, zaś rok później, w dniu zamachu na World Trade Center – 116 000 tych flag[6]. Amerykański sztandar jest jednak jedynie symbolem faktu, że na początku Stany Zjednoczone liczyły 13 stanów, a obecnie 50. Pierwotna tożsamość Amery-kanów opierała się na słynnym skrócie WASP (*White, Anglo-Saxon, Protestant*), gdyż byli oni głównie białymi, anglosaskimi protestantami. Samuel P. Hunting-ton wyróżnił cztery główne składniki tożsamości amerykańskiej: etniczny, raso-wy, kulturowy i polityczny. Zauważył, że od wojny o niepodległość do II wojny światowej występowały wszystkie te składniki, ale od II wojny zanikał element etniczny, od połowy lat sześćdziesiątych, czyli od faktycznego równouprawnienia

---

[6] Samuel P. Huntington, *Who Are We?* (Free Press 2005), s. 4.

Murzynów – rasowy, a od lat dziewięćdziesiątych coraz więcej jest wątpliwości co do wspólnoty kulturowej Amerykanów. Pozostaje wspólnota polityczna[7].

Rasowe, etniczne, religijne i ideowe fundamenty amerykańskości ulegały istotnie ewolucji. Powodował to napływ katolików, Żydów, prawosławnych, imigrantów z Niemiec, Irlandii, Włoch i Europy Wschodniej, emancypacja ludności murzyńskiej, a ostatnio imigracja azjatycka i ogromny napływ ludności latynoamerykańskiej. Amerykanie demonstrują więc swą dumę narodową, nie do końca wiedząc, kim są. Na ogół dumni są z rozmiarów i potęgi swego kraju, jego wspaniałej przyrody, a także z demokratycznych tradycji i instytucji republikańskich, które stworzyli na tę skalę jako pierwsi na świecie. Na ogół bagatelizują erozję czy nawet kryzys swej tożsamości narodowej, będący rezultatem faktu, że ich elity umysłowe zatraciły poczucie patriotyzmu, a wielokulturowe masy chcą zachowywać coraz więcej z własnej, dawnej tradycji. Amerykanizm jest więc stanem emocjonalnym, któremu zagraża zanik pozytywnych emocji.

Do dziś Święto Dziękczynienia (*Thanksgiving*) jest manifestacją religijno-narodowego ducha Ameryki. Do dziś duma z potęgi Stanów Zjednoczonych i z możliwości, jakie daje ten kraj, jest powszechnym składnikiem amerykańskości. Amerykanie w Amerykę wierzą nadal, z wyjątkiem tych, którzy wątpią lub Ameryki nienawidzą. O ile ateiści najczęściej dowodzą nieistnienia Boga przez odrzucenie jego rzekomych cech, o tyle anty-Amerykanie walczą z Ameryką, która nie spełnia ich oczekiwań. I jedni, i drudzy wykazują iście religijny ferwor. Najwybitniejsze umysły amerykańskie nadal trafnie definiują podstawy systemu politycznego opartego na wolności. Nawiązując do Johna Stuarta Milla, Gertrude Himmelfarb powtarza, że system taki musi zawierać zasady niepodważalne, których się nie głosuje. Twierdzi, że musi to być pewien zbiór zasad, a nie na przykład tylko nieczynienie szkody społeczeństwu[8]. Istotnie, demokracja bez oparcia w stałych zasadach, wynikających z wiary, zamienia się w anarchię. Dążenie do stałego poszerzania zakresu wolności nie jest celem pożądanym, gdyż w efekcie zlikwidowalibyśmy prawo, podatki i ograniczenia służące człowiekowi. Amerykanie ulegają coraz bardziej socjalistycznej zarazie zawiści i z narodu pionierów zamieniają się w naród poszkodowanych mniejszości etnicznych, kobiet, homoseksualistów, niepełnosprawnych, otyłych, młodych lub starych[9].

Niestety, Amerykanie-heretycy podkopują owe podstawy systemu amerykańskiego. Intelektualistą, który zrobił karierę na wmawianiu sobie i światu, że Stany Zjednoczone są największym wrogiem ludzkości, jest Noam Chomsky. Wychodząc z założenia o stałym poszerzaniu wolności, uciskanej rzekomo w USA, z własnej, nieprzymuszonej woli prowadził on na MIT w Bostonie kampanię obrony komunistycznego Wietnamu, a następnie także Czerwonych Khmerów, pomniejszając rozmiary zbrodni, jakich się dokonywali po swoim zwycięstwie, a gdy prawdy

---

[7] Tamże, s. 27 i 38.
[8] Gertrude Himmelfarb, *On Looking Into the Abyss: Untimely Thoughts on Culture and Society*, (New York: Alfred A.Knopf, 1994), s. 103.
[9] Bork, *Slouching Towards Gomorrah*, ss. 60 i 82.

Noam Chomsky (ur. 1928), amerykański językoznawca i filozof, znany także ze swojej radykalnej krytyki wobec Stanów Zjednoczonych i ich polityki. Prowadził kampanię obrony komunistów.

nie dało się już dłużej ukryć, zaczął dowodzić, że masowe mordy komunistyczne w Indochinach są „bezpośrednią i zrozumiałą" odpowiedzią na gwałt systemu imperialistycznego". Chomsky posunął się nawet do porównania Reagana do Hitlera. Jak mówią Peter Collier i David Horowitz, zwalając winę za wszystkie zbrodnie komunistów na imperializm, Chomsky odkrył „prawo Archimedesa" odradzającej się stale lewicy. Jest to też największy wkład Nowej Lewicy w tradycje lewicy. W czasach stalinowskich nie wolno było przyznawać się do masowych zbrodni, obecnie już można, pod warunkiem, że ostateczną odpowiedzialność za nie zrzuci się na Stany Zjednoczone. Ludzie tacy jak Chomsky podtrzymują mity rewolucji lat sześćdziesiątych wbrew faktom[10].

Antyamerykańskie herezje zatruły współczesną naukę i szkolnictwo. Na przykład młodzież amerykańska jest uczona głównie o nadużyciach cywilizacji zachodniej, a nie o jej osiągnięciach. Wychwala się osiągnięcia Azteków czy przyjemne usposobienie Karibów, nie wspominając o ofiarach z ludzi składanych przez pierwszych oraz o kanibalizmie drugich. Całą winę za handel niewolnikami zwala się na białych, zapominając o roli arabskich pośredników, krytykuje się krucjaty, nie wspominając o militarnej ekspansji islamu w pierwszych jego wiekach, historię

---

[10] Collier, Horowitz, *Destructive Generation*, ss. 254–264. Por. np.: Noam Chomsky, *Power & Prospects. Reflections on Human Nature and Social Order*, (Allen & Unwin, 1996).

Kościoła sprowadza się do Inkwizycji, a nie wspomina się o zakonach i świętych, którzy torowali drogę kulturze i gospodarce europejskiej. Czy można się więc dziwić, że około 25% psychiatrów w USA wierzy w astrologię oraz że jest tam dziesięć razy więcej astrologów niż astronomów? Heretyków nienawidzących w istocie Ameryki jest pełno na amerykańskich uniwersytetach, gdzie wykładają oni kolonializm, imperializm, historię niewolnictwa i ucisku kobiet. Ucząc „wielokulturowości" propagują relatywizm i zawsze stawiają wyżej kultury Trzeciego Świata niż Zachodu. Historyczny rewizjonizm i relatywizm sięgnął już także finansowany częściowy z funduszy federalnych Smithsonian Institution, gdzie w półwiecze zrzucenia bomby atomowej na Hiroszimę napisano, że „dla Stanów Zjednoczonych to była wojna zemsty, podczas gdy dla Japończyków była to obrona ich unikatowej kultury przed zachodnim imperializmem". „Niektóre z naszych elit – profesorowie, dziennikarze, producenci filmowi i telewizyjni i inni – uwielbiają nihilizm i destrukcję zupełnie tak jak przypadkowi zabójcy w naszych miastach", pisze Robert H. Bork[11]. Jak nienawiść ateistów do Boga, tak nienawiść niektórych Amerykanów do Ameryki jest zdumiewająca. Dawny mąż Jane Fondy, Tom Hayden, do niedawna wyrażał dumę ze swych „dokonań" z czasów studenckich: „my, ludzie lat sześćdziesiątych, osiągnęliśmy więcej niż większość pokoleń w historii Ameryki". W 1966 r. bowiem Hayden pisał: „Może jedyną formą akcji gniewnego ludu jest gwałt. Może niewielka mniejszość, podpalając Nowy Jork i Waszyngton, zniszczyłaby ten kraj w oczach opinii światowej na zawsze"[12].

DEKONSTRUKCJI CIĄG DALSZY

Niektóre mechanizmy destrukcji cywilizacji zachodniej były wspólne dla Ameryki Północnej i Europy, niektóre zaś zjawiska były w Europie nieco odmienne od amerykańskich. Niewątpliwie wspólny był rozwój nośników informacji, dzięki którym upowszechniano poglądy i zachowania. O ile więc w latach siedemdziesiątych pokolenie dorastającej młodzieży słuchało jeszcze płyt, z wolna przechodząc do używania kaset magnetofonowych, o tyle w latach osiemdziesiątych zaczął się *boom* nagrań cyfrowych na płytkach (*compact disc* czyli CD) i burzliwy rozwój komputerów osobistych (*personal computer*, czyli PC). W latach dziewięćdziesiątych rozkwitła „sieć" internetowa, która zaczęła wchłaniać setki milionów „podłączonych" do niej użytkowników, a na początku XX wieku płytki komputerowe zostały zastąpione przez *pendrive*, a „podłączenie" do świata wirtualnego zostało jeszcze bardziej ułatwione przez *smart phone,* w którym krótkie komunikaty (*short message service,* czyli sms) można było przekazywać praktycznie w każdej chwili. Szybko rosnąca pojemność pamięci komputerowej i telefonowej pozwalała zresztą na przekazywanie nie tylko treści tekstowej, ale i obrazów. Wszystko to w ciągu jednego pokolenia całkowicie zrewolucjonizowało kontakty międzyludzkie. Stały się one zdecydowanie łatwiejsze, ale bardziej

---

[11] Bork, *Slouching Towards Gomorrah*, ss. 263, 90 i 95.
[12] Collier, Horowitz, *Destructive Generation*, s. 271.

powierzchowne. Możliwości technologiczne przyczyniały się samoistnie do przełamywania barier intymności.

Lata siedemdziesiąte były także w Europie okresem kryzysu naftowego i rosnących niepokojów społecznych, co owocowało wzrostem znaczenia ruchów lewackich. Lęki przed konfrontacją wojenną w obliczu narastającego wyścigu zbrojeń, w którym przewagę w Europie zdobył Związek Sowiecki, skłaniały młode pokolenie do pacyfizmu i ucieczki w indywidualizm. Zamiast mobilizować energię w oporze przed sowieckim zagrożeniem setki tysięcy młodych ludzi protestowało pod koniec dekady przeciw rozmieszczaniu w Europie amerykańskich rakiet Cruise i Pershing, mogących zrównoważyć przewagę ZSRR. W tej atmosferze politycznej i ekonomicznej Europę Zachodnią zdominował anarchiczny hedonizm.

Wspólne dla Ameryki i Europy było stałe przesuwanie granic wstydu, choć zjawiska te przyspieszyły bardziej w Europie. Już w 1968 roku Beatlesi umieścili na swojej płycie piosenkę z prostym pytaniem *Why Don't We Do It in the Road?* („Dlaczego nie robimy 'tego' na ulicy?"). Podobno natchnienie do tej refleksji naszło Paula McCartneya w Indiach, gdzie zobaczył dwie małpy kopulujące na ulicy w Rishikesh. Wspominał to tak: „Samiec wskoczył po prostu na samicę i zrobił jej dobrze. Po dwóch lub trzech sekundach zeskoczył i rozejrzał się, jakby chciał powiedzieć „to nie ja!" Ona zaś rozejrzała się tylko, jakby dziwiąc się z powodu nieistotnego zdarzenia (…) A ja pomyślałem (…) jaki prosty jest akt prokreacji (…) My mamy okropne problemy z tym, a zwierzęta nie"[13].

Oderwany od prokreacji, a nawet uczucia, seks stawał się czynnością rozrywkową. W 1969 roku w wielu miejscach publicznych Europy rozbrzmiewały już erotyczne pojękiwania Jane Birkin w pornofonicznej piosence Serge Gainsbourga *Je t'aime, moi non plus* („Kocham cię, ja też nie"), docierając do uszu nie tylko dorosłych, ale i dzieci. Ku rozbawieniu dużej części starszego pokolenia, dumnego ze swojej postawy przyzwolenia, młodzież krępowała się coraz mniej. W latach siedemdziesiątych plaże francuskie i niemieckie zaludniały już coraz częściej młode kobiety w stroju *topless,* a miejscem, gdzie można było potańczyć bez zahamowań i poznać kogoś na jedną noc, stały się dyskoteki. Promiskuityzm przestawał być czymś ostentacyjnym czy oznaką przelotnej mody, ale zjawiskiem „normalnym" i masowym. Zmiana ta odbiła się wyraźnie w języku. O ile jeszcze na początku lat sześćdziesiątych mówiono *to make love* („kochać się"), o tyle w wyniku rewolucji seksualnej coraz częściej używano określenia *to have sex* („uprawiać seks").

Choć rewolucja lat sześćdziesiątych wypływała z dość podstawowych odruchów i odwoływała się do kultury masowej, reakcją na jej estetykę, zwłaszcza w postaci już bardziej wyrafinowanej, jak pieśni Boba Dylana czy rock symfoniczny zespołów Pink Floyd i King Crimson, był nie powrót do tradycyjnych wartości, ale kolejna fala rewolucji kulturowej w latach siedemdziesiątych. Zamiast powrotu

---

[13] Barry Miles, *Paul McCartney: Many Years from Now,* (New York: Henry Holt & Company, 1997), ss. 498–499. Żal zawarty w tej refleksji i jej głębokość pokazują poziom zrozumienia przez gwiazdora różnicy między człowiekiem a małpą.

do elegancji, spora część młodzieży dorastającej na Zachodzie w tym okresie przyjęła modę *punk*. Pojęcie to samo w sobie oznacza coś bezwartościowego, wręcz śmieciowatość oraz pogardę dla estetyki i wartości. W muzyce moda ta przejawiała się agresywnymi i prostymi rytmami oraz buntowniczymi tekstami. Premiowano amatorszczyznę i pogardzano wirtuozerią. Prekursorami *punk rocka* byli Patti Smith i The Ramones w Stanach Zjednoczonych oraz Sex Pistols w Wielkiej Brytanii. W założeniu chodziło o wywołanie efektu prymitywizmu i lekceważenia dla wszelkiej formy. Teksty piosenek były pełne pesymizmu, a często także wulgaryzmów. Hasłem punków stało się zawołanie *no future* („nie ma przyszłości"). Ruch *punk* był zjawiskiem szerszym niż tylko muzycznym. Był kolejnym buntem przeciw normom społecznym i wyrazem anarchicznych skłonności nowego pokolenia. Wyrażał się także w dziwacznych strojach i fryzurach: poszarpanych czarnych kurtkach, agrafkach wpinanych w ciało i włosach farbowanych na różne kolory lub trefionych w indiańskie „irokezy"[14].

W latach osiemdziesiątych w społeczeństwach zachodnich ujawniły się dwa prądy. Z jednej strony, główną cechą kultury Zachodu, a zwłaszcza Europy Zachodniej, był indywidualizm i hedonizm. Coraz szerzej akceptowano chciwość i formalizm moralny. Coraz częściej zastanawiano się nie co jest dobre, a co złe, ale co jest prawnie dozwolone, a co zakazane. Z drugiej strony, zauważalne były też reakcje zmierzające do wypełniania wolności wartościami. Przejawiały się one na przykład w rozwoju ruchów ochrony życia poczętego lub moralnej wrażliwości młodego pokolenia. Bardziej popularna była jednak postawa charakterystyczna dla amerykańskich *yuppies*, czyli koncentracja wysiłku na karierze. W wielu państwach europejskich narastały zmiany w świadomości i statusie społecznym kobiet. Liczba kobiet podejmujących pracę zawodową rosła, co w skali masowej było powiązane z dalszą erozją instytucji małżeństwa. Rozwody stały się zjawiskiem powszechnym. Do historii przechodził tradycyjny model z mężczyzną, który utrzymywał żonę opiekującą się domem. Coraz większa część młodzieży pochodziła z rodzin rozbitych, co niosło za sobą poważne skutki cywilizacyjne. Przerażające rozmiary przybierała aborcja, coraz powszechniej akceptowana jako metoda regulacji urodzin. Co roku liczba legalnie dokonywanych usunięć ciąży sięgała 1 mln w USA, 160 tys. we Francji i 130 tys. w Wielkiej Brytanii[15]. Rewolucja informatyczna, postępy w inżynierii materiałowej, genetyce, medycynie i wielu innych działach wiedzy i techniki działały na wyobraźnię przeciętnego człowieka, ale jednocześnie budziły coraz częściej refleksję nad granicami człowieczeństwa. Nie było to jednak odrodzenie XIX-wiecznego scjentycyzmu, ale raczej impuls do szukania nowych treści, jakie niósł zapowiadany przez Alvina Tofflera „szok przyszłości"[16].

---

[14] Fast'n'Bulbous, „A History of Punk", https://web.archive.org/web/20000510062822/http:// www.fastnbulbous.com/punk.htm (16 IV 2018); Dave Laing, *One Chord Wonders: Power and Meaning of Punk Rock*, (Oakland, Ca: PM Press, 1984); Ian Glasper, *Burning Britain. The History of UK Punk*, (London: Cherry Red Books, 2004).

[15] *Demographic Yearbook of the United Nations 1982*, s. 313.

[16] Alvin Toffler, *Szok przyszłości*, (Warszawa: Biblioteka Myśli Współczesnej, 1974).

Kulturę masową dekady lat osiemdziesiątych zdominował obraz. Stale wzrastał krąg odbiorców przekazu telewizyjnego, a także ilość dostępnych kanałów i stacji. Rosła ilość czasu, jaką przeciętny obywatel Zachodu, a w tym głównie młodego pokolenia, spędzał przed ekranem. W 1980 r. na 100 mieszkańców USA przypadało 63 telewizorów, w RFN podobny wskaźnik wynosił 33, a we Francji – 29. Telewizja przybliżała ludziom obraz świata, ale jednocześnie go upraszczała i deformowała przez reklamę i pogoń za sensacją. Również w kulturze masowej upowszechniono przekaz łączny, dźwiękowo-obrazkowy w postaci wideoklipu. W sierpniu 1981 r. rozpoczęła nadawanie stacja telewizyjna MTV, której program opierał się głównie na tej formie przekazu. W filmie i muzyce popularnej panowała moda na gwałt i wulgarność. W lansowaniu moralnego permisywizmu przodowały gwiazdy muzyki rockowej, na przykład The Rolling Stones, Elton John, Michael Jackson, czy zespół Queen, którego wokalista Freddie Mercury ostentacyjnie obnosił się ze swą nieograniczoną aktywnością homo- i heteroseksualną.

Prawdziwą plagą stała się narkomania. W latach osiemdziesiątych corocznie umierało z powodu używania narkotyków około 23 tys. Amerykanów, co stanowiło około połowy wszystkich ofiar wojny w Wietnamie. Liczbę uzależnionych oceniano na około 7,2 mln osób, sprzedaż narkotyków – na około 50–110 mld $, podczas gdy całkowity koszt wojny w Wietnamie wyniósł 230 mld $[17]. W grudniu 1980 r. zmarła w Nowym Jorku pierwsza znana ofiara AIDS (*Acquired Immune Deficiency Syndrome*). Ponieważ początkowo stwierdzono niemal pełną korelację między zachorowaniami na AIDS oraz nieograniczoną aktywnością homoseksualną i plagą narkomanii, epidemia zapoczątkowała reakcję w postaci większej powściągliwości obyczajowej. Nasiliły się badania nad istotą choroby. W styczniu 1983 r. odkryto wirusa HIV (*Human Immunodeficiency Virus*), powodującego chorobę.

Przełom lat osiemdziesiątych i dziewięćdziesiątych przyniósł upadek komunizmu sowieckiego i wyzwolenie krajów Europy Środkowej i Wschodniej spod kurateli ZSRR. Proces ten wywołał na początku spore zainteresowanie w społeczeństwach zachodnich. Spadły tam notowania partii komunistycznych i pojawiły się oznaki refleksji nad tym, co oznacza jednocząca się Europa. Pod koniec dekady zainteresowanie to wyraźnie spadło wraz z rozwojem negocjacji w sprawie przyjęcia tych krajów do Unii Europejskiej i NATO, ponieważ okazywało się, że może to być proces kosztowny dla społeczeństw zachodnioeuropejskich. Z drugiej strony utrwaliło się tam przekonanie, że „trzecia fala demokratyzacji" i proces integracji europejskiej pod egidą wysoko rozwiniętych krajów „starej Europy" stanowią dowód słuszności i bezalternatywności wybranej tam drogi

---

[17] Joseph D. Douglas jr, „How Goes the 'War on Drugs'?", *Conservative Review*, 1992, nr 1, s. 29. W późniejszych latach problemy narkotykowe tylko rosły. W 2015 r. uzależnionych od narkotyków było prawie 4% Amerykanów, 10 promili Włochów, 9 promili Brytyjczyków, Łotyszy i Duńczyków, 7 promili Francuzów i Czechów, 5 promili Szwedów, 4 promile Niemców i 3 promile Polaków. https://www.nih.gov/news-events/news-releases/10-percent-us-adults-have-drug-use-disorder-some-point-their-lives; https://www.statista.com/topics/3823/drug--situation-in-europe (16 IV 2018).

rozwoju „liberalnej demokracji". Ograniczało to zakres autorefleksji nad problemami cywilizacji zachodniej.

Na przełomie tysiącleci w wielu krajach Zachodniej Europie narastały ruchy protestu przeciw „globalizacji", czyli w istocie przeciw dominacji korporacji międzynarodowych. Przybierały one często bardzo gwałtowną postać, zwłaszcza podczas „szczytów" najbardziej rozwiniętych państw świata czy spotkań światowych celebrytów w Davos. Innym zjawiskiem, wypełniającym próżnię ideową w czasie dechrystianizacji, były różnego rodzaju „parady równości" organizacji homoseksualistów, a nawet agresywne manifestacje antychrześcijańskie. W Niemczech szczególnie modna stała się muzyka *techno* oraz „parady miłości", w czasie których dziesiątki tysięcy młodych ludzi, często zupełnie roznegliżowanych, poruszało się w rytm tej muzyki w stanie upojenia alkoholowego lub pod wpływem narkotyków. Ostatnia z takich parad, zorganizowana w 2010 roku w Duisburgu, skończyła się śmiercią 21 osób, zatratowanych przez tłum[18].

Ogólnie rzecz biorąc, rewolucja lat sześćdziesiątych była buntem nie tylko przeciw władzy, ale przeciw rzeczywistości. Chodziło o odrzucenie pochodzenia biologicznego w postaci rodziny, tożsamości społecznej, kulturowej w postaci tradycji oraz metafizycznej w postaci wiary w Boga[19]. Konsekwencje rewolucji lat sześćdziesiątych w Europie i Ameryce Północnej można zilustrować pojęciem „dekonstrukcja", którego użył po raz pierwszy francuski filozof Jacques Derrida (1930–2004), bardzo również popularny na uniwersytetach amerykańskich. Kierunek filozofii postmodernistycznej zwany dekonstruktywizmem oznacza bowiem możliwość dowolnych interpretacji każdego zjawiska, gdyż istnieje ono jako opis, a słowa i znaki używane w języku nigdy bezpośrednio nie dotyczą tego, co oznaczają[20]. W swoim rdzeniu słowo „dekonstrukcja" odnosi się więc do rozkładu możliwości poznania i oceny czegokolwiek.

WYZWALANIE KOBIET

Jeśli za kryterium przyjąć rozmiary zjawiska w skali społecznej, to największym zmianom uległo w najnowszej historii miejsce kobiet. W wyniku dwóch wojen światowych, podczas których kobiety gremialnie zastępowały walczących mężczyzn na stanowiskach pracy, a potem niechętnie wracały do domu, a także w wyniku przemian społecznych w wysoko rozwiniętych krajach w ostatnich czterech dekadach, pod koniec XX wieku praca poza domem stała się w wielu krajach niemal regułą wśród dorosłych kobiet, wyjąwszy oczywiście okresy macierzyństwa. W latach 1960–1996 udział kobiet w ogólnym zatrudnieniu wzrósł z 33%

---

[18] https://en.wikipedia.org/wiki/Love_Parade_disaster (16 IV 2018).
[19] Guido Vignelli, „Kontestacji ciąg dalszy", *Polonia Christiana*, 2018, nr 62, s. 58.
[20] Por. np. „Różnia", (w:) Marek J. Siemek (red.), *Drogi współczesnej filozofii*, (Warszawa: Czytelnik, 1978).

Michael Jackson (1958–2009), amerykański wokalista i kompozytor. Ten supergwiazdor muzyki pop był wielokrotnie oskarżany o molestowanie dzieci.

do 48% w Szwecji, 32% do 46% w USA, 32% do 45% we Francji, 31% do 44% w Wielkiej Brytanii, 21% do 43% w Holandii, 21% do 40% w Hiszpanii oraz z 30% do 38% we Włoszech. W Polsce i innych krajach postkomunistycznych odsetek ten przekraczał na ogół 40%[21]. Pod koniec XX wieku kobiety znalazły się na czele wielu rządów i to nie tylko państw skandynawskich, ale także pozaeuropejskich, w tym muzułmańskich. Porównując zdjęcia kobiet z początku i końca XX wieku widać nie tylko zmiany mody, ale wręcz typowej sylwetki fizycznej.

Kobiecość jest stale w natarciu. Kobiety żyją na ogół dłużej niż mężczyźni. We Francji przeciętna długość życia wynosiła ostatnio 82 lata dla kobiet i 74 lata dla mężczyzn, w Szwecji – odpowiednio – 81 i 75, a w USA – 79 i 73. Wynika to zresztą nie tyle z uprzywilejowanej sytuacji kobiet w dostępie do służby zdrowia czy z czynników fizycznych, ale głównie z faktu, że mężczyźni częściej tracą życie w wyniku wojen, częściej ulegają wypadkom przy pracy, a także prowadzą mniej zdrowy tryb życia. Przeciętne wyniki chłopców w nauce są coraz częściej gorsze niż dziewcząt. Zatrudnienie kobiet rośnie w zawodach przyszłościowych z sektora usług, natomiast mężczyźni dominują w przemyśle i innych działach gospodarki, które przeżywają względny regres, toteż są częściej rejestrowani jako bezrobotni z fatalnymi tego konsekwencjami psychicznymi. W sytuacjach kryzysowych mężczyźni trudniej przystosowują się i częściej łamią prawo.

Sytuacja kobiet w dzisiejszym świecie jest niezwykle zróżnicowana. W tradycjonalistycznych krajach muzułmańskich kobieta nie może publicznie pokazać twarzy, a za pocałunek w miejscu publicznym grożą surowe kary. W wielu krajach afrykańskich dziewczynki poddaje się „obrzezaniu", zmniejszającemu fizyczną zdolność kobiety do przeżywania satysfakcji seksualnej. W wielu częściach świata kultywowane są zwyczaje i praktyki głęboko dyskryminujące kobiety i naruszające ich godność. W niektórych krajach Azji i Ameryki Łacińskiej około połowa kobiet była regularnie bita przez współmałżonków. W krajach rozwiniętych praktyka ta jest nieco mniej rozpowszechniona, ale także występuje na sporą skalę. W różnych częściach świata dziewczęta wydaje się za mąż przez faktyczne ich sprzedanie mężowi. W wielu krajach azjatyckich, na przykład w Chinach czy Indiach, potomek męski ceniony jest bez porównania wyżej niż dziewczynka. Prasa chińska podaje czasem przykłady zabijania nowo narodzonych dziewczynek, zwłaszcza na wsi, co jest efektem wielowiekowej tradycji, uznającej potomków męskich za bardziej pożądanych od potomstwa żeńskiego. Zachodzi więc uzasadniona obawa, że 8% populacji niemowląt żeńskich jest po prostu zabijane[22].

Natomiast w niektórych krajach zachodnich „wyzwolone" kobiety ostentacyjnie manifestują swą fizyczność. Istnieje jednak wspólna cecha upośledzenia kobiet – ich przedmiotowe traktowanie. Ciało kobiece jest traktowane jak towar w domach publicznych, pornografii czy nawet w reklamie. Problem jest o tyle

---

[21] Cytat i dane: „A Survey of Women and Work", *The Economist*, 18 VII-24 VII 1998 r., ss. 1–4.

[22] Dokładne rozmiary tego zjawiska nie są znane, ale zastanawiające jest, iż w oficjalnych statystykach podaje się, iż na 100 dziewczynek rodzi się nie około 106 chłopców, jak zazwyczaj w świecie, ale 114. *Rzeczpospolita*, 19 III 1992 r.; Steven Strasser, Mike Weiss, „Black Trips to the Countryside", *Newsweek*, 13 IX 1993 r., s. 26.

trudny, że w psychice kobiet od zawsze ścierały się dwa sprzeczne rodzaje sygnałów. Z jednej strony pragną być fizycznie atrakcyjne, nawet coraz częściej w prowokujący sposób, a z drugiej strony żądają równego traktowania. W krajach wysoko rozwiniętych nasila się presja obyczajowa wymagająca od kobiety piękności za wszelką cenę. Mimo protestów kobiet, mężczyźni nadal jednak często nadużywają swej pozycji społecznej, na przykład stawiając upokarzające warunki zatrudnienia pracownicom lub zaliczenia studentkom czy broniąc gwałcicieli przez oskarżanie ofiar o prowokujące zachowanie. Męskie atawizmy i to w dziwacznie solidarnej postaci można zaobserwować w rozmowach, jakie mężczyźni często wiodą na temat obcych kobiet w swoim własnym towarzystwie. Gwałt, będący wytworem wojny, podczas której mężczyźni zabijali wrogów i niewolili ich kobiety, jest nadal trwałym składnikiem kultury męskiej, nawet w czasie pokoju. Jest efektem niedorozwoju uczuciowego mężczyzny, jego nieumiejętności poradzenia sobie z siłą *sex appeal* kobiety, a nawet z zagrożeniem własnego „panowania" nad kobietą. Innym przejawem dyskryminacji kobiet jest naruszanie zasady równej płacy za tę samą pracę[23].

Wszystkie te problemy znalazły wyraz w skomplikowanej historii ruchów kobiecych ostatniego stulecia. Prawdopodobnie terminu „feminizm" użył po raz pierwszy francuski socjalista utopijny Charles Fourier w latach trzydziestych XIX wieku. Obecnie tym terminem określa się różne etapy rozwoju równouprawnienia kobiet. Na przełomie XIX i XX wieku punkt ciężkości stanowił ruch sufrażystek, które w zaskakujący nieraz jak na owe czasy sposób domagały się równych z mężczyznami praw wyborczych. Liderka brytyjskich sufrażystek Emmeline Pankhurst (1858–1928) została uznana za jedną ze stu najwybitniejszych postaci XX wieku. W Stanach Zjednoczonych za moment przełomowy uznaje się uchwalenie w 1919 roku dziewiętnastej poprawki do konstytucji USA, przyznającej kobietom prawo wyborcze we wszystkich stanach. W latach międzywojennych, gdy większość państw zachodnich przyznała kobietom prawa wyborcze, polem walki stała się wolność kobiet do podejmowania pracy bez zgody męża lub ojca, a także uwzględnienie gwałtu jako przestępstwa także w małżeństwie. Nowy, marksistowski impuls nadała feminizmowi Simone de Beauvoir w latach czterdziestych.

Młodzieżowa rewolta lat sześćdziesiątych przyniosła początek masowego ruchu feministycznego w nowej postaci. Jednym z wydarzeń, które zainicjowały ten ruch była książka Betty Friedan o „mistyce kobiecości" (*The Feminine Mystique*), wydana w 1963 r. Autorka stwierdzała w niej, że kobiecość kształtowana jest głównie przez wychowanie, w którym dziewczęta, a potem kobiety przygotowywane są do ról „przedmiotów seksu" oraz gospodyń domowych, co ogranicza ich możliwości jako osób ludzkich. Feministki tej „drugiej fali" akcentowały wyzwolenie seksualne kobiet, związane z upowszechnieniem pigułki antykoncepcyjnej, która stwarzała pozór równości fizycznej kobiet i mężczyzn

---

[23] Lori Heise, „The Global War against Women", *Washington Post*, 9 IV 1989 r.; „Men's Traditional Culture", *The Economist*, 10 VIII 1996 r., s. 36; Naomi Wolf, *The Beauty Myth*, (London: Chatto & Windus, 1990), ss. 12–97.

w fizjologii seksu. Zwolenniczki pełnej równości płci manifestowały wówczas swoje poglądy starając się zaszokować opinię publiczną. Na przykład podczas konkursu Miss Ameryki w 1968 r. grupa aktywistek ruchu urządziła demonstrację wrzucając do „śmietnika wolności" takie atrybuty ucisku kobiet, jak sztuczne rzęsy, wałki do włosów, a nawet staniki[24]. Goły biust stał się symbolem tej fali feminizmu.

Trzecia fala feminizmu rozkwitła w latach siedemdziesiątych. Niektóre radykalne feministki, takie jak Shulamith Firestone (1945–2012) dowodziły, że kobiety stanowią grupę historycznie upośledzoną oraz że ostatecznym celem rewolucji feministycznej musi być „nie tylko likwidacja przywilejów mężczyzn, ale różnic między płciami jako takimi: różnice genitalne muszą przestać odgrywać rolę kulturową"[25]. Polem walki stało się prawo do aborcji, a radykalne feministki twierdziły, że płód jest tylko częścią ciała kobiety, z którą może ona dowolnie postępować. To wtedy pojawiły się też żądania równouprawnienia kobiet w publicznym odsłanianiu torsu, tak jakby nie różniły się one w tym szczególe cielesności od mężczyzn. Trzeba przyznać, że większość radykalnych feministek zwalczała też pornografię jako środek wykorzystywania i uprzedmiotowiania kobiet.

Dla powszechnego zamieszania w sprawie miejsca kobiet w dzisiejszym świecie charakterystyczna była światowa konferencja ONZ w Pekinie we wrześniu 1995 r. Samo miejsce konferencji budziło wątpliwość, bowiem właśnie w ChRL kobiety podlegały rozmaitym formom dyskryminacji i nieludzkiego traktowania. Wymuszano na nich aborcje, tolerowano praktyki handlu żywym towarem i wymuszony konkubinat, a niemowlęta żeńskie były często mordowane. Do Pekinu przybyły liczne delegacje zachodnich feministek, by debatować nad prawem kobiet do aborcji rozumianym jako prawo do dysponowania własnym ciałem, i przedstawicielki kobiet Trzeciego Świata, gdzie były one często poddawane brutalnej dyskryminacji. Władze chińskie otoczyły uczestniczki ścisłym kordonem i starały się nie dopuścić do ujawnienia przypadków gwałcenia praw kobiet chińskich, a zwłaszcza tybetańskich. Wśród postulatów oczywistych, takich jak równy dostęp do szkolnictwa, własności, kredytu, równa płaca za tę samą pracę, równość w opiece zdrowotnej i działalności publicznej, zapobieganie gwałtom oraz przestępstwom popełnianym w domu i właściwe karanie za nie, uczestniczki konferencji nie mogły się zgodzić co do podstawowych zasad. Radykalne feministki amerykańskie postulowały wolność seksualną oraz prawne gwarancje dla środków antykoncepcyjnych i aborcji. Dla Chinek, a zwłaszcza Tybetanek, problemem było raczej wymuszanie usuwania płodu przez władze, ale ich nieszczęścia – przymusowa aborcja i sterylizacja, zabijanie urodzonych już dziewczynek i handel żywym towarem – znalazły się na marginesie obrad, skryte

---

[24] Gerald N. Grob, George A. Billias (red.), *Interpretations of American History*, (New York: The Free Press, 1982), t. II, s. 438; Lois S. Banner, *Women in Modern America*, (New York, 1974).

[25] Shulamith Firestone, *The Dialectic of Sex. The Case for Feminist Revolution*, (New York: William Mortow and Co., 1970), s. 11.

za górnolotnym cytatem z przewodniczącego Mao, że „kobiety podtrzymują połowę nieba"[26]. Konferencja zakończyła się 15 września 1995 r. przyjęciem „Platformy działania", podkreślającej równe prawa kobiet i mężczyzn, ale także apelem o ułatwienie w dostępie do środków antykoncepcyjnych oraz o niekaranie kobiet za aborcję. Ze stanowiskiem takim nie godziły się zwłaszcza kraje muzułmańskie oraz Stolica Apostolska. W dokumencie końcowym konferencji nie znalazło się zalecenie dopuszczalności aborcji, ale także nie wspomniano o gwałceniu praw ludzkich wobec kobiet w Chinach[27]. Kwestia kobieca nie znalazła wspólnego mianownika moralnego.

Czwarta fala feminizmu zbiegła się z ruchami „wyzwolenia" gejów i rozwojem ideologii *gender*, w które seksualność przedstawiano jako wytwór kultury, a nie natury i to w sposób często bardzo agresywny. Wrogiem numer jeden stali się już nie tylko mężczyźni, ale rodzina, macierzyństwo i chrześcijaństwo. Mowa tu o końcu XX i początku XXI wieku. Wiele radykalnych feministek nadal jednak używa środków stanowiących zaprzeczenie tezy o społecznym czy kulturowym pochodzeniu płciowości, atakując na przykład kościoły czy krzyże z obnażonymi piersiami, tak jak czynią to popularne na Zachodzie prowokatorki z ukraińskiej grupy Femen. Trudno też powiedzieć, w czym może się przyczynić do wyzwolenia czy równouprawnienia kobiet zdjęcie siusiającej publicznie na środku ulicy rzeczniczki rady miasta Barcelona, niejakiej Aguedy Banón, oraz entuzjastyczna ocena tego zdjęcia przez dziennikarkę „Gazety Wyborczej"[28].

KULTURA OBNAŻANIA

Przez całą znaną starożytność nagość kojarzono z płodnością i seksualnością, ale silny był też motyw ideału piękna, zdrowia i sportowej tężyzny. Były one ze sobą najczęściej powiązane. W sztuce greckiej nagość przysługiwała najczęściej wizerunkom bogów. Chrześcijaństwo wprowadziło swoistą rewolucję w dziedzinie stosunku człowieka do ciała. Chrystus powiedział bowiem, że ktokolwiek patrzy na drugą osobę nie będącą małżonkiem „na skutek pożądania", popełnia cudzołóstwo. Mówił jednak także: „Nic nie wchodzi z zewnątrz w człowieka, co mogłoby uczynić go nieczystym, lecz co wychodzi z człowieka, to czyni człowieka nieczystym"[29]. Słowa te zostały różnie zinterpretowane. Już w I wieku sekta nikolaitów zaczęła głosić rozwiązłość jako drogę zbawienia[30]. Z drugiej strony, wedle niektórych gnostyków, boska dusza w człowieku upadła w rozkosz, a więc prawdziwą przyczyną upadku była cielesność. Zwolennicy Saturnina z Antiochii twierdzili

---

[26] Krzysztof Darewicz, „Rozczarowani, wygimnastykowani, nieobecni", *Rzeczpospolita*, 20 IX 1995 r.

[27] http://www.tus.org.pl/uploads/dokumenty/raport_czwartej_swiatowej_konferencji_w_sprawie_kobiet_pekin_1995.pdf (7 V 2018).

[28] Łukasz Warzecha, „Feministki, czyli zapiski z wariatkowa", *Do Rzeczy*, 18–26 XII 2017 r., s. 80–81.

[29] Mt 5, 27–30; Mk, 7, 15.

[30] Euzebiusz z Cezarei, *Historia kościelna*, III, 29.

na przykład, że Zbawiciel nie mógł mieć ciała oraz że nie tylko stosunki płciowe, ale w ogóle małżeństwo i płodzenie dzieci są dziełem szatana[31].

Niektóre sekty parachrześcijańskie i później praktykowały publiczną nagość. Adamici byli zwolennikami naśladowania bezgrzeszności pierwszych rodziców i stąd głosili pochwałę nagości. Praktykowanie wspólnej nagości podczas uroczystości i zgromadzeń służyło adamitom w przekonaniu, że tylko ten, kto wyzbył się cielesnej słabości, może bez podniecenia patrzeć na nagie ciała. W tym sensie można ich uznać za prekursorów współczesnego naturyzmu. Choć marginalne, poglądy adamickie występowały w różnych grupach chrześcijańskich i judaistycznych od starożytności po czasy współczesne. Podczas zgromadzeń adamici obojga płci nago modlili się i czytali święte pisma. Jeśli jakiś wyznawca popełnił grzech ciężki, był wypędzany z grupy, tak jak Adam i Ewa z raju. Swój Kościół nazywali zresztą Rajem[32]. Doktryną adamitów inspirowały się w średniowieczu niektóre wędrowne beginki, Bracia i Siostry Wolnego Ducha oraz turlipini[33]. Czescy pikardzi założyli komunę naturystyczną na wyspie Nezarka,

---

[31] Quispel, *Gnoza*, ss. 86 i 193.

[32] „Adamites", http://www.newadvent.org/cathen/01135b.htm (24 I 2018); „Adamici", *Religia. Encyklopedia PWN,* (Warszawa: Wydawnictwo Naukowe PWN, 2001), t. I, s. 52.

[33] Por. np.: Stanisław Bylina, „Herezja w XIV-wiecznym Paryżu", *Przegląd Historyczny,* 1968, nr 59/4, s. 746.

Partia szachów w plenerze, w której rolę figur pełnią pomalowani półnadzy ludzie. Część imprezy pod nazwą World Bodypainting Festival w Pörtschach am Wörthersee w Austrii.

Rowerowy przejazd nudystów w Londynie. Obnażanie swojego ciała stało się powszechnym zwyczajem w wielu środowiskach.

zniszczoną przez Jana Žižkę w 1421 roku. Elementy adamityzmu można znaleźć u waldensów, lollardów i anabaptystów, w pewnych wspólnotach austriackich oraz we francuskich falansterach[34].

Ponieważ w minionych stuleciach nie znano kostiumów kąpielowych, a bielizna była rzadkością, ludzie kąpali się nago, choć nie robili tego zbyt często i zachowywali przy tym daleko idącą dyskrecję. Bywały jednak wyjątki. Znane z łaźni rzymskich miasto Bath podupadło w Średniowieczu, ale w XVI w. zaczęło wracać do dawnej świetności za sprawą lekarzy, którzy potwierdzili lecznicze właściwości wód uzdrowiska. W okresie tym w Bath istniało sześć odkrytych basenów, gdzie kąpano się nago w towarzystwie mieszanym. Zwyczaj ten istniał przez całe następne stulecie, aż mieszanej nagości zakazano na początku XVIII wieku[35]. W czasach królowej Wiktorii nastąpił okres purytańskiej reakcji, a ówczesne kostiumy kąpielowe zakryły niemal całe ciało.

Coraz mniejsza powierzchnia kostiumów kąpielowych może ilustrować stopniowe zmiany w podejściu do publicznej nagości w XX wieku. Przełomem obyczajowym w większości państw zachodnich stała się w latach sześćdziesiątych moda *topless*. Wedle niektórych autorów, przełomem w modzie *topless* w USA był

---

[34] Adamites, http://www.newadvent.org/cathen/01135b.htm
[35] *Bath. Official Guide Book 1973*, s. 4.

rok 1964, kiedy na okładce *San Francisco Chronicle* ukazało się zdjęcie modelki w kostiumie kąpielowym typu *monokini* wedle projektu Rudi Gernreicha, co dało początek modzie na plaże i bary *topless*[36]. Choć w wielu społeczeństwach Trzeciego Świata, żyjących w ciepłym klimacie, widok kobiecych piersi nie był tradycyjnie obciążony specjalnymi ograniczeniami, to właśnie tam postęp cywilizacyjny, niesiony zdaniem kolonizatorów przez państwa zachodnie, nakazywał kobietom zakrywanie biustu. Tymczasem, gdy w tym zakresie osiągnięto w krajach kolonialnych niemal standardy zachodnie, „postęp" w krajach zachodnich objawił się tam w odsłanianiu piersi. Obecnie na plażach większości państw zachodnich panuje pod tym względem całkowita dowolność. Niektóre plażowiczki opalają nagi biust, inne zaś noszą staniki. Co więcej, często zdarza się, że dorosłe kobiety odsłaniają biust, a ich małoletnie córeczki zasłaniają brodawki. Dla wielu „postępowych" kobiet na Zachodzie odsłanianie piersi stało się elementem walki o równouprawnienie (*top freedom*), skoro mężczyzn żadne prawo czy zwyczaj w tym względzie nie ogranicza. W wielu miastach USA, a także Europy Zachodniej, organizacje kobiece organizują pod koniec sierpnia zapoczątkowane w 2007 roku manifestacje pod znakiem *Go Topless Day*, argumentując, że różnice w podejściu do publicznego prezentowania męskiego i damskiego torsu są przejawem dyskryminacji kobiet. W 2012 roku zorganizowano dodatkowo kampanię *Free the Nipple* („Uwolnić sutki"), mającą na celu promocję filmu pod tym samym tytułem, a wspartą przez niektóre znane gwiazdy, między innymi Miley Cyrus i Rihannę. W trakcie tych manifestacji zwolenniczki równouprawnienia w tym względzie oczywiście paradują „bez góry"[37]. Prowokowanie nagim biustem w miejscu publicznym jest często formą ekspresji owej wolności oraz przyczyną gwałtownych nieraz reakcji oponentów w formie powództw sądowych. Nagość w miejscach publicznych jest różnie regulowana w poszczególnych państwach Zachodu i są to przepisy niezwykle zawiłe.

Nowoczesna sztuka malowania ciała (*body painting*) nawiązuje do tradycji wielu ludów pierwotnych, które ozdabiały się i nadal często ozdabiają, malując na swych ciałach, często nagich, rozmaite wzory i symbole. Początki współczesnej sztuki *body painting* sięgają lat sześćdziesiątych XX wieku, gdy niektórzy artyści zaczęli malować ciała modeli i odciskać je na płótnach, tak jak robił to Yves Klein. Również „dzieci kwiaty" z epoki hippisowskiej malowały czasem swoje ciała. Na przełomie lat siedemdziesiątych i osiemdziesiątych twarze malowały gwiazdy *glam rocka*, takie jak zespół Slade czy Alice Cooper, a nieco później makijaże o charakterze horroru zaczęli stosować muzycy satanistycznych odmian rocka. Na początku XXI wieku moda na *body painting* rozpowszechniła się dzięki Internetowi, w którym coraz częściej umieszczano fantazyjne dekoracje nagich ciał. Urządzane są też cykliczne pokazy, podczas których nadzy modele płci obojga dają

---

[36] Lena Lenček, Gideon Bosker, *The Beach. The History of Paradise on Earth*, (Penguin Books, 1998), ss. 263–266; David Smith Allyn, *Make Love not War*, (Taylor & Francis, 2001), ss. 23–29.

[37] https://en.wikipedia.org/wiki/Go_Topless_Day; https://variety.com/2014/film/festivals/berlin-wtfilms-picks-up-free-the-nipple-1201090684 (14 III 2018).

się malować na ulicach wielkich miast zachodnich, na przykład w Nowym Jorku. Malowanie ciała, nieraz nagiego, jest też często stosowane podczas demonstracji ulicznych[38].

Na początku lat siedemdziesiątych w Stanach Zjednoczonych spopularyzowano określenie *streaking*, oznaczające niespodziewane pojawienie się osób nagich w miejscach publicznych. Po raz pierwszy terminu tego użyto prawdopodobnie w 1973 roku, gdy 533 studentów University of Maryland w College Park w stanie Maryland wybiegło nagle nago z akademika, co tak właśnie skomentował reporter miejscowego radia. Odtąd wiele innych osób próbowało w ten sposób zwrócić na siebie uwagę przy najrozmaitszych okazjach transmitowanych przez media: podczas meczów piłkarskich, rozgrywek tenisowych czy innych uroczystości, takich jak na przykład telewizyjna transmisja wręczenia nagród Academy Awards w 1974 roku. Rekord studentów z Maryland pobili zresztą w tym samym roku studenci University of Georgia, których w stroju adamowym pojawiło się ponad półtora tysiąca. Epidemia *streakingu* z początku lat siedemdziesiątych wkrótce wygasła, ale na wielu uniwersytetach amerykańskich zapanował zwyczaj urządzania wieczorowych nagich biegów studentów po uroczystości wręczenia dyplomów[39].

Podczas masowych imprez w rodzaju ulicznych biegów lub parad zdarza się coraz częściej, że zwłaszcza w lecie niektórzy uczestnicy rozbierają się do naga i malują swe ciała na fantastyczne kolory, tak jak się to na przykład dzieje podczas marszu *Bay to Breakers* w San Francisco czy *Fremont Solstice Parade* w Seattle. Inną formą przełamywania tabu nagości w miejscach publicznych są parady rowerzystów z cyklu *World Naked Bike Ride*, zapoczątkowane w 2003 roku w kanadyjskim Vancouver, a potem organizowane we wszystkich większych miastach zachodnich. Uczestnicy tych parad rozbierają się do naga, czasem malując swe ciała, ale najczęściej przemierzając nago lub na wpół rozebrani w zwartych grupach na rowerach centra miast wywołując zainteresowanie i aplauz widzów. W 2018 roku imprezy z cyklu *World Naked Bike Ride* zorganizowano już w kilkudziesięciu miastach 35 państw, od Stanów Zjednoczonych i Wielkiej Brytanii po Węgry i Paragwaj[40].

Coraz też częściej w Internecie ludzie umieszczają, lub godzą się umieszczać, swoje zdjęcia w stroju Adama i Ewy. Rozbieranie się na wideoczatach stało się nawet modą, wykorzystywaną przez pedofilów i innych zboczeńców[41]. Można się łudzić, że ten pęd do golizny jest naturalny, że wynika nie tylko z pędu do nieskrępowanej wolności, ale także z uświadomienia sobie i innym, że jest się po prostu mężczyzną lub kobietą i że człowiekowi winno z tym być dobrze. Uwolnienie się od ubioru jest jednak także skutkiem i przyczyną czegoś innego. Rozbierając się ludzie siłą rzeczy zapominają o intymności, o uczuciach głębszych niż satysfakcja

---

[38] „Body Painting", http://www.visual-arts-cork.com/painting/body.htm (9 III 2018).
[39] https://en.wikipedia.org/wiki/Streaking (9 III 2018).
[40] http://wiki.worldnakedbikeride.org/index.php?title=List_of_rides (24 I 2018).
[41] Artur Grabek, „Plaga pedofilów w sieci", *Rzeczpospolita*, 18 IX 2013 r.

fizyczna. Chcą zapomnieć i zapominają oraz patrzą na innych ludzi w ich postaci czysto cielesnej, tak jakby nie istniało w nich coś niematerialnego: charakter, nastrój, sumienie czy w ogóle życie duchowe.

Od czasu „Wielkiego Brata" podglądactwo telewizyjne zaczęło przybierać coraz bardziej swobodne formy. *Reality shows* zaczęły propagować nagie randki, nagie przygody w dzikich dżunglach, programy typu „Adam szuka Ewy", czy „House of Love", gdzie wymieniano uwagi o fizycznych szczegółach nagich bohaterów. Wolna miłość miała przy tym prowadzić do tak wzniosłych celów, jak „właściwy wybór", „samospełnienie" czy po prostu „dobra zabawa". Usunięto praktycznie wszystkie tabu w dziedzinie seksu. Masowa widownia była coraz głębiej wciągana w złudzenia pornografii.

Akceptacja publicznej nagości jest na zachodzie skutkiem erozji chrześcijańskiej duchowości i tę erozję pogłębia. Muzułmański strój kąpielowy „burkini" jest skrajnym odwróceniem tej tendencji, ale tak radykalna prywatyzacja cielesności jest nie tylko wyrazem politycznego islamizmu, ale także w pewnym sensie zniewolenia kobiety. W przeciwieństwie do mężczyzny, jej ciało ma pozostać nie tyle wyłączną własnością jej samej, ale także ojca, brata czy innego mężczyzny w rodzinie. Można tej prywatyzacji bronić dowodząc, że w relacjach damsko-męskich mężczyźni silniej reagują na bodźce wzrokowe niż kobiety, ale to tylko część problemu. Bo stworzeni zostaliśmy – mężczyźni i kobiety – na obraz i podobieństwo Boskie jako istoty równe w godności. Ciało ludzkie bywa piękne, ale problem w tym, iż uprawiając kult ciała łatwiej zapomnieć o tym, że każdy jest człowiekiem, a nie tylko ciałem[42].

Kolorowe magazyny pełne są zdjęć atrakcyjnych ludzi, często w negliżu. Obdarzone przez naturę wspaniałymi kształtami modelki są przedmiotem uwielbienia jednych i zazdrości drugich. Nagość zdobyła nie tylko plaże, ale także film, telewizję oraz Internet. Atakowani przez reklamy, w których piękne ciało, najczęściej damskie, ma przyciągnąć uwagę, jedni reagują agresją, inni zaś – powtarzają z wyniosłą dumą najczęściej słyszane zdanie na ten temat: „mnie nagość nie przeszkadza, byleby dziewczyna była ładna". Zdanie to dowodzi, że z tym współczesnym kultem ciała to niezupełnie prawda. Żyjemy raczej w czasach kultu zmysłów i sukcesu, a więc ciała pięknego. Mit ciała osiągnął apogeum w latach sześćdziesiątych, gdy mieszając Marksa z Freudem, Marcuse dowodził, iż prawdziwe wyzwolenie człowieka nastąpi po zwycięstwie „natury" nad państwem, ową „machiną polityczną, korporacyjną, kulturalną i edukacyjną". „Ciało przeciw machinie – konstatował Marcuse – mężczyźni, kobiety i dzieci walczący prymitywną bronią przeciw najbrutalniejszej i najbardziej niszczycielskiej machinie wszech czasów i trzymający ją w szachu – czyżby wojna partyzancka wytyczała rewolucję naszej epoki?"[43] Najwyraźniej Marcuse i jego zwolennicy wyobrażali sobie, że opanowany pożądaniem tłum wyzwoli człowieka z jarzma represji moralnej. Cóż za tragikomiczna wizja!

---

[42] Joanna Grzegorzewicz, „Dom duszy, czyli pochwała ciała", *Zwierciadło*, 1999, nr 5, s. 85.
[43] Herbert Marcuse, *Eros i cywilizacja*, (Warszawa: Muza S.A., 1998), s. 10.

Odzyskanie ciała odbyło się w naszych czasach kosztem utraty duszy. Marcuse do tego stopnia zapatrzony był w libido jako główny przedmiot zainteresowania, że nie dostrzegał w ogóle, iż zachowania seksualne, czy tego chcemy czy nie, mają znaczenie moralne. Za źródło „moralnej represji" uważał raczej łatwość zaspokojenia. „Niemiłe konsekwencje łatwo osiągalnego zaspokojenia – pisał – były prawdopodobnie jednym z najmocniejszych argumentów przemawiających za represywną moralnością"[44]. Żeby dowodzić, że źródła prawa moralnego znajdują się w łatwości lub trudności zaspokojenia żądz, trzeba naprawdę nic nie wiedzieć o historii, psychologii i życiu społecznym.

W dziejach były okresy, gdy ciało otaczano zachwytem i podziwem, ale także okresy, gdy je ukrywano ze wstydem i pogardą. Dziś współwystępują obie postawy. I chyba nigdy w historii ludzie tak się nie przejmowali się swoim wyglądem i funkcjonowaniem oraz nigdy nie cierpieli z tego powodu tylu frustracji. Stosunek współczesnego człowieka do ciała oscyluje więc stale między przesadną, jednostronną fascynacją a niezadowoleniem i lękiem. Człowiek współczesny wydaje się bardzo odległy od ideałów, które sobie wmawia głosząc rzekomy kult ciała. W wydaniu z przełomu tysiącleci jest on oparty na zakłamaniu i przez to kaleki. Tymczasem „dusza i ciało istnieją jedynie jedno wobec drugiego, ale żadne z nich nie sprowadza się do drugiego. Dusza ożywia ciało. Ciało wyraża duszę. Ja nie zamieszkuję w moim ciele. Jestem moim ciałem. Moje ciało to ja. Ale ja w stosunku do drugich, im oddany, zakorzeniony w konkretnej sytuacji"[45]. Fascynacja ciałem jako takim, bez względu na osobę, jest pułapką. Kult ciała wbrew psychofizycznej naturze osoby ludzkiej to gwałt na niej.

Własna cielesność to jedno. Inna sprawa to stosunek do ciała drugiego człowieka. Nie da się ukryć, że jest to kwestia znacznie bardziej skomplikowana. Drugiego człowieka postrzegamy bowiem najpierw w jego zewnętrznej postaci, widząc go jako kobietę lub mężczyznę, postać atrakcyjną lub nie, silną lub słabą, a dopiero potem, i to nie zawsze, mamy okazję rozpoznać inne cechy osobowe. Notabene, kobiety są pod tym względem bardziej przenikliwe i szybciej sięgają „w głąb" osobowości drugiego człowieka. Niebezpieczeństwo pozostania na poziomie jego „obrazkowego" traktowania wydawać się może niezależne od tego, czy ów człowiek jest ubrany czy nie, ale to tylko pozór. Różne są bowiem pułapki uprzedmiotowienia. Pierwsza to naturalna „łatwizna", z jaką pozostajemy na poziomie zewnętrznej oceny drugiej osoby. Taki stosunek do drugiego człowieka wynika często z lenistwa, ale może także wynikać z kontrastu. Widok nagiej Wenus z Milo na tyle się zakorzenił w naszej pamięci, że nie możemy sobie jej wyobrazić w sukni. Odwrotnie, widok nagiego sąsiada lub sąsiadki jest na tyle rzadki, że w pierwszej kolejności zwrócimy uwagę na ich ciała. Uprzedmiotowieniu sprzyja też niewątpliwie wizerunek. Osoba jest na nim sprowadzona w sposób oczywisty do postaci zewnętrznej i tylko prawdziwa sztuka potrafi wydobyć z wizerunku cechy osobowe lub pobudzić do refleksji nad istotą ludzkiej cielesności.

---

[44] Tamże, s. 227.
[45] Daniel-Ange, *Twoje ciało stworzone do miłości*, Poznań: W Drodze, 1996, s. 43.

Inną okolicznością sprzyjającą uprzedmiotowieniu jest autokreacja. Wiedzą o tym aktorzy, których zawód zmusza niejednokrotnie do dystansowania się od własnego ciała i to w najbardziej intymnych sytuacjach. Nagłe pojawienie się osoby nagiej w miejscu publicznym może być raz czy drugi potraktowane jako „artystyczna" prowokacja, ale w setnym wydaniu, najczęściej mało twórczym, skłania tylko do postrzegania takiej osoby w kategoriach czystej, przedmiotowej fizyczności. Podobną rolę jak nagość może zresztą także odegrać niezwykły, prowokujący strój. Delikwent pokazuje dom, ale nie wiadomo, czy w środku ktoś w ogóle mieszka.

Z natury człowiek jest nagi. Stosunek do ciała, podobnie jak i ubranie, należą do sfery kultury. Sama natura jest moralnie obojętna. Wartości niesie dopiero kultura. W przypadku człowieka problem w tym, że nie da się ich rozdzielić. Dopóki żyjemy, jesteśmy i ciałem, i duszą. Przeistoczenie człowieka nagiego w człowieka wymaga wysiłku umysłowego i uczuciowego. Ludzie z afrykańskiego plemienia Karamojong z północnej Ugandy chodzą nago, obstając przy przekonaniu, że ciało ludzkie jest piękne i nie trzeba go zakrywać, zwłaszcza jeśli jest gorąco[46]. Piękno przyzwyczaili się jednak kojarzyć z osobą jako całością. Prawdziwi naturyści również kierują się podobną konwencją. Kiedy jednak fotoreporterzy robią z ukrycia zdjęcia osobom publicznym, sprzedając ich intymność lub nagość za grube pieniądze, nadają ich fizyczności znaczenie odwrotne do tego, na jaki zasługuje. Najbardziej lapidarnie ujął zdrowy stosunek do cielesności Jan Paweł II w paryskim przemówieniu do młodzieży w 1980 r.: „Uwielbienie ciała? Nie, przenigdy! Pogarda dla ciała? Także nie! Panowanie nad ciałem? Tak! Przeistoczenie ciała? Tak, tym bardziej!"[47]

NATURYZM

Najbardziej konsekwentnym ruchem mieszczącym się w kulturze obnażania jest naturyzm, najczęściej utożsamiany z nudyzmem. Wedle definicji Międzynarodowej Federacji Naturystycznej, naturyzm jest „stylem życia w harmonii z przyrodą, charakteryzującym się praktyką zbiorowej nagości w intencji wspierania szacunku do siebie, innych ludzi i środowiska"[48]. Definicja ta nawiązuje do zasad „gimnozofii", która jednak do nagości dodawała też ascetyzm i medytacje.

Ruch naturystyczny jako zjawisko społeczne jest fenomenem XX wieku, choć określenie „naturyzm" zostało prawdopodobnie po raz pierwszy użyte przez walońskiego lekarza Jeana Baptiste'a Luca Planchona (1734–1781) w sensie zdrowego życia zgodnego z przyrodą. Natomiast ruch społeczny zakładający pożytki z publicznej nagości zapoczątkowała na przełomie XIX i XX wieku awangarda literackiej cyganerii w USA i Niemczech. Byli to anarchizujący lub wręcz komunizujący poeci i pisarze z kręgu Greenwich Village w rodzaju Floyda Della, Maxa Eastmana, Johna

[46] Kapuściński, *Heban*, s. 161.
[47] Daniel-Ange, *Twoje ciało stworzone do miłości*, s. 39.
[48] International Naturist Federation, http://www.inf-fni.org/ (24 I 2018).

Reeda czy Eugene O'Neilla w USA, a w Niemczech i Austrii – grupa zwolenników zdrowej turystyki, którzy nazywali siebie Wędrowne Ptaki (*Wandervögel*). Jeździli oni w różne miejsca, uprawiając nagie kąpiele słoneczne i wodne w mieszanym towarzystwie. Inna grupą, która zapoczątkowała naturyzm był niemiecki Ruch Naturalnego Leczenia (*Naturheilbewegung*), który głosił teorię, że promienie słoneczne mają właściwości zdrowotne, o ile opala się całe ciało. Ojcem niemieckiego naturyzmu, zwanego tam „kulturą wolnego ciała" (*Freikörperkultur* lub FKK) był niemiecki nacjonalista, socjolog Heinrich Pudor, zwolennik neopogańskiego volkizmu i autor książki *Nackende Menschen* („Nadzy ludzie", 1893). Pierwszy ośrodek naturystyczny otworzył Paul Zimmermann koło Hamburga w 1903 roku. O ile korzenie naturyzmu amerykańskiego tkwiły w dążeniu do całkowitej wolności, o tyle w Niemczech miał on podtekst narodowo-rasistowski. W tym samym czasie w Kanadzie powstał ruch swobodników (*Freedomites*), będący rodzajem sekty prawosławnej emigrantów rosyjskich. We Francji pionierami naturyzmu byli: Marcel Kienné de Mongeot oraz bracia André i Gaston Durville.

Swego rodzaju pierwsza rewolucja seksualna po I wojnie światowej przyniosła wzrost popularności nagości w miejscach publicznych, choć w ściśle określonych ramach organizacyjnych i prawnych. Pierwsze czasopismo naturystyczne powstało w Niemczech i wydawano je w latach 1902–1932. W latach dwudziestych i trzydziestych wydawano coraz liczniejsze pisma tego rodzaju w USA, Wielkiej Brytanii, Francji i innych krajach, a także organizowano zamknięte kluby dla naturystów. Po II wojnie światowej naturyzm rozwijał się powoli aż do początku lat sześćdziesiątych. Pierwsze spotkanie międzynarodowe przedstawicieli związków naturystycznych miało miejsce w 1951 roku w angielskim hrabstwie Kent, a podczas trzeciego takiego spotkania we francuskim Montalivet w 1953 roku powstała Międzynarodowa Federacja Naturystyczna. Obecnie federacja zrzesza 31 związków krajowych reprezentując około 450 tysięcy członków[49].

Prawdziwa eksplozja naturyzmu nastąpiła w latach sześćdziesiątych. Francuskie wioski naturystyczne, między innymi Montalivet, Euronat czy Cap d'Agde pękały odtąd w lecie w szwach. W komunistycznej NRD naturyzm był wręcz propagowany przez władze. W zjednoczonych Niemczech istnieją setki klubów i plaż naturystycznych. Masa takich klubów i plaż funkcjonuje też w USA, a w Europie także w Chorwacji, Czechach, Hiszpanii i Holandii. Oceny praktyk naturystycznych uległy w ostatnich dziesięcioleciach poważnym zmianom. Wedle ankiety Gallupa, przeprowadzonej na podobnych próbach w 1983 i 2000 roku, odsetek amerykańskich respondentów uznających prawo współobywateli do opalania się nago w wyznaczonych do tego miejscach wzrósł z 72 do 80%, a odsetek tych respondentów, którzy przyznali się do takich praktyk, wzrósł z 15 do 25%. W 2005 roku już około 62% Brytyjczyków przyznawało, że zdarzyło się im opalać nago w miejscu publicznym[50]. Wydaje się, że podobne odsetki w Niemczech i Francji są jeszcze wyższe.

---

[49] http://www.inf-fni.org/Home/About-INF-FNI/60-Years-of-INF-FNI (24 I 2018).
[50] Wg: https://en.wikipedia.org/wiki/Naturism (9 III 2018).

Istnieje bardzo bogata literatura przedmiotu, w której ścierają się poglądy za naturyzmem i przeciw niemu[51]. Jego zwolennicy podkreślają zdrowy stosunek do cielesności, a w przypadku naturyzmu rodzinnego – wychowanie dzieci w poczuciu szacunku do cielesności. Przeciwnicy podkreślają niekorzystny wpływ przełamywania wstydu, a także skutki uboczne – podglądactwo czyli voyeuryzm, ekshibicjonizm i seksualizację życia codziennego. Problemem jest niewątpliwie trudność w utrzymaniu jednolitych zasad potępowania przez wszystkich, zarówno uczestników ruchu, jak i zwłaszcza jego obserwatorów. Szczególnie dotkliwie problem ten występuje na plażach „opcjonalnych". Brak standardów w tej dziedzinie powoduje ogromne zamieszanie, nie tyle estetyczne, co etyczne, a nawet polityczne. Szczególnie ostre są na tym tle zderzenia cywilizacyjne. W lecie 2016 roku na plaży korsykańskiej, gdzie panuje spora swoboda w dziedzinie stroju, pewien turysta zrobił zdjęcie Arabce kąpiącej się w ubraniu. Jej pobratymcy zaatakowali fotografa, w którego obronie stanęła miejscowa młodzież. W wyniku bitwy do szpitala trafiło pięć osób, a spokój na plaży zaprowadziła dopiero setka policjantów[52].

Ogólnie rzecz biorąc, to, co w naturyzmie mogłoby służyć człowiekowi poprzez kontakt z przyrodą, próby odróżnienia nagości od pożądania seksualnego, a przez to zdrowy rozwój kontaktów interpersonalnych, bardzo często zawodzi, gdyż nagości towarzyszy bardzo często permisywizm obyczajowy. Ze swoją teorią nagości aseksualnej klasyczni naturyści wyglądają anachronicznie wobec powszechnej seksualizacji życia codziennego. Choć czasy największego rozkwitu naturyzmu mamy podobno za sobą, nadal około 49% Austriaków, 42% Hiszpanów i 39% Niemców chce opalać się nago. Również moda na wyzywające stroje (*da puttana*) powoli odchodzi do historii, gdyż wiele młodych kobiet obawia się molestowania. Rewolucja seksualna na ogół jednak się nie cofa.

PORNOGRAFIA

Zakaz przedstawiania ciała ludzkiego czy też intymnych relacji między mężczyzną i kobietą byłby niewątpliwie zubożeniem wiedzy i kultury. Wizerunek ciała człowieka, także ciała nagiego, jest niezbędny dla poznania jego funkcjonowania, a także dla uznania jego piękna i ważnej części prawdy o człowieku. Podobnie jest z intymnym stosunkiem osób płci obojga. Istota rzeczy tkwi jednak właśnie w tym, że wizerunek przedstawia zawsze tylko część prawdy o człowieku.

---

[51] Por. np.: Ruth Barcan, *Nudity. A Cultural Anatomy*, (Berg Publishers, 2004); Guy Bellamy, *The Nudists*, (Penguin Books Ltd., 1987); Marc-Alain Descamps, *Vivre nu: psychosociologie du naturisme*, (Trismégiste, 1987); Michael Hau, *The Cult of Health and Beauty in Germany. A Social History, 1890–1930,* (University of Chicago Press, 2003); Paul Okami, „Childhood exposure to parental nudity, parent-child co-sleeping, and 'primal scenes'", *Journal of Sex Research,* 1995, t. 32, nr 1, ss. 51–63; Martin S. Weinberg, „Sexual Modesty, Social Meanings, and the Nudist Camp", *Social Problems,* 1965, t. 12, nr 3, ss. 311–318.

[52] Bogdan Dobosz, „Francuska Rada Państwa zakazuje zakazywać", *Gazeta Polska Codziennie,* 1 IX 2016 r.

Dylemat ten nie był obcy starożytnym Żydom, którzy w ogóle zakazywali sporządzania wizerunków istot żywych oraz chrześcijańskim ikonoklastom z VIII wieku, którzy sferę *sacrum* przesuwali poza obręb świata widzialnego. W chrześcijaństwie zwyciężył jednak sprzeciw wobec ikonoklazmu, a głównym argumentem było wcielenie Boga w osobie Jezusa Chrystusa, którego wizerunki weszły na zawsze do kultury chrześcijańskiej, podobnie jak wizerunki świętych. Problem powstaje jednak w chwili, gdy wizerunek niedwuznacznie wskazuje intencję autora do uznania części fizycznej czy wręcz fizjologicznej za całość ludzkiej osoby.

Problemem jest tu oczywiście niejasność orzekania o intencji autora, a także sama pozycja autora. Trudno bowiem oskarżać lekarzy ilustrujących swe wykłady czy orzeczenia wizerunkami ludzkiego ciała, w tym także jego intymnych części. Inaczej jest z wizerunkami tworzonymi przez artystów. Tu rozróżnienie tego, co jest dziełem sztuki, a co pornografią jest najtrudniejsze. Przykładem takiej trudności może być obraz Gustave Courbeta (1819–1877) *Pochodzenie świata* (1866), przedstawiający bardzo realistycznie żeńskie genitalia. Można go odbierać jako żartobliwe odniesienie do miejsca, w którym powstaje każde ludzkie życie, a można odrzucać ten dystans i twierdzić, że jest to czysta pornografia, sprowadzająca ciało kobiety do wymiaru fizycznego lub wręcz fizjologicznego. Niestety, jednej odpowiedzi na tę wątpliwość nie znajdziemy, chyba że weźmiemy pod uwagę światopogląd malarza, a warto wiedzieć, że wsparł on czynnie Komunę Paryską w 1871 roku, za co był nawet więziony[53]. Nawet jednak zakładając materializm autora, odbiorca jego dzieł nie musi iść za jego poglądami i może poprzestać na swojej własnej interpretacji. Widać tu więc, że obok intencji autora ważna jest intencja odbiorcy wizerunku.

W etymologii terminu „pornografia" odnaleźć można już wątpliwości starożytnych. Słowo to wywodzi się bowiem od greckiego *porne*, czyli „nierządnica" oraz *grafein*, czyli „notować" lub „rejestrować". Etymologia ta wskazuje więc wyraźnie, że pierwotne wizerunki, która dziś nazwalibyśmy pornografią, były reklamami usług prostytutek. Z drugiej strony jednak pamiętać trzeba, że wspaniałe nagie rzeźby greckie przedstawiały nie tyle prostytutki, co boginie. Jako bogini miłości Afrodyta była na przykład zawsze naga, a więc zgłębić tu trzeba by starożytne, dość skomplikowane rozumienie sensu nagości.

Dzisiejsze definicje prawne pornografii również dalekie są od doskonałości i są same w sobie przedmiotem zażartych sporów między zwolennikami tezy, że w sztuce wizualnej wszystko uchodzi, a obrońcami wartości w życiu społecznym, dla których nagość musi mieć swoje miejsce i swój sens. Pornografią można by więc pojednawczo nazwać taki wizerunek, którego celem jest wywołanie u odbiorcy wrażenia, że fizyczność jest jedyną wartością człowieka oraz związku mężczyzny i kobiety, a związek ten nie ma żadnych konotacji moralnych[54]. Niestety, w praktyce cywilizacji zachodniej natłok wizerunków mających właśnie na celu

---

[53] https://pl.wikipedia.org/wiki/Gustave_Courbet (10 III 2018).
[54] Por. na ten temat kluczowe tłumaczenie chrześcijańskiej etyki ciała: Karol Wojtyła, *Miłość i odpowiedzialność,* (Lublin: Wydawnictwo Naukowe KUL,2001), s. 255.

takie wrażenie jest coraz większy, przy czym nie zawsze musi być to natłok wizerunków ludzi całkiem nagich, a jedynie wskazujących na seks jako zjawisko jedynie fizyczne.

Znoszenie ograniczeń prawnych w obrocie publikacjami pornograficznymi, jak i zmiany w definicji samej pornografii można nazwać znakami czasów w kulturze obnażania. Obecnie prawie we wszystkich krajach zachodnich pornografia jest dozwolona, zarówno w wersji *soft*, bliskiej artystycznym wizerunkom erotycznym, jak i *hard*, ukazującej stosunki seksualne, a zwłaszcza zachowania perwersyjne, ale z wyjątkiem pornografii dziecięcej. Szczególny zalew pornografii nastąpił wraz z rozwojem Internetu.

Wyniki badań nad wpływem pornografii na życie społeczne nie są jednoznaczne, choć trzeba pamiętać, że założenia metodologiczne i światopoglądowe mają przy tych badaniach duże znaczenie. Ważne jest przy tym rozróżnienie publikacji pornograficznych z użyciem przemocy i bez użycia przemocy. Te pierwsze niewątpliwie wpływają negatywnie na niektórych dorosłych odbiorców, te drugie nie są na ogół przedmiotem większego zainteresowania osób o podobnych skłonnościach. Jednakże nawet wiele wizerunków pornograficznych bez użycia przemocy zawiera element poniżania kobiet przez traktowanie ich jedynie jako przedmiotu użycia seksualnego, a przez to negatywnie wpływa na męskich odbiorców tych wizerunków w ich relacjach z kobietami.

Odrażające kulisy pornobiznesu można poznać podczas dorocznych targów Hard Rock Casino w Las Vegas. Nie chodzi tylko o odhumanizowanie zaangażowanych w ten biznes osób, ale o źródła ich dochodów: masowy rynek na tego rodzaju produkcję[55]. Kulturę pornografii słusznie demaskują niektóre feministki. Wedle socjolożki amerykańskiej pochodzenia brytyjskiego Gail Dines, jest to kultura, w której „przemysł pornograficzny, przenikając do życia codziennego, do popkultury, kształtuje naszą tożsamość seksualną (…) Przekaz jest bardzo prosty: kobieta to dziwka jednorazowego użytku, którą można do woli wykorzystać, a potem wyrzucić na śmietnik. Kobiecość został zredukowana do cielesności". Sama Dines deklaruje się jako zwolenniczka aborcji i „małżeństw homoseksualnych", a jednak krytykuje pornografię i twierdzi, że nie „upodmiotawia", ale „uprzedmiotawia" kobiety[56].

Zjawiskiem powszechnym na Zachodzie jest trywializacja pornografii. W popularnym serialu *The Simpsons* jeden z bohaterów chwalił się na przykład, że napisał program komputerowy umożliwiający ściąganie filmów pornograficznych milion razy szybciej. Treści pornograficzne zyskały niezwykłą promocję wraz z rozwojem Internetu. Wystarczy parę kliknięć i można się znaleźć w środku dowolnej fantazji seksualnej. W filmach tych seks jest zawsze lekki, łatwy i przyjemny, a kobiety piękne, miłe i uległe. Kiedy jednak miłośnik pornografii, który spędza tak całe

---

[55] Mariusz Zawadzki, „Dildo, czy to nie genialne", *Gazeta Wyborcza*, 6 VI 2015 r.
[56] „W matni. Z Gail Dines rozmawia Marek Magierowski", *Do Rzeczy*, 22–28 VI 2015 r.

Polityk i działacz gejowski Robert Biedroń podczas jednego z happeningów zorganizowanych w Warszawie przez środowiska gejowskie.

godziny, stanie naprzeciw prawdziwej kobiety, ma poważne problemy z kontaktem. Oglądając filmy czy zdjęcia pornograficzne ludzie, a szczególnie mężczyźni, bo oni częściej je oglądają, nabierają błędnego wyobrażenia o seksualności. Tym bardziej dotyczy to dzieci. W Wielkiej Brytanii ocenia się, że co drugie dziecko w wieku 11–14 lat oglądało materiały pornograficzne, a w Australii 64% dzieci przyznaje, że wiedzę o seksie czerpie z pornografii internetowej. Tymczasem, jak mówi Lew-Starowicz, „dzieci muszą uzyskiwać edukację seksualną na właściwym etapie"[57]. Gorzej, jeśli do takiej przedwczesnej edukacji internetowej dochodzi „edukacja" seksualna w szkole, ograniczająca seks do anatomii i fizjologii. „Edukatorzy" tacy mają potem często pretensję do dzieci, że wrzucają swoje rozebrane zdjęcia do sieci.

HOMOSEKSUALIZM

Wiele wydarzeń, które po latach okazują się przełomowe w skutkach, uchodzi początkowo naszej uwadze. Tak było niewątpliwie z obszernym artykułem Marshalla Kirka i Erastesa Pilla *The Overhauling of Straight America* („Wyprzedzanie heteroseksualnej Ameryki"), który ukazał się w listopadowym numerze niszowego wówczas magazynu dla homoseksualistów *Gay Travel, Entertainment, Politics and Sex* z 1987 r. Autorzy zarysowali w nim program działania homoseksualistów, który jest realizowany obecnie z niezwykłym powodzeniem nie tylko w Stanach Zjednoczonych, ale także w wielu innych krajach. Był to program kampanii medialnej, która miała na celu zasadniczą zmianę postrzegania homoseksualistów, a także zrównanie ich standardów moralnych z heteroseksualną większością w oczach społeczeństwa. Oto główne tezy tego artykułu[58].

Po pierwsze, Kirk i Pill stwierdzili, że „należy mówić o gejach i lesbijkach na tyle głośno i często, na ile to tylko możliwe". Zwykła obecność w debacie publicznej miała stworzyć wrażenie, że sprawa homoseksualistów jest ważna, bo interesuje duży odsetek społeczeństwa. Autorzy wzywali do wykorzystania dialogu w tej sprawie „w celu zamącenia obrazu tego, co moralne" oraz podważenia „autorytetu moralnego homofobicznych kościołów poprzez przedstawienie ich jako zacofanego ciemnogrodu". Istotnie, notoryczne odgrzewanie debaty na temat homoseksualizmu przy okazji rozmaitych imprez, w których po stronie gejów i lesbijek stają rozmaici heteroseksualni obrońcy praw człowieka, stało się faktem całkowicie oderwanym od faktycznych rozmiarów zjawiska i realnych problemów środowiska homoseksualnego. Po drugie, autorzy artykułu wzywali do przedstawiania gejów w roli ofiar, nigdy zaś w roli agresywnych rywali. Wątpliwości co do tych prześladowań wystarczać miały do uznania kogoś za „homofoba", czyli wroga wolności, równości i braterstwa. Obecnie informacje i komentarze medialne eksponują na ogół przypadki przestępstw przeciw homoseksualistom, a także rzekomo aksamitne stosunki emocjonalne w parach homoseksualnych,

[57] Artur Bartkiewicz, „Internet w służbie pornografii", *Rzeczpospolita Plus Minus*, 24–25 X 2015.
[58] Cytaty wg: David Limbaugh, *Prześladowanie. O tym, jak liberałowie prowadzą wojnę z chrześcijaństwem* (Kąty Wrocławskie: Wektory, 2006), s. 98–101.

a przemilczają agresywne lub przestępcze zachowania gejów lub chwiejność ich związków. Po trzecie, autorzy wezwali do uwypuklania dyskryminacji homoseksualistów. Odtąd zachowania homoseksualne mniejszości miały być przedstawiane jako normalne, a ich kwestionowanie z pobudek moralnych za przejaw dyskryminacji. Krótko mówiąc, rzucono podejrzenia na moralność. Po czwarte, autorzy nawoływali do dbania o „dobry wizerunek gejów" przez przedstawianie wybitnych autorytetów jako prawdziwych lub rzekomych gejów.

Kirk i Pill wzywali też do tego, by zadbać o negatywny wizerunek przeciwników. Uznali oni, że można będzie uczynić wizerunek przeciwników homoseksualizmu tak wstrętnym, że wszyscy będą się chcieli odciąć od „tak odrażających typów". W tym celu proponowali, by eksponować przypadki skrajnej nietolerancji, takie jak żądania Ku Klux Klanu, by homoseksualistów palić żywcem lub ich kastrować, wynurzenia kryminalistów, którzy „beznamiętnie opowiadają o 'pedałach', których zdążyli już zamordować lub dopiero zamordują" lub nazistowskie obozy śmierci, gdzie homoseksualistów uśmiercano w komorach gazowych. Przeciwnicy równych praw dla homoseksualistów we wszystkich dziedzinach mieli być więc zestawiani ze zbrodniarzami. Ostatnia część artykułu poświęcona była sposobom zbierania środków na finansowanie owych kampanii medialnych i docierania do wpływowych kół finansowych z przesłaniem walki o „równouprawnienie" homoseksualistów. Obecnie, dwadzieścia lat po ukazaniu się manifestu programowego bojowników o „prawa homoseksualistów", widać wyraźnie, jak przebiegłe i skuteczne okazały się proponowane przez nich metody.

Ofensywa homolobby posuwała się nieustannie od końca XX wieku. Jeszcze w 1967 roku holenderski lekarz Gerard van den Aardweg mógł obronić doktorat o homoseksualizmie i pedofilii homoseksualnej jako nerwicach seksualnych, ale na początku XX wieku mówienie o tym, że są to zaburzenia wymagające terapii jest niemal niemożliwe. W całym świecie zachodnim aktywiści gejowscy dążą do zakazania terapii osób homoseksualnych, gdyż promują swoje zachowania jako coś normalnego. Tymczasem doświadczenie Aardwega wskazuje, że u dużej części poddanych terapii homoseksualistów można przywrócić pociąg do płci przeciwnej[59].

Wystarczyło 20 lat, by na początku XXI wieku homoseksualizm stał się nie tylko modą środowisk artystycznych, ale zjawiskiem powszechnie znanym i akceptowanym społecznie. Do homoseksualizmu przyznał się szef FDP Guido Westerwelle oraz burmistrz Berlina Klaus Wowereit. W niczym nie ujęło to ich popularności. Kiedy kanał telewizji Pro7 zapytał młodych Niemców, czy homoseksualizm jest *cool*, ponad dwie trzecie odpowiedziało pozytywnie[60]. Co więcej, homoseksualizm stał się na Zachodzie polityczną i prawną świętą krową. Kiedy w 2003 roku w niewielkim kościele w Borghom na szwedzkiej wyspie Olandia pastor Åke Green powiedział, że „seksualne anormalności są nowotworem na ciele społeczeństwa", został przez lewaków oskarżony o podżeganie przeciw

---

[59] „Homotyrania. Z dr Gerardem van den Aardwegiem rozmawia Beata Falkowska", *Nasz Dziennik,* 14–15 IX 2013 r.
[60] Piotr Cywiński, „Berlińskie różowe lobby", *Życie Warszawy,* 29 XI 2005 r.

homoseksualistom. W listopadzie 2005 roku szwedzki Sąd Najwyższy ostatecznie uniewinnił pastora[61]. W lecie 2013 roku organizatorzy Miesiąca Dumy Byłych Homoseksualistów w Teksasie padli ofiarą pogróżek i fizycznych napaści ze strony wojujących gejów[62]. W 2005 roku policja brytyjska wszczęła śledztwo przeciw Lynette Burrows, znanej specjalistce od spraw rodziny i wychowania dzieci w związku z jej wypowiedzią, że zezwalanie na adopcje dzieci przez pary homoseksualne może być ryzykowne. Podejrzewano ją o „homofobię"[63].

Najnowszy etap ofensywy homoseksualistów polegał na początku XXI wieku na ich dążeniu do prawnego uznania możliwości zawierania przez nich „małżeństw", co stanowiło kolejny, przełomowy krok ku rozkładowi rodziny. Będzie o tym jeszcze mowa w kolejnych rozdziałach.

SEKS JAKO ROZRYWKA

Magdalena Środa wyróżniła pięć różnych postaw wobec seksu. Pierwsza polega na negacji seksualności, reprezentowanej zarówno przez średniowiecznych ascetów, jak i współczesne radykalne feministki. Drugą nazywa autorka „małżeńskim oświeconym ascetyzmem", a za jego osnowę uznaje naukę Kościoła, cytując przemówienie Piusa XII z 29 X 1951 r., kiedy powiedział on: „Sam Stwórca sprawił, że małżonkowie we wspólnym, całkowitym oddaniu się fizycznym doznają przyjemności i szczęścia cielesnego i duchowego. Gdy więc małżonkowie szukają i używają tej przyjemności, nie czynią niczego złego, korzystają tylko z tego, czego udzielił im Stwórca". Postawa trzecia to „liberalizm", przez który autorka rozumie traktowanie stosunków seksualnych „wszelkiego typu" za „obojętne z moralnego punktu widzenia" pod warunkiem, że „prowadzą do rozwoju jednostki, do jej szczęścia i nie pociągają za sobą krzywdy". Autorka zakłada, że „nie istnieje nic takiego jak modelowe zachowanie seksualne (…) Z punktu widzenia nauki wszystko jedno, jak ludzie zaspokajają swój popęd seksualny, istotną sprawą jest tylko to, aby unikać zaburzeń, złych zarówno dla zdrowia psychicznego, jak i fizycznego. Zaburzenia wywołuje jednak nie natura, lecz kultura, przede wszystkim przez wyrafinowane formy potępienia". Czwartą postawę nazywa autorka „proseksualną". Seks jest tu wartością, źródłem radości, a ograniczenie aktywności seksualnej uznaje się za niepotrzebne, a nawet złe. Wreszcie postawa piąta to „nihilizm" seksualny, uznający, że w aktywności seksualnej nie ma żadnych granic, nawet w postaci przemocy i krzywdy[64].

Sama autorka przyznaje się do postawy „liberalnej" jako najbliższej zdrowemu rozsądkowi. Stanowisko „liberalne" wygląda na szczególnie niekonsekwentne. Z jednej strony twierdzi się, że nie istnieje modelowe zachowanie seksualne, z drugiej zaś – że słuszne jest tylko takie, które prowadzi do rozwoju jednostki. Jeśli natura jest w dziedzinie seksu „niewinna", to właściwie wszelkie ograniczenia,

---

[61] Anna Nowacka-Isaksson, „Krytyka homoseksualistów zabroniona", *Rzeczpospolita*, 1 XII 2005 r.

[62] Piotr Falkowski, „Homoataki na byłych gejów", *Nasz Dziennik*, 24 VII 2013 r.

[63] Piotr Zychowicz, „Homofobia czy wolność słowa", *Rzeczpospolita*, 15 XII 2005 r.

[64] Magdalena Środa, „Ciało i seks", *Cosmopolitan*, 1999, nr 6, s. 103.

które się tu proponuje, należałoby zakwalifikować jako potępianie prowadzące do zaburzeń. Z całego wywodu pozostaje tylko wrażenie, że można, a nawet należy szkodzić sobie i innym, ale w „określonych granicach" oraz że „naukowo" rzecz biorąc, niech każdy robi co chce. W dziedzinie seksu niezwykle popularne jest powtarzanie obiegowych mądrości współczesnego świata bez zastanowienia się nad istotą ludzkiej płciowości oraz przyczynami i skutkami nadaktywności seksualnej współczesnych społeczeństw. Główną przyczyną jest nie natura, ale poczucie nudy i życiowej pustki. Współczesny człowiek Zachodu nie widzi sensu w podejmowaniu ważnych zadań, wszystkie one wydają się mu mało istotne.

Seks włączono do kanonu rozrywki drugiej połowy XX wieku, podobnie jak narkotyki. O ile jednak używki oddziałują na poszczególne osoby, o tyle seks ze swej istoty wpływa na stosunki między ludźmi. W kolorowych magazynach typu *Cosmopolitan* można znaleźć wiele rad, jak wyglądać „seksownie", ale trudno tam dowiedzieć się czegoś sensownego o odpowiedzialności za siebie i drugiego człowieka. Mówi się, że seks jest potrzebą tak samo naturalną jak jedzenie i picie. Jest to fałsz. Bez jedzenia i picia człowiek umiera, bez seksu może przeżyć całe życie, czego dowodem ludzie żyjący w celibacie.

Około połowy ankietowanych w krajach wysoko rozwiniętych akceptowało w połowie lat dziewięćdziesiątych stosunek seksualny w ciągu pierwszego miesiąca znajomości[65]. Jest to rezultat rewolucji seksualnej poprzednich dekad, ale także zaczyn dalszych problemów. Głosy ostrzeżenia są coraz słabiej słyszalne w pijanym hałasie mediów. W cytowanym numerze *Cosmopolitan* wśród 28 „rzeczy, które Cosmodziewczyna powinna umieć" znaleźć można takie umiejętności jak: gra w pokera, ujarzmianie kaca, uruchamianie samochodu „na pych", zerwanie zaręczyn, negocjacje płacowe, nakładanie szminki bez lustra, masowanie „tak, by on oszalał", „surfowanie" po Internecie, otwieranie piwa bez otwieracza, przyjmowanie komplementów, żądanie, by partner używał prezerwatywy, przejmowanie inicjatywy w odpowiednim momencie, a także posiadanie maksymy życiowej. Jakiej – nie powiedziano[66].

Ilustracją traktowania seksu jako rozrywki amerykańskiej elity klasy średniej z Nowego Jorku były filmy z Bridget Jones oraz *Seks w wielkim mieście* według scenariusza Candace Bushnell, w których młode kobiety niby marzą o romantycznej miłości, ale póki co testują kolejnych mężczyzn w intymnym współżyciu, bez osłonek wymieniając uwagi na temat seksu[67]. Pod rządami lewicowego premiera José Luisa Zapatero swoistą rewolucję seksualną przeżyła Hiszpania. Reklamy w styku *porno chic*, rozważania o rekordach seksualnych w telewizyjnych programach w porze sjesty, wszechobecne *sexshopy* – to wszystko stworzyło wrażenie, że „wyzwolenie" seksualne jest najważniejszą cechą wolności osobistych. Około 54% Hiszpanów zaczynało już życie seksualne przed ukończeniem 18 roku życia, a ponad połowa społeczeństwa akceptowała zdradę małżeńską. Ogromną popularnością cieszyły się

---

[65] Zbigniew Wojtasiński, „Seks w odwrocie", *Rzeczpospolita*, 10/11 X 1998 r.

[66] „28 rzeczy, które Cosmodziewczyna powinna umieć", *Cosmopolitan*, 1999, nr 6, s. 105–107.

[67] Agata Bielik-Robson, „Sharon Stone literatury", *Dziennik*, 21 VIII 2006 r.

w Hiszpanii, a także we Włoszech, wynurzenia niejakiej Melissy Panarello, osiemnastolatki opowiadającej o swoich perwersjach seksualnych. Pornografia stała się towarem powszechnie dostępnym. W związku z tym liczba aborcji dokonywanych przez nastoletnie Hiszpanki wzrosła między 1990 a 2002 rokiem o 30%[68].

Skoro seks stał się rozrywką, potężne *lobbies* doszły do wniosku, że należy ją propagować wśród młodzieży. Koncerny produkujące prezerwatywy i inne środki antykoncepcyjne znalazły bowiem w młodzieży wspaniały rynek zbytu. Stąd na przykład centrum „zdrowia seksualnego" w belgijskiej Flandrii uruchomiło w 2017 roku stronę internetową poświęconą edukacji seksualnej dla młodzieży. Rząd flandryjski polecił tę stronę, zawierającą instruktaż wszelkiego rodzaju czynności seksualnych, jako materiał edukacyjny dla siedmiolatków[69].

Współczesny panseksualizm ignoruje psychologię. Przedstawia wszystkich ludzi jako podobne do siebie automaty. Zapomina, że każdy, także młody człowiek jest konkretną osobą, dziewczyną lub chłopcem, obdarzoną indywidualnym zestawem takich cech jak wyobraźnia, uczuciowość, marzenia o przyszłości, a przede wszystkim cechami właściwymi swej płci. Dziewczyna może się zachowywać uwodzicielsko, ale na ogół szuka miłości, czułości i opieki. Chłopak może myśleć „tylko o jednym", ale głównie pragnie się sprawdzić. Nastolatki, których zachęca się do podejmowania kontaktów seksualnych, bardziej kochają to, co czują, a nie przedmiot swego uczucia. Dziewczyny szybciej rozwijają się fizycznie i psychicznie, toteż kontakt seksualny równolatków, zwłaszcza poniżej dwudziestki, jest spotkaniem dwóch różnych poziomów dojrzałości. Dla większości młodych ludzi rozpoczynających życie seksualne przyczyną jest nie „naturalny głód" płci, ale ciekawość lub presja środowiska. Co więcej, bardzo duża część pierwszych prób kończy się dość marnie. W Niemczech odsetek rozczarowanych „pierwszym razem" nastolatków wynosi 49%, a w Wielkiej Brytanii – 43%[70]. Najczęściej, zwłaszcza wśród dziewcząt, pozostaje poczucie wstydu i żalu. Dzieje się tak szczególnie wtedy, gdy pierwszy seks jest odpersonalizowany. Staje się wówczas nawykiem podobnym do palenia i podobnie szkodliwym psychicznie i społecznie. Rzecz ujęła znakomicie pewna francuska nastolatka, która na pytanie o pierwszy stosunek, odparła: „jestem na to zbyt dorosła"[71]. Zrozumiała ona doskonale, że seks bez gruntownego „zabezpieczenia" psychicznego jest wystawianiem czeków bez pokrycia.

Inny stereotyp głosi, że szczęśliwe życie seksualne wymaga wczesnych „prób". Jednak skutki prób podejmowanych przed lub poza małżeństwem pokazują, że są one dla rozwoju płciowości raczej szkodliwe. Badania seksualnych zachowań Amerykanów z początku lat dziewięćdziesiątych wykazały wyraźnie, że im szybciej jakaś para poszła ze sobą do łóżka, tym rzadziej kończyło się

---

[68] Ana Sánchez Juárez, „Eros w kraju byka", *El Pais,* 7 VIII 2005 r., za: *Forum,* 26 IX-2 X 2005 r., ss. 33–35.

[69] „Seksedukacja 7-latków", *Do Rzeczy,* 30 X-5 XI 2017 r., s. 77.

[70] Wojtasiński, „Seks w odwrocie".

[71] Daniel-Ange, *Twoje ciało stworzone do miłości,* s. 123.

to małżeństwem[72]. Jak powiedział św. Jan Paweł II w Montrealu, „nie można żyć tak tylko na próbę, nie można umrzeć na próbę, nie można kochać na próbę, zaakceptować mężczyzny czy kobiety na próbę"[73]. Mit „bezpiecznego seksu" lansowany głównie przez producentów prezerwatyw, jest szkodliwy ze względu na skutki psychiczne. Zwiększa bowiem pozorne poczucie, że stosunek seksualny jest wyłącznie kwestią przyjemności. Jest to jednak także kwestia odpowiedzialności. W ostatecznym wymiarze odpowiedzialności za życie. Czy ktokolwiek, kto głosi seksualny permisywizm, chciałby być poczęty przypadkowo, jako dziecko „niechciane"?

Daniel-Ange nazywa seksualny permisywizm „niewidzialnym Czarnobylem"[74]. Szkody seksualnego uprzedmiotowienia człowieka trudno wymierzyć, ale czy można przejść do porządku dziennego nad deprawacją dzieci, rozkładem rodziny, rosnącą liczbą dzieci z rodzin niepełnych i innymi schorzeniami współczesnego świata? Masa formalnie karalnych czynów, jak stręczycielstwo, pornografia i prostytucja nieletnich, pozostaje bezkarnych ze względu na atmosferę wolności seksualnej. Co roku, z biedy, ale także pod presją owej swobody, prostytuują się miliony kobiet i dzieci. Według danych ONZ 6 mln dzieci padło ofiarą handlu seksem, a 35 mln kobiet znajduje się w domach publicznych[75].

Nawet niektórzy sympatycy lewicy obyczajowej, tacy jak Laurent Baumel czy Nathalie Heinich we Francji lub Thomas Frank w USA, zauważyli, że libertynizm zapoczątkowany w latach sześćdziesiątych oraz ruchy feministyczne pozostawiły po sobie „ambiwalentne skutki"[76]. Popularny pisarz Martin Amis przez lata tworzył teksty propagujące seksualny promiskuityzm. Przejrzał na oczy w książce *Ciężarna wdowa* dopiero gdy zmarła jego 46-letnia siostra, wyniszczona chorobami wenerycznymi i alkoholem. Zauważył wtedy, że pornografia „wywołuje demony", gdyż wciąga w świat, w którym ludzie nie są kochani, ale używani[77]. Otrzeźwienie przychodzi rzadko, nie tylko z szeregów chrześcijan, często ogłuszonych i zastraszonych propagandą wolności seksualnej, ale również spośród niewierzących. Szef francuskiego ośrodka badań nad sztucznym zapłodnieniem Georges David zapytał: „dlaczego można ukazywać szkodliwość palenia tytoniu lub picia alkoholu, a nie można tego robić, jeśli chodzi o sferę zachowań seksualnych?"[78] Nie da się ukryć, że panseksualizm jest jedną z głównych chorób współczesnej cywilizacji zachodniej. Jest on wyrazem szerszego kryzysu moralnego Zachodu.

---

[72] Michel Marriott, „Not Frenzied, But Fulfilled", *Newsweek*, 17 X 1994 r., ss. 58, 59.
[73] Daniel-Ange, *Twoje ciało stworzone do miłości*, s. 145.
[74] Tamże, s. 20.
[75] Tamże, s. 22.
[76] Christopher Caldwell, „Europe draws back from 1968", *Financial Times,* 27–28 XI 2004 r.
[77] Grzegorz Górny, „Pożarte dzieci rewolucji seksualnej", *Sieci,* 27 XI-3 XII 2017 r., ss. 62–64.
[78] Daniel-Ange, *Twoje ciało stworzone do miłości*, s. 25.

XIX-wieczna rycina przedstawiająca symbole masońskie.

Rozdział 8. Poza dobrem i złem

RELATYWIZM MORALNY

Tytułowe hasło pochodzi oczywiście od tytułu słynnego dzieła Friedricha Nietzsche[1]. Od czasu jego pojawienia się w 1886 roku hasło to jest kanwą wszelkich rozważań etycznych ludzi, dla których „Bóg umarł". Wedle zwolenników owego wyniosłego dystansu wobec wartości, w tajemniczej sferze „poza dobrem i złem" poruszają się mędrcy. Historia uczy jednak, że działali stamtąd najwięksi zbrodniarze, dla których etyka była ograniczeniem swobody działania. Zapytany czy wie, co to wdzięczność, Stalin wyjął fajkę z ust i odrzekł: „A jakże, oczywiście, że wiem, doskonale wiem, to taka psia choroba"[2]. Oczywiście trudno pociągać do odpowiedzialności za cudze zbrodnie każdego, kto neguje istnienie dobra i zła. Niemniej z ludźmi kwestionującymi istnienie dobra i zła trzeba uważać. Co też im może strzelić do głowy?

Wielu z obecnych piewców indyferentyzmu moralnego, stawiających się „poza dobrem i złem", jeszcze niedawno formułowało większość sądów przy pomocy zdań normatywnych typu „należy dążyć do" czy „słuszna postawa moralno-polityczna". Co sprawiło, że porzucili ów perswazyjno-nakazowy styl moralizowania? Może zauważyli, że marksizm nie mógł wypracować żadnych stałych norm moralnych? Na teren „poza dobrem i złem" wepchnął zresztą współczesnego człowieka nie tylko marksizm. Równie skutecznie czynił to pozytywizm, który potraktował wszystkie sądy wartościujące jako wyraz subiektywnych preferencji uwarunkowanych społecznie. Powołując się na metodę naukową, stwierdził on, iż nie ma obiektywnego porządku moralnego[3]. Zniszczywszy obiektywne podstawy etyki, zwolennicy pozytywizmu moralnego byli zmuszeni budować „etykę niezależną" w oparciu o indywidualne sumienie. Problem w tym, że różni ludzie mają różną wrażliwość moralną. Słynny imperatyw kategoryczny Immanuela Kanta, a więc zalecenie, by postępować wedle takiej zasady, jaką moglibyśmy uznać za prawo powszechne, może w praktyce napotkać na ogromne przeszkody. Nietzsche czy Stirner dowiedli bowiem teoretycznie do czego prowadzić może upowszechnienie subiektywizmu moralnego, a Hitler ze Stalinem – na czym polega on w praktyce. Nie unikniemy więc refleksji o pewnego rodzaju naturalnym porządku moralnym. Zwolennicy „etyki niezależnej" nadal nie chcą, by stosować tu Dekalog i unikają określenia „prawo naturalne", ale muszą tworzyć konstrukcje typu „wartości ogólnoludzkich", które są tłumaczeniem nieznanego przez nieznane.

---

[1]   Fryderyk Nietzsche, *Poza dobrem i złem,* (Warszawa: Wydawnictwo Zielona Sowa, 2005).
[2]   Borys Bażanow, *Byłem sekretarzem Stalina*, (Warszawa: „Krytyka", 1985), ss. 65–66.
[3]   John H. Hallowell, *Moralne podstawy demokracji*, (Warszawa: Wydawnictwo Naukowe PWN, 1993), ss. 74–75.

Jeśliby etykę budować na indywidualnym sumieniu, to dlaczego nie wysłuchać Antoniego Skulbaszewskiego, byłego naczelnego prokuratora wojskowego, następnie zastępcy szefa Głównego Zarządu Informacji Ministerstwa Obrony Narodowej (1950–1954) odpowiedzialnego za liczne zbrodnie okresu stalinowskiego, który upierał się, że nie stosował przemocy wobec aresztowanych. Prawda i kłamstwo, dobro i zło? Cóż za różnica? Relatywizm moralny to być może najgroźniejsza z chorób współczesności. Wyraża go jedna z obiegowych „prawd" wiary współczesnego Polaka, że „punkt widzenia zależy od punktu siedzenia". Podpiera się ją sloganem o historycznej zmienności norm moralnych. Tymczasem, jak zauważa Allan Bloom, „fakt, że w różnych miejscach i czasach istniały różne poglądy na temat dobra i zła, wcale nie dowodzi, że żaden z tych poglądów nie jest prawdziwy bądź prawdziwszy od innych"[4].

„Śmierć Boga" ma fundamentalne konsekwencje praktyczne. Powstaje bowiem pytanie, jakie są źródła moralności. Profesor psychologii Marc Hauser z Uniwersytetu Harvarda i profesor Peter Singer, bioetyk z Princeton, stwierdzili autorytatywnie, że „źródłem moralności nie jest Bóg, tylko nasza własna natura"[5]. Skoro jednocześnie głoszą oni brak odrębnej ludzkiej natury, jako źródło moralności pozostaje nicość, którą może wypełnić każdy ludzki odruch. Trudno się nie zgodzić, że brzmi to groźnie. „Rzadko kiedy niepokój i lęk były tak wyraziste, jakby dla zilustrowania poglądu Freuda, że we współczesnym świecie zło zastąpiła choroba nerwów" napisała Thérèse Delpech[6]. Trudno o lepszy komentarz sytuacji, w której zakwestionowano kryteria dobra i zła, a nawet samo ich istnienie.

Mieszkańcy sfery „poza dobrem i złem" twierdzą, iż o prawdzie można mówić jedynie, i to nie zawsze, w przypadku sądów opisowych, a więc odnoszących się do faktów, natomiast, że sądy typu „należy" lub „powinno się", czyli sądy normatywne, nie odnoszą się do żadnej rzeczywistości i są zdaniami subiektywnymi. A jednak to nie takie proste. Trudno przejść do porządku dziennego nad różnicą między dobrem będącym „potrzebą" i „zachcianką". Potrzebę można zdefiniować jako coś, co wynika z natury, jak jedzenie i picie; zachcianką są rzeczy niekonieczne. Istnieją też niewątpliwie dobra postrzegane subiektywnie oraz dobra ogólne. Pełna wolność czynienia wszystkiego, co się zapragnie, może się komuś wydawać pożądana, ale czy można ją uczynić zasadą ogólną? Jeśli na przykład ktoś podważa piąte przykazanie Dekalogu, to musi się liczyć z tym, że zostanie zabity. Dlaczego dobra indywidualne w rodzaju pełnej wolności jednostki muszą ustąpić dobrom ogólnym i obiektywnym, takim, jak na przykład zasadzie „nie zabijaj"? Choćby dlatego, że inaczej wszyscy moglibyśmy się pozabijać.

WOLNOŚĆ NEGATYWNA I POZYTYWNA

Najbardziej bodaj zakłamanym pojęciem XX wieku było pojęcie wolności. W październiku 1959 roku Isaiah Berlin wygłosił w Oksfordzie swój słynny wykład

[4] Bloom, *Umysł zamknięty*, s. 45.
[5] Marc Hauser, Peter Singer, „Moralność bez Boga", *Rzeczpospolita,* 21 I 2006 r.
[6] Delpech, *Powrót barbarzyństwa w XX wieku*, s. 59.

o dwóch rodzajach wolności. Za wolność „negatywną" uznał wolność od ograniczeń narzucanych jednostce przez świat zewnętrzny, wolnością "pozytywną" nazwał wolność do realizacji dobra. Wydawać się mogło, że stanowisko Berlina mogło być bliskie chrześcijańskiej koncepcji wolności wypracowanej między innymi przez świętego Tomasza z Akwinu. Niestety, wolność pozytywną skojarzył Berlin z przymusem, ostrzegając, że państwo może ograniczyć wolność w dążeniu do swoiście pojmowanego dobra wspólnego, tak jak się to stało w przypadku nazizmu i komunizmu. Argument ten stał się klasycznym narzędziem przeciwników chrześcijańskiej etyki społecznej. Paradoks Berlina ignoruje jednak chrześcijańskie sumienie. Jak słusznie zauważył George Weigel, chrześcijańska wolność do doskonałości (*freedom for excellence*) jest jedyną nadzieją na budowanie lepszych relacji między ludźmi. Człowiek świadomy dobra i zła wie bowiem, że niektórych rzeczy, które może robić, robić nie powinien[7].

Rozdział polityki od religii był możliwy dzięki chrześcijaństwu, które potrafiło, za swoim Mistrzem, rozróżnić to, co „cesarskie", od tego co Boskie[8]. Trzeba jednak podkreślić, że nie chodzi tu o mechaniczny rozdział Kościoła od państwa. Sukces cywilizacji zachodniej opierał się nie na wrogim przejęciu religii przez państwo ani na usunięciu religii z życia publicznego, ale na ich właściwym umiejscowieniu. Sukces ten trwać mógł tak długo, jak długo wolna wola człowieka skierowana była ku wartościom i realizowała się w świetle Dekalogu. Luminarze francuskiego oświecenia podcięli chrześcijańskie korzenie ideologii liberalnej. Ojcowie założyciele Stanów Zjednoczonych stworzyli liberalne państwo prawa w dużej mierze w oparciu o Dekalog[9]. Różnica była zasadnicza: masoneria francuska była agresywnie antychrześcijańska, amerykańska – nie.

W 2006 roku w brytyjskiej gazecie *Financial Times* ukazał się krótki artykuł, którego autorzy dokładnie wypunktowali przyczyny kryzysu cywilizacji zachodniej. Stwierdzili, że o ile w 1900 roku większość mieszkańców państw zachodnich żywiła optymizm i dumę z osiągnięć swojej cywilizacji, o tyle sto lat później nie było ani tego optymizmu ani tej dumy. Zabrakło mianowicie wiary w sześć głównych filarów tej cywilizacji, takich jak: chrześcijaństwo, wiara w przyszłość, nauka, wzrost gospodarczy, indywidualizm i liberalizm. Autorzy artykułu stwierdzili, że pięć ostatnich filarów zostało ostatnio podkopanych, ale co do chrześcijaństwa mieli dość dwuznaczne zdanie. Stwierdzili, że nauka Chrystusa zmieniła Zachód, przyznając każdemu duszę i zachęcając do czynienia dobra w kontekście osobistej odpowiedzialności. Na koniec dodali jednak, że kryzys wiary chrześcijańskiej nie zagraża Zachodowi. Nie zauważyli najwyraźniej tego, co w chrześcijaństwie jest najważniejszego w odniesieniu do życia społecznego: że mianowicie nadało ono transcendentną sankcję wyborom moralnym. Bez tej sankcji człowiek sam sobie wyznacza miary i reguły, błądząc między „wolą powszechną", „wartościami

---

[7] George Weigel, „A Better Concept of Freedom", *First Things,* March 2002, nr 121, ss. 14–20.
[8] Roger Scruton, *The West and the Rest. Globalization and the Terrorist Threat,* (ISI Books, 2002), passim.
[9] Michael Novak, „The Faith of the Founding", *First Things,* April 2003, nr 132, ss. 27–32.

ogólnoludzkimi" czy „ludzką naturą" jako źródłami prawa. Trudno się zresztą dziwić temu przeoczeniu obydwu autorów. Richard Koch to znany przedsiębiorca i autor książek z dziedziny zarządzania biznesem, a Chris Smith, lord Finsbury, był posłem do Izby Gmin z ramienia Labour Party i pierwszym parlamentarzystą brytyjskim, który przyznał, że jest gejem i nosicielem wirusa HIV[10].

Problem stosunku wolności do chrześcijaństwa nurtował wielkiego angielskiego konwertytę na katolicyzm, kardynała Johna Henry'ego Newmana. Religijny liberalizm zakłada, że nie ma podstaw do uznania jednego wyznania za bardziej wiarygodnego od innego. Każdy może szukać Boga na swój sposób, wzywać go i odczytywać odzew po swojemu. Jak więc osądzić mamy, który odzew, które tak wywołane objawienie jest właściwe? Każde trzeba uznać za subiektywne i względne. Z tej perspektywy ginie możliwość inna – taka oto, że to nie człowiek szuka Boga, ale że Bóg szuka człowieka, że doń naprawdę przemówił w postaci Jezusa Chrystusa i odtąd często przemawia[11]. To jednak przekracza już zupełnie horyzont myślowy współczesnych „racjonalistów". Uwierzą we wszystko, ale nie w dobrego Boga, który czasem się do nas odzywa, choć nie robi tego zbyt nachalnie. Ostatecznie tylko wybór w warunkach wolności jest wartością, ale wybór ten musi być kierowany dobrem i prawdą. Inaczej najczęściej służy złu i jest samozakłamaniem. Wyraził to najlepiej Żyd z urodzenia, obywatel Rzymu i w istocie Europejczyk z wyboru, święty Paweł: „Wszystko mi wolno, ale nie wszystko przynosi korzyść. Wszystko mi wolno, ale ja niczemu nie oddam się w niewolę"[12].

BANALIZACJA ZŁA

Według niemieckiego filozofa Odona Marquarda, główną zasadą nowoczesności jest „odbieranie złu znamion zła". Wielkonakładowe media często opisują rozmaite przejawy zła. Pokazują je rzeczowo, niby nie lansują go, ale budzą lęk przed nim i oswajają nas z myślą, że właściwie nic nie można na nie poradzić, wobec tego nie ma sensu go zwalczać. „Przemoc w wykonaniu małoletnich już przerosła wyobraźnię Kubricka i Burgessa", czytamy w eseju Dubravki Ugrešić. Opowiada ona na przykład o dwóch Ukraińcach, którzy zamordowali 21 osób, dokładnie filmując swe zbrodnie, aby „mieć co wspominać, kiedy się już zestarzeją". Opowiada o 11-letnim chłopcu z Pensylwanii, który zabił kobietę w ósmym miesiącu ciąży i jej nienarodzone dziecko, oraz o innym młodym Amerykaninie, który wyznał, że zabijanie daje mu dreszczyk emocji. Opowiada także o nastoletniej Rosjance, obojętnej wobec swej zbrodni, która tłumaczyła się: „przecież żyjemy w dżungli".

Gdzie indziej opisuje się okoliczności procesu Michaiła Tuchaczewskiego w 1937 r., ową bezsensowną machinę zbrodni sądowych w stalinowskim ZSRR,

---

[10] Richard Koch, Chris Smith, „Western civilisation faces a stark choice", *Financial Times,* 18 V 2006 r.

[11] Edward T. Oakes, „Newman's Liberal Problem", *First Things,* April 2003, nr 132, ss. 43–50.

[12] 1 Kor, 6,12.

opartą na kłamstwie, strachu i szantażu. Oskarżonym kłamliwie o zdradę pod-
sądnym obiecano w śledztwie, że całkowite przyznanie się do absurdalnych win
uratuje życie jeśli nie im, to ich rodzinom. Na sali sądowej zgromadzono wielu
oficerów Armii Czerwonej, z których każdy, patrząc na dokładnie wyreżysero-
wany spektakl, mógł poczuć gorący oddech sowieckiej sprawiedliwości. Nawet
wśród sędziów byli już tacy, przeciw którym NKWD prowadziło dochodzenia.
Nikt z podsądnych nie odważył się cofnąć zeznań ze śledztwa. Wszyscy zostali
skazani na śmierć. Wyrok wykonano natychmiast. Nawet przed lufami plutonu
egzekucyjnego jeden z oskarżonych, Jona Jakir, odegrał wyuczoną rolę. Jego ostatnie słowa brzmiały; „Niech żyje partia, niech żyje Stalin". Kiedy Stalin dowiedział się o tym, zauważył: „Jakiż podlec, jakiż Judasz! Nawet umierając, stara się
sprowadzić śledztwo na manowce"[13]. Co za paraliżujące wcielenie zła! Ale to nic,
wszystko już było, więc musimy do tego przywyknąć.

Okrucieństwo zawsze towarzyszyło człowiekowi. Walki o władzę czy wojny
pełne były strasznych, okrutnych czynów. Ostatnio mniej jest wielkich wojen, ale
mamy wojny mniejsze, mamy zabójstwa sądowe, masowe mordy, śmierć milionów
nienarodzonych dzieci, zamachy terrorystyczne i bezcelowe okrucieństwo młodocianych zabójców. Masowe media od paru pokoleń nasilają atmosferę bezsensu,
bezwstydu i okrucieństwa, niby pokazując rzeczywistość, ale często lansując przypadki wyjątkowe jako coś występującego powszechnie, a więc trudnego do oceny.
Mechaniczna pomarańcza Stanleya Kubricka i inne podobne produkcje lat 70. i 80.
przesunęły granicę wyobraźni i wrażliwości, zamieniając to, co intymne w to,
co publiczne oraz to, co nienormalne w to, co możliwe. Kolejne progi intymności
i prezentacji okrucieństwa przekroczono przy okazji filmów o markizie de Sade.
W tej atmosferze „afera rozporkowa" Billa Clintona była mało znaczącym szcze-
gółem, podobnie jak dziś mało kogo wzrusza film Larsa von Triera *Antychryst*.
Przemoc i okrucieństwo nasila się zarówno w produkcjach „kultury" masowej
w rodzaju *Teksańskiej masakry piłą mechaniczną*, *Funny Games* czy innych podobnych potworności, jak i w życiu młodego pokolenia. Od stadionowych bitew „ki-
boli" poprzez wsadzanie nauczycielom kubła na głowę i szczypanie nauczycielek
do zabójstw w wykonaniu pozbawionych jakichkolwiek uczuć nastolatków – media
coraz częściej informują o młodzieżowych patologiach. Gdzieś w tle ryczą wykrzywione twarze „artystów" *death metalu*, o których możemy wyczytać fachowe
i rzeczowe opinie krytyków muzycznych.

Zło patrzy niewinnymi oczami. Zna wiele cytatów. Mówi: jeśli chcesz ze mną
walczyć, rzuć pierwszy kamieniem, przecież sam nie jesteś taki wspaniały, przecież wszyscy grzeszymy. Mówi: chcesz ze mną walczyć, a nie pamiętasz, kto
zabraniał usuwania chwastów, aby i dobrej rośliny nie wyrwać? Wielu ludzi nabiera
się na te łagodne pouczenia i opuszcza ręce: przecież historia pełna jest Stalinów,
Hitlerów i innych zbrodniarzy. Trzeba ich potępić, ale cóż można zrobić? Mamy
przecież jedno życie i każdy stara się być szczęśliwy. Czy to grzech, żeby się spełniać? Skoro pieniądze publiczne są wspólne, to kto się o nie upomni? A przecież

---

[13] Włodzimierz Kalicki, „A to podlec!", *Gazeta Wyborcza*, 10 VI 2009 r.

moje potrzeby są uzasadnione… Seks przed ślubem i zdrada małżeńska są przecież powszechne, więc o co tu kruszyć kopie? Życie to dżungla, więc jeśli ja nie posunę się naprzód kosztem bliźniego, to on wykorzysta mnie. Może żona czy mąż i dziecko nie są w życiu najważniejsze. Może nie dowiedzą się o zdradzie. Może dziecko sobie poradzi i bez nas, może się ktoś inny nim zajmie, może nie wpadnie w złe towarzystwo, może nie zarąbie staruszki…

Zło udaje, że go nie ma. Ale zło jest. Nie ominiemy go. Unikając ocen, powątpiewając w możliwość rozróżnienia dobra i zła, karmimy je bezkarnością. Grzęznąc w mniejszym złu, wspomagamy większe. Zło jest potężne, ale jest potężne naszymi słabościami.

W swej słynnej książce *Eichmann w Jerozolimie* Hannah Arendt użyła określenia „banalność zła", za co była mocno krytykowana w środowiskach żydowskich, dla których zło Holocaustu nie było banalne. Krytyki te były jednak w dużej mierze chybione, gdyż autorce nie chodziło o pomniejszenie zbrodni Eichmanna, ale o ukazanie źródeł tych zbrodni: swego rodzaju sojusz prymitywizmu szerokich mas z wielkim kapitałem i kulturą podejrzeń[14]. Choć na początku XXI wieku cywilizacja zachodnia znajduje się w innym miejscu niż sto lat wcześniej, warto się zastanowić, czy warunki te nie są znów spełnione, by wybuchła kolejna fala masowych zbrodni. Postawy mas, często bardzo prymitywne, są bowiem kształtowane głównie przez medialnych nadawców, a nowym wrogiem staje się obrońca takich pojęć jak prawda czy dobro.

POKOLENIE BEZ ZASAD

„Gdzie poskromione są zasady, tam zdobywają władzę małostkowe pragnienia"[15]. Małostkowość pragnień pokolenia lat sześćdziesiątych i ich dzieci na Zachodzie polegała na braku równowagi między dążeniem do szczęścia, a właściwie przyjemności, oraz gotowością do ponoszenia odpowiedzialności za swoje czyny. Charakterystycznym przykładem tej tendencji być przypadek Candace Thorp z Seattle, która będąc w ciąży upijała się burbonem, po czym urodziwszy zniekształcone dziecko zaskarżyła do sądu firmę produkującą trunek, że nie ostrzegała konsumentów przed potencjalnymi skutkami picia[16].

Dążenie do wolności w dziedzinie kultury seksualnej zagłuszało wszelkie skrupuły dotyczące odpowiedzialności za jej skutki. Stąd głównie wynikał kryzys rodziny. Na początku lat dziewięćdziesiątych 10% amerykańskich dziewcząt i 20% chłopców w wieku 14 lat, głównie murzyńskich, miało za sobą pierwsze doświadczenie seksualne, a ponad milion nastolatek zachodziło co roku w ciążę. Około 25% mężatek miało przygody pozamałżeńskie, a 10% mężczyzn – doświadczenie homoseksualne. Połowa małżeństw kończyła się rozwodem. W wielu krajach liczba par

---

[14] Hannah Arendt, *Eichmann w Jerozolimie. Rzecz o banalności zła,* (Kraków: Znak, 1998); tejże, *Korzenie totalitaryzmu,* (Warszawa: NOWa, 1989), t. I-II.

[15] Abraham Joshua Heschel, „Wzorzec życia", *Znak*, 1991, nr 10 (437), s. 97.

[16] Charles Krauthammer, „Paying for Folly", *Washington Post*, 28 IV 1989 r.

żyjących bez ślubu konkurowała z liczbą małżeństw, zwłaszcza wśród osób młodszych[17]. Również liczba dokonywanych aborcji bliska była często liczbie urodzeń. Społeczeństwa państw rozwiniętych wpadały w błędne koło. Coraz więcej czasu i energii pochłaniała aktywność mająca na celu zdobycie środków na konsumpcję, która nie przyczyniała się do rozwoju osobowego, a odbywało się to kosztem podstawowych wartości, takich jak prawo do życia lub bezpieczeństwo osobiste.

W latach sześćdziesiątych młodzież uwierzyła, że młodość jest czymś najważniejszym na świecie, że młody wiek uprawnia do wszystkiego. I ta wiara pozostała w pokoleniu, o którym mowa, do dziś, gdy powoli wkracza w wiek starczy. Młodzież z lat sześćdziesiątych w bardzo wielu przypadkach nigdy nie dorosła. Jej kontrkultura przetrąciła kręgosłup kulturze. Przedtem kultura spełniała w społeczeństwie funkcje wychowawcze. Wychowywała do szukania sensu, łączyła we wspólnotę, pobudzała do twórczego życia. Kultura lat sześćdziesiątych wskazała sens życia w użyciu, tworzyła wspólnotę na zasadzie wykluczenia zasad, swoiste wspólnictwo w negacji i oderwaniu od rzeczywistości. Zamiast prawdziwej twórczości wyzwalała stany narkotycznego pobudzenia. Dzieci bez wychowania zachowują się jak mali barbarzyńcy. Tak było i ze studentami lat sześćdziesiątych, gdy poczuli siłę swej pseudowolności. Wielu z nich pozostało moralnymi barbarzyńcami do dziś. Tyle, że barbarzyńcami z tytułami profesorskimi albo funkcjami politycznymi. Młodzież z lat sześćdziesiątych wniosła w świat dobrobytu brak odpowiedzialności, brak pokory wobec świata, którego nie stworzyła, a z którego chciała bez ograniczeń korzystać i który przez to znienawidziła za ograniczenia, które w nim tkwią w naturalny sposób.

„Rewolucja" lat sześćdziesiątych wygasła nie tyle w starciu z rzeczywistością, ale ze względu na to, że jej przywódcy pokończyli studia. „Na początku lat siedemdziesiątych Ruch opanowała lekka panika. Rewolucja, której oczekiwaliśmy z zapartym tchem, zbliżała się do końca, którym, jak zdaliśmy sobie sprawę, miała być zwykła, nudna praca. Monstrualny płód naszych fantazji miał się nie narodzić. Ludzie, który zebrali się, by obserwować apokalipsę, rozchodzili się w stronę ochrony środowiska, konsumeryzmu lub fatalizmu (…) Obserwowałem, jak wielu z moich dawnych towarzyszy ubiega się o studia doktoranckie na uniwersytetach, których nie udało się im spalić, tak by uzyskać dyplom i rozpowszechniać idee zdyskredytowane na ulicy w murach uczelni"[18].

Skutki rewolucji kulturowej lat sześćdziesiątych są głębsze niż się nam może wydawać. Od młodych ludzi nie wymaga się dziś, żeby dojrzeli. Wszystko ma być lekkie, łatwe i przyjemne. Dlatego współczesne „dorosłe" dziecię z lat sześćdziesiątych ma takie kłopoty ze znoszeniem starzenia, chorób i myśli o śmierci. Dlatego tak często kwestionuje sens i wartość życia. Dlatego odrzuciło kategorie piękna, dobra i szlachetności jako zbyt trudne, niepotrzebne, jako „wyrazy obce". Dlatego przyjaźń zamienia w kumpelstwo, miłość utożsamia z seksem, sztukę z nowością, autorytet z idolem, a zbawienie z sukcesem. Liberalne wychowanie

---

[17] Tomasz Wróblewski, „Druga rewolucja seksualna w Ameryce", *Życie Warszawy*, 6/7 III 1993 r.; Jerry Adler, „Sex in the Snoring '90s", *Newsweek*, 26 IV 1993 r., ss. 43–45.
[18] Collier, Horowitz, *Destructive Generation*, ss. 294, 295.

stało się ideologią powszechnie obowiązującą dlatego, że w erze permisywizmu zatracono cel wychowania. Pozostawianie dzieciom wolnego wyboru wynikło z tego, że nie umiano wskazać żadnego sensownego kryterium tego wyboru.

Jakie to ludzkie: mieć rację zawsze – i pod koniec lat sześćdziesiątych, i dziś, kiedy zwykły upływ czasu ujawnił całe szaleństwo, szkodliwość i tragikomizm rewolucji lat sześćdziesiątych. Racja to często zupełnie inna, ale tym bardziej niewzruszona. Dziś młodzież z lat sześćdziesiątych, zajmująca czołowe pozycje w biznesie, mediach i polityce, funduje nam zinstytucjonalizowany rozkład więzów społecznych. To młodzież z lat sześćdziesiątych uchwaliła w połowie marca 2000 r. rezolucję Parlamentu Europejskiego propagującą związki „małżeńskie" między osobami tej samej płci. Te same rozpuszczone dzieci tamtej dekady finansują ekscesy *Love Parade* czy *World Gay Pride*.

Jak zauważył o. Mirosław Pilśniak, „dojrzałość jest otwartością na prawdę"[19]. Współczesne, „dorosłe" dzieci lat sześćdziesiątych nie znoszą tych słów. Zupełnie jak dzieci, które uciekają od trudnej prawdy o odpowiedzialności, cierpieniach i trudzie poszukiwania sensu życia, o potrzebie empatii i altruizmu. Kontrkultura lat sześćdziesiątych żywiła się rynkiem. Jej produkty, które miały być wyrazem protestu przeciw zakłamaniu świata dorosłych, stały się przedmiotem masowego handlu. Stosownie do hasła *sex, drugs and rock and roll* tymi produktami stały się pornografia, narkotyki i nagrania muzyczne. Konsekwencją rewolucji lat sześćdziesiątych było podkopanie norm i obyczajów, a także – i tak niezbyt powszechnego – przekonania, że drugiemu człowiekowi należy się szacunek, bo jest podmiotem, a nie przedmiotem, że dobro jest obiektywną realnością, a nie teorią, którą każdy może dowolnie interpretować, oraz że należy szanować prawdę.

WYMIAR SPRAWIEDLIWOŚCI

Przyjrzyjmy się jednej tylko, artystycznej ilustracji tych problemów. W połowie lat osiemdziesiątych w Guthrie Theater w Minneapolis grano sztukę Emily Mann *Execution of Justice*. Widzów siedzących w ciemnościach sali atakowano gwałtownymi scenami, hałasem ulicy, syren policyjnych, klaksonów, snopami reflektorów, akcją równolegle odgrywaną przez aktorów na żywo i dziejącą się na ekranach monitorów telewizyjnych. Sztuka o „wymiarze sprawiedliwości" przedstawiała w nowoczesnym języku teatralnym autentyczne wydarzenia, które wstrząsnęły San Francisco pod koniec lat siedemdziesiątych.

O co chodziło? W latach siedemdziesiątych San Francisco przeżywało kryzys. Przemysł odpływał na południe stanu pozostawiając masy bezrobotnych. Tradycyjne środowiska robotnicze odczuwały rosnącą konkurencję Azjatów i Latynosów. Po radosnym okresie „dzieci kwiatów" z końca poprzedniej dekady pozostały ślady mało budujące. Kolonia homoseksualistów przyciągała tysiące gejów z całych Stanów Zjednoczonych, a Castro Street stała się mekką homoseksualistów. W 1975 r. koalicja mniejszości rasowych i wspólnot lokalnych, z których geje byli najsilniejsi,

---

[19] „Dorosłe dzieci. Dyskusja redakcyjna", *Więź*, 2003, nr 12, s. 22.

Ciała członków sekty „Świątynia Ludu" założonej przez amerykańskiego kaznodzieję Jima Jonesa. W nocy z 18 na 19 listopada 1978 r. jego wyznawcy popełnili zbiorowe samobójstwo zażywając truciznę. Śmierć poniosło 910 osób.

wyparła dotychczasowy *establishment* i wybrała burmistrzem San Francisco faworyta gejów, George'a Moscone. Jednym z jego współpracowników był szef sekty Świątynia Ludu (*People's Temple*) Jim Jones, mianowany przewodniczącym Rady Mieszkaniowej miasta. W 1977 r. bliski znajomy Mosconego, Harvey Milk, został jako pierwszy w historii USA jawny pederasta członkiem Rady Nadzorczej San Francisco. Innym członkiem Rady został jednak wybrany Dan White, były policjant i strażak, weteran wojny wietnamskiej, zwolennik prostych i jasnych reguł w życiu społecznym. Moscone i Milk przeprowadzili szereg zarządzeń znoszących „dyskryminację" homoseksualistów, utrącili też inicjatywę konserwatywnego senatora Johna Briggsa, by zakazać gejom nauczania w szkołach kalifornijskich. Tymczasem Jim Jones, zdenerwowany dociekaniami na temat nadużyć w swojej Świątyni Ludu, wyprowadził członków sekty do wioski zbudowanej w dżungli Gujany i nazwanej skromnie Jonestown, gdzie ostatecznie doprowadził do zbiorowego samobójstwa (mordu?) ponad 900 członków swojej sekty. Poniósłszy szereg prestiżowych porażek, White zrezygnował z członkostwa w Radzie, ale pod wpływem swych wyborców pragnął wycofać rezygnację. Moscone odmówił, antagonizując część opinii publicznej, zaniepokojonej wpływami homoseksualistów.

Dramat nabierał tempa. W dniu 16 listopada 1978 roku White został wygwizdany na wiecu zorganizowanym w celu zapobieżenia jego powrotowi do Rady. Trzy dni później kongresman Leo Ryan, który miał zbadać na miejscu w Gujanie skargi na totalitarne machinacje Jonesa, został zabity przez fanatyków Świątyni Ludu. 25 listopada Moscone zainstalował swojego człowieka na miejsce White'a w Radzie Nadzorczej. Nazajutrz prasa podała, że bojówki Jonesa zmusiły do samobójstwa aż 910 osób, co wywołało piorunujące wrażenie w mieście, z którego wywodziła się część członków sekty i gdzie nadal mieszkały ich rodziny. Mimo to, Moscone przeprowadził zaprzysiężenie nowego członka Rady. White został ostatecznie odsunięty z władz miejskich. 27 listopada, pod wpływem ataku wściekłości wywołanego urazą osobistą i poczynaniami gejów i Jonesa, White wpadł do biura burmistrza i zastrzelił Mosconego, a następnie Milka. Szał „wolności" doprowadził więc do kolejnej tragicznej kulminacji – podwójnego morderstwa.

W maju 1979 r. odbył się proces White'a. Skazano go na siedem lat więzienia. Po ogłoszeniu wyroku społeczność San Francisco podzieliła się na dwie części. Jedni uważali, że wyrok był śmiesznie niski. Tłum podjudzony przez gejów zaatakował ratusz, wybijając szyby i paląc samochody policyjne. Drudzy protestowali przeciw nadmiernej, ich zdaniem, surowości wyroku twierdząc, że nie należy w ogóle karać White'a za „zrobienie porządku". Wielu homoseksualistów stało się ofiarami linczów na Castro Street. Po pewnym uspokojeniu nastrojów, w listopadzie 1979 r. nowym burmistrzem San Francisco wybrano, głosami społeczności rasowych i gejów, Dianne Feinstein, która utrzymała wszystkie swobody homoseksualistów. W tym samym czasie pojawiły się pierwsze przypadki AIDS, choroby, której rozprzestrzenianie dotyczyło początkowo niemal wyłącznie homoseksualistów i narkomanów[20].

W historii tej widać konwulsyjne ścieranie się dwóch skrajnie odmiennych postaw i cyniczną grę polityczną. Dramat, w którym główne role, w życiu i na scenie, odegrali Moscone, Milk i White, ma jednak wymiar znacznie szerszy niż głośne morderstwo, walka o władzę czy homoseksualizm jako taki. Dotyczy bowiem funkcjonowania norm moralnych w społeczeństwie oraz zasadniczego dylematu demokracji: zakresu praw mniejszości i podstaw równowagi społecznej. Oto dwa skrajne stanowiska, których zwolennicy doprowadzili do konfliktu i tragedii. Pierwsze zdaje się głosić, że jednostka ma prawo do pełnej wolności, a wszelkie zachowania są równoprawne. Rzecznicy gejów przyznaliby może ostatecznie, że wolność jednostki nie może ograniczać wolności innych jednostek. Zwolennicy takiej postawy nie uznają jednak zazwyczaj bez awantury nawet minimum racji innych ludzi. Drugie stanowisko opiera się na przekonaniu, iż większość ma po prostu prawo narzucić mniejszości własne normy postępowania, ponieważ jedne wzorce są lepsze niż inne z punktu widzenia moralności lub interesu społecznego. Jeśli jednak reguły postępowania określić ma większość, to jak się mają bronić różni odszczepieńcy, nonkonformiści, nieprzystosowani ekscentrycy lub po prostu mający własny pogląd i gotowi go bronić wbrew większości? Przy

---

[20] W styczniu 1984 r. White wyszedł z więzienia Soledad. Zamieszkał koło Los Angeles, jednak nie mógł wytrzymać presji środowiska, w którym geje odgrywali ciągle kluczową rolę. W październiku 1985 r. popełnił samobójstwo. Już po premierze sztuki Emily Mann życie dopisało do niej nową scenę. https://en.wikipedia.org/wiki/Dan_White (9 V 2018).

skrajnej różnicy postaw konflikt i tragedia w San Francisco były nieuniknione. Zwolennicy anarchicznej i fundamentalistycznej koncepcji wolności nie znajdą pola kompromisu. Co najwyżej, będą w stanie wyprowadzić na ulice swych najgorliwszych zwolenników, by palili samochody policyjne i linczowali odszczepieńców.

Przy narastaniu postaw skrajnych, które się zresztą wzajemnie prowokują, nie widać szansy na pokojowe rozwiązanie sporu. Nie będzie go tak długo, dopóki nie uznamy, że światem społecznym muszą rządzić wartości, co wymaga delikatnego koordynowania elementów wolności i ładu. Jak mówił John H. Hallowell, kluczem do wolności jest uznanie wartości, czyli sumienie. „Liberalizm opierał się (...) na niełatwym kompromisie pomiędzy dwiema sprzecznymi zasadami: ideą autonomii woli i rozumu jednostki oraz koncepcją wyższego porządku"[21]. Inny teoretyk demokratycznego państwa prawa, Yves Simon, dodawał: „okoliczności, które zmuszają, by zasady społeczne, sama ich istota, stały się przedmiotem kontrowersji, stanowią ogromną groźbę dla każdego ustroju, nie tylko demokratycznego"[22].

Dla poszczególnych osób i dla całego społeczeństwa groźny może być nie tylko przymus ze strony większości lub mniejszości. Zwolennicy wolności bez sumienia stać się mogą przecież tak bezwolni, że pójdą za każdym fałszywym prorokiem w rodzaju Jima Jonesa. Bez minimum wspólnych wartości nie uda się ani demokracja liberalna, ani paternalizm. Bez wartości nie ma w istocie różnicy między mniejszościową sytuacją dzieci, strażaków, albinosów, homoseksualistów czy gangsterów, a wszyscy chyba czujemy, że oni się zasadniczo różnią.

PSYCHOLOGIA ZAMIAST WIARY

Wspólnym mianownikiem dominującej we współczesnym świecie „psychologii humanistycznej" jest założenie, że doskonałość człowieka niszczona jest przez oddziaływania społeczne. Psychologia ta uczy odrzucania zewnętrznych ocen i polegania jedynie na własnych odczuciach. Podstawą psychoterapeutyki jest więc bezwzględna samoakceptacja i delegitymizacja poczucia winy. Współczesna psychologia jest więc kolejną pułapką. Zamiast skłaniać do pytań: „jak jest naprawdę?" czy „jaki jest sens tego co doświadczamy?" usiłuje ona odpowiedzieć na pytania: „jak poprawić własne samopoczucie?" lub „czy to zaspokoi moje potrzeby?"[23] Ponieważ zaniedbuje najważniejsze pytania, jej odpowiedzi na te ostatnie są niewystarczające i najczęściej sprzeczne. Współczesne „społeczeństwo psychologiczne" jest święcie przekonane o wyższości rzeczywistości subiektywnej nad obiektywną. Każdy ma tu prawo do własnej racji i dlatego trudno orzec o czyimś błędzie. Profesor katolickiego Institute for Psychological Studies w Arlington, Paul C. Vitz ukuł termin „selfizm", oznaczający kult własnego „ja", który wypływał z ideologii wypracowanych przez Junga i zwolenników „samorealizacji"[24].

[21] Hallowell, *Moralne podstawy demokracji*, s. 73.
[22] Yves Simon, *Philosophy of Democratic Government*, (Chicago 1951), s. 123.
[23] William Kirk Kilpatrick, *Psychologiczne uwiedzenie*, (Poznań: W Drodze, 1997), ss. 55 nn.
[24] Paul C. Vitz, *Psychologia jako religia*, (Warszawa: Oficyna Wydawnicza Logos, 2002).

William Kirk Kilpatrick zauważył, że we współczesnym świecie zachodnim chrześcijaństwo jest wypierane przez psychologię. „W tym, co głosi i robi psychologia, pobrzmiewa pewna chrześcijańska nuta: echo miłości bliźniego jak siebie samego, obietnica osiągnięcia pełni, unikanie osądzania innych"[25]. Psychologia uwodzi jednak słabsze umysły i serca pozorną ścisłością. O ile chrześcijaństwo obiecuje wiele, ale równie wiele wymaga, o tyle psychologia wydaje się czymś dostępnym i bliskim, dziełem ludzi, którzy zgłębili ludzką naturę przy pomocy badań eksperymentalnych i dociekań rozumu. Zwolennicy wiary w psychologię z pewnością nie zetknęli się z większą liczbą psychologów. W przeciwnym razie zauważyliby, jak wielu z nich odważnie lansuje diagnozy i zaleca śmiałe recepty, ale nie potrafi rozwiązać własnych problemów życiowych.

Jednym z ulubionych twierdzeń psychologów współczesnych, chętnie powtarzanych przez kawiarnianą opinię publiczną, jest teza o społecznym pochodzeniu zła. Jakże szlachetnie brzmi opinia, iż przestępcy nie można potępiać, bo jest on w istocie osobnikiem nieszczęśliwym, zarażonym przez społeczeństwo jego wadami! Ktoś miał ojca pijaka i okrutnika, więc jak może odpowiadać za swe czyny? Ktoś inny miał ojca nieudacznika i matkę typu Herod-baba, więc spaczyła go rodzina. Kto jest bez winy, niech rzuci kamieniem, dodaje się przy tym, cytując Ewangelię. Owszem, wszyscy podlegamy wpływom otoczenia, a zwłaszcza rodziny. Jednak tłumaczy to co najwyżej mechanizm przenoszenia wad i grzechów. Nie ma tu jednak automatyzmu. Oczywiście jednym może być trudniej przezwyciężać bagaż złego wychowania, innym łatwiej jest wchodzić w życie z osobowością dojrzałą i odporną na pokusy i złudy. Ale zawsze pozostaje większy lub mniejszy margines wolności wyboru. Ciekawe, że wolności tej nie zauważają zwolennicy psychologii, dla których wolność jest najwyższym celem, dobrem i kryterium oceny. Pytanie, skąd się w społeczeństwie wzięła owa choroba, która zaraża niewinne jednostki oraz jaką ma naturę, nigdy nie pada. Wygląda na to, że wszyscy są chorzy, ale że właściwie choroby nie ma, bo każdy dobrze chce.

Krańcowym przypadkiem wiary w psychologię jest założyciel monopolistycznej światowej sieci telewizyjnej CNN, Ted Turner. Zdumiewa ilość wypowiadanych przez niego głupstw. Powiadał on na przykład, że „chrześcijaństwo jest religią dla pechowców", a Fidel Castro to „fajny gość". Na spotkaniach z różnymi gremiami Turner wygaduje niestworzone bzdury na każdy temat, od emisji dwutlenku węgla, przez zbrodnie talibów, do smutnego losu komunistów, których uznaje za „wymierający gatunek", a więc chciałby ich pewnie otoczyć ochroną. Przygwożdżony w dyskusji potrafi przyznać, że nie chciał nikogo obrazić. „Przepraszałem już każdą chyba grupę ludzi w okolicy", powiada, „mogę przeprosić i pana". Wspomaga na przykład Towarzystwo Ochrony Nietoperzy, program ratowania Wielkiej Rafy Koralowej, Związek Przyjaciół Dzikich Łabędzi, hodowlę żubrów, rozwój ONZ, Inicjatywę Przeciw Zagrożeniu Nuklearnemu, czy stowarzyszenie Matki i Inni na Rzecz Bardziej Przyjaznej Planety. Nad ludźmi pochylał się rzadziej. Osobisty majątek Turnera, obliczany na wiele miliardów dolarów i około miliona hektarów

---

[25] Kilpatrick, *Psychologiczne uwiedzenie*, s. 13.

ziemi w stanach New Mexico, Nebraska, Kansas i Południowa Dakota – razem niewiele mniej niż powierzchnia stanu Delaware, co czyni go największym właścicielem ziemskim w USA – wystarczał na niejedną ekstrawagancję[26].

W „Listach starego diabła do młodego" Clive'a Lewisa wytrawny Krętacz zalecał praktykującemu dopiero w diabelskim rzemiośle Piołunowi: „Rób tak, aby jego umysł nie dojrzał tej prostej antytezy, jaka istnieje pomiędzy Prawdą a Fałszem"[27]. Podobnie diabelskim podszeptem jest mniemanie, że da się wyjaśnić naturę zła przez studia socjologiczne i psychologiczne.

„Jeśli chce się odkrywać nowe światy – pisze Kilpatrick – najlepiej ich szukać poza psychologią. Daje ona złudzenie głębi, lecz przecież takie same złudzenie wywołują umieszczone na przeciw siebie lustra i obawiam się, że psychologia jest jak jedna z tych sal lustrzanych, które spotyka się w lunaparkach. Widać tam nasze odbicia z różnych stron, lecz to jest wszystko, co widzimy. W rzeczywistości sala lustrzana jest tylko niewielkim pokojem, z którego prędzej czy później będziemy musieli wyjść"[28]. Znakomitą puentę dopisał to tych rozważań polski mistrz świata w boksie, Tomasz Adamek. Zapytany, czy nie potrzebuje psychologa, odpowiedział: „Mam Boga. Po co mi psycholog?[29]"

TAK, CZYLI NIE

Ludzie „tego świata" często ignorowali Chrystusową zasadę „Niech wasza mowa będzie: tak – tak, nie – nie"[30]. Ale w świecie współczesnym robi się to w sposób coraz bardziej skomplikowany i wyrafinowany. Dawniej po prostu kłamano lub używano zastępczych sformułowań, które miały zasłonić prawdę. Dialektyka marksistowska zastosowała rewolucyjną metodę odwracania pojęć i relatywizacji zjawisk. „Naukowe" było odwoływanie się do zaklęć ideologów i przywódców żelazną ręką dzierżących władzę. „Dyktatura proletariatu" była po prostu specyficzną formą demokracji. Demokracja „burżuazyjna" była zjawiskiem reakcyjnym, zaś „socjalistyczna" – wyrazem postępu. Przemoc kapitalistów była rzeczą skandaliczną, ale przemoc z rąk rewolucjonistów była działaniem koniecznym, a nawet usprawiedliwionym. Obecnie jest podobnie. Tolerancja ma być akceptacją każdego, nawet najbardziej szkodliwego wyboru człowieka. W tym też duchu, aby dodatkowo znieczulić rozum i sumienie, stosuje się formuły budzące dobre, a nie złe skojarzenia. Eutanazję nazywa się „prawem do dobrej śmierci", a aborcję – „prawem kobiety do wyboru". Ta operacja na języku zgodna jest z teorią Gramsciego, który planował tworzenie „nowego człowieka" przez przezwyciężenie „wyzysku" i „opresji" na polu kultury i moralności.

Schorzenie umysłu i duszy, jakim była tak rozumiana dialektyka, przeniknęło język potoczny ludów molestowanych przez komunistyczną propagandę. Za sprawą

---

[26] Paul Fahri, „Nothing Left But Billions", *Washington Post*, 4 IV 2001 r.
[27] Clive S.Lewis, *Listy starego diabła do młodego*, (Warszawa: Logos, 1998), s. 52.
[28] Kilpatrick, *Psychologiczne uwiedzenie*, ss. 254–255.
[29] „Dzień wielkiej szansy", *Rzeczpospolita*, 17 V 2005 r.
[30] Mt, 5, 37.

„postępowych intelektualistów" trwale odkształciło umysły także na Zachodzie. Dziś przodującą ideologię mieszania ludziom w głowach kontynuują „postmoderniści", którzy względność wszystkiego uczynili naczelną zasadą swej sennej filozofii. Zaraza ta ogarnęła dużą część cywilizacji zachodniej. Nie wiadomo już, czym jest człowiek, kiedy się rodzi i kiedy umiera. Nie wiadomo, co znaczą używane powszechnie słowa. Nie wiadomo więc, czy dzisiejszy terrorysta nie okaże się niedługo godnym zaufania partnerem rokowań, a jego niecne czyny nie będą zreinterpretowane jako jedyny środek prowadzący ku słusznemu w zasadzie celowi. Cóż na to mogą poradzić nieżywe już ofiary owego terrorysty?

W dzisiejszym świecie, obok tradycyjnych celów ludzkich matactw, jakimi były władza i pieniądze, pojawił się z niezwykłą siłą nowy motyw nadrzędny – użycie. Dla przyjemności, wygody lub naturalnej przecież „pogoni za szczęściem", nie tylko akceptuje się wątpliwe moralnie czyny, ale określa się je fałszywymi nazwami. Wielki Brat coraz częściej będzie się już kojarzył z kretyńskim programem telewizyjnym, w którym ludzie o niskiej wrażliwości podglądają straszliwie nudne życie podobnych im ludzi, a coraz rzadziej z książką George Orwella będącą alegorią totalitaryzmu. W programie tym, *notabene*, bardziej od nudy zdumiewające było to, że owi niby naturalni aktorzy udawali do kamery normalność, a widzowie wierzyli, że jest to życie realne. A wszyscy zgodnie nazywali to wszystko *reality show*. Coraz więcej zjawisk tonie w medialnej mgle, coraz więcej spraw określane jest wedle niemieckiego idiomu *jein*, co można by przetłumaczyć jako „tak czyli nie".

Brak konsekwencji i brak refleksji to coraz częściej obserwowana postawa współczesnych „nowoczesnych". Co więcej, postawie tej towarzyszy niechęć do konfrontacji z jakimkolwiek systemem ocen. Każdy ma tu prawo do własnej prawdy, a konsekwencje kolizji tych prawd powierza się co najwyżej sądom, do których i tak mało kto ma zaufanie. Jedynym stałym kryterium oceny jest obrażone ego. Można więc być pewnym, że ktoś, kto zawłaszczył pieniądze publiczne, pozwie do sądu kogoś, kto nazwie owego osobnika złodziejem.

Niedawno ujawnione wyniki badań postaw młodzieży amerykańskiej wobec seksu są niezwykle dwuznaczne. Z jednej strony coraz większa jej część deklaruje wstrzemięźliwość przedmałżeńską, ale z drugiej strony właściwie trudno dociec, jak ją młodzi ludzie definiują. Specyficzna definicja seksu autorstwa Billa Clintona zyskuje bowiem coraz szersze rzesze zwolenników. Taniec i strój zostały tak nasycone *sex appealem*, że aż trudno sobie wyobrazić, że to, co idzie za tym, jest tylko „konsumpcją przez szybę". Mamy więc coraz więcej deklaracji o wstrzemięźliwości, ale wskaźniki ciąży nastolatek wcale nie spadają[31]. Uosobieniem nowej dialektyki w muzyce pop stała się Britney Spears. Tańczyła ona i śpiewała dość wyzywające numery, jak na przykład *I Did It Again* („Znów to zrobiłam"), fotografowała się w negliżu, ale jednocześnie zapewniała, że jest dziewicą.

---

[31] Susan Dominus, „Abstinence Minded", *New York Times Magazine*, 21 I 2001 r.

Simone de Beauvoir i Jean-Paul Sartre w 1955 r. Lewicowi intelektualiści na całym świecie wspierali komunizm i jego ojczyznę – Związek Radziecki; Sartre w szczególności.

Kłamstwo w walce z prawdą i dobrem nie jest zresztą wynalazkiem doby obecnej. Jeden z najbardziej popularnych i szkodliwych pisarzy antykatolickich, autor pornograficznych pamfletów przeciw duchowieństwu i Kościołowi, Gabriel-Antoine Jogand-Pages, znany jako Leo Taxil (1854–1907), dopuścił się nawet pod koniec XIX wieku prowokacyjnego „nawrócenia" i przez kilkanaście lat udawał skruszonego wiernego, by poprzez sensacyjne i zmyślone informacje o masonerii skompromitować katolików[32].

Jest rzeczą zdumiewającą, jakie głupstwa potrafią wypowiadać i wypisywać celebryci „tego świata" oraz jak wiele w tych wypowiedziach jest sprzeczności i jawnych kłamstw. Peruwiański noblista w dziedzinie literatury Mario Vargas Llosa, uszlachcony i obdarzony tytułem markiza przez króla Hiszpanii, jest na przykład wielbicielem Jean-Paul Sartre'a, z którym dzieli relatywizm poznawczy i moralny[33]. Rzecznicy nieograniczonego prawa do aborcji odwracają znaczenia słów. Na przykład Magdalena Środa nazywa obrońców życia „barbarzyńcami", a przeciwników życia – rzecznikami cywilizacji[34]. Zwolennicy prawa do aborcji reagują natomiast histerycznie na kary cielesne wobec dzieci. Krytyka, jaka spadła w Polsce na Zbigniewa Stawrowskiego za jego obronę klapsów[35], wskazuje, że dla tych „obrońców cywilizacji" zło, jakim jest klaps, przewyższa zło, jakim jest zabicie nienarodzonego dziecka. Organizatorki warszawskiej Manify w 2016 roku zdawały sobie sprawę z tego, jak absurdalnie brzmiało ich hasło „Aborcja w obronie życia", tłumacząc, że chodzi o niebezpieczeństwa wynikające dla kobiet z aborcji podziemnej[36]. Absurdu to nie zmienia: zabicie dziecka jest zabiciem dziecka, niezależnie od tego czy dzieje się to w wyspecjalizowanej klinice, czy w podziemiu. Dialog międzykulturowy to w ogóle przykrywka dla rewolucji kulturowej, którą „marksiści kulturowi" konsekwentnie przeprowadzają, głosząc *gender*, aborcję, eutanazję czy kres rodziny. Opanowała ona już niektóre kościoły protestanckie, gdzie „biskupki" lesbijki adoptują dzieci lub „rodzą" je *in vitro*. Czy to jest jeszcze chrześcijaństwo?

Pod pozorem satyry francuski tygodnik *Charlie Hebdo* uprawia niewiarygodne chamstwo słowne i obrazkowe, szydząc ze wszystkiego, co ludziom może być drogie. Po zamachach z września 2001 roku pismo rzuciło się na religie. W bluźnierczy sposób traktowano wszystkich: i Żydów, i muzułmanów, i katolików. Szczytem wszystkiego była okładka z 2012 roku, na której przedstawiono kopulującą Trójcę Świętą. Miała to być zapowiedź artykułu o adopcji dzieci przez homoseksualistów. Wolność słowa wydaje się we Francji świętością i właściwie nie da się wygrać procesu o znieważenie czy naruszenie dóbr osobistych, oczywiście z wyjątkiem sytuacji, gdy ktoś wskazuje na szkodliwość aborcji. Po krwawym ataku na redakcję pisma, w styczniu 2015 roku, prezydent François Hollande nazwał ofiary

---

[32] Grzegorz Górny, „Kulisy masońskiego spisku", *W Sieci,* 15–28 XII 2014 r.

[33] Mario Vargas Llosa, „Czy pałac w Wersalu jest wart więcej niż martwe dziecko", *Rzeczpospolita Plus Minus,* 21–22 X 2017 r.

[34] Magdalena Środa, „Sumienie czyste, czyli nieużywane", *Gazeta Wyborcza,* 21 IX 2016 r.

[35] Zbigniew Stawrowski, „Klaps jako imperatyw kategoryczny", *Rzeczpospolita Plus Minus,* 17–18 IX 2016 r.; Dominik Zdort, „Pobić filozofa", *Rzeczpospolita Plus Minus,* 29–30 X 2016 r.

[36] Dorota Łomnicka, „Feministki w oparach absurdu", *Gazeta Polska Codziennie,* 5–6 III 2016 r.

Okładka francuskiego tygodnika satyrycznego „Charlie Hebdo". Pismo uprawiało radykalną satyrę, bez umiaru szydząc z wielu wartości i narażając się przez to na niechęć rozmaitych środowisk.

zamachu „naszymi bohaterami", a na ulice francuskich miast wyszły setki tysięcy ludzi solidaryzujących się z ofiarami pod hasłami *Je suis Charlie*. W istocie solidaryzowali się oni z chamstwem i bluźnierstwami tygodnika. Czeski filozof Tomáš Halik wyjaśnił jasno, dlaczego nie solidaryzuje się z ludźmi, którzy wprawdzie ucierpieli od barbarzyńskiego ataku, ale są symbolami „dekadencji i cynizmu"[37].

Naczelne hasło, jakie niesie potworny hałas kultury masowej, brzmi "wyluzuj się wobec rzeczywistości". Żadnych sądów i ocen, żadnych ograniczeń. Ważna jest teraźniejszość. Nawet jeśli pachnie ona grozą, ma wyglądać przyjemnie albo ciekawie. Albo choćby „kontrowersyjnie". Dyktatorzy mód na kontrkulturę młodzieżową stali się taką potęgą ekonomiczną, że mogą bez przeszkód kręcić w głowach nowym pokoleniom, propagując ciągle nowe „prowokacje". Światowym

---

[37] Tomáš Halik, „Dlaczego nie jestem Charlie", *Gazeta Wyborcza*, 17–18 I 2015 r.

bestsellerem stała się w 2017 roku książka Sarah Knight *Magia olewania* (w oryginale: *The Life-Changing Magic of Not Giving a Fuck*). Polski wydawca opuścił brzydkie słowo w tytule, ale musiał je przetłumaczyć 732 razy w tekście utworu, którego przesłaniem jest skrajny egotyzm i lekceważenie wszystkiego poza sobą[38].

Kogo interesuje fakt, iż filmy głoszące wartości przyniosły w USA dochód czysty 24 razy większy niż obrazy o nastawieniu antychrześcijańskim?[39] Jeśli prawdą jest, że kultura masowa jest zależna od rynku, a więc w tym przypadku od preferencji widzów, to jak wytłumaczyć ogromne nakłady na filmy stojące w sprzeczności z ideałami chrześcijańskimi? Widać nie chodzi tu tylko o zysk. Obłęd niektórych koncertów rockowych też ktoś lansuje. Choć obłęd nie jest rzeczą przyjemną, mamy zachować wobec niego tolerancję. *Jein*!

PÓŁPRAWDY, „POSTPRAWDY" I KŁAMSTWA

Z marksistowskiej ontologii wynika marksistowska etyka. Skoro dla marksistów nie ma innego bytu niż materialny, twórcą wartości jest człowiek. Zupełnie tak, jak u Maxa Stirnera („Bogiem jestem Ja") lub Friedricha Nietzschego. Moralność to wedle marksistowskiej etyki „zbiór norm, ocen i wzorów postępowania, które regulują lub pretendują do regulowania stosunków między jednostkami, między jednostką a grupą społeczną oraz między grupami społecznymi, które apelują do człowieka jako człowieka lub charakteryzują człowieka jako człowieka, a których respektowanie jest stymulowane oddziaływaniem opinii społecznej"[40]. O naturze i sensie życia człowieka marksizm wypowiada się bowiem bardzo niejasno. Mówi się tam stale o „realizowaniu człowieczeństwa", ale cóż miałoby to znaczyć – nie wiadomo. Czy podobnie mamy oceniać owo „człowieczeństwo" w przypadku Charlesa Mansona i Matki Teresy?

W kwestii dobra i zła „apelowanie do człowieka jako człowieka" nie mówi zgoła nic. Jest to typowe dla marksizmu tłumaczenie nieznanego przez nieznane. Główne tezy marksistowskiej etyki można streścić następująco: 1 – moralność należy do społecznej „nadbudowy", a więc jest zjawiskiem historycznie zmiennym, 2 – w społeczeństwach klasowych moralność ma charakter klasowy, 3 – w różnych kręgach kulturowych zachodzą istotne różnice w normach moralnych, 4 – ostatecznie moralność jest determinowana przez materialne warunki życia[41]. Zdaniem Engelsa, moralność uświęcająca porządek panowania określonej klasy zostaje narzucona całemu społeczeństwu jako ogólnoludzka, tymczasem „od narodu do narodu, od epoki do epoki pojęcia dobra i zła tak bardzo się zmieniały, że często wręcz przeczyły jedne drugim"[42]. Tradycja marksistowska, a za nią cała „etyka niezależna" po dziś dzień przeciwstawiała się i nadal się przeciwstawia etyce uniwersalnej, zakorzenionej w wierze w boską transcendencję.

---

[38] Sarah Knight, *Magia olewania,* (Warszawa: Muza S.A, 2017).
[39] Joanna Petry Mroczkowska, *Amerykańska wojna kultur*, (Warszawa: „Biblioteka Więzi", 2000), s. 182.
[40] *Filozofia marksistowska*, (Warszawa 1975), s. 542.
[41] Tamże, s. 623.
[42] Engels, *Anty-Dühring*, s. 105.

Dla Marksa etyka taka była „zniewoleniem człowieka". Ponieważ, jego zdaniem, nie abstrakcyjne idee moralne, ale „człowiek jest najwyższą wartością dla człowieka", nakazy i zakazy moralne zaliczał Marks do tych zjawisk, przez które „człowiek jest istotą poniżoną, ujarzmioną, opuszczoną i godną pogardy"[43]. Szczególną pogardę okazywali Marks i Engels chrześcijaństwu.

Skoro więc moralność jest dla marksistów zjawiskiem historycznym i klasowo uwarunkowanym, co skłaniałoby ich do odrzucenia takich składników kultury azteckiej jak wyrywanie serc z piersi żywych ofiar na stopniach świątyń, kultury rzymskiej jak walki gladiatorów, czy takich elementów starożytności jak porzucanie dzieci na śmietnikach? Być może nie znali tych praktyk, ale czy coś odrzucało Marksa i Engelsa od takich zwyczajów rewolucyjnych jak ludobójcze mordy na ludności Wandei w 1793 i 1794 r., gdy do ognia wrzucano kobiety z dziećmi na rękach, gdy ćwiartowano „kontrrewolucyjnych bandytów", a ich ciężarnym żonom rozpruwano brzuchy bagnetami? Jak mamy ocenić świadectwo jednego z wodzów rewolucji francuskiej, Antoine Louisa de Saint-Justa, który w raporcie skierowanym w sierpniu 1793 r. do Komisji Środków Nadzwyczajnych napisał: „W Meudon garbuje się ludzką skórę. Skóra ludzka ma konsystencję i jakość lepszą od koźlęcej. Skóra

---

[43] Karol Marks, Fryderyk Engels, *Dzieła,* (Warszawa 1962), t. I, s. 466.

Uczestniczka demonstracji, jaka 4 marca 2012 r. przeszła ulicami Krakowa, przypomina fragment „Psalmu Miłości" poety Zygmunta Krasińskiego. Większość polskiego społeczeństwa nadal przywiązana jest do prawdziwych wartości.

z ciał kobiecych jest bardziej miękka, ale mniej trwała"?[44] Czy więc takie czyny, jak wyżej opisane, należy jedynie uznać za historycznie i klasowo uwarunkowane? Jeśli tak, to co nas od nich uchroni? Moralność historyczna? Praktyka komunizmu pokazała, że etyka marksistowska dostarczała usprawiedliwienia każdej zbrodni w imię „interesu klasowego" lub „obiektywnych praw historii".

Pokazała ona także, że właśnie w dziedzinie postaw moralnych komunizm pozostawił najbardziej trwałe spustoszenia: cynizm, kłamliwość jako wynik odrzucenia pojęcia prawdy, czy też relatywizm, które są plagami elit i społeczeństwa także po upadku systemu komunistycznego. W ramach walki z mową nienawiści niektóre „nowoczesne" kobiety mają zresztą nadzieję, że „szalona religia" antyaborcyjna zniknie z powierzchni ziemi, a jej rzecznicy powieszą się[45]. W wywiadzie dla Bloomberga z 2012 roku George Soros określił się mianem „anioła stojącego na straży ludzkości"[46]. Skoro tak obficie finansował organizacje wspierające aborcję, można by go raczej nazwać „aniołem śmierci".

Wedle programu edukacyjnego *Bildungsplan* w niektórych landach niemieckich uczy się dzieci przedwczesnej aktywności seksualnej, kwestionowania różnic między kobietą i mężczyzną oraz poddawania w wątpliwość własnej płci. Kiedy na to szkodnictwo cywilizacyjne zaprotestowało 200 tysięcy rodziców z Badenii--Wirtembergii, między innymi związanych z organizacją *Familienschutz* (Ochrona Rodziny), środowiska LGBT zaczęły brutalnie i nierzadko wulgarnie atakować organizatorów akcji protestu. Minister edukacji tego landu, Andreas Stoch, nazwał ich „prawicowymi szczurołapami z fundamentalistycznych kręgów religijnych", a bawarskie radio nazwało Gabriele Kuby, znaną krytyczkę *gender*, „zagrażającą demokracji kryptonazistką". Na scenie berlińskiego teatru wystawiono sztukę *Strach*, w której obrończynie moralności seksualnej przedstawiono jako zombie z „nazistowskiej bandy". Ze sceny padły słowa: „Strzelajcie im między oczy, dopiero wtedy będą rzeczywiście martwe". „Nieznani sprawcy" podpalili w Magdeburgu bus organizatorów protestu[47]. Walka z mową nienawiści przypomina komunistyczną walkę o pokój. Trudno powiedzieć, kto ją przeżyje.

Agresja środowisk LGBT nasuwa refleksję o tym, czy ich aktywność rzeczywiście wynika z dążenia do swoiście rozumianego szczęścia. Instytut Gallupa przeprowadził w 1996 r. w USA ankietę, która wykazała silną korelację między subiektywnym

---

44 Wg: Reynald Secher, *Ludobójstwo francusko-francuskie. Wandea – Departament Zemsty,* (Warszawa: Iskry, 2003), s. 154.

45 Mowa o Agacie Bielik-Robson i Joannie Senyszyn. Cytat wg: Michał Łuczewski, „Nowoczesna Zagłada", *Gazeta Wyborcza,* 30–31 VIII 2014 r. Na niebywałe chamstwo i wulgarność „czarnych protestów" polskich feministek zwracała uwagę nawet była działaczka postkomunistyczna Aleksandra Jakubowska, odcinając się też od ich proaborcyjnych obsesji. „Straszliwe chamstwo czarnych protestów. Robert Mazurek rozmawia z Aleksandrą Jakubowską", *Rzeczpospolita Plus Minus,* 12–13 XI 2016 r.

46 Olga Doleśniak-Harczuk, „Alchemik Nowego Wspaniałego Świata", *Gazeta Polska,* 15 VI 2016 r.

47 Magdalena Czarnik, „LGBT kontra rodzina", *Kurier Wnet,* 2016, nr 20.

Dr Gabriele Kuby, niemiecka socjolog i publicystka katolicka krytyczna wobec *gender*, autorka książki „Rewolucja genderowa", współautorka „Dyktatury gender" (Biały Kruk).

poczuciem szczęścia osobistego a poczuciem sensu, jaki daje wiara. Wśród ankieto-wanych zadowolonych z życia było dwukrotnie więcej między ludźmi kierującymi się w życiu motywacją religijną niż wśród tych, którzy do religii nie przywiązywali wagi. Ludzie religijni rzadziej też szukali szczęścia w zachowaniach ekstremalnych. Mniej wśród nich okazało się rozwodników, alkoholików, narkomanów i osób skazanych za różne przestępstwa[48]. A mimo to, współczesny świat lansuje z histeryczną werwą prawo wszystkich do wszystkiego, wolność bez odpowiedzialności, zachcianki jako potrzeby oraz niedyskryminację wszystkich z wyjątkiem obrońców sensu i wartości.

Żyć w prawdzie jest po prostu bezpieczniej. Zauważył to nawet Peter Singer, sławny profesor Princeton University, specjalizujący się w walce o prawa zwie-rząt i w podważaniu wartości życia ludzkiego. Otóż odnotował on przysięgę wy-pracowaną ostatnio przez studentów słynnej Harvard Business School, którzy, najwyraźniej pod wrażeniem załamania się piramid finansowych w rodzaju Ber-narda Madoffa czy Allena Stanforda, pragną zobowiązać się, że będą prowadzić biznes w sposób etyczny. Już 20% studentów-absolwentów harwardzkiej szkoły złożyło taką przysięgę. Singer zadał niezwykle istotne pytanie: czy menadżerowie wielkiego biznesu są zobowiązani do czegokolwiek innego niż dbanie o zyski? Odpowiedź, jakiej udzielił sobie i czytelnikowi Singer, nie jest zbyt jasna. Mimo że sam głosi względność norm moralnych, stanął w opozycji do liberałów go-spodarczych. To im bowiem przypisał pełny relatywizm moralny. Nie zauważył, że Adam Smith czy Milton Friedman podkreślali znaczenie norm moralnych w ży-ciu gospodarczym. Można by się spodziewać, że Singer, który nie wierzy w prawo naturalne, powie: trudno, stałych norm nie ma, wszystko opiera się na prawie dżungli, a w biznesie tym bardziej, więc niech każdy radzi sobie sam. Tymcza-sem czytelnika czeka prawdziwa niespodzianka. Konkluzja Singera jest bowiem taka: gdyby dostateczna część ludzi biznesu pojmowała swój interes w sensie proponowanym przez przysięgę studentów Harvardu, moglibyśmy się doczekać odrodzenia etyki w biznesie. Bardzo dobra konkluzja. Czyżby Singer jednak uznał, że normy moralne nie są czymś względnym? Skądinąd nic o tym nie wiadomo. Wydaje się raczej, że wyznał przez to, że jego własne poglądy są względne: raz takie, raz inne[49]. W dobrą wiarę Singera trudno jednak uwierzyć po lekturze listu profesora prawa Roberta P. George'a, kolegi Singera z Princeton, który wykazał, że w sprawie swojej popularności gotów jest on po prostu kłamać[50].

Pod koniec XX wieku coraz częściej porzucano mity o możliwości zbudowania raju na ziemi, ale próżnię wypełniał relatywistyczny hedonizm. W demokratycznych państwach gospodarki rynkowej, a w ślad za nimi w krajach podlegających trans-formacji ustrojowej i w Trzecim Świecie, rozwijało się zjawisko nazwane przez Zbi-gniewa Brzezińskiego „permisywną kornukopią". Polegało ono na upowszechnieniu w społeczeństwie złudzenia, że wszystko jest osiągalne i dozwolone, że do szczęścia

---

[48] Jerzy Górski, „Kto jest szczęściarzem", *Rzeczpospolita*, 6/7 VI 2000 r.
[49] Peter Singer, „Can Business Be Ethical?", *New Europe*, 28 VI-4 VII 2009 r.
[50] Robert P. George, „Myliłem się co do Petera Singera", *First Things* (wyd. polskie), wiosna 2007, nr 3, s. 508.

Prof. Bogdan Chazan, ginekolog i położnik, niegdyś aborcjonista, teraz zdecydowany obrońca życia poczętego. Za odmowę przeprowadzenia aborcji został usunięty ze stanowiska dyrektora szpitala w Warszawie.

nie jest potrzebny ani przymus, ani poświęcenie. Wolność stawała się celem samym w sobie, zachętą do pogoni za dowolnymi zachciankami. W tych warunkach zanikała potrzeba rozróżniania dobra i zła, zastępowana „moralnością proceduralną", w której ważna jest zgodność lub niezgodność działania z literą prawa. „Permisywna kornukopia" stwarza złudzenie, że jednostka w pełni panuje nad własnym życiem; samozaspokojenie nie jest jednak równoznaczne z samokontrolą"[51]. Różne formy zniewolenia wynikają z materializmu oraz z przedmiotowego stosunku do drugiego człowieka. Wolność bez miłości pcha człowieka ku absurdowi. Świat staje się dwuwymiarowy, bez perspektywy nieskończoności. A przecież świat ma perspektywę. Linie w przestrzeni zbiegają się w pewnym punkcie na horyzoncie.

Skoro jednak nie ma Boga i nie ma żadnej obiektywnej prawdy, nie ma też dobra i zła, bo skąd by się miały wziąć? Wszystkie ludzkie próby nadania sensu światu i życiu okazują się ułomne oraz godne podważenia. Czym jest wobec tego życie człowieka? Przypadkowym pojawieniem się na świecie i równie bezsensownym zniknięciem? Egocentryzm skłania do korzystania z niego i do jego obrony, ale gdy życie przestaje bawić, trzeba z niego zrezygnować. Ale cudze życie? Cóż

---

[51] Termin „permisywna kornukopia" pochodzi od słów *permissive* (ang. dozwalający) oraz *cornu copiae* (łac. róg obfitości). Brzeziński, *Bezład*, ss. 63–72.

nas może obchodzić? Konsekwencją tej sytuacji jest kultura śmierci, o której będzie mowa w dalszej części książki.

„Zabiwszy" Boga człowiek likwiduje obiektywną prawdę, a następnie moralność, stawiając się w roli twórcy samego siebie. Cóż może go powstrzymać przed tworzeniem nowego wspaniałego człowieka, lepszego niż go stworzyła natura? Jedynie ograniczenia techniczne. Wielkie totalitaryzmy XX wieku zaczynały tworzenie nowego człowieka nie od niego samego, ale od całego społeczeństwa. Używały przy tym metody terroru i propagandy. Niezwykły postęp technologiczny przełomu tysiącleci kusi, by w celu zmiany natury człowieka obok bardziej wyrafinowanych metod perswazji zastosować osiągnięcia mikrobiologii i skalpel. Profesor Bogdan Chazan, który dokonawszy pewnej liczby aborcji doszedł, podobnie jak słynny dr Bernard Nathanson, do wniosku, że nie wolno mu brać udziału w procederze będącym zabójstwem, przewidywał, że „za kilka lat, jeśli tego nie zatrzymamy, bogaci ludzie, posługujący się diagnostyką preimplantacyjną, będą mogli zafundować sobie na szkle doskonałe genetycznie potomstwo, które będzie żyło 120, 130 lat i będzie odporne na wszystkie choroby". Nazwał to „genetyczną eugeniką"[52].

KOŚCIÓŁ W POGONI ZA ŚWIATEM

Do niedawna instytucją, która dbała o to, by chroniąc depozyt wiary bronić fundamentów cywilizacji zachodniej, był Kościół. To się jednak zmienia. Rewolucja lat sześćdziesiątych, która nastąpiła niemal jednocześnie z zakończeniem II Soboru Watykańskiego w 1965 roku, przyniosła także erozję Kościoła katolickiego. Chrześcijańskie powołanie do życia prawdą Ewangelii zaczęło ustępować pogoni za rzeczywistością „tego świata" oraz świeckiej ideologii charytatywnej, niszczącej metafizyczny wymiar Kościoła.

Spośród teologów najbardziej aktywnych podczas soboru postacią wyjątkową był Karl Rahner (1904–1984), niemiecki jezuita i filozof, który odnajdował Boga w naturze człowieka. Choć pisma Rahnera są zawiłe oraz nieraz wieloznaczne i nie można ich interpretować zbyt radykalnie, tak czyniło wielu hierarchów sprzyjających „uwspółcześnieniu" Kościoła. Z „nadprzyrodzonego egzystencjalizmu" Rahnera można bowiem wydobyć zarówno to, co zawarte jest w Piśmie Świętym, jak i to, że ludzka rzeczywistość określa zadania Kościoła. Podobnie jest z pojęciem „anonimowego chrześcijaństwa" Rahnera, czyli zbawiającą, choć nieuświadomioną obecnością Boga u ludzi niewierzących[53].

Jedną z najbardziej kontrowersyjnych postaci związanych z II Soborem Watykańskim był abp Annibale Bugnini, przewodniczący Komisji Liturgicznej soboru i współtwórca zmian liturgicznych dokonanych na soborze. Wedle konserwatywnego pisarza brytyjskiego Michaela Daviesa papież Paweł VI wysłał go w 1976 roku do nuncjatury w Teheranie z powodu związków Bugniniego

---

[52] „Myślę o dzieciach, które nie narodziły się przeze mnie. Z prof. Bogdanem Chazanem rozmawia Tomasz P. Terlikowski", *Do Rzeczy,* 11–17 VIII 2014 r., s. 21.

[53] Dariusz Kowalczyk, „Rahner Karl", *Encyklopedia Religia,* t. VIII, ss. 348–351.

Obrady Soboru Watykańskiego II. Spory o interpretacje Vaticanum II trwały aż do pontyfikatu Jana Pawła II.

z masonerią[54]. Przyjaciel i współpracownik Bugniniego, o. Bonifatius Luykx, wspominał, że dla Bugniniego jedyną drogą Kościoła była zgoda na sekularyzację, gdyż taka jest rzeczywistość, a z nią nie da się polemizować, a więc w istocie sądził on, że to świat ma wybierać lub odrzucać Boga, a nie Bóg wybrał sobie ten świat, jak mówi Pismo Święte[55]. „Przez jakąś szczelinę do Świątyni Boga przeniknął dym Szatana (...) Do naszej świadomości dostało się zwątpienie i to przez okna, które miały pozostać otwarte na światło", powiedział w 1972 roku papież Paweł VI. Warto w tym miejscu przytoczyć wyznanie Belli Dodd (1904–1969), amerykańskiej działaczki komunistycznej włoskiego pochodzenia, która

[54] Michael Davies, *Liturgical Time Bomb in Vatican II,* (Tan Books, 2003).
[55] Grzegorz Kucharczyk, „Kryzys wiary – kryzys cywilizacji", *Polonia Christiana*, 2018, nr 62, s. 57.

po powrocie na łono Kościoła oświadczyła, że uczestniczyła z ramienia KP USA w przygotowaniu ponad tysiąca kleryków do podjęcia służby w Kościele katolickim jako agentów komunistycznych[56].

Teologowie, którzy doradzali biskupom podczas II Soboru Watykańskiego podzielili się na dwa obozy. Jeden, skupiony wokół pisma *Concilium*, obejmował uczonych belgijskich i niemieckich, takich jak Rahner, Edward Schillebeeckx i Johann Baptist Metz, drugi zaś związany był z pismem *Communio*, gdzie publikowali miedzy innymi Hans Urs von Balthasar, Henri de Lubac czy Joseph Ratzinger. Teologowie związani z *Concilium* akcentowali związki teologii z socjologią, a nawet niektórymi wątkami filozofii szkoły frankfurckiej. Teologowie *Communio* szukali odpowiedzi na pytania współczesności w Piśmie Świętym, ojcach Kościoła i personalizmie. W pierwszych dwóch dekadach po soborze projekt *Concilium* akcentował potrzebę dostosowania się Kościoła do wymogów nowoczesności. Początkowo chodziło bardziej o formy kultu, ale odejście o dawnych form ułatwiało odchodzenie od wielu istotnych treści kultu. Teologowie *Communio* odnosili się do nowoczesności zdecydowanie bardziej krytycznie. Rzecznicy *Concilium* interesowali się zestawieniem doktryny Kościoła katolickiego z filozofią Kanta, podczas gdy teologowie *Communio* pytali, dlaczego Kościół miałby się przejmować Kantem. Profesor teologii na University of Notre Dame w Australii Tracey Rowland dowodzi związku między teologią *Concilium* a upadkiem Kościoła w Niemczech i Belgii[57]. Spory o interpretacje Vaticanum II trwały też za pontyfikatu Jana Pawła II. Dostrzegał on szatański zabieg przedefiniowania człowieka, traktowania go nie jako osobę żyjącą według tradycji chrześcijańskiej wartościami, ale jako jednostkę kierującą się potrzebami lub wręcz zachciankami, a przez to łatwiej podlegającą manipulacji moralnej. Kryzys na tym tle dotknął już także Kościoła, który zaczął się wyraźnie dzielić na Kościół konformistyczny i Kościół prawdziwej misji[58].

Posoborowy katolicyzm „otwarty" popełnił zasadniczy błąd nie odcinając się od katolickiej lewicy i jej roszczeń w sprawie środków antykoncepcyjnych, homoseksualizmu, wyświęcania kobiet i zniesienia celibatu. Katolicka lewica stała się częścią politycznej i kulturowej lewicy, w istocie swej wyraźnie antychrześcijańskiej. Wkrótce po zakończeniu II Soboru Watykańskiego Jacques Maritain napisał, że był on rezultatem frustracji, rozczarowań, wątpliwości i goryczy związanych z okresem międzywojennym, z II wojną światową i postępami komunizmu oraz że podyktowały one postawę „klękania przed światem". Punktem przełomowym była encyklika Pawła VI *Humanae vitae*, w której bronił on tradycyjnej moralności seksualnej.

---

[56] Cyt. wg: Roberto de Mattei, „Odbudowa jest możliwa?", *Polonia Christiana*, 2018, nr 62, s. 61; Bella V. Dodd, *School of Darkness*, (New York: P.J. Kennedy and Sons, 1954), dostępna pod: http://genus.cogia.net (26 X 2018).

[57] „Teologia się liczy. Rozmowa ks. Tomasza Jaklewicza z Tracey Rowland", *Gość Niedzielny*, nr 1 z 7 I 2018 r., ss. 36, 37.

[58] „Batalia o seksualność. Z ks. dr hab. Robertem Skrzypczakiem rozmawia Tomasz P. Terlikowski", *Do Rzeczy*, 11–17 V 2015 r.

W reakcji na tę encyklikę wielu biskupów po prostu się pogubiło[59]. Na przykład biskupi niemieccy przyjęli w 1968 roku „deklarację z Königstein", a biskupi austriaccy „deklarację z Mariatrost", w których to dokumentach niedwuznacznie stwierdzili, że encyklika nie była oznaką Bożej opieki nad Kościołem, ale dowodem niezrozumienia przez papieża „potrzeb współczesnego człowieka". Biskupi pozostawili sumieniu wiernych ocenę, czy i jak stosować środki antykoncepcyjne. W 2008 roku kard. Christoph Schönborn nazwał te deklaracje „dwoma wielkimi grzechami"[60]. Szczególną rolę w dechrystianizacji Niemiec odegrał teolog Hans Küng. Wywiad z nim ujawnia nie tylko dziwaczne poglądy tego teologa, ale także jego próżność i megalomanię. Oskarżył on Jana Pawła II o inkwizytorskie rządy, co miało się wiązać z losami jego ojczyzny, Polski – kraju uciemiężonego przez sąsiadów. Papież Wojtyła miał się rzekomo wychować w paradygmacie „średniowiecznym", „kontrreformacyjnym" i „niechętnym nowoczesności". Küng pragnął ponadto, by „islam odstąpił od zajmowanej obecnie fatalnej pozycji obronnej". Nadal uważa się za katolika, bo ani mu w głowie „utożsamiać rzymski personel naziemny z Duchem Świętym"[61].

Dechrystianizacja Holandii jest w sporej mierze dziełem wspomnianego Schillebeeckxa i prymasa Holandii Bernarda Alfrinka, który także odciął się od encykliki *Humanae Vitae* Pawła VI[62].

Innym zagrożeniem Kościoła od wewnątrz stała się latynoamerykańska „teologia wyzwolenia" łącząca katolicyzm z rewolucją klasową. Jeszcze innym problemem jest radykalny feminizm skłaniający niektóre zakonnice i świeckie katoliczki, szczególnie w Ameryce i Niemczech, do żądania prawa sprawowania kapłaństwa. Zagrożenia te wynikają głównie z szybkości i głębokości przemian cywilizacyjnych w II połowie XX wieku – otwarcia się i umasowienia biednych społeczeństw Trzeciego Świata oraz zmian w sytuacji prawnej i ekonomicznej kobiet. Napór problemów „tego świata" na doktrynę katolicką wyraża się szczególnie silnie w kwestii regulacji urodzin. Jak nigdy przedtem, Kościół musi też określić swe stanowisko wobec mnogości nowych problemów etycznych rodzących się z postępu medycyny, jak coraz powszechniejsze przyzwolenie na aborcję, eutanazję i antykoncepcję czy eksperymenty genetyczne. Istotnym czynnikiem współczesnej erozji chrześcijaństwa jest „popgnoza" i New Age.

Poza przyczynami zewnętrznymi w stosunku do Kościoła wydaje się, że po Vaticanum II nie do końca przemyślano w nim mechanizmy rządzące współczesnym światem i „podjęto dialog" ze zjawiskami, z którymi należałoby walczyć, a otwierając się wpuszczono te zjawiska do środka. Jednym z podstawowych, a słabo

---

[59] Richard J. Neuhaus, „The persistence of the Catholic Moment", *First Things*, February 2003, nr 130, ss. 26–30.

[60] „Humanae Vitae and Catholicism in Germany. Conversation by Jan Benz and Marie Meaner", *National Catholic Register*, http://www.ncregister.com/daily-news/humanae-vitae-and-catholicism-in-germany (16 V 2018).

[61] „Spowiedź heretyka", *Frankfurter Rundschau*, 18 XII 2004 r., za: *Forum*, 10–16 I 2005 r., ss. 32–35.

[62] Grzegorz Górny, Krzysztof Jędrzejczak, „Pustynia niderlandzka", http://www.rp.pl/artykul/835811-Pustynia-Niderlandzka.html (6 III 2018).

rozeznanych mechanizmów jest sposób kształtowania opinii i komunikowanie we współczesnym świecie. Dawniej opinię tę kształtowała rodzina, szkoła i środowisko społeczne, dziś na pierwszym miejscu trzeba wymienić masowe media i Internet, a dopiero dalej rodzinę i szkołę. Tytaniczną próbę wykorzystania współczesnych środków komunikacji społecznej dla umocnienia fundamentów doktryny podjął papież Jan Paweł II przy pomocy kard. Ratzingera, który został jego następcą, ale wydaje się, że wraz z abdykacją tego ostatniego Kościół zaczął podlegać dalszej erozji.

Ferment w Kościele polega więc głównie na pogoni za tym światem. Niektórzy kapłani starają się, jak mówi Alain Besançon, „być miłym dla wszystkich i niczego od nikogo nie wymagać. Ludzie Kościoła są do tego stopnia tolerancyjni, że admirują wszystkie religie – z wyjątkiem własnej"[63]. Rozchodzące się drogi Kościoła i katolicyzmu liberalnego usiłował połączyć papież Jan Paweł II w encyklikach *Veritatis splendor* oraz *Fides et ratio*, ale dziś widać, że katolicy „otwarci" otwierają wrota Kościoła dla poglądów niezgodnych z Ewangelią lub wykazują zdumiewające przyzwolenie dla zła. „To miły, spokojny, mądry człowiek. Diabeł wchodzi zupełnie innymi drzwiami, a nie przez zespół Behemoth", powiedział ks. Adam Boniecki, broniąc Nergala, wokalistę tego zespołu, który na koncercie podarł z wściekłością Biblię, wołając do publiczności: „żryjcie to g…"[64]. Propaganda LGBT ucieka się do najbardziej przewrotnych metod, a ludzie Kościoła dają się wciągać w inicjatywy, które mu nie służą.

W lecie 2016 roku na polskich ulicach pojawił się plakat z napisem „Przekażmy sobie znak pokoju" pokazujący uścisk dłoni dwóch osób: geja z tęczową opaską i katolika z różańcem. Przekaz ten idealnie mieszał dwie płaszczyzny miłości chrześcijańskiej: szacunek do osoby i sprzeciw wobec jej grzechu, sugerując, że miłość oznacza bezwarunkową akceptację tego ostatniego. Akcję poparły rzekomo katolicki „Tygodnik Powszechny", a także redaktorka naczelna miesięcznika „Znak" Dominika Kozłowska, siostra Małgorzata Chmielewska, Halina Bortnowska i ks. Andrzej Luter. Tymczasem, komentując swoją akcję, aktywistka LGBT Marta Abramowicz stwierdziła, że kampania ma na celu „zmianę od środka Kościoła rozumianego jako wspólnota wiernych. Liczymy na rewolucję wiernych"[65].

Jedną z głównych przyczyn poważnego kryzysu w Kościele stały się w ostatnich latach skandale obyczajowe z udziałem wpływowych księży czy biskupów. Przykładów takich szkód, jakie Kościołowi wyrządzili niemoralni kapłani i hierarchowie „zamiatający sprawy pod dywan", było ostatnio bardzo wiele. Wystarczy przypomnieć sprawę Legionu Chrystusa i o. Marciala Maciela Degollado, abp. Józefa Wesołowskiego, księży i biskupów irlandzkich lub diecezji bostońskiej w USA. Są one oczywiście energicznie wykorzystywane przez wrogów Kościoła,

---

[63] „Islam to brzmi groźnie. Z Alainem Besançon rozmawia Roman Graczyk", *Gazeta Wyborcza*, 15/16 IV 2000 r.

[64] Marta Jeżewska, „Przystanek Woodstock – profanują krzyż", *Gazeta Polska Codziennie*, 3–4 VIII 2013 r. Jeśli istotnie to tylko artystyczna poza Nergala, to dlaczego oparta jest na kłamstwie i nienawiści?

[65] Marzena Nykiel, „Fałszywy znak pokoju", *W Sieci*, 26 IX-2 X 2016 r., ss. 37–39.

Uczestnicy Ogólnopolskiego Marszu w Obronie Wolnych Mediów domagają się wolności słowa dla katolików w krajowych mediach.

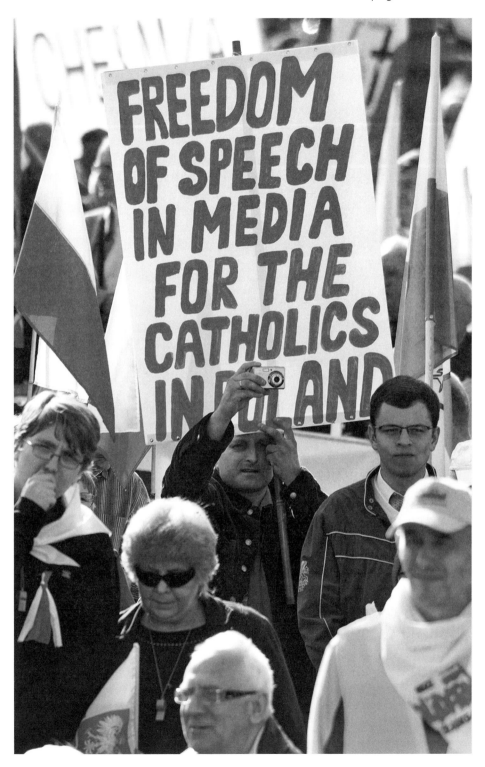

ale nie sposób nie odnieść wrażenia, że opieszałe i często połowiczne reakcje szkodzą Kościołowi w równym stopniu, co same przestępstwa duchownych. Brak reakcji jest wynikiem mylnego przekonania, że milczenie wystarczy, by uniknąć skandalu, a w jakiejś mierze także wynikiem nadmiernego „otwarcia się" niektórych hierarchów na ten świat lub wręcz uwikłania w przestępstwa seksualne.

Można podać wiele przykładów wychodzenia Kościoła na przeciw opiniom i standardom dominującym w zachodniej sferze publicznej kosztem doktryny. Ekumeniczna postawa wielu hierarchów Kościoła idzie często w kierunku relatywizmu. Po głośnym chrzcie Magdi Allama niektórzy teologowie i kapłani krytykowali papieża Benedykta XVI, a po wystąpieniu tego ostatniego w Ratyzbonie papieża skrytykował też rzecznik prasowy kard. Jorge Mario Bergoglio, ówczesnego arcybiskupa Buenos Aires, ks. Guillermo Marcó[66]. Kard. Reinhard Marx stwierdził niedawno, że „to nie moralność jest istotą Ewangelii". Były generał zakonu dominikanów o. Timothy Radcliffe, którego papież Franciszek mianował konsultorem Papieskiej Rady Iustitia et Pax, zachęcał do „większej otwartości" ludzi Kościoła wobec homoseksualistów[67]. Wiosną 2017 roku szef zarządu instytucji zarządzającej belgijskimi szpitalami Braci Miłosierdzia, Raf de Rycke, oznajmił, że zabijanie chorych pacjentów w ramach eutanazji nie jest sprzeczne z etosem Braci Miłosierdzia. „Chcemy – powiedział – by nasi pacjenci mieli możliwość wyboru opcji: pro-life albo eutanazji"[68].

W 2017 roku zawieszono na Katolickim Uniwersytecie w belgijskim Louvain zajęcia filozofa Stéphane Merciera, który wykładał katolicki stosunek do aborcji jako zabijania dziecka nienarodzonego. „Światowe potęgi i siły ciemności są na wojnie ze wszystkim, co prawdziwie chrześcijańskie", ocenił ten krok uniwersytetu Mercier. Doradca rektora tej uczelni do spraw „równości płci", Tania van Hemelryck, potwierdziła, że uniwersytet opowiada się za prawem kobiet do zabijania płodu[69]. Opór przeciwników aborcji trwa i jednoczy tysiące ludzi, między innymi w takich organizacjach jak amerykańska New Wave Feminists, ale opinia publiczna z trudem przyjmuje ich argumenty i tylko z rzadka przesuwa się na stronę obrońców życia[70].

Puszkę Pandory otworzył papież Franciszek adhortacją *Amoris laetitia* z kwietnia 2016 roku, niejasno formułując stosunek Kościoła do statusu małżonków rozwiedzionych według prawa cywilnego, a przez to otwierając wątpliwości co do nierozerwalności małżeństwa[71]. Wykorzystali to natychmiast skrajnie liberalni hierarchowie. W 2017 roku jeden z biskupów irlandzkich zaproponował, by w IX Światowym Spotkaniu Rodzin wzięły także udział pary homoseksualne, gdyż

---

[66] Tomasz P. Terlikowski, „Przyjaciele islamu", *Wprost,* 5 X 2008 r., s. 102; http://eponymousflower.blogspot.com/search/label/Father%20Guillermo%20Marco (23 I 2018).

[67] Tomasz P. Terlikowski, „Homohereza ma się dobrze", *Do Rzeczy,* 25–31 V 2015 r.

[68] Tomasz P. Terlikowski, „Antychrześcijańska dyktatura", *Do Rzeczy,* 8–14 V 2017 r.

[69] Tomasz P. Terlikowski, „Siły ciemności na uniwersytecie", *Gazeta Polska,* 5 IV 2017 r.

[70] Krokiem w tym kierunku był przegłosowany minimalną większością w kwietniu 2017 roku w Senacie USA wniosek, by poszczególne stany mogły cofnąć federalne dofinansowanie klinik aborcyjnych Planned Parenthood. Wiktor Młynarz, „Waszyngton zagłosował za życiem", *Gazeta Polska Codziennie,* 3 IV 2017 r.

[71] Tekst polski znaleźć można pod: http://w2.vatican.va/content/francesco/pl/apost_exhortations/documents/papa-francesco_esortazione-ap_20160319_amoris-laetitia.html (18 V 2018).

„żyjemy w zmieniających się czasach i zmienia się także rodzina"[72]. Kiedy w lipcu 2017 roku niemiecki Bundestag uchwalił zrównanie praw zwykłych małżeństw z „małżeństwami" homoseksualnymi, przewodniczący Konferencji Episkopatu Niemiec, kard. Marx stwierdził, że to „żaden przełom"[73]. Dla rosnącej części wiernych sposób, w jaki papież radzi sobie ze skandalami obyczajowymi w Kościele, jest co najmniej wątpliwy. Według badań Pew Research Center, w ciągu ostatnich czterech lat negatywne opinie w tej sprawie wzrosły z 15 do 36% amerykańskich respondentów[74].

Sytuacja papieża Franciszka jest co najmniej dziwna. Według ks. Roberto Rigolego i belgijskiego kardynała Godfrieda Danneelsa abdykacja papieża Benedykta XVI była wydarzeniem bez precedensu w historii Kościoła. Papież Ratzinger nie zrezygnował bowiem z tradycyjnego białego stroju, a w formule rezygnacji znalazły się słowa o rezygnacji z posługi, a nie z urzędu. Wygląda więc na to, że mamy w istocie dwóch papieży. Co się za tym kryje – trudno powiedzieć, ale sytuacja ta daje powody do różnych spekulacji. Kard. Danneels ujawnił, że od 1996 roku spotykała się w szwajcarskim St. Gallen grupa hierarchów, którym nie podobał się umiarkowanie zachowawczy kurs Jana Pawła II i pragnęli jego zmiany, wspierając już wtedy kandydaturę arcybiskupa Buenos Aires Jorge Bergoglio. W tym kontekście przypomniano przepisy konstytucji apostolskiej Jana Pawła II *Universi Dominici gregis* z 1996 roku, w której papież zakazał pertraktacji w sprawie wyboru następcy za życia papieża[75]. Trudno powiedzieć, jak potoczy się ewolucja Kościoła katolickiego, ale wspomniane fakty napawają poważnymi obawami.

W pogoni za światem kościoły protestanckie zaszły jeszcze dalej. Na początku XXI wieku amerykański kościół luterański, zrzeszający około 2,5 miliona wiernych, zgodził się na wyświęcanie homoseksualnych kapłanów i „kapłanek" oraz błogosławienie „małżeństw" osób tej samej płci, przekreślając dwa tysiące lat chrześcijańskiej tradycji w tej sprawie[76]. Kościół anglikański debatuje już nad kwestią błogosławienia par tej samej płci, czego domaga się grupa OneBodyOneFaith[77]. Propaganda LGBT sięga obszarów dotąd zupełnie nieoczekiwanych. Po ogłoszeniu zaręczyn brytyjskiego księcia Harry'ego i Meghan Markle pod koniec 2017 roku proboszcz anglikańskiej katedry NMP w Glasgow, Kelvin Holdsworth stwierdził, że chrześcijanie winni modlić się, by syn brata Harry'ego, księcia Williama, i księżnej Kate, mały George, został „pobłogosławiony miłością młodego dżentelmena", gdyż wówczas sytuacja homoseksualistów w kościele anglikańskim uległaby poprawie[78]. Trudno się dziwić, że tysiące wiernych anglikańskich usiłuje odnaleźć ortodoksję chrześcijańską w Kościele katolickim. Czy jednak na długo?

---

[72] „O tempora, o mores!", *Sieci*, 23–29 X 2017 r.

[73] Grzegorz Kucharczyk, „Wrogie przejęcie", *Do Rzeczy*, 2–8 X 2017 r., ss. 56–59.

[74] http://www.pewforum.org/2018/10/02/confidence-in-pope-francis-down-sharply-in-u-s (26 X 2018).

[75] Grzegorz Górny, „Klucze do Królestwa", *Sieci*, 23–29 X 2017 r., ss. 62–63.

[76] Robert Benne, „Reinventing Sexual Ethics", *First Things*, March 2002, nr 121, ss. 11–13.

[77] Justyna Majewska-Michy, „Church of England biblijną Sodomą?", *Polonia Christiana*, nr 63, lipiec-sierpień 2018, ss. 23–25.

[78] „By George był gejem", *Sieci*, 11–17 XII 2017 r.

Taniec śmierci na XVI-wiecznym drzeworycie Hansa Holbeina Młodszego. Motyw ten, często stosowany w dawnej sztuce, wyrażał równość wszystkich ludzi wobec śmierci.

Rozdział 9. Cywilizacja śmierci

SPORY WOKÓŁ POJĘCIA

Wielkim problemem współczesnej cywilizacji zachodniej jest jednoczesne usuwanie śmierci z pola refleksji moralnej oraz negatywny stosunek do życia. Jak zauważyła Thérèse Delpech, „Usuwanie śmierci ze świadomości społeczeństw zachodnich jest tym, co najbardziej uderza ich najzaciekłejszych przeciwników"[1]. Ponieważ dla luminarzy tej cywilizacji życie straciło sens, należało też zbanalizować także śmierć, tak by nie rozważać jej w kategoriach ostatecznych. Pojęcie „cywilizacji śmierci" lub „kultury śmierci" pojawiało się już wcześniej lub wynikało z dzieł myślicieli, takich jak Friedrich Nietzsche, Martin Heidegger, Jean-Paul Sartre czy Emil Cioran. Było wręcz osnową różnych odmian nihilizmu. W nowym, krytycznym znaczeniu użył tego terminu papież Jan Paweł II w encyklikach *Centessimus annus* (1991) oraz *Evangelium vitae* (1995). Papież świadomie zderzył w tych pismach termin „kultura", rozumiany w kontekście ludzkiej godności, z kryzysem kultury zachodniej, w której dominuje podważanie sensu życia i społeczne przyzwolenie na jego niszczenie.

Jan Paweł II ukazał genezę „kultury śmierci" jako efekt „sceptycznej postawy wobec samych fundamentów poznania i etyki", co „sprawia, że coraz trudniej jest zrozumieć w pełni sens istnienia człowieka, jego praw i obowiązków". Wskazał też najgłębszy sens kościelnej nauki o moralności seksualnej: „Zarzuca się Kościołowi, że w rzeczywistości sprzyja rozpowszechnianiu się przerywania ciąży, ponieważ uparcie obstaje przy swojej nauce o moralnej niegodziwości antykoncepcji (…) Być może wielu ludzi rzeczywiście stosuje środki antykoncepcyjne po to, by nie narazić się później na pokusę aborcji. Jednakże antywartości wszczepione w „mentalność antykoncepcyjną" – która jest czymś zupełnie odmiennym od odpowiedzialnego ojcostwa i macierzyństwa (…) – sprawiają, że ta właśnie pokusa staje się jeszcze silniejsza, jeżeli dojdzie do poczęcia „niechcianego" życia. W istocie kultura proaborcyjna jest najbardziej rozpowszechniona w środowiskach, które odrzucają nauczane Kościoła o antykoncepcji". Wśród „haniebnych" wykroczeń przeciw życiu ludzkiemu papież wymienił zabójstwo, ludobójstwo, spędzanie płodu, eutanazję i samobójstwo, a także wszystko, co narusza godność ludzką, a więc na przykład niewolnictwo, prostytucję, handel żywym towarem, deportacje czy arbitralne aresztowania. „Kulturze śmierci" sprzyjają też takie zjawiska, jak mentalność antykoncepcyjna i aborcyjna, eugenika czy też zamaskowane formy eutanazji[2].

---

[1] Delpech, *Powrót barbarzyństwa w XX wieku*, s. 29.
[2] Jan Paweł II, *Evangelium vitae,* 11 i 13–16.

Krytyka, jaka spotkała papieskie wypowiedzi o „kulturze śmierci", dowodzi tylko, jak zasadnicze są różnice w podejściu do świata zwolenników antropologii ograniczonej i nieograniczonej. Niejaki Thomas W. Clark, wicedyrektor Institute for Naturalistic Philosophy w Cambridge, Massachusetts, stwierdził na przykład, że głównym problem jest w podejściu papieża chęć „zewnętrznej kontroli" nad ludzkim postępowaniem, w tym zwłaszcza ograniczania wolności kobiet do użycia środków antykoncepcyjnych lub aborcji. „Ta 'Ewangelia życia' – napisał Clark – przybierając maskę moralnego kazania, utrwala jedynie patriarchat ograniczający kontrolę kobiet nad niechcianą ciążą"[3]. W Polsce zaś Leszek Nowak stwierdził, że wywód papieża, jest niezgodny z „podstawowymi wartościami liberalnego kapitalizmu, a co ważniejsze – z tendencjami do dalszej demokratyzacji, zdrowego sceptycyzmu, a przede wszystkim pluralizmu światopoglądowego, jakie w jego ramach obserwujemy"[4]. Znany z niewyparzonego języka Jan Hartman uznał termin „cywilizacja śmierci" za „niekulturalny" wobec ludzi inaczej myślących, a nawet „chamski"[5]. Uwagi te w małym stopniu dotykają istoty sprawy, a więc tego, jak rozumie się ludzkie życie – czy jako zadanie pochodzące od Stwórcy, czy jako przedmiot dowolnej obróbki samego człowieka. Wydaje się więc, że istnieje niewielka szansa porozumienia między tymi dwiema postawami, a wypada żałować, że postawa druga jest najczęściej wyrażana poprzez uniki, sofizmaty, gołosłowne oskarżenia, a nawet obelgi.

ARCHITEKCI KULTURY ŚMIERCI

Określenie „kultura śmierci" budzi opory zwolenników „społeczeństwa otwartego" lub „liberalnej demokracji", a więc pojęć jeszcze bardziej umownych i zawierających sprzeczne nieraz treści. Jednak określenie użyte przez polskiego papieża ma treść realną. Wiele znanych postaci z historii myśli zachodniej ostatnich trzech stuleci głosiło bowiem poglądy, które kwestionowały sens ludzkiego życia. Amerykańscy etycy Donald de Marco i Benjamin D. Wiker nazwali tych myślicieli „architektami kultury śmierci"[6]. W galerii tych postaci nie zabrakło Schopenhauera, Galtona, Haeckla, Darwina, Marksa i Comte'a. W XX wieku w tym zbiorze tylko przybywało głośnych postaci. Znaleźli się wśród nich „poszukiwacze przyjemności" z Freudem i Reichem na czele, a także apologeci aborcji, ateistyczni egzystencjaliści z Sartre'em na czele, propagatorzy seksu i „sprzedawcy śmierci".

Wśród apologetów aborcji szczególne miejsce zajmuje Margaret Higgins Sanger (1879–1966). Była siódmym z jedenaściorga dzieci katoliczki oraz fanatycznego

---

3   Thomas W. Clark, „Thou Shalt Not Play God", https://www.thefreelibrary.com/Thou+shalt+not+play+God.-a017100237 (26 V 2018).

4   Leszek Nowak, „Na skroś mitów naszych", *Przegląd,* 15 II 2004 r.

5   „Słowa Jana Pawła II o 'cywilizacji śmierci' uznane za 'chamskie', Onet.pl, 24 IX 2009 r., http://archive.is/k6sEX#selection-591.0–591.64 (26 V 2018).

6   Donald de Marco, Benjamin D. Wiker, *Architekci kultury śmierci*, (Warszawa: Fronda, b.r.w.).

Papież Jan Paweł II (1920–2005) w swoim nauczaniu zawsze stanowczo sprzeciwiał się cywilizacji śmierci. Tu podczas pracy w swoim watykańskim gabinecie.

socjalisty i wolnomyśliciela, który w dodatku miał kłopoty finansowe i tyranizował rodzinę. Sanger nie ukrywała, że warunki panujące w domu wpłynęły na jej postawę życiową. Rodziny wielodzietne kojarzyły się jej bowiem z biedą i prostactwem, małe zaś rodziny wydawały się wzorem porządku i dostatku. Po wyjściu za mąż za architekta weszła w radykalne środowisko nowojorskie i zetknęła się z ruchem „wolnej miłości" anarchistki Emmy Goldman. Jako pielęgniarka z zawodu poznała różne metody zapobiegania ciąży i stała się gorliwą propagatorką swobody seksualnej. W 1914 roku zaczęła wydawać pismo *The Woman Rebel* pod hasłem „Żadnych Bogów! Żadnych panów!" Pomstowała w nim na kapitalizm i religię oraz lansowała wyzwolenie seksualne kobiet. Odeszła od męża, zostawiła dzieci i stała się erotomanką. Uruchomiła też szeroko zakrojoną akcję na rzecz „kontroli urodzeń", najpierw w postaci Narodowej Ligi Kontroli Urodzeń, potem Federacji Kontroli Urodzeń Ameryki, a końcu, od 1942 roku – Federacji Planowanego Rodzicielstwa Ameryki (*Planned Parenthood Federation of America*). Współpracowała w niej z aktywistami eugeniki i propagowała wolny dostęp do środków antykoncepcyjnych i aborcji. Twórcami organizacji Planned Parenthood byli zresztą jawni rasiści, tacy jak Clarence C. Little, Havelock Ellis czy twórca pojęcia „podczłowiek" Lothrop Stoddard. Jej losy osobiste stały się zaprzeczeniem wyznawanej ideologii hedonistycznej: przygnębiona upływem czasu, ekscesami seksualnymi, alkoholem i środkami przeciwbólowymi, zmarła w wykwintnym domu opieki społecznej. Sanger była nie tylko zwolenniczką eugeniki, ale także zdeklarowaną rasistką. O australijskich Aborygenach pisała z nieukrywaną pogardą: „im dalej w dół skali rozwoju się posuwamy, tym mniej znajdujemy tam kontroli nad popędem seksualnym. Mówi się, że Aborygen australijski, najniżej rozwinięty gatunek rodzaju ludzkiego, znajdujący się ledwie jeden stopień powyżej szympansa w rozwoju mózgu, ma tak mało kontroli nad swym popędem, że tylko władze policyjne potrafią go powstrzymać przed zaspokajaniem potrzeb seksualnych na ulicy"[7].

Inną głośną propagatorką aborcji była Judith Jarvis Thomson (ur. 1929). Jej katolicka matka zmarła, gdy Judith miała sześć lat, a ojciec, pochodzący z rodziny rabinów, ożenił się powtórnie, co miało niewątpliwy wpływ na wychowanie dziewczyny. Po ukończeniu studiów na uniwersytecie Columbia rozpoczęła karierą akademicką, uzyskując posadę profesora filozofii na MIT w Bostonie. W latach 1992–1993 była prezydentem American Philosophical Association. Ogromny rozgłos zdobył jej artykuł *A Defense of Abortion* („Obrona aborcji"), opublikowany w 1971 roku, w którym powierzchownie i emocjonalnie rozprawiła się z koncepcją początku życia w momencie zapłodnienia oraz dowodziła, że płód jest częścią ciała kobiety, wobec czego ma ona prawo dowolnego rozporządzania tym płodem. Użyła przy tym między innymi argumentu, że „świeżo zagnieżdżona zbitka komórek tak samo nie jest osobą, jak żołądź nie jest dębem". Oto próbka stylu tego artykułu: "Budzisz się rano i stwierdzasz, że leżysz w łóżku z nieprzytomnym skrzypkiem. Sławnym nieprzytomnym skrzypkiem. Stwierdzono, że ma on nieuleczalną

---

[7] Margaret Sanger, *What Every Girl Should Know,* (New York: Belvedere Publishers, 1980), s. 40.

chorobę nerek, a Towarzystwo Miłośników Muzyki przekopało wszystkie rejestry i stwierdziło, że tylko ty masz grupę krwi, która może go uratować. Porwali cię więc, a poprzedniej nocy jego system krwionośny podłączono do twojego, tak aby twoje nerki mogły czyścić jego krew, tak jak czyszczą twoją (...) Odłączenie ciebie oznacza jego śmierć. Ale nie martw się, to tylko przez dziewięć miesięcy. Do tej pory on wyzdrowieje i będą cię mogli bezpiecznie odłączyć". Ta grafomańska metafora, sugerująca, że ciąża jest wynikiem przypadku i braku świadomości kobiety, posłużyła do umocnienia argumentacji, iż płód jest częścią ciała kobiety.[8].

Najbardziej bodaj żałosną filozofią XX wieku były poglądy Jean-Paula Sartre'a (1905–1980), zwane egzystencjalizmem. Sartre był dzieckiem epoki nihilizmu i w licznych swych dziełach drążył tylko bezsens świata i braki własnej jaźni, wmawiając przy okazji sobie i innym, że trzeba się angażować w sprawy tego świata, choć nie bardzo wiadomo, jak i po co. Właściwie na wszystko potrafił powiedzieć tylko „nie". W złodzieju nazwiskiem Jean Genet, który zasłynął jako pisarz, widział i świętego, i komedianta, i męczennika. Zbrodnię wychwalał jako formę czystości moralnej. Komunizm wychwalał po to, by go potem krytykować. „Piekło to inni", powiadał, choć w bełkotliwym samouwielbieniu wciągał sam ich w to piekło niewiary, względności i pozorów. W pracy „Byt i nicość" z 1943 roku nakreślił sytuację w której się rzekomo znajdujemy w „samoświadomości" żyjącej w świecie przedmiotowym jako „byt dla siebie" kontra „byt w sobie". Jest rzeczą doprawdy zdumiewającą, że ten niezbyt urodziwy, ale uwodzicielski, odurzony alkoholem i narkotykami, ale przemądrzały i agresywny człowiek potrafił swoimi bełkotliwymi wywodami zaczarować francuskie elity umysłowe. Poglądy Sartre'a zatruły bowiem elitę intelektualną Francji na całe pokolenia. Był też oczywiście zwolennikiem aborcji, apologetą nicości wiodącej do samobójstwa. Jego uczniami duchowymi pozostawali postmoderniści w rodzaju Rolanda Barthesa, Gilles'a Deleuze, Jacques'a Derridy, Michela Foucaulta czy Jacques'a Lacana. Za trumną Sartre'a szło 30 tysięcy żałobników, choć jego dziedzictwo umysłowe to wypalona pustynia[9].

Do kategorii „poszukiwaczy przyjemności" zaliczyć można Helen Gurley Brown (1922–2012). „Niezawodną oznaką, że ktoś reprezentuje 'kulturę śmierci' jest to, że bierze przywary za cnotę"[10]. W ślad za Nietzschem, który wychwalał rozkosz, żądzę władzy i samolubstwo, Gurley Brown uznawała wprost seks, pieniądze i sukces za najwyższe dobra. W wieku 40 lat, w 1962 roku, opublikowała ona książkę *Sex and the Single Girl* („Seks i singielka"), która rozeszła się w gigantycznym nakładzie dwóch milionów w ponad 30 krajach i sprzedaje się nadal w kolejnych wydaniach. Apelowała w niej o uwolnienie samotnych dziewcząt od wszelkich zahamowań seksualnych. Książka stała się dla niezamężnych dziewcząt tym, czym Hugh Hefner i *Playboy* stał się dla mężczyzn. Gurley Brown zrodziła „Cosmo girls" i w 1965 roku stanęła na czele magazynu *Cosmopolitan*,

---

[8] Judith J. Thomson, „A Defense of Abortion", *Philosophy and Public Affairs*, 1971, nr 1, ss. 47–66.

[9] De Marco, Wiker, *Architekci kultury śmierci*, ss. 167–179; Roger Scruton, „Prorok destrukcji", *The Spectator*, 25 VI 2005 r., za: *Forum*, 19–25 VI 2005 r., ss. 42–45.

[10] De Marco, Wiker, *Architekci kultury śmierci*, s. 237.

lansującego podobne wzorce kulturowe. Cechą odwróconych wartości Gurley Brown była oczywiście jej propaganda aborcji.

Ważnym propagatorem eugenicznych metod regulacji populacji był Clarence Gamble (1894–1966), dziedzic fortuny związanej z koncernem produkującym kosmetyki Procter and Gamble. Wierzył on głęboko, że „każde dziecko powinno być dzieckiem chcianym", a jednocześnie propagował sterylizację w celu „ocalenia ludzkości od szkodliwej płodności". Szczodrobliwy ten bogacz uzurpował sobie prawo do decydowania kto może żyć, a kto nie powinien, oczywiście dla dobra ludzkości. „Dotychczas – pisał – głównym celem narodów była sama liczba obywateli. Zgodnie z poglądem nowego świata celem ma być zwiększenie jakości jego obywateli"[11]. W 1947 roku założył Ligę Ulepszania Ludzkości Północnej Karoliny (*Human Betterment League of North Carolina*), a w 1957 roku – Fundusz Zwiadowczy (*The Pathfinder Fund*), zajmujący się „zdrowiem reprodukcyjnym", czyli kontrolą urodzeń. Gamble szczególnie interesował się rozwojem tanich środków antykoncepcyjnych dla ludzi biednych i niewykształconych.

W przeciwieństwie do Margaret Sanger, Alan Guttmacher (1898–1974) był wykształconym ginekologiem. Pochodził z rodziny reformowanego rabina, lecz dość wcześnie porzucił wiarę i doszedł do wniosku, że wszelkie prawa stanowione przez człowieka są względne. Nie widział więc powodu, by powstrzymywać się przed obalaniem kolejnych tabu w odniesieniu do manipulowania seksualnością. Postęp w nauce chciał wykorzystać do zupełnego oderwania płodności od aktu seksualnego i do zamknięcia go w laboratorium. Oburzał go fakt, że wiele kobiet zachodzi w ciążę wcale tego nie chcąc, a wiele innych nie może mieć dzieci. Zachowując pozory konserwatyzmu w obronie małżeństwa, głosił jednocześnie tezę o nieszkodliwości promiskuityzmu. Był przy tym gorliwym adwokatem aborcji. Umierając triumfował ze względu na wyrok w sprawie Roe vs Wade, legalizujący aborcję w całych Stanach Zjednoczonych.

Symbolem ciągłości teorii eugenicznej w XX wieku był niemiecki profesor medycyny i gorliwy wyznawca polityki eugenicznej, Eugen Fischer (1874–1967). Badacz ten, dziś rzadko przypominany ze względów politycznej poprawności, był nestorem antropologii niemieckiej, formułując czysto rasistowskie tezy, między innymi w oparciu o badania głów wymordowanych przez Niemców w Namibii Hotentotów i ludu Herero. Opowiedziawszy się po stronie Hitlera, piastował stanowisko rektora Uniwersytetu Humboldta, dając „naukową" podbudowę teorii rasizmu i gloryfikując tępienie „ras niższych". Warto zapytać, dlaczego Fischer po II wojnie światowej nie został poddany denazyfikacji i w 1952 roku został honorowym członkiem Niemieckiego Towarzystwa Antropologicznego. Najwyraźniej eugeniczny akord wybrzmiewał jeszcze w Niemczech długo po wojnie[12].

---

[11] Tamże, ss. 313–315.
[12] http://www.estherlederberg.com/Eugenics%20(CSHL_List)/Eugen%20Fischer.html (23 I 2018).

Friedrich Nitzsche (1844–1900), niemiecki filozof i pisarz. Był ostrym krytykiem chrześcijaństwa, propagował egoizm, siłę i nihilizm, a człowieka uważał za drapieżnika.

Ludzie popełniali samobójstwo od najdawniejszych czasów. Dopiero jednak w drugiej połowie XX wieku pojawiły się próby organizowania samobójstw w skali społecznej. Jednym z pierwszych rzeczników samobójstwa jako „drogi wyjścia" był brytyjski dziennikarz Derek Humphry, założyciel Towarzystwa Cykuty (*Hemlock Society*) i autor bestsellerowej książki *Final Exit* (*Ostateczne wyjście*)[13]. Pod wpływem lektury tej pracy samobójstwo popełniło wiele osób, które przedtem cierpiały co najwyżej na przeciętne problemy życiowe. Pod wpływem mrocznej psychiki tego autora samobójstwo popełniły też obie jego żony, z tym, że pierwszej, Jean Crane, w tym właściwie pomógł.

Ogromny rozgłos zdobył w USA Jack Kevorkian (1928–2011), zwany „doktor Śmierć", z niezwykłą gorliwością pomagający swoim pacjentom umierać. „Prawo do godnej śmierci" posunął on do granic horroru. Kevorkian robił wrażenie, jakby najlepiej wiedział, kto i kiedy powinien skończyć życie. Wytoczono mu zresztą sprawę o współudział w zabójstwie, gdy okazało się, że kobieta, której „pomógł" odejść z tego świata, nie była w ogóle chora, a tylko wyczerpana nerwowo oraz uzależniona od narkotyków i alkoholu. Odsiedział osiem lat w więzieniu, ale poglądów nie zmienił. Kevorkian na swój sposób chciał „pokonać śmierć". Stwierdził na przykład, że Chrystus zmarłby naprawdę „godną śmiercią" nie na krzyżu, ale w szpitalu, otoczony „kochającymi go" ludźmi, którzy podaliby mu truciznę[14]. „Oswajając" śmierć, Kevorkian naprawdę odbierał jej także prawdziwe znaczenie.

Obok „popularnych" rzeczników samobójstwa jako „samowybawienia" pod koniec XX wieku pojawił się też akademicki teoretyk zabijania w postaci Petera Singera, urodzonego w Australii profesora etyki na uniwersytecie Princeton. Odrzucając chrześcijaństwo jako „najbardziej antropocentryczną religię, jaką widział świat" i afirmując ruch ekologiczny, broniący „ekosystemów naszej planety" przed działalnością człowieka, a także „ruch wyzwolenia zwierząt" z lat siedemdziesiątych i postęp w poznaniu psychiki ssaków naczelnych, Singer zrelatywizował różnicę między osobą ludzką i innymi postaciami świadomego życia, by stwierdzić, że prawo do życia jest także względne. Sformułował parę „nowych przykazań", takich jak „uznaj, że wartość ludzkiego życia się zmienia" czy „nie dyskryminuj na podstawie przynależności do gatunku", otwierając drogę do przyzwolenia na zabijanie jedynie wedle ustalonych arbitralnie reguł, które mogą się zmieniać[15]. Publicysta *Washington Post* określił książkę Singera *O życiu i śmierci* (*Rethinking Life and Death*) "mapą drogową jazdy po najciemniejszej drodze ku moralnej ślepej uliczce"[16].

---

[13] Derek Humphry, *Final Exit,* (New York: Dell, 1991). Polskie wydanie *Ostateczne wyjście,* (Gdynia: Stamari, 1993) na szczęście nie zrobiło takiej kariery.

[14] Carol J. Castaneda, „Kevorkian Extends Suicide String", *USA Today,* 16 II 1993 r.; Paweł Burdzy, „Doktor Śmierć się zbliża", *Życie,* 7 I 1998 r.

[15] Peter Singer, *O życiu i śmierci. Upadek etyki tradycyjnej,* (Warszawa: PIW, 1994), ss. 189–201 i 208–225.

[16] Opinia wg: Richard John Neuhaus, „Public Square", *First Things,* June-July 2004, nr 144, s. 82.

Jack Kevorkian (1928–2011), amerykański lekarz nazywany „Doktorem Śmierć", który uczestniczył w eutanazji co najmniej 130 osób. Wiele razy oskarżany o zabójstwo, tylko raz został skazany na więzienie.

Postacie w tej galerii wykazują pewne cechy wspólne. Najczęściej odrzucali pojęcie Boga i skupiali się na sobie. Wszyscy usiłowali znaleźć punkt wyjścia dla swych koncepcji w założeniu nieistnienia Boga, nie zauważając, że jest to akt wiary, a nie efekt działania rozumu. Losy tych postaci były na ogół dość tragiczne. Szukając szczęścia oraz sensu świata i życia ludzkiego, „architekci kultury śmierci" starali się najczęściej przezwyciężyć swoje własne problemy psychiczne, a odrzucając Boga tylko grzęźli w sprzecznościach i dowodzeniu bezsensowności świata i siebie samych. Trudno nie zauważyć, że ich dekonstrukcyjne idee i działania wypłynęły na współczesne koncepcje postmodernistycznego bezsensu i chaos myślowy, będący widoczną oznaką kryzysu świata zachodniego. Norweska noblistka w dziedzinie literatury z 1928 roku, kiedy jeszcze nagrodę tę przyznawano sensownie, Sigrid Undset, słusznie stwierdziła, że współczesny człowiek Zachodu jest sam „architektem swych nieszczęść"[17].

JAKOŚĆ ŻYCIA

W pogoni za szczęściem człowiek Zachodu coraz częściej chce je zmierzyć. Zapewne w tym celu statystycy ukuli terminy „indeks rozwoju człowieka" lub „jakość życia". W tym pierwszym przypadku porównuje się dochód, warunki zamieszkania, stan środowiska naturalnego, dostęp do wykształcenia, poziom bezpieczeństwa i inne czynniki, które zdaniem fachowców wpływają na jakość życia człowieka. To drugie pojęcie obejmuje zazwyczaj zdrowie, powodzenie zawodowe i rodzinne, a także szereg innych czynników, najczęściej materialnych. Brytyjski tygodnik *The Economist* opracował nawet w 2005 roku „wskaźnik jakości życia" (*Quality of Life Index*) mający odzwierciedlać poziom życia i satysfakcji życiowej mieszkańców. Wzięto w nim pod uwagę sytuację materialną mierzoną poziomem PKB na osobę, oczekiwaną długość życia, stabilność i bezpieczeństwo osobiste, jakość życia rodzinnego mierzoną wskaźnikiem rozwodów na tysiąc mieszkańców, życie wspólnotowe mierzone przynależnością do wspólnot religijnych lub członkostwa w masowych organizacjach, klimat, bezpieczeństwo zatrudnienia, wolność polityczną i równość płci. W notowaniach tych najlepiej wypadła w 2005 roku Irlandia, Szwajcaria, Norwegia, Luksemburg, Szwecja i Australia, a najgorzej: Zimbabwe, Haiti, Tanzania, Nigeria, Tadżykistan, Uzbekistan i Rosja[18].

Przyzwyczailiśmy się już do określenia „jakość życia" i używamy go często bezwiednie, tak jakby o wartości życia człowieka decydowała jego jakość. Różnica jakości życia człowieka w porównaniu z towarem polega na tym, że na ogół człowiekowi nie przypisuje się ceny. Tak czyniono w czasach niewolniczych, a i niedawno ktoś wyliczył, ile wart jest surowiec, z którego zbudowany jest człowiek – woda, wapń, węgiel i inne pierwiastki. Na szczęście obliczanie ceny człowieka jest obecnie zjawiskiem marginalnym, choć czasem słyszymy z ust cyników, że każdy na swoją cenę, a więc, że za określone – mniejsze lub większe – wartości pieniężne każdego można skłonić do działań, także niemoralnych.

Pojęciem „jakości życia" szermują zwłaszcza zwolennicy dopuszczalności aborcji i eutanazji. Bardzo łatwo sięgają oni po argument, że w określonych warunkach – na przykład w przypadku ciąży związanej z gwałtem, nieuleczalnej choroby lub nieznośnych cierpień – jakość życia swojego lub cudzego uznajemy za tak niską, że można je przerwać. Pół biedy, kiedy dopuszcza się, by o tej jakości decydował sam zainteresowany, gorzej, gdy ma o tym decydować ktoś inny, jak w przypadku tak zwanej eutanazji niedobrowolnej, dość częstej na przykład w Holandii[19]. Nawet jednak w tym pierwszym przypadku nie da się ukryć, że sami oceniamy jakość

---

[17] Cyt. wg: De Marco, Wiker, *Architekci kultury śmierci*, s. 387.

[18] *The Economist. The World in 2005*, ss. 1–4.

[19] Ryszard Fenigsen, *Eutanazja. Śmierć z wyboru?* (Poznań: W Drodze, 1994).

swego życia bardzo różnie, często pod wpływem jakichś konkretnych wydarzeń, zaś po jakimś czasie mamy na ten temat zupełnie inne zdanie.

Problem tkwi jednak nie w tym, jak różnie oceniamy swe życie lub czy jest nam dobrze czy źle, ani nie w tym, że poczucie szczęścia jest subiektywne, ale w tym, jakie kryteria oceny bierzemy pod uwagę. Sam wybór tych kryteriów ma bowiem zasadniczy wpływ na ocenę naszego położenia. Zauważmy, jakie życzenia składamy sobie przy różnych świątecznych okazjach. Najczęściej są to życzenia zdrowia i powodzenia materialnego. Dodajemy do tego czasem, że wszystko inne przyjdzie, jeśli będzie zdrowie i pieniądze. Są to naturalnie bardzo istotne wyznaczniki naszego powodzenia, ale jeśli stawiamy je zbyt jasno na pierwszym miejscu, może się okazać, że nic innego nas nie będzie obchodzić. Popularne porzekadło mówi, że „lepiej być pięknym, bogatym i młodym niż brzydkim, biednym i starym". Może i przyjemniej, ale czy lepiej? Otóż to – pojęcie „jakości życia" jest współczesnym zawołaniem cywilizacji hedonistycznej, pozorującym troskę o szczęście, a faktycznie przesłaniającym sens ludzkiej egzystencji.

Sens życia nie da się bowiem zamknąć w wąskim pojęciu jego jakości. Czy mamy przyjąć, że życie osób biednych lub cierpiących nie ma sensu? Jeśli swe życie ograniczamy do doczesności, to być może trudniej jest znaleźć wtedy sens życia. Ale jak ustalić granicę nieszczęścia, poza którą życie nie miałoby wówczas sensu? Jeśli wyznacznikiem sensu życia ma być jego jakość, granice te będą bardzo ciasne. Sami zresztą zwolennicy aborcji i eutanazji nie wykazują się zbytnią konsekwencją, gdy, słusznie zresztą, pochylają się nad losem osób niepełnosprawnych i chlubią się walką o ich prawa oraz poprawę warunków życia. Mimo to strach pomyśleć, jakie mogą być praktyczne efekty troski o „jakość życia", jeśli człowiek opanuje genetykę. Pisał o tym obszernie Francis Fukuyama[20]. Z jednej strony może to pomóc w leczeniu niektórych strasznych chorób, ale czy zagrożenia płynące z dążenia do podnoszenia „jakości życia" nie okażą się większe? Gdyby móc wpłynąć na urodę, talenty, zdrowie, cóż powstrzyma rodziców przed inżynierią genetyczną swych dzieci? Ludzie produkowani wedle założonych standardów jakości – to może być już niedaleka przyszłość. Czy będą szczęśliwsi od dzisiejszych – można wątpić. Czy będą lepsi od dzisiejszych – raczej nie.

Jak bowiem ocenić jakość życia ludzi, którzy dążeniem do władzy chcą przygłuszyć swe kompleksy lub młodych, urodziwych dziewcząt, które głodzą się w przekonaniu, że są za grube, albo popełniają samobójstwo z powodu hejtu w sieci. Niech mi wolno będzie odwołać się tu do osobistego wspomnienia o poznanej kiedyś w Rzymie amerykańskiej studentce, obdarzonej pięknym głosem i ładną buzią, ale niewidomej. Pamiętam, jak dzielnie radziła sobie w życiu codziennym, zawsze uśmiechnięta, pisząc na komputerze z taśmą Braille'a, zamawiając taksówkę czy rozprawiając o muzyce i podróżach. Pewnego dnia pojechała sama na plażę do Ostii. Po powrocie zapytałem ją, jak było. „Pięknie" odpowiedziała. Trudno mi zrozumieć jej odczuwanie piękna, ale mam wrażenie, że jest ono znacznie głębsze od większości ludzi widzących.

---

[20] Francis Fukuyama, *Koniec człowieka,* (Kraków: Znak, 2004), ss. 271 nn.

Myśląc o jakości życia mierzonej poziomem cholesterolu we krwi, wysokością zajmowanego stanowiska lub rozmiarem konta bankowego, możemy nie zauważyć, nawet podczas egzotycznej wyprawy za granicę, piękna krajobrazu lub małego, zdeptanego kwiatka pod nogami ani nie docenić ciepłego słowa przyjaciół lub bezinteresownego uścisku osoby kochanej. Możemy nie przeżyć radości, jaką daje dawanie.

FILOZOFIA TAJGETEJSKA

Jednym z najważniejszych dylematów przełomu XX i XXI wieku są kwestie moralne związane z rosnącymi możliwościami medycyny ingerowania w podstawy życia oraz w ogóle stosunkiem do życia ludzkiego wynikającym z „permisywnej kornukopii". Problemy eutanazji, aborcji, kary śmierci, transplantacji organów, inżynierii genetycznej czy zapłodnienia poza ustrojem dzielą dziś opinię społeczną bardziej niż dawne spory ideologiczne. Nie można przy tym twierdzić, że są to „problemy zastępcze". Istota tych sporów polega bowiem na zasadniczych różnicach w odpowiedzi na pytanie o istotę człowieczeństwa, a także na trudności oddzielenia sfery moralnej od prawnej.

Mimo postępów medycyny w ratowaniu i przedłużaniu życia, zagrożeniem cywilizacji jest darwinizm społeczny, czyli pogląd, że w walce o przeżycie lub w dążeniu do szczęścia ważne są osobniki najsilniejsze, a społeczeństwo może i powinno się uwalniać od jednostek słabych i nieużytecznych. Pogląd ten można też nazwać za holenderskim lekarzem Ryszardem Fenigsenem, „filozofią tajgetejską", od nazwy góry Tajgetos, na której porzucano w Sparcie „wybrakowane" noworodki[21]. Współczesny kult zdrowia i szczęścia rozwija się na przekór zasadom moralnym akceptowanym dotąd w świecie rozwiniętej cywilizacji.

Historia pełna jest zabijania i okrucieństw. Ale to dopiero XX wiek przyniósł solidne, „naukowe" podstawy teorii wyboru, kto ma żyć, a kto nie. To teoretycy walki klas i czystości rasowej stworzyli podwaliny pod praktykę państwowego systemu mordowania w Rosji Radzieckiej, Trzeciej Rzeszy i Chińskiej Republice Ludowej. Choć eksplozja inżynierii społecznej w wydaniu nazistowskim i komunistycznym odchodzi w przeszłość, pozostało jednak swoiste promieniowanie tła, które wypełnia świat i podtrzymuje w nim potencjał energii planowego zabijania.

Systemy demokratyczne różnią się pod wieloma względami od totalitarnych, niemniej poglądy i postawy ludzi żyjących we współczesnych demokracjach noszą często wyraźne cechy owego promieniowania. Sytuacja ta ma trzy główne przyczyny. Pierwszą z nich jest hedonizm i darwinizm społeczny. O ile teorie nazistowskie czy komunistyczne zakładały uszczęśliwianie człowieka przez kolektyw, o tyle obecnie obserwujemy narastającą iluzję indywidualnego „raju na ziemi", przy czym współczesny kult zdrowia i szczęścia rozwija się często na przekór

---

[21] Fenigsen, *Eutanazja. Śmierć z wyboru?*, s. 13–22.

Marylin Manson, amerykański wokalista znany z upodobania do makabry. W teledyskach umieszcza sceny gwałtu, poćwiartowane zwłoki i inne potworności.

zasadom moralnym uznawanym dotąd w świecie chrześcijańskim. Ceną tego kultu jest podważenie absolutnej wartości życia ludzkiego. Coraz częściej przyjmuje się, że życie człowieka ma sens jedynie wówczas, gdy towarzyszy mu sukces, tężyzna i zaspokojenie. Dzieci nienarodzone, kalecy, ludzie upośledzeni, starzy, lub chorzy zasługują na mniejszą uwagę, a coraz częściej pojawiają się osoby uznające się za uprawnione do decydowania o ich życiu. Od współczucia dla cierpienia łatwo przechodzi się do przyzwolenia na selekcję osób, które zasługują na dalszą egzystencję lub nie.

Drugą przyczyną oswajania się współczesnego człowieka z wyborem śmierci jest degradacja kultury masowej. Choć występują w niej bardzo różne prądy i tematy, ale zdumiewać w niej musi zakres tolerancji dla czynnego nihilizmu. Masowa widownia bez zmrużenia oka przyjmuje filmy, w których zabijanie jest przedstawiane jako czynność warunkująca osiągnięcie celu. W popularnych filmach akcji scenariusz zakłada najczęściej konieczność zabicia „niesłusznego" przeciwnika. Nie podda się on, aż w końcu zostanie fizycznie unicestwiony. Konieczność zabicia potęguje tu fakt, że ów przeciwnik jest istotnie paskudny, toteż widz utożsamia się w pełni z zabójcą. Wstręt i nienawiść do człowieka to coraz częściej tematy muzyki popularnej. Jej niektóre gwiazdy wydają potworny hałas, wykrzykują bluźnierstwa i nawołują do zadawania bólu i śmierci. Jak zrozumieć cywilizację, w której w masowym nakładzie publikuje się wywiad z muzykiem norweskiego zespołu *black metal* o nazwie Satyricon, umalowanym na podobieństwo diabła z jasełek, który mówi: „Wyglądam odpowiednio do tego, jaki jestem. Nienawidzę ludzi i chciałbym, żeby cierpieli w okrutny sposób". Lista podobnych zespołów jest długa: norweskie grupy Venom, Meyhem, Burzum, Emperor i Celtic Frost, polski Behemoth oraz, być może najsłynniejszy z nich, Marylin Manson, którego lider uwielbia brać udział w zdjęciach pornograficznych, a w teledyskach umieszcza sceny gwałtu, poćwiartowane zwłoki i inne potworności[22].

Trzeci powód, dla którego współczesna cywilizacja coraz częściej godzi się z wyborem śmierci, to, jakkolwiek paradoksalnie to zabrzmi, postęp medyczny. W jego wyniku mamy do czynienia ze skomplikowanymi dylematami, których nie daje się często rozwiązać na gruncie dotychczasowej moralności. Postęp medycyny w ostatnich dziesięcioleciach umożliwił przedłużanie niektórych funkcji życiowych organizmu, mimo iż inne ustały, jak się wydaje, nieodwracalnie. Chodzi o tak zwaną „śmierć mózgową", a więc sytuację, w której mózg uległ zniszczeniu w sposób nie rokujący rzekomo większej nadziei na odzyskanie świadomości. Definicja „śmierci mózgowej" (*brain death*) została opracowana w 1968 roku przez tak zwaną Komisję Harwardzką na zlecenie środowisk transplantologicznych. Chodziło o zastąpienie dotychczasowej definicji opartej na zaprzestaniu funkcjonowania układu oddechowego i krążeniowego, gdyż uniemożliwiała ona przeszczepy serca. Tymczasem około 70% pacjentów, u których stwierdzono „śmierć mózgową" daje się jednak przywrócić do życia przy zastosowaniu różnych terapii. Definicję harwardzką obalił niedawno wybitny lekarz amerykański Robert

---

[22] Rafał Geremek, „Ciemna strona mocy", *Życie*, 14/15 III 1998 r.

Troug[23]. Tymczasem ze względu na potrzeby pobierania organów do przeszczepów podtrzymuje się wątpliwość, czy człowiek pozbawiony jakoby szansy na odrodzenie czynności mózgu może być uznawany za żywego. Powstał więc problem praktycznego wyboru, jaki moment uznajemy za śmierć, oraz pytanie, czy zasada ratowania życia w każdej postaci nie powinna ustąpić jakiejś ocenie zakresu funkcji organizmu, stanu świadomości i szans na odzyskanie tych przymiotów życia.

Innym przykładem praktycznej realizacji teorii wyboru, kto ma żyć a kto nie, są zasady eugeniki wprowadzone drogą ustawodawstwa państwowego w Danii w 1929 r., Finlandii w 1933 r., Norwegii w 1934 r. i Szwecji w 1935 r. Od tej pory ofiarą przymusowej sterylizacji padło 60 tysięcy Szwedów, 11 tysięcy Duńczyków i 40 tysięcy Norwegów uznanych przez władze za nieuprawnionych do posiadania dzieci[24]. Podobne zasady obowiązują w amerykańskim stanie Indiana i szwajcarskim kantonie Vaud. W latach siedemdziesiątych przymusową sterylizację stosowano wobec Cyganów w komunistycznej Czechosłowacji, a obecnie zdarzają się takie zabiegi w odniesieniu do umysłowo chorych w Austrii. Zasady eugeniki wprowadzano metodami jak najbardziej „naukowymi". W Szwecji zajmował się tym na przykład państwowy Instytut Biologii Rasowej, powstały w 1922 r., a w Niemczech – podobna placówka założona sześć lat później. W rezultacie prac Instytutu rozwinięto socjaldemokratyczne ustawodawstwo szwedzkie z 1935 r. Naukowa wartość analiz, które prowadziły do decyzji o przymusowej sterylizacji była podobna. Niedawno ujawniono, że w Szwecji pozbawiano prawa do rodzenia kobiety najbiedniejsze, samotnie wychowujące dzieci lub zachowujące się w „wyzywający" sposób[25]. Socjalistyczna „troska" o szczęście całego społeczeństwa przeważyła więc i tu nad prawami poszczególnych osób.

Ogromne zamieszanie panuje w kwestii ochrony życia poczętego. Ścierają się tu sprzeczne koncepcje człowieczeństwa i różne ideologie prawnicze. Ustawodawstwo w tej kwestii jest bardzo zróżnicowane i często niekonsekwentne. W niektórych krajach płód ma prawo do dziedziczenia majątku, ale jego życie nie jest chronione. Spory wokół prawa do usuwania ciąży mają najczęściej bardzo emocjonalny charakter. Obrońcy życia oraz mniej lub bardziej konsekwentni zwolennicy „filozofii tajgetejskiej" szczególnie ostro ścierają się w kwestiach najtrudniejszych: czy odebranie życia jest w ogóle dopuszczalne oraz co stanowi wyróżnik osoby ludzkiej. Dopuszczalność aborcji zestawia się z dopuszczalnością kary śmierci, przy czym stronom na ogół brakuje konsekwencji. Zwolennicy dopuszczalności aborcji często nie godzą się na karę śmierci i na odwrót. W kwestii istoty początku i końca życia istnieją oczywiście wątpliwości. Nie dla wszystkich jest jasne, że początkiem życia jest zapłodnienie. Niektórzy wolą przyjmować arbitralnie drugi lub trzeci miesiąc ciąży i nie przyjmują argumentu, że płód już jest osobą o odrębnym kodzie genetycznym, której życie należy chronić. Nie ma też zgody

---

[23] Grzegorz Górny, „Czy śmierć mózgowa to fikcja? *W Sieci,* 28 VII -3 VIII 2014 r.; Singer, *O życiu i śmierci. Upadek etyki tradycyjnej,* ss. 31–47.

[24] Nathan Gurfinkel, „Gdzie są dzieci z tamtych lat", *Rzeczpospolita,* 19 IX 1997 r.

[25] „Rasowa higiena", *Życie,* 28 VIII 1997 r.; „Wszyscy maja trupa w szafie. Wywiad z Maciejem Zarembą", *Gazeta Wyborcza,* 26 VIII 1997 r.

co do istoty śmierci, co jest szczególnie ważne przy moralnej ocenie rezygnacji z podtrzymywania funkcji życiowych osób znajdujących się w stanie śmierci mózgowej. Problem polega jednak na tym, że wątpliwości te zwolennicy filozofii tajgetejskiej rozstrzygają z zadziwiającą gorliwością na rzecz prawa do śmierci, a nie na rzecz prawa do życia[26]. Choć niektóre religie Wschodu oraz ideowe prądy współczesności głoszą taki pogląd, życie nie jest abstrakcją, jest realnością, zarówno życie każdego z nas, jak i życie każdego innego człowieka. Zamazywanie realności życia, jak również przykładanie różnych miar do życia własnego i cudzego prowadzą do tego samego – do pogardy dla życia.

Nie da się ukryć, że etyka lekarska przeżywa kryzys. Wraz z postępem medycznym zanika wrażliwość moralna lekarzy. W niektórych krajach zajmują się oni nie tylko ratowaniem życia i zdrowia, ale także decydowaniem o czyjejś śmierci. Mało kto już pamięta, że większość lekarzy składała kiedyś przysięgę Hipokratesa, a jeszcze mniej pamięta, na czym ona polega. Pewna niemiecka posłanka do Parlamentu Europejskiego oświadczyła w 2008 roku, że delegalizacja aborcji cofnęłaby nas do lat sześćdziesiątych. Warto by jednak cofnąć się o 2 400 lat i zacząć znów poważnie traktować przysięgę Hipokratesa. Tymczasem współczesna cywilizacja zachodnia odwraca się od niej oraz od zasady pomocy człowiekowi w potrzebie, wikłając się w sprzecznościach moralnych. Mimo że holenderski kodeks karny nadal przewiduje kary za nieudzielenie pomocy osobie znajdującej się w niebezpieczeństwie utraty życia, w lutym 1993 r. parlament Holandii uchwalił dopuszczalność eutanazji. Nie wzięto w ogóle pod uwagę, że różnica między "eutanazją dobrowolną", a "niedobrowolną" jest bardzo płynna, a także, iż ta ostatnia, nazywana także "kryptanazją", jest w istocie zabójstwem. Ustawa nie była zresztą wynikiem żadnego spisku prawników, ale odbiciem szerokiej opinii publicznej. W 1986 r. 76% Holendrów popierało eutanazję dobrowolną, a 33% – nawet niedobrowolną. Trudno mieć złudzenia co do demokracji, w której "wszyscy mają prawo głosować, ale nie wszyscy mają prawo żyć"[27].

ZABIJANIE DLA WYGODY

Podczas jednej z dyskusji panelowych na temat bioetyki, Richard John Neuhaus zapytał laureata Nagrody Nobla Jamesa Watsona o kwestie moralne związane z Projektem Ludzkiego Genomu (*Human Genome Project*). W odpowiedzi usłyszał, żeby się o to nie martwił, gdyż w projekcie są przeznaczone grube miliony dolarów na opłacenie „najlepszych, dostępnych etyków"[28]. Okazuje się więc,

---

[26] Przegląd różnych stanowisk filozoficznych w kwestii ochrony życia znaleźć można w: John Mahoney SJ, „Bioetyka i wiara: początek życia", *Znak* 1991, nr 10 (437), s. 15–30; Marian Grabowski, „W obliczu ludzkiego początku", tamże, s. 31–46; Stanisław Grygiel, „Tożsamość poczętego dziecka", tamże, s. 47–59; Zbigniew Stawrowski, „Rozmowa o aborcji", tamże, s. 60–67; „Czym jest zarodek. Przegląd stanowisk filozoficznych", tamże, s. 68–73.

[27] Fenigsen, *Eutanazja*, ss. 48 i 121. Por. też: „Euthanasia. To Cease upon Midnight", *The Economist*, 17 IX 1994 r., ss. 21–25.

[28] Richard John Neuhaus, „The Public Square", *First Things*, 2005, nr 5, s. 66.

że poziom etyczny zależy od ilości pieniędzy, które się wydaje na „ekspertów" w tej dziedzinie. Tymczasem większość z wysoko opłacanych ekspertów staje na głowie, by dowieść, że zabijanie jest dopuszczalne w imię wygody. Dotyczy to zarówno początku, jak i końca ludzkiego życia. Na przykład sędzia Sądu Najwyższego USA, Harry Blackmun, który przesądził o legalizacji aborcji w 1973 r., stwierdził, że należy zbilansować „prawo kobiety do wyboru" z prawem dziecka do życia, ale przyjął, że płód nabiera prawa do życia po trzech miesiącach ciąży, a więc w momencie gdy usunięcie płodu gwałtownie podnosi ryzyko śmierci kobiety. Prawo płodu do życia posłużyło jedynie za parawan dla arbitralnej decyzji[29].

Notabene, amerykańskie ustawodawstwo dopuszczające aborcję zostało oparte na kłamstwie. Na wiosnę 1970 r. dwudziestoletnia Norma McCorvey, uboga kelnerka z Teksasu, zaszła w ciążę w wyniku przypadkowego związku. Postanowiła pozbyć się płodu i zwróciła się z tym do lekarza wymyślając historię o tym, że została zgwałcona przez czteroosobową bandę. Na próżno, bowiem prawo teksańskie zezwalało na aborcję jedynie w przypadku zagrożenia życia kobiety. Adwokat skontaktował ją jednak z dwoma innymi prawnikami, którzy dążyli do zmiany ustawodawstwa stanowego i szukali osoby, która dostarczyła by im dobrego precedensu. McCorvey zgodziła się na tę rolę, przyjmując pseudonim Jane Roe i podtrzymując swe kłamliwe zeznania o gwałcie. Sprawa trafiła w końcu do Sądu Najwyższego USA, gdzie jako Roe vs. Wade stała się podstawą orzeczenia legalizującego aborcję w całych Stanach Zjednoczonych. Wedle tego orzeczenia konstytucyjną zasadą prawa do prywatności objęto prawo kobiety do decydowania o losach płodu. Zanim jednak doszło do orzeczenia, McCorvey urodziła dziecko, które oddała do adopcji. Po latach przyznała publicznie, że historię z gwałtem wymyśliła, a jednocześnie zaczęła poszukiwać swego dziecka. Nigdy się to jej nie udało i nie dowiedziała się nawet, czy była to córka, czy syn[30]. Żyje on czy ona zapewne gdzieś w USA i dobiega pięćdziesiątki. Nie wiadomo, czy ktoś jej czy jemu powiedział, że żyje tylko dzięki temu, że matka nie wygrała sprawy dostatecznie wcześnie. Mimo że orzeczenie amerykańskiego Sądu Najwyższego oparte było na kłamliwym zeznaniu, obrońcy życia dotąd nie zdołali obalić tego orzeczenia. Od 1973 r., kiedy je wprowadzono w życie, zgładzono w Stanach Zjednoczonych około 30 mln istnień ludzkich. Co trzecia ciąża w Ameryce kończy się aborcją[31].

Człowiek, który dokonał mnóstwa „zabiegów", a następnie zrozumiał istotę rzeczy i dokonał bardzo wiele, by uświadomić znaczenie aborcji, przedstawiając ją we wstrząsającym filmie „Niemy krzyk", doktor Bernard Nathanson, stwierdził po prostu: „aborcja jest zbrodnią". Jego wspomnienia ukazują, jak długą drogę przeszedł do tego twierdzenia i jak niezwykłym instrumentem jest sumienie. Omawiając liczne wybiegi obrońców aborcji dążących do zrelatywizowania granic życia i osoby ludzkiej, Nathanson doszedł do wniosku: „kiedy mam zły dzień,

---

[29] Bob Woodward, „The Abortion Papers", *Washington Post*, 22 I 1989 r.
[30] Mary Ann Glendon, *Rights Talk*, (New York: The Free Press, 1991), ss. 58,59.
[31] Bork, *Slouching towards Gomorrah*, s. 173; „Prawo bez moralności to droga donikąd. Z Nikolasem Nikasem rozmawia Grzegorz Górny", *Sieci*, 27 V-2 VI 2013 r., s. 74.

wcale nie jestem pewien, czy spełniam wszystkie wymagania, by móc się nazywać 'osobą'"[32].

Problem jednak w tym, że wątpliwości w kwestii początku życia rozstrzyga coraz częściej ustawodawstwo państwowe na rzecz śmierci, a nie na rzecz życia[33]. W majestacie prawa orzeka się, kto ma żyć, a kto nie. W rezultacie co roku morduje się dziesiątki milionów ludzkich płodów. W 1991 r. przerwano 56% ciąż w ZSRR, 54% w Bułgarii, 43% w Czechosłowacji, 42% na Węgrzech, 26% w USA, 25% we Włoszech, 18% we Francji, 15% w Polsce i 10% w Niemczech. W liczbach absolutnych oznaczało to na przykład śmierć co najmniej 4 milionów nienarodzonych dzieci w ZSRR i 1,5 miliona w USA[34]. W odniesieniu do Chin liczby te są oczywiście znacznie większe. Co więcej, w krajach gdzie aborcja jest legalna, zabiegi te są finansowane ze środków publicznych, a więc wbrew woli przeciwników tych praktyk wydaje się na nie fundusze pochodzące z ich podatków. Co więcej, w 1988 r. specjalna amerykańska komisja federalna orzekła, że używanie tkanek pochodzących ze zniszczonych płodów do celów „naukowych", a w praktyce komercyjnych, jest dozwolone[35].

Zasłużone skądinąd ruchy obrońców praw człowieka, takie jak na przykład Amnesty International, bronią prawa do sprawiedliwych procesów, równej płacy za równą pracę, równości w dostępie do wiedzy i działalności publicznej i innych ważnych swobód. Amnesty International zaczęła jednak ostatnio zwalczać obrońców praw dzieci nienarodzonych[36]. Do niedawna cywilizacja zachodnia opierała się na założeniu, że prawo to jest immanentną cecha ludzkiej godności. Jest realnością – zarówno życie każdego z nas, jak i życie każdego innego człowieka. Zamazywanie realności życia, jak również przykładanie różnych miar do życia własnego i cudzego prowadzą do tego samego – do barbarzyństwa.

Zastanawiające jest, że na pytanie o powód aborcji większość Amerykanek podaje powody sprowadzające się do wygody: 76% z nich obawia się wpływu, jaki urodzenie dziecka będzie miało na ich życie, 68% twierdzi, że nie stać ich obecnie na dziecko, a 51% ma problemy z partnerem i chce uniknąć samotnego macierzyństwa. Tylko 20% ankietowanych obawiało się o zdrowie płodu lub swoje, a tylko 1% nie chciało dziecka będącego skutkiem gwałtu. Innymi słowy, decyzja o aborcji jest w większości podyktowana wygodą. Szczególnie okrutną, a mimo to chronioną prawnie formą zabijania nienarodzonych dzieci jest coś, co Amerykanie nazywają *partial birth abortion*. Polega to na uśmiercaniu płodu podczas porodu. Prawnicy amerykańscy dostarczyli interesującego rozróżnienia między tego rodzaju aborcją a dzieciobójstwem: główka zabijanego dziecka musi być w ciele

---

[32] Bernard N. Nathanson, *Ręka Boga*, (Warszawa: Biblioteka „Frondy", 1997), ss. 108 i 110.

[33] John Mahoney SJ, „Bioetyka i wiara: początek życia", *Znak* 1991, nr 10 (437), ss. 15–30; Marian Grabowski, „W obliczu ludzkiego początku", tamże, ss. 31–46; Stanisław Grygiel, „Tożsamość poczętego dziecka", tamże, ss. 47–59; Zbigniew Stawrowski, „Rozmowa o aborcji", tamże, ss. 60–67; „Czym jest zarodek. Przegląd stanowisk filozoficznych", tamże, ss. 68–73.

[34] *Gazeta Wyborcza*, 10 IX 1992 r.; *Rzeczpospolita*, 19/20 XII 1992 r.

[35] Michael Specter, „Fetal Tissue 'Acceptable' for Research", *Washington Post*, 17 IX 1988 r.

[36] Grzegorz Wierzchołowski, „Amnezja International", *Gazeta Polska*, 8 VIII 2018 r.

Sprawa Normy McCorvey (na zdjęciu z lewej), kelnerki z Teksasu, która przypadkowo zaszła w ciążę, stała się podstawą orzeczenia Sądu Najwyższego legalizującego aborcję w całych Stanach Zjednoczonych.

kobiety, toteż warunkiem skuteczności takiej operacji jest zmiażdżenie tej główki przed opuszczeniem ciała matki. Prezydent Bill Clinton zawetował swego czasu ustawę zabraniającą tego rodzaju nieludzkich praktyk[37]. W pogoni za wygodą nie tylko poszczególni ludzie, ale system państwowy USA i innych krajów dopuszczających aborcję, cofnęli się do czasów starożytności, gdzie niepożądane dzieci strącano ze skał lub wyrzucano na śmietnik.

Czyni się to wszystko dla wygody, a także, co sprowadza się do tego samego, dla postępu medycznego, w zbożnym celu ratowania zdrowia i życia. Tak właśnie tłumaczy się hodowlę embrionów w ramach metody *in vitro*, z których, po ich zabiciu, pobiera się komórki do regeneracji tkanek ludzi, którym udało się kiedyś

---

[37] Bork, *Slouching towards Gomorrah*, ss. 182–183.

urodzić. Tymczasem argument na rzecz tezy, że płód jest odrębnym organizmem, a nie częścią organizmu kobiety, jest prosty. Każdy plemnik i każde jajeczko zawierają po 23 chromosomy, zaś zarodek powstały w wyniku ich połączenia posiada 46 chromosomów o innej kombinacji niż kombinacja występująca u ojca lub matki. I takim już pozostaje nie tylko do urodzenia, ale i do śmierci[38]. A jednak wytacza się wszystkie możliwe argumenty, by udowodnić, że płód nie jest jeszcze w pełni ukształtowanym człowiekiem. Mówi się, udając moralną wrażliwość, że aborcja winna być legalna, bezpieczna i rzadka. Jeśli będzie legalna i bezpieczna, to nie będzie rzadka. Używa się też najdziwniejszych eufemizmów, typu „wybór", „prawo do rozporządzania własnym ciałem" lub „zdrowie reprodukcyjne", by ukryć fakt, że zabicie płodu jest zabiciem człowieka[39].

Do historii „cywilizacji śmierci" przejdzie niewątpliwie dr Deborah Nucatola, dyrektor do spraw medycznych Planned Parenthood, której wypowiedzi na temat aborcji nagrali członkowie antyaborcyjnej organizacji Center for Medical Progress podczas spotkania w restauracji. Pani Nucatola mówiła, spokojnie konsumując sałatkę: „Mnóstwo ludzi chce dostać wątrobę. I dlatego większość dostawców posiłkuje się USG, żeby wiedzieć, gdzie wsadzić szczypce (…) Jesteśmy bardzo dobrzy w pozyskiwaniu serc, płuc, wątroby (…) więc nie miażdżę tych części. Generalnie miażdżę na dole, miażdżę na górze i patrzę, czy uda się to wyjąć w stanie

---

[38] Tamże, 174–175.

[39] „Tego ranka, 6 sierpnia 1975 roku, ludzie z 73 ulicy koło Woodside Avenue robią to, co zwykle. Kiedy w końcu wstaną z łóżek, ubiorą się, zjedzą śniadanie i wyjdą do pracy, zapomną już, że wcześniej przez ich okolicę przejechała śmieciarka. To wydarzenie w ogóle umknęło ich uwadze, jak sen. Zamykają drzwi i wychodzą na chodnik. Jest pełnia lata. Ocenia się pogodę, myśli się o tym, jaki jest upał, jaka wilgotność. Idzie się na przystanek. Inni, sąsiedzi, już tam czekają. Wszystko takie znajome. Nagle wchodzisz na coś miękkiego. Czujesz to pod stopą. Nawet przez but odczuwasz, że jest to niecodzienne, coś, co w specjalny sposób „ustępuje". Jest to coś obcego na chodniku. Instynktownie cofasz stopę. Patrzysz i widzisz … małe nagie ciałko z rozrzuconymi rękami i nogami, otwartymi ustami, poważną buzią. Chyba ptak, myślisz, może wypadł z gniazda? Ale tu na 73 ulicy nie ma gniazd i żaden ptak nie jest taki duży. Więc guma? Jakiś model? To chyba kawał? Tak, na pewno kawał! Schylasz się, żeby zobaczyć, bo czujesz, ze musisz. Ale to nie kawał. Taka bezwładna miękkość to może być tylko jedna rzecz. To jest maleńkie dziecko. Martwe. Chwytasz się za usta, zasłaniasz oczy. Zamurowało cię (…) Ale ktoś inny też to zobaczył. „Mój Boże", szepcze. Ktoś krzyczy: „Tu jest drugie!" i „Jeszcze jedno!" i „Jeszcze jedno!" Później policyjne dochodzenie szybko ustala o co chodzi. Mówi dyrektor szpitala: 'Przez przypadek płody zostały zmieszane z odpadami szpitalnymi (…) W nieustalony sposób plastykowy worek z napisem „Niebezpieczne substancje" spadł ze śmieciarki i otworzył się. Nie, nie widomo, jak doszło do tego, że płody zapakowano w worek pomarańczowy z tym napisem. To pożałowania godny przypadek'. Dyrektor podkreśla, że to się zdarza raz na kilkadziesiąt lat. Rozluźnia się. Mówi, że przez pomyłkę płody zmieszały się z innymi odpadami szpitalnymi. Mówi 'innymi', mówi 'odpadami'. On chce, żeby wszystko było jasne. To ma dla niego znaczenie. Mówi dalej: 'płód waży około funta lub mniej, jeśli nie jest uszkodzony'. Te, które ważą więcej, chowa się na cmentarzu. Tak mówi. Więc widzisz. Jest w tym porządek. Jest wrażliwość. Ten świat jeszcze nie zwariował. To jest przecież cywilizowane społeczeństwo … Ale właśnie teraz czujesz, że tak nie jest. Widziałeś i wiesz". Fragment prozy Richarda Selzera (za:) Richard John Neuhaus, „The Public Square", *First Things*, 2005, nr 4, ss. 67–68.

nienaruszonym". Z jej słów wynikało że aborcjoniści spis dostępnych części ciała nazywają „menu". Pani Nucatola wymieniła też na nagraniu konkretne kwoty, które są pobierane za organy mordowanych dzieci. Rozmowę obejrzało na YouTube około 2 mln osób. W reakcji na falę oburzenia Planned Parenthood oświadczyła, że „pacjenci" wyrażają na wszystko zgodę, a celem tej makabry jest „postęp medyczny" a nie zysk. Tkanki oferowane przez tę organizację są pożądane przez różne instytucje do „badań" biomedycznych, w tym także do produkcji różnych preparatów, o których pochodzeniu się nie mówi. W USA nie ma bowiem żadnej kontroli nad obrotem tkankami pobranymi z zabitych płodów[40]. W połowie lipca 1998 r. w programie „Report" niemieckiej telewizji państwowej ARD ujawniono barbarzyński proceder z lat 1981–1997, gdy do produkcji asfaltu i innych materiałów budowlanych dodawano odpady specjalne z klinik i szpitali berlińskich, z czego część stanowiły zwłoki usuniętych płodów[41]. Nie zmieniło to wiele stosunku Niemców do prawa aborcyjnego.

Znana amerykańska aktywistka *pro-life* Lila Rose udokumentowała wiele przypadków przestępczych działań klinik aborcyjnych i rasistowskich decyzji Planned Parenthood, a mimo to lobby aborcyjne funkcjonuje w USA bez większych przeszkód, między innymi dzięki wsparciu takich miliarderów jak George Soros, Warren Buffett czy Bill i Melinda Gates. W swojej działalności Rose odwołuje się do katolicyzmu, ale także kobiecej solidarności[42]. Obrońców życia jest ciągle w Europie sporo, ale nie mogą oni przeforsować choćby tak minimalnego postulatu, jak to, by zaprzestać finansowania z funduszy unijnych badań i działalności związanej z niszczeniem ludzkich embrionów. Był to główny postulat akcji „Jeden z nas", która w 2014 roku zyskała około 2 mln podpisów w wielu krajach europejskich[43]. Pewne przesunięcie w opinii publicznej na korzyść *pro-life* da się zauważyć w USA, gdzie wedle badań CNN z 2014 roku 20% respondentów opowiada się za całkowitym zakazem aborcji, a dalsze 38% jest jej przeciwne w większości przypadków. Ponadto 56% respondentów sprzeciwia się finansowaniu aborcji z pieniędzy publicznych[44].

Podobnie nagina się prawo do „potrzeb" zwolenników eutanazji. Z zapałem godnym lepszej sprawy niektórzy ustawodawcy i lekarze spieszą z pomocą w samobójstwie osobom, które w cierpieniu wzdychają, że mają już dość życia. Ilekroć zdarzyło się nam tak westchnąć w chwili zwątpienia lub rozpaczy! Dobrze, że nie było przy tym lekarzy-morderców, takich jak Jack Kevorkian. Wszystkie ustawy

---

[40] Piotr Włoczyk, „Aborcyjne taśmy prawdy", *Do Rzeczy,* 20–26 VII 2015 r.

[41] Dawid Jabłoński, „Niemieckie barbarzyństwo", *Tygodnik AWS,* 13 IX 1998 r.

[42] „Odważna obrończyni życia. Z Lilą Rose rozmawia Goran Andrijanić", *W Sieci,* 16–22 VI 2014 r. O proaborcyjnej działalności fundacji Gatesów: Piotr Falkowski, „Planowanie rodziny według Gatesów", *Nasz Dziennik,* 21 XI 2013 r.

[43] „Kampania na rzecz ochrony życia", *Gazeta Polska,* 30 IV 2014 r. W 2014 roku Komisja Europejska odrzuciła postulat Europejskiej Federacji Ruchów Obrony Życia „Jeden z nas", by Unia Europejska nie finansowała aborcji, argumentując, że stosuje przy tym „najwyższe standardy etyczne". „Zatrzymać lobby aborcyjne. Z Jakubem Bałtroszewiczem rozmawia Marta Milczarska", *Nasz Dziennik,* 17 VII 2014 r.

[44] Aleksander Kłos, „Amerykanie przeciw aborcji", *Gazeta Polska Codziennie,* 10 III 2014 r.

precyzujące warunki eutanazji są nadużyciami. Na przykład prawo funkcjonujące w stanie Oregon wymaga, by przed uśmierceniem pacjenta wyraził on taką wolę trzy razy, w tym ostatni raz przy świadkach i pisemnie, a dwóch lekarzy musi zeznać, że choroba nie rokuje nadziei na życie dłuższe niż pół roku. Są to wszystko wybiegi formalne, które co najwyżej utrudniają owym zapaleńcom mordowanie chorych, ale im tego nie uniemożliwiają[45].

Podczas gdy kara śmierci jest przedmiotem wyrafinowanych debat w obronie prawa do życia, inne rodzaje zadawania śmierci nie budzą wątpliwości, a nawet podlegają ochronie. Dlaczego całą moralną wrażliwość koncentruje się na obronie życia najgroźniejszych kryminalistów, a nie na obronie życia nienarodzonych czy nieuleczalnie chorych? Jedynym widocznym kryterium rozróżnienia tych rodzajów uśmiercania jest wygoda. Usunięcie „niepożądanej ciąży" lub akt eutanazji jest aktem woli, bardzo często woli kogoś innego niż sama czy sam zainteresowany, w celu uniknięcia bezpośrednich kłopotów lub kosztów. Jeśli prawdziwą pobudką było skrócenie cierpienia, to i w przypadku notorycznych morderców nie unikano by kary śmierci zamiast dożywotniego więzienia. Wygląda na to, że należy chronić życie morderców, ale że cała reszta wcale nie musi żyć.

PRAWA REPRODUKCYJNE

Wróćmy jednak do kwestii aborcji, bo jest to zjawisko o skali na ogół nierozumianej i znaczeniu fundamentalnym dla „cywilizacji śmierci". W nowomowie europejskiej lewicy bardzo często występuje określenie „prawa reprodukcyjne". Brzmi to cokolwiek zagadkowo. „Postępowa" cześć europejskiej opinii po prostu woli używać niejasnego eufemizmu zamiast powiedzieć wprost, że chodzi o aborcję. W zbitce „prawa reprodukcyjne" sugeruje się, że chodzi o prawo kobiet do decydowania o swoim losie. Problem w tym, że w przypadku aborcji decyduje się także o losie drugiej osoby.

Kiedy myślimy o kataklizmach, jakie spotkały świat w minionym stuleciu, pamiętamy na ogół, że kilkadziesiąt milionów ludzi straciło życie w wyniku dwóch wojen światowych, a dalsze około 100 mln w rezultacie zbrodni nazistowskich i komunistycznych. Tymczasem z danych Johnston's Archive wynika, że w latach 1920–2015 dokonano w świecie co najmniej 1 039,6 mln aborcji. Liczba ludności świata wyniosła w 2005 r. około 7 620 mln osób. Nie wiemy dokładnie, ile ludzi mieszkałoby dziś na świecie, gdyby nie dokonywano na nim w ogóle aborcji, gdyż proste doliczenie owych 1 039,6 mln to mało. Wiele z tych osób, którym nie dano przyjść na świat, mogło umrzeć z innych powodów, ale większość osób dorosłych, mogłaby mieć dzieci. W przypadku aborcji sprzed dwóch pokoleń liczba nienarodzonych byłaby jeszcze większa. Tego jednak nie wiemy, pozostaje więc jedynie straszliwa liczba 1 039,6 mln osób, o którą zmniejszono populację świata

---

[45] Bork, *Slouching towards Gomorrah*, ss. 187–189.

Uczestnicy tzw. Marszu Tolerancji w Krakowie domagają się swoiście rozumianej wolności w życiu seksualnym.

w wyniku aborcji. Gdyby nie aborcja, w 2005 roku żyłoby zapewne co najmniej 8 659,6 mln ludzi, czyli o około 14% więcej.

Aborcyjna hekatomba dotknęła różne kraje w różnym stopniu. Największą liczbę zarejestrowanych aborcji zanotowano do 2015 roku w Chinach – 382,6 mln, a dalej w Rosji – około 230 mln, na Ukrainie – około 64 mln, w USA – 57,7 mln, w Indiach – 24,0 mln, Rumunii – 22,8 mln, Korei Południowej – 18,6 mln, Wielkiej Brytanii – 8,6 mln, Francji – 8,0 mln, w Polsce – 6,4 mln, na Węgrzech – 6,3 mln, w Niemczech – 6,0 mln, Bułgarii – 5,9 mln i we Włoszech – 5,8 mln aborcji. W liczbach względnych najstraszniejsze żniwo przyniosła legalizacja aborcji w państwach, w których panował komunizm. Gdyby nie stosowano aborcji, liczba ludności Rosji byłaby w 2015 roku większa o 159%, na Ukrainie – o 130%, w Rumunii – o 110%, Bułgarii – o 85%, na Węgrzech – o 60% i w Polsce – o 16%. Podobna różnica w przypadku USA wyniosłaby 18%, Wielkiej Brytanii – 14%, we Francji – 13%, we Włoszech – 10%, w Hiszpanii – 7%, a w Niemczech – 5%. Różnice w przypadku państw Zachodniej Europy byłyby mniej zauważalne w liczbach absolutnych niż w państwach komunistycznych, ale z całą pewnością te pierwsze nie miałyby dziś problemów z niedoborem siły roboczej. W państwach muzułmańskich aborcja była nie tylko zakazana przez prawo, ale także przez zwyczaj, stąd nie była ona tam notowana. Jest to jedna z istotnych przyczyn tłumaczących dlaczego liczba ludności wyznającej islam wzrosła w ostatnim stuleciu kilkakrotnie, podczas gdy społeczeństwa chrześcijańskie lub postchrześcijańskie stanęły w rozwoju lub zaczynają się kurczyć[46].

W XX wieku zgładzono ponad miliard nienarodzonych dzieci. Tyle zimna wymowa liczb. Jak można jednak pojąć taki ogrom nieszczęścia? Dlaczego o tym mało kto pamięta? Milczenie tego miliarda ludzkich istnień zagłuszyło pamięć tych, którym dano się urodzić. Wszyscy ludzie, którzy przyszli na świat, zawdzięczają swe życie choćby temu minimum miłości, które na to pozwoliło. Nawet jeśli nie była to wielka miłość, to było to choćby przyzwolenie: „jeśli już powstałeś, żyj". Miliardowi zabrakło nawet tego minimum serca. Wśród tego miliarda, którym nie pozwolono żyć, znaleźć się mogli geniusze intelektu i wyobraźni albo ludzie wielkiego serca. Mogli też znaleźć się zbrodniarze. W sumie więc nie musiałoby to zwiększyć szczęścia ludzkości. Czym jest jednak abstrakcyjne „szczęście ludzkości" w obliczu śmierci pojedynczego człowieka?

Prawo do aborcji stało się w państwach zachodnich polem walki środowisk „postępowych" i tradycyjnych już pod koniec lat sześćdziesiątych. Początkowo chodziło o prawo ograniczone do przypadków zagrożenia życia lub zdrowia kobiety, potem także gwałtu lub choroby płodu, a w końcu zażądano pełnego prawa decydowania kobiety o losie płodu. Zakres poszczególnych ustaw w różnych krajach jest też zróżnicowany od stosunkowo restrykcyjnych do pozostawiających kompletną dowolność w zabijaniu nienarodzonych dzieci. Jednym z pierwszych krajów europejskich, który zalegalizował aborcję była w 1968 roku Wielka Brytania. W Kanadzie nastąpiło to w 1969 roku, w Finlandii – w 1970 roku, w Danii i USA – w 1973 roku, w Szwecji – rok później, we Francji – w 1975 roku, a w Niemczech – w 1976 roku. W następnych latach podobne ustawy przyjęła większość państw europejskich. Nieszczęściem dla cywilizacji zachodniej było upowszechnienie się poparcia dla przerywania ciąży. Na trzy dni przed zamachem, 10 V 1981 roku, papież Jan Paweł II przypomniał, że aborcja jest „najgłębszym pogwałceniem prawa człowieka i przykazania 'nie zabijaj'". Cztery dni po zamachu, 17 V 1981 roku, mimo ogromnej sympatii dla ciężko rannego papieża, aż 65% głosujących w referendum Włochów opowiedziało się za liberalizacją aborcji[47].

Choć art. 168 traktatu o funkcjonowaniu Unii Europejskiej wskazuje jednoznacznie, że kwestie „zdrowia i praw reprodukcyjnych" są poza kompetencjami Unii, Parlament Europejski wielokrotnie apelował o upowszechnienie prawa do aborcji. Komitet Praw Dziecka ONZ z kolei naciska, by zapewnić dostęp do aborcji dla niepełnoletnich dziewczynek bez wiedzy i zgody rodziców, choć konwencja o prawach dziecka nakazuje, by zapewnić ochronę dziecku także przed urodzeniem[48]. Parlament Europejski dwukrotnie uchwalał rezolucje domagające się powszechnego prawa do aborcji: w dniu 8 III 2011 roku oraz w dniu 1 XII 2011 roku. Na szczęście rezolucje tego ciała nie są prawem obowiązującym w Unii

---

[46] Obliczenia własne według: https://assets.prb.org/pdf15/2015-world-population-data-sheet_ eng.pdf; http://www.johnstonsarchive.net/policy/abortion/index.html (29 V 2018).

[47] Piotr Kowalczuk, „Lewica kontra sumienia", *Do Rzeczy*, 9–15 V 2016 r.

[48] Joanna Banasiuk, Karolina Dobrowolska, „Aborcja jak kromka chleba", *Rzeczpospolita Plus Minus*, 26–27 IX 2015 r.

Drugi Marsz dla Życia i Rodziny idzie ulicami Krakowa 1 czerwca 2014 r. Jego uczestnicy domagają się obrony życia poczętego i prymatu tradycyjnej rodziny.

Europejskiej. Rezolucje te pokazują jednak nastawienie większości polityków europejskich do tej kwestii. Skłoniły one europejskich obrońców życia nienarodzonych do podjęcia akcji propagandowej „Jeden z nas", odwołującej się do wyroku Europejskiego Trybunału Sprawiedliwości zabraniającego patentowania macierzystych komórek embrionalnych w celach naukowych, w którym to wyroku czytamy, iż od chwili poczęcia komórka jajowa jest ludzkim embrionem[49].

Rzecznicy aborcji nie spoczęli jednak. W dniu 22 października 2013 roku Parlament Europejski odrzucił stosunkiem głosów 351 do 319 raport portugalskiej socjalistki Edite Estreli „w sprawie zdrowia reprodukcyjnego i seksualnego oraz praw w tej dziedzinie", nawołujący do upowszechnienia aborcji i obowiązkowej seksualizacji nieletnich. W raporcie postulowano między innymi „wolną od tabu, interaktywną atmosferę między nauczycielem i uczniami" na zajęciach z seksu. Trudno uznać porażkę Estreli za wielki sukces, skoro aż 319 europosłów głosowało za tym raportem[50]. Agresywna kampania, w której jedną z głównych ról odgrywała wiceszefowa frakcji Zielonych Ulrike Lunacek, miała także podtekst

---

[49]   Mathias von Gersdorff, „Lobbują za życiem", *Nasz Dziennik,* 28 VI 2013 r.

[50]   „Raport Estreli – najbardziej kuriozalny i sfanatyzowany tekst tej kadencji PE – został przez niego odrzucony", http://gosc.pl/doc/1808889.Grozny-raport-Estreli-odrzucony-w-PE (12 II 2018); Olga Doleśniak-Harczuk, „Europa budzi się z (lewackiego) snu", *Gazeta Polska,* 30 X 2013 r.

finansowy. „Edukacja seksualna" coraz młodszych dzieci to wielki biznes dla koncernów farmakologicznych produkujących środki antykoncepcyjne. Socjalistyczni europosłowie nie ustają w próbach przeforsowania w Parlamencie Europejskich raportów żądających powszechnego prawa do aborcji[51].

Środowiska *pro-life* robią wszystko, co można, by przeciwdziałać praktykom aborcyjnym, na przykład pikietując kliniki aborcyjne i urządzając kampanie medialne i manifestacje publiczne. Za takie właśnie „utrudnianie działalności biznesowej" karana jest notorycznie Mary Wagner, kanadyjska obrończyni życia[52]. W odpowiedzi środowiska proaborcyjne, nazywające się bałamutnie *pro-choice*, pragną ograniczyć debatę publiczną na ten temat. Francuska ustawa z 2014 roku, przeforsowana przez ministra do spraw rodziny, dzieci i praw kobiet, Laurence Rossignol, stanowi, że każdy, kto usiłuje przeszkodzić w procedurze aborcji podlega karze do dwóch lat więzienia i 30 tysięcy euro grzywny[53]. W 2016 roku pani Rossignol zamierzała rozszerzyć katalog „przestępstw przeciw aborcji". Trudno się dziwić, że chciałaby jeszcze bardziej ograniczyć wolność słowa, gdyż zaczynała karierę w trockistowskiej Lidze Rewolucyjnych Komunistów i dopiero potem przeszła do partii socjalistycznej, żeby móc realizować swoje totalitarne pomysły[54]. Komuniści są też największymi rzecznikami wprowadzenia prawa do aborcji jako „fundamentalnej zasady naszej republiki" do konstytucji francuskiej, a akcje przeciwników zabijania nienarodzonych dzieci nazywają „podnoszeniem głów przez reakcję"[55]. Zaraza aborcji do tego stopnia opanowała społeczeństwa Zachodu, że nawet partie określane mianem „skrajnej" prawicy nie próbują zmienić ustawodawstwa dopuszczającego aborcję na życzenie. Tak jest z brytyjską Partią Niepodległości Zjednoczonego Królestwa (UKIP), holenderską Partią Wolność Geerta Wildersa czy francuskim Frontem Narodowym Marine Le Pen[56].

Co więcej, coraz częściej pojawiają się głosy na rzecz uśmiercania dzieci w trakcie porodu lub już po porodzie. Peter Singer znajduje więc zwolenników. Wedle tak zwanego holenderskiego „protokołu z Groningen" z 2004 roku, istnieją okoliczności, które pozwalają na zabicie dziecka. W 2013 roku Niderlandzkie Królewskie Towarzystwo Lekarskie uzupełniło jego zapisy stwierdzając, że cierpienie rodziców może być podstawą do zabicia ich dziecka. W świetle prawa

---

[51] Jakub Jałowiczor, „Eurolewica promuje aborcję i homoseksualistów", *Gazeta Polska Codziennie*, 10 III 2015 r.

[52] „Trzy lata więzienia za obronę dzieci. Z Mary Wagner rozmawia Jakub Jałowiczor", *Gazeta Polska*, 8 X 2014 r.; Piotr Włoczyk, „Bat na proliferów", *Do Rzeczy*, 11–17 IX 2017 r.; Grzegorz Wierzchołowski, „Słynna obrończyni życia wciąż prześladowana", *Gazeta Polska*, 28 III 2018 r.

[53] Olivier Bault, „Francuski totalitaryzm aborcyjny", *Do Rzeczy*, 10–16 X 2016 r. Mimo to, 72% respondentów francuskich uważało, że należy pomagać kobietom w celu zapobiegania aborcji. Joanna Kowalkowska, „Dwa lata więzienia za walkę o życie", *Gazeta Polska Codziennie*, 20 II 2017 r.

[54] Bogdan Dobosz, „Komuniści przeciw życiu", *Gazeta Polska Codziennie*, 7 X 2016 r.

[55] Bogdan Dobosz, „Komuniści atakują", *Gazeta Polska Codziennie*, 6 IV 2018 r.

[56] Marcin Herman, „Biedny chrześcijanin patrzy na prawicę", *Rzeczpospolita Plus Minus*, 27–28 VI 2015 r.

holenderskiego nie można byłoby skazać Kermita Gosnella, amerykańskiego szefa kliniki aborcyjnej z Filadelfii, który mordował dzieci nawet po urodzeniu[57].

Ulubionym chwytem środowisk proaborcyjnych jest podawanie fantastycznych danych o rozmiarach nielegalnych aborcji, tak jakby aborcja legalna była czymś lepszym. Na przykład często powtarzana jest informacja, jakoby Polki dokonywały co roku 200 tysięcy nielegalnych aborcji. Grzegorz Górny podał niedawno zestawienie, z którego wynika, że w 1997 r., ostatnim roku legalności aborcji na życzenie, dokonano ich niewiele ponad 3 tysiące[58]. Nie wiadomo więc, skąd miałaby się wziąć owa horrendalna liczba 200 tysięcy aborcji po jej delegalizacji. Chyba z chorej wyobraźni. Środowiska proaborcyjne usiłują też zagłuszyć nie tylko debatę na temat istoty aborcji, ale także jej skutków. Tymczasem publicystka brytyjska Mary Wakefield zauważyła, że „w ciągu ostatniej dekady jedna trzecia z moich przyjaciółek miała aborcję i żadna jeszcze nie przezwyciężyła tego faktu. Nie chodzi o to, że bardzo żałują tej decyzji, gdyż są wszystkie oczywiście *pro-choice*, ale spodziewały się szybko o tym zapomnieć, jak obiecywano, ale zamiast tego czują stały smutek"[59]. Francuski spot ukazujący szczęśliwe życie osób z zespołem Downa spowodował orzeczenie Najwyższej Rady Audiowizualnej, że jego pokazywanie jest niewłaściwe, gdyż może niepokoić sumienia kobiet, które pozbyły się swoich dzieci z tym zespołem. Troska o dobre samopoczucie obywatelek okazała się ważniejsze niż zachęta do pozostawienie takich dzieci przy życiu[60]. Mit nieszkodliwości aborcji jest ciągle popularny, ale dla połowy kobiet kończy się ona depresją, a dla 40% traumą wymagającą leczenia[61]. Makabryczny tekst „Wysokich Obcasów" z końca lutego 2018 roku, w których Aborcyjny Dream Team przekonywał, że „aborcja jest OK" i wznosił toast za udane zabicie nienarodzonego dziecka, wzbudził opory nawet wśród części publicystów liberalnych. Trudno było bowiem określić ten tekst inaczej jak apologię śmierci[62].

LICENCJA NA ZABIJANIE

Określenie to zadomowiło się na Zachodzie w wyniku filmu z serii o Jamesie Bondzie pod tym tytułem (w oryginale *Licence to Kill*, 1989). Metafora ta znalazła

---

[57] Gabriel Kayzer, „Horror w klinice aborcyjnej w Filadelfii", *Gazeta Polska Codziennie*, 26 IV 2013 r.; Tomasz P. Terlikowski, „Eutanazizm postępuje", *Gazeta Polska*, 19 VI 2013 r.; Tomasz P. Terlikowski, „Krwawy biznes aborcyjny", *Gazeta Polska*, 29 V 2013 r.

[58] Grzegorz Górny, „Mit dwustu tysięcy", *Rzeczpospolita*, 28 IX 2004 r.

[59] Mary Wakefield, „Real women feel glum and guilty, too", *The Spectator*, 16 XI 2005 r.

[60] Agnieszka Niewińska, „Zakazany uśmiech", *Do Rzeczy*, 28 XI-4 XII 2016 r.

[61] Marek Gajowy, „Po aborcji", *Rzeczpospolita Plus Minus*, 23–24 IV 2016 r.

[62] Marzena Nykiel, „Oswajanie zabijania", *Sieci*, 26 II-4 III 2018 r.; Joanna Szczepkowska, „Aborcja nie jest OK", *Rzeczpospolita Plus Minus*, 24–25 II 2018 r. Rzecznikom i rzeczniczkom „cywilizacji śmierci" aborcyjnej, którzy twierdzą, że „aborcja jest OK" należy polecić wywiad z Claire Culwell, która przeżyła swoją aborcję, a ponadto kontaktowała się z matką i babką, która ją, wówczas trzynastolatkę, do aborcji namówiła. Może wtedy zrozumieją, że aborcja nie jest OK. „Matka chciała mnie zabić. Rozmowa Piotra Włoczyka z Claire Culwell", *Do Rzeczy*, 7–12 IV 2015 r.

w końcu jednak całkiem praktyczny wymiar. Coraz większa część państw zachodnich przyznaje sobie prawo do uznawania, kto ma żyć, a kto nie. Ustawodawstwo aborcyjne jest w istocie legalizacją zabijania dzieci nienarodzonych, przy czym szczególną wagę przywiązuje się do dowodzenia, że nie są one w pełni ludźmi. Podobnie wygląda legalizacja eutanazji, która w teorii ma być dobrowolna, ale w praktyce coraz częściej staje się narzędziem w ręku osób trzecich. Uchwalanie ustaw aborcyjnych i eutanazyjnych jest zresztą konsekwencją zmian zachodzących w opinii publicznej państw zachodnich. W opinii tej coraz bardziej przeważa pogląd, że życie ludzkie nie ma sensu wobec ryzyka jego niskiej „jakości" oraz że decyzja o niedopuszczeniu do jego pojawienia się na świecie lub jego zakończeniu jest czymś naturalnym. Grunt pod ten pogląd przygotowywali rozmaici architekci kultury śmierci przez całe dziesięciolecia.

Wobec braku definicji natury człowieka milcząco przyjęto obecnie, że jest on tylko elementem materii ożywionej, którą można dowolnie manipulować. Głównym przesłaniem „moralnym" tej ideologii jest uznanie, że człowiek winien minimalizować przykrości i maksymalizować szczęście poprzez poprawę warunków materialnych, zdrowotnych lub zaspokojenie pragnień seksualnych bez ograniczeń moralnych czy społecznych w zakresie prokreacji.

Jednym z bestsellerów amerykańskich w 1968 roku stała się książka Paula Ehrlicha *The Population Bomb*, w której autor, założyciel stowarzyszenia Zero Population Growth, przestrzegał przed nadchodzącą szybkimi krokami katastrofą demograficzną. Wróżył, że w ciągu najbliższej dekady życie w oceanach wyginie z powodu nadmiernego stężenia DDT, a tysiące ludzi umrą z powodu zatrucia smogiem w Nowym Jorku i Los Angeles. Przewidywał też, że przeciętna dalsza długość życia w USA spadnie do 42 lat z powodu raka wywołanego zmianami ekologicznymi. Na początku lat siedemdziesiątych prasa amerykańska doniosła, że grupa studentek poddała się operacyjnej sterylizacji, aby nie podnosić ryzyka przeludnienia. W popularnym sitcomie CBS pod tytułem *Maude* jedna z bohaterek poddała się aborcji, co jak wkrótce ujawniono, było efektem nagrody Population Institute na najlepszy scenariusz filmowy propagujący „kontrolę urodzeń"[63]. Zdumiewającym przejawem kultury śmierci była decyzja rady miejskiej Rotterdamu z 2016 roku, by kobietom wydawać obowiązkowo środki antykoncepcyjne. „Do tej pory troszczyliśmy się przede wszystkim o rodziców – powiedział wysoki urzędnik tej rady Hugo De Jonge – ale obecnie chcemy więcej uwagi poświęcić interesom dzieci", twierdząc ponadto, że „nienarodzenie jest formą ochrony"[64]. Wskaźnikiem pokazującym kryzys cywilizacyjny w USA jest liczba samobójstw wśród młodzieży. W latach 1955–1990 wskaźnik samobójstw w grupie wiekowej 15–19 lat wzrósł czterokrotnie: z 2,7 do 11,1 na 100 tysięcy[65].

---

[63] Candace C. Candall, „Thirty Years of Empty Promises", *First Things,* January 2003, nr 129, s. 15.

[64] Tomasz P. Terlikowski, „Prawo do nierodzenia się", *Rzeczpospolita Plus Minus,* 15–16 X 2016 r.

[65] W. Bradford Wilcox, „Children at Risk", *First Things,* February 2004, nr 140, s. 12.

Kwestia, czy człowiek ma prawo zakończyć swoje życie, a zwłaszcza w jakich okolicznościach prawo to można przyznać komuś innemu, nie jest nowa. W starożytności pogańskiej samobójstwo było często uznawane za „godny" rodzaj śmierci. Dopiero chrześcijaństwo przyniosło pojęcie godności życia danego od Boga, a więc także będące zadaniem człowieka. Samobójstwo było odtąd uważane za grzech ciężki, a samobójcom odmawiano pochówku religijnego. Zadawanie śmierci innymi było oczywiście nagminne w czasie wojen czy wykonywania okrutnych kar, ale odstępstwa od przykazania „nie zabijaj" były najczęściej koniecznością wojenną. Wspomaganie samobójstwa drugiego człowieka było zakazane z wyjątkiem „zabójstwa z litości", na przykład w postaci dobijania śmiertelnie rannych na polu bitwy. W doktrynie chrześcijańskiej dopuszczalna jest też ortonazja, czyli zaniechanie uporczywego leczenia. Sytuacja zmieniła się wraz z dechrystianizacją oraz powszechnym zachwianiem wiary w sens i wartości życia.

W czasach nowożytnych prawo na ogół unikało definiowania przypadków „zabójstwa z litości" czy też zaprzestania uporczywej terapii. Dopiero w III Rzeszy wprowadzono eutanazję przymusową osób niepełnosprawnych i chorych umysłowo, choć zjawisko to można raczej określić mianem eksterminacji tych osób. Opór przeciw eutanazji osób upośledzonych wprowadzonej pod rządami nazistowskimi w Niemczech w latach 1933–1945 był minimalny, gdyż przekonanie o słuszności eugeniki było już dość powszechne. Ponadto zabicie około 200 tys. osób upośledzonych oszczędziło gospodarce niemieckiej miliardów marek[66].

Problem pojawił się na nowo ze względu na wspomaganie samobójstwa przez holenderskich lekarzy w latach siedemdziesiątych. Choć od starożytności lekarze kierowali się przysięgą Hipokratesa, obiecując nigdy nie przyczynić się do śmierci pacjenta, dr Getruida Postma przyznała, że odebrała życie swojej matce na jej prośbę za pomocą śmiertelnej dawki morfiny. Sprawa wywołała ogromne kontrowersje, w 1984 roku zakończone orzeczeniem Holenderskiego Sądu Najwyższego, który nakazał zaprzestanie ścigania podobnych czynów. Oznaczało to w praktyce legalizację wspomagania samobójstw przez lekarzy czy tak zwaną „eutanazję dobrowolną". Natychmiast zaczęły się jednak mnożyć wątpliwości co do wartości zgody pacjenta na takie działania lekarzy, a także nadużyć na tle majątkowym. W następnych latach holenderską ustawę o dopuszczalności eutanazji nowelizowano jeszcze dwa razy, a od 2002 roku obowiązuje tam jednolita ustawa o „zakończeniu życia na żądanie". W 1990 r. prawie 12 tys. osób, co stanowi 9% wszystkich śmiertelnych zejść w Holandii, zostało zabitych przez lekarzy, w tym około połowy bez zgody pacjenta[67]. W 2002 roku podobną do holenderskiej ustawę przyjęto w Belgii, w 2008 roku w Luksemburgu.

Debaty na temat eutanazji w Niemczech są obciążone pamięcią o „Akcji T4", w ramach której w latach 1939–1944 naziści zamordowali tam 100 tys. chorych

---

[66] Götz Aly, *Obciążeni. Eutanazja w nazistowskich Niemczech*, (Warszawa: Wydawnictwo Czarne, 2015).

[67] Nic dziwnego, że coraz więcej Holendrów woli umierać w domu, a nie pod „opieką" lekarzy. Bork, *Slouching towards Gomorrah*, ss. 187–189.

i niepełnosprawnych[68].Już w latach sześćdziesiątych zauważono tam jednak spadek wpływów kościołów chrześcijańskich, a przełomowa okazała się studencka rewolta 1968 roku, skierowana przeciw wszelkim autorytetom i tradycyjnym instytucjom: rodzinie, szkole i Kościołowi. Wraz z rewolucją seksualną, upowszechnieniem pigułki antykoncepcyjnej i coraz powszechniejszą akceptacją aborcji nastąpił wzrost liczby rozwodów i spadek urodzeń[69]. Atmosferę nacechowaną dążeniem do bezcelowej wolności, konsumeryzmem i zwątpieniem w prawdę, piękno i wartości absolutne utrwala pokolenie wychowane w duchu rewolucji 1968 roku, które dominuje w polityce i kulturze. Od czerwca 2010 roku obowiązuje w Niemczech orzeczenie Niemieckiego Trybunału Federalnego o legalności wspomagania samobójstwa, choć nie jest jasne w jakich przypadkach. W październiku 2005 roku około 74% Niemców opowiadało się za legalizacją „aktywnej" eutanazji, czyli podawania ciężko chorym „leków" uśmiercających na ich prośbę[70].

Narasta też zjawisko eutanazji na życzenie osób trzecich. W styczniu 2016 roku parlament francuski przyjął ustawę legalizującą eutanazję na życzenie pacjenta, jego rodziny lub osoby wyznaczonej, co wywołało wzrost liczby osób kończących w ten sposób życie. Tak też stało się po legalizacji eutanazji w Belgii w 2002 roku, gdy w ciągu pięciu lat liczba ta wzrosła do 500, a w 2015 roku przekroczyła dwa tysiące[71]. Wkrótce po legalizacji eutanazji dzieci w Belgii, uchwalonej w lutym 2014 roku, z którą mimo protestów zgodził się król tego kraju Filip I Koburg, z propozycją zmiany tego prawa pozwalającą na eutanazję bez zgody pacjenta wystąpił były przewodniczący Belgijskiego Towarzystwa Intensywnej Terapii prof. Jean-Louis Vincent. Eutanazja stanowiła tam już 2% przyczyn zgonów[72]. W ciągu piętnastu lat od legalizacji eutanazji w Holandii liczba takich „zabiegów" wzrosła do prawie sześciu tysięcy w 2015 roku, gdy około 3% zgonów było skutkiem działań lekarzy[73]. W Belgii i Holandii eutanazji można już poddawać dzieci. „Nie widać powodu, by odmawiać im prawa do dobrej śmierci" mówi dr Wim Distelmans. Argumentacja zwolenników eutanazji chorych dzieci w Belgii była dokładnie taka sama, jak argumentacja dr. Karla Brandta, inżyniera eutanazji eugenicznej w III Rzeszy[74].

W październiku 2015 roku gubernator stanu Kalifornia podpisał ustawę legalizującą eutanazję, dołączając do stanów Waszyngton, Montana, Oregon

---

68 Konrad Wysocki, „Opieka zamiast uśmiercania na życzenie", *Gazeta Polska Codziennie,* 17 XI 2014 r.

69 Wolfhart Pannenberg, „Letter from Germany", *First Things,* March 2003, nr 131, ss. 8–10.

70 „Niemcy za eutanazją", *Rzeczpospolita,* 13 X 2005 r.

71 Aleksander Kłos, „Zgoda na zagłodzenie pacjentów na śmierć", *Gazeta Polska Codziennie,* 29 I 2016 r.

72 Tomasz Bielecki, „Parlament Belgii dał dzieciom prawo do eutanazji", *Gazeta Wyborcza,* 14 II 2014 r.; Jakub Jałowiczor, „Król poparł zabijanie dzieci", *Gazeta Polska Codziennie,* 4 III 2014 r.; „Eutanazja bez pytania", *Gazeta Polska Codziennie,* 20 III 2014 r. Tomasz P. Terlikowski, „Eutanazizm postępuje", *Gazeta Polska,* 22 I 2014 r.

73 Tomasz P. Terlikowski, „Eutanazja oswojona", *Do Rzeczy,* 11–17 IV 2016 r.

74 Tomasz P. Terlikowski, „Eutanazja dzieci? Zero zdziwień", *Do Rzeczy,* 17–23 X 2016 r.

i Vermont[75]. W czerwcu 2016 roku ustawę legalizującą eutanazję przyjął parlament Kanady[76]. W październiku 2017 roku Komitet Praw Człowieka ONZ podjął inicjatywę przeforsowania dokumentu, w którym prawa do aborcji i eutanazji byłyby uznane za konieczny składnik prawa do życia. Chodziło o interpretację artykułu 6 Międzynarodowego Paktu Praw Obywatelskich i Politycznych[77].

Dla europejskiej cywilizacji śmierci charakterystyczny był pośpiech, z jakim brytyjscy lekarze i sędziowie pragnęli zakończyć życie prawie dwuletniego Alfie Evansa. Po szesnastu miesiącach intensywnej terapii w szpitalu Alder Hey w Liverpoolu, pod koniec kwietnia 2018 roku lekarze kliniki stwierdzili, że dalsze uporczywe podtrzymywanie czynności życiowych chłopca, nieuleczalnie chorego na nierozpoznaną dotąd wadę genetyczną, nie rokuje nadziei i postanowili odłączyć go od respiratora. Rodzice dziecka podjęli dramatyczna próbę zmiany tej decyzji na mocy decyzji sądu. Niestety, sędzia Anthony Hayden[78] z sądu rodzinnego Manchesteru poparł decyzje lekarzy i mimo wstawiennictwa papieża Franciszka i władz włoskich, które zaoferowały dziecku kurację w szpitalu Bambino Gesù w Rzymie, sędzia decyzji nie zmienił, twierdząc, że nie ma nadziei na skuteczną opiekę nad chłopcem ani w domu, ani gdzie indziej. Choć spodziewano się, że dziecko umrze wkrótce po odłączeniu od respiratora, chłopiec żył nadal. Władze brytyjskie upierały się przy swych decyzjach także ze względu na aktywność rodziców i obrońców życia, którzy sprawę nagłośnili. Tragicznego wymiaru nadało jej równoczesne radosne oświadczenie brytyjskiego domu panującego, że książę William i księżna Kate doczekali się kolejnego potomka[79].

KARA ŚMIERCI CZY WINA ŚMIERCI?

Choć upowszechnienie aborcji i eutanazji jest poparciem dla zadawania śmierci, stale przybywa przeciwników kary śmierci. Jest to jeden z największych paradoksów „cywilizacji śmierci". W 2005 roku najwięcej wyroków śmierci, bo aż 1770, wykonano w Chinach. Na drugim miejscu w tej dramatycznej statystyce znalazł

---

[75] Aleksander Kłos, „W Kalifornii już wolno zabijać", *Gazeta Polska Codziennie,* 7 X 2015 r.

[76] Aleksander Kłos, „Cywilizacja śmierci zatacza szersze kręgi", *Gazeta Polska Codziennie, 21 VI 2016 r.*

[77] „Aborcja prawem człowieka?", *Gazeta Polska Codziennie,* 6 X 2017 r.

[78] Sędzia Hayden jest członkiem organizacji prawników homoseksualnych The Bar Lesbian and Gay Group, zajmującej się między innymi adopcją dzieci przez pary homoseksualne, a także współautorem podręcznika prawniczego dla par homoseksualnych ubiegających się o adopcje dzieci *Children and Same Sex Families. A Legal Handbook*. https://www.pch24.pl/skazal-alfiego-evansa-na-smierc—aktywnie-wspiera-homoseksualistow—kim-jest-sedzia-hayden--,59805,i.html (25 IV 2018).

[79] https://www.theguardian.com/uk-news/2018/apr/24/alfie-evans-parents-lose-legal-appeal-for-vatican-treatment; https://www.telegraph.co.uk/news/2018/04/24/alfie-evans-can-return-home-judge-rules-cant-go-italy-treatment (25 IV 2018); Małgorzata Matuszak, „Zakładnik cywilizacji śmierci", *Gazeta Polska,* 2 V 2018 r.; Maciej Kożuszek, „Niezwyciężony Alfie", *Gazeta Polska,* 2 V 2018 r.

się Iran, a następnie Arabia Saudyjska i USA, gdzie wykonano 60 wyroków śmierci. Karę śmierci zniesiono już w 88 państwach[80]. Jak widać, najczęściej wykonywana jest kara śmierci w krajach autorytarnych. Z krajów demokratycznych najwięcej egzekucji wykonuje się w Stanach Zjednoczonych, przy czym warto zauważyć, że poparcie dla nich deklaruje większość Amerykanów[81].

Przypominane są argumenty za karą śmierci i przeciw niej[82], nierzadko w bardzo emocjonalnej formie. Mówi się o duchu czasów, postępie cywilizacyjnym, wartości życia, którego człowiek nie może odbierać, roli odstraszającej (zdaniem jednych – dużej, zdaniem innych – nikłej), o odpłacie i zasadzie sprawiedliwości. Wśród emocji przekręca się czasem wypowiedzi i intencje ich autorów. Apel papieża Jana Pawła II o akt łaski dla Josepha O'Della zinterpretowano na przykład jako zasadniczy sprzeciw Ojca Świętego przeciw karze śmierci[83]. Tymczasem w ostatniej wersji *Katechizmu Kościoła katolickiego* napisano: „Uprawniona obrona może być nie tylko prawem, ale poważnym obowiązkiem tego, kto jest odpowiedzialny za życie drugiej osoby, za wspólne dobro rodziny lub państwa". I dalej: „Ochrona wspólnego dobra społeczeństwa domaga się unieszkodliwienia napastnika. Z tej racji tradycyjne nauczanie Kościoła uznało za uzasadnione prawo i obowiązek prawowitej władzy publicznej do wymierzania kar odpowiednich do ciężaru przestępstwa, nie wykluczając kary śmierci w przypadkach najwyższej wagi"[84]. Ostatnio papież Franciszek zdecydował o wprowadzeniu zakazu kary śmierci do *Katechizmu Kościoła katolickiego*[85].

Problem kary śmierci nie jest prosty. Są zresztą trzy poziomy funkcjonowania kary śmierci: obowiązywanie, zasądzanie i wykonywanie wyroków śmierci. Nie wypowiadając się ostatecznie co do konieczności istnienia kary śmierci, warto jednak zwrócić uwagę na pewien istotny aspekt tego problemu. Według *Katechizmu*, kara powinna stanowić zadośćuczynienie za winę, ma chronić porządek publiczny, a także powinna, w miarę możliwości, przyczyniać się do poprawy winowajcy[86]. Kwestia zadośćuczynienia oraz obrony przez społeczeństwo obywateli przed jednostkami, które grożą ich życiu, są dość oczywiste. Jak jednak rozumieć „poprawę" winowajcy? Jeśli przyjmiemy, że egzekucja po prostu kończy życie przestępcy, trudno będzie znaleźć jakiś sens w takim sformułowaniu *Katechizmu*, ale to nie załatwia sprawy.

Przypomina się tu znakomity film *Przed egzekucją* (*Dead Man Walking*) w reżyserii Tima Robbinsa, nakręcony według powieści siostry Helen Prejean w 1995 roku. Autorzy filmu opowiedzieli historię wyjątkowo zdegenerowanego

---

[80] https://pl.wikipedia.org/wiki/Kara_%C5%9Bmierci (29 V 2018).
[81] Katarzyna Wypustek, „Śmierć za śmierć", *Życie*, 30 XII 1997 r.
[82] Por. Zbigniew Stawrowski, „Dylematy kary śmierci na antropologicznym tle", https://www.teologiapolityczna.pl/prof-zbigniew-stawrowski-dylematy-kary-smierci-na-antropologicznym-tle (16 XI 2018).
[83] Jacek Moskwa, „Tylko Bóg jest władcą życia", *Rzeczpospolita*, 14 VII 1997 r.
[84] *Katechizm Kościoła katolickiego* (KKK), (Poznań: Pallotinum, 1994), nr 2265 i 2266.
[85] Krzysztof Błażyca, „Decydujący krok Franciszka", *Gość Niedzielny,* 12 VIII 2018 r.
[86] KKK, nr 2266.

Jeden z wielu Marszów dla Życia i Rodziny, jakie w czerwcu 2014 r. przeszły ulicami polskich miast. Środowiska *pro-life* robią wszystko, by przeciwdziałać praktykom aborcyjnym.

zabójcy i walkę zakonnicy –znakomita rola Susan Sarandon – o jego ułaskawienie. Zakonnica ponosi właściwie porażkę, bo apelacje zostają odrzucone, ale jednocześnie jej walka kończy się sukcesem. Morderca, który cały czas nie przyjmował, że zrobił rzecz straszną, a nawet z nienawiścią obciążał swe ofiary, tuż przed egzekucją wyznał winę. W chwili własnej śmierci przypomina sobie koszmarną scenę, w której dokonał zbrodni. Film dotyka więc nie tyle kwestii kary, co problemu winy. Prawdziwa walka toczy się tu nie tyle o darowanie egzekucji, co o sumienie, o zdolność oceny postępowania. W tym sensie zmagania zakonnicy ze skazańcem kończą się jej sukcesem. Śmierć mordercy i śmierć dwojga niewinnych ludzi przez niego zabitych nie różnią się zbytnio w sensie fizycznym. Różnice dotyczą wartości. Nie powinniśmy się zamykać w rozumowaniu, że albo kierujemy się litością, albo wyrównujemy rachunki. Z cierpienia można zrobić różny użytek. Czy gdyby skazaniec z filmu nie czekał na egzekucję, to czy wyznałby swoją winę? Wątpliwe. Czy wobec tego nie należało mu darować życia? Być może... *Przed egzekucją* jest filmem wyjątkowym na tle najlepszych nawet produkcji kina współczesnego. Porusza najistotniejszy problem człowieczeństwa – wrażliwość sumienia. Koniec XX wieku jest okresem dekadencji kulturowej i moralnej. Bohaterem współczesnej sztuki jest najczęściej człowiek, który „obala tabu" lub „przełamuje bariery" dotychczasowych wartości. Nie proponując nowych, bardzo często wpada w przepaść. Wpływowe autorytety kwestionują pojęcie dobra i zła. Zwolennicy indyferentyzmu moralnego muszą jednak w końcu zrozumieć, że między ich propagandą amoralności oraz szerzącą się nienawiścią i zbrodnią istnieje ścisły związek. Obowiązywanie lub nieobowiązywanie kary śmierci nie rozwiąże problemu dobra i zła za nas.

ŻYCIE

Istnieje definicja określająca życie jako zatrzymanie na jakiś czas procesu entropii, czyli trzeciej zasady termodynamiki. Być może jest to cecha wspólna wszystkich organizmów żywych. Ale między najbardziej rozwiniętymi zwierzętami a człowiekiem istnieje ogromna jakościowa różnica. Doświadczenia z psami czy małpami pokazują, że potrafią się one po pewnym czasie intensywnej tresury nauczyć rozpoznawania niektórych prostych słów i uczuć. Jednakże ignorowanie podstawowej różnicy między człowiekiem a zwierzęciem, różnicy polegającej między innymi na posiadaniu przez ludzi rozbudowanej świadomości, pozwalającej przyswajać na przykład takie abstrakcyjne pojęcia jak dobro, zło, piękno, miłość czy wreszcie nieskończoność, prowadzi do fatalnych skutków. Zacieranie różnicy między człowiekiem i zwierzęciem skutkuje rozszerzaniem praw zwierząt i zawężaniem praw ludzi do życia od poczęcia do naturalnej śmierci. Jeśli do tego dodamy produkcję ludzi w probówkach oraz szalone eksperymenty z tworzeniem hybryd ludzko-zwierzęcych, osiągniemy kres dotychczasowej cywilizacji.

Przez stulecia cywilizacja zachodnia opierała się na porządku moralnym wynikającym z monoteizmu etycznego. W centrum tego porządku była wiara w Boga i uznanie świętości życia ludzkiego, stworzonego na obraz i podobieństwo Boga. Od końca Średniowiecza kolejne pokolenia myślicieli i artystów stopniowo podważały ten porządek. Obecnie obserwujemy osuwanie się resztek gruzów tego porządku. Jesteśmy świadkami pogańskiej rewolucji, w której każdy może mieć własnego bożka, a wyższość jednego nad drugim ustala się w najlepszym przypadku przy pomocy głosowania. Tego rodzaju wolność nie prowadzi do równości, lecz przeciwnie – do wzmocnienia hierarchii, w której liczy się władza i pieniądze. Współczesne pogaństwo odebrało człowiekowi jego nadzwyczajne miejsce w świecie i wpisało go w przyrodę jako pozbawioną woli i sumienia część jej mechanizmu. Instynkty zostały podniesione do rangi przewodników moralnych. Swą własną, bezpostaciową naturę podniósł człowiek współczesny do rangi nowego boga, w każdym indywidualnym wydaniu innego. Jak u Maxa Stirnera, człowiek stał się sam dla siebie bogiem, bo przestał wierzyć w Boga-Stwórcę, który jest miłością.

Ateistów jest więc we współczesnym świecie więcej niżby się wydawało. Są oni podobnie groźni jak w czasach komunistycznych. Myślę o ateistach, którzy wierzą, że Boga nie ma, a nie o agnostykach, którzy unikają w ogóle odpowiedzi na pytanie o Jego istnienie. Dzisiejsi ateiści są groźni dlatego, iż skutecznie usuwają resztki dawnego porządku moralnego. W walce z chrześcijaństwem są gotowi sprzymierzyć się nawet z islamistami, choć przecież nic nie powinno ich bardziej od nich odstręczać niż szariat. Jeśli w Dzień Zaduszny pojawia się dziś na cmentarzu Montparnasse w Paryżu zaledwie kilkanaście osób, to reszta najwyraźniej nie tylko nie chce myśleć o śmierci, ale nie wierzy, żeby istniało nic poza nią, żeby istniał Bóg. Współczesny człowiek Zachodu to coraz częściej człowiek pozbawiony szacunku dla życia swojego i cudzego, trapiony swymi lękami oraz smutnymi żądzami i potrzebami, zarażający innych swoim brakiem nadziei.

Uczone debaty amerykańskich prawników na temat aborcji obracają się głównie wokół argumentacji ściśle prawniczej, z typową dla Amerykanów atencją dla precedensów i odniesień do konstytucji. Etyczna strona zagadnienia pojawia się głównie w zestawieniu prawa kobiety do wyboru z prawem embrionu do życia[87]. Znacznie mniej uwagi poświęca się istocie problemu, to jest istocie ludzkiego zarodka. Nie mogąc zgodzić się co do początku życia, przyjmuje się więc argumentację prawniczą, która nie może doprowadzić do zgody. Istota ludzkiego zarodka nie jest jednak tajemnicą, skoro ma on własny, indywidualny kod genetyczny, odmienny od kodu genetycznego każdego z rodziców, a także skoro każdy człowiek ma inny wzór skóry na palcach, dający się zidentyfikować w policyjnych kartotekach.

---

[87] Por. np. interesujący dwugłos „Constitutional Persons: an Exchange on Abortion", w którym wypowiedzieli się Nathan Schlueter i Robert H. Bork, *First Things,* January 2003, nr 129, ss. 28–36.

Rzymska mozaika z II w. n.e. przedstawiająca maski symbolizujące tragedię i komedię.

Rozdział 10. Janusowe oblicze postępu

ZRÓWNOWAŻONY ROZWÓJ

Za jedną z przyczyn „zdziczenia" współczesnego świata uważa Thérèse Delpech „rosnący rozziew między postępami nauki i technologii a brakiem porównywalnych postępów w dziedzinie etyki"[1]. Dzieje się tak od początku epoki nowożytnej, ale współcześnie zjawisko to przybrało szczególne rozmiary. Dotyczy to postępu w naukach ekonomicznych i społecznych, a zwłaszcza informatycznych i medycznych, w których coraz bardziej zasadne staje się pytanie, czy ludzie Zachodu nie zatruli się już śmiertelnie owocami z biblijnego drzewa poznania dobra i zła[2].

Polityka gospodarcza miała tradycyjnie na celu poprawę warunków gospodarowania oraz wzrost dochodu i poprawę warunków życia ludzi. Tymczasem obecnie podstawą idei „zrównoważonego rozwoju" w skali świata jest założenie, że ludzkości zagraża przeludnienie oraz że ludzka działalność przyczynia się do nadmiernej emisji dwutlenku węgla, a to w konsekwencji prowadzi do globalnego ocieplenia i jego katastrofalnych skutków dla ludzkiej cywilizacji.

Przyjęta przez Zgromadzenie Ogólne ONZ w dniu 25 września 2015 roku Agenda 2030 na rzecz zrównoważonego rozwoju, ma dość długą historię. Jeszcze w 1972 roku Klub Rzymski wydał pierwszy swój raport pod tytułem „Granice wzrostu", w którym straszono wyczerpywaniem się zasobów oraz przeludnieniem i domagano się jak najszybszego wprowadzenia powszechnej kontroli urodzin[3]. Choć nie wszystkie alarmistyczne tezy znalazły potwierdzenie w praktyce, teorię o zagrożeniu świata przez niekontrolowany przyrost ludności rozwijano w następnych dziesięcioleciach. W latach osiemdziesiątych do argumentacji tej dodano tezę o globalnym ociepleniu związanym z emisją dwutlenku węgla. W 1983 roku Zgromadzenie Ogólne ONZ utworzyło Światową Komisję Środowiska i Rozwoju pod przewodnictwem byłej premier Norwegii Gro Harlem Brundtland. Cztery lata później komisja ta wydała raport *Nasza wspólna przyszłość*, w której przedstawiono bezalternatywnie konieczność „zrównoważonego rozwoju", obejmującą ograniczanie przyrostu liczby ludności. Podczas konferencji w Rio de Janeiro w 1992 roku przyjęto Agendę 2021, w rezultacie której powstała *Karta Ziemi*, zatwierdzona w marcu 2000 roku w paryskiej centrali UNESCO, a opublikowana 29 czerwca tegoż roku w Pałacu Pokoju w Hadze. Podpisała ją wtedy także królowa Holandii Beatrix. W *Karcie* napisano między innymi, że „bezprecedensowy wzrost ludzkiej populacji przeciążył systemy ekologiczne i społeczne. Zagrożone są podstawy globalnego bezpieczeństwa". Poza masą wspaniale

---

[1]   Delpech, *Powrót barbarzyństwa w XX wieku*, s. 50.
[2]   Rdz 2, 9.
[3]   *Raport o stanie świata 1984. Worldwatch Institute o szansach przetrwania ludzkości*, (Warszawa: PWE, 1986), ss. 51–73.

brzmiących haseł o ludzkiej wspólnocie i odpowiedzialności w *Karcie* wezwano też do „zrównoważonej reprodukcji i zdrowia seksualnego"[4]. Pod hasłami tymi kryło się odtąd w praktyce politycznej nieograniczone prawo do aborcji.

Agenda 2030 jest jak dotąd najdalej idącym programem ustanowienia kontroli nad rozwojem ludzkości. W powodzi pięknie brzmiących haseł kryje się teza o konieczności sterowania rozwojem gospodarczym z perspektywy ekologicznej i demograficznej. Podstawowe założenie tego programu – zagrożenie przeludnieniem ze względu na emisję dwutlenku węgla – nie jest już poważnie uzasadniane. Staje się ono już powszechnie przyjmowanym dogmatem wiary. Mówi się już wprost o „powszechnym dostępie do świadczeń z zakresu zdrowia seksualnego i prokreacyjnego, w tym planowania rodziny, informacji i edukacji" oraz „włączeniu zdrowia prokreacyjnego do krajowych strategii i programów"[5].

Najdziwniejsze jest to, że w przygotowanie Agendy 2030 zaangażowała się Stolica Apostolska, organizując w kwietniu 2015 roku konferencję z udziałem watykańskiego sekretarza stanu kard. Pietro Parolina, podczas której przedstawiciele Watykanu zobowiązali się do propagowania celów agendy. Pytany o przyczyny tego zaangażowania kanclerz Papieskiej Akademii Nauk, abp Marcelo Sánchez Sorondo opowiedział, że „projekt zrównoważonego rozwoju nawet nie wspomina o aborcji lub kontroli ludności. Mówi o dostępie do planowania rodziny oraz zdrowiu seksualnym i reprodukcyjnym czy prawach reprodukcyjnych"[6]. Czyżby arcybiskup nie zauważył, co kryje się pod określeniem „prawa reprodukcyjne" w nowomowie rzeczników „cywilizacji śmierci"? W sesji ONZ w 2015 roku, gdy uchwalano Agendę 2030, brał udział papież Franciszek.

Tymczasem wspomniane założenie o nieodwracalnych skutkach globalnego ocieplenia w wyniku działalności ludzi (*anthropogenic global warming*, AGW), których jest za dużo, ma podstawowe słabości. Przede wszystkim warto zapytać, że skoro ludzkość jest odpowiedzialna za kilka procent emisji dwutlenku węgla do atmosfery, to w jakiej mierze może to wpłynąć na stały wzrost jej temperatury? Warto tu wspomnieć o szerokim zasięgu krytyki teorii antropogenicznej. Lista uczonych kwestionujących z różnych powodów teorię globalnego ocieplenia w wyniku ludzkiej działalności jest bardzo długa. Są wśród nich laureat Nagrody Nobla w dziedzinie fizyki z 1973 roku Ivar Giaever, emerytowany profesor nauk o atmosferze i członek amerykańskiej National Academy of Sciences Richard Lindzen, poprzedni szef Greenpeace Canada Patrick Moore, szwedzki profesor geodynamiki Nils-Axel Mörner, emerytowany szef australijskiego instytutu badań antarktycznych Garth Paltridge, profesor ekologii z University of Colorado Roger A. Pielke, profesor fizyki z University of Ottawa Denis Rancourt, geolog i astronauta amerykański Harrison Schmitt, emerytowany profesor biogeografii z uniwersytetu londyńskiego Philip Stott, emerytowany szef Królewskiego Holenderskiego Instututu Meteorologicznego Hendrik

---

[4] http://earthcharter.org/invent/images/uploads/echarter_polish.pdf (25 IV 2018).

[5] Jest to Cel 3.7. http://www.unic.un.org.pl/files/164/Agenda%202030_pl_2016_ostateczna.pdf (25 IV 2018).

[6] Cyt. wg: Agnieszka Stelmach, „W służbie zrównoważonego rozwoju", *Polonia Christiana*, 2018, nr 61, s. 19.

Założenie o nieodwracalnych skutkach globalnego ocieplenia w wyniku działalności ludzi ma zdaniem części naukowców wiele słabości. Na zdjęciu największy na Alasce lodowiec Matanuska.

Tennekes, astrofizyk rosyjski Chabibuło Abdusamatow, emerytowany astrofizyk amerykański Sallie Baliunas, geofizyk francuski Vincent Courtilot, profesor fizyki z University of Rochester David Douglas, profesor geologii z uniwersytetu w Oslo Ole Humlum, meteorolog i uprzedni delegat Australii w Światowej Organizacji Meteorologii William Kininmoth, profesor astrofizyki i klimatologii z Hebrajskiego Uniwersytetu w Jerozolimie Nir Shaviv i wielu innych wybitnych specjalistów[7].

Bardzo sceptycznie odniósł się do teorii antropogenicznego globalnego ocieplenia Burt Rutan, wskazując na szereg nadużyć. Edward Smith i Joseph d'Aleo zauważyli, że około 1990 roku NASA/GISS zmniejszyły liczbę stacji pomiaru temperatury, zamykając stacje położone w najzimniejszych miejscach na kuli ziemskiej. Trzeba też pamiętać, że przyrost średniej temperatury w XX wieku wyniósł 0,7%, co przy błędzie pomiaru rzędu około jednego stopnia Celsjusza stawia pod znakiem zapytania samo globalne ocieplenie. Przytacza się też inne argumenty. Po pierwsze, znane są z historii okresy większego ocieplenia, po których następowały okresy ochłodzenia. Obecny poziom CO_2 wynoszący 380 ppm, jest stosunkowo niski, a rośliny najlepiej się rozwijają przy poziomie 1000 ppm. Po drugie, obliczono, że kolejne przyrosty emisji dwutlenku węgla powodują coraz mniejsze przyrosty temperatury.

---

[7] Pełną listę tych specjalistów można znaleźć na stronie: https://en.wikipedia.org/wiki/List_of_scientists_who_disagree_with_the_scientific_consensus_on_global_warming (25 IV 2018).

Po trzecie, nie ma podstaw do twierdzenia, że dwutlenek węgla pochodzący ze spalania paliw kopalnych przez człowieka ma bardziej szkodliwy wpływ na wzrost temperatury niż pochodzący ze źródeł naturalnych. Na tej między innymi podstawie głośny krytyk ideologii AGW, Rupert Darwall, twierdzi, że wynika ona z założeń maltuzjańskich. Brytyjski ekonomista Thomas Robert Malthus (1766–1834) zwrócił uwagę na związek zamożności społeczeństwa z przyrostem naturalnym twierdząc, że wysoki przyrost liczby ludności prowadzi do nędzy, a nawet głodu. Przeciwstawiał się wszelkiej polityce socjalnej na korzyść warstw uboższych. Jego tezy zostały podważone przez wielu poważnych ekonomistów i demografów[8].

Argument o ekonomicznych czy też cywilizacyjnych skutkach przeludnienia jest bardzo wątpliwy. Sama gęstość zaludnienia nie mówi nic o szansach ekonomicznych danego obszaru. Wystarczy zastanowić się nad gospodarką Holandii i Bangladeszu oraz Syberii i Kanady. W pierwszej parze wysokiej gęstości zaludnienia towarzyszy albo wysoki, albo niski stopień rozwoju gospodarczego. Podobnie jest w drugiej parze obszarów o niskiej gęstości zaludnienia. O czym to świadczy? O tym, że sama gęstość zaludnienia nie określa szans rozwoju gospodarczego. Trzeba by dopiero wziąć pod uwagę wskaźnik gęstości ludności o określonym poziomie dochodu i przeanalizować drogi dojścia do tego poziomu[9]. Gdyby państwa wysoko rozwinięte przyłożyły więcej starań do stworzenia mechanizmu intensyfikacji gospodarki krajów słabiej rozwiniętych a gęsto zaludnionych, na przykład przez zmniejszenie dochodów z eksportu broni czy też seksturystyki oraz przez inwestowanie w lokalną infrastrukturę materialną i oświatę, to wzrost dochodu krajów zacofanych samoistnie ograniczyłby przyrost ludności bez wymuszania na nich instrumentów „zdrowia reprodukcyjnego" w postaci sterylizacji czy aborcji. Cywilizacja zachodnia najwyraźniej woli wspierać kulturę śmierci niż zająć się bardziej konstruktywnymi środkami „zrównoważonego rozwoju".

KOMUNIKOPIA

Tym dziwnym słowem określa się ostatnio czasem zalew informacji wynikający z ogromnego poszerzenia się możliwości przekazywania danych drogą elektroniczną. Jest to parafraza starożytnej metafory „kornukopia", czyli róg obfitości, a znaczy tyle co obfitość komunikacji. Istotnie w XX wieku nastąpiły ogromne zmiany w dziedzinie form komunikacji. Kultura słowa pisanego ustępuje kulturze obrazu. Szczególną rolę w tym względzie odegrała telewizja. Około 20% dzieci w USA i 10% dzieci w Europie Zachodniej spędzało pod koniec lat osiemdziesiątych przed odbiornikami niemal tyle samo czasu co w szkole[10]. W latach dziewięćdziesiątych rozpoczęła się rewolucja internetowa, w której rezultacie coraz większa część ludzkości spędza coraz więcej czasu przy komputerach, podłączona

---

8 Rupert Darwall, *The Age of Global Warming*, (Quarter Book, 2013).

9 Por. szerzej: Wojciech Roszkowski, *Land Reforms in East Central Europe after World War One*, (Warsaw: ISP PAN, 1995), ss. 33–40.

10 Zbigniew Brzeziński, *Bezład*, (Warszawa: Editions Spotkania, b.r.w.), s. 68.

do światowej sieci ze wszystkimi tego rozległymi konsekwencjami. Obecnie jeszcze większy procent czasu zajmuje młodemu pokoleniu klikanie iPhonami.

Wraz z sieciami multimedialnymi przesyłającymi jednocześnie obraz, dźwięk i dane nastąpiło gwałtownego poszerzenie i przyspieszenie obiegu wiedzy. „Komunikopia" zmienia jednak warunki życia. Młode pokolenie w krajach rozwiniętych coraz mniej czyta, jeśli czyta, to tego nie rozumie, a jeśli nawet rozumie, to szybko zapomina to, co przeczytało. Wizualizacji komunikatów towarzyszy ich trywializacja i brutalizacja, co Stanisław Lem nazwał „elektroniczną epoką kamienną". Kiedy w 1991 r. skonstruowano pierwszą maszynę wytwarzającą doskonałą iluzję komputerową (*virtual reality*), człowiek osiągnął kolejny próg w tworzeniu sztucznego środowiska własnego życia[11]. Dobrodziejstwo komputerowego przetwarzania danych zepsuły też od razu praktyki „piractwa", czyli nagminnego kopiowania programów z pogwałceniem praw autorskich oraz produkcja wirusów komputerowych uszkadzających zbiory i oprogramowanie[12].

[11] Maciej Iłowiecki, „Pytania dla XXI stulecia", *Spotkania*, 15 I 1992 r., ss. 21–23; Marek Oramus, „Elektroniczny sprzęt w jaskini", *Życie Warszawy*, 11/12 VI 1994 r.

[12] Pierwsze wielkie zamieszanie wywołał wirus wprowadzony do sieci amerykańskich w 1988 roku przez niejakiego Roberta T. Morrisa, studenta Cornell University. Joe Pichirallo, Phillip J.Hilts, „FBI to Question Student about Computer 'Virus'", *Washington Post*, 6 XI

XX w. przyniósł ogromne zmiany w komunikacji. Pojawił się internet – globalna sieć informatyczna. W efekcie tej rewolucji coraz więcej ludzi spędza coraz więcej czasu przy komputerach, uzależniają się już dzieci.

Niektórzy sądzą, że powszechny dostęp do Internetu zdemokratyzuje „scenę publiczną", że więcej osób będzie mogło uzyskać wpływ na to, co ludzie winni uznać za ważne. Przytacza się przykład prywatnej produkcji informacji w World Wide Web. Można mieć wątpliwości, czy rzeczywiście wiele to zmieni. Z jednej strony, internet staje się w pewnych sytuacjach obrońcą wolności. Kiedy w 1998 r. premier Malezji Mahathir Mohammad kazał aresztować swego zastępcę i nie dopuścił do opublikowania niezależnych informacji na ten temat, World Wide Web została w ciągu pierwszych dni kryzysu „odwiedzona" przez 17 tysięcy malezyjskich „infonautów", którzy w sieci poszukiwali wiedzy o tym, co dzieje się w ich kraju[13]. Z drugiej strony informacje ważne są wypierane przez słowny bełkot lub co najwyżej wiadomości sensacyjne. Niejaki Matt Drudge z Hollywood istotnie złamał monopol instytucjonalny producentów wiadomości nadając w świat swoje własne komunikaty, ale zrobił to w sposób typowy dla rynku medialnego, przebijając się do głosu z sensacją. To on pierwszy wypuścił w „cyberprzestrzeń" komunikat o romansie prezydenta Billa Clintona z Moniką Lewinsky[14]. Mamy tu do czynienia ze swoistym informacyjnym prawem Kopernika-Greshama. W społeczeństwie masowym kultura „wysoka" ulega dominacji kultury masowej. Niestety, również informacja ważna i budująca jest wypierana przez informację marginalną i gorszącą.

Globalizacja informacyjna stała się faktem wraz z rozwojem Internetu i światowych sieci telewizyjnych. Drzemią w niej jednak spore niebezpieczeństwa. Po pierwsze, globalizacji w tej dziedzinie towarzyszy monopolizacja źródeł informacji oraz narzucanie jednolitej hierarchii wydarzeń. Na przykład, jeśli pewnego dnia w listopadzie 1998 r. w Atlancie uznano, że kryzys iracki jest wiadomością CNN numer jeden, to inne wiadomości zostały zepchnięte na zupełny margines. Po drugie, zastępowanie druku przekazem obrazkowym przyspiesza obieg informacji, ale powoduje, że odbiorca przekazu coraz mniej z niego rozumie. Przekaz z czasów świata Biblii, wymagający pamięci, zastąpił najpierw przekaz drukowany ze „świata Gutenberga", wymagający wyobraźni, ale obecnie zastępuje go przekaz Internetu i CNN, który wymaga nie tylko pamięci i wyobraźni, ale także rozumu krytycznego, a tego trudno oczekiwać w skali masowej. Po trzecie, sam postęp techniczny nie wpłynął na wzrost jakości przekazu. Internet stał się światowym śmietnikiem informacji, w którym obok najnowszych wiadomości czy cennych bibliografii znaleźć można instrukcje produkcji broni atomowej czy pornografię dziecięcą. Internetowe fora są często miejscem wymiany prostackich i wulgarnych komentarzy. Ilość obrazów i jakość komentarzy deformuje często pamięć, wyobraźnię, rozum krytyczny, jak dobry smak i kulturę osobistą.

Innym niebezpieczeństwem związanym z upowszechnieniem elektronicznych nośników informacji jest niewątpliwy ich wpływ na sposób odbierania komunikatów przez ludzki umysł. Na podstawie wielu eksperymentów klinicznych Manfred

---

1988 r.; Leszek K. Talko, „A człowiek stworzył wirusa", *Magazyn Gazety Wyborczej*, 22 IX 1995 r., ss. 6–8.

[13] Robert L. Bernstein, „New Momentum for Human Rights", *Transitions*, 1998, nr 11, dodatek specjalny „Harnessing the Power of Globalization", s. 18.

[14] Paweł Burdzy, „Apostoł internetowej informacji", *Życie* 20/21 VI 1998 r.

Spitzer stwierdził, że ponieważ mózg jest najbardziej plastyczną częścią ludzkiego organizmu, zdolną rozwijać się w trakcie używania i to w sposób zgodny ze sposobem użycia, media cyfrowe bardzo konkretnie zmieniają jego funkcjonowanie. Upraszczając fachowe wywody autora, informacje zaczerpnięte przy pomocy tych mediów – wyszukiwarka Google i niezliczone strony „zawieszone" w sieci – są bowiem rejestrowane w pamięci płytkiej. Nie wspomaga to procesu uczenia, gdyż informacje nie zapadają w pamięć głęboką i nie prowokują do głębszej analizy. Doświadczenia Spitzera i innych badaczy wskazują na to, że używanie komputera przez kształtujące się dopiero umysły dzieci i młodzieży nie tyle rozwija, co bardziej hamuje ich rozwój. Dzieci i młodzież używają komputerów przede wszystkim do gier. Opóźnia to ich zdolność do koncentracji, utrudnia umiejętność czytania, a także ogranicza rozwój kontaktów społecznych. Liczne badania potwierdziły negatywny w zasadzie wpływ wyposażania szkół niemieckich i amerykańskich w laptopy na poziom nauczania. Wysiłek intelektualny, wykonywany dotąd przy zdobywaniu wiedzy, miał samoistne znaczenie w ugruntowywaniu wiedzy i umiejętności. Obecnie zaś ograniczany jest przez klikanie myszą. Również umiejętność zwana szumnie „wielozadaniowością" pokolenia sieci jest w istocie fikcją. Eksperymenty neurologiczne wykazały bowiem, że młodzież wykonująca jednocześnie wiele czynności przy pomocy mediów cyfrowych tylko pozornie potrafi je koordynować. W innych warunkach wykazuje bowiem mniejszą podzielność uwagi i sprawność w rozwiązywaniu wielu problemów w krótkim czasie[15].

Cywilizacja zachodnia jest coraz bardziej uzależniona od sieci internetowej, która obsługuje kluczowe elementy infrastruktury społecznej, jak system transportu, łączności i bezpieczeństwa kraju. Sieć zaś oparta jest na ciągłej dostawie prądu. Rosnące zapotrzebowanie na energię może być w jakiejś mierze regulowane przez ceny, ale awarii technicznych lub działań przestępców internetowych nie da się wyeliminować. Zwiększa to wrażliwość cywilizacji zachodniej na przypadek. Dowodzi tego szereg przypadków *blackoutów* o nawet większym zasięgu niż ten, który z powodu burzy dotknął serwery w amerykańskim stanie Wirginia w 2012 roku na pół godziny lub ten, który polegał na ataku hakerów z Korei Północnej na operatorów sieci przesyłowych w USA w 2017 roku[16]. Ochrona środowiska naturalnego wygląda czasem jak błędne koło. Rozwój elektromobilności w postaci elektrycznego napędu pojazdów może ograniczyć emisję spalin, ale wymaga wzrostu produkcji energii elektrycznej, a to może się okazywać także szkodliwe dla środowiska.

„Bezpieczni, syci i wiodący nieskrępowane zbyt wieloma zakazami życie Europejczycy zapragnęli być w centrum uwagi innych (…) Wyemancypowana jednostka stała się reżyserowanym przez siebie spektaklem. Wygrywa, gdy jest obserwowana. Przegrywa, kiedy nikt się nią nie interesuje (…) Paradoksalnie, im większy wytwarzamy w ten sposób zgiełk, tym bardziej czujmy się samotni"[17].

[15] Manfred Spitzer, *Cyfrowa demencja. W jaki sposób pozbawiamy rozumu siebie i swoje dzieci*, (Słupsk: Wydawnictwo Dobra Literatura, 2013).
[16] Piotr Kościelniak, „Na elektrycznym głodzie", *Rzeczpospolita Plus Minus*, 21–22 IV 2018 r.
[17] Jan Tokarski, „Facebook, czyli Wielki Brat", *Rzeczpospolita Plus Minus*, 22–23 VII 2017 r.

Jednocześnie miliony użytkowników mediów społecznościowych mogą nie za-uważyć, jakich elementów informacji im brakuje, bo zostały wyeliminowane przez ich operatorów. Niedawno na przykład katolicki uniwersytet Steubenvil-le w stanie Ohio stwierdził, że Facebook usunął ich reklamę z wizerunkiem krzyża[18].

Afera Facebooka, która wybuchła wiosną 2018 roku, ukazała z całą mocą skalę manipulacji, jakim poddawani są użytkownicy tego medium. Przesłuchiwany przed amerykańskim Kongresem twórca Facebooka Mark Zuckerberg, który w błyskawicznym tempie stał się multimiliarderem, robił wrażenie ucznia czarnoksiężnika, który nie bardzo zdawał sobie sprawę ze znaczenia swojego medium. Choć i wcześniej podejrzewano, że Facebook może odgrywać ogromną rolę polityczną, afera wybuchła raczej przez to, że medium Zuckerberga zostało skutecznie wykorzystane przez polityczne siły zwalczające dominujący *mainstream* lewicowo-liberalny. Oto bowiem okazało się, że firma Cambridge Analytica wykradła z Facebooka 87 mln danych użytkowników, w tym 15 mln wyborców w amerykańskich *swing states*, czyli mogących przesądzić o wyniku wyborów, dzięki czemu sztab Donalda Trumpa mógł do nich łatwiej dotrzeć ze swoim przesłaniem. Okazało się więc, jak powiada polskie porzekadło, że „złapał Kozak Tatarzyna, a Tatarzyn za łeb trzyma". Podczas gdy ujawniono związki Zuckerberga z *mainstreamem*, jego medium wykorzystał przeciwnik. Zuckerberg obiecywał bowiem na przykład w 2015 roku Angeli Merkel opracowanie mechanizmu blokującego „mowę nienawiści" wobec imigrantów muzułmańskich, a ujawniono też, iż w Facebooku wprowadzono też mechanizmy kontrolujące *fake newsy*. Afera ukazała więc Facebook jako potężne narzędzie manipulacji opinią publiczną[19].

Postęp w postaci cybersieci ma wyraźnie janusowe oblicze. „Grasz w cyfrową grę – pisał Andrzej Zybertowicz – na przykład w jakąś cywilizację, tworzenie imperium – jesteś sprawcą, władcą, kreatorem światów i losów (...) Wchodzisz do internetu i buszujesz, gdzie chcesz. Myślisz: to ja sam(a) – cha, cha – wybieram w co kliknąć. Tworzysz aplikację, wrzucasz ją do sieci – skupiasz i przekierowujesz uwagę ludzi, jesteś niczym władca dusz"[20]. A tymczasem naprawdę użytkownik sieci staje się niepostrzeżenie przedmiotem obserwacji i manipulacji, która dotyczy jego tożsamości, jego potrzeb i aspiracji gdyż po drugiej stronie internetowej sieci może znajdować się firma handlowa, obcy wywiad lub przestępca. Co więcej, sieci społecznościowe są cenzurowane i to selektywnie. YouTube na przykład ocenzurował pod zarzutem rozpowszechniania mowy nienawiści wypowiedź pewnego muzułmanina, który wskazywał, jak bardzo antysemickie są społeczności muzułmańskie. Sieć ta źle znosi treści „prawicowe", na co wskazała organizacja

---

18 „Odrzucony przez FB", *Sieci*, 16–22 IV 2018 r.

19 Maciej Kożuszek, „Zuckerberg grillowany, raz!" *Gazeta Polska*, 18 IV 2018 r.; Jacek Przybylski, „Pożegnanie z Facebookiem?" *Do Rzeczy*, 9–15 IV 2018 r.; Radosław Wojtas, „Brudna gra na Facebooku", *Do Rzeczy*, 26 III-2 IV 2018 r.; Hubert Salik, „Demokracja przegrywa z Facebookiem", *Rzeczpospolita Plus Minus*, 24–25 III 2018 r.

20 Andrzej Zybertowicz, „Obłęd postępu", *Gazeta Polska*, 25 X 2017 r., ss. 38–39.

Twórca Facebooka Mark Zuckerberg szybko stał się multimiliarderem. Stworzona przez niego platforma internetowa miała służyć utrzymywaniu towarzyskich kontaktów, a stała się jedną z największych firm na świecie propagujących lewicowy światopogląd.

PragerU[21]. Choć kłamstwo było zawsze potężnym orężem politycznym, w dobie internetu skuteczność *fake news* przebiła dotychczasowe rekordy, gdyż powielane są one w sieci mechanicznie. Wywiady różnych krajów, w tym najczęściej państw walczących z cywilizacją zachodnią, produkują w coraz bardziej wyrafinowany sposób fałszywki, które potem powtarza cały świat[22].

Pojęcie „osobliwości" wylansowali fizycy dla określenia swej bezradności wobec praw rządzących w chwili początkowej świata lub w czarnych dziurach. Ktoś niedawno przewidywał, że nieustanne przyspieszanie rozwoju technologii informatycznej doprowadzi nas do nowej osobliwości. Około 2035 r. nastąpić ma, zdaniem tego autora, „technowniebowzięcie"[23]. Nie bardzo wiadomo na czym ma ono polegać, ale na pewno nie będzie to wniebowzięcie. Oplątujemy się więc siecią urządzeń i „aplikacji", które często pozorują przechodzenie do innych wymiarów, ale które naprawdę odciągają naszą uwagę od spraw najważniejszych.

---

[21] Wiktor Młynarz, „Szansa na zakończenie cenzurowania konserwatystów", *Gazeta Polska Codziennie,* 27 X 2017 r.

[22] Wiele przykładów takich *fake news* podał Rafał Brzeski, „Robotyzacja dezinformacji", *Kurier Wnet,* 2017, nr 40.

[23] Stewart Brand, „Czarna dziura postępu", *Rzeczpospolita*, 29 IV-1 V 2000 r.

NIE MA CZASU, BO MUSI BYĆ WOLNY

Wydawać by się mogło, że wraz z postępem technicznym, rozwojem gospodarczym i wzrostem dochodu w większości krajów zachodnich wzrośnie też poziom zadowolenia z życia, wynikający z satysfakcjonującego spędzania wolnego czasu. Okazuje się, że nie jest to takie proste. Po pierwsze, ludzie Zachodu stale się spieszą. Po drugie zaś, ich wolny czas wypełniają coraz częściej rozrywki niezbyt godne pochwały.

Co robimy z czasem? Paradoks polega na tym, że porównawcze badania socjologiczne wykazują, że mieszkańcy krajów wysoko rozwiniętych dysponują znacznie mniejszą ilością wolnego czasu niż ci z krajów słabiej rozwiniętych, zwłaszcza w strefie tropikalnej. Nic dziwnego, że w tradycyjnych kulturach pozaeuropejskich czas biegnie zupełnie inaczej. „Jak to: kiedy odjedzie autobus? – pyta zdumiony Afrykanin – kiedy zbierze się tyle ludzi, żeby cały zapełnili! Kiedy będzie zebranie? Wtedy, kiedy zbiorą się ludzie!"[24] U ludów żyjących w tradycyjnych warunkach w Afryce czy Azji czas jest nieokreślony. Przeszłość to najczęściej „dawno", „bardzo dawno" lub „na początku". Bieg czasu nie jest tam postrzegany liniowo, lecz koliście. Tak jak ludzkie życie zaczyna się i kończy. Nie ma tam miejsca na pojęcie rozwoju, jest tylko stałe, choć powtarzalne, trwanie.

Przez ostatnie dwieście lat rozwój cywilizacji białych Europejczyków w różnych częściach kuli ziemskiej wydawał się zmierzać do wyzwolenia człowieka z niewoli wyczerpującej pracy. Stopniowo skracano przeciętny czas pracy i powiększano zasoby czasu wolnego. W latach siedemdziesiątych i osiemdziesiątych wzrost ilości wolnego czasu został pochłonięty w krajach mniej lub bardziej rozwiniętych przez urządzenia medialne, w tym głównie telewizję, której oglądanie zajmuje odtąd, w zależności od kraju, między 50 i 70% całego wolnego czasu „medialnego". Bierne podłączanie się do nośników informacji, najczęściej wizualnej, nasiliło się wraz z rozszerzeniem zasięgu użytkowania komputerów osobistych, magnetowidów, modemów i płyt kompaktowych. „Mediatyczny wzór wypoczynku wydaje się być zjawiskiem cywilizacyjnym" pisze znawca problematyki wolnego czasu Bohdan Jung[25]. Z jego analiz można wyciągnąć wnioski dość paradoksalne. Im wyżej rozwinięty kraj, tym mniej wolnego czasu mają jego mieszkańcy, a i ten wolny czas wykorzystują coraz częściej w sposób bierny, podłączeni do mediów.

Rozwinięta cywilizacja miała, choćby częściowo, wyzwolić człowieka od pracy, a tymczasem, zwłaszcza w ostatnich latach, ilość wolnego czasu przestała rosnąć, a jego wolność stała się coraz bardziej problematyczna. Coraz więcej czasu poświęcamy więc na zarabianie pieniędzy, by kupić sobie czas wolny, ale jest to gonitwa za cieniem, gdyż ani nie powiększa to zasobu czasu wolnego ani satysfakcji z jego wykorzystania. Znany myśliciel żydowski Abraham Heschel napisał kiedyś: „Cywilizacja techniczna to podbój przestrzeni przez człowieka. Triumf ten osiągany jest często poprzez poświęcenie zasadniczego czynnika egzystencji – czasu (...)

---

[24] Ryszard Kapuściński, *Heban*, (Warszawa: Czytelnik, 1998), ss. 20–21.
[25] Bohdan H. Jung, *Ekonomia czasu wolnego*, (Warszawa: PWN, 1989), s. 67.

Bronimy się przed bezwarunkową kapitulacją człowieka przed przestrzenią, przez zniewoleniem przez rzeczy. Nie możemy zapominać, że to nie rzeczy użyczają znaczenia chwili; to chwila użycza znaczenia rzeczom". Heschel apelował o docenienie dnia świątecznego nie tylko jako nagrody za ciężką pracę, ale jako koniecznej przerwy na refleksję nad światem i życiem. „Sensem Szabatu jest uświęcenie raczej czasu niż przestrzeni. Przez sześć dni w tygodniu żyjemy w tyranii rzeczy przestrzeni; w dzień Szabatu staramy się sprostać świętości w czasie"[26].

Żyjąc na co dzień w rozwiniętej cywilizacji technicznej ludzie Zachodu nie zauważają już jak bardzo oddalili się od tradycyjnego odczuwania czasu. Dlatego warto spojrzeć na siebie oczami obserwatora zewnętrznego. W latach dwudziestych XX wieku odwiedził Europę niejaki Tuiavii z wyspy Upolu w archipelagu Samoa. Już wówczas zauważył bezradną pogoń białych za czasem. Po powrocie zdał sprawę swoim ziomkom w ten sposób: „Mówię wam, bracia, to jest jakiś rodzaj choroby białych (…) Białym na wszystko 'szkoda czasu'. Tracą życie, żeby zarobić na czas. I tracą czas, żeby zarobić na życie". Tuiavii pojął, być może, istotę cywilizacji białych, których nazywał Papalagi. „Czas – stwierdził – wyślizguje mu się z ręki jak ryba. Bo Papalagi zbyt kurczowo ściska czas. Czas mu ucieka, a Biały go goni i pogania i nie daje mu odetchnąć. Czas musi stać wciąż przy Białym i musi pracować, musi coś mówić albo śpiewać. A przecież czas jest cichy, czas kocha cichą radość, spokój i wygodną matę. Papalagi nie rozumie czasu, nie umie się nim posługiwać, traktuje go po swojemu, to znaczy brutalnie. I czas go nie lubi"[27].

Czy nie jest tak, że każda mijająca chwila jest niepowtarzalna i że jej szkoda, a wobec tego należy ją umieć smakować? Wskaźniki efektywnościowe, operujące pojęciem nakładu i wyniku oraz efektu na jednostkę czasu, do tego stopnia opanowały naszą wyobraźnię, że najchętniej zwiększylibyśmy skutki naszych działań do nieskończoności pomniejszając zużyty czas do zera. Stały wyścig z czasem powoduje jednak, że kiedy stajemy w miejscu, nie wiemy, co począć. Czas wolny staje się bezwolny. Ile rzeczy robi człowiek współczesny „dla zabicia czasu"? Nie przypadkiem ludzie mądrzy powiadają, że kto zabija czas, zabija siebie samego.

Innym powodem, dla którego we współczesnej cywilizacji białych walczy się z czasem, jest lęk egzystencjalny. Jest coś neurotycznego w kulturze, która sprzedaje sama sobie przetrawione i „udoskonalone" obrazy świata, a coraz mniej ma ochoty cieszyć się światem takim, jakim on jest. Zagospodarowujemy i zmieniamy każdy wolny skrawek przyrody. Najmłodsze pokolenie nie może znieść nawet wolnego kawałka czystego muru i musi tam smarować sprayem swoje hieroglify, trochę tak jak psy zaznaczające swój teren. Każdą chwilę wypełniamy pracą lub rozrywką, żeby nie myśleć, po co to wszystko. Ani nie zagłuszymy jednak, ani nie zepchniemy do końca w niebyt pytania „co dalej?" Jak mówił mądry Tuiavii, „wspinasz się na czubek palmy, ale pień palmy wreszcie się kończy, trzeba zawracać i niebo pozostaje, jak było, tajemnicą"[28].

---

[26] Abraham Joshua Heschel, *Szabat*, (Gdańsk: Atext, 1994), ss. 7, 10 i 14.
[27] Anna i Maciej Wcisłowie, „Papalagi", *Przegląd Powszechny*, 1983, nr 12, ss. 369, 370.
[28] Tamże, s. 372.

Dzięki niewątpliwemu wzrostowi poziomu życia materialnego, przełom tysiącleci stał pod znakiem fascynacji wolnością. Poprawa warunków materialnych życia, większa ruchliwość ludzi, przechodzenie wielu krajów od dyktatur do demokracji, atrakcyjne wzorce konsumpcyjne – wszystko to zachęca do korzystania z większej wolności. Fałszywie rozumiana wolność może jednak godzić w podstawy współżycia społecznego. Ci, co nadużywają wolności ekspresji obrażając cudze uczucia, często prowokują reakcję fanatyczną, przekraczającą wyzwanie. Kto sieje wiatr, ten zbiera burzę, jak Salman Rushdie, który szydził z muzułmanów i musiał kryć się przed ich wyrokiem śmierci. Z upadkiem mitu komunistycznego koniec XX wieku przyniósł triumf ideologii wolnego rynku. Niemniej powszechna komercjalizacja życia jest zagrożeniem człowieka, gdyż prowadzi do uprzedmiotowienia stosunków międzyludzkich. Charakterystyczny jest tu los protestów młodzieżowych z końca lat sześćdziesiątych, które wyrosły z buntu przeciw materializmowi, a skończyły się masowym obrotem handlowym środkami protestu w postaci nagrań płytowych i narkotyków. Lansowana wówczas nagość, stanowiąca ekspresję wolności, stopiła się z falą pornografii.

Niezależnie od pozytywnej roli w upowszechnianiu wiedzy, dominacja bodźców wizualnych prowadzi do łatwego zacierania różnicy między prawdą i fikcją. Widz najczęściej nie rozróżnia, kiedy krew leje się „na niby" w filmach Arnolda Schwarzeneggera, a kiedy ma do czynienia z prawdziwą tragedią. Na każdym kroku media gwałcą intymność, nawet w obliczu śmierci. W 1995 r. karierę zrobiła brytyjska kaseta video z nagraniami scen prawdziwych egzekucji. Powszechna staje się nieczułość na cudze nieszczęście. Gwałt, zabijanie i zadawanie cierpienia stały się częścią świata rozrywki. Filmy horroru, *science fiction* lub thrillery pełne są scen mrożących krew w żyłach. Nieustannie detonuje się tu ładunki wybuchowe, pokazuje cynizm, śmierć i okrucieństwa. Słowa popularnych piosenek pełne są obscenicznych zwrotów lub zachęt do przemocy lub samobójstwa. Przodują w tym niektórzy wykonawcy muzyki *rap*[29]. Wiele gier komputerowych zawiera instrukcje jak zabijać. Na przykład w grze *Dungeons and Dragons* znaleźć można takie wyjaśnienie: "Rzut kostką: 37–38; miejsce uderzenia: krocze/piersi; wyniki: genitalia/wydarte piersi; szok. Rzut kostką: 95; miejsce uderzenia: wydarcie wnętrzności. Rzut kostką: 100; miejsce uderzenia: głowa; wynik: rozbita głowa, mózg rozrzucony na dużym obszarze"[30]. Zjawiska te były odbiciem rosnącej fali przestępczości, ale znacznie przekraczały jej realne rozmiary, a nawet przyczyniały się do jej narastania.

Producenci kultury masowej żerują na najniższych instynktach. Zjawiska patologiczne pojawiają się nie tylko w masowej produkcji szmiry, ale także w obrazach o ambicjach artystycznych. Niektórzy producenci filmowi stali się „kulturowymi sabotażystami", nadużywającymi wolności ekspresji i demoralizującymi ludzi o niedojrzałej wyobraźni[31]. Współczesna muzyka młodzieżowa przestaje prowokować

---

[29] „The Rap Attitude", *Newsweek*, 19 III 1990 r., ss. 56–63. Por. np. słowa utworów rapera Ice Cube: https://genius.com/Ice-cube-gangsta-rap-made-me-do-it-lyrics (24 VI 2018).
[30] Steffon, *Satanizm jako ucieczka w absurd*, ss. 99–161; Ritchie, s. 59.
[31] Brzeziński, *Bezład*, s. 69.

Brytyjski pisarz Salman Rushdie był krytyczny w stosunku do muzułmanów i musiał ukrywać się przed wydanym przez nich wyrokiem śmierci.

do radosnej zabawy, a zachęca do ucieczki od rzeczywistości i absurdalnych ekstrawagancji. Jest to kultura alienująca młodych ludzi i utrudniająca im głębszy kontakt. Tym właśnie ludzie Zachodu coraz częściej wypełniają swój wolny czas.

PODGLĄDANIE STWÓRCY

Ludzka ciekawość jest niesłychanie silnym bodźcem prowadzącym do odkryć naukowych. Tak zawsze było i zawsze będzie. Problem w tym, czy w pogoni za odkrywaniem zagadek tego świata nie istnieją bariery, których przekroczenie powoduje więcej problemów niż te, których rozwiązanie nowe odkrycie umożliwia. Tak może stać się z projektem poznania ludzkiego genomu (*Human Genome Project*, HGP). Badania w tym zakresie rozpoczęto w 1990 roku w ramach grantu Departamentu Energii i Narodowego Instytutu Zdrowia USA pod kierownictwem wybitnego genetyka Francisa S. Collinsa[32]. Wstępny opis ludzkiego genomu opublikowano na początku 2000 roku, a sam Collins skomentował ten fakt, mówiąc: „To najważniejsza, najcudowniejsza mapa, którą rodzajowi ludzkiemu udało się

---

[32] Co ciekawe, Collins, który w młodości określał się jako ateista, z biegiem czasu zaczął przyznawać się do przekonań chrześcijańskich, a także oponował przeciw prawu do aborcji. https://en.wikipedia.org/wiki/Francis_Collins#Christianity (14 VI 2018).

stworzyć (…) Dziś uczymy się języka, w którym Bóg stworzył świat"[33]. Celem badań było poznanie sekwencji wszystkich komplementarnych par zasad tworzących ludzki genom, który zawiera 3,3 miliardy „par bazowych" (*base pair*) około 30 tysięcy genów. W kwietniu 2003 roku opublikowano raport, stwierdzający zakończenie „sekwencjonowania", czyli odczytywania kolejności par nukleotydowych w cząsteczce kwasu dezoksyrybonukleinowego (DNA), w 99% ludzkiego genomu z trafnością 99,9%. Natychmiast pojawiły się firmy, które chciały opatentować ludzki genom, aby dysponować wyłącznością praw majątkowych do leków powstałych na bazie tego odkrycia. W czerwcu 2013 roku amerykański Sąd Najwyższy zakazał jednak patentowania ludzkich genów[34].

W trakcie badań okazało się jednak, że horyzont poznania ludzkiego genomu oddalił się, gdyż zawiera on wprawdzie od 20 do 25 tysięcy genów kodujących białka w organizmie ludzkim, ale reszta genomu koduje nie białka, lecz wytwarzane na podstawie cząsteczek DNA cząsteczki kwasów rybonukleinowych (RNA). Nie wchodząc w dalsze szczegóły, okazało się, że kod ludzkiego organizmu jest znacznie bardziej skomplikowany, niż początkowo twierdzono. Niemniej wyniki badań niezwykle posunęły naprzód „bioinformatykę", czyli rozpracowywanie informacji genetycznej wszystkich gatunków zwierząt i roślin, a to z kolei otworzyło nowe perspektywy przed technologiami medycznymi, rolniczymi, kryminalistyką, a nawet historią migracji i genealogią. Na przykład analiza „haplogrup", czyli sekwencji genów położonych w okresowych miejscach na chromosomie, pozwala stwierdzić z grubsza kiedy żyli ludzie, od których cała współczesna ludzkość odziedziczyła chromosom Y i mitochondrialny DNA, a także określać tożsamość ludzi na podstawie materiału genetycznego oraz ich pokrewieństwo[35].

Prawdziwą miną genetyczną może się okazać wykorzystywanie systemu zwanego CRISPR (*Clustered Regularly Interspaced Short Palindromic Repeats*), polegająca najprościej mówiąc na wycinaniu określonego segmentu DNA i wklejanie w to miejsce dostarczonej z zewnątrz sekwencji genetycznej. W 2015 roku próbę taką przeprowadził na 86 zarodkach ludzkich zespół Junjiu Huanga z chińskiego uniwersytetu w Guangzhou, na razie z pięcioprocentową skutecznością[36].

Nie przypadkiem Roger Shattuck zaliczył badania genetyczne do kategorii „wiedzy zakazanej", a więc rodzącej wiele niebezpieczeństw[37]. Choć niektóre jego zastrzeżenia nie są przekonywające, ma on rację wskazując, że odkrycia genetyczne mogą prowadzić na manowce determinizmu i iluzji osiągnięcia panaceum

---

[33] Francis S. Collins: *The Language of God. A Scientist Presents Evidence for Belief*, (New York–London-Toronto-Sydney: Free Press, 2006), s. 2.

[34] Maja Gawrońska, „Władcy genów", *Gazeta Wyborcza*, 21 VI 2013 r.

[35] Por. np.: Justyna Sosna, „Ewolucja genomu człowieka", praca licencjacka na Wydziale Biologii i Ochrony Środowiska Uniwersytetu Śląskiego, Katowice, 2005, http://www.biotechnolog.pl/pliki/Ewolucja_genomu_czlowieka_Justyna_Sosna.pdf (14 VI 2018).

[36] Jennifer A. Doudna, Samuel H. Sternberg, „Edytorzy genów", *Rzeczpospolita Plus Minus*, 7–8 VII 2018 r.

[37] Roger Shattuck, *Forbidden Knowledge. From Prometheus to Pornography,* (New York: St. Martins'; Press, 1996), ss. 210 nn.

na wszystkie ludzkie problemy. Kod genetyczny człowieka nie wyjaśnia bowiem wszystkich zjawisk występujących w ludzkim fenotypie. Istnieje zjawisko penetracji genu, wyrażane przez stosunek liczby osobników posiadających cechę warunkowaną przez dany gen do całkowitej liczby osobników posiadających ten gen. Stwierdzono też epigenezę, czyli mechanizm, który oddziałuje na sieci komórek w sposób odbiegający od przewidywanego wzorca, zaś mechanizm heterozji oznacza wzajemne oddziaływanie genów w nieoczekiwany sposób. Przede wszystkim jednak Shattuck wskazał szereg problemów etycznych i społecznych, które mogą wystąpić, a obecnie już z pewnością występują w wyniku postępów genetyki. Metaforycznie porównał on pionierów genetyki do Dedala, pytając, czy w wyniku ich odkryć ludzie będą mogli uniknąć losu Ikara. Przestrzegł przed iluzją bombastycznych twierdzeń o tym, że dzięki genetyce człowiek w końcu zrozumie swoje pochodzenie i będzie mógł zapanować nad swoją przyszłością. Niebezpieczeństwo polega tu na tym, że człowiek może wejść na drogę stwarzania siebie na nowo jako lepszego gatunku, a osiągnąć rezultaty katastrofalne. Już dziś nie bardzo wiemy, jakie skutki przyniesie w przyszłości konsumpcja genetycznie modyfikowanej żywności. Odkrycie ludzkiego genomu może skutkować przekonaniem, że nasza egzystencja jest zdeterminowana genetycznie i że nie w niej miejsca na wolną wolę.

Genetyka niesie złudne nadzieje, że można będzie pokonać wszystkie choroby i przedłużać życie bez końca. Postęp w badaniach genetycznych w istocie nie oddala, ale zwiększa konieczność znalezienia odpowiedzi na odwieczne ludzkie pytania o sens życia i śmierci. Shattuck zadaje w końcu fundamentalne pytanie: czy istnieją takie granice ludzkiego poznania, których przekroczenie powoduje samo zło?[38] Zważywszy problemy, jakie cywilizacja zachodnia ma obecnie z pojęciem dobra i zła, odpowiedź nie polega tylko na odnalezieniu tych granic, ale na tym, czy ludzie Zachodu umieją i chcą je rozpoznać.

Naukowcy starają się opracować środki mogące wydłużyć życie przez zwalnianie procesu starzenia się organizmu, na przykład przy pomocy hormonu tyroksyny lub enzymu katalazy[39]. Swego czasu amerykański politolog Francis Fukuyama obwieścił „koniec historii" w wyniku triumfu liberalnej demokracji nad totalitaryzmem komunistycznym[40]. Książka zrobiła karierę, a jej tytuł stał się wręcz porzekadłem. Po krótkim czasie Fukuyama doszedł jednak do wniosku, że w ramach liberalnej demokracji dokonuje się zagłada człowieczeństwa. Ta książka nie przyniosła już Fukuyamie takiej sławy. Niemniej warto ją dokładnie przestudiować, gdyż zawiera wiele cennych obserwacji o dzisiejszym świecie. Fukuyama nawiązał w niej do „Nowego wspaniałego świata" Aldousa Huxleya[41], w którym opisany jest świat, w którym pozbyto się chorób i konfliktów społecznych, nie istnieje depresja i samotność, seks zaś przynosi radość i jest łatwo dostępny. Nikt już nie traktuje religii poważnie ani nie zastanawia się nad sensem życia. Instytucję

---

[38] Shattuck, *Forbidden Knowledge,* s. 222.
[39] Bożena Kastory, „Fontanna młodości", *Newsweek Polska,* 22 V 2005 r., ss. 64–68.
[40] Francus Fukuyama, *Koniec historii,* (Kraków: Znak, 2009).
[41] Aldous Huxley, *Nowy wspaniały świat,* (Warszawa: Wydawnictwo Muza S.A., 2011).

rodziny zastąpiono dowolnymi związkami, a potomstwo rodzi się laboratoryjnie. Wszyscy są szczęśliwi i zdrowi, więc ludzkość osiągnęła raj na ziemi. Czyżby? Nie chodzi nawet o to, że takie społeczeństwo jest niemożliwe, gdyż niezaspokojenie jest immanentną cechą ludzkiego losu. Problem w tym, że ludzie opisani przez Huxleya przestają być ludźmi. Nie mają aspiracji, nie kochają i nie muszą dokonywać wyborów moralnych, a nawet jeśli ich dokonują, to bez odniesienia do dobra i zła, ale do własnej korzyści. W wyniku rozwoju technologii medycznej i rewolucji społecznej stracili naturę ludzką. Dodać by można, że w naturze człowieka jest osiąganie dobra nawet za cenę cierpienia. Czy rzeczywiście cywilizacja zachodnia jest daleka od sytuacji opisanej przez Huxleya?

Fukuyama widzi największe zagrożenie dla człowieczeństwa w biotechnologii. Kreśli trzy scenariusze. Po pierwsze, firmy farmaceutyczne dostosują swe leki do profilów genetycznych pacjentów, co pozwoli im dostosowywać swe cechy osobowe do potrzeb chwili. Po drugie, postęp w badaniach nad komórkami macierzystymi pozwoli wyprodukować każdą zużytą lub chorą tkankę naszego ciała. Ludzie o przedłużonym w ten sposób życiu będą coraz bardziej skupieni na sobie, ale przestaną być dla siebie atrakcyjni seksualnie, więc potrzebować będą młodszych partnerów, co będzie coraz trudniejsze z powodu deficytu dzieci. Po trzecie, ze zdobyczy biotechnologii korzystać będą w pierwszej kolejności ludzie bogaci. Będą oni określać parametry genetyczne swego sztucznie powoływanego do życia potomstwa. Coraz łatwiej będzie określić po wyglądzie pochodzenie człowieka z „wyższych sfer", ale jeśli ktoś nie będzie ze swoich parametrów zadowolony, skieruje swe pretensje do rodziców, być może nawet na drodze sądowej. Rówieśników, których rodziców nie stać było na podobne ekstrawagancje, „lepsi" ludzie potraktują jak „podludzi". To już było... I wydaje się dziś nie takie znów odległe. Wniosek Fukuyamy zawarty jest w cytacie z Toma Wolfe'a: „przykro nam, ale pańska dusza właśnie umarła"[42].

PUŁAPKI BIOETYCZNE

Walka z bólem jest oczywiście rzeczą słuszną i postęp medyczny w tej dziedzinie jest ogromny. Problem w tym, że koncerny farmakologiczne wprowadzają na rynek ciągle nowe substancje, których używanie wymyka się spod kontroli lekarzy i prowadzi do masowych uzależnień. Tak stało się w USA z lekami opartymi na opioidach, będących w istocie narkotykami. Ich dostępność przyczyniła się do wzrostu śmiertelności w wyniku ich nadużywania, a szczególną role odegrała tu substancja zwana fentanyl[43].

Inną pułapką bioetyczną są ludzkie komórki macierzyste (*stem cells*). Ich odkrycie stanowiło zapowiedź przełomu w leczeniu wielu dotąd nieuleczalnych schorzeń. Punktem wyjścia tych badań była refleksja nad niezwykłą zdolnością komórek zarodkowych do rozwijania się w komórki różnego typu tkanek żywego

---

[42] Francis Fukuyama, *Koniec człowieka*, (Kraków: Znak, 2002), ss. 17–23.

[43] Paweł Kryszczak, „Narkotyki zbierają żniwo w USA", *Gazeta Polska Codziennie*, 23 III 2018 r.

organizmu. W wyniku tych badań stwierdzono, że komórki macierzyste dzielą się na komórki totipotencjalne, mogące różnicować się w komórki każdego typu, pluripotencjalne, mogące dać początek każdemu rodzajowi dorosłych komórek z wyjątkiem łożyska, multipotencjalne, mogące rozwinąć komórki różnego typu, ale o podobnych właściwościach, oraz unipotencjalne, mogące dać początek komórkom tylko jednego typu. Stwierdzono też, że komórki totipotencjalne i pluripotencjalne znajdują się w zarodkach (*embryonic stem cells,* ESC). Nie trzeba dowodzić, jak ważne było to odkrycie z punktu widzenia hodowli tkanek mogących zastąpić tkanki chore. Ich wykorzystanie musiałoby jednak prowadzić do zniszczenia ludzkiego embrionu. W przypadku człowieka stwierdzono jednak także, iż mogą one wystąpić w krwi łożyskowej matki.

Badania nad komórkami macierzystymi trwają. W 2006 roku opublikowano wyniki udanego eksperymentu z hodowlą ESC bez niszczenia embrionu, a rok później – uzyskano ludzkie linie komórek macierzystych z niezapłodnionych oocytów, czyli komórek dających początek komórkom jajowym. W październiku 2011 roku uzyskano laboratoryjnie pierwsze komórki macierzyste ze sklonowanego ludzkiego embrionu. W tym momencie powstała realna pokusa produkcji tych komórek kosztem życia zarodków. Trybunał Sprawiedliwości Unii Europejskiej zakazał wówczas patentowania metod pozyskiwania ESC kosztem życia zarodka, ale badań w tym kierunku nie powstrzymano. W styczniu 2012 roku dopuszczono do obrotu w Korei Południowej pierwszy lek z ludzkimi komórkami macierzystymi, nie informując, jak je pozyskano[44]. Technologia pozyskiwania tych komórek kosztem życia zarodków jest już względnie zaawansowana i jest w związku z tym zapewne mniej kosztowna niż poszukiwanie metod pozyskiwania ESC totipotencjalnych i pluripotencjalnych bez zabijania zarodków. Na przykład naukowcy z Oregon Health & Science University hodowali ludzkie zarodki wyłącznie po to, by je zabić i uzyskać komórki macierzyste[45]. W 2016 roku brytyjski Urząd do Spraw Ludzkiej Płodności i Embriologii zgodził się, by dr Kathy Niakan mogła szukać w ludzkich embrionach genów odpowiedzialnych za samoistne poronienia. Odtąd pani Niakan mogła eksperymentować na embrionach do siódmego dnia po zapłodnieniu, które oczywiście nie były wszczepiane matkom[46].

Powstaje więc ogromny problem moralny: czy mamy prawo korzystać z postępu biotechnologii ESC, nie zważając na to, że postęp ten oznacza zabijanie ludzkich embrionów. Rzecznicy postępu bez refleksji moralnej problem ten bagatelizują lub ignorują. Obawy o przyszłość ludzkości, zagrożonej przez rozwój technologii, szczególnie biotechnologii, implantowanie mikroprocesorów do mózgu

---

[44] Adam Wawrzyński, „Komórkowe panaceum?" *Wiedza i Życie,* 2011, nr 10, s. 23; http://nt.interia.pl/raporty/raport-medycyna-przyszlosci/medycyna/news-przelomowa-metoda-hodowli-komorek-macierzystych-nie-wymaga-t,nId,1097725; https://pl.wikipedia.org/wiki/Kom%C3%B3rki_macierzyste (22 VI 2018).

[45] Tomasz P. Terlikowski, „Pomaganie przez zabijanie", *Gazeta Polska,* 22 V 2013 r.

[46] Aleksander Kłos, „Genetycznie zmodyfikowani Brytyjczycy", *Gazeta Polska Codziennie,* 3 II 2016 r.

oraz lekarstwa „uszczęśliwiające" wyraził niedawno astrofizyk Martin Rees[47]. Ciekawe, że stosunkowo mało miejsca poświęcił on kryzysowi etyki.

Podczas gdy jedni nowocześni ludzie Zachodu za wszelką cenę chcą uniknąć potomstwa, inni za wszelką cenę chcą je mieć i to przy jak najmniejszym własnym wysiłku. Furorę zrobiła więc metoda zapłodnienia *in vitro*. Postęp medyczny został tu wykorzystany przez potężny biznes, która zarabia miliardy dolarów, uzasadniając swe działania rzekomym dobrodziejstwem, jakim ma być przezwyciężenie bezpłodności. Metoda *in vitro* jest jednak gigantycznym oszustwem. Po pierwsze, często nie chodzi tu o bezpłodność, ale o wygodę. Po co ma kobieta męczyć się przez dziewięć miesięcy, deformować sobie sylwetkę, jeśli może wynająć surogatkę, która donosi poczęty w laboratorium płód, a potem go odstąpi „prawdziwej" matce? Po drugie, powstaje problem, co zrobić z embrionami, które nie zostały wszczepione kobiecie, która ma dziecko urodzić. W latach 1991–2005 w Wielkiej Brytanii wytworzono 2 137 924 embriony. W tym samym czasie urodziło się 109 469 dzieci „z probówki". Co jednak stało się z ponad dwoma milionami zapłodnionych zarodków? Na to pytanie mało kto chce odpowiadać. Ponadto około 60–95 dzieci poczętych tą metodą umiera przed urodzeniem. Skuteczność metody *in vitro* ocenia się średnio na 25%. W wyniku kolejnych prób odrzuca się od 10 do 15 zarodków, a wśród dzieci urodzonych tą metodą stwierdza się ryzyko wad genetycznych o 30 do 40% większe niż u dzieci urodzonych normalnie[48]. Metoda ta jest ponadto skrajnie nieopłacalna. Podczas pierwszego roku rządowego programu w Polsce podatnicy zapłacili 72 mln zł za to, by 8 685 par uzyskało 2 559 ciąż i 214 nowo narodzonych dzieci. Jest ona opłacalna dla klinik, które się tym zajmują za olbrzymie pieniądze od klientów i państwa. Chodzi więc o przede wszystkim o biznes, a nie o leczenie bezpłodności[49].

„Eskimoski" lub „maluchy na zimowisku" – tak nazywają swoje potomstwo zamrożone w ciekłym azocie, w temperaturze -196C°, a poczęte metodą *in vitro*, niektóre ich matki. Trudno powiedzieć, czy zdają sobie sprawę z tragedii położenia tych embrionów. Nie wystarczy wmawiać sobie, że metodą tą można przezwyciężyć bezpłodność lub jeszcze bardziej bałamutnie twierdzić, że służy ona życiu. Co z tymi embrionami zrobić? To pytanie odnosi się do milionów istnień ludzkich, którym nie dano się normalnie narodzić, a które często usuwa się jak biologiczne odpady lub używa się do eksperymentów medycznych. Takich istnień jest

---

[47] Martin Rees, *Our Final Century. Will the Human Race Survive the Twenty-first Century?* (London: Heinemann, 2003).

[48] „In vitro z wadami. Z prof. dr hab. med. Aliną T. Midro rozmawia Krzysztof Losz", *Nasz Dziennik*, 19–20 VII 2014 r.; „Nie twórzmy idealnego człowieka. Z prof. Andrzejem Kochańskim rozmawiają Magdalena Michalska i Dorota Łomnicka", *Gazeta Polska*, 18–25 XII 2913 r. Statystykom dotyczącym wad genetycznych płodów poczętych metodą *in vitro* zaprzeczają dane podane przez Agnieszkę Kołakowską, *Plaga słowików*, (Warszawa: Teologia Polityczna, 2016), s. 149.

[49] Marzena Nykiel, „Rysy 'na szkle'", *W Sieci*, 28 VII–3 VIII 2014 r.

Nagość, stanowiąca ekspresję wolności, stopiła się z falą pornografii. Na zdjęciu impreza gejowska w hiszpańskiej Sevilli.

w Polsce kilkadziesiąt tysięcy, a w USA około 800 tysięcy. Jednej z takich matek udało się zdobyć „swój" termos kriogeniczny. Po powrocie do domu otworzyła go, a zawartość zakopała w ogródku i postawiła krzyż. Nie może jednak zapomnieć. Modli się do swoich ośmiu „aniołków"[50].

W wyniku rozwoju metody *in vitro* rozwinął się nieregulowany niczym rynek „usług reprodukcyjnych", na którym cenę urodzenia dziecka przez surogatkę kształtuje podaż i popyt, choć na koniec powstać może zasadniczy dylemat, czy matką jest kobieta, której zapłodnione jajeczko wszczepiono w macicę surogatki, czy ta ostatnia[51]. W 2014 roku z usług surogatek korzystali legalnie klienci w Finlandii, Belgii, Grecji, Wielkiej Brytanii, Rosji i na Ukrainie, zaś w Austrii, Niemczech, Francji, Norwegii i Szwecji było to nielegalne[52]. „Macierzyństwo zastępcze" to przede wszystkim ogromny biznes, oceniany już w 2013 roku na 2,5 mld dolarów. Kwitnie on przede wszystkim w krajach, gdzie usługa taka jest tania, na przykład w Indiach. Szczególnie częstymi klientami firm tam działających są homoseksualiści, których zamówienia stanowią około 30% przypadków[53].

Dla „postępowego" Zachodu świętym prawem jest zarówno posiadanie dzieci, jak i ich zabijanie w fazie prenatalnej. Postęp w medycynie prokreacyjnej doprowadził wraz z ideologią *gender* do całej masy niewyobrażalnych dotąd patologii. Firmy Apple i Facebook oferowały swoim pracownicom mrożenie jajeczek, zachęcając je w ten sposób do odłożenia macierzyństwa na okres, kiedy przestaną owulować[54]. Będą więc matkami w wieku babek. W USA już zamawia się dzieci o określonych parametrach. Para głuchych lesbijek zamówiła sobie niedawno głuchego synka, a inna bezpłodna para opublikowała ogłoszenie w poszukiwaniu dawczyni komórki jajowej, precyzyjnie określając docelowe wymiary dziecka. Praktyki te są oczywiście napędzane pieniędzmi ofiarowanymi za tego rodzaju usługi[55]. W Wielkiej Brytanii trzej mężczyźni, którzy do niedawna byli kobietami, zafundowali sobie za pieniądze podatników dzieci metodą *in vitro*. Zanim owi ludzie zmienili płeć, pobrano od nich komórki jajowe, po czym zapłodniono je nasieniem anonimowych dawców, a zarodki wszczepiono do organizmów partnerek owych ludzi, pełniących rolę surogatek[56]. Trudno powiedzieć, jak prawo rozwiąże problem, kto jest ojcem, a kto matką. Może właśnie dla takich przypadków wymyślono formułę „rodzic A" i „rodzic B"? Tylko dlaczego ma ona dotyczyć także normalnych ludzi? W październiku 2005 roku Sąd Najwyższy Szwecji nakazał pewnemu mężczyźnie płacenie alimentów na rzecz trojga dzieci, których jest biologicznym ojcem. Oddając swoją spermę, uzgodnił on z trzema żyjącymi wspólnie kobietami, że wezmą na siebie całą odpowiedzialność za synów, jednak kobiety

[50] Ks. Andrzej Muszała, „W krainie lodu", *Gość Niedzielny*, 18 XII 2016 r.
[51] Bernadeta Waszkielewicz, „Brzuch wynajmę", *Wprost*, 7 VII 2013 r.
[52] Iwona Galińska, „Brzuch do wynajęcia", *W Sieci*, 11–17 VIII 2014 r.
[53] Hanna Shen, „Dzieci jak z taśmy produkcyjnej", *Gazeta Polska*, 7 V 2014 r.
[54] Mariusz Zawadzki, „Apple i Facebook mrożą pracownicom jajeczka", *Gazeta Wyborcza*, 17 X 2014 r.
[55] Michael J. Sandel, „Dziecko uszyte na miarę", *Gazeta Wyborcza*, 7–8 VI 2014 r.
[56] Tomasz P. Terlikowski, „Gender w praktyce", *Gazeta Polska*, 10 VIII 2016 r.

rozstały się, a jedna z nich wystąpiła z żądaniem, by biologiczny ojciec płacił alimenty[57]. Być może to jedyna droga, by zahamować szaleństwo „dawstwa" zamiast ojcostwa. Być może zahamują je także pozwy dorastających dzieci wobec klinik produkujących zarodki. Jako osoby pełnoletnie mają przecież prawo do poznania swoich ojców, choćby ze względu na roszczenia alimentacyjne.

POSTĘP PRZECIW WOLNOŚCI

Współcześni ludzie Zachodu uprawiają dwa kulty, które coraz bardziej stoją ze sobą w sprzeczności. Pierwszy to kult postępu technologicznego. Drugi zaś to kult wolności. Miarą braku związku między nimi był fakt, że w 1932 roku największą liczbę nagród Nobla w dziedzinie nauki posiadali Niemcy, a mimo to w ciągu kilku lat oddali się oni we władanie najciemniejszych sił ograniczających wolność, a nawet prawo do życia milionów.

Tam, gdzie liczy się korzyść materialna, innowacje technologiczne wkraczają najszybciej i najłatwiej przełamują dotychczasowe zasady, a właściciele i dysponenci kapitału nie liczą się z klientami, użytkownikami czy pracownikami. Społeczeństwa zachodnie są coraz bardziej uzależnione od banków, które już każą płacić sobie za przechowywanie pieniędzy, oraz systemów informatycznych, które nie podlegają żadnej kontroli. Rynek podbijają nowe firmy używające nieszablonowych aplikacji komputerowych, takie jak kalifornijskie przedsiębiorstwo Uber Co., które podbiło świat usług transportowych. Procesy gospodarcze stają się coraz bardziej odhumanizowane. Wprowadzenie do obiegu sztucznej waluty wirtualnej *bitcoin* było uwieńczeniem odrealnienia rynku, oderwania go od jakichkolwiek działań produkcyjnych czy usługowych. Podczas gdy w rajach podatkowych spoczywają miliardy dolarów dochodów pochodzących z przestępstw podatkowych i innych, światowy system gospodarczy pogrąża się w spirali zadłużenia, banki centralne często w ukryty sposób dofinansowują wielkie korporacje[58]. „Niewidzialna ręka rynku" nie reguluje już podaży i popytu, ale wyciąga przy pomocy spekulacji miliardy dolarów z kieszeni niczego nieświadomych miliardów ludzi.

Mitem staje też przekonanie o wolności gospodarczej we współczesnym świecie zachodnim. Rozczarowana, a nawet przerażona informatycznymi manipulacjami na rynkach spekulacyjnych, profesor Cathy O'Neill ukuła termin „broń matematycznej zagłady" dla opisania skutków wykorzystywania modeli matematycznych w operacjach hedgingowych, derywatach, firmach ratingowych, badaniach rynku i manipulacjach klientami. Stwierdziła ona wprost, że algorytmy te zwiększają nierówności i zagrażają demokracji[59].

Współcześni ludzie Zachodu uzależniają się od anonimowych operatorów dobrowolnie. Użytkowników Facebooka było w 2018 roku już 2,2 miliarda i zapewne

---

[57] Anna Nowacka-Isaksson, „Przestroga dla dawców spermy", *Rzeczpospolita,* 18 X 2005 r.

[58] Janusz Szewczak, *Banksterzy. Kulisy globalnej zmowy,* (Kraków: Biały Kruk, 2016); tegoż: „Czy świat zwariował?" *Sieci,* 12–18 III 2018 r.

[59] Cathy O'Neill, *Broń matematycznej zagłady,* (Warszawa: Wydawnictwo Naukowe PWN, 2017).

tylko niewielka część z nich w ogóle zdawała sobie sprawę, że podlega kontroli, a nawet manipulacji[60]. Postęp dnia dzisiejszego może stać się przekleństwem jutra, jeśli niektóre zdobycze techniczne zostaną wprowadzone pod przymusem. Jakie konsekwencje polityczne może przynieść globalny system pozycjonowania (*Global Positioning System*, GPS) jeśli ktoś będzie chciał wykorzystać zebrane informacje w celu umocnienia swej władzy? Jaki może być skutek „Cyfrowego Anioła" (*Digital Angel*), jeśli mikrochipy trzeba będzie wszczepiać sobie pod skórę zamiast legitymowania się dowodem tożsamości, prawem jazdy, legitymacją służbową czy książeczką zdrowia? W Chinach już wprowadza się system informatycznej kontroli obywateli, w którym zaufanie państwa do nich mierzone ma być w punktach[61].

Wraz ze zbliżaniem się technologii komputerowych do zdolności przetwarzania danych na sposób podobny do ludzkiego mózgu, rosną niebezpieczeństwa związane z powstawaniem sztucznej inteligencji, a być może w niedalekiej przyszłości – sztucznej świadomości. Przed wymknięciem się samouczących się komputerów spod ludzkiej kontroli przestrzegał nawet w swoim wykładzie z 2016 roku słynny Stephen Hawking[62]. Humorystyczny wręcz przykład wyprzedzania przyszłości w tej dziedzinie dał w 2017 roku Parlament Europejski, zatwierdzając dokument określający „prawa robotów" i wprowadzający pojęcie „osoby elektronicznej". W rezultacie burmistrz belgijskiego miasteczka Haaselt wydał oficjalny akt urodzenia robotowi nazwiskiem Fran Pepper, który waży 28 kg i mierzy 120 cm wzrostu. Rodzicami ustanowiono dwoje twórców robota: Astrid Hanne i Francisa Foksa[63].

Najgłośniejszy ostatnio prorok cywilizacji zachodniej, izraelski historyk Yuval Noah Harari twierdzi, że w nadchodzącym świecie sztucznej inteligencji i inżynierii genetycznej nie będzie już miejsca na tożsamość narodową oraz że postindustrialna cywilizacja obejdzie się bez sporych segmentów ludzkości, które będą walczyć nie tyle z wyzyskiem, co „nieistotnością". Harari dokonał ważnego rozróżnienia między inteligencją i świadomością. Inteligencja to, jego zdaniem, umiejętność rozwiązywania problemów, podczas gdy świadomość to zdolność odczuwania bólu, gniewu, radości, przyjemności czy miłości. Sztuczna inteligencja nie posiada świadomości, a co najwyżej może się nauczyć rozpoznawać świadomość ludzi i dzięki temu nimi manipulować. Komputery bowiem już teraz uczą się analizować ludzką mowę, ton głosu czy wyraz twarzy i robią to nawet lepiej od ludzi. Być może w niedalekiej przyszłości zaczną wydawać ludziom polecenia, zwłaszcza jeśli odwołają się do praw „osób elektronicznych" uchwalonych przez Parlament Europejski. Religię nazywa Harari „wirtualną grą" wyobraźni,

---

[60] Hubert Salik, „Technologia, która ma naprawić Internet", *Rzeczpospolita Plus Minus*, 1–18 II 2018 r.

[61] Witold Pawłowski, „Pokochaj nas", *Polityka*, 14–21 VIII 2018 r.

[62] Michał Szułdrzyński, „Suma wszystkich strachów", *Rzeczpospolita Plus Minus,* 18–19 VIII 2018 r.

[63] „Transhumanizm – największe zagrożenie ludzkości", *Nasz Dziennik,* 13 II 2017 r.

> W 2017 r. Parlament Europejski zatwierdził dokument określający „prawa robotów" i wprowadzający pojęcie „osoby elektronicznej". Niektóre państwa (np. Arabia Saudyjska i Belgia) poszły dalej i nadały robotom obywatelstwo.

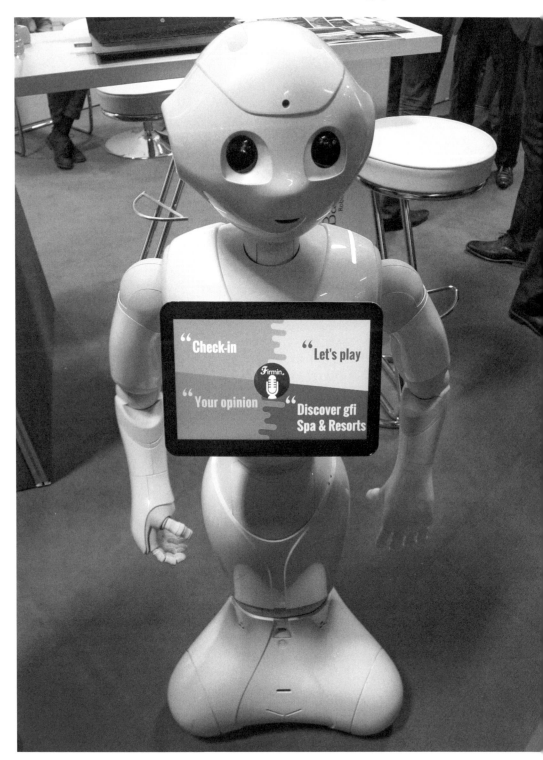

a podążając najwyraźniej za sztuczną inteligencją uważa moralność za dążenie do „zmniejszenia cierpienia", a nie „podążanie za boskimi przykazaniami"[64].

Dążenie do szczęścia lub przynajmniej zmniejszenia cierpienia okazuje się jednak coraz częściej możliwe za cenę śmierci albo samego cierpiącego, albo nienarodzonych dzieci, albo wreszcie za cenę wyzbywania się wolności. Cierpienia nie da się do końca zlikwidować, a w duchu prawa człowieka do szczęścia ludzie Zachodu coraz częściej decydują, kto ma żyć, a kto nie.

WSPÓŁCZESNY KANIBALIZM

Makabryczne pojęcie kanibalizmu wywoływało do niedawna w opinii ludzi Zachodu dreszcz obrzydzenia. Wskazywano, że praktyki takie dotyczą plemion prymitywnych, żyjących gdzieś daleko od cywilizacji, lub ludzi zmuszonych do takich praktyk skrajnymi okolicznościami, takimi jak sztuczny głód na Ukrainie w latach trzydziestych czy też słynny przypadek ocalałych z katastrofy urugwajskiego samolotu (lot 571) w Andach w październiku 1972 roku[65]. Świadomy i zaprogramowany kanibalizm stwierdzono podczas rewolucji kulturalnej w Chinach. Mało kto zdaje sobie jednak sprawę, że kanibalizm praktykowany jest na dużą skalę w dzisiejszej zachodniej liberalnej demokracji.

Dyskusja, jaka rozgorzała początkowo w USA po ujawnieniu używania ludzkich komórek macierzystych pochodzących z abortowanych embrionów, przygasła, gdy okazało się, że służą one do celów medycznych. Na przykład na początku XXI wieku firma NeuralStem Inc. dokonała serii udanych eksperymentów ze szczepionkami oraz z odtwarzaniem tkanek zniszczonych przez nieuleczalne dotąd choroby lub uszkodzenia ciała. Zespół badaczy z harwardzkiego McLean Hospital prowadził podobne badania dotyczące choroby Parkinsona. Wątpliwości co do etycznej strony zagadnienia zostały szybko przesłonięte przez pochwały dla prawdziwych czy też potencjalnych efektów medycznych. Również film nakręcony przez Center for Medical Progress, na którym dr Deborah Nucatola, jedna z dyrektorek Planned Parenthood, ze swobodą opowiada przy winie, jak pozyskuje się odpowiednie tkanki z zamordowanych embrionów wzbudził niewiele protestów. Stało się jasne, że za tymi praktykami kryją się potężne interesy finansowe[66]. Obecnie w bardzo

---

[64] „Jak znikają narody. Z Yuvalem Noah Hararim rozmawia Robert Siewiorek", *Gazeta Wyborcza*, 28–29 IV 2018 r. Por. też: Yuval Noah Harari, *Homo deus. Krótka historia jutra*, (Kraków; Wydawnictwo Literackie, 2018). Urodzony w 1976 roku Harari jest profesorem historii na Uniwersytecie Hebrajskim w Jerozolimie, weganinem, autorem historii cywilizacji „Sapiens. Od zwierząt do bogów" (Warszawa: PWN, 2017) w formie e-booka, a mieszka w komunie Mesilat Zion koło Jerozolimie z „mężem" i uprawia buddyjskie medytacje Vipassana. https://pl.wikipedia.org/wiki/Yuval_Noah_Harari (29 V 2018).

[65] Ta dramatyczna historia doczekała się nawet swojego muzeum w Montevideo. https://pl.wikipedia.org/wiki/Museo_Andes_1972 (4 XI 2018).

[66] Szlachetnym wyjątkiem można nazwać oświadczenie Abby Johnson, szefowej aborcyjnej placówki z Bryan w Teksasie z 2015 roku. https://www.lifesitenews.com/blogs/dear-dr.-nucatola-i-used-to-harvest-fetal-tissue-for-planned-parenthood-too . Por. też: Celeste McGovern,

wielu amerykańskich szczepionkach używa się preparatów MR-5 i WI-38 uzyskiwanych z abortowanych płodów[67].

O sile pieniędzy w tej sprawie przekonać się można było w styczniu 2012 roku po słabej reakcji stanowej legislatury Oklahomy na projekt ustawy o zakazie używania tkanek pozyskanych z abortowanych płodów do celów spożywczych[68]. Wydawać się mogło, że podejrzenia o takie praktyki należą do teorii spiskowych, ale mnożą się dowody na to, iż wiele korporacji produkujących żywność i napoje używa preparatów smakowych (!) otrzymywanych z przetworzonych tkanek embrionalnych. Organizacjami zajmującymi się skupem abortowanych płodów z klinik aborcyjnych były na przykład Anatomic Gift Foundation i Opening Lines. Makabryczne szczegóły transakcji dokonywanych przez te firmy ujawnił ruch *pro-life* Life Dynamics w specjalnym raporcie z 2007 roku zatytułowanym *Marketing of the Aborted Body Parts*[69]. Wytwarzane z komórek embrionalnych preparaty wykorzystuje najprawdopodobniej firma Senomyx do produkcji substancji smakowych używanych następnie przez PepsiCo, Nestlé czy też Kraft Foods[70]. Lista produktów tych firm zawierających tego rodzaju preparaty jest dość długa. Są to napoje typu „Mountain Dew", „Gatorade", „Fiesta Miranda", „Ocean Spray" i „Tropicana", a także większość produktów Nestlé i Cadbury Adams firmy Kraft Foods. Poza tym preparaty pochodzące z komórek embrionalnych są prawdopodobnie stosowane w kremach upiększających Neocutis typu „Bio-gel", „Bio-serum" i „Bio Restorative Skin Cream"[71].

Choć pojawiają się też artykuły bagatelizujące sprawę lub wręcz ośmieszające doniesienia o wspomnianych praktykach[72], zastanawiające jest, jak niewielkie zainteresowanie wzbudziły te doniesienia w kręgach opiniotwórczych Zachodu. Tajemnice handlowe wielkich korporacji nie mogą przesłaniać makabrycznej wymowy tych podejrzeń. Wszyscy zasługują w tym względzie na prawdę.

„Secrets of the Dead-Baby Industry", http://www.consciencelaws.org/background/procedures/tissue001.aspx (4 XI 2018).

[67] Cathy Jameson, „Where's the Outrage? Vaccines and Aborted Fetal Tissue", https://www.ageofautism.com/2016/06/wheres-the-outrage-vaccines-and-aborted-fetal-tissue.html (4 XI 2018).

[68] http://go.nationalpartnership.org/site/News2?page=NewsArticle&id=32316 (4 XI 2018).

[69] „Marketing of the Aborted Body Parts", http://www.prolifeamerica.com/marketing-aborted--baby-parts-2 (4 XI 2018).

[70] Firmę Senomyx założył w 1999 roku wybitny biochemik Lubert Stryer, profesor Stanford University. Oficjalnie przyznaje się, iż rozwija ona badania nad substancjami wzmacniającymi odczucia smakowe, które wszyscy zawdzięczamy komórkom typu HEK293. https://en.wikipedia.org/wiki/Senomyx (4 XI 2018).

[71] Joseph Mason, „Senomyx: Aborted Fetal Cells to Enhance Flavor in Food Products", https://www.linkedin.com/pulse/synomyx-aborted-fetal-cells-enhance-flavor-food-products. Por. też: http://vaccineliberationarmy.com/2018/03/07/senomyx-list-food-companies-using-fetal-cells-aborted-babies-flavor; https://www.deon.pl/religia/kosciol-i-swiat/z-zycia-kosciola/art,6442,obroncy-zycia-bojkotuja-produkty-firmy-senomyx.html (4 XI 2018).

[72] Por. np.: Paul Fassa, „Examining the Aborted Fetal Issue for Food Flavor Controversy", Real Farmacy. Com., https://realfarmacy.com/fetal-food-flavoring-controversy (4 XI 2018).

Pochód pierwszomajowy w latach 60. XX w. Jednym z najważniejszych elementów peerelowskiej propagandy była nieustannie podkreślana przyjaźń polsko-radziecka. Moskwa wmawiała światu, że kraje bloku sowieckiego żyją w „demokracji ludowej".

Rozdział 11. Liberalna demokracja

„TRZECIA FALA DEMOKRATYZACJI"

Zarówno system liberalnej demokracji panujący w większości krajów zachodnich, jak teorie społeczeństwa otwartego oraz większość zjawisk społecznych i kulturalnych, takich jak „trzecia fala demokratyzacji", należy rozważać w świetle dominującej na Zachodzie ideologii libertariańskiej, o której była mowa w rozdziale piątym. Należy jednak pamiętać, że ideologia ta w praktyce zamienia się często w swoje przeciwieństwo, którego istotą jest wymuszona anarchizacja.

Określenie „trzecia fala demokratyzacji", wylansowane przez Samuela Huntingtona[1], zrobiło niedawno wielką karierę. Globalizacja wolności oznaczać miała bowiem rozszerzanie uczestnictwa w swobodnym obiegu towarów, usług, informacji, podróży i w podejmowaniu decyzji. O ile w 1984 r. systemy mniej lub bardziej demokratyczne istniały w 63 państwach, co stanowiło 38% ich liczby, o tyle w 1994 r. – już w 115 krajach stanowiących 60% ich ogólnej liczby[2]. Jest to proces, którego znaczenia często nie doceniamy. Demokracja jest, jak woda i powietrze, warunkiem rozwoju, a nawet godnego życia. Czuje się to dopiero wtedy, gdy ją ograniczyć. Ci, co „trzecią falę demokratyzacji" zauważyli i czerpią z niej zrozumiałą satysfakcję, często zapominają jednak, że wyznawanie demokracji jako celu samego w sobie jest zajęciem jałowym. Choć poszerza ona pole wyboru, uwalnia zasoby energii i zapobiega wikłaniu się człowieka w tragiczny dylemat konformizm-heroizm, typowy dla systemów dyktatorskich, to jednak sama demokracja nie czyni cudów.

Po pierwsze, demokracja nie tworzy dobrobytu. Rozwój gospodarczy zależy od wielu innych czynników, jak morale pracy, dyscyplina społeczna, skuteczna organizacja czy dostępność kapitału oraz innych zasobów. I to raczej dobrobyt sprzyja rozwojowi społeczeństwa obywatelskiego i demokracji, a nie na odwrót. Po drugie, demokracja nie oznacza stabilności. Przeciwnie, tylko stabilne i zharmonizowane społeczeństwo może łatwiej rozwiązywać swe problemy na drodze demokratycznej. Przykładem destabilizacji przez procedury demokratyczne mogą być wybory w Algierii pod koniec 1991 r., które wygrali fundamentaliści zmierzający do dyktatury, a chcąc temu zapobiec władze wprowadziły stan wyjątkowy i nasiliły własną dyktaturę. Po trzecie, „aksamitne rewolucje" ostatnich lat, które oznaczały pokojowe odejście dyktatorów i ustanowienie instytucji demokratycznych, miały swoją cenę. Były nią kompromisy moralne oraz rozgrzeszenie zbrodni bez skruchy i zadośćuczynienia, co ugruntowało relatywizm moralny z epoki

---

[1] Samuel P. Huntington, *Trzecia fala demokratyzacji*, (Warszawa: Wydawnictwo Naukowe PWN, 2009).

[2] Tom Mathews, „Decade of Democracy", *Newsweek*, 6 I 1992 r., ss. 28–38.

totalitarnej. Po czwarte, trwała demokracja nie oznacza tylko rządów większości, ale poszanowanie praw mniejszości. Bez odpowiedniego poziomu kultury politycznej i uczestnictwa obywateli rządy demokratyczne mogą jednak przypominać dyktaturę. Prawa chronionej mniejszości mogą się też stawać szkodliwym ciężarem dla większości. Ten paradoks znamy na przykład z *affirmative action* w USA, gdzie przyznawano dodatkowe „punkty" za płeć i pochodzenie rasowe, w rezultacie czego uprzywilejowano czarne kobiety, a upośledzono białych mężczyzn. Źle rozumiana ochrona praw mniejszości doprowadziła już w wielu krajach do przyznania przywileju instytucji małżeństwa homoseksualistom, co stanowi zaprzeczenie istoty małżeństwa.

W każdym systemie demokratycznym istnieją zasady, których się nie głosuje. Zauważył to już Platon[3]. Im więcej spraw dotyczących wspólnoty wyjmuje się spod głosowania, tym bardziej posuwamy się w kierunku dyktatury, ale im mniej takich spraw dostrzegamy, tym bardziej wątpliwa jest sama wspólnota. Nadużywanie instytucji wolnego wyboru podkopuje bowiem w istocie sens demokracji. Bo co będzie, jeśli zaczniemy głosować zasadę „nie zabijaj"? Można sobie wyobrazić referendum na ten temat. Jeżeli zwolennicy tego przykazania zwyciężą w owym referendum, niewiele zmieni to funkcjonowanie kodeksu karnego, jeśli zaś przegrają – co wtedy? Czy należy przegłosowywać diagnozy lekarzy i duchownych? Czy warto robić referendum na temat początku świata? Czy można demokratycznym głosowaniem przypisać komuś takie czy inne poczucie narodowe? Czy większość zwolenników takiej czy innej wersji wydarzeń może wpłynąć na prawdę o nich? Jeśli tak, to mielibyśmy do czynienia z demokratycznym wydaniem praktyki ZSRR, gdzie na żądanie kierownictwa zmieniano przeszłość. Podobne pytania można mnożyć. Na bardzo wiele z nich nie da się udzielić odpowiedzi „demokratycznej". Co więcej, próba takiej odpowiedzi zmniejszyłaby raczej niż zwiększyła pole wolności.

A jednak coraz więcej jest spraw, które demokratyczne społeczeństwa końca XX wieku chcą rozstrzygać na drodze procedur większościowych. Wraz z rozszerzaniem się zakresu wolnego wyboru społeczeństwa demokratyczne coraz częściej odsuwają od siebie wybory naprawdę ważne, wybierając rzeczy przyjemne, ciekawe, fascynujące, ekscytujące, zabijające nudę, ale także zabijające człowieczeństwo. „Człowiek zawsze musiał dojść do ładu z Bogiem, miłością i śmiercią. Ich obecność nie pozwalała mu czuć się na ziemi całkowicie u siebie", zauważył Allan Bloom. Tymczasem „Bóg został tu [czyli w kręgach intelektualnych Stanów Zjednoczonych – W.R.] powoli uśmiercony; trwało to dwieście lat, lecz miejscowi teologowie mówią nam, że teraz już na pewno umarł (...) Miłość zgładzili psychologowie, a zastąpił ją seks i nic nie znaczące związki (...) Z kolei nowa nauka, tanatologia – czyli jak umierać z godnością – jest na dobrej drodze do tego, by uśmiercić samą śmierć"[4].

---

[3] Por. ciekawe studium na ten temat: Zbigniew Stawrowski, „Platon o demokracji", *Civitas*, 1998, nr 2.

[4] Allan Bloom, *Umysł zamknięty*, (Poznań: Zysk i S-ka, 1997), ss. 275–276.

Już Platon zauważył, że w każdym systemie demokratycznym istnieją zasady, których się nie głosuje.

Często słyszymy absurdalne wypowiedzi w rodzaju tego, że „nie trzeba młodzieży mówić o wartościach, tylko trzeba jej powtarzać, że ma możność wyboru"[5]. Wiara w wolność jako rację najwyższą, żądanie prawa wyboru przy jednoczesnym obalaniu kryteriów wyboru – to prosta droga do zniewolenia człowieka przez przypadkowe zachcianki, do zaniku więzi między ludźmi i rozpadu społeczeństwa. Swego czasu Václav Havel zadał fundamentalne pytania: „Czyż nie czujemy wszyscy, że świat się nie kończy wraz z naszą śmiercią i że błędne jest nieprzejmowanie się powodzią, która zdarzy się po naszej śmierci? Czy fakt, że ludzkie myślenie ograniczone jest do naszego pola widzenia, że człowiek jest niezdolny do pamiętania o wszystkim, co znajduje się poza nim, nie jest czasem wynikiem utraty metafizycznej pewności, wynikiem utraty wiary w Boga?"[6]

Kreśląc zręby nowej cywilizacji, która wyłania się u progu XXI wieku, Alvin i Heidi Tofflerowie rozwinęli teorię trzech fal: pierwszej, opartej na rewolucji neolitycznej, gdy człowiek opanował uprawę, hodowlę oraz wydobycie i pierwotną obróbkę minerałów, drugiej, w której dominował przemysł oraz trzeciej, która zależy od obiegu informacji. „Szybko zmierzamy w kierunku zupełnie nowego

---

[5] Cyt. wg: „Czego młodzieży nie uczymy. Rozmowa Mikołaja Kozakiewicza z prof. Marią Braun-Gałkowską", *Rzeczpospolita*, 7/8 II 1998 r.

[6] Vaclav Havel, „Świat bez odpowiedzialności", *Rzeczpospolita*, 21 I 1998 r.

układu zależności, w ramach którego świat podzielony będzie nie między dwie, lecz trzy rywalizujące cywilizacje: jedną, ciągle symbolizowaną przez motykę; drugą, której symbolem jest taśma produkcyjna; trzecią, której uosobieniem jest komputer"[7]. W nowej cywilizacji trzeciej fali szczególnie ważnym zasobem będzie wiedza. Nie bez racji Tofflerowie wskazują, że historyczna kraksa komunizmu była głównie związana z tym, że system ten nie potrafił zupełnie zmobilizować i wykorzystać ludzkiej wiedzy, że ją lekceważył i ograniczał. W trzeciofalowej gospodarce produkcja masowa ma stać się jeszcze bardziej zróżnicowana, co podkopie działania prawa ekonomii skali. Systemy informatyczne i robotyzacja wypierać będą ludzi z zakładów pracy. Tradycyjne doktryny polityki gospodarczej – keynesizm i monetaryzm – mogą się okazać bezużyteczne. W gospodarce trzeciej fali źródłem bogactwa będzie w rosnącej mierze praca umysłowa – programowanie systemów zarządzania, obsługa sieci informacyjnych, szkolenia i inne zajęcia zaliczane do kategorii usług. Walka z bezrobociem winna się opierać raczej na pomocy w zmianie kwalifikacji oraz trybu zatrudnienia niż na zasiłkach czy robotach publicznych.

Tofflerowie nie poprzestają jednak na wizji rodzącego się systemu gospodarczego. Zapowiadają nasilenie się konfliktów społecznych. Ich zdaniem, w jednym obozie znajdują się obrońcy „podstawowych instytucji masowego społeczeństwa industrialnego", jak rodzina, masowa edukacja, wielkie korporacje, związki zawodowe, państwo narodowe i „ustrój rządów pseudoprzedstawicielskich". W drugim obozie lokują zwolenników tezy, że „żaden z palących problemów współczesności (...) nie może znaleźć rozwiązania w ramach cywilizacji przemysłowej"[8]. Tofflerowie akcentują rolę elit umysłowych i niewybieralnych urzędników w nowym systemie, używając określenia „potęga mniejszości". Z łatwością zdumiewającą u ludzi wychowanych w amerykańskiej demokracji godzą się na nierówność praw wynikającą z nierówności „bagażu decyzyjnego", jaki niosą ludzie z różnych pięter społecznej drabiny. Bez zmrużenia oka akceptują nadchodzący wzrost strukturalnego bezrobocia i rosnącą fikcyjność zachodnich demokracji. Mało tego, w zakończeniu książki stwierdzają, że „odpowiedzialność za zmiany spoczywa zatem na nas" i wzywają do wydania „walki wszystkim tępicielom idei, którzy każdą nową sugestię bezzwłocznie usiłują zniszczyć jako niepraktyczną i iluzoryczną, broniąc w ten sposób tego, co dziś praktyczne i rzeczywiste, chociaż zarazem jakże często absurdalne, zniewalające i niefunkcjonalne"[9].

Tofflerowie zdają się być zwolennikami tezy, iż „nie ma ludzi niezastąpionych". Jest w tym twierdzeniu i pokora, i pozorny realizm, ale także coś nieludzkiego. Wyraża ono bowiem także pogardę dla unikatowości i godności osoby ludzkiej. Bojowy ton wezwania Tofflerów odwraca nieco uwagę od małego słówka „my", którego autorzy używają jako podmiotu. Któż jest odpowiedzialny za zmiany, które na grzbiecie trzeciej fali powiodą świat w trzecie tysiąclecie? Autorzy mają chyba

---

[7]   Alvin i Heidi Toffler, *Budowa nowej cywilizacji*, (Poznań: Zysk i S-ka, 1996), s. 31.

[8]   Tamże, s. 86.

[9]   Tamże, ss. 133 i 134.

na myśli oświeconą elitę intelektualną i finansową, która wie lepiej i ma większe możliwości. W tym miejscu teorie Tofflerów korespondują wyraźnie z wizją „świata 20:80", o której, być może z pewną przesadą, pisali Hans-Peter Martin i Harald Schumann. Według ich ponurego proroctwa, w nadchodzącej epoce 20% ludności zatrudnionej w zinformatyzowanej gospodarce będzie utrzymywać pozostałe 80% obywateli w stanie bierności i radosnych złudzeń, wypłacając im zasiłki i karmiąc rozrywką określaną przez Zbigniewa Brzezińskiego wdzięcznym neologizmem *tittytainment* (połączenie słów *tits* – piersi oraz *entertainment* – zabawa)[10].

W świecie dzisiejszych elit myślenie o miejscu człowieka w gospodarce i społeczeństwie grozi na ogół posądzeniem o socjalizm. Rację miał jednak Dariusz Gawin, nazywając postawę niektórych liberałów „drugą zdradą klerków"[11]. Politycy i kręgi opiniotwórcze lansujące wolność i żądające znoszenia wszelkich barier, w istocie nie za bardzo troszczą się o ludzi. W imię naczelnego kryterium efektywności oraz racji systemowych zbyt łatwo przechodzą do porządku dziennego nad ich potrzebami i aspiracjami. „Szary człowiek" to w ich ustach pojęcie raczej pejoratywne. A jednak to „szary człowiek" a nie anonimowy mechanizm wrzuci

---

[10] Hans-Peter Martin, Harald Schumann, *Pułapka globalizacji*, (Wrocław: Wydawnictwo Dolnośląskie, 1999), ss. 8 nn.
[11] Dariusz Gawin, „Druga zdrada klerków", *Życie*, 23 XI 1998 r.

Amerykański futurolog Alvin Toffler (1928–2016) twierdził, że komunizm upadł, bo nie potrafił zmobilizować i wykorzystać ludzkiej wiedzy, tylko ją lekceważył i ograniczał.

kartkę wyborczą. Czyżby więc, rezygnując z „szarego człowieka", szermierze globalizacji i elitaryzacji życia społecznego w trzeciej fali byli samobójcami, którzy chcą stracić władzę, pieniądze i popularność? Chyba nie. Wierzą oni raczej w siłę manipulacji opinią społeczną przy pomocy mediów.

SPOŁECZEŃSTWO OTWARTE

George Soros stwierdził, że „Unia Europejska ucieleśnia zasady społeczeństwa otwartego i powinna służyć jako model oraz *spiritus movens* globalnego społeczeństwa otwartego". Odwołał się przy tym do określenia społeczeństwa otwartego, jakie wprowadził Henri Bergson, który uważał, że więzi „plemienne" tworzą społeczeństwa zamknięte, żyjące w strachu i wrogości wobec innych plemion, czyli innych społeczeństw zamkniętych. Podstawą społeczeństwa otwartego jest zaś, wedle Bergsona, powszechne obowiązywanie praw człowieka[12]. Soros przytoczył też opinię Karla Poppera, który w pracy *Społeczeństwo otwarte i jego wrogowie* zauważył, całkiem słusznie, iż wrogiem społeczeństwa otwartego są abstrakcyjne ideologie uniwersalistyczne, takie jak nazizm lub komunizm, roszczące sobie prawo do posiadania prawdy absolutnej. Teoria ta wygląda jasno i prosto, jeśli ją odnosić do systemów totalitarnych lub autorytarnych. Jednak życie społeczne nie jest takie proste, a eliminacja wartości opartych na wierze w absolut prowadzić może do podobnych nadużyć, co „tyrania pewności" o nieistnieniu Boga. Recepta, jaką proponuje Soros w reakcji na prawdziwe czy rzekome zagrożenia nacjonalistyczne w Europie, wydaje się gorsza niż owo zagrożenie. Ni mniej, ni więcej proponuje on sprowadzanie do Europy co najmniej miliona imigrantów rocznie, finansowanie ich utrzymania ze wspólnych środków unijnych, federalizację Unii Europejskiej, a także „postępowe" ustawodawstwo proaborcyjne. Jest też gotów przeznaczyć na te cele miliardy dolarów[13].

Idea powszechnych praw człowieka jest niewątpliwym postępem w stosunku do uzurpacji systemów totalitarnych, ale nie jest ona ideą absolutną. Po pierwsze, w społeczeństwie działają „plemiona" oparte na niesformalizowanych związkach osobistych, na przykład bractwa studenckie, których członkowie mają się na wzajem popierać w karierach zawodowych. W Stanach Zjednoczonych robią to bardzo skutecznie. Po drugie, zasadę powszechnych praw człowieka ograniczają stowarzyszenia celowe. Związek filatelistów zrzesza zbieraczy znaczków i trudno oczekiwać, by ktoś, kto uważa tę pasję za absurd, uzurpował sobie w nim równe prawa, a zwłaszcza prawo do przywództwa w takim związku. Po trzecie, powszechne prawa człowieka ogranicza natura. Pary homoseksualne żądające prawa do adopcji dzieci same zwracają uwagę na naturalną niemożność zrodzenia potomstwa. Przekraczają więc naturę, w której potomstwo to może wydać na świat kobieta w związku z mężczyzną. Czy więc te niewielkie plemiona żądające przekreślenia

---

[12] George Soros, „Zadania dla Europy", *Europa. Tygodnik idei. Dziennik*, 31 III 2007 r.

[13] Konrad Kołodziejski, „Plan Sorosa", *Sieci*, 7–13 V 2018 r. Por. też szerzej: Andreas von Rétyi, *Najniebezpieczniejszy człowiek świata. George Soros* (Kraków: Biały Kruk, 2016).

Przewidziana przez pisarzy *science-fiction* rzeczywistość wirtualna staje się coraz popularniejsza i coraz większej liczbie ludzi zaczyna zastępować prawdziwe życie.

praw natury mogą żyć w pokoju z plemionami, które te prawa uznają? Po czwarte, trzeba pamiętać, że istnieje fenomen narodu, a więc społeczności powiązanej uczuciowo wspólnym językiem, wiarą lub historią, a na drugim biegunie istnieje zjawisko kosmopolityzmu, stojące w opozycji do uczuć narodowych. Po piąte wreszcie, na czele niektórych „plemion" stoją ludzie dysponujący potężnymi środkami finansowymi, co powoduje, że ich „plemiona" są „równiejsze" od innych[14].

W społeczeństwie otwartym działa więc biznes, który rządzi się nie tyle prawami człowieka, co zyskiem, a ten nie zawsze idzie w parze z prawami człowieka. Przykład kobiet, które po urodzeniu dziecka są usuwane z pracy, może o tym zaświadczyć. Pewien koncern nie godził się też swego czasu na skorzystanie przez dziennikarzy z ich prawa do wykonywania zawodu poprzez informowanie o poczynaniach tego koncernu, a także przez obywateli do informacji na ten temat, gdyż nie zgodził się na projekcję filmu o swoich metodach działania. Prawo

---

[14] Na przykład celem George'a Sorosa jest rozmycie tożsamości europejskiej i fundamentów zachodniej cywilizacji przez „homomałżeństwa", ideologię gender i aborcję. Działalność Sorosa skrytykował nawet za podkopywanie demokracji premier Izraela Beniamin Netanjahu. Olivier Bault, „18 miliardów Sorosa", *Do Rzeczy*, 13–19 XI 2017 r., ss. 48–50. Soros nie poprzestaje na słowach, ale intensywnie działa. Grzegorz Górny, „Hybrydowe wojny Sorosa", *Sieci*, 15–21 V 2017 r., ss. 43–45.

do informacji gwałcą więc w społeczeństwie otwartym nie tylko „plemiona" tajnych służb, ale także liczne „plemiona" biznesowe.

Powstaje też w ogóle pytanie: przez kogo jest informowane społeczeństwo otwarte? Nie można zrozumieć liberalnej demokracji bez poznania mechanizmów nadawania i odbioru informacji. Wydawać by się mogło, że wraz z rozwojem telefonii komórkowej i mediów społecznościowych poszczególni ich użytkownicy uzyskali spory wpływ na kształtowanie opinii. A jednak sytuacja nie jest tak prosta. Założony w 2004 roku przez Marka Zuckerberga Facebook zdobył tak ogromny zasięg, że w 2018 roku liczba jego użytkowników przekroczyła 2 mld osób, w tym około 1,3 mld jest w nim aktywnych codziennie[15]. Wydawać by się mogło, że pojedynczy *post* może zdobyć zasięg przekraczający nawet możliwości telewizji. Tymczasem efektem bezprecedensowej popularności Facebooka są trzy zjawiska. Po pierwsze, znakomita większość *postów* dotyczy spraw drugo- czy trzeciorzędnych, opierając się na powierzchownej, najczęściej niesprawdzonej lub niesprawdzalnej informacji, co prymitywizuje wymianę myśli, zawęża horyzonty użytkowników, a jednocześnie skłania ich do agresywnego często traktowania poglądów, z którymi się nie zgadzają. Część młodego pokolenia na Zachodzie nazywana jest już „śnieżynkami" (*snowflakes*). „To straszne, ale ludzie w moim pokoleniu tracą ogromne pokłady energii na bezsensowne debaty" stwierdziła dwudziestoośmioletnia Haley Smith z Londynu, prowadząca organizację Flow Aid[16]. Po drugie, Zuckerberg zbudował swoje imperium Facebooka na permanentnej zmianie. Nadążanie za tymi zmianami powoduje uzależnienie od tego medium i o to Zuckerbergowi chodziło ze względów finansowych. Efektem jest „kultura instant", a więc coraz większe przywiązanie użytkowników do natychmiastowego, nawet powierzchownego lub zwodniczego zaspokojenia potrzeby. Po trzecie, projekt Facebooka jest profilowany ideologicznie. Ograniczenia wolności słowa wynikają z politycznej poprawności i jawnej afirmacji dla ideologii LGBT. Krytycy tej ideologii niejednokrotnie doświadczyli blokowania kont[17].

Nawet jeśli zauważymy, że w warunkach medialnej konkurencji odbiorca ma pewien zakres swobody wyboru, to problem w tym, że konkurujący ze sobą nadawcy nie kierują się prawem obywateli do rzetelnej informacji, ale nakładami i oglądalnością, a więc informują głównie o sytuacjach wyjątkowych – o wypadkach i skandalach, a nie o regułach i sprawach normalnych, z których w większości składa się życie obywateli. Jeden z polskich prywatnych kanałów telewizyjnych podał swego czasu wiadomość o brukselskim szczycie państw europejskich jako siódmą z kolei, lakoniczną informację swego dziennika, po serii katastrof i afer. Mimo różnic ideowych w swych szeregach, „plemię" dziennikarskie zachowuje

---

[15] https://pl.wikipedia.org/wiki/Facebook (10 V 2018).
[16] Cyt. wg: Aleksandra Rybińska, „Pokolenie śnieżynek", *Sieci*, 29 I-4 II 2018 r.
[17] Paweł Momro, „Rewolucja i kultura instant", *Polonia Christiana*, 2018, nr 61, marzec-kwiecień 2018, ss. 24–26; Douglas Murray, *Przedziwna śmierć Europy*, (Poznań: Zysk i S-ka, 2017), s. 11; Rafał A. Ziemkiewicz, „Prywatny totalitaryzm", *Do Rzeczy*, 20–26 VIII 2018 r.; Maciej Pieczyński, „Cenzurą w prawicę", tamże.

się więc dość podobnie i podobnie solidarnie broni swej pozycji w społeczeństwie otwartym.

Poważnym problemem dla społeczeństwa otwartego jest też to, że działają w nim Kościoły i związki wyznaniowe. Zrzeszają one wierzących podobnie, a więc nie poddających się opinii większości, chyba, że próbują oni, jak na przykład pewien odłam protestantyzmu, głosować w sprawie istnienia diabła. Komicznym przypadkiem paradoksu „otwartego" związku wyznaniowego, była niedawna sytuacja Islandii, gdzie głową Kościoła jest głowa państwa. W pewnym momencie okazało się jednak, że wybrano prezydenta ateistę, który z urzędu kierował Kościołem islandzkim. Jeśli tożsamość „plemienia" baptystów czy katolików ma pozostać niewzruszona i nie podlegać kompromisom typowym dla demokratycznej metody podejmowania decyzji, „plemiona" te staną się naturalnym celem ataku ze strony społeczeństwa otwartego w duchu libertarianizmu.

W liberalnej demokracji prawa człowieka przechodzą, jak powiada Alain Besançon, proces „niekontrolowanej inflacji (…) Prawo staje się choinką, na której bez końca zawiesza się a to gwiazdki, a to bombki i jeszcze świeczki albo pozłacane szyszki"[18]. Zagrożeniem dla liberalnej demokracji jest więc to, iż demokratyczna procedura głosowania jest stale rozszerzana na kwestie, których nie powinno się głosować, na przykład, kto ma żyć, a kto nie lub jak interpretować historię. Kryterium decyzji nie jest wtedy prawda ani idealistycznie rozumiane prawo człowieka, ale arytmetyczna większość. Rozszerzanie zakresu praw człowieka prowadzi zresztą do podważania porządku społecznego. Nie każdy bowiem ma prawo do wszystkiego. I nie powinien. Jeśli bowiem artykuł 21 *Karty Praw Podstawowych* w absurdalny sposób zakazuje dyskryminacji „wszelkich poglądów", to uprawnia tym samym do głoszenia pochwały kradzieży, zabijania i innych przestępstw. Artykuł ten brzmi: „Zakazana jest wszelka dyskryminacja w szczególności ze względu na płeć, rasę, kolor skóry, pochodzenie etniczne lub społeczne, cechy genetyczne, język, religię lub przekonania, poglądy polityczne lub wszelkie inne poglądy, przynależność do mniejszości narodowej, majątek, urodzenie, niepełnosprawność, wiek lub orientację seksualną"[19]. Dobrze, że ideologia praw człowieka służy w pewnym zakresie wolności, ale ma też ona swoje ograniczenia. Rzecznicy prawa wszystkich do wszystkiego stają się bowiem „plemieniem" wrogim wobec „plemion", które się temu przeciwstawiają w imię zdrowego rozsądku. Oczywiście społeczeństwo otwarte, oparte na powszechnych prawach człowieka może, w pewnych granicach, dawać gwarancję dobrego używania wolności, ale po przekroczeniu tych granic samo się niszczy. Współczesna liberalna demokracja stale rozszerza katalog praw człowieka, nie ustępuje tylko w kwestii prawa do życia dzieci nienarodzonych[20].

---

[18] Alain Besançon, „Wolność", *Rzeczpospolita Plus Minus,* 17–18 V 2008 r.

[19] https://eur-lex.europa.eu/legal-content/PL/TXT/?uri=CELEX:12012P/TXT (23 VI 2018).

[20] Na temat fundamentów ideologii liberalno-demokratycznej w kwestii życia por. Eugenia Roccella, Lucetta Scaraffia, *Wojna z chrześcijaństwem. ONZ i Unia Europejska jako nowa ideologia,* (Częstochowa: Biblioteka „Niedzieli", 2005), ss. 13 nn.

WOLNOŚĆ I NIEODPOWIEDZIALNOŚĆ

Kolejne fale wyzwolicieli człowieka redukowały go do jednego wymiaru. Marksiści sprowadzili naturę ludzką do wymiaru ekonomicznego, zwolennicy Freuda – do wymiaru seksualnego, zaś darwiniści – do wymiaru biologicznego. Wszystko po to, by człowieka wyzwolić, choć nie wiadomo, po co. Efektem tych wszystkich zabiegów było osłabienie, a w końcu odrzucenie pojęcia odpowiedzialności. Kontynuatorem darwinizmu w wydaniu neurobiologicznym jest niemiecki profesor Gerhard Roth, który dowodzi, że nie ma w ogóle wolnego wyboru, gdyż każda ludzka decyzja jest uwarunkowana, a ostateczna przyczyna, dla której człowiek wybiera to czy tamto, tkwi w genach. Twierdzi on, że „kolejne badania coraz lepiej pokazują, jak wiele łączy procesy fizjologiczne ze świadomym doświadczaniem życia". W odpowiedzi na te wywody inny profesor niemiecki, Eberhard Schockenhoff, zarzucił Rothowi sprowadzanie wszystkiego do mechaniki funkcjonowania mózgu. To tak, powiedział Schockenhoff, jakby pytać o przyczyny decyzji Sokratesa o pozostaniu w celi i odpowiedzieć, że przyczyną było to, że Sokrates unieruchomił kości i mięśnie. Ale i na ten argument Roth odpowiada podobnie: Sokrates uciekłby, gdyby miał inne geny. Pewności Rotha nic nie jest w stanie zakłócić, nawet fenomen miłości lub wybaczenia, które sytuuje w dziedzinie doznań. „Wszystkie decyzje człowieka można wyjaśnić na podstawie zjawisk fizycznych" twierdzi Roth[21].

A więc wygląda na to, że zwalając wszystko na przyrodę, Roth nie uznaje winy i odpowiedzialności. Zamieszanie w jego świecie pojęciowym wywołała dopiero definicja winy autorstwa Niemieckiego Trybunału Federalnego: „Wewnętrzna przyczyna zarzutu winy opiera się na tym, że człowiek może stanowić o sobie, kierując się zasadami wolności, odpowiedzialności oraz etyki i dlatego jest zdolny odróżniać prawo od bezprawia". Roth przyznaje, że pytanie, kiedy człowiek działa z własnej woli, a kiedy nie, jest „jedną z najważniejszych kwestii prawnych". Przyznaje też, że w myśl jego „genetycznej teorii" konieczności, „nikogo nie powinno się skazywać". Hitlera też. Ale, jak twierdzi, „istnieje jednak pewna definicja wolności, która pasuje zarówno do prawa karnego, jak i do prawidłowości rządzących neurobiologią: to swego rodzaju wolność praktyczna, na którą nie ma wpływu kwestia, czy wolna wola to iluzja" Owa „wolność praktyczna" pozwala człowiekowi, zdaniem Rotha, „kierować się w swoim postępowaniu ideałami Oświecenia i odpowiedzialnością. Aby to osiągnąć, potrzebuje on najwyraźniej wyobrażenia, że dysponuje wolną wolą. Jednostka ludzka musi mieć poczucie wolności, samorealizacji, zdolności kierowania się rozsądkiem, a także dokonywania wyboru spośród szeregu alternatyw i argumentów". A więc jeśli naprawdę nie ma wolności, to trzeba wytworzyć jej wrażenie i ważne, by poczucie wolności było przekazywane przez innych[22]. Roth stoi więc na stanowisku, że choć naprawdę

---

[21]   „Czy wolna wola to lipa?" Rozmowa Gerharda Rotha z Eberhardem Schockenhoffem, *Spiegel,* 20 XII 2004 r., (za:) *Forum* 7–13 III 2005 r., ss. 54–56.
[22]   Tamże, s. 57.

wolności nie ma, to trzeba stworzyć wrażenie, że jest. Problem tylko, po co. Jeśli człowiek i jego rzekoma wolność są rzeczywiście tylko igraszką genów, to dlaczego mielibyśmy sobie i innym wmawiać, że wolność istnieje? Roth należy więc do licznego grona „autorytetów" intelektualnych, którzy dowodzą, że istnieje tylko bezsensowna materia, ale że trzeba sobie wmawiać potrzebę wolności, moralności, piękna, a nawet Boga. „Człowiek czuje się wolny dopiero w chwili, kiedy inni mu te wolność przypiszą", mówi Roth. Chyba nie wie, co mówi. Nie życzmy mu, by znalazł się w więzieniu i by strażnicy wymuszali na nim przyznanie, że jest wolny.

Czy coraz więcej ludzi wypowiada się za wolnością, a przeciw wolnej woli, czy nie, trudno powiedzieć. Z pewnością czyni tak większość „autorytetów" wypytywanych przez media. Matematyk Rudy Rucker twierdzi na przykład, że „rzeczywistość jest powieścią", zaś psycholog z Bristolu, Susan Blackmore mówi, że „obecnie nie mam już wcale poczucia, że kieruję się wolną wolą, choć potrzebowałam wielu lat, aby taki stan osiągnąć. Kiedy poczucie wolnej woli znika, decyzje po prostu przychodzą same, bez odczucia, że ktokolwiek je podejmuje". Nie wiemy tego, ale być może do stanu tego doprowadziła się pani Blackmore ciężką pracą nad sobą[23].

Spójrzmy jednak na sprawę z drugiej strony. Załóżmy, że wolność jest i załóżmy, że każdy jest wolny, by zrealizować swe marzenia. Taką przyszłość zarysował Aldous Huxley w „Nowym wspaniałym świecie". Nikt tam nie cierpi niezaspokojenia, wszyscy dostają to, czego pragną. Oczywiście, że to utopia, ale czyż człowiek nie dąży stale do takiej utopii? I czy człowiek współczesny nie jest bliższy jej zrealizowania? Nie da się więc uniknąć pytania: do czego służy wolność? Wielu współczesnych autorów odpowiada, że do samorealizacji człowieka, co zakładałoby istnienie jakiejś jego natury. Jednocześnie ci sami autorzy dowodzą, że nie ma czegoś takiego jak natura człowieka. Typowe błędne koło: wolność bez celu, wolność do absurdu.

Sytuacja jest już poważniejsza niż się nam wydaje. Już oddzielono w narkotykach substancję działające psychoaktywnie od substancji uzależniających. Już opracowano środek na wymazywanie z pamięci przykrych doświadczeń, środek stymulujący pamięć czy przyspieszający myślenie. Już pracuje się nad szczepionką powodującą likwidację uzależnienia narkotykowego. Już mówi się o wprowadzaniu testów na chemiczne „dopalacze" przy egzaminach[24]. Nowe generacje środków farmakologicznych wpływają na takie cechy osobowe, jak samoocena czy zdolność koncentracji, a blisko są już leki zmieniające osobowość. Postęp w badaniach nad komórkami macierzystymi pozwoli naukowcom odtworzyć każdą tkankę naszego ciała i „reperować" tkanki uszkodzone, w związku z tym czas trwania życia ulegnie znacznemu wydłużeniu. Ludzie starsi będą stanowić coraz większy odsetek populacji. Nie będą chcieli ustępować miejsca dzieciom i wnukom. Tych będzie

---

[23] Cytaty wg: *Forum*, 31 I-6 II 2005 r., ss. 52–54.
[24] Roger Highfield, „'Pleasure drugs' boom on way, says think-tank", *The Daily Telegraph*, 14 VII 2005 r.; Paweł Górecki, „Dopalacze", *Newsweek Polska*, 12 VI 2005 r., ss. 70–75.

zresztą coraz mniej, bo wraz z narastaniem hedonizmu podejmowanie się rodzicielstwa będzie coraz mniej atrakcyjnym celem życiowym. Jeśli ktoś podejmie się już tego zadania, będzie dążył do gwarancji, że potomstwo będzie udane. Sterowanie jakością dzieci doprowadzi z kolei do sytuacji, w której wszelkie kłopoty będą one przypisywać błędnym decyzjom rodziców. Przemiły scenariusz.

Człowiek będzie się stwarzał sam. Będzie jako bogowie. Francis Fukuyama zauważył, że największa groźba współczesnej biotechnologii wynika z faktu, iż może ona zmienić naturę ludzką i w związku z tym przenieść nas w „poczłowieczy" etap historii[25]. Czy opisana perspektywa nie musi nas skłonić do zastanowienia nad naturą ludzką? Wszystkie omówione sprzeczności prowadzą do konkluzji: człowiek ma wolną wolę i musi jej używać. Człowiek ponosi też odpowiedzialność za swe czyny. Inaczej grozi mu samozagłada. Być może najważniejszą częścią składową natury ludzkiej jest cierpienie i poczucie niezaspokojenia?

Wolność jest warunkiem każdego wyboru. Czy można ją realizować, czy można cokolwiek zrobić, nie wybierając? Jeśli tak, to czy warianty wyboru różnią się od siebie pod względem ważności? Trudno chyba zaprzeczyć, bo czym innym jest wybór dania w restauracji a czym innym decyzja, czy żyć dalej, czy popełnić samobójstwo. A czy nasze wybory nie różnią się także pod względem wartości? Czy jest nam naprawdę wszystko jedno, jaką wartość wybieramy? Konkluzja niedawnego liberała Fukuyamy jest szokująca: „Powinniśmy użyć władzy państwowej, aby uregulować biotechnologię (...) Musimy za wszelką cenę unikać defetystycznego podejścia do techniki, sprowadzającego się do stwierdzenia, że ponieważ nie jesteśmy w stanie zrobić niczego, aby powstrzymać czy zmienić te jej aspekty, które nam nie odpowiadają, nie powinniśmy nawet próbować tego czynić"[26]. Miejmy się na baczności przed bezwolnymi piewcami wolności, przed przeciwnikami natury ludzkiej, przed ludźmi, którzy nie chcą ponosić odpowiedzialności.

POGOŃ ZA SZCZĘŚCIEM

Drugim obok wolności wielkim zaklęciem współczesności jest szczęście. „Pogoń za szczęściem" stała się oczywistym i niepodważalnym celem, a nawet nakazem ludzkich działań. Nie znaczy to, że w dawniejszych czasach było całkiem inaczej. Wprawdzie w kulturze chrześcijańskiej Europy centralną osią myślenia był Bóg, ale ludzie także dążyli do szczęścia. Tyle tylko, że owo dążenie nie miało tak poważnej sankcji ideologicznej jak obecnie. Im więcej jednak mówi się o wolności i szczęściu, tym bardziej chciałoby się usłyszeć coś sensownego o ich istocie. Wolność definiuje się jednak najczęściej jako sytuację, w której każdy może robić co tylko zapragnie („róbta co chceta"), natomiast o szczęściu bąknie czasem ktoś z zawodem, że go nie ma, bo go nie może osiągnąć. Jak więc można gonić za czymś, czego nie ma?

---

[25] Francis Fukuyama, *Koniec człowieka*, (Kraków: Znak, 2004), s. 20.
[26] Tamże, ss. 23 i 25.

Dla jednych szczęście to sława i podziw, bogactwo, przyjemności i używanie życia, dla innych głębsze przeżycia. Definicji szczęścia jest chyba tyle, co ludzi, którzy je formułują, ale w większości z nich znajdujemy elementy pojęcia własności. Dążenie do szczęścia jawi się więc najczęściej jako chęć posiadania, używania i korzystania. Nie ma w tym jeszcze nic nadzwyczajnego. Czyż między dążeniem gwiazd rocka do podtrzymania sławy, używania ciała i korzystania z pieniędzy, a skromną radością z korzystania z ładnej pogody, pięknego krajobrazu czy miłego towarzystwa nie ma pewnego wspólnego mianownika? Czyżby różnica polegała jedynie na hamulcach w owych dążeniach, na granicach przyzwoitości, które sobie stawiamy? Chyba nie tylko. Gołym okiem widać, że człowiek, który potrafi się ograniczać, potrafi też skuteczniej osiągać zadowolenie. I odwrotnie: kto nie ma hamulców, szybko się nudzi wszystkim, co osiągnął. Ale rzecz nie tyle w metodzie, w ograniczeniu jako takim, lecz w tym, że służy ono budowaniu sensu. Nieograniczona, niepohamowana pogoń za szczęściem wynika z poczucia nudy, z lęku i pustki, które pchają człowieka ku nowym podnietom. Jeżeli nie posiadamy minimum wewnętrznej harmonii, ładu i poczucia sensu, to instynktownie szukamy go na zewnątrz, w osiąganiu przyjemności, sławy czy bogactwa. W pogoni za tak rozumianym szczęściem trudno o sukces, bo horyzont ów stale się oddala.

Wedle współczesnego pisarza amerykańskiego, Roberta Wrighta, poczucie szczęścia jest naturalnie związane z jedzeniem i czynnościami seksualnymi, gdyż przedłużają one życie, oraz z uznaniem społecznym, gdyż pomaga to organizacji życia zbiorowego. Ciekawa obserwacja, choć autor ten niemal identyfikuje szczęście z przyjemnością: „powab szczęścia działa najmocniej, gdy jesteśmy pod wrażeniem, że ten dreszcz będzie trwał wiecznie"[27]. Goniący za posiadaniem, używaniem i korzystaniem bez sensu stanowią jednak smutny widok. Rabunkowo eksploatują oni życie i zdrowie, a potem często domagają się wsparcia ze strony społeczeństwa. I na odwrót: poczucie sensu zwalnia z gorączkowej, niepohamowanej żądzy szczęścia i powoduje, że to, co osiągamy, łatwiej nas satysfakcjonuje.

Powyższe tłumaczenie braku zaspokojenia wydawać by się mogło wymyśloną teorią szczęścia, gdyby nie potwierdzenie empiryczne. Instytut Gallupa przeprowadził w 1996 r. w USA ankietę, która wykazała silną korelację między subiektywnym poczuciem szczęścia osobistego a poczuciem sensu, jaki daje wiara. Wśród ankietowanych zadowolonych z życia było dwukrotnie więcej między ludźmi kierującymi się w życiu motywacją religijną niż wśród tych, którzy do religii nie przywiązywali wagi. Ludzie religijni rzadziej też szukali szczęścia w zachowaniach ekstremalnych. Mniej wśród nich okazało się rozwodników, alkoholików, narkomanów i osób skazanych za różne przestępstwa[28]. Podobne badania przeprowadzili amerykańscy psychologowie Edward Diener i Martin Seligman. Zajęli się statystyczną korelacją między poczuciem szczęścia i różnymi zjawiskami współczesnego świata. Okazuje się, że bogactwo ma niewielki związek z poczuciem szczęścia, gdyż po zaspokojeniu podstawowych potrzeb w niewielkim stopniu

---

[27] Robert Wright, „Dancing to Evolution's Tune", *Time,* 7 II 2005 r., s. 45.
[28] Jerzy Górski, „Kto jest szczęściarzem", *Rzeczpospolita,* 6/7 VI 2000 r.

zwiększa satysfakcję. Znamy to: apetyt rośnie w miarę jedzenia. Wykształcenie też przyczynia się do poczucia szczęścia w niewielkiej mierze. Daje więcej szans, ale poza tym jest neutralne wobec tego uczucia. Młodość jest raczej odwrotnie skorelowana z poczuciem szczęścia, to znaczy ludzie starsi częściej je odczuwają niż młodzież. Co do małżeństwa opinie są podzielone. Małżonkowie są na ogół szczęśliwsi niż osoby samotne, ale być może osoby zawierające związki małżeńskie robią to właśnie dlatego, że były i wcześniej bardziej szczęśliwe. Oglądanie telewizji jest oznaką braku szczęścia. Natomiast wiara religijna i przyjaźń są silnie pozytywnie skorelowane z poczuciem szczęścia[29].

Sonja Lyubomirski z University of California wymieniła osiem praktycznych sposobów powiększania poczucia szczęścia. Po pierwsze, należy pielęgnować uczucie wdzięczności, nawet jeśli to tylko wdzięczność wobec natury za piękno peonii. Po drugie, dobrze robi praktykowanie dobrych uczynków i okazywanie życzliwości bliźnim. Po trzecie, trzeba zauważać drobne przyjemności. Po czwarte, należy umieć wyrażać podziękowanie za pomoc i dobrą radę. Po piąte, trzeba umieć wybaczać. Po szóste, należy inwestować czas i energię w rodzinę i przyjaciół. Po siódme, dobrze służy dbanie o kondycję fizyczną. Po ósme wreszcie, należy wypracować sobie sposoby radzenia sobie ze stresem. We wszystkich tych kwestiach religia jest sojusznikiem człowieka i sojusznikiem jego poczucia szczęścia[30]. Wydaje się więc statystycznie sprawdzalne, że wiara sprzyja osiąganiu życiowej satysfakcji, a jej brak sprzyja frustracji. Tylko co zrobić z tymi, którzy chcą sobie i innym wmawiać, że nic nie ma sensu?

LIBERALNA DEMOKRACJA

Można zapytać, jaki to wszystko ma związek z systemem politycznym nazywanym liberalną demokracją. Otóż ma związek większy niż byśmy przypuszczali. Ktoś złośliwy mógłby powiedzieć, że z liberalną demokracją jest trochę tak jak ze świnką morską, o której ktoś kiedyś zauważył, że nie jest ani świnką, ani morską. Liberalna demokracja nie jest bowiem w praktyce ani szczególnie liberalna, ani szczególnie demokratyczna. Ryszard Legutko twierdzi nawet, że „liberalna demokracja stanowi poniekąd większą mistyfikację ideologiczną niż socjalizm"[31]. Zasadniczym wątkiem pracy Legutki są podobieństwa między totalitaryzmem i liberalną demokracją. Nawet jeśli analogie te są przesadzone, to warto się im przyjrzeć.

Pierwsza wątpliwość nasuwa się przy refleksji nad wynikami głosowań w Unii Europejskiej. Jak to jest, że jedna większość – na przykład większość Parlamentu Europejskiego – jest słuszna, a inna – na przykład większościowa podstawa rządu

[29] Claudia Wallis, „The New Science of Happiness", *Time*, 7 II 2005 r., ss. 39–44.
[30] „Eight Steps Toward a More Satisfying Life", *Time*, 7 II 2005 r., ss. 40,41.
[31] Ryszard Legutko, *Triumf człowieka pospolitego*, (Poznań: Zysk i S-ka, 2012), s. 40. Do podobnych wniosków doszedł głośny publicysta amerykański Fareed Zakaria, *Przyszłość wolności. Demokracja nieliberalna w Stanach Zjednoczonych i na świecie*, (Warszawa: Oficyna Wydawnicza Multico, 2018).

Francuska grafika z 1902 r. pokazująca utopijny świat przyszłości: niebo nad Paryżem w roku 2000. Z prawej eleganckie towarzystwo opuszcza operę wsiadając do latającej taksówki...

Viktora Orbána na Węgrzech czy PiS w Polsce – jest niesłuszna? Dlaczego wola obywateli wyrażona w demokratycznym ze wszech miar referendum francuskim czy irlandzkim, by odrzucić „konstytucję europejską", została zignorowana, a następnie ugniatana propagandowo w celu jej zmiany? Czy w Unii Europejskiej działają mechanizmy demokratyczne? A jeśli niezbyt działają, to jak może współistnieć demokracja na szczeblu państw członkowskich i jej ograniczenia na szczeblu unijnym? Od swego początku Parlament Europejski jest zdominowany przez kartel dwóch partii: Europejskiej Partii Ludowej – dawniej nazwanej chadecją, choć od dawna z chadecją nie ma ona wiele wspólnego – oraz europejskich socjalistów. Aby wygrać większość głosowań wypracowały one uśrednione stanowisko, które nazwać można europejskim *mainstreamem*, a które coraz bardziej przesuwa się w lewo i ku „politycznej poprawności". Podobnie ma się rzecz w RFN, gdzie przez lata rządził podobny kartel „chadecko"-socjalistyczny, który zdołał dość skutecznie uciszyć wszelkie wątpliwości związane z zaproszeniem do Niemiec milionów imigrantów muzułmańskich przez kanclerz Angelę Merkel w lecie 2015 roku. We Francji zaś większość partii politycznych od lat jednoczy się przeciw Frontowi Narodowemu, upodabniając się programowo, także w kierunku lewicowym, zwłaszcza w kwestiach obyczajowych. Wybory prezydenckie 2017 roku przyniosły zaś już zupełnie jawny triumf manipulacji, gdy lewicowy minister Emmanuel Macron został wypromowany przez media *mainstreamu* jako „nowy początek". Ostatni skandal z ochroniarzem Macrona, niejakim Alexandre Banalla, który osobiście bił demonstrantów, unaocznił, jak mało jest tam nowego i jak mało dobrego[32].

Formalnie mamy więc do czynienia z pluralizmem partyjnym, a faktycznie – z manipulacja medialną, która ogranicza demokrację. Czy to już totalitaryzm? Może jeszcze nie, ale dziwić może łatwość, z jaką przedstawiciele rządzących karteli rozgrzeszają komunizm, a tropią przejawy rzekomego „faszyzmu", tam gdzie odzywa się wątpiący lud wyborczy. Notabene, wielu działaczy komunistycznych lub skrajnie lewackich idealnie przystosowało się do liberalnej demokracji i udają, że zawsze byli po jej stronie. Wystarczy przypomnieć, że włoski komunista Altiero Spinelli jest patronem jednego z budynków Parlamentu Europejskiego, a także młodość Daniela Cohn-Bendita, Josepa Borella, Catherine Ashton, José Manuela Barroso czy Federiki Mogherini. Nic dziwnego, że europejska elita sprzeciwia się wyplenieniu resztek systemu komunistycznego wszędzie tam, gdzie są one widoczne.

Za wspólny mianownik ideologii komunistycznej i liberalno-demokratycznej można uznać przekonanie, że należy nie tylko brać udział, ale kierować radosnym „pochodem ku przyszłości", że trzeba realizować „postęp". Obydwie ideologie zawierają też „inżynieryjne" podejście do rzeczywistości społecznej, a oponentów traktują jak szkodników, których należy wyeliminować. Dawniej była to „reakcja" lub „idealizm", dziś jest to „przesąd", „Ciemnogród" czy „faszyzm". Jasnym słowem była i jest „nowoczesność". Jedna i druga ideologia zachęca do „wybierania przyszłości", ale także do kształtowania przeszłości. Stąd tak częsta niechęć skrajnych rzeczników liberalnej demokracji do obiektywnego przedstawiania historii, a nawet w ogóle do zajmowania się nią. Selektywnie opowiedziana historia ma co najwyżej służyć ukształtowaniu radosnej przyszłości. Innym wspólnym mianownikiem ideologii komunistycznej i liberalno-demokratycznej jest przekonanie o bezalternatywności tworzonych przez nie systemów, a więc pogląd, że historia jest procesem koniecznym, że rozwija się od czegoś gorszego do lepszego. Dla komunistów tym lepszym miała być „sprawiedliwość społeczna", dla liberalnych demokratów – wolność, której nigdy za wiele.

Legutko przyznaje, że liberalna demokracja to ustrój, który może się poszczycić imponującymi osiągnięciami, ale że starzejąc się „zhardział" i stał się „dogmatyczny"[33]. Powstaje więc pytanie, czy nadal jest to system liberalno-demokratyczny? Klasyczny system liberalno-demokratyczny opierał się bowiem na władzy ustawodawczej, wykonawczej i sądowniczej, wybieranej bezpośrednio lub pośrednio przez obywateli. Jak jednak ocenić jakość wyborów w systemie liberalno-demokratycznym, w którym opinia publiczna sterowana jest przez media, a te z kolei mają ogromny związek z największymi grupami kapitałowymi i w którym niezależną często rolę odgrywają służby specjalne, zdolne pozyskiwać ogromne zasoby informacji o obywatelach oraz o mechanizmach rządzących mediami i biznesem?

---

[32] Zbigniew Stefanik, „Największa afera polityczna nad Sekwaną ostatnich lat", *Kurier Wnet*, 2018, nr 50; Olivier Bault „„Nowoczesne uwikłanie", *Do Rzeczy*, 20–26 VIII 2018 r.

[33] Legutko, *Triumf człowieka pospolitego*, s. 49.

Z historii wiemy przecież, że tyranie, dyktatury lub systemy totalitarne często były wytwarzane przez uwiedzione masy. August stworzył pryncypat dzięki poparciu plebsu, a Hitler został kanclerzem Niemiec dzięki zwycięstwu w demokratycznych wyborach.

Wśród wielu praw, o które upomina się stale liberalna demokracja, poczesne miejsce zajmuje prawo do „samorealizacji", jeśli nie wprost szczęścia. System ten nie tyle zaspokaja potrzeby rozrywkowe obywateli, ale je nawet tworzy poprzez skomercjalizowane media. Zamiast rozważać cnoty polityczne rządzących, a właściwie ich brak, dla systemu jest bezpieczniej, że obywatele oglądają mecze piłkarskie, rozmaite *talk shows* czy uczestniczą w wielkich koncertach muzyki pop. Stąd bierze się stałe obniżanie poprzeczki kulturowej publicznych telewizji. Ciekawe, jak dalece zjawisko to współgra z rolą masowej rozrywki w systemie totalitarnym, gdzie także piłkarski patriotyzm i festiwale piosenki odgrywały ważną rolę polityczną. Obecnie przykrywanie ważnych informacji w telewizji publicznej głupstwami czy wulgarnością tłumaczy się przecież koniecznością osiągania większej oglądalności.

Rzecznicy liberalnej demokracji wykazują też ogromną skłonność do moralizowania. I w komunizmie, i obecnie często słyszymy, jak słuszne i dobre jest to, co daje ludziom system. Kryterium oceny moralnej jest w obu przypadkach zachwiane, gdyż ocena ta odnosi się pozornie do „dobra ludzkości", a w praktyce – do rzekomej zgodności rzeczywistości z utopijnym ideałem. Nie chodzi więc o piękno i dobro jako takie, ani o prawdę, ale o potwierdzenie, że rzeczywistość nie ma alternatywy, a ci, którzy ją krytykują, nie zasługują na wysłuchanie, ale na określenie mianem „insektów biegnących w szparach chodnika" lub „bydła"[34]. Dawniej na podobne epitety zasługiwali ci, co kwestionowali „obiektywne prawa historii" lub „sprawiedliwość społeczną", obecnie są to wrogowie wolności. Dawniej i dziś stają oni w oczach apologetów systemu na drodze do szczęścia ludzi.

Oba systemy – totalitarny i liberalno-demokratyczny – w wydaniu najbardziej zagorzałych ich apologetów są utopiami. Ilustruje to Legutko kilkoma najczęściej formułowanymi twierdzeniami owych apologetów, a więc: 1 – że demokracja jest ustrojem najlepszym, 2 – że nie wolno jej krytykować, gdyż może to ją osłabić, 3 – że nie wolno akceptować innych ustrojów, oraz 4 – że lekarstwem na wady demokracji jest więcej demokracji. Legutko szczególnie ostro atakuje to ostatnie twierdzenie. „W jaki sposób – pyta – więcej demokracji ograniczy na przykład demokratyczną wulgarność albo promowanie przeciętności, albo osłabianie obyczaju, albo rozrost legislacji, albo upartyjnienie sfery publicznej?" Podobnym językiem posługiwano się zresztą w socjalizmie, gdy mówiono, że lekarstwem na wypaczenia socjalizmu jest więcej socjalizmu[35].

---

[34] Tych wdzięcznych określeń użyli swego czasu wobec przeciwników Andrzej Drzycimski i Władysław Bartoszewski. https://www.rodaknet.com/rp_art_3941_lustracja_bolek.htm; http://zawisza.neon24.pl/post/121827,odklamywanie-wladyslawa-bartoszewskiego (24 VI 2018).

[35] Legutko, *Triumf człowieka pospolitego*, ss. 82–95.

Zarówno w totalitaryzmie, jak i w liberalnej demokracji widać szczególną rolę elity, która lepiej od mas rozumie ich potrzeby i potrafi lepiej wytyczać ich cele. Swego czasu Wiktor Osiatyński ostrzegał przed „technokratami politycznymi", którzy zaczynają dominować także w systemach demokratycznych. Wedle owej kasty politycznych „fachowców", „w nowoczesnym społeczeństwie demokratycznym celem polityki jest zdobycie i utrzymanie władzy. Programy polityczne, ideologie i ideały, misje społeczne i wizje rozwoju – wszystko to powinno być traktowane instrumentalnie i podporządkowane pozyskaniu władzy". Główny środek zaradczy, jaki proponował Osiatyński – „kontrola sądowa wszelkich decyzji władzy" – brzmi jednak mniej przekonująco. Powstaje bowiem zasadnicza wątpliwość: w czym lepsze są demokratyczne sądy od demokratycznej władzy politycznej? Czyżby morale zawodu sędziego z definicji było pewniejsze od morale polityka?[36] W komunizmie elitą była „awangarda klasy robotniczej" czy kierownictwo partyjne, a w liberalnej demokracji są to jej eksperci i prawnicy, którzy pouczają, chwalą i ganią kogo należy. W obydwu systemach surowo ocenia się „populizm". Choć władza partii miała pochodzić od mas, to hołdowanie ich zachciankom było i jest źle widziane. Podobnie w liberalnej demokracji – chodzi o wolność szarego człowieka, ale musi się on dowiedzieć od elity, na czym ona polega. Jedynym wyjątkiem jest oglądalność telewizji, a wtedy schlebianie najniższym gustom i instynktom zyskuje sankcję elity, która akceptuje mieszanie kultury wysokiej z niską.

Tracey Rowland mówi, że „współczesna ideologia liberalna zawiera w sobie określoną antropologię; ma także swoistą soteriologię czy eschatologię. Ma więc wiele elementów alternatywnej religii. Amerykański teolog William Cavenaugh rozwija tezę, że współczesne państwa liberalne stają się parodią Kościoła. W tym „państwie-Kościele" miejsce nauczających księży zajęli biurokraci pracujący w różnych resortach, np. w edukacji czy służbie zdrowia. W niektórych krajach biurokraci z ministerstwa edukacji decydują o programie nauczania w szkołach katolickich, np. promując treści progejowskie. W niektórych zachodnich państwach edukacja domowa (*homeschooling*) jest nielegalna, a lekarze nie mogą odmówić skierowania na aborcję pod groźbą utraty prawa do wykonywania zawodu"[37].

Liberalna demokracja ma też swoje „autorytety intelektualne", które snują teorie wolności w istocie wykluczające wolność sumienia. Religia jest tu tolerowana jedynie do momentu, gdy zaczyna stawiać swoim wyznawcom określone wymagania. Liberalna demokracja najlepiej znosi religie „bezobjawowe", polegające co najwyżej na prywatnym przywiązaniu do pewnych zwyczajów. Nie znosi zaś, gdy wyznawcy zaczynają otwarcie głosić, iż wiara powinna nieść za sobą konsekwencje praktyczne w życiu publicznym. Ogłoszenie przez jakiś związek wyznaniowy, że jest depozytariuszem prawdy, byłoby największym wyzwaniem dla liberalnej demokracji. Broniąc się przed monopolem prawdy w wydaniu partykularnym, liberalna demokracja w istocie walczy z pojęciem prawdy jako takim. John Rawls

---

[36] Wiktor Osiatyński, „Demokracja pod stałą kontrolą", *Rzeczpospolita*, 13 IV 2000 r.

[37] „Teologia się liczy. Rozmowa ks. Tomasza Jaklewicza z Tracey Rowland", *Gość Niedzielny*, nr 1 z 7 I 2018 r., s. 37.

twierdził, że liberalna demokracja nie może zajmować stanowiska w kwestii racji takiego czy innego poglądu, niemniej okazuje się, że niektóre poglądy, najbardziej „liberalne" i „postępowe" mają w liberalnej demokracji wyższość nad innymi. Martha Nussbaum z University of Chicago twierdziła na przykład, że wolność religii stoi czasem w sprzeczności z innymi rodzajami wolności, ale wolność religii chciała podporządkować wolności używania środków antykoncepcyjnych, czego wyznawcy pewnych religii nie powinni krytykować. Feministka Mary E. Becker z DePaul College w ogóle odrzuca pojęcie wolności religii jako „patriarchalne", gdyż zakłada ono rzekomo co innego dla kobiet, a co innego dla mężczyzn. Wojciech Sadurski dowodził, że państwo nie może pozostać neutralne wobec tych, którzy kwestionują zasadę neutralności państwa[38].

Neutralność światopoglądowa jest jednak fikcją, jest postulatem aksjologicznej próżni, w której nie da się zbudować żadnego systemu pojęciowego czy żadnych instytucji. Częste odwoływanie się przez „liberalnych demokratów" do zasad konstytucyjnych nie ma w tym kontekście najmniejszego sensu. Żadna konstytucja nie jest bowiem „neutralna", gdyż zawsze usiłuje ustalić jakieś zasady postępowania[39]. Sprawdzianem liberalnej demokracji jest więc zakres jego tolerancji wobec poglądu „nietolerancyjnego", czyli roszczeń jakiejś grupy wyznaniowej do posiadania prawdy objawionej. Ekstremiści liberalnej demokracji dowodzą, że wolność religijna sieje niezgodę; nie zauważają jednak, że brak zgody w wielu innych kwestiach jest istotą życia społecznego w ogóle, nie tylko w systemie demokratycznym.

Legutko definiuje liberalną demokrację tak: „to system, w którym państwo jest zakładnikiem grup traktujących je jako instrument zmian korzystnych z punktu widzenia ich interesu"[40]. Nie ma tu mowy o wspólnocie, jej dobru, ani o wolności czy wartościach demokratycznych. Jeśli komuś ta definicja się nie podoba, niech sobie przypomni ile razy protestował przeciw używaniu określenia „dobro wspólne", „racja stanu" lub „interes narodowy". W tak zdefiniowanym systemie poszczególne grupy interesu wywierają nacisk na władze, by realizowały ich postulaty, podczas gdy władze zabiegają o te grupy pamiętając o kolejnych wyborach. W liberalnej demokracji panuje nieustanna atmosfera działania, poprawiania i modyfikowania, a więc niestrudzona akcja reformatorska, której celem jest zaspokajanie oczekiwań grup interesu, a nie całości wspólnoty. Efektem takich działań jest piętrzące się ustawodawstwo, które w żadnym momencie nie zadawala wszystkich i w którym rozeznać się mogą tylko zawodowi specjaliści od wynajdywania stosownych przepisów lub luk między nimi. Można zapytać, co to ma wspólnego z libertariańskim wyznaniem wolności.

---

[38] James Hitchcock, „The Enemies of Religious Liberty", *First Things,* February 2004, nr 140, ss. 26–29.

[39] Por. np.: Zbigniew Stawrowski, *Niemoralna demokracja,* (Kraków: Ośrodek Myśli Politycznej, 2008), ss. 77–96; Ks. Piotr Mazurkiewicz, *Europa jako Kinder niespodzianka,* (Kraków: Ośrodek Myśli Politycznej, 2017).

[40] Legutko, *Triumf człowieka pospolitego,* s. 107.

Swoiste budownictwo liberalno-demokratyczne zakłada wspólnotę deklaracji poparcia. Wszyscy winni popierać wolność, tolerancję i pluralizm, a potępiać rasizm, „faszyzm", seksizm, dyskryminację czy homofobię, niezależnie od tego, jak są one definiowane na danym etapie rozwoju liberalnej demokracji. Są to bowiem wartości niekwestionowalne, a ich przeciwnicy sami skazują się na wykluczenie. Zwalczając przemoc w rodzinie należy więc przymknąć oczy na nadużycia władzy, która bezpodstawnie odbiera dzieci rodzicom, a zwalczając dyskryminację kobiet należy wspierać ich prawo do aborcji nawet wtedy, gdy nie chcą z niego skorzystać. Wolność jest bowiem w ideologii liberalno-demokratycznej wartością nadrzędną, a jej realizacja wymaga ofiar z wolności. Jeśli ktoś nie rozumie jak korzystać z wolności, można to na nim wymóc środkami administracyjnymi. Interpretacji wolności za każdym razem dostarczy liberalno-demokratyczna elita, która wie więcej i chce lepiej niż przeciętny zjadacz chleba.

Teoria i praktyka komunizmu znała dialektyczne sprzeczności, które w interesie przyszłych pokoleń rozstrzygała władza. System liberalno-demokratyczny ma też swoje sprzeczności dialektyczne. Istotnie, odnosi się wrażenie, że każdy sąd wypowiadany publicznie ma służyć władzy albo jej przeciwnikom, a każdy zarzut wobec rządzących sprowadza się do „walki politycznej". Z drugiej jednak strony, władze liberalno-demokratyczne odżegnują się od działań politycznych, gdyż rzekomo służą ludziom z racji swej liberalno-demokratycznej natury. Oponentów zaś krytykują za „upolitycznianie debaty".

Korzenie współczesnej liberalnej demokracji tkwią w rewolucji lat sześćdziesiątych. Najogólniej rzecz biorąc, w ślad za poprzednimi pokoleniami lewicy uznano wówczas, że natura ludzka została skażona nie przez grzech, lecz przez instytucje społeczne, a zbawienie miało przyjść przez politykę[41]. Rewolucjoniści lat sześćdziesiątych oraz ich dzieci tworzą dziś liberalną demokrację, która ma więcej wspólnego z anarchizmem i autorytaryzmem niż z liberalizmem. Skutki rewolucji kulturowej lat sześćdziesiątych są głębsze niż się nam może wydawać. Od młodych ludzi nie wymaga się dziś, żeby dojrzeli. Rzecznicy tamtej rewolucji kulturowej mają poważne kłopoty ze znoszeniem starzenia, chorób i myśli o śmierci. Dlatego tak często kwestionują sens i wartość życia. Odrzucili kategorie piękna, dobra i szlachetności jako niepotrzebne wyrazy obce. Przyjaźń zamienili w kumpelstwo, miłość utożsamili z seksem, sztukę z nowością, autorytet z idolem, a zbawienie z sukcesem. Liberalne wychowanie stało się ideologią powszechnie obowiązującą dlatego, że w erze permisywizmu zatracono cel wychowania. Pozostawianie dzieciom wolnego wyboru wynikło z tego, że nie umiano wskazać żadnego sensownego kryterium tego wyboru. Dwaj rzecznicy tamtej rewolucji, którzy dojrzeli i zmądrzeli, nazwali swoje pokolenie „pokoleniem destrukcji"[42].

Upolitycznienie debaty publicznej we współczesnej liberalnej demokracji można zilustrować licznymi przykładami. Nowe podmioty polityczne – kobiety i homoseksualiści –stają się w liberalnej demokracji owymi podmiotami wraz z osiągnięciem

---

[41] Bork, *Slouching Towards Gomorrah*, ss. 25–31.
[42] Collier, Horowitz, *Destructive Generation*,.

odpowiedniego poziomu świadomości. Tak jak nieprzekonany do socjalizmu robotnik nie był prawdziwym proletariuszem, tak i niefeministyczna kobieta nie jest prawdziwą kobietą, a żyjący bez rozgłosu homoseksualista – nie jest prawdziwym gejem. Inny przykład to tolerancja. Liberalna demokracja chwali się pluralizmem, ale jest to pluralizm pozorny. Obrońcy tradycyjnych wartości religijnych czy rodzinnych nie mogą w tym systemie liczyć na podobne pobłażanie, jak ludzie, którzy obrażają ich uczucia lub ich samych.

Liberalna demokracja przestała być liberalna wraz ze zmianą swego stosunku do państwa. Jeszcze do niedawna jej rzecznicy głosili minimalizację roli państwa, a obecnie używają go do realizacji swych pomysłów w każdej dziedzinie, zwiększając zatrudnienie w biurokracji i usiłując reglamentować wszystkie dziedziny życia społecznego. Wolność lub raczej dowolność seksualna jest wręcz oczkiem w głowie systemu. Państwo liberalno-demokratyczne jest silne, gdy chodzi o ingerencję w życie rodziny czy wspólnot religijnych, a słabe gdy chodzi o karanie przestępców, bardzo często użalając się nad złym wpływem na nich ze strony otoczenia.

Autorem, który zdał sobie sprawę ze sprzeczności aksjologicznych liberalnej demokracji, jest Richard Rorty. Wychowany w rodzinie komunistycznej, przeszedł on długą drogę przez stopniowe poznawanie, czym są różne wyznania religijne oraz kwestionowanie języka, w jakim wyraża się podstawowe problemy filozoficzne, aż do uznania, iż potrzebny jest swoisty „romantyczny politeizm". Skoro bowiem ludzie Zachodu wierzą w różne dobra i różne systemy wartości, trudno je zhierarchizować, a zatem winny one zamieszkać wspólnie na olimpie jako równi sobie bogowie. Długa droga Rorty'ego doprowadziła go w końcu do jego własnej odmiany „politycznej religii" Stanów Zjednoczonych, w której ważniejsze od stosunku człowieka do Boga są stosunki między ludźmi[43]. Nadal jednak nie wiemy, dlaczego stosunki te powinny układać się tak, a nie inaczej.

DEMOKRACJA CZY ANARCHIA?

W latach czterdziestych XX wieku Thomas S. Eliot napisał, że liberalizm jest ruchem definiowanym „nie tyle przez cel, ale przez punkt wyjścia; raczej przez 'precz z' niż przez 'ku czemuś' określonemu"[44], przez wolność od ograniczeń, a nie przez jakieś konkretne dobro. W swoim rozwoju historycznym ruchy wolnościowe stale oddalały człowieka nie tyle od ograniczeń, co od religii, moralności, prawa, rodziny i poczucia wspólnotowości. Współczesny liberalizm, nie znający granic wolności, wiedzie nas więc do celu, który może być dokładnym zaprzeczeniem zasad, o które walczy. Jak pisze Robert H. Bork, „despotyzm może władać bez wiary, wolność się bez niej nie obejdzie"[45].

---

[43] Jason Bofetti, „How Richard Rorty Found Religion", *First Things,* May 2004, nr 143, ss. 24–30.

[44] T. S. Eliot, *Christianity and Culture: The Idea of a Christian Society and Notes Towards the Definition of Culture* (New York: Harcourt, Brace & World, 1940), s. 12.

[45] Bork, *Slouching Towards Gomorrah*, s. 272.

Kilka najgłośniejszych orzeczeń Sądu Najwyższego USA stanowi jaskrawy dowód na ideologiczną samowolę, podkopującą cywilizację. Sławne orzeczenie Roe v. Wade, legalizujące aborcję, nie ma żadnego umocowania konstytucyjnego i jest najprostszym przykładem określania prawa moralnego przez arytmetyczną większość. W orzeczeniu Planned Parenthood v. Casey Sąd Najwyższy stwierdził, że „sedno demokracji tkwi w prawie każdego do określania swej koncepcji życia, sensu, świata i tajemnicy ludzkiego życia". Gdyby na tym miała istotnie polegać demokracja, to zabrakłoby powodu, by ścigać seryjnych przestępców, którzy określają sens swego życia w odbieraniu go innym. W orzeczeniu Bowers v. Hardwick na temat sodomii homoseksualnej mniejszość, która broniła tego prawa, stwierdziła, że rodzina nie zasługuje na specjalną ochronę, gdyż jej wartość zależy od tego, w jakim stopniu zaspakaja potrzeby jednostki oraz że „pojęcie prywatności stanowi 'moralny fakt', iż osoba należy do siebie samej, a nie do kogokolwiek innego lub do społeczeństwa"[46]. Zaklęcia tego rodzaju nie zmienią jednak faktu, że zabójstwo jest działaniem szkodliwym lub że do rodzenia dzieci potrzeba dwóch osób, a sposób, w jaki wyrażają one wolę posiadania potomstwa, nie jest obojętny dla świadomości dzieci.

Debata nad tym, co lepiej gwarantuje demokrację – władza wykonawcza, sądy czy może wolność gospodarcza lub wolne media – kręci się w kółko wokół problemu, jak definiować demokrację i czego się po niej spodziewać. O ile rewolucja francuska wylansowała hasła „wolność, równość, braterstwo" (WRB), którego zresztą jej przywódcy nie respektowali, o tyle liberalna rewolucja ostatnich dekad opiera się w istocie na skrajnie rozumianych zasadach „wolność, równość, indywidualizm" (WRI). Indywidualizm zastąpił braterstwo, bo ono zakłada wyjście poza siebie, empatię, a nawet miłość bliźniego. Dzisiejsi liberałowie myślą tylko o sobie lub w najlepszym wypadku o jednostce dążącej do pełnego wyzwolenia, a więc do utraty tożsamości.

Degeneruje się także zasada równości. Nie wystarczy, tak jak to zrobili autorzy europejskiego traktatu konstytucyjnego, pisać stale o „równości mężczyzn i kobiet" w każdej dziedzinie. Odwoływanie się do formalnej równości jest szkodliwym absurdem. Ludzie bowiem nie są równi. Jak słusznie zauważył ks. Jan Twardowski:

Gdyby wszyscy mieli po cztery jabłka
Gdyby wszyscy byli silni jak konie
Gdyby wszyscy byli jednakowo bezbronni w miłości
Gdyby każdy miał to samo
Nikt nikomu nie byłby potrzebny[47].

Ludzie są natomiast równi w swej godności, ale to pojęcie jest skrupulatnie omijane w enuncjacjach architektów liberalnej demokracji.

---

[46] Tamże, ss. 103 i 104.
[47] Ks. Jan Twardowski, *W świetle Ewangelii* (Poznań: W Drodze, 2005), s. 87.

Libertarianizm typu WRI degeneruje wszystkie stanowiące go zasady. Skrajnie rozumiana wolność jest samowolą, skrajna równość wymaga przymusu, a skrajny indywidualizm zamienia się w hedonizm i społeczną alienację. Ideologia libertariańska atakuje rodzinę, Kościół i instytucje prywatne. Rodzinę podejrzewa się o opresyjność, Kościół o przymus, a instytucjom prywatnym odbiera się prawo do określania swych zasad. Libertarianizm typu WRI zdominował już dużą część Ameryki, opanowując jej uniwersytety, kościoły, sądy, Hollywood, wielkonakładowe media z telewizją na czele, a także dużą część klasy politycznej. To, co podtrzymywało morale społeczeństwa – religia, moralność i prawo –zostały zakażone chorobą WRI w stopniu nie gwarantującym rychłego wyzdrowienia. To samo dzieje się w Europie.

Dodatkowymi czynnikami, które wzmagają chorobę WRI, są możliwości techniczne, zmiana sposobu życia i dostępność, będąca funkcją dobrobytu. Jak zauważa Bork, ciężka praca fizyczna nie idzie w parze z hedonizmem, współczesna, lżejsza praca umysłowa –znacznie łatwiej. Wyścig technologiczny i konkurencyjny skłania wytwórców towarów, ale także usług i dóbr kultury do lansowania nowości. Sensacja nowości ma rozwiać poczucie nudy, ale zmniejszając wrażliwość na bodźce w istocie zwiększa to poczucie. Człowiek, którego zmartwieniem przestają być złe zbiory, ale jest nim zepsute video, ma mniejszą skłonność do szukania pociechy w religii. Co najgorsze, postęp wiedzy i umiejętności technicznych i medycznych zbliża nas niebezpiecznie do granicy genetycznej modyfikacji nas samych. W czasach, gdy moralna wrażliwość jest coraz bardziej potrzebna, jest jej coraz mniej[48].

Sensu życia szuka się w przyjemności, a w przypadku problemów szuka się kozłów ofiarnych poza sobą samym. Bardzo wyraźnie widać to w związku między rosnącą presją społeczną, by kobieta była piękna i czerpała z życia przyjemności, a frustracjami feministek, z których spora część nienawidzi świata za to, że nie mogą sprostać tym wymaganiom. Starzenie się czy dystans od ideału piękna wiedzie je do coraz to nowych pretensji wobec świata, wobec mężczyzn czy dzieci.

Współczesna demokracja coraz bardziej niebezpiecznie przesuwa granice między tym, co można głosować, a tymi kwestiami, w których głosowanie nie ma sensu lub jest szkodliwe. Czy w głosowaniu można ustalić prawdę? Pewnie, że można. Przypadkowo. Bo głosowanie zmierza do ustalenia nie tego, co jest, ale tego, czego określona grupa ludzi chce. Przypadkowo może się okazać, że jest to to samo, ale trudno na to liczyć. Czy demokracja może więc nas zbawić? Z pewnością nie. Czy przez działanie polityczne można zmienić człowieka? Bardzo wątpliwe. Czy więc polityka jest zajęciem szkodliwym, nieodwołalnie skażonym złem? Z pewnością nie jest to zajęcie łatwe i wdzięczne dla kogoś, kto myśli o wysokich standardach moralnych, ale oddać tę jakże ważną sferę działalności jedynie w ręce hochsztaplerów, złodziei czy kłamców byłoby rzeczą fatalną.

---

[48] Bork, *Slouching Towards Gomorrah*, s. 9.

DESTRUKCJA EUROPY

Jeszcze przed końcem ubiegłego stulecia Alain Besançon ostrzegał: „rewolucja trwa. Demokracja opuściła kontekst wyłącznie polityczny, a dotyka teraz życia prywatnego ludzi, życia małżeńskiego, życia rodzinnego"[49]. Od tamtej pory było tylko gorzej. Tezy o kryzysie Europy powtarzane są niemal codziennie, ale mało kto zauważa sedno sprawy tak trafnie jak Thérèse Delpech: „Europa przeżywa schyłek intelektualny, którego poruszającymi objawami są inwektywy, zanik dyskusji, zamęt myślowy"[50]. „Politycy nie mają już żadnego europejskiego przesłania dla obywateli swych krajów (...) W tej sytuacji nie ma się co dziwić, że głos Europy jest w świecie tak słabo słyszalny"[51]. Maciej Pawlicki słusznie zwrócił uwagę na to, że liberalną demokrację toczą trzy choroby: polityczna poprawność, chciwość i nienawiść do chrześcijaństwa. Trudno się więc dziwić, że muzułmanie widzą w Europie degrengoladę – masowe aborcje, rozkład rodziny, homoseksualizm i eutanazję – na którą mają rzekomo receptę[52]. Bronisław Wildstein zaś niewiele przesadził pisząc: „W Zachodniej Europie udało się do tego stopnia wyeliminować głosy krytyki i sterroryzować symboliczną przemocą żyjące tam narody, że nie potrafią one artykułować swego sprzeciwu"[53]. Jeśli ktoś uważa, że w słowach tych zawarta jest przesada, niech weźmie pod uwagę fakt, że w lecie 2018 roku sąd w Genui skazał doktora Salvatore Felisa na więzienie w zawieszeniu i zakaz sprawowania funkcji publicznych za sprzeciw wobec aborcji. Lekarz skorzystał z klauzuli sumienia, która jest dopuszczalna w prawie włoskim, a mimo to został skazany[54]. Co mówi to o wolności sumienia w liberalnej demokracji?

„Europa jest wreszcie zjednoczona, ale rozszerzeń nie przeżywano jako zwycięstw. Nie doszło jeszcze do zjednoczenia świadomości europejskiej, tak jakby ewoluowała ona znacznie wolniej od wydarzeń (...) Rok 2004 można uznać za barometr stanu Europy. Tak oczekiwane zjednoczenie kontynentu nie dało powodu do jakiejkolwiek manifestacji na miarę tego wydarzenia. Nowych przybyszów powitano kilku skromnymi uroczystościami, raczej przypominając im w ten sposób o często wyrażanych oporach przed rozszerzeniem, niż wyrażając radość z odzyskanej jedności"[55]. Opinia ta, wyrażona *notabene* przez Francuzkę, dobrze oddaje sytuację Unii Europejskiej, której przywódcy, krocząc drogą wymuszania liberalnej demokracji, nie potrafią wyciągnąć wniosków z własnych błędów, stwarzają

[49] „Demokracja traci równowagę. Z Alain Besançonem rozmawia Piotr Semka", *Życie*, 27–28 XI 1999 r.

[50] Delpech, *Powrót barbarzyństwa w XX wieku*, s. 95. Nawet we względnie spokojnej Polsce zwolenniczki aborcji posuwają się do histerycznych ataków i inwektyw pod adresem Kościoła. W rezultacie agresywnej demonstracji pod siedzibą kurii warszawskiej pozostały tam w lecie 2018 roku napisy: „Mordercy kobiet", „Oto krew moja i ciało moje" czy „Rwanda pamiętamy". Jakub Jałowiczor, „Czyste sumienie wandala", *Gość Niedzielny*, 15 VII 2018 r.

[51] Delpech, *Powrót barbarzyństwa w XX wieku*, s. 212.

[52] Maciej Pawlicki, „Trzy fanatyzmy", *Sieci*, 12–18 VI 2017 r., ss. 38–39.

[53] Bronisław Wildstein, „PiS a kontrrewolucja", *Sieci*, 29 V-4 VI 2017 r., s. 39.

[54] Jakub Jałowiczor, „Okrawanie klauzuli sumienia", *Gość Niedzielny*, 15 VII 2018 r.

[55] Delpech, *Powrót barbarzyństwa w XX wieku*, ss. 43 i 103–104.

Tzw. Marsz Równości na ulicach Krakowa 18 maja 2013 r. Manifestacja odbyła się pod prowokującym hasłem „Wszyscy jesteśmy homo".

kolejne zagrożenia, a ponadto w swoim zadufaniu pogłębiają różnice między państwami „starej Europy" i nowymi krajami członkowskimi. Unia Europejska jest związkiem państw, które w praktyce mają różne prawa. Na przykład podczas gdy traktat z Maastricht nakłada na członków Unii obowiązek ograniczenia długu publicznego do 60% PKB, w 2016 roku jedynym krajem „starej" Unii, który spełniał ten warunek był Luksemburg, podczas gdy jedynym „nowym" krajem członkowskim, który tego kryterium nie spełniał, była Słowenia[56].

Przyjrzawszy się funkcjonowaniu Unii Europejskiej z bliska, Ryszard Legutko nazwał liberalną demokrację w Europie „fałszywą Europą". Stwierdził, że „fałszywa Europa powstała 30–40 lat temu. To ideologia, system prostych pojęć, które wszystko wyjaśniają i całkowicie panują nad umysłami ludzkimi. Są to hasła równości, tolerancji, demokracji, praw człowieka, przy czym używa się tych pojęć w sposób wyjątkowo perfidny, odwracając ich znaczenie". Różnorodność polega „na tym, aby mieć te same poglądy i wyznawać tę samą ideologię. Kto jej nie wyznaje, ten jest wrogiem". Podobnie jest z demokracją. „Nie oznacza ona procedury wyłaniania rządów, lecz bardzo konkretny wynik tej procedury, czyli trwanie przy władzy tych grup, które są tą ideologią połączone. Jeśli inni dochodzą do władzy, to wtedy już nie jest demokracja 1968 r. (…) U komunistów każda próba korekty

---

[56] Piotr Wójcik, „Koniec europejskiego liberalizmu", *Gazeta Polska Codziennie,* 6 III 2018 r.

kończyła się oskarżeniem o rewizjonizm, tak tutaj każda wątpliwość kończy się oskarżeniem o populizm"[57]. Obecnie podobnym kwalifikatorem jest „faszyzm".

Często powtarzany w Paryżu czy Berlinie slogan „centrum doskonałości" w odniesieniu do wysoko rozwiniętych technologicznie gałęzi gospodarki Zachodu skłania przywódców Francji, Niemiec, a w mniejszej mierze także Belgii, Holandii, Wielkiej Brytanii, krajów skandynawskich czy Hiszpanii do przekonania, że są naturalnymi nauczycielami czy lekarzami nowych krajów członkowskich. Przypomina to jednak starą maksymę „lekarzu, lecz się sam". Państwa te bowiem przodują nie tylko w wyścigu technologicznym, ale także w pędzie do społecznej i kulturowej samozagłady.

Przede wszystkim można się zastanawiać, co oznacza demokracja w przypadku brutalnej ingerencji niektórych państw w życie rodzinne. Niemiecki Jugendamt sięga do najgorszych wzorców z przeszłości odbierając dzieci Polakom mieszkającym w Niemczech, często nie tłumacząc nawet powodów[58]. Podobnie przedstawia się kontrola życia rodzinnego w Norwegii, gdzie działa Służba Ochrony Dzieci (*Barneverntjenesten*), zwana potocznie Barnevernet. Norwegia była pierwszym krajem, gdzie państwo zajęło się ochroną praw dziecka, z tym że ochrona ta przybrała formy karykaturalne, ponieważ ingerencja w życie rodzinne sięgnęła tak głęboko, że wystarczy drobny zatarg lub przypadkowy uraz dziecka, by urzędnicy ruszyli do akcji, nierzadko odbierając rodzicom prawo do wychowania swych pociech. Ingerencje takie mają najczęściej miejsce w odniesieniu do rodzin imigrantów, z wyjątkiem oczywiście rodzin muzułmańskich i „małżeństw" homoseksualistów[59].

Francuskie pomysły społeczne wynikają w dużej mierze z wpływów masonerii. Choć nie jest on tak duży jak w czasach III Republiki na przełomie XIX i XX wieku, nadal wielu francuskich premierów i ministrów, jak Manuel Valls, Jean-Yves Le Drian, Gérard Collomb czy pani Christine Taubira, jest członkami lóż[60]. Francuska liberalna demokracja nie znosi pluralizmu debaty naukowej. Ponieważ mitem założycielskim Republiki Francuskiej jest apoteoza rewolucji, ludobójstwo w Wandei jest tam niemal tabu, a autor najważniejszej książki na ten temat, Reynald Secher, nie mógł zrobić kariery akademickiej. Francja stała się też krajem promującym zabijanie. Przypomnijmy francuski przepis z 1993 roku, który mówi, że „kto stara się zapobiec aborcji, wymuszając taką decyzję na kobiecie poprzez presję moralną czy psychiczną podlega karze do dwóch lat więzienia i karze grzywny do 30 tysięcy euro"[61]. Nic dziwnego, że we Francji obserwuje się zanik wspólnoty narodowej, mentalne odrętwienie i cynizm[62].

---

[57] „Przeciw fałszywej Europie. Z prof. Ryszardem Legutką rozmawia Konrad Kołodziejski", *Sieci*, 23–29 X 2017 r., s. 61.

[58] Tomasz Duklanowski, „Zabrana rodzicom, oddana do przytułku", *Gazeta Polska*, 15 XI 2017 r., ss. 44, 45.

[59] Henryk E. Malinowski, „Norweski dramat polskich rodziców", *Do Rzeczy*, 25–31 V 2015 r.; Agnieszka Niewińska, „Rodzice kontra Norwegia", *Do Rzeczy*, 25 IX-1 X 2017 r.

[60] Olivier Bault, „Francuska republika masońska", *Do Rzeczy*, 12–18 III 2018 r.

[61] Bogdan Dobosz, „Komuniści przeciw życiu", *Gazeta Polska Codziennie*, 7 X 2016 r.

[62] „Nazwanie potwora po imieniu wymaga odwagi. Z Anną Geifman rozmawia Olga Doleśniak-Harczuk", *Gazeta Polska Codziennie*, 5 VI 2017 r. „Jak pogodzić młodzież, która nie lubi

Szef Gabinetu Prezydenta RP prof. Krzysztof Szczerski (z lewej) w rozmowie z eurodeputowanym PiS prof. Ryszardem Legutko. Obydwaj politycy i naukowcy należą do zdecydowanych krytyków liberalnej demokracji.

Miałkość intelektualna elit francuskich wynika ze sprzeczności tkwiącej w wymuszaniu wolności, ale także z pozostałości ideologii komunistycznej z powodu jej pokrewieństwa z rewolucją francuską. Co więcej, środowiska skrajnej lewicy są tam nadal bardzo wpływowe, dążąc w tym samym kierunku co „liberalni" radykałowie republikańscy: wyeliminowanie chrześcijaństwa oraz stworzenie nowego człowieka i budowa nowego społeczeństwa. Taki jest na przykład program nowej partii Francja Niepokorna (*France Insoumise*), która w sojuszu z komunistami zdobyła ostatnio niemal 14% głosów wyborców. Działaczka tej partii, Danièle Obono, pochodząca z Gabonu, walczy z „islamofobią", imperializmem, rasizmem, liberalizmem, nacjonalizmem i Bóg wie czym jeszcze, ale broni zespołu ZEP, który nagrał przebój *Nique la France* („Pie... ć Francję). We Francji jest ciągle kilkadziesiąt ulic i placów nazwanych imieniem Włodzimierza Lenina[63].

Innym czynnikiem, który osłabia morale Europejczyków, jest popularność deklaracji o winie ludzi Starego Kontynentu za kolonializm i inne zbrodnie. Douglas

Francji, z Francją, która nie lubi siebie?" pytała Delpech, *Powrót barbarzyństwa w XX wieku*, ss. 66 i 101–102.

[63] Bogdan Dobosz, „Ślady komunizmu ciągle obecne nad Sekwaną", *Gazeta Polska Codziennie*, 3 XI 2017 r.

Murray nazwał ten nastrój „tyranią poczucia winy". „Dzięki takim deklaracjom – pisze Murray – przywódcy polityczni mogą okazać wielkoduszność, nie plamiąc się jednocześnie zaangażowaniem w zbrodnię: przepraszający nie zrobił nic złego, a wszyscy ci, którym należą się przeprosiny, już nie żyją"[64]. Deklaracje takie nie pozostają jednak bez skutku: przepraszanym stale za mało, choć im samym nic się nie stało, a przepraszający ugruntowują przekonanie, że ich kraj nigdy nie odkupi swych win. Tymczasem ci, którzy nie przepraszają, mają często więcej na sumieniu i uchodzą za prawie niewinnych. Murray podaje przykład przepraszających Australijczyków i milczących Chińczyków, ale można by tu także przypomnieć brak skruchy Belgów za zbrodnie króla Leopolda II lub selektywną skruchę Niemców. Ponieważ przeprosili oni już za Holocaust i zrekompensowali jego ofiary, a także uznali swą odpowiedzialność za mordy na jeńcach sowieckich, Izrael i Rosja utrzymują z nimi ciepłe stosunki, podczas gdy ofiary polskie nadal czekają na przeprosiny i odszkodowania.

W większości krajów zachodniej Europy polityczna poprawność jest sankcjonowania prawnie, a represjonowanie poglądów sprzecznych z ideologią LGBT staje się w Europie coraz bardziej powszechne. Włoski szef firmy przetwórstwa spożywczego Guido Bailli został uznany za winnego, gdy stwierdził, że jego firma nie nakręci nigdy spotu reklamowego z udziałem homoseksualistów, gdyż byłoby to sprzeczne z jej rodzinnymi wartościami. Chrześcijanie powołujący się na klauzulę sumienia są także prześladowani. Szpital w szwedzkim mieście Jönköping odmówił zatrudnienia Ellinor Grimmark, trzydziestopięcioletniej położnej, gdy dowiedziano się, że chrześcijaństwo nie pozwala jej wykonywać aborcji. Podobne praktyki dominują w Norwegii i Finlandii[65].

Istotnym przyczynkiem do funkcjonowania liberalnej demokracji są losy wspomnianej już Mary Wagner, kanadyjskiej działaczki *pro-life*, która odwiedza kliniki aborcyjne i rozmawia z kobietami oczekującymi tam na zabieg, przekonując je, że popełniają błąd i oferując organizacyjną pomoc. Od 2012 roku pięciokrotnie skazywano ją na więzienie za utrudnianie procedur aborcyjnych, niewątpliwie pod wpływem aborcyjnego lobby, które zarabia krocie na prawie do zabijania nienarodzonych dzieci. W sumie do wiosny 2018 roku Wagner spędziła za kratami cztery lata i dziesięć miesięcy[66]. Władze kanadyjskie, które nie tylko zalegalizowały aborcję, ale prześladują osoby, które pikietują kliniki aborcyjne, takie jak Wagner lub Linda Gibbons, łamią nie tylko piąte przykazanie, ale także całkiem świecką, konstytucyjną wolność słowa[67].

Choć w Unii Europejskiej stale podkreśla się „europejskie wartości" i troskę o prawa człowieka, w praktyce politycznej przywódcy zachodnioeuropejscy często ignorują te wartości lub traktują je selektywnie. Klasycznym przykładem jest

---

[64] Murray, *Przedziwna śmierć Europy*, s. 217.
[65] Enrica Perucchietti, „Kreowanie człowieka bez tożsamości", *Nasz Dziennik*, 23–24 VIII 2014 r.; Maciej Czarnecki, „Skandynawowie o sumieniu", *Gazeta Wyborcza*, 19 XI 2014 r.
[66] Grzegorz Wierzchołowski, „Słynna obrończyni życia wciąż prześladowana", *Gazeta Polska*, 28 III 2018 r.
[67] „Dobrze, że jesteś. Izabela Kozłowska rozmawia z Mary Wagner", *Nasz Dziennik*, 17 II 2015 r.

Mary Wagner, kanadyjska działaczka *pro-life*, która odwiedza kliniki aborcyjne i rozmawia z kobietami oczekującymi na zabieg, od 2012 r. pięciokrotnie była skazywana na więzienie za utrudnianie procedur aborcyjnych.

pęd do interesów z Chinami, które szczególnie nakręciły koniunkturę niemiecką pod rządami socjalisty Gerharda Schrödera. Okazał się on zresztą także płatnym lobbystą rosyjskiego Gazpromu. Państwa europejskie nie mają żadnego pomysłu na politykę wobec Chin, kraju o bezprecedensowej dynamice ekonomicznej, który albo już się stał, albo stanie się wkrótce pierwszą potęgą gospodarczą świata, ale bezlitośnie łamie prawa człowieka i stale buduje swoją pozycję we wszystkich zakątkach świata. Jak dotąd, państwa europejskie starały się jedynie skorzystać ze wzrostu gospodarczego Chin, nie bacząc na to, że kontrakty z Niemcami, Francją czy Wielką Brytanią niezwykle Chiny wzmacniają. Podobnie biernie zachowują się państwa zachodniej Europy wobec awanturniczej polityki reżimu północnokoreańskiego. Jak pisze Delpech, „wolą niesprawiedliwość od nieporządku", a jak i wcześniej w historii, mogą się wkrótce zetknąć i z niesprawiedliwością, i z nieporządkiem. Rządy zachodnioeuropejskie nie zdobyły się w latach osiemdziesiątych XX wieku na potępienie Iraku za użycie broni chemicznej przeciw wojskom irańskim i kurdyjskiej ludności cywilnej. Co więcej, francuski ambasador przy ONZ Louis Blanc interweniował, by zapobiec potępieniu tych czynów przez Radę Bezpieczeństwa[68]. Europejczykom najwyraźniej łatwiej niż Amerykanom pogo-

---

[68] Delpech, *Powrót barbarzyństwa w XX wieku*, ss. 73, 102, 235–264.

dzić się z otwartym gwałceniem praw człowieka. Słabość ta dotyczy także stosunku większości rządów zachodnioeuropejskich do Rosji, kraju kierowanego przez „najbardziej nieprzewidywalny i skorumpowany odłam służb specjalnych" i uparcie rozbudowującego swój arsenał ofensywny za cenę stagnacji gospodarczej[69].

Niepokój budzi sposób, w jaki funkcjonuje system demokratyczny. Jeśli w polskim tekście traktatu lizbońskiego znaleziono tak wiele błędów merytorycznych, to można sobie wyobrazić, że w innych tłumaczeniach są podobne błędy[70]. Do czego więc zobowiązani są członkowie Unii? Kampanie przedwyborcze oparte są w coraz większej mierze na lansowaniu polityków na wzór kampanii komercyjnych z coraz dokładniejszym „lokowaniem" produktu politycznego, który spełniać musi wymogi klienta, uprzednio przygotowanego medialnie, a wiec nie oczekującego od polityków ani rozumu, ani uczciwości, ale prostych zdolności perswazyjnych, łącznie z wyglądem zewnętrznym czy mową ciała. Większość czołowych polityków ostatniej doby, jak Tony Blair, Angela Merkel, Emmanuel Macron czy Donald Trump, to właśnie produkty takich kampanii. Pół biedy, gdy usiłują oni spełniać pozytywne oczekiwania swojej masowej „klienteli", gorzej jednak gdy schlebiają najgorszym gustom i spełniają najgorsze ambicje wyborców. Przykładem zdumiewającego premiowania bylejakości w polityce stały się Pokojowe Nagrody Nobla. Czyż nie jest charakterystyczne dla ewolucji zachodniego sposobu myślenia o człowieku, że pierwszą Pokojową Nagrodę Nobla przyznano w 1901 roku dziś całkiem niemal zapomnianemu Henri Dunantowi[71], założycielowi Międzynarodowego Czerwonego Krzyża, gorliwemu kalwiniście szwajcarskiemu, podczas gdy w 2009 roku nagrodę tę przyznano prezydentowi USA Barackowi Obamie za mgliste plany w polityce międzynarodowej, z których nic nie wyszło.

W wielu państwach Europy Zachodniej zanikają granice tożsamości partii politycznych. Na przykład w maju 2005 roku przewodniczącym organizacji młodzieżowej szwedzkich chadeków, czyli Młodzieżowego Związku Chrześcijańskiej Demokracji, został Erik Slottner, obnoszący się ze swoim homoseksualizmem. Stwierdził, że pragnie stworzyć nowy wizerunek szwedzkiej chadecji, nieco „świeższy", bardziej „postępowy"[72]. Najwyraźniej wybrali go podobnie „postępowo" myślący młodzi „chadecy". Politycy chrześcijańscy stają się coraz bardziej „bezobjawowi". W latach osiemdziesiątych partie chadeckie Beneluksu głosowały za ustawami legalizującymi eutanazję[73]. Na porządku dziennym są manipulacje ośrodków badania opinii publicznej i firm ratingowych.

---

[69] Tamże, s. 230.

[70] Stefan Hambura, Karol Karski, „Błędy poprawi cała Unia Europejska", *Rzeczpospolita*, 26 I 2005 r.

[71] Rozwinął on swe idee pacyfistyczne po doświadczeniu, jakim było obserwowanie skutków morderczej francusko-austriackiej bitwy pod Solferino w 1859 roku. Opisał je w: Henri Dunant, *A Memory of Solferino*, https://shop.icrc.org/un-souvenir-de-solferino-2539.html (31 III 2018).

[72] Anna Nowacka-Isaksson, „Partia coraz mniej chrześcijańska", *Rzeczpospolita*, 25 V 2004 r.

[73] Grzegorz Kucharczyk, „Wrogie przejęcie", *Do Rzeczy*, 2–8 X 2017 r., ss. 56–59; O. Maciej Zięba, „W czarno-różowych okularach", *Rzeczpospolita Plus Minus*, 23–24 IX 2017 r., ss. 14–17.

Trudno liczyć na przezwyciężenie tych licznych objawów destrukcji cywilizacji zachodniej, skoro w kryzysie jest także system szkolny. W poprzednich rozdziałach była mowa o lansowaniu w szkołach ideologii LGBT i seksu jako rozrywki. Ponadto, jak zauważył Roger Scruton, główną zasadą szkolnictwa brytyjskiego jest, by „dzieci dobrze się czuły. Program winien być więc dostosowany do ich zainteresowań, a egzaminy nie powinny sprawdzać ich umiejętności lingwistycznych czy literackich". Tymczasem jest to wręcz odwrotne w stosunku do tego, czego szkoła powinna uczyć. „Kształcenie – napisał Scruton – jest możliwe tylko wtedy, jeśli wytłumaczymy dzieciom, że są sprawy warte poznania, których nie znają. To może im sprawić przykrość, ale złe samopoczucie dziś jest ceną tego, żeby czuć się lepiej w przyszłości. Kultura poczucia swojej wartości przynosi efekty odwrotne: zadawalając dzieci obecnie sprawia, że czują się później gorzej"[74]. Takie efekty nauki szkolnej ugruntowują tylko nieświadomość co do istoty problemów cywilizacji zachodniej.

ZAGROŻENIE ISLAMSKIE

Okrutny mord dokonany na kontrowersyjnym reżyserze Theo van Goghu przez marokańskiego islamistę w Amsterdamie w dniu 2 XI 2004 roku nie zwrócił większej uwagi na problem. Uparcie przypominano holenderski duch tolerancji, „jakby nie był on właśnie jedną z przyczyn zbrodni"[75]. Podobnie było w innych krajach zachodniej Europy, gdzie rzecznicy liberalnej demokracji nie zauważali problemu, a sygnalistom zarzucano „islamofobię".

Tymczasem, rok 2015 może przejść do historii jako początek końca Europy, jaką dotąd znaliśmy. Mimo stałego napływu imigrantów muzułmańskich do Europy Zachodniej, powodującego ogromny wzrost napięć na tle społecznym i religijnym, czego dowody mieliśmy wcześniej w postaci płonących samochodów na przedmieściach miast francuskich, brutalnych mordów na tle religijno-obyczajowym, a także kolejnych zamachów bombowych w Londynie, Madrycie, Paryżu czy Brukseli, mimo przyznania przez miarodajne czynniki niemieckie, że tamtejsza polityka *Multikulti* zawiodła, kanclerz Niemiec Angela Merkel zaprosiła wówczas wszystkich pragnących dostać się do Europy „uchodźców".

Będąc w opozycji, Angela Merkel mówiła, że „idea społeczeństwa wielokulturowego nie może się powieść. Jest ona z góry skazana na niepowodzenie. Multikulturalizm to nie integracja". Zgadzała się więc w zasadzie z liderem belgijskiego ugrupowania flamandzkiego Flaams Belang (Interes Flamandzki) Filipem Dewinterem, który już w 2005 roku mówił, że „islamizacja jest obecnie największym problemem Europy i jeśli czegoś nie zrobimy, będzie za późno". Kuriozalne było tłumaczenie polityki Merkel przez Sorosa. Mówił on: „gdy zorientowała się i trafnie przewidziała, że kryzys imigracyjny może zniszczyć Unię, najpierw przez spowodowanie rozpadu systemu Schengen, a w końcu przez podważenie podwalin

---

[74] Roger Scruton, „Know your place", *The Spectator,* 22 I 2005 r.
[75] Delpech, *Powrót barbarzyństwa w XX wieku*, s. 65.

wspólnego rynku, podjęła śmiałą inicjatywę, która zmierzała do zmiany podejścia społeczeństwa do sprawy uchodźców (...) „W sprawie kryzysu imigracyjnego odwołała się do zasad i skłonna była zaryzykować swoją pozycję przywódczą". Do jakich zasad odwołała się pani kanclerz? Przecież brnęła ona nadal w zasadę „otwartości" na inne kultury bez względu na bezpieczeństwo Niemiec. Jej urzędnicy doradzali co najwyżej, by kobiety nie wychodziły same na ulice, czym namawiali do upodobnienia Niemiec do Arabii Saudyjskiej[76]. W rezultacie fala imigrantów przekroczyła milion osób i nadal rośnie. Niezależnie od potencjalnych skutków tego zaproszenia, faktem jest, że ludzie ci nie zawsze są w świetle prawa uchodźcami. Co więcej, większość z nich wcale nie wygląda na uchodźców. Kobiety z dziećmi są tu w mniejszości. Przeważają zastępy młodzieńców, dobrze ubranych i wyposażonych na drogę, także w przewodniki dostarczane przez fundacje Sorosa. Lądują oni w kolejnych łodziach na wyspach greckich czy włoskich i nikt ich nie zatrzymuje, więc biorą po drodze co się da i przedostają się dalej. W zamian za zatrzymywanie owych „uchodźców" muzułmańska Turcja otrzymała nie tylko wsparcie finansowe od Unii Europejskiej, ale także zniesienie wiz do Unii.

Napływ muzułmanów w oczywisty sposób wzmacnia ich siły w walce o panowanie w Europie, choć „politycznie poprawne" media zachodnie traktują na ogół plany muzułmanów jako informacyjne tabu. Faktem jest, że mocarstwa zachodnie często nieodpowiedzialnie ingerowały w sprawy społeczeństw muzułmańskich. Faktem jest także poczucie wykluczenia wśród ubogich mas muzułmańskich w zachodniej Europie. Fanatyzm islamski wypływa jednak także, a może przede wszystkim, ze strategii religijnej.

Mało kto w Europie zdaje sobie sprawę z tego, że jest to Dom Wojny (*Dar al-Harb*). Tak bowiem nazywa wielu muzułmanów ziemie, na których trwa walka o nawrócenie na islam. Muzułmański duchowny z Kataru, przewodniczący Międzynarodowej Unii Uczonych Muzułmańskich, Jusuf al-Qaradawi, mówił, że „wedle ustaleń prawa islamskiego krew i własność ludzi z *Dar al-Harb* nie podlegają ochronie. Ponieważ walczą z muzułmanami i są wobec nich nieprzyjaźni, stracili prawo do ochrony własnej krwi i własności"[77]. Qaradawi mówił też, że „Islam powróci do Europy. Podbój nie będzie koniecznie krwawy. Być może zdobędziemy te kraje bez pomocy armii. Chcemy mieć armię kaznodziejów i nauczycieli, którzy będą przedstawiać islam we wszystkich językach i dialektach". Sheikh Abd al-Rahman al-Sudais z wielkiego meczetu w Mekce wzywał do „unicestwienia Żydów" i podboju zachodniej cywilizacji. Wskazywał przy tym, nie bez racji, że bankructwo cywilizacji zachodniej wynika z porzucenia religii. Kiedy al-Sudais przybył do Londynu z oficjalną wizytą jako gość z „zaprzyjaźnionej" z Zachodem Arabii Saudyjskiej, został ciepło przyjęty przez Fionę Mactaggart, brytyjską minister do spraw rasowych. Flaga Arabii Saudyjskiej, na której widnieją wersety z Koranu i miecz, powiewa nad ambasadą tego kraju

---

[76] Problemy z imigrantami muzułmańskimi przed 2015 rokiem dobrze pokazuje Murray, *Przedziwna śmierć Europy*, ss. 175–205 i 210–211.

[77] Niall Ferguson, „Wojna ze ślepym Zachodem", *Gazeta Wyborcza*, 30–31 VII 2005 r.

w Waszyngtonie, podczas gdy jej wydział spraw islamskich zredagował stronę internetową, na której wzywa się do wzniesienia sztandaru dżihadu i opanowania świata. Częstym tematem dyskusji w arabskich kanałach telewizyjnych jest to, jaką najlepszą strategię przyjąć, by podbić Zachód. Saudyjski uczony Nasser bin Suleiman al-Omar oświadczył w telewizji al-Majd w czerwcu 2004 roku, że islam posuwa się naprzód wedle z góry ułożonego planu. „Ameryka zostanie zniszczona, ale musimy być cierpliwi", dodał. Niektórzy duchowni potępiali al-Qaidę nie za masowe mordy, ale za to, że przyspieszając konfrontację z Zachodem wywołała opór. Imam meczetu z saudyjskiej królewskiej Akademii Wojskowej, Sheikh Muhammad bin Abd al-Rahman al-Arifi napisał w tym samym czasie: „Zdobędziemy kontrolę nad krainą Watykanu, będziemy kontrolować Rzym i wprowadzimy tam islam". Egipski podręcznik teologii przywołuje ten fragment Koranu, w którym nawołuje się do „świętej wojny, ścinania głów niewiernym lub brania ich w niewolę[78]. Profesor Suad Saleh z uniwersytetu Al-Azhar w Kairze stwierdziła w wywiadzie dla telewizji Al-Hayat, że Allah pozwala muzułmanom gwałcić niemuzułmanki w celu ich „upokorzenia"[79].

W Paryżu wychodzi po francusku serwis Państwa Islamskiego Al-Hayat Media Center, który nawołuje: „Gdziekolwiek jesteś, pomagaj Twoim braciom i Twojemu państwu, jak możesz. Najlepsze, co możesz zrobić, to dołożyć wszelkich starań, aby zabić jakiegokolwiek niewierzącego Francuza lub Amerykanina lub jakiegoś niewierzącego spośród ich sojuszników (...) Jeśli nie możesz tego zrobić za pomocą materiału wybuchowego lub broni palnej, uprowadź Amerykanina, Francuza lub ich sojusznika, zmiażdż mu głowę kamieniem lub poderżnij mu gardło"[80].

„Postępowe" koła na Zachodzie mają pełne usta frazesów o równouprawnieniu kobiet, ale nie potrafią zareagować, gdy duchowni muzułmańscy wypowiadają tak kuriozalne słowa, jak imam Raed Hleihel z duńskiego Aarhus, który stwierdził: „kiedy kobieta wychodzi z domu, śledzi ją szatan. Kusi i próbuje skłonić do popełnienia niecnych występków". Zaprotestował też przeciw asymilacji, która oznaczać musi wyrzeczenie się islamu. W kwietniu 2004 roku wybuchła we Francji awantura o słowa imama Abdelkadera Bouziane ze Lyonu, który nie tylko stwierdził, że kobiety nie są równe mężczyznom, ale że mają oni prawo je bić, gdy ich zdradzają. „Nie ma jednak prawa uderzać byle gdzie. Nie może bić po twarzy, lecz powinien celować nisko, w nogi lub brzuch. Może bić mocno, by kobieta bała się". Choć oficjalnie bigamia jest we Francji zakazana, Bouziane sprowadził do Francji dwie żony i ma z nimi szesnaścioro dzieci. Władze państw zachodnich nie wiedzą, jak sobie radzić z takimi przypadkami[81]. Niezależnie od dawniej także notowanych przypadków barbarzyńskiego traktowania członków rodziny przez muzułmanów, nowym zjawiskiem w Wielkiej Brytanii stało się niewolnictwo seksualne oraz

---

[78] Anthony Browne, „The triumph of the East", *The Spectator,* 24 VII 2004 r., ss. 12–13.
[79] Andrzej Rafał Potocki, „Krzyżowcy i prostytutki", *Sieci,* 23–29 X 2017 r., s. 18.
[80] Olivier Bault, „Piąta kolumna islamizmu", *Do Rzeczy,* 17–23 VIII 2015 r.
[81] Anna Nowacka-Isaksson, „Dania wstrząśnięta kazaniem imama", *Rzeczpospolita,* 3 III 2005 r.; Dominika Pszczółkowska, „Co robić z imamami?", *Gazeta Wyborcza,* 22–23 V 2004 r.

Wielu islamskich kaznodziejów, nauczycieli i przywódców otwarcie wzywa do podboju zachodniej cywilizacji i opanowania świata.

mordy rytualne na dzieciach pochodzących z Afryki[82]. Masowym zjawiskiem jest także nadal „obrzezywanie" dziewczynek[83].

Wypada zgodzić się z diagnozą Anny Geifman z uniwersytetu Bar-Ilan w Izraelu, która stwierdziła: „Na początku 2015 r. w Niemczech dominowała narracja, że oto otworzą drzwi i serca przed biednymi uchodźcami, przyjmą ich jak swoich i świat zobaczy, że to już nie są te same Niemcy, które budowały Auschwitz (...) Popełniono jednak duży błąd już na wstępie, robiąc ze wszystkich imigrantów biedne ofiary wojny"[84]. Po masowych napaściach imigrantów na Niemki przed katedrą w Kolonii w Sylwestra 2015 roku w mediach niemieckich zapadło kłopotliwe milczenie, a następnie wykrętne tłumaczenia rozmaitych „ekspertów", którzy minimalizowali problem bądź twierdzili, że oskarżenia kobiet mają charakter ksenofobiczny. Na kuriozalny protest zdobyła się pewna Niemka, która przed tą sama katedra stanęła nago z napisem „Szanujcie nas! Nie jesteśmy zwierzyną łowną nawet kiedy jesteśmy nagie!!!" Wizerunek ten mógł może wzruszyć przywykłych do nagości Niemców, ale trudno powiedzieć, czy trafił do rozjuszonych

---

[82] Katarzyna Zuchowicz, „Rytualne zabijanie dzieci z Afryki", *Rzeczpospolita,* 17 VI 2005 r.

[83] Jacek Pawlicki, „Kontrola obrzezania", *Gazeta Wyborcza,* 14 VI 2005 r.

[84] „Nazwanie potwora po imieniu wymaga odwagi", op. cit.

imigrantów[85]. Zasymilowana w Niemczech Somalijka Ayaan Hirsi Ali, która rzuciła wiele światła na obyczajowość imigrantów muzułmańskich w Europie i apelowała o swego rodzaju oświecenie islamskie, dzieliła muzułmanów na trzy grupy: muzułmanów Mekki, odżegnujących się od zachodniej „nowoczesności", ale dalekich od terroryzmu, muzułmanów Medyny – ekstremistów wspierających dżihad oraz maleńką grupę reformistów, takich jak ona. W rezultacie Hirsi Ali poruszała się publicznie w asyście ochroniarzy[86]. Pewna Niemka z Hesji wystąpiła o rozwód z mężem pochodzącym z Maroka, motywując to fizycznym znęcaniem się przez niego nad nią. Niemiecka sędzia oddaliła jednak pozew motywując to tym, że nieszczęsna kobieta musiała znać zwyczaje jego kraju pochodzenia, gdzie małżonek często stosuje wobec żony karę chłosty. W Niemczech zaczęło już funkcjonować określenie „paralelne społeczeństwo". Nie chodzi tu zresztą o różnorodność kulturową, bo możliwe jest społeczeństwo wielokulturowe przestrzegające jednego systemu prawnego. Różne systemy prawne nie dają jednak szans na trwałość państwa[87].

---

[85] Piotr Buras, „Niemcy nie zwariowały", *Gazeta Wyborcza,* 16–17 I 2016 r.
[86] Katarzyna Wężyk, „Mniej Inszallah, więcej salam alejkum", *Gazeta Wyborcza,* 16–17 I 2016 r.; Murray, *Przedziwna śmierć Europy,* ss. 182–184.
[87] Piotr Cywiński, „Niemiecki 'kalifat'", *Sieci,* 6–12 XI 2017 r., ss. 94–96.

Radykalne środowiska islamskie z bronią w ręku próbują narzucać innym swoje zasady. Na zdjęciu bojownicy Państwa Islamskiego podczas szkolenia wojskowego.

Problemy liberalnej demokracji z muzułmanami nie dotyczą więc tylko terrorystów, ale w ogóle zasadniczych różnic kulturowych, których nie da się zagadać. W latach 2015–2018 nastąpiło wprawdzie w Europie Zachodniej znaczne przesunięcie opinii publicznej na niekorzyść imigracji, zwłaszcza z krajów muzułmańskich, a niechętna tej imigracji postawa takich krajów jak Węgry czy Polska znalazła zrozumienie także w Austrii i Włoszech. Pytanie pozostaje otwarte, czy napięcia i zagrożenia związane z niemożnością asymilacji muzułmanów oraz zagrożeniami terrorystycznymi dadzą się jeszcze rozładować. Wspomniane zmiany w opinii publicznej mają też mniej sympatyczne oblicze, gdyż owocują wzrostem poparcie dla ugrupowań ksenofobicznych lub nacjonalistycznych, takich jak niemiecka Alternatywa dla Niemiec, włoski Ruch Pięciu Gwiazd, francuski Front Narodowy, węgierski Jobbik czy mniej wpływowe partie w Bułgarii, Słowacji, Grecji czy Holandii, często wspierane przez Rosję[88]. Problem z europejską prawicą antyimigrancką polega jednak na tym, że jednocześnie nie unika ona, tak jak na przykład Alternatywa dla Niemiec czy Flaams Belang, wątpliwej polityki historycznej, usprawiedliwiając na przykład rządy Hitlera czy bojowników flamandzkiej dywizji Waffen SS z czasów wojny. Wobec ideologicznej ślepoty i samobójczej bierności partii europejskiego *mainstreamu* ugrupowania te mogą przyczynić się do dalszego osłabienia lub wręcz rozpadu Unii Europejskiej.

Fanatyczni dżihadyści często znakomicie znają kulturę Zachodu i właśnie dlatego wiedzą, że łatwiej im będzie podbić kraje zachodnie, gdzie dominujące siły na Zachodzie samobójczo używają wolności demokratycznych. We wrześniu 2008 roku bojówkarze lewaccy obrzucili na przykład kamieniami statek, na którym miała się odbyć konferencja przeciwników islamizacji Niemiec. Nikt w tym kraju nie chce uchodzić za ksenofoba, co ma źródła w historii Niemiec XX wieku, ale niechęć ta graniczy z samobójczą ślepotą[89].

Zwolennicy liberalnej demokracji rzadko zastanawiają się nad tym, dlaczego główne państwa muzułmańskie nie przyjmują „uchodźców" arabskich. Kokosy pochodzące z eksportu ropy naftowej przeznacza się tam na zbrojenia i luksusową konsumpcję, bo nie ma tam ani pomysłu, ani woli modernizacji stosunków społecznych. W Arabii Saudyjskiej policja religijna wolała zablokować wyjście z palącej się szkoły żeńskiej, nie dopuszczając, by uczennice wydostały się na dwór bez czadorów, w wyniku czego wszystkie spłonęły. W Bangladeszu winnych „nieczystości" ludzi szlachtuje się na stadionie ku uciesze tysięcy gapiów. W Afganistanie za prawdziwe czy rzekome cudzołóstwo kobietę nadal się kamienuje, a pierwszy kamień rzuca ojciec winnej[90]. Nawet wśród niemieckich muzułmanów praktykuje się „honorowe" zabójstwa dziewcząt. Dlaczego w szkołach koranicznych nie uczy się młodzieży niczego poza Koranem? Żadnej matematyki, historii, geografii, żadnej wiedzy o Zachodzie, tylko 623 wersety z Koranu na pamięć.

---

[88] „Wzrost nastrojów nacjonalistycznych w Europie", http://roztocze.net/wzrost-nastrojow-nacjonalistycznych-w-europie; https://nacjonalizm.wordpress.com (24 VI 2018).

[89] Piotr Jendroszczyk, „Zwyciężyli obrońcy islamu", *Rzeczpospolita*, 20/21 IX 2008 r.

[90] Wojciech Jagielski, „Pierwszy kamień cisnął w Aminę jej własny ojciec". *Gazeta Wyborcza*, 30 IV-1 V 2005 r.

Muzułmanie oskarżają Zachód, że nie rozumie islamu, który rzekomo jako jedyny poważnie traktuje boskie objawienie. Podkreślają, i słusznie, że zachodnia tolerancja nie chroni wierzących przed bluźnierstwem, że mało kogo na Zachodzie oburza szarganie symboli chrześcijańskich. Wniosek, jaki wyciągają z tej obserwacji jest jednak błędny – ustawienie systemu prawnego w roli narzędzia Boga może prowadzić do nadużyć, jakie występują w islamie. Proszony o rozstrzygnięcie sporu o spadek, Chrystus odparł przecież „któż mnie ustanowił sędzią albo rozjemcą nad wami?"[91]. Chrześcijaństwo dopuszcza więc autonomię woli człowieka wobec woli Bożej. Tymczasem król Arabii Saudyjskiej przyjął przysięgę lojalności od władz religijnych kraju i zapowiedział, że jego konstytucją będzie Koran[92]. Dla islamskiego fundamentalisty państwo, które nie realizuje woli Boga i prawa Bożego, *szariatu*, jest pozbawione legitymacji. To koncepcja prawa naturalnego i akcent na wolną wolę jako warunek moralnej zasługi spowodowały, że na Zachodzie nie było w zasadzie teokracji. Trudno ostatecznie orzec, na ile muzułmanie w świecie są przywiązani do zasad cywilizowanego współżycia, czy może silniejsza okaże się solidarność z pobratymcami religijnymi, niezależnie od ich zachowania.

Czy można mówić o uczciwym dialogu Zachodu ze światem islamu? Po tym, jak papież Benedykt XVI wyraził żal, że jego wykład na temat islamu został błędnie zrozumiany, wielki szejk meczetu al-Azhar w Egipcie, Mohammad Sayed Tantawi stwierdził, że papież musi jeszcze raz przeprosić. „Uwagi papieża były obraźliwe wobec islamu i muzułmanów. Zrobił on błąd religijny i naukowy" – powiedział Tantawi. Jakiś gorliwiec turecki zażądał aresztowania papieża, gdyby przybył on do Turcji[93]. Ze strony muzułmanów nie słychać było we wrześniu 2006 roku głosów oburzenia z powodu zabójstwa siostry Leonelli Sgorbati, służącej biednym w somalijskim Mogadiszu[94].

Różnica między islamem i chrześcijaństwem jest zasadnicza. Trudno bowiem zaprzeczyć, iż islam rozprzestrzeniano najczęściej siłą. Fascynować może fakt, że zubożały Kurajszyta z Mekki, Mahomet, wychowywany po śmierci rodziców przez dziadka, zdołał zaszczepić swą wiarę wśród poróżnionych wcześniej politeistycznych plemion arabskich oraz nadać tej wierze tak niezwykły impet, że ogarnęła ona w ciągu pierwszych stu lat ekspansji zbrojnej olbrzymie tereny od Libii na zachodzie do doliny Indusu na wschodzie. Pod panowanie muzułmanów dostały się w wyniku zbrojnych podbojów chrześcijańskie wówczas metropolie, takie jak Aleksandria, Damaszek czy Antiochia. W następnych stuleciach kalifowie podbili resztę północnej Afryki oraz dużą część Hiszpanii, a muzułmańscy Turcy zdobyli chrześcijańską wówczas Azję Mniejszą, Bałkany i w XVII wieku doszli do Wiednia. Rekonkwista Hiszpanii i krucjaty były więc odpowiedzią na ekspansję zbrojną islamu. Dlaczego Europejczycy biją się dziś w piersi za tę odpowiedź?

---

[91] Łk 12,13–14.

[92] *Rzeczpospolita*, 4 VIII 2005 r.

[93] „Pope's apology to Muslims gets Bush's banking", *The Irish Independent*, 20 IX 2006 r.

[94] „The martyrdom of Italian missionary Sr Leonella Sgorbati has been recognized", fides.org (20 VIII 2018).

W ekspansji islamu widać pewne analogie ze starotestamentowym i w ogólne starożytnym przekonaniem, że Bóg lub bogowie wspierają swych wyznawców w wojnie. W islamie do dziś silne jest przeświadczenie, że prawowierni są narzędziem w ręku Boga i nie muszą się wahać co do sposobów realizacji Jego woli[95]. Choć chrześcijanie także nierzadko nawracali ogniem i mieczem, chrześcijaństwo oparte było od samego początku na innych przesłankach. Chrystus mówił, że kto mieczem wojuje, od miecza ginie. Mówił o nadstawianiu drugiego policzka. Nie chciał być sędzią we wszystkich ludzkich sprawach, pozostawiając ludziom konieczność samodzielnego podejmowania trudu rozróżniania dobra od zła. Muzułmanie szybko obrażają się w imieniu swojej wizji Boga. Chrystus-Syn Boży doznał upokorzenia i męki jako drogi odkupienia człowieka. Z jednej strony mamy wizję Boga wymagającego, groźnego i mściwego, z drugiej strony – kochającego aż do wysłania swego Syna na śmierć. Mamy dwie koncepcje Boga. Która z nich daje większe szanse pokojowi?

„Demokracja, która była zamknięta w porządku politycznym, wyszła ze swej orbity. Rozpowszechniła się nagle we wszystkich grupach społecznych i grozi, że je rozsadzi od środka. Dotarła do uczelni, do szkół, szpitali, rodzin, małżonków. Równość między nauczycielem i uczniem, między lekarzem i pacjentem, szaleńcem i zdrowym psychicznie, rodzicami i dzieckiem, mężem i żoną, partnerem i partnerką (...) Nie ma już moralności wspólnotowej. Konkubinat, homoseksualizm, aborcja stawiane są na tym samym poziomie co normy przeciwległe. W kolejce czeka kazirodztwo"[96]. Mimo globalizacji, o której się stale mówi, świat podzielony jest może bardziej niż kiedykolwiek. Działają w nim siły bezcelowego „postępu", grożące, wedle słów Francisa Fukuyamy, „końcem człowieczeństwa", działają histeryczni relatywiści, umysły zamknięte na Boga i moralność, ale działają także potężne ruchy fundamentalizmu, głównie islamskiego i hinduistycznego. W tym świecie chrześcijanie czują się otoczeni i zdezorientowani. Są podzieleni i coraz bardziej niepewni, bowiem przekaz Boga, w którego wierzą. jest najtrudniejszy. Mówi on „tak znaczy tak, a nie znaczy nie", ale mówi też, że kto jest bez winy, niech pierwszy rzuci kamieniem w winnego. Odwołuje się do wolności, ale wskazuje, że nie każdy wolny wybór jest jednakowo dobry. Wymaga ćwiczeń sumienia i wolnej woli. W tej kwestii liberalna demokracja ma problemy nie tylko z islamizmem, ale bardzo często także ze zdrowym rozsądkiem.

---

[95] Por. interesujące studium ukazujące religijne tło powstania islamu: Joachim Gnilka, *Koran i chrześcijanie*, (Kielce: Jedność, 2010).

[96] Alain Besançon, „Wolność", *Rzeczpospolita Plus Minus*, 17–18 V 2008 r.

W ekspansji islamu widać głębokie przekonanie, że Allah wspiera swych wyznawców w wojnie. Na zdjęciu terroryści z Państwa Islamskiego, którzy przemocą narzucają innym swoją wiarę.

Zniszczone przez islamskich dżihadystów wnętrze centrum duszpasterstwa Jezuitów w syryjskim Aleppo. Zrujnowano tam najpiękniejsze zabytki sztuki starożytnej.

Rozdział 12. Zaburzenia pamięci

PAMIĘĆ

Pamięć jest tym, co czyni nas konkretnymi ludźmi. Odczuwając własną skończoność, między innymi w przeszłości szukamy sensu[1]. Amnezja wywołuje liczne problemy egzystencjalne, natomiast pamięć zafałszowana – ubezwłasnowolnia. Człowiek z fałszywą pamięcią staje się niewolnikiem fałszywie pojmowanej rzeczywistości i łatwiej nim manipulować. Tymczasem „pamięć historyczna na Zachodzie jest dogłębnie zafałszowana", jak twierdzi Alain Besançon. Przytacza opinię, że „dręczenie pół tuzina komunizujących reżyserów i aktorów w Hollywood" uważa się tam za porównywalne z „tragedią Gułagu", Pinocheta uważa się tam za gorszego zbrodniarza od Stalina, a Salazara od Lenina. „Mamy do czynienia ze swoistym zwycięstwem stalinowskiej koncepcji historii". Francuska prawica musi się tłumaczyć z jakiegokolwiek lokalnego sojuszu taktycznego z Frontem Narodowym, a socjaliści nie mają żadnego problemu z sojuszem z komunistami. Jest to rezultatem lewicowej postawy większości mediów. Nawet w rzekomo prawicowym *Le Figaro* dominowali dziennikarze o poglądach lewicowych[2]. Nawet gdyby uznać tezy Besançona za nieco przejaskrawione, to na pewno jest w nich wiele prawdy. Jedną z istotnych przyczyn kryzysu cywilizacji zachodniej jest to, że w pamięci ludzi zatarto prawdziwy obraz wydarzeń historycznych i żyją oni w fałszywej świadomości.

Przede wszystkim współcześni ludzie Zachodu boją się historii. Często słyszymy obecnie, że politycy nie powinni zajmować się zbytnio historią, gdyż może ona tylko podzielić narody europejskie, oraz że wspólną tożsamość europejską należy budować przez działania na rzecz przyszłości. Tożsamości jednak jakoby nie buduje przyszłość, lecz przeszłość, więc jeśli na banknotach euro uniknięto odwołania do jakichkolwiek postaci z historii Europy oraz zabytków kultury europejskiej, bo wydawały się zbyt „narodowe", to w efekcie zjednoczonej Europie zabrakło symboli. Pogląd o wyborze przyszłości jest tyleż efektowny, co nieprzemyślany. Tak czy inaczej bowiem historia zawsze wraca w europejskich debatach, choćby przy okazji rocznic lub akcji podejmowanych przez polityków, którzy mają na uwadze doraźne cele. Tak wyglądały na przykład europejskie obchody sześćdziesięciolecia zakończenia II wojny światowej czy wyzwolenia obozu w Auschwitz.

Czy rzeczywiście nie lepiej unikać odwołań do historii, która może dzielić? Tak postawione pytanie może się wydawać wręcz prowokacyjne, lecz dotyczy ono istoty sporów wokół historii, toczących się obecnie w Europie czy Stanach

---

[1] Hans Georg Gadamer, „Problem dziejów w najnowszej filozofii niemieckiej", *Znak*, 1975, nr 257/258, s. 1417.

[2] „Demokracja traci równowagę. Z Alain Besançonem rozmawia Piotr Semka", *Życie*, 27–28 XI 1999 r.

Zjednoczonych. Faktem jest, że historia może teoretycznie dzielić, może łączyć lub możemy starać się ją eliminować. To ostatnie rozwiązanie nie jest jednak w ogóle rozwiązaniem. Historii nie da się bowiem uniknąć. Jeśli będziemy zaniedbywać kształcenie historyczne młodego pokolenia, wytworzymy próżnię ignorancji, w którą prędzej czy później wpełzną demony.

Czy w ogóle istnieje sposób, by dotrzeć do prawdy w historii? Nie jest to łatwe, jednak osoby, które negują pojęcie prawdy w historii, siłą rzeczy stawiają się w szeregach polityków, którzy historię rozumieją jako arsenał środków do walki politycznej. W tym sensie historia może tylko dzielić. Choć prawdę o historii można osiągnąć jedynie poprzez odtworzenie całych dziejów, co jest oczywiście niemożliwe, to zawodowi historycy mają jednak metody zbliżania się do prawdy historycznej, a w każdym razie stawiania tez bliższych niż dalszych od tej prawdy. Po pierwsze, należy ściśle określić zjawisko. Po drugie, trzeba zgromadzić kompletny materiał dowodowy. Po trzecie, należy precyzyjnie ocenić wagę i znaczenie poszczególnych wydarzeń. Po czwarte, nie można wyciągać pochopnych wniosków typu *pars pro toto*. Po piąte, należy określić kryteria oceny wydarzeń. Po szóste, należy uwzględnić szerszy kontekst wydarzeń. Ktoś, kto tego unika, jak Jan Tomasz Gross (autor ten zrównał na przykład wywłaszczenie wynikające z wymordowania przez Niemców ludności żydowskiej z wywłaszczeniem

Pamięć o historycznych wydarzeniach coraz częściej bywa zniekształcana, czego dobitnym przykładem termin „polskie obozy śmierci". Na zdjęciu niemieccy esesmani pilnują więźniów na rampie w Auschwitz.

Obraz ukazujący Józefa Stalina jako ojca wszystkich narodów Związku Radzieckiego. Kult generalissimusa w ZSRR był bardzo silny i pozostawił trwałe ślady. Do dziś Stalin ma w Rosji swoich wielbicieli.

po wypędzeniu ludności niemieckiej)[3], naraża się na słuszny zarzut niesprawiedliwości ocen. Po siódme wreszcie, należy stosować zasady logiki.

Problem w tym, czy politycy chcą stosować się do tych metod. Niektórzy współcześni politycy europejscy argumentują, iż wspólną tożsamość europejską najbezpieczniej będzie ukształtować poprzez budowę unijnych instytucji ponadpaństwowych, które przygłuszą narodowe partykularyzmy. To złudne przekonanie. Prawdziwe źródła napięć, czy to w postaci narodowych egoizmów i partykularnych interesów, czy też w postaci zwykłego poczucia sprawiedliwości, nie dadzą się w ten sposób wygłuszyć. Przeciwnie, operacja zagłuszania ich może przynieść odwrotne skutki. Ten świat jest areną walki między różnymi interesami i wyobrażeniami narodowymi. Alain Besançon powiedział, że „pamięć jest funkcją interesów tych, którzy chcą pamięci lub tych, którzy zapomnienia"[4]. Bezpiecznie jest przyjąć to do wiadomości i starać się ucywilizować cele i środki polityki historycznej, propagując prostą zasadę „nie czyń drugiemu, co tobie niemiłe".

---

[3]   Por. np. Jan Tomasz Gross, *Strach. Antysemityzm w Polsce tuż po wojnie. Historia moralnej zapaści,* (Kraków: Znak, 2006). Tamże, s. 86.

[4]   „Demokracja traci równowagę. Z Alain Besançonem rozmawia Piotr Semka", op.cit.

Wszystkie państwa uprawiają własną politykę historyczną. Problem w tym, jakiej jest ona jakości. Polityka historyczna Stalina i Hitlera przyniosła straszliwe skutki, polityka historyczna Francji i Niemiec po II wojnie światowej ułatwiła zaś pojednanie między tymi państwami. Polityka historyczna jest miarą intencji państwa. Im dalsza jest ona od historycznej prawdy, tym gorzej mówi o ambicjach i celach tego państwa. Nie da się tu uniknąć staroświeckich słów „prawda" i „sprawiedliwość". Są one bowiem jedyną nadzieją. Jeśli je odrzucimy, co będzie regulowało stosunki między narodami? Siła?

Historycy, podobnie jak sędziowie, są zobowiązani do poszukiwania prawdy. Politycy mają najczęściej bardziej praktyczne cele, takie jak realizacja interesów własnych lub interesów swych wyborców. Politycy nie mogą jednak realizować swych celów kosztem prawdy. Prędzej czy później kończy się to źle. Jeśli więc politycy poważnie myślą o stworzeniu wspólnej pamięci historycznej w Europie, a takie deklaracje często słyszymy, muszą zabrać się do dzieła, naśladując historyków i sędziów. Muszą zbadać cały materiał dowodowy, wysłuchać wszystkich stron, określić kryteria oceny i wydać osąd. Póki co jednak w świecie zachodnim triumfuje instrumentalne traktowanie pamięci historycznej.

OPISAĆ PRZYSZŁOŚĆ, STWORZYĆ PRZESZŁOŚĆ

To absurdalne hasło pochodzi z arsenału słownego Nowej Lewicy[5]. Można by sądzić, że używa się go w sensie ironicznym. Ale np. Sławomir Sierakowski, jeśli w ogóle można zrozumieć jego wywody, naprawdę stawia postulat pisania historii na nowo, dla przyszłości, bez obciążeń związanych z „prawdą historyczną"! Twierdzi on, że pisanie historii jest zawsze jej tworzeniem. „Należy zrewolucjonizować myślenie o historii. Historii, która zawsze była podstawową formą legitymizacji państwa narodowego, historii pisanej narodowo przez zatrudnionych przez państwo historyków (…) Dziś traci monopol pozytywizm opisujący 'prawdę historyczną', która zawsze była w Polsce prawdą Polaków, na Ukrainie prawdą Ukraińców itd." Powołuje się przy tym na „odkrycia" takich filozofów historii jak Hayden White. Pisanie historii na nowo ma jednak dłuższą tradycję. Chciał ją pisać w ten sposób Włodzimierz Lenin. Ostatnio ten rodzaj rozumienia historii lansują „konstruktywiści"[6], dla których wszystko jest „narracją". Gdyby konstruktywiści mieli rację, II wojna światowa skończyła by się tak, jak by się zaczęła – w ludzkiej wyobraźni, a nie w postaci ruin i stosów trupów, a ponadto nie moglibyśmy ocenić kto miał rację, a kto nie. A jednak normalni ludzie Hitlera oceniają negatywnie.

Nowa Lewica, libertarianie i konstruktywiści na ogół nie uznają obiektywnej wersji historii, więc zamiast pozwalać ją pisać historykom o nastawieniu „prawicowym", zadanie to chcą postawić historykom piszącym dla przyszłości. Problem

5   Sławomir Sierakowski, „Opisać przyszłość, stworzyć przeszłość", *Krytyka Polityczna,* Nr 7/8, zima 2005, s. 12.
6   Agnieszka K. Cianciara, *Europejska Polityka Sąsiedztwa w perspektywie konstruktywizmu. Aktorzy, narracje, strategie*, (Warszawa: ISP PAN, 2017), ss. 47–49.

Autor „Dziejów Polski", prof. Andrzej Nowak, podczas krakowskiej prezentacji trzeciego tomu swojego historycznego cyklu. Od lewej: prof. Krzysztof Szczerski, marszałek Sejmu Marek Kuchciński, metropolita krakowski abp Marek Jędraszewski, prof. Andrzej Nowak, prof. Krzysztof Ożóg, prezes wydawnictwa Biały Kruk Leszek Sosnowski.

jednak w tym, że nie wiadomo, jakie kryteria doboru faktów i ocen mają oni zastosować. Zamiast nadużyć nacjonalistycznych proponuje się więc nadużycia nieograniczone. W świecie zdominowanym przez postmodernistyczny relatywizm historyczny każdy ma ochotę interpretować historię po swojemu. Mimo to, a może właśnie dlatego do historii sięga się bardzo często w polityce, najczęściej po to, by tworzyć przeszłość na swoją miarę.

Większość ludzi przyjmuje w stosunku do przeszłości stosunek obojętny. Ci, którzy rozumieją, jaka siła tkwi w historii, próbują nią manipulować korzystając z niewiedzy szarego człowieka. Na przykład byli komuniści cieszą się, mimo uwikłania w nieludzki system i mimo powtarzającego się marnowania swych szans w trakcie transformacji, sporym zaufaniem publicznym, nie tylko zresztą w krajach postkomunistycznych, ale i na Zachodzie. Podobnie Związek Sowiecki i jego następczyni – Federacja Rosyjska – nadal mają miliony sympatyków w państwach zachodnich, niezależnie od tego, jakie kłamstwa i brednie głoszą oficjalnie odnośnie do własnej historii. Krótko mówiąc, o Holocauście na Zachodzie wiedzą prawie wszyscy, o Kołymie i Katyniu zaś – mało kto.

Sytuacja ta skłania do gorzkiej refleksji nad pamięcią historyczną w dzisiejszym świecie zachodnim. Mamy tu niepamięć o komunizmie, mamy „czarne legendy"

413

szkalujące Kościół i katolików lub w ogóle chrześcijan, mamy mity rewolucyjne, legendy niemieckie, rosyjskie, francuskie, anglosaskie, żydowskie, muzułmańskie i inne. Wybór przyszłości jest pozorny. Pustoszejące miejsca w pamięci ludzi Zachodu zajęły wyobrażenia o przeszłości, które deformują teraźniejszość i źle wróżą na przyszłość.

KOMUNIZM WIECZNIE MARTWY

Komunizm był jednym z najstraszniejszych doświadczeń XX wieku, także dlatego, że zdewastował on pamięć. Po upadku ZSRR niektórzy jego obrońcy twierdzą jednak, że komunizmu tam nigdy nie było, a więc że „komunizm nadal nie żyje". Komunizm nie zrealizował tego, co zapowiadał, więc jakby go w ogóle nie było; niby go nie było, ale jednak był i nie został do końca przezwyciężony. W uchwałach KPZR i partii satelickich stale analizowano postępy na drodze do komunizmu, społeczeństwa tych krajów zalewane były przez dziesięciolecia propagandą wychwalającą ideały komunizmu i twierdzącą, że w krajach tych rządzi „awangarda" klasy robotniczej, czyli świadomi wielkich celów ruchu komuniści, a dziś słyszymy, że takich w ogóle nie było. Członek Komunistycznej Partii Francji Marc Krier stwierdził, że „na wschodzie Europy, w Związku Radzieckim, Polsce i innych krajach tego regionu (…) nigdy nie było komunizmu. To były systemy totalitarne"[7]. „Na pewno popełniono błędy – powiada szef Komunistycznej Partii USA stanu Nowy Jork John Bachtell – Może za mało uczyli ludzi marksizmu, zrozumienia walki klasowej"[8].

Mamy więc paradoksalny problem: jak oceniać coś, czego rzekomo nie było? Jak można dekomunizować społeczeństwa, w których nie było komunistów? Najpotężniejsze, najbardziej skuteczne, zdyscyplinowane i długowieczne instytucje XX wieku w rodzaju Komunistycznej Partii Związku Radzieckiego, nie mówiąc już o mniejszych i krócej istniejących partiach – to one nie istniały? Nie decydowały o życiu i śmierci setek milionów ludzi? Nie można ich ująć w żadne ramy historyczno-prawne, nie można ich poddać ocenie, nie mówiąc już nawet o procedurze sądowej?

Kto więc odpowiada za to, że w państwach rządzonych niepodzielnie przez owe partie zginęło co najmniej 100 milionów ludzi? Kto odpowiada za system chińskich obozów koncentracyjnych *laogai*, w którym śmierć poniosło kilkadziesiąt milionów osób, kto wywołał straszny głód w okresie Wielkiego Skoku, który kosztował życie około 35 milionów, kto był autorem „pielenia chwastów" w porewolucyjnych Chinach oraz „rewolucji kulturalnej" na przełomie lat sześćdziesiątych i siedemdziesiątych? Kto założył Gułag, w którym, według ostrożnych szacunków, zginęło 20 milionów ludzi, i kto spowodował wielki głód w ZSRR na początku lat trzydziestych, w którego wyniku zmarło około 10 milionów osób? Kim jak nie komunistami byli Czerwoni Khmerzy, którzy wymordowali około 1,5 miliona ludzi, jedną czwartą swego narodu, partia Kim Il Sunga w Korei Północnej, Czojbałsana

---

[7]   Piotr Kasznia, „Kraj nie dokończonej rewolucji", *Rzeczpospolita*, 18 XII 1997 r.
[8]   Sylwester Walczak, „Komuniści z Manhattanu", *Rzeczpospolita*, 26 VI 1998 r.

w Mongolii, Ho Chi Minha w Wietnamie, Mengystu Hajle Mariama w Etiopii i Fidela Castro na Kubie? A peruwiański Świetlisty Szlak? Czyż nie odwoływał się do ideologii komunistycznej?[9]

Wrzawa, jaka wybuchła wokół *Czarnej księgi komunizmu*, nasunęła pesymistyczne wnioski co do stanu wiedzy na temat komunizmu. Jak to się stało, że zbrodnie nazizmu i różnych odcieni totalitaryzmu „prawicowego" (bo fałszem jest nazywanie prawicą NSDAP, narodowych **socjalistów**) zapadły tak głęboko w świadomość społeczeństw, a zbrodnie komunizmu i innych form totalitaryzmu „lewicowego", bez porównania rozleglejsze w czasie i pod względem liczby ofiar, wywołują co najwyżej zaciekłe dyskusje i spory?

Niechęć do uznania komunizmu za system realnie istniejący i odpowiedzialny za nieopisane nieszczęścia i cierpienia ma oczywiście swoje przyczyny. Główną przyczyną jest zapewne fakt, że komuniści byli pod koniec II wojny światowej po stronie zwycięskiego ZSRR. Kiedy zaś komunizm sowiecki przegrał zimną wojnę, jego funkcjonariusze oddali władzę na ogół bez przelewu krwi, czym do tego stopnia rozbroili przeciwników, że ci ich w dużej mierze rozgrzeszyli, a nawet polubili.

---

[9] Stephane Courtois, Nicolas Werth, Jean-Louis Panne, Andrzej Paczkowski, Karel Bartosek, Jean-Louis Margolin, *Czarna księga komunizmu*, (Warszawa: Prószyński i S-ka, 1999), s. 25.

Komunizm był jednym z najstraszniejszych doświadczeń XX w. Jego zbrodnicze założenia twórczo rozwinięto w Chinach, co doprowadziło do śmierci milionów ludzi.

W Rosji prawie cała elita polityczna pochodzi z kręgów KPZR. Trudno się więc dziwić, że próba osądzenia partii, podjęta w 1992 r. po upadku ZSRR, zakończyła się fiaskiem. Podobnie stało się we wszystkich prawie krajach byłego bloku sowieckiego. W Chinach komuniści nadal rządzą jako zorganizowana Komunistyczna Partia Chin – ta sama, której poprzednie kierownictwa były odpowiedzialne za nieopisane zbrodnie. We Włoszech ortodoksyjna Odnowa Komunistyczna była jeszcze w latach dziewięćdziesiątych XX wieku „języczkiem u wagi" w parlamencie, a jej przychylność warunkowała istnienie rządu. I dziś istnieją na Zachodzie partie komunistyczne, ale, co gorsze, komunistyczny relatywizm zakaził większość ugrupowań lewicowych i neoliberalnych na Zachodzie.

Mgła niepamięci i historycznego fałszu zatruwają pamięć. Co sprawia, że w jednej z najgłośniejszych syntez dziejów XX wieku Eric Hobsbawm z wielkim kunsztem literackim zamazuje kontury komunizmu, miesza moralność ze skutecznością, wypowiada całą masę wątpliwych twierdzeń nie na temat i nadal cieszy się szacunkiem środowisk intelektualnych, które przemilczają fakt jego wieloletniej przynależności do kompartii Wielkiej Brytanii? Nie tak dawno *Der Spiegel* uznał za stosowne poprosić o komentarz do XX wieku właśnie Hobsbawma, który powtórzył słowa Oscara Wilde'a, iż nie można wydawać map bez zaznaczenia wyspy Utopii. Chodziło mu najwyraźniej o utopię komunistyczną. Co się na tej wyspie działo i dzieje – to Hobsbawma zdaje się nie interesować[10]. „To prawda, pisała Thérèse Delpech, że niektóre ekscesy – 'antykomunista jest psem', jeszcze jedna formuła Sartre'a – znikły z tekstów zachodnich (...), ale utrzymujący się przez dziesiątki lat ostry podział między dwiema częściami ludzkości rzucił na wszelkie umiarkowanie coś w rodzaju trwałego podejrzenia"[11]. Kapitule literackiej nagrody Nobla nie przeszkadzało na przykład to, że ich laureat z 2012 roku, chiński pisarz Mo Yan, otwarcie wychwalał Mao Zedonga i był członkiem Komunistycznej Partii Chin i wiceprzewodniczącym Stowarzyszenia Pisarzy Chińskich[12].

Z okazji 200-lecia urodzin Marksa jego pięciometrowy pomnik autorstwa Wu Weishana zafundowały w Trewirze władze ChRL. Mimo oporów rada miejska dar przyjęła, licząc się z napływem około 150 tysięcy chińskich turystów rocznie. W uroczystościach związanych z rocznicą wziął udział przewodniczący Komisji Europejskiej Jean-Claude Juncker, który wygłosił mowę pochwalną[13]. Rację ma Alain Besançon, który mówi: „Najsłynniejszym przeciwnikiem wolności pozostaje (...) Marks, który swoim osławionym podziałem na wolność formalną i wolność realną podłożył ogień pod gmach ludzkości". Ponieważ wedle Marksa wolność realna miała się spełnić w komunizmie, „wielu chciałoby powtórzyć doświadczenie. Sto milionów ofiar nie stanowi jeszcze dostatecznego argumentu"[14].

---

[10] „Der Traum geht nicht unter", Spiegel-Gespräch mit Eric Hobsbawm, *Der Spiegel*, 1999, nr 52, ss. 144–148.

[11] Delpech, *Powrót barbarzyństwa w XX wieku*, s. 94.

[12] Hanna Shen, „Noblista, który gloryfikuje Mao Zedonga", *Gazeta Polska Codziennie*, 21 V 2013 r.

[13] Paweł Kryszczak, „KE świętuje urodziny Marksa", *Gazeta Polska Codziennie*, 7 V 2018 r.

[14] Alain Besançon, „Wolność", *Rzeczpospolita Plus Minus*, 17–18 V 2008 r.

Komuniści nie mają poczucia winy. Usłyszawszy o odpowiedzialności Palmiro Togliattiego za śmierć członków KPP, jego towarzyszka życia Nilde Iotti wyraziła „dumę" z tego, że mogła iść przez życie u boku szefa włoskich komunistów. W zjednoczonych Niemczech postkomunistyczne partie zdobywały ponad jedną czwartą głosów we wschodnich landach. W styczniu 1999 r. niemieccy komuniści zgromadzili 100 tys. osób podczas demonstracji w rocznicę śmierci Róży Luksemburg i Karla Liebknechta. Czy można się temu dziwić, skoro na liście płac Stasi pozostawało 97 tysięcy obywateli NRD, a dalsze 174 tysiące były jej współpracownikami, a więc współpracował z nią co szósty dorosły mieszkaniec tego kraju?[15] We Francji duża część intelektualistów i polityków sympatyzowała z komunizmem jeszcze w okresie międzywojennym, a grzechem pierworodnym IV Republiki było wprowadzenie komunistów do pierwszego po wojnie rządu koalicyjnego. Sekretarz generalny KC KP Francji Robert Hue, który przedstawiał się jako partyjny reformator, nadal zaprzeczał, by Lenin miał coś wspólnego ze zbrodniami komunizmu. Kiedy w 1997 r. we Francji opublikowano *Czarną księgę komunizmu*, socjalistyczny premier Lionel Jospin stanął w obronie rewolucji październikowej i wyraził „dumę" z udziału partii komunistycznej w swoim rządzie. Twierdził też, że „komunizm nigdy nie podniósł ręki na wolność"[16].

Co sprawia że człowiek wyraża ten rodzaj ideologicznego zacietrzewienia i groteskowej dumy wówczas, gdy należałoby raczej bić się w piersi? Choroba ta polega na zaniku sumienia. W rozrachunkach z komunizmem nie chodzi przecież najczęściej o zemstę. Większość tych, co przeżyli, byłaby może gotowa wybaczyć, ale nie ma komu. Sprawcy nie czują się bowiem winni. Daniel Pipes pisze o różnicach między skrajnie prawicowymi i skrajnie lewicowymi ruchami politycznymi. „Prawica [skrajna] w jawny sposób obnosi się ze swoją nienawiścią, czerpiąc przyjemność z szokowania grzecznego społeczeństwa", lewica natomiast „prezentuje idealistyczne wizje". Jedna ukazuje „twarz wykrzywioną wrogością", druga – zasłania się uśmiechem i nadzieją[17]. O ile totalitaryzm „prawicowy" ujawnił swe bestialstwo bez osłonek, komuniści je ukryli pod hasłami „postępu" i przyszłego szczęścia ludzkości. Dopiero zbadanie historycznego doświadczenia komunizmu w praktyce dowodzi, że był on nie tylko bardziej „postępowy" i długowieczny, ale także w sumie bardziej morderczy i niszczący niż nazizm.

Wszystko to nie zmienia wymowy największego draństwa drugiej połowy XX wieku – bezkarności niezmierzonych zbrodni komunistycznych. Teoria była „piękna", ale sprzeczna w założeniach i niemożliwa do zrealizowania, toteż praktyka stale zostawała w tyle. Komunistom chodziło o szczęście ludzi, ale koniecznie wszystkich, i to w przyszłości, bo któżby sobie dziś głowę zawracał

---

[15] „Marsz poparcia dla włoskich komunistów", *Rzeczpospolita*, 27 X 1997 r.; Hubert Wohlan, „W orbicie postkomunistów", *Rzeczpospolita*, 12 I 1999 r.; Abp Józef Życiński, „Humanizm po totalitaryzmach", *Więź*, 1999, nr 2, s. 18; Wolfgang Stock, „Przeszłość należy do nas", *Życie*, 4 XII 1998 r.

[16] „Dumna francuska komuna", *Życie*, 14 XI 1997 r.; *Czarna księga komunizmu*, s. 9.

[17] Daniel Pipes, *Potęga spisku. Wpływ paranoicznego myślenia na dzieje ludzkości*, (Warszawa: Bej Service, 1998), s. 209.

poszczególnymi osobami lub milionami osób?! Ludzie znikali, ale nikt o tym nie mówił, więc łatwo się o tym zapomniało. Komunizm był ideą wiecznie żywą, ale nigdy nie realizowaną, więc może... wiecznie martwą?

Postawy wobec komunizmu można podzielić na trzy rodzaje. Pierwszą postawę charakteryzuje ignorancja. W liście do Michaiła Gorbaczowa, wysłanym na Kreml przez pewnego Australijczyka w dniu 25 XII 1987 r. (a więc w Boże Narodzenie!), pisał on: „ZSRR zwyciężył. Nie tylko wyżywił swój kraj, ale w ciągu dwóch, trzech dekad stał się supermocarstwem. Po straszliwych zniszczeniach wojny przypomina to cud z nakarmieniem 5000 chrześcijan dwiema rybami i pięcioma bochenkami chleba. To odrodzenie się, jak Feniks z popiołów, zrobiło ogromne wrażenie na głodujących krajach Trzeciego Świata. Twierdzę zatem, że to nie broni radzieckiej boi się USA, ale cudownych zdolności nakarmienia i otoczenia troską obywateli w warunkach, w których kapitalizm by przegrał (...) Z poważaniem N. de B. Cullen”. Autor listu wygłupił się strasznie. W czasie, kiedy ZSRR wchodził w stan agonii, nadawca listu z własnej woli zapewniał przywódcę radzieckiego o wyższości systemu radzieckiego nad demokracją i wolnym rynkiem, w co już sam Gorbaczow nie bardzo wierzył. Druga postawa wynika z doświadczenia i rozumowej analizy. 27 stycznia 1988 r. pewien Japończyk napisał Gorbaczowowi lakonicznie: „Szanowny Panie, pracuję w przedsiębiorstwie handlowym, które eksportuje maszyny i urządzenia do ZSRR. Jeśli mogę być szczery, pański kraj nie robi zbyt dobrego wrażenia (...) Szczerze oddany Masayoshi Yoshida”[18]. Trzecią postawę można nazwać schizofrenicznym uwikłaniem. Najlepszym przykładem takiej postawy był sam Gorbaczow. Jak zrozumieć „człowieka radzieckiego”, takiego jak Gorbaczow, skoro aż do 1991 r. nie interesował się on cierpieniami własnej rodziny w czasach stalinowskich? Wszak obydwaj jego dziadkowie zostali jako „kułacy” zesłani do obozu. Dopiero w 1991 r. Gorbaczow poradził sobie jakoś z „duchową barierą” lojalności wobec partii i podobno zajrzał do akt KGB[19]. Co tam zobaczył i jakie wnioski wyciągnął – nie powiedział.

Komunizmu nie dało się zrealizować, więc niektórzy twierdzą, że go nie było. Byli jednak komuniści, czyli ludzie, którzy nie tylko twierdzili, że jest to możliwe, ale uciekali się w tym celu do barbarzyńskich metod działania. Być może najbardziej wymowną ilustracją systemu, w którym „człowiek brzmiał dumnie”, było wrzucanie do sztolni Czelabińska na przemian zwłok ludzkich i śmieci[20]. Komunizm spowodował niewiarygodnie dużo cierpień, ale nadal żyje w sercach i umysłach. Francuski minister transportu, komunista Jean-Claude Gayssot, twierdził w 1997 r., że „należy odbudować przyszłość komunizmu”[21]. Jeszcze raz chce zacząć mordować ludzi w „słusznej sprawie”?

---

[18] Oba listy za: *Puls*, nr 49, marzec-kwiecień 1991, ss. 33 i 37.

[19] Michael Dobbs, *Precz z Wielkim Bratem*,(Poznań: Rebis, 1998), s. 158.

[20] „Polacy wśród ofiar Złotej Góry”, *Życie Warszawy*, 18 IX 1989 r.

[21] Marek Gładysz, „Nieśmiertelni les camerades”, *Życie*, 2/3 VIII 1997 r.

Sekretarz Generalny Komunistycznej Partii Związku Radzieckiego Michaił Gorbaczow na rysunku Ewy Barańskiej-Jamrozik.

Skandal niepamięci o komunizmie ma oczywiście liczne przyczyny. Bierni świadkowie tego systemu przeżywali go na własnej skórze, ale w większości nie mogli go dobrze opisać ani zanalizować. W szkole nikt przecież nie wykładał wszystkich sprzeczności i niedorzeczności systemu opartego na uszczęśliwianiu ludzi siłą. Inną przyczyną jest chęć zapomnienia upokorzeń i pragnienie rekompensaty w dniu dzisiejszym. Na przykład pamięć o latach osiemdziesiątych jest dziś w Polsce nikła głównie właśnie dlatego, że atmosfera tych lat, przedłużającego się w nieskończoność absurdu, poczucia straty czasu i upokorzenia rządami strażników komunistycznego skansenu jest nie do odtworzenia dla kogoś, kto tego nie przeżył, a pozornie niewarta pamięci dla tych, co to przetrwali. Kto dziś chce pamiętać tę atmosferę, którą trafnie opisał Zbigniew Herbert?

rozsądni mówią
że można współżyć
z potworem
należy tylko unikać
gwałtownych ruchów
gwałtownej mowy
w przypadku zagrożenia
przyjąć formę
kamienia albo liścia
słuchać mądrej Natury
która zaleca mimikrę
oddychać płytko
udawać że nas nie ma[22]

Atrofia pamięci o komunizmie wynika także z przedziwnej skłonności tak zwanych intelektualistów i opanowanych przez nich mediów do wybaczania win „lewicy" w stałym, niespokojnym wypatrywaniu nadchodzącej rzekomo groźby „prawicy". Doprawdy zdumiewająca jest historia złudzeń, autosugestii, cynizmu i służalczości wobec nieludzkiego systemu komunistycznej przemocy i kłamstwa ze strony różnych „autorytetów" zachodnich[23]. Długi rejestr owych „pożytecznych idiotów", jak ich nazywali sami przywódcy Kremla, otwiera Voltaire i jego fascynacja „Semiramidą Północy", czyli carycą Katarzyną. Do ukształtowania zachodniego mitu o rosyjskim samodzierżawiu jako usprawiedliwionej odmienności kulturowej Rosji w dużej mierze przyczynili się miłośnik ludowej kultury Europy Wschodniej Johann Gottlieb Herder oraz jeden z prekursorów konserwatyzmu Joseph de Maistre. W Rosji widzieli ostoję nowej cywilizacji słowiańskiej panslawiści z Czech, Słowacji i krajów bałkańskich.

---

[22] Zbigniew Herbert, „Potwór Pana Cogito", (w:) Zbigniew Herbert, *Wiersze wybrane*, (Kraków: Wydawnictwo a5, 2005), s. 268.

[23] Obszernie omawia tę kwestię Dariusz Tołczyk, *Gułag w oczach Zachodu*, (Warszawa: Prószyński i S-ka, 2009), 344 s.

Światła ze wschodu, czyli z Rosji, wypatrywali nie tylko niektórzy socjaliści zachodnioeuropejscy, ale także „intelektualiści", którzy z ochotą przyjmowali wiarę w mity o „nowym człowieku" tworzonym przez rosyjskich bolszewików po 1917 r. Mamy tu do czynienia z najbardziej jaskrawą zdradą rozumu i wrażliwości moralnej w XX wieku. Ludzie mieniący się obrońcami wolności jednostki oraz „wartości humanistycznych" bez żenady akceptowali, a nawet nierzadko wychwalali unikatowy system terroru, kłamstwa i łamania ludzkich sumień. Najbardziej gorszący był stosunek tych ludzi do systemu pracy niewolniczej. Albo nie chcieli oni przyjąć do wiadomości informacji o barbarzyństwie „sądów" i łagrów sowieckich, albo minimalizowali ich rozmiary, albo nawet czynnie zagłuszali publiczną debatę na ten temat w krajach demokratycznych. Lista owych „autorytetów" Zachodu jest bardzo długa i obejmuje takie nazwiska, jak Amerykanie John Reed, William Bullitt, Walter Duranty, Upton Sinclair i Lincoln Stevens, który „zobaczył w ZSRR przyszłość", Francuzi: Jean-Paul Sartre, Louis Aragon, Paul Éluard, Romain Rolland, Henri Barbusse, a także przejściowo André Malraux i André Gide, Niemcy, jak Bertold Brecht, Brytyjczycy: Beatrice i Sidney Webb, George Bernard Shaw, Eric Hobsbawm, Włosi, jak Ignazio Silone, Hiszpanie, jak Pablo Picasso, niezależni Rosjanie, jak Maksim Gorki, który wrócił do ojczyzny z Capri, by napisać apoteozę Kanału Białomorskiego, a także liczni zachodni biznesmeni, którzy robili interesy z sowieckimi ludobójcami,

I dziś nawiązuje się do tych praktyk. Na przykład publicyści „Gazety Wyborczej" niejednokrotnie rozgrzeszali dawnych komunistów i wybaczali im, ale chyba nigdy nie wybaczyli faszystom czy nacjonalistom. Kiedy niedawno okazało się, że ukochany przez zachodnią lewicę męczennik chilijski Salvador Allende był nie tylko wielbicielem Marksa, ale i rasizmu, a także ochraniał nazistów[24], liberalno-lewicowe media nabrały wody w usta. Zjawisku temu towarzyszy absurdalny pogląd, że porównywanie stalinizmu do faszyzmu musi prowadzić do konkluzji, iż ten ostatni był mniejszym złem. Niedawno tezę tę usiłował karkołomnie uzasadnić słoweński filozof Slavoj Žižek: „Stalinizm uznawał się za spadkobiercę tradycji oświecenia, a wedle niej prawda jest w równym stopniu dostępna dla każdego człowieka, choćby najbardziej zepsutego, a zatem każdy jest odpowiedzialny za swoje postępki. Dla nazistów zaś wina Żyda brała się z biologicznego aspektu jego osoby. Nie trzeba było mu udowadniać żadnej winy, ponieważ był winny już tylko przez to, że był Żydem"[25]. Otóż nic podobnego. Właśnie w tej kwestii oba systemy były niezwykle podobne. Czyżby Žižek nie słyszał o odpowiedzialności zbiorowej w komunizmie, na przykład o pozbawieniu dawnych właścicieli praw obywatelskich? Czyżby nie wiedział o paszportyzacji wsi? Dowód winy „wrogów ludu" był w ZSRR farsą, nie zawsze nawet rozgrywającą się w sądzie, w której zawsze triumfowała „rewolucyjna sprawiedliwość", a nie cywilizowane zasady *neminem captivabimus*. Wystarczy jeden przykład: notatka Ławrentija Berii z 5 marca

---

[24] Krystyna Grzybowska, „Dr. Jekyll & Mr Allende", *Wprost*, 29 V 2005 r., ss. 74–77.
[25] Slavoj Žižek, „Nazizm z ludzką twarzą", *London Review of Books,* 17 III 2005 r. (za:) *Forum*, 25 IV-8 V 2005 r., ss. 58–59.

Oddziały Armii Czerwonej wkraczają na terytorium Polski 17 września 1939 r. Wikłanie Polski w odpowiedzialność za wybuch II wojny światowej jest stałym elementem propagandy rosyjskiej także dzisiaj.

1940 r. z zapytaniem, co należy uczynić z 24 tysiącami obywateli polskich, nie rokujących nadziei dla państwa sowieckiego. Decyzja Stalina, Malenkowa, Mołotowa, Kalinina i Kaganowicza brzmiała: rozstrzelać[26]. Do dziś zaś dawny Królewiec nosi jednak imię jednego z tych zbrodniarzy, Kalinina.

Ważną przyczyną komunistycznej amnezji są warunki współczesnego życia. Nacisk problemów bieżących nie pozwala na przypominanie sobie, jak było dawniej. Tych wszystkich, którzy twierdzą, że nie mają ani czasu, ani pieniędzy na czytanie poważniejszych tekstów o przeszłości, warto zapytać, ile wydają na kolorowe magazyny o niczym, na papierosy, byle jaką rozrywkę, wódkę czy narkotyki. Poglądem bardzo powszechnym, który zaciemnia obraz historii, jest też przekonanie, że dawniej było lepiej, bo byliśmy młodsi. Wszystko to są argumenty niepoważne w stosunku do tego, jak ważna jest pamięć o komunizmie.

KŁAMSTWO JAK POWIETRZE

Wydawać by się mogło, że po załamaniu systemu komunistycznego w Rosji natłok kłamstwa historycznego zmaleje. Ludzie wychowani i wykształceni w ZSRR nabrali jednak tak instynktownej skłonności do kłamstwa, jakby było

---

[26] *Dokumenty ludobójstwa*, (Warszawa: Instytut Studiów Politycznych PAN, 1992), s. 34–39.

ono ich naturalnym żywiołem. Jest to chyba główny powód, dla którego historyczna propaganda rosyjska jest tak skuteczna w samej Rosji i na Zachodzie. „Prawda historyczna to wspaniała rzecz, ale tylko wtedy, kiedy nie wyrywa się jej z kontekstu historycznego" napisała na stronie internetowej Strana.ru, będącej tubą propagandy Kremla, Alisa Argunowa, komentując historyczne relacje polsko-rosyjskie[27]. Wszystko byłoby dobrze, gdyby Argunowa znała tę prawdę i uczciwie chciała ją opisać. Tymczasem autorka prezentuje tak kuriozalne rozumienie polskiej historii, że trudno uwierzyć, by w ogóle studiowała historię. „Polska państwowość powstała w 980 roku" zaczyna Argunowa. Później „Polacy wojowali ze wszystkimi – ze Świętym Cesarstwem Rzymskim, Krzyżakami, ze Szwecją, Rusią, Prusami". Może to i prawda, tyle, że autorka nie pisze, które z tych wojen były wojnami zaczepnymi, a poza tym nie wspomina o tym, że wojna była zawsze żywiołem Europejczyków. „Od XI do XVII wieku polskie armie wielokrotnie napadały na ziemie ruskie. Wojska ruskie ani razu w owym czasie nie napadły na ziemie polskie". Argunowa najwyraźniej nie słyszała o Unii w Krewie, o Wielkim Księstwie Litewskim, o moskiewskich próbach stworzenia Trzeciego Rzymu kosztem Rzeczpospolitej Obojga Narodów, o najazdach Iwana Groźnego

---

[27] Alisa Argunowa, „Historia Polski na Kremlu pisana", *Strana.Ru*, 8 VI 2005 r., za: *Forum* 13–19 VI 2005 r., s. 6–7.

Związane ręce jednego z oficerów zamordowanych w Katyniu. Wiosną 1940 r. NKWD rozstrzelało tam około 22 tys. Polaków, w tym ponad 10 tys. oficerów.

na Inflanty, o wejściu armii rosyjskiej do Polski podczas wojny północnej. Reprezentuje stary, imperialny pogląd, że ziemie kiedyś należące do Rusi Kijowskiej należą się Moskwie po wsze czasy. W tym duchu Argunowa dowodzi, iż podczas rozbiorów Polski Rosja nie zajęła ziem etnicznie polskich, a jedynie przywróciła sobie ziemie utracone wcześniej w wyniku wojen, a należące do Rusi jeszcze w czasach świętego Włodzimierza i Jarosława Mądrego.

Argunowa twierdzi, że Polska weszła w skład imperium rosyjskiego dopiero w 1815 roku, wraz z powstaniem Królestwa Polskiego. Autorka wybrzydza dalej, że „przez cały wiek XIX Polską wstrząsały powstania". Ciekawe dlaczego tak się ci Polacy męczyli? Przeciw komu? Przecież, jak pisze Argunowa, i car Mikołaj II, i rząd tymczasowy przyznali Polsce autonomię. „Ostatecznie Rosja utraciła Polskę po podpisaniu pokoju brzeskiego". Argunowa wspomina „nowe powody do pretensji: o pakt Ribbentrop-Mołotow, o Katyń", tak jakby to były rzeczy oczywiste i niegodne wspomnienia. Zupełnie deprecjonuje polski wysiłek zbrojny podczas II wojny światowej. A na koniec raczy opowieścią, jak to po wojnie Polska utraciła ziemie wschodnich Słowian, a otrzymała tereny, „które nigdy nie były zamieszkiwane przez Polaków", a także poucza, że mówiąc o „tragedii kilku tysięcy polskich oficerów w Katyniu" trzeba też „wspomnieć o kilkudziesięciu tysiącach zamęczonych w polskich obozach koncentracyjnych jeńców radzieckich" w 1920 r. Kłamstwo "polskiego Katynia" zaczęto rozpowszechniać w Rosji w chwili, gdy Gorbaczow zdecydował się przyznać do sowieckiej opdpowiedzialności za mord katyński. Propaganda rosyjska wręcz oczekuje polskich przeprosin za obozy w Tucholi, Strzałowie i Dąbiu[28]. Argunowa niby nie wie, że jeńcy ci wymarli na skutek epidemii, które trapiły wówczas także innych obywateli, że poza Katyniem owa „tragedia" (nie ludobójczy mord!) dotknęła 20 tysięcy innych obywateli polskich, wymordowanych z rozkazu sowieckiego politbiura, a także niby nie wie, że stalinowskie ludobójstwo dotknęło setki tysięcy innych Polaków, deportowanych z polskich okręgów na sowieckiej Ukrainie i Białorusi w latach trzydziestych oraz z Kresów Wschodnich po 1939 roku.

Inna specjalistka od kremlowskich kłamstw historycznych, Natalia Jelisiejewa, zajęła się zakończeniem II wojny światowej[29]. Stwierdziła ni mniej, ni więcej, tylko, że wyzwalając Polskę „wojska radzieckie napotkały na opór ze strony polskich nacjonalistów – Armii Krajowej, pozostającej pod komendą emigracyjnego rządu z siedzibą w Londynie", a następnie powtarza, iż oddziały AK „przeprowadzały wypady przeciwko Armii Radzieckiej". Przykłady przez nią podane dotyczą akcji obronnych podziemia poakowskiego przeciw wojskom NKWD, które „czyściły teren" w Polsce, aresztując, mordując i wywożąc na wschód tysiące żołnierzy AK. Nazywanie tym mianem oddziałów podziemia po lutym 1945 roku jest błędem, gdyż, jak sama podaje, AK została właśnie wtedy rozwiązana. Dlaczego oddziały

---

[28] Ama Tulejew, „Jeńcy Piłsudskiego", *Nezawisimiaja Gazieta*, 17 VII 2002 r., za: *Forum*, 5–11 VIII 2002 r. Rosyjskie kłamstwa obnażył Zbigniew Karpus, *Jeńcy i internowani rosyjscy i ukraińscy* w Polsce *w latach 1918–1921*, (Toruń, 1991).

[29] Natalia Jelisiejewa, „Kto opóźniał zwycięstwo?", *Strana.Ru*, 17 I 2005 r. Tamże.

te musiały się bronić przed Sowietami? Ano dlatego, że Armia Radziecka wkraczała do Polski nie jako jej sojusznik, ale jako wróg jej niepodległości.

Jelisiejewa myli się twierdząc, że rozkaz o wcielaniu oddziałów polskiej partyzantki do 1 Armii Wojska Polskiego wydano na Kremlu dopiero 3 sierpnia 1944 roku. Wiemy o takich rozkazach już od początku Akcji „Burza". Podobną „ofertę nie do odrzucenia" otrzymywały na przykład zgrupowania AK walczące o Lwów i Wilno w lipcu 1944 roku. Nie godzące się na to oddziały były otaczane, rozbrajane i wywożone do łagrów. Jelisiejewa milczy też o zwalczaniu AK przez partyzantkę sowiecką na Kresach Wschodnich po 1941 roku. Przede wszystkim milczy o tym, dlaczego Kreml traktował i nadal traktuje polskie wojsko podziemne, działające z ramienia legalnych władz RP na obczyźnie – gdzie znalazły się one także w wyniku działań Armii Czerwonej we wrześniu 1939 roku – jako oddziały „nacjonalistyczne" lub „powstańczo-bandyckie", walczące o „wolność i niepodległość" (cudzysłów autorki). Ten cudzysłów mówi wszystko – zarówno wtedy jak i dziś Kreml odnosi się do polskiej wolności i niepodległości wrogo. Autorka konkluduje, że działania AK, NSZ, OUN, UPA i innych „leśnych braci" spowodowały straty po stronie Armii Czerwonej i opóźnienie zdobycia przez nią Berlina. No cóż, gdyby Kreml współpracował z tymi oddziałami, szanując wolę niepodległości Polski, Ukrainy i państw bałtyckich, może by zajął Berlin wcześniej, a tak nie powinien się skarżyć, że sobie sam w tym przeszkodził. Kłamstwo na kłamstwie i kłamstwem pogania. Podobne tezy, łącznie z wikłaniem Polski w odpowiedzialność za wybuch II wojny światowej, są stałym elementem rosyjskiej propagandy powtarzanej nawet przez czynniki oficjalne Federacji Rosyjskiej[30]. Nie byłoby to może groźne, gdyby ten rodzaj zakłamywania historii przez oficjalną Rosję nie znajdował zrozumienia, a nawet poklasku na Zachodzie.

HISTORYCZNY REWIZJONIZM

Trwająca od początku lat dziewięćdziesiątych moda na rewizje historii wynika z kilku przyczyn. Pierwszą jest duch epoki, w której kwestionuje się większość fundamentalnych przekonań, na jakich oparta jest kultura. Czynią tak w sposób wyrafinowany, choć bełkotliwy, postmodernistyczne „autorytety", negujące pojęcie prawdy, także historycznej. Czynią tak też niektóre osoby, którym ułatwia to ukrycie nikłej wiedzy, a którym wydaje się, że wystarczy powtórzyć piłatowe pytanie „czym jest prawda?", by wypaść mądrze. Żyjemy też w dziwnej epoce, w której eksponuje się wyjątek, a nie regułę. Mało tego, wyjątek kreowany jest jako nowa reguła. Dotyczy to także postmodernistycznego pisarstwa historycznego, w którym nierzadko ważniejsze jest subiektywne wspomnienie o wydarzeniu niż samo wydarzenie. W rezultacie wspomnienie owo zamienia się w fakt, na który powołują się później zastępy innych autorów, także niestety historyków. Warto

---

[30] Odpowiedzialnością za wybuch II wojny światowej obarczył Polskę na przykład we wrześniu 2015 roku ambasador Rosji w Warszawie Siergiej Andriejew. Piotr Gontarczyk, „Rosyjska propaganda jak za czasów Stalina", *W Sieci,* 12–18 X 2015 r.

tu przypomnieć los poetyckiego obrazu Czesława Miłosza wesoło kręcącej się karuzeli na Placu Krasińskich tuż obok muru warszawskiego getta, gdzie hitlerowcy właśnie krwawo tłumili powstanie w 1943 roku. Obraz ten stał się wręcz symbolem obojętności polskiego społeczeństwa wobec tragedii Żydów. Na tle tego obrazu jakże mało atrakcyjnie (jeśli nie podejrzanie) brzmią bardziej wyważone opinie o postawach polskich wobec Holocaustu. Tymczasem okazuje się, że karuzela owa została ustawiona przez Niemców specjalnie jako zachęta do manifestacji obojętności wobec Holocaustu oraz że na ogół stała ona pusta, gdyż mało kto taką postawę demonstrował[31].

Inną przyczyną mody na rewizjonizm historyczny jest komercjalizacja historii. Tematyka historyczna sprzedaje się ostatnio lepiej, szczególnie w gazetach lub tygodnikach, jeśli towarzyszy jej atmosfera skandalu lub sensacji. Najlepiej sprzedające się książki historyczne to te, które należą do serii „Sensacje XX wieku", a najlepiej oglądalne audycje telewizyjne ukazują „rewizje" historii najnowszej. W takim ujęciu nie ma miejsca na zrównoważony obraz historii, nie ma też mowy o dydaktycznej wartości takiej lekcji historii. Ważny jest chwytliwy tytuł lub błyskotliwa teza, niekoniecznie pasująca do historycznej prawdy. Tak oceniłbym tezę Jana Grossa o tym, że w Jedwabnem połowa mieszkańców wymordowała drugą połowę[32].

Moda na „odbrązawianie", podobnie jak moda na „ubrązawianie", nie służy ani prawdzie historycznej, ani kształtowaniu odpowiedzialnych postaw społecznych czy narodowych. Mamy tu bowiem do czynienia nie z cierpliwą lekcją, z której powinno wynikać, że historyczna prawda jest bardziej skomplikowana niż wszystko wyjaśniające teorie lub chwytliwe symbole i wyjątki. Mamy do czynienia z wyzwaniem, na które rodzi się reakcja.

Doświadczenie II wojny światowej było w przypadku poszczególnych narodów niezwykle zróżnicowane. W dzisiejszej Unii Europejskiej znajdują się zarówno państwa, które wojnę wywołały, lub ich sojusznicy, jak i te, które ucierpiały, i to niejednokrotnie straszliwie, z powodu obcej okupacji, bądź to niemieckiej, bądź sowieckiej. Są tu kraje, które wkrótce po 1945 roku mogły odbudowywać demokrację i gospodarkę rynkową, jak i te, które zostały wepchnięte w orbitę kontroli sowieckiej i straciły suwerenność, a ich społeczeństwa i gospodarki poddawane były brutalnej i marnotrawnej inżynierii komunistycznej. Dlatego debata, która toczyła się w Parlamencie Europejskim w maju 2005 roku była, być może, jedną z ważniejszych debat o tożsamości europejskiej. Mimo częstych zaklęć o europejskiej wspólnocie duchowej, ujawniła ona, niestety, jak dzisiejsi Europejczycy różnią się w znajomości historii oraz w ocenach II wojny światowej. Można się pocieszać, że i tak w stosunku do tonu, jaki dominował przy okazji pięćdziesiątej rocznicy końca wojny, nastąpił pewien postęp, ale widać, jak daleko jest do zrozumienia pełni doświadczeń

---

[31] Ryszard Matuszewski, „Nieruchoma karuzela na Placu Krasińskich", *Rzeczpospolita*, 10–11 V 2003 r. Faktyczny los karuzeli na Placu Krasińskich świadczyłby więc raczej o czymś przeciwnym niż obraz wylansowany jako symbol.

[32] Jan T. Gross, *Neighbors*, (Princeton University Press, 2001), s. 7. W polskim wydaniu tej książki, mocno przeredagowanym, tezy tej nie można znaleźć.

Władimir Putin wrócił do stalinowskiej interpretacji II wojny światowej. Nazwał układ Ribbentrop-
-Mołotow (na zdjęciu moment jego podpisania) zwykłym traktatem międzynarodowym.

historycznych narodów Europy. Rezolucja, którą Parlament Europejski w końcu
przyjął 11 maja 2005 r., stała się wynikiem trudnego kompromisu. Początkowo lewica socjalistyczna oraz liberałowie w ogóle nie chcieli żadnej rezolucji i zamierzali
poprzestać na debacie. Ostatecznie zauważyli jednak, że lepiej będzie spróbować
wypracowania wspólnego tekstu niż doprowadzić do otwartego konfliktu na sali
posiedzeń. W rezolucji znalazło się wiele sformułowań, które dobrze oddają skutki
wojny. Brakuje w niej jednak refleksji nad związkiem między początkiem wojny a jej
końcem, a także refleksji nad dzisiejszymi ocenami wojny w Rosji[33].

To, jak zna się i rozumie przyczyny wojny, w dużej mierze określa stosunek
do jej wyników. Brytyjska i francuska polityka *appeasement* oraz układ monachij-
ski z września 1938 r. były pierwszą zachętą Hitlera do wojny, ale nie da się zaprzeczyć, że prawdziwym zaproszeniem do wojny był układ Ribbentrop-Mołotow
z 23 sierpnia 1939 r., zmowa dwóch straszliwych totalitaryzmów, które, razem lub
osobno, dokonały następnie szeregu aktów agresji. Ofiarą współdziałania III Rzeszy i ZSRR padła najpierw Polska. Potem były niemieckie inwazje Norwegii, Danii, Belgii, Holandii, Luksemburga, Francji, Jugosławii i Grecji, a także sowieckie
inwazje Finlandii, Estonii, Litwy i Łotwy, jak również udział ZSRR w rozbiorze
Rumunii.

---

[33] „PE: Po wojnie stalinowska tyrania", *Wprost,* 12 V 2005 r.

Stalin przystąpił do wojny z własnej woli. Latem 1939 r. odmówił współpracy z Francją i Wielką Brytanią przeciw III Rzeszy. Dopiero po hitlerowskiej agresji z czerwca 1941 roku uzyskał pomoc brytyjską i amerykańską, wchodząc do nowej koalicji, która ostatecznie pokonała III Rzeszę. Mimo że Armia Czerwona dźwigała na sobie ogromną część ciężaru wojny, system sowiecki się przecież nie zmienił. „Archipelag Gułag" nadal się rozrastał, a liczba jego ofiar jest porównywalna ze stratami wojennymi ZSRR. Dlatego współpraca Wielkiej Trójki oparta była na iluzji wspólnych wartości. Dlatego też współpraca ta okazała się niemożliwa po zakończeniu wojny. Tuż przed śmiercią sam Roosevelt, który oddał Stalinowi wiele przysług, przyznał, że nie da się z nim robić biznesu, że łamie wszystkie umowy, które zawarł[34]. Było jednak za późno. Europa została podzielona, a wschodnia jej część została wepchnięta w objęcia totalitaryzmu stalinowskiego. W sytuacji tej znalazła się także Polska, która pierwsza stawiła opór Hitlerowi i to wtedy, kiedy jego sojusznikiem był Stalin, Polska, której siły zbrojne były czwartą co do wielkości siłą aliancką, Polska, która poniosła względnie największe straty ludnościowe w tej wojnie.

Niestety, prezydent Putin wrócił do stalinowskiej interpretacji II wojny światowej i jej skutków. Nazwał układ Ribbentrop-Mołotow zwykłym traktatem międzynarodowym. Oficjalna Rosja zaprzecza, by Stalin dokonał agresji na Polskę w 1939 roku, zaprzecza, by w Katyniu dokonano aktu ludobójstwa, by ZSRR okupował państwa bałtyckie, twierdzi też, że Jałta przyniosła Polakom demokrację[35]. Tej dwuznacznej roli ZSRR nie chcą też uznać komuniści i lewacy z Parlamentu Europejskiego, których prawie 50 głosowało przeciw wspomnianej rezolucji. Milczał o tej roli przewodniczący Rady Europejskiej, zaś inni mówcy z niewielkimi wyjątkami prześlizgiwali się po tym temacie. Dlaczego to jest dzisiaj ważne? Dlatego, że państwa, które zakłamują historię, mają skłonność do niewiarygodnych działań. Prezydent Putin ogłosił, że pojednanie rosyjsko-niemieckie może być przykładem dla Europy. Niestety pojednanie na płaszczyźnie stalinowskiej interpretacji historii rokuje marnie, a w Warszawie, Wilnie, Rydze czy Tallinie brzmi szczególnie fałszywie. Polacy i inne narody środkowej Europy obawiają się, że nie będzie pokoju i pojednania w Europie, z którego wykluczone w ten sposób będą narody położone między Niemcami i Rosją. Kiedy mocarstwa zachodnioeuropejskie i Rosja ściskają się ponad głowami tych narodów, nie mogą one nie odczuwać duszności.

CZARNE LEGENDY KOŚCIOŁA

Jedną z przyczyn dechrystianizacji Europy jest fakt, że elitom ateistycznym udało się wmówić jej obywatelom cały szereg czarnych legend antychrześcijańskich. Belgijski socjolog Leo Moulin (1906–1996), sam nie najbliższy Kościołowi,

---

[34] John L. Gaddis, *The Long Peace. Inquiries into the History of the Cold War,* (Oxford University Press, 1987), s. 30.

[35] Fragment wywiadu W. Putina dla radia słowackiego, *Gazeta Wyborcza*, 24 II 2005; http://www.ln.mid.ru/brp_4.nsf/e78a48070f128a7b43256999005bcbb3/add9be3df90a0438c3256fa80046962a?OpenDocument

pisał: „Mistrzowska propaganda antychrześcijańska zdołała wytworzyć u chrześcijan, zwłaszcza u katolików, złą świadomość, opanowaną niepokojem, jeśli już nie wstydem, z powodu własnej historii. Siłą stałego nacisku, od reformacji aż do naszych czasów, zdołała przekonać was, że jesteście odpowiedzialni za całe albo prawie całe zło na świecie. Sparaliżowała was na etapie masochistycznej autokrytyki, aby zneutralizować krytykę tych, którzy zajęli wasze miejsce"[36]. Choć nie brakuje w Europie głosów „wołających na puszczy", takich jak francuskiego pisarza Maxa Gallo, który przypomniał niedawno o wspaniałej chrześcijańskiej przeszłości Francji[37], nawet wielki historyk Jacques Le Goff powątpiewał w przyszłość chrześcijaństwa w Europie.

W opinii publicznej państw zachodnich przeważają więc mity antychrześcijańskie, lansowane przez wrogów religii i powtarzane często nieświadomie przez nieznających historii Kościoła wierzących. Wachlarz tych przeinaczeń i fałszów jest ogromny, choć odległość mitów od prawdy historycznej bywa różna. O niektórych z tych mitów była już mowa, ale inne wymagają choćby skrótowego przypomnienia bądź rozwinięcia.

Po pierwsze więc, podważa się często historyczne korzenie chrześcijaństwa, powołując się na rzekome odkrycie pism „chrześcijańskich" odmiennie niż ewangelie ukazujących Chrystusa, Jego naukę i losy. O tego rodzaju zabiegach „neognostyków" była już mowa[38]. Inny fałsz w ujmowaniu historii Kościoła polega na tym, że utożsamia się reformę Konstantyna z IV wieku z triumfem Kościoła nad władzą polityczną. Było niemal na odwrót, o czym świadczy zwalczanie Kościoła rzymskiego przez ariańsko nastawionych cesarzy IV wieku aż po rządy Teodozjusza, czy wpływ władców na obsadę biskupstw w wiekach średnich. Zmagania papiestwa z cesarstwem nie zakończyły się jednoznacznym zwycięstwem papiestwa, czego symbolem stała się podróż pokutna cesarza Henryka IV do Canossy w 1077 roku. Trwały one przez całą historię Kościoła. Można powiedzieć, że Kościół rzadko potrafił opanowywać polityczne zapędy władców, tak jak uczynił to święty Ambroży, biskup Mediolanu, wobec Teodozjusza w 397 roku, czy papież Grzegorz VII w Canossie, a wielu świętych męczenników było także w średniowieczu ofiarami władz politycznych. Nie da się udowodnić tezy, że Kościół stał w historii po stronie tych sił, które ograniczały wolność. Najczęściej było na odwrót[39].

Inny mit obarcza Kościół i katolików odpowiedzialnością za antysemityzm. Prawda o stosunkach chrześcijańsko-żydowskich jest jednak bardziej skomplikowana. Dwa tysiące lat rywalizacji, współżycia i konfliktów pozostawiło wiele ran i uprzedzeń. Antysemityzm istniał zresztą przed powstaniem chrześcijaństwa. W pierwszych wiekach ery chrześcijańskiej stroną agresywną byli także Żydzi.

---

[36] Wg: Vittorio Messori, *Czarne karty Kościoła,* (Katowice: Księgarnia św. Jacka, 1998), s. 11.

[37] Max Gallo, *Chrześcijanie,* (Warszawa: Bellona, 2005), t. I-III.

[38] Warto dodać tu jeszcze: O. Joseph-Marie Verlinde, *Antychrześcijańskie oszustwa. Od apokryfów do Dana Browna,* (Kraków: Wydawnictwo AA, 2007), ss. 255–298.

[39] Por. np. skrótowe studium tego tematu: Franz-Xaver Kaufmann, *Czy chrześcijaństwo przetrwa?* (Kraków Wydawnictwo WAM, 2004), ss. 52–85.

Zwrot nastąpił wraz z przyznaniem chrześcijaństwu statusu religii państwowej. Już za Teodozjusza chrześcijanie spalili synagogę w Konstantynopolu. W średniowieczu powszechne było wśród chrześcijan przekonanie, że Żydzi są odpowiedzialni za śmierć Chrystusa i w związku z tym zdarzały się fale prześladowań. Wielu hierarchów kościelnych broniło jednak Żydów. Pod panowaniem muzułmańskim Żydzi zajmowali często postawę nieprzychylną chrześcijanom. Wraz z rekonkwistą Hiszpanii nasiliły się prześladowania Żydów, szczególnie tych, którzy przyjęli chrzest i byli podejrzewani o podwójną moralność. Zaowocowało to wygnaniem Żydów z Hiszpanii w 1492 roku. Państwo Kościelne zapewniało jednak Żydom azyl. Wraz z otwarciem się społeczeństw zachodnich zasymilowani Żydzi, którzy porzucili wiarę przodków, należeli do czołowych krytyków Kościoła i religii w ogóle.

Kościół jest krytykowany *en bloc* za rzekome popieranie nazizmu. Choć zdarzały się przypadki zaangażowania księży w zbrodnicze działania systemów totalitarnych – nazizmu i komunizmu – oskarżanie całego Kościoła jest błędem typu *pars pro toto*. Na przykład czarna legenda Piusa XII jest kontynuowana mimo świadectw Żydów uratowanych w rzymskiej kurii podczas wojny oraz mimo słów izraelskiej premier Goldy Meir, która chwaliła papieża za jego pomoc Żydom[40]. Pojednawcze stanowisko Kościoła w dobie współczesnej znalazło oddźwięk w soborowej *Deklaracji o stosunku Kościoła do religii niechrześcijańskich*.

W opinii „światłych" krytyków Kościoła miał on stale hamować rozwój nauki, ugruntowując, zwłaszcza w średniowieczu, panowanie ciemnoty i zacofania. Przytacza się tu sztandarowe przykłady Giordana Bruna i Galileusza. Wedle rzeczników tak rozumianego „postępu" dopiero Reformacja, a zwłaszcza Oświecenie przezwyciężyły opór Kościoła przed rządami rozumu. O stosunku Kościoła i katolików do nauki w wiekach średnich i czasach nowożytnych była już mowa. Nie da się uzasadnić tezy o niechęci Kościoła do postępów nauki, a co najwyżej można mówić o trosce o to, by osiągnięcia naukowe nie stały w sprzeczności z moralnością[41].

Dowodem agresywnego nastawienia Kościoła do innowierców mają być krucjaty. Zarówno jednak „postępowcy", jak i muzułmanie mylą się zupełnie co do genezy i znaczenia wypraw krzyżowych. Druga połowa XI wieku, gdy podjęto pierwszą krucjatę, to okres wielu doniosłych wydarzeń wokół wybrzeży Morza Śródziemnego, które przed podbojami arabskimi z VII i VIII wieku były terenami zamieszkanymi przez chrześcijan. Po pierwsze, w Hiszpanii chrześcijanie zmagali się z muzułmanami, którzy tam wtargnęli w VIII wieku i byli stopniowo wypierani przez władców chrześcijańskich. Po drugie, muzułmańscy Turcy śmiertelnie zagrażali Cesarstwu Bizantyjskiemu. Po trzecie, chrześcijanie byli prześladowani w Ziemi Świętej, gdzie w 1009 r. kalif Al Hakim zburzył Świątynię Grobu

---

[40] Pierre Blet, „Pius XII a druga wojna światowa", *Osservatore Romano* (polska wersja językowa), 1998, nr 12, ss. 49–53; Matteo Luigi Napolitano, *Tajne archiwa Watykanu*, (Kielce: Wydawnictwo Jedność, 2013), ss. 155 nn.

[41] Thomas E. Woods jr., *Jak Kościół zbudował zachodnią cywilizację*, (Kraków: Wydawnictwo AA, 2006), ss. 15–164.

W 1099 r. chrześcijanie odzyskali Jerozolimę, tworząc na wyzwolonym obszarze Syrii i Palestyny kilka królestw. Chrześcijanie byli prześladowani w Ziemi Świętej przez muzułmańskich Turków, którzy w 1009 r. zburzyli Świątynię Grobu Pańskiego. Na ilustracji zdobycie Jerozolimy przez krzyżowców na obrazie francuskiego malarza Émile'a Signola.

Pańskiego. Po czwarte wreszcie, narastał spór między cesarstwem i papiestwem o tak zwaną inwestyturę, czyli o prawo mianowania wasali, w tym także biskupów, przez władzę polityczną, z czym nie chciał się pogodzić papież.

Dopiero w tych okolicznościach można zrozumieć, dlaczego w 1095 r. papież Urban II wezwał do wojny o wyzwolenie Ziemi Świętej spod władzy muzułmanów. Pierwsza wyprawa krzyżowa była sukcesem chrześcijan. W 1099 r. chrześcijanie odzyskali Jerozolimę, tworząc na wyzwolonym obszarze Syrii i Palestyny kilka królestw. Po półwieczu spokoju, w 1145 r., muzułmanie odbili królestwo Edessy w Syrii. Na pomoc chrześcijanom ruszyły w drugiej krucjacie wojska króla Francji Ludwika VII i cesarza Konrada III, jednak w 1150 r. wróciły bez większych sukcesów.

W 1187 r. sułtan Saladyn zdobył ponownie Jerozolimę. Papież Grzegorz VIII wezwał do nowej krucjaty, którą dowodzili król Francji Filip II, król Anglii Ryszard I oraz cesarz Fryderyk I. Żadnemu nie udało się odbić Jerozolimy. Czwarta krucjata była największą klęską. Po wezwaniu papieża Innocentego III zabrakło chętnych władców i funduszy. Krzyżowcy uzależnili się od doży Wenecji Enrico Dandolo, a gdy i te fundusze się wyczerpały, usiłowali zdobyć tron Bizancjum, co skończyło się oblężeniem, zdobyciem i ograbieniem Konstantynopola w 1204 r.

Zamiast pomocy i pojednania łacińscy krzyżowcy przynieśli chrześcijańskim Grekom ogień, miecz i rabunek. Dopiero w wyniku szóstej krucjaty udało się chrześcijanom odbić Jerozolimę, ale tylko na 10 lat. Następne wyprawy były już zupełnie nieudane, a w 1291 r. upadło ostatnie chrześcijańskie królestwo w Syrii. Historia krucjat nie jest więc historią chrześcijańskiego podboju, ale dziejami nieskutecznych na ogół prób odwojowania świętych miejsc chrześcijaństwa z rąk muzułmanów. Jest to raczej smutna historia braku solidarności i historia konfliktów między przywódcami chrześcijańskimi niż historia prześladowania muzułmanów przez chrześcijan[42].

Inną, jeszcze trwalsza i bardziej powszechna „czarna legenda Kościoła" dotyczy inkwizycji. Stereotyp strasznej władzy kościelnej inkwizycji, która torturowała i mordowała tysiące ludzi na podstawie sfingowanych procesów, jaki ugruntował Fiodor Dostojewski w *Braciach Karamazow*, nie ma wiele wspólnego z rzeczywistością, choć historia inkwizycji jest długa i zawiła. Heretyckie poglądy badali i osądzali od XIII wieku dominikanie na podstawie własnego rozeznania, a następnie szczegółowo opracowanych procedur. Były to przypadki dość rzadkie i rzadko też kończyły się wyrokiem śmierci. W dobie kryzysu papiestwa i dominacji monarchów świeckich w XIV wieku rósł jednak margines nadużyć. Dlatego też na Soborze w Vienne w 1312 roku starano się ukrócić te nadużycia. W wieku XIV najważniejszą herezją zwalczaną przez sądy inkwizycji biskupiej i monastycznej byli waldensi z Alp francuskich, Piemontu, a także Czech i wschodnich Niemiec. Zasięg działań tych sądów był stosunkowo niewielki, a liczba wyroków, w tym kar śmierci, była podobnie niewielka w stosunku do wyroków sądów świeckich. Sposób traktowania podsądnych, nierzadko okrutny, nie różnił się od okrucieństw stosowanych nagminnie przez sądy świeckie. Wedle zachowanych źródeł liczba osób straconych w wyniku działań inkwizycji w XIV i XV wieku nie przekraczała kilkuset rocznie, co nijak się ma do fantastycznych wizji szerzonych później, od czasów Reformacji i Oświecenia, w których liczbę ofiar mnoży się do milionów bez żadnych podstaw źródłowych. Nie zmienia to oczywiście negatywnej oceny nadużyć sądowych, które rzeczywiście miały miejsce, jak na przykład w sprawie Jana Husa czy Joanny d'Arc. Z drugiej strony, zwalczając wiarę w czary inkwizycja kościelna bardzo często broniła przed tego rodzaju zarzutami oskarżane kobiety.

W 1480 roku utworzono inkwizycję hiszpańską, która była połączeniem sądowniczej władzy królewskiej i kościelnej w Hiszpanii, niezależnej od papieża. Przyczyną jej powstania była kwestia tak zwanych marranów czyli Żydów, którzy przyjęli chrzest, często pod naciskiem lub przymusem, a w wielu przypadkach zachowywali wiarę i obrzędy mojżeszowe. Do historii przeszedł dominikanin Tomás de Torquemada, który stał się postrachem marranów i przyczynił się do wygnania ortodoksyjnych Żydów z Hiszpanii w 1492 roku. Inkwizycja hiszpańska zajmowała się także moryskami, czyli ochrzczonymi Maurami, oskarżanymi o potajemne wyznawanie islamu. Nie przyniosło to specjalnych efektów, toteż w 1609 roku

---

[42] Por. np.: Henry Treece, *The Crusades,* (Mentor Books, 1962); Cécile Morrisson, *Krucjaty,* (Warszawa: Agade, 1997).

morysków wygnano z Hiszpanii. Choć trudno bronić niektórych nadużyć inkwizycji hiszpańskiej, jej procedury były bardziej praworządne niż procesy wytaczane katolikom przez anglikanów za czasów Elżbiety I czy Olivera Cromwella i kończące się na ogół potworną kaźnią ofiar. Od XV wieku istniały także trybunały papieskie, działające głównie w Państwie Kościelnym. Wszystkie te instytucje przestały funkcjonować na przełomie XVIII i XIX wieku, przy czym Inkwizycja Rzymska przetrwała w szczątkowej postaci do 1908 roku, gdy została zamieniona w Kongregację Świętego Oficjum. W 1965 roku papież Paweł VI przekształcił je w Kongregację Doktryny Wiary[43].

Chrześcijan, a zwłaszcza katolików, oskarża się często o wspieranie niewolnictwa. Było wręcz przeciwnie. Choć Kościół nigdy nie rościł sobie prawa do zmian w ustroju społecznym, bardzo często interweniował w sytuacjach jaskrawych naruszeń godności ludzkiej. Przeciwko handlowi niewolnikami wypowiadał się na przykład papież Pius II w 1482 roku, Urban VIII w 1639 roku, Benedykt XIV w 1741 roku i Grzegorz XVI w 1839 roku. Nieprawdziwa jest też teza, iż kościelny zakaz lichwy uniemożliwiał kredyt inwestycyjny. Choć Kościół nigdy nie zaakceptował lichwy, czyli wykorzystywania przymusowej sytuacji ludzi ubogich dla czerpania nadzwyczajnych zysków z kredytu konsumpcyjnego, w pismach myślicieli chrześcijańskich można znaleźć rozróżnienie między pożyczką na cele konsumpcyjne oraz nakładem inwestycyjnym już w XV wieku. W encyklice *Vix pervenit* z 1745 r. papież Benedykt XIV stwierdzał, że kredyt inwestycyjny nie jest rzeczą zdrożną. Na długo przed nastaniem kapitalizmu Kościół uznał też godziwy zysk za godziwą zapłatę za ryzyko ponoszone przez przedsiębiorców[44].

Zarzutem popularnym wśród współczesnych feministek jest rzekomy mizoginizm chrześcijaństwa czy w szczególności Kościoła katolickiego. Zarzut ten oparty jest na ahistorycznym podejściu do Pisma Świętego, powstałego w czasach, gdy kobiety zajmowały odrębne i często rzeczywiście upośledzone miejsce w społeczeństwach. Notabene, rola kobiet w Izraelu była wyjątkowo ważna, czego dowodem niektóre bohaterki Starego Testamentu. Określenie „Bóg Ojciec", które tak bulwersuje feministki, należy także odczytywać w kontekście języka hebrajskiego, w którym określenie Boże Miłosierdzie (*rahamin*) wywodzi się od słowa *rehem*, oznaczającego łono matki[45]. *Notabene* nikt inny jak Chrystus, który wybrał apostołów spośród mężczyzn, co dało początek męskiego monopolu na kapłaństwo, darzył wyjątkową atencją kobiety ze swojego otoczenia, a ewangeliści nie ukryli faktu, że pierwszymi świadkami, którzy ujrzeli Zmartwychwstałego były kobiety u Jego grobu. Rozpowszechnieniu się chrześcijaństwa w świecie starożytnym towarzyszyło pierwsze na taką skalę zjawisko emancypacji kobiet i apoteoza macierzyństwa, którego symbolem była Maria, matka Chrystusa, uosabiająca „geniusz

43 Grzegorz Ryś, *Inkwizycja*, (Kraków: Znak, 1997); Rino Cammilleri, *Prawdziwa historia inkwizycji*, (Kraków: Wydawnictwo Salwator, 2005); Franco Cardini, Marina Montesano, *Historia inkwizycji*, (Kraków Wydawnictwo WAM, 2008).

44 Por. np.: Franz H. Mueller, *The Church and the Social Question*, (Washington and London: American Institute for Public Policy Research, 1984), ss. 43–48.

45 Verlinde, *Antychrześcijańskie oszustwa*, s. 305.

kobiety"[46]. Symbol ten można usunąć ze świadomości jedynie wtedy, jeśli odrzuci się całkowicie tak ważne powołanie kobiety jak macierzyństwo.

DOM HISTORII EUROPEJSKIEJ

Ilustracją tego, jaki obraz historii dominuje dziś w Unii Europejskiej, jest Dom Historii Europy w Brukseli[47]. Treści zawarte w stałej ekspozycji tego muzeum są bowiem wynikiem pracy historyków mianowanych przez rządzący Unią kartel ludowo-socjalistyczny z błogosławieństwem skrajnej lewicy i neoliberałów. W Radzie Nadzorczej i Radzie Naukowej muzeum dominowały bowiem osoby o takim nastawieniu. Przewodniczącym Rady Nadzorczej był niemiecki chadek Hans Gert Pöttering, a jego zastępcą hiszpański socjalista Miguel Martinez.

Projekt Domu Historii Europejskiej stworzony przez kilkunastu historyków krążył w kierowniczych kręgach Parlamentu, aż wreszcie ujrzał światło dzienne w postaci *Założeń koncepcyjnych*, których polskie tłumaczenie trafiło do dziennikarzy i rozpoczęło dyskusję. We wstępie *Założeń koncepcyjnych* ich autorzy stwierdzili, że uwzględniają wydarzenia, które miały europejskie znaczenie, a nie tylko ważne z punktu widzenia historii poszczególnych krajów. Łatwiej to powiedzieć niż wykonać. Wiele krajów mogło się upomnieć o własną historię, twierdząc, że jest ona ważna z punktu widzenia Europy. Autorzy winni byli więc, choćby ze względów taktycznych, wykazać się większą wrażliwością na historie narodowe. Niestety tego nie uczynili.

Szczegółowych uwag do projektu można by podnieść dziesiątki[48]. Stale słyszymy w Europie o wspólnych korzeniach i wartościach, ale kiedy autorzy stanęli wobec zadania ich wskazania, uciekli w sprawy drugorzędne. Wspomnieli o stosunkach handlowych w obrębie Morza Śródziemnego jako czynniku tworzącym cywilizację i o zainteresowaniu Indiami i Chinami. Czyżby tam szukać korzeni Europy? Praktycznie przemilczeli fundamentalne znaczenie krytycznej filozofii greckiej, rzymskiego prawa i chrześcijaństwa, którego uniwersalizm moralny, oparty na wierze w jednego Boga-Stwórcę, stał się podstawą kultury europejskiej. Dla setek milionów europejskich chrześcijan (i prawdopodobnie Żydów też) swego rodzaju kuriozum stanowi twierdzenie, iż „począwszy od IV wieku n.e. religia chrześcijańska rozwijała się jako połączenie tradycji żydowskiej i zorganizowanego Kościoła". Jednym z sygnatariuszy *Założeń* był Giorgio Cracco, profesor historii Kościoła na uniwersytecie w Turynie. Ciekawe, czy czytał on dokument, w którym zaakceptował to kuriozalne zdanie. Podobnie kuriozalnie brzmi twierdzenie,

---

[46] *List Ojca Świętego Jana Pawła II do kobiet*, (Drukarnia Watykańska, 1995). Te i inne mity antykatolickie obala m.in. Rodney Stark, *Nie mów fałszywego świadectwa. Odkłamywanie wieków antykatolickiej narracji*, (Warszawa: PIW, 2018). Por. też: O. Maciej Zięba, „Antychrześcijański fałsz Zachodu", *Rzeczpospolita Plus Minus*, 21–22 X 2017 r.

[47] Andrzej Nowak, „Strusie w Brukseli", *W Sieci*, 3–9 VII 2017 r.; Piotr Semka, „Eurowyrób historiopodobny", *Do Rzeczy*, 13–19 XI 2017 r., ss. 56–58.

[48] Andrzej Nowak „Dom Historii Europejskiej pod wezwaniem Karola Marksa", *Wpis* 7–8 (81–82) 2017, ss. 18–25.

W sowieckim „Archipelagu Gułag" więziono miliony ludzi, a liczba jego ofiar jest porównywalna ze stratami wojennymi ZSRR. Na zdjęciu więźniowie w jednym z obozów.

że wraz z powstaniem uniwersytetów, od XVII wieku myśl i literatura wyzwoliła się spod kontroli Kościoła. Czyżby autorzy nie wiedzieli, że europejskie uniwersytety powstawały od XIII wieku z inspiracji kościelnej? Wedle *Założeń* podział na chrześcijaństwo wschodnie i zachodnie dokonał się przed 1000 r., a nie wymieniają daty 1054 r., a więc chwili, gdy doszło do ostatecznego rozłamu[49].

Wśród krajów, których kultura został zdominowana przez kulturę szlachecką autorzy wymienili Francję i Polskę, a zapomnieli o Węgrzech. Wspominając wojny Austrii i Węgier z Turcją w XVII wieku nie pamiętali o Rzeczpospolitej Obojga Narodów, jej wojnach z Turcją i jej wkładzie w obronę Wiednia w 1683 r. Bardzo dyskusyjna jest teza o tym, że „zasada narodowości" rozwinęła się w XIX wieku. Na temat wcześniejszych etapów powstawania narodów europejskich istnieje wiele teorii i nie można ich pominąć milczeniem. Kraje Europy Wschodniej zajęły w projekcie drugorzędne miejsce. Dobitnym tego przykładem jest akcent na to, że powstanie nowych państw w tym rejonie po I wojnie światowej wywołało problemy z mniejszościami narodowymi. Najwyraźniej nie chcieli pamiętać, że w wieku XIX Austro-Węgry, Prusy i Niemcy, Rosja i Turcja, a nawet Wielka Brytania, były państwami wieloetnicznymi i że ich struktury były rozsadzane przez ruchy narodowo-wyzwoleńcze Irlandczyków, Finów, Greków, Polaków,

---

[49] Wydruk *Założeń* w posiadaniu autora.

Czechów, Słowaków, Serbów, Chorwatów i Słoweńców, Litwinów, Łotyszy i Estończyków, a więc narodów obecnie zasiadających w Unii Europejskiej.

W *Założeniach* wyróżniono szczególnie datę 1917 r. jako początek ery bolszewickiej. Nie znajdziemy tam jednak wzmianki o bolszewickich mordach podczas wojny domowej i o masowym terrorze stalinowskim, na przykład o Gułagu lub sztucznym głodzie na Ukrainie. Nie można opowiedzieć historii Europy I połowy XX wieku bez wzmianki o ofensywie Armii Czerwonej na zachód, która rozpoczęła się w listopadzie 1918 r. i doprowadziła do wojny z Polską. Politykę *appeasementu* lat trzydziestych XX wieku przypisali eksperci unijni Wielkiej Brytanii, zapominając o Francji, gdzie głoszono słynną wątpliwość, czy warto umierać za Gdańsk. W tym miejscu autorzy odnotowują (i słusznie) „czwarty rozbiór Polski" przez Niemcy i ZSRR w 1939 r. Problem w tym, że nie wspominają o trzech pierwszych rozbiorach, więc widz nie zrozumie, o co chodzi. Brak jakiejkolwiek wzmianki o polskim wkładzie w sprawę aliancką oznacza, że Polacy nie brali po 1939 roku w II wojnie światowej. Jeśli Polska nie jest wymieniana jako członek koalicji antyhitlerowskiej i to taki, którego żołnierze stanowili czwartą, ewentualnie piątą siłę po stronie aliantów, to łatwiej będzie dowodzić, że Polacy sami sobie zawinili ponosząc klęskę sowietyzacji, a na dodatek przeprowadzając wypędzenia Niemców. I tak dalej i dalej. Uwag tego rodzaju można by wymieniać setki.

Niestety, od powstania *Założeń* minęły lata i mimo wielu uwag krytycznych, zgłaszanych między innymi przez piszącego te słowa w Radzie Nadzorczej tego muzeum, obraz historii Europy przedstawiony w ostatecznej wersji ekspozycji stałej niewiele się zmienił.

„WZOROWY" PODRĘCZNIK

Jedna z przyczyn marnej i zniekształconej wiedzy historycznej Europejczyków tkwi w szkole. W programach szkół średnich większości krajów europejskich historia występuje marginalnie, a jej minima programowe obejmują głównie historię własnego kraju. Cały wykład oparty jest jednak na lewicowym lub libertariańskim poglądzie na świat, wymuszanym w podobny sposób jako jedynie słuszny. Przykładem niech będzie francusko-niemiecki podręcznik licealny do historii, który stawiany był za wzór wspólnie opracowanego wykładu historii dla młodzieży obu państw, mającego na celu utrwalenie pojednania między nimi[50]. Warto się więc przyjrzeć bliżej, jakiej historii chcą uczyć władze francuskie i niemieckie. Podręcznik ten pokazuje bowiem, jaka narracja historyczna dominuje w Europie początku XXI wieku. Jest to narracja całkowicie fałszywa.

Ambicją autorów było opisanie historii Europy i świata od Kongresu Wiedeńskiego (1815 r.) do czasów nam współczesnych. Na końcu obu tomów umieszczono krótkie sylwetki kluczowych postaci w omawianych okresach. Dobór tych postaci, w większości Francuzów i Niemców, świadczy o ideowym i geograficznym

---

[50] *Histoire/Geschichte. Europa und die Welt vom Wiener Kongress bis 1945*, t.I, oraz *Histoire/ Geschichte. Europa und die Welt seit 1945*, t. II, (Nathan i Klett, 2008), t. I, 387 s., t. II, 336 s.

nachyleniu podręcznika. Na przykład w tomie I nie znajdziemy Abrahama Lincolna, Franciszka Józefa i królowej Wiktorii, a dowiemy się sporo o niemieckich i francuskich socjalistach oraz radykałach. Wątpliwy jest podział materiału między tekstem podstawowym i materiałami uzupełniającymi. Autorzy przyjęli proporcje pół na pół, co powoduje, że informacji jest za mało, a materiału do rozmaitych rozważań – za dużo. W rezultacie uczeń jest prowokowany do formułowania opinii bez otrzymania dostatecznej wiedzy.

Przemilczenia i przeinaczenia historii są w podręczniku tak liczne, że wymienienie wszystkich zajęło by tu zbyt wiele miejsca. Przytoczmy więc najważniejsze przykłady. Omawiając w pierwszym tomie Wiosnę Ludów, autorzy nie wspominają o powstaniu węgierskim. W chronologii wydarzeń lat 1850–1871 brakuje Wojny Krymskiej i reform uwłaszczeniowych w Rosji, a także powstania Austro-Węgier (1867), nie mówiąc już o polskim Powstaniu Styczniowym. Z podręcznika uczeń nie dowie się w ogóle o kulturze rosyjskiej XIX wieku, o problemach amerykańskich stanów południowych i północnych, Wojnie Secesyjnej i zniesieniu niewolnictwa w USA. W opisie rozwoju demokracji brakuje rozdziału o demokracji liberalnej w Wielkiej Brytanii. Uczeń korzystający z podręcznika nie dowie się o czartystach, brytyjskim systemie partyjnym, nie pozna Benjamina Disraeli ani historii brytyjskich związków zawodowych.

Francuska III Republika jest przedstawiona jako triumf postępu nad reakcją i nacjonalizmem, znajdującymi oparcie w Kościele i armii. Autorzy nie ukrywają niechętnego nastawienia do Kościoła katolickiego. Podobnie jest w przypadku niemieckiego *Kulturkampfu*. Wykład o tworzeniu się nowoczesnych narodów i nacjonalizmie został wpleciony w historię Niemiec końca XIX wieku, a nie przedstawiony odrębnie ze wskazaniem na uniwersalność tego fenomenu. Ułatwiło to autorom jedynie krytyczne ujęcie tych zjawisk. W interpretacji proponowanej przez autorów nie ma żadnej możliwości oddzielenia patriotyzmu od nacjonalizmu.

Przy omówieniu rewolucji przemysłowej w Anglii autorzy nie potrafią wyjaśnić, skąd się ta rewolucja wzięła. Kiedy w końcu pojawiają się Stany Zjednoczone, jako kraj „przodujący" w uprzemysłowieniu na początku XX wieku, zaraz uczeń dowiaduje się o „wielkim kryzysie" lat 1929–1933 w USA. Mowa jest tam też o „wielkim kryzysie", tyle że w Niemczech lat siedemdziesiątych XIX wieku. Cały ten fragment zawiera opis tak różnych zjawisk, jak kryzys niemiecki, inflacja i hiperinflacja po I wojnie światowej, która przecież jeszcze w książce nie wybuchła. Jeśli autorzy nie potrafili tego uporządkować, to uczeń z całą pewnością to wszystko pomiesza. Jeszcze nie omówiono I wojny światowej i okresu międzywojennego, a już dowiadujemy się o ówczesnym rozwoju społecznym. Ponownie pojawiają się tu Stany Zjednoczone, ale tylko jako przykład masowej imigracji, a także Rosja z półzdaniową wzmianką o uwłaszczeniu chłopów. Czy wystarcza to, aby wyjaśnić kryzys po Wojnie Krymskiej i głębokie zmiany, jakie zaszły w tym państwie w drugiej połowie XIX wieku? Autorzy wzmiankują też USA i Japonię jako wschodzące mocarstwa pozaeuropejskie. O ile jednak przy Japonii wspomniane są reformy epoki Meidżi, przy USA mowa jest jedynie o ekspansji terytorialnej, doktrynie Monroe i imperializmie ekonomicznym. Choć ta część książki dotyczy lat 1860–1939, ponownie zabrakło tu omówienia Wojny Secesyjnej i zniesienia niewolnictwa. Autorzy najwyraźniej pragną zmarginalizować wiedzę swych młodych obywateli o Stanach Zjednoczonych. Fragment dotyczący religii w XIX wieku razi jednostronnością: autorzy nie zauważają wojowniczego ateizmu. Mówiąc o rozwoju życia zakonnego tuszują pogrom klasztorów we Francji. Uszczypliwie zaznaczają krytyczny stosunek Kościoła katolickiego do zmian społecznych wywołanych przez kapitalizm. Czyżby kościelna krytyka nadużyć kapitalizmu w encyklice *Rerum Novarum*, o której wspominają, nie była słuszna? Z tekstu wynika też niedwuznacznie, że proces sekularyzacji jest nieuchronny i nieodwracalny, nie zauważając przykładów wskazujących na inne scenariusze.

Na podstawie wykładu autorów należy wątpić, czy uczeń zrozumie o co chodziło w wojnach bałkańskich. Mówi się o „wojnie bałkańskiej" i „dwóch wojnach bałkańskich", ale umieszczone tu mapy nie tłumaczą, kto z kim walczył i dlaczego. A przecież „kocioł bałkański" wybuchł pierwszy, dając początek I wojnie światowej. W chronologii lat 1914–1918 dominują wydarzenia z frontu zachodniego. Na przykład na mapie ze strony 191 nie odnajdziemy koncepcji Mitteleuropy z traktatu brzeskiego, a także śladu rewolucji w Wiedniu i Budapeszcie jesienią 1918 r. Zdumiewa przeoczenie wejścia USA do wojny w kwietniu 1917 r.

W rozdziale dwunastym mamy istotne przekłamanie. Wojna „polsko-rosyjska" nie zaczęła się w kwietniu 1920, tylko w listopadzie 1918 r., gdy po wypowiedzeniu przez bolszewików traktatu brzeskiego Armia Czerwona ruszyła na zachód, by rozprzestrzeniać rewolucję w Europie. Pierwsze starcia między Armią Czerwoną i wojskami polskimi miały miejsce już w grudniu 1918 r. Przekłamanie to jest o tyle zasadnicze, że zmienia sens wojny. Jeśli bowiem przyjąć, że wojnę rozpoczęto w kwietniu 1920 r. w wyniku ofensywy polskiej na Ukrainie, to wygląda na to, że wojnę rozpoczęła Polska. Tymczasem było na odwrót. Dodatkowo myli błąd, prawdopodobnie korektorski, gdy mówi się o tym, że wojna polsko--bolszewicka „wybuchła" w kwietniu 1919 r. Co więcej, dowodzi się, że traktat ryski przyznał Polsce tereny zamieszkane przez Ukraińców i Białorusinów. Otóż na całym obszarze Kresów Wschodnich Polacy stanowili około 40% ludności, a w miastach dominowali Żydzi. Tekst sugeruje zaś, że obszary te zamieszkiwała ludność etnicznie jednolita.

W skrótowej chronologii na str. 234 pomija się milczeniem układy z Rapallo (1922), Locarno (1925) i Berlina (1926) oraz układ Brianda-Kellogga (1927). Skandalicznie ujęto kwestię odwrotu od demokracji w Europie. Mapka na str. 237 zrównuje systemy polityczne Hiszpanii, Portugalii, III Rzeszy, Polski, Węgier czy państw bałtyckich, zaś ilustracje sugerują, że typowym przykładem gwałtu na demokracji w międzywojennej Europie był zamach majowy w Polsce i Józef Piłsudski. Zabrakło rozróżnienia systemów autorytarnych i totalitarnych. Z uogólniającego podsumowania „faszyzmu" uczeń wyniesie wrażenie że między ideologią i praktyką nazistów niemieckich, faszystów włoskich i przedstawicieli autorytaryzmów europejskich nie było różnicy. W rozdziale o komunizmie sowieckim nie mówi się wcale o wojującym ateizmie oraz prześladowaniach księży i wierzących.

Obraz Jerzego Kossaka „Cud nad Wisłą 15 sierpnia 1920 roku" ukazujący bitwę warszawską. Polskie zwycięstwo odniesione pod Warszawą uratowało Europę przed bolszewizmem.

W rozdziale przedstawiającym II wojnę światową pominięto fiasko „wschodniego Locarno" oraz rozmów brytyjsko-francusko-sowieckich z lata 1939 r., które mogły zapobiec wybuchowi wojny, gdyby Stalin nie wybrał Hitlera jako sojusznika przeciw Zachodowi. Ponadto autorzy nie zauważyli, że pakt niemiecko-sowiecki z 23 VIII 1939 r. był w istocie sojuszem, skoro, jak zaznaczono na mapie na str. 301, doprowadził on do podziału Polski. Bez tego stwierdzenia uczeń nie zrozumie, co się stało. Na str. 302, gdzie mówi się o niemieckiej inwazji Polski w dniu 1 IX 1939 r., trzeba by wspomnieć o sowieckiej inwazji na Polskę z 17 IX 1939 r. i Finlandię (jesień 1939-wiosna 1940) oraz zaborze państw bałtyckich i Besarabii latem 1940 r. Pominięcie tych wydarzeń w tym miejscu zaciera fundamentalny fakt, że w latach 1939–1941 istniał sojusz niemiecko-sowiecki, a po drugiej stronie – nieefektywny sojusz angielsko-francusko-polski.

Na str. 306 mówi się o „wejściu ZSRR i USA do wojny" w 1941 r. Co do USA to zgoda, natomiast ZSRR wszedł do wojny po stronie Niemiec w 1939 r. Jeśli się przemilcza wspomniane fakty, a więc inwazję Polski i państw bałtyckich, to skąd ma uczeń się dowiedzieć o wyczynach Armii Czerwonej we współpracy z Niemcami w 1939 i 1940 r.? Autorzy twierdzą, że Polska skapitulowała w 1939 r. po „niewielu tygodniach", podczas gdy Francja walczyła od 10 maja do 22 czerwca 1940 r. Jest to manipulacja słowna, bowiem kapitulacja Polski nastąpiła zaledwie tydzień wcześniej niż francuska. Z pola widzenia ginie w ogóle sowiecki terror z czasów II wojny światowej, na przykład zbrodnia katyńska. Autorzy zapewniają też, że w Jałcie nie dokonano podziału świata na sfery wpływu. Skąd więc się ten podział wziął?

W chronologii „Europy pod panowaniem niemieckim", zabrakło wzmianki o sformułowaniu Generalplan Ost. „Dossier" ze stron 324–325 mówi o „wojnie na wyniszczenie przeciw komunistom", a więc uwagę swoją skupiają autorzy na komunistach jako celu Niemiec hitlerowskich, pomijając cierpienia i straty ludzkie wśród narodów, które dążyły do wyzwolenia spod nazizmu i komunizmu. W podsumowaniu dotyczącym losów idei europejskiej mówi się o „nazistach", nie podając ich narodowości, a zamieszczona obok karykatura ukazuje „doprowadzenie" Francji siłą do „rodziny europejskiej" pod egidą swastyki. W rodzinie tej widzimy Włochy, Hiszpanię, Bułgarię, Finlandię, Rumunię i Węgry. Posłużono się więc hitlerowską karykaturą, by wzmocnić fałszywe wrażenie, że nazizm nie był tylko fenomenem niemieckim.

Część pierwsza tomu drugiego dotyczy okresu bezpośrednio powojennego. W tekstach źródłowych na str. 17 znajdujemy cytaty z przemówień prezydenta Trumana i ministra Mołotowa na temat odpowiedzialności aliantów za świat powojenny. Mowę Mołotowa, który mówi o tym, jak ZSRR uratował Europę od „faszystowskiej rzezi", pozostawiono bez komentarza. A przecież to ZSRR wspomógł Hitlera w 1939 r. i był współsprawcą wojennego kataklizmu. Sam Mołotow podpisał przecież pakt z 23 VIII 1939 r. To jest fałszowanie historii.

Omówienie sytuacji w powojennej Francji zawiera informację o roli Francuskiej Partii Komunistycznej w ruchu oporu, ale bez wspomnienia, że pozwoliło to tej partii uniknąć odpowiedzialności za popieranie paktu Ribbentrop-Mołotow i paraliżowanie oporu Francuzów w 1940 r. Przy okazji omawiania pamięci o II wojnie światowej autorzy powołują się na film Claude Lanzmanna *Shoah*, zawierający wątki antypolskie. Skandaliczne jest reklamowanie komiksu *Maus*, w którym przedstawiono Żydów jako myszy, Niemców jako koty, ale, o czym autorzy nie wspominają, a co mogą zobaczyć czytelnicy tego komiksu, Polacy występują jako świnie. Rozdział trzeci tej części książki dotyczy początków Zimnej Wojny. W podrozdziale o podziale Niemiec nie zauważono wpływu USA, Wielkiej Brytanii i Francji na utworzenie systemu demokratycznego w Niemczech Zachodnich. W podsumowaniu części pierwszej pominięto zaś Powszechną Deklarację Praw Człowieka ONZ z 1948 r.

Część druga tomu drugiego dotyczy Europy w czasach Zimnej Wojny. W podrozdziale o „nowych napięciach" międzynarodowych (1975–1985) wspomniano papieża Jana Pawła II, ale tylko w kontekście jego prób „przywrócenia wpływów Kościoła w świecie". Brak wpływu papieża Polaka na sytuację w krajach komunistycznych, w tym głównie na Polskę. Nie ma nic o II Soborze Watykańskim. Autorzy mają problem z obiektywnym przedstawianiem Kościoła katolickiego. Zupełnie zmarginalizowali rolę „Solidarności", wspominając jedynie o jej finansowaniu przez USA. W kalendarium rozdziału szóstego nie znajdziemy wyboru papieża Jana Pawła II, powstania „Solidarności" ani wprowadzenia stanu wojennego w PRL. Jest powstanie na Węgrzech i Praska Wiosna, a także „powstanie w Polsce 1970 r.", ale „Solidarności" nie ma. W akapicie na temat oporu przeciw modelowi sowieckiemu uczeń ponownie dowie się o powstaniu berlińskim 1953 r., węgierskim 1956 r. i Praskiej Wiośnie 1968 r., ale nie dowie się niczego o „Solidarności". Nie ma jej także w sumującej ten rozdział chronologii. W opisie różnic między systemami w Europie podzielonej przez Żelazną Kurtynę („socjalizm a kapitalizm, dyktatura partyjna a pluralistyczna demokracja, gospodarka planowa a wolny rynek") autorzy pozostają na poziomie werbalnych schematów, akcentując propagandę wizualną, przez co uczeń odbierze owe różnice bardziej jako grę słów niż jako coś realnie istniejącego.

Omawiając proces integracji europejskiej w latach 1945–1989 autorzy w ogóle nie wspominają, że bezpieczeństwo jednoczącej się Europy zależało przez cały ten okres od amerykańskiego parasola atomowego. Ilustracje ze str. 116 oraz 119 dodatkowo sugerują, że zjednoczona Europa radziła sobie sama ze swym bezpieczeństwem. To fałszowanie historii. Mapa na str. 114 ilustruje rzekomo dziedzictwo kulturalne Europy. Naniesiono na niej zabytki gotyckie i najważniejsze pomniki kultury muzułmańskiej. Wynika z tego, że obszar Bałkanów łącznie z Węgrami był zdominowany przez islam, podobnie jak południowa Hiszpania. Z mapy tej uczeń nie dowie się o zabytkach starożytnej Grecji, romańskich Włoch (bazyliki rzymskie), chrześcijaństwa wschodniego na obszarze Ukrainy, Bałkanów i Azji Mniejszej ani o baroku w Rzeczpospolitej Obojga Narodów. Wedle mapy centrum kultury europejskiej to Wersal. Czy na takiej ignorancji mamy budować wspólnotę narodów Europy? W części ujmującej „zakończenie konfliktu Wschód-Zachód" nie ma prawie nic o transformacji ustrojowej w państwach byłego bloku sowieckiego. Dlatego też uczeń czytający tekst przemówienia premiera Mazowieckiego o Polsce jako części Europy oraz oglądający karykaturę na tej samej stronie, ukazującej wór problemów, jakie przywiozły kraje Europy Wschodniej przed drzwi Europy, musi dojść do przekonania, że „stara Europa" wyświadczyła „nowej Europie" wielką łaskę, przyjmując na siebie ciężar jej członkostwa w Unii Europejskiej[51].

Autorzy wskazali na udział Unii Europejskiej w gospodarce światowej i zbrojeniach. Nigdzie nie ukazano jednak słabości Unii, a więc kryzysu demograficznego, malejącej konkurencyjności i braku solidarności. W rozdziale dziesiątym ukazano wiele dramatycznych problemów nękających współczesny świat (np. terroryzm islamski, głód czy wojny w Trzecim Świecie). Nie spróbowano jednak wskazać uczniom głębszych przyczyn tych problemów, takich jak kryzys wartości, egoizm i pazerność, nieograniczone ambicje konsumpcyjne czy fanatyzm. Uczeń pozostaje więc przytłoczony świadomością zła w świecie oraz europejską iluzją, iż metodą rozwiązywania tych problemów jest tworzenie właściwych instytucji a nie zmiana postaw. W rozdziale poświęconym problemom społecznym zmiany obyczajowe przedstawione są na ogół z odcieniem uznania. Przykładem może być zdjęcie z demonstracji antykościelnej w kwestii pigułki antykoncepcyjnej. Przemilczano

---

[51] Por. szerzej: Wojciech Roszkowski, „Opinia o francusko-niemieckim podręczniku licealnym do historii", *Międzynarodowy Przegląd Polityczny*, 2009, t. 24, ss. 45–62.

destrukcyjny wpływ aborcji nie tylko w sferze moralnej, ale nawet w płaszczyźnie demograficznej. W pozytywnym świetle przedstawiono kwestię „wyzwolenia seksualnego" i „pluralizacji form życia rodzinnego". Obecność religii w życiu społecznym skomentowano w sposób typowy dla ducha „neutralności światopoglądowej", tak jakby religia była tylko sprawą prywatnych przyzwyczajeń kulturowych, a nie źródłem żywej motywacji moralnej.

Wiedza wyniesiona z podręcznika ukształtuje u uczniów mylne przekonanie, że przezwyciężenie nacjonalizmów francuskiego i niemieckiego pozwoliło rozwiązać główne problemy europejskie, że dwa te państwa powołane są do kierowania Unią Europejską i europejską pamięcią historyczną. Uczeń tak wykształcony będzie bezradny nie tylko w Unii, ale także w otaczającym ją świecie, a nie poznając innych krajów europejskich, może tworzyć napięcia w stosunkach z nimi.

Podobne problemy będą mieć uczniowie brytyjscy, skoro rząd laburzystowski usunął w 2007 roku z program szkolnego analizę fragmentów Biblii, a z postaci XX wieku – Winstona Churchilla (!) [52].

PAMIĘĆ NIEMCÓW

Pojednanie francusko-niemieckie, które legło u podstaw integracji europejskiej po II wojnie światowej, nie może przesłonić faktu, że zarówno Niemcy, jak i Francuzi skutecznie preparują własną pamięć w oderwaniu od rzeczywistości. W przypadku Niemiec, które przyczyniły się głównie do dwóch wojen światowych i bezprzykładnych masowych zbrodni, jest to szczególnie niepokojące. W opinii wielu Niemców dokonali oni po wojnie bezprecedensowej ekspiacji za zbrodnie z przeszłości, wyróżniając się wśród narodów, które dokonały rozliczenia z historią w stopniu niedoskonałym. W teorii tej słyszy się echa tradycyjnego przekonania o wyjątkowości Niemców zarówno w niegodziwościach, jak i w wielkości[53]. Pamięć Niemców jest jednak wyjątkowo selektywna.

Choć w dzisiejszych Niemczech znaleźć można wiele sympatii do ludów Trzeciego Świata, niechętnie wspomina się tu ludobójstwo, jakiego dopuściły się jeszcze władze cesarskie przed I wojną światową na ludach Herero i Namaqua w Afryce Południowo-Zachodniej. Ta kolonia znalazła się w rękach niemieckich w 1883 roku. Kiedy koloniści ogłosili plan budowy kolei na terenach Herero, doszło do rewolty pod wodzą Samuela Maharero, w wyniku której zabito około 150 Niemców. Berlin wysłał korpus ekspedycyjny pod wodzą gen. Lothara von Trothy, liczący 14 tysięcy żołnierzy, którzy nie tylko zdławili powstanie Herero, ale wyrżnęli około 5 tysięcy jeńców, a resztę tego plemienia wygnali na pustynię, gdzie tysiące jego członków – mężczyźni, kobiety i dzieci – poumierały

[52] „Winston Churchill usunięty z programu brytyjskich szkół", *Rzeczpospolita*, 16 VII 2007 r.
[53] Zdzisław Krasnodębski, „Nieudana próba wypędzenia z Warszawy", *Rzeczpospolita Plus Minus*, 11–12 VIII 2007 r.; Krzysztof Masłoń, „Kto nie chce być wypędzon, sam wypędzać musi", *Rzeczpospolita Plus Minus*, 25–26 VIII 2007 r.; Klaus Bachmann, *Długi cień Trzeciej Rzeszy*, (Wrocław: Oficyna Wydawnicza Atut i Wrocławskie Towarzystwo Oświatowe, 2005), ss.11–22.

z głodu. Gen. Trotha ogłosił, że lud Herero powinien zostać poddany anihilacji lub wygnany z kraju. Tubylcy, którzy przeżyli, zostali zgromadzeni w obozach koncentracyjnych, gdzie głodzono ich i poddawano barbarzyńskim eksperymentom medycznym. Badania na czaszkach zmarłych Herero, preparowanych przez więźniów, prowadził słynny później rasistowski antropolog Eugen Fischer. Ogółem ocenia się, że Niemcy wymordowali około 65 tysięcy spośród 100 tysięcy Herero i Namaqua[54].

Szczególnym problemem dla współczesnych Niemców jest III Rzesza i hitlerowskie uwiedzenie większości Niemców w tamtej epoce, tym bardziej że po wojnie nie zawarto traktatu pokojowego, a rozliczenia szkód wywołanych przez III Rzeszę są przedmiotem skomplikowanych spekulacji. Sprawa nie byłaby może tak dramatyczna, gdyby nie rozpętanie w 1939 roku przez Niemcy nazistowskie na spółkę ze stalinowskim ZSRR straszliwej wojny i niezliczone zbrodnie popełnione wówczas przez Niemców na ludności cywilnej. Według szacunków Iana Kershaw w Holocauście zginęło 3 mln Żydów z Polski, 700 tys. z ZSRR, 270 tys. z Rumunii, 260 tys. z Czechosłowacji, 180 tys. z Węgier, 130 tys. z Litwy, 120 tys. z Niemiec, 100 tys. z Holandii, 75 tys. z Francji, 70 tys. z Łotwy 50 tys. z Austrii, łącznie zaś – 5,1 mln osób[55]. Ze względów politycznych Niemcy dokonali rzeczywiście solidnego rozliczenia zbrodni wobec Żydów i Rosjan, ale nie pamiętają śmierci około 3 mln nieżydowskich obywateli Polski[56] oraz milionów obywateli Jugosławii, Grecji, państw bałtyckich, Czechosłowacji, Rumunii, Bułgarii czy Węgier albo okupowanych, albo wciągniętych do wojny po stronie Niemiec.

Powojenna pamięć Niemców zmieniała się powoli. W 1945 roku kraj był zdewastowany przed działania wojenne, zdziesiątkowany przez straty ludzkie i podzielony między wielkie mocarstwa, a powszechne było poczucie klęski. Parę milionów Niemców uciekło ze wschodu lub zostało wysiedlonych z terenu Polski czy Czechosłowacji. Setki tysięcy kobiet było wdowami, a bardzo wiele z nich zostało zgwałconych przez krasnoarmiejców[57]. W pierwszych latach po wojnie społeczeństwo niemieckie było zbyt zszokowane klęską oraz pochłonięte odbudową, żeby racjonalnie oceniać niedawną przeszłość, a zbrodniarze hitlerowscy wtopili się w to społeczeństwo dość łatwo, jak pokazuje przykład Heinricha Reinefarta, winnego między innymi rzezi warszawskiej Woli i Ochoty, który w 1951 roku został wybrany burmistrzem miasteczka Westerland na wyspie Sylt. Władze RFN

---

[54] Tomasz Łysiak, „Niemieckie ludobójstwo w Afryce", *Gazeta Polska,* 29 XI 2017 r., ss. 76–78. Nazwiska von Trothy nie znajdzie się na przykład w obszernym studium Christiana Grafa von Krockowa, *Niemcy. Ostatnie sto lat,* (Warszawa: Volumen, 1997).

[55] Rozmowa Agathe Logeart z Ianem Kershaw, *Le Nouvel Observateur,* 13 I 2005 r., za: *Forum,* 24–30 I 2005 r., ss. 50–53.

[56] „Gdyby II wojna światowa nie skończyła się w maju 1945 r. totalną kapitulacją Niemiec, kto wie, czy Polaków nie czekałby podobny los do losu Żydów" stwierdził nie kto inny jak Szewach Weiss, „Dlaczego od Polaków wymaga się więcej", *Do Rzeczy,* 6–12 III 2017 r.

[57] Por. np.: Norbert Frei, *Polityka wobec przeszłości. Początki Republiki Federalnej i przeszłość nazistowska,* (Warszawa: Trio, 1999); Anonyma, *Kobieta w Berlinie. Zapiski z 1945 roku,* (Warszawa: Świat Książki, 2009).

konsekwentnie odmawiały wydania go władzom PRL[58]. Niemiecki historyk Götz Aly przyznawał, że do połowy II wojny światowej Niemcy masowo popierali Hitlera, gdyż korzystali z jego podbojów oraz że na Holocauście skorzystali wszyscy Niemcy, ponieważ towarzyszyła mu gigantyczna grabież. Prawdę tę zacierano jednak po wojnie zarówno w RFN, jak i w NRD[59]. Winę za poparcie Hitlera zastępowano stopniowo winą „nazistów".

Niemieckie kłopoty z pamięcią mają więc korzenie w niepełnej denazyfikacji oraz w komunistycznym wychowaniu w dawnej NRD. W sprawie stosunku do przeszłości było i wśród władz wiele hipokryzji. Rządy kanclerzy Adenauera, Erharda i Kissingera unikały tych rozliczeń, gdyż musiały budować nową demokrację z kadr takich, jakie odziedziczyli. Przełom zapoczątkował kanclerz Brandt w odniesieniu do Żydów, ale już Helmut Schmidt i Helmut Kohl zajęli postawę bardziej dwuznacznie bierną[60]. Dopiero drugie pokolenie powojenne częściej pytało o przeszłość swych rodziców i dziadków. Napięcia zimnowojenne wypaczyły jednak sens tego rozliczenia. Wizja historii Niemców z NRD (*Ossis*) była w dużej mierze zbieżna z wizją sowiecką, gdyż oparta była na martyrologii niemieckich komunistów. Trzecie pokolenie, które doświadczyło ponownego zjednoczenia Niemiec, było już gotowe do przyjmowania, że Niemcy są normalnym narodem, a nawet, że mogą sobie pozwalać na tyle, na ile odbudowały swoją potęgę ekonomiczną[61]. Niemcy rozwinęli więc pamięć selektywną. Zbrodnie wojenne przypisywano już „nazistom", a nawet na wystawie „Zbrodnie Wehrmachtu" pokazywano w 2004 roku jedynie te popełnione po 1941 roku tak jakby niemiecka inwazja na Polskę nigdy nie miała miejsca[62]. Podczas gdy w każdym podręczniku umieszcza się zdjęcie kanclerza Willy Brandta klęczącego pod pomnikiem ofiar warszawskiego getta, tysiące niemieckich zbrodniarzy wojennych zmarło nigdy nie odpowiadając za swoje czyny, a do winy wobec Polaków mało kto się w Niemczech przyznaje[63].

Co więcej, podstawę do zmiany znaków w niemieckiej pamięci stanowiła już „ustawa o wypędzonych i uciekinierach", uchwalona w RFN w 1953 roku. Wedle tej ustawy za wypędzonego uważano każdego Niemca, która znalazł się na terenach należących do Rzeszy Niemieckiej lub Monarchii Habsburskiej przed 1914 rokiem, a pod koniec II wojny światowej te tereny opuścił. Status wypędzonego jest dziedziczny. Polsko-niemiecki spór o „wypędzenia" rozgorzał w 2003 r. w związku z planami stworzenia Europejskiego Centrum przeciw Wypędzeniom,

---

[58] Sven Felix Kellerhof, „Henker von Warschau würde Burgemeister auf Sylt", *Welt Digital*, 24 VI 2016, https://www.welt.de/geschichte/zweiter-weltkrieg/article154805234/Henker-von-Warschau-wurde-Buergermeister-auf-Sylt.html (26 I 2018).

[59] „Auschwitz – czyja hańba, czyj wstyd?. Z Götzem Aly rozmawia Robin Alexander", *Die Tageszeitung*, 15 I 2005 r. za: *Forum*, 31 I-6 II 2005 r.; „Byłem w Auschwitz", tamże.

[60] Günter Hofmann, „Kanclerz na polu minowym", *Die Zeit*, 20 I 2005 r., za: *Forum*, 31 I-6 II 2005 r.

[61] Por. np.: Michael Foedrowitz, „Kto to jest Hitler?" *Wprost*, 4 I 2004 r., ss. 72–74.

[62] Tomasz Szarota, „Naród z przeszłością", *Rzeczpospolita*, 4–5 XII 2004 r.

[63] Bogdan Musiał, „Odniemczanie niemieckich zbrodni", *W Sieci*, 27 II-5 III 2017 r.

w którym eksponowano by jednostronnie krzywdy niemieckie. „Wypędzeni" uzyskali prawo do odszkodowań z federalnej kasy i przywileje dotyczące między innymi opieki zdrowotnej, a w okresie negocjacji w sprawie polskiej akcesji do Unii Europejskiej kierownictwo Związku Wypędzonych z otwartą przyłbicą podnosiło już żądania odszkodowań dla nich ze strony Polski[64]. Coraz odważniej pojawiały się też w prasie niemieckiej określenia „polskie obozy koncentracyjne".

Wedle niedawnych badań uniwersytetu w Bielefeld 55% respondentów niemieckich uważało swe rodziny za ofiary nazizmu, 18% twierdziło, że ich rodziny pomagały prześladowanym, a tylko 17% przyznawało, że ma wśród przodków sprawców zbrodni hitlerowskich. W pamięci współczesnych Niemców zjednoczenie kraju wyparło już pamięć o II wojnie światowej[65]. Charakterystyczny dla niemieckiej polityki pamięci na początku XXI wieku był specjalny numer wysokonakładowego tygodnika *Der Spiegel* z okazji sześćdziesięciolecia zakończenia wojny. W obszernym i bogato ilustrowanym zeszycie, pełnym druzgocących ocen Hitlera, jego wielbicieli, a także zbrodni dokonanych przez reżim hitlerowski na Żydach i Rosjanach, nie ma na przykład głębszej refleksji na temat losu około 3 mln polskich obywateli nie będących Żydami, którzy stracili życie w wyniku rozpętanej przez III Rzeszę wojny. O wojnie polsko-niemieckiej z 1939 roku opowiada się też niewiele, a poza tym podano tam, że armia polska liczyła 11 brygad kawalerii i 500 starych czołgów. Czyżby taka armia mogła powstrzymać armie niemieckie przez ponad cztery tygodnie? Nie, gdyż armia polska, choć znacznie słabiej uzbrojona niż niemiecka, liczyła około 50 dywizji. W ocenie tego zwycięstwa niemieckiego cytuje się konkluzję Clausa von Stauffenberga, że Polska to kraj, który „dobrze się czuje wyłącznie pod pręgierzem". Obok pobieżnej informacji o Powstaniu Warszawskim i zagładzie stolicy Polski, mamy artykulik o okropnym losie dzieci podczas Powstania Warszawskiego, stanowiący właściwie oskarżenie, że do walk wciągano niewinne dzieci. Omawiając Jałtę autorzy *Spiegla* skwitowali to, co tam dotknęło Polskę, słowami Churchilla: „Szkoda by było, gdyby polskie gęsi tak bardzo nafaszerowały się niemieckim żarciem, że umarłyby z niestrawności". Ubolewając nad losem niemieckich cywilów wyrzucanych z ziem oddanych Czechosłowacji i Polsce, autorzy *Spiegla* nie wspomnieli o wyrzucaniu Polaków z Wielkopolski i Pomorza przez Niemców podczas wojny, nie mówiąc o masowych egzekucjach i wywłaszczaniu wysiedlonych. Zeszyt specjalny *Spiegla* jest najlepszym przykładem selektywnej pamięci współczesnych Niemców.[66] Dla „mainstreamowych" historyków niemieckich wygodna jest też postmodernistyczna relatywizacja opowieści o przeszłości, którą Klaus Bachmann nazywa „kon-

---

[64] Erika Steinbach, „Apel berliński", *Gazeta Wyborcza*, 19–20 IX 1998 r.; Jerzy Kranz, „Poza granicą debaty", *Rzeczpospolita*, 18 VII 2003 r.; Helga Hirch, „Niemiecki ból", *Rzeczpospolita*, 24 VII 2003 r.; Wojciech Pięciak, „Naród ofiar", *Rzeczpospolita*, 2–3 VIII 2003 r.; Krystyna Grzybowska, „Niemiecka rewizja", *Wprost*, 3 VIII 2003 r.; Jerzy Holzer, „Bez demagogii", *Rzeczpospolita*, 7 VIII 2003 r.; Erika Steinbach, „Prawo Niemców do pamięci", *Rzeczpospolita*, 13 VIII 2003 r.; Piotr Cywiński, „Wypędzeni z Tschenstochau", Wprost, 18 III 2007 r.

[65] Michał Szułdrzyński, „Niemiecka pamięć", *Rzeczpospolita Plus Minus*, 17–18 II 2018 r.

[66] „Hitlers Krieg", *Spiegel Sonderheft*, 2005, nr 2.

struktywizmem"[67]. Trudno jednak zatrzeć złowrogie kontury własnej przeszłości wrażeniem, że każdy może mieć własną prawdę. Niemiecki historyk i politolog Arnulf Bahring ostrzegał nie tak dawno: „Kiedy Niemcy poczują się ofiarami II wojny światowej, niech ich sąsiedzi mają się na baczności"[68]. Coś w tym jest, zważywszy, że wedle prasy niemieckiej co trzeci Niemiec ma problemy psychiczne[69]. Być może to efekt stłumionych wyrzutów sumienia. Jak bowiem można dziś wyprzeć ze świadomości fakt niesłychanych zbrodni dokonanych przez dziadków i ustawianie się w roli ofiar?

PAMIĘĆ FRANCUZÓW

Większość państw europejskich, które mają w swej historii prawdziwie ciemne karty, skrzętnie je ukrywa, chętnie wyolbrzymiając prawdziwe czy rzekome przewiny innych. Szczególnym przykładem jest tu Francja. Świadomość historyczna współczesnych Francuzów zbudowana jest na półprawdach, kłamstwach i nacjonalistycznej fanfaronadzie. Kamieniem węgielnym tej pamięci jest stosunek do rewolucji z końca XVIII wieku. „Trupem w szafie" Francuzów jest rewolucyjne ludobójstwo w Wandei, o którym mówi się i pisze we Francji wyjątkowo niechętnie, które się przemilcza i przesłania prawdziwymi lub rzekomymi zdobyczami rewolucji. Usunęła ona wprawdzie skorumpowaną warstwę arystokratyczną i otworzyła społeczeństwo francuskie, ale za cenę masowych zbrodni, zniewolenia Kościoła i podmycia fundamentalnych zasad sprawiedliwości. Względne dobro rewolucji stało się celem uświęcającym najpotworniejsze środki, a następnie uświęcającym zakłamanie i materialistyczny relatywizm. Założycielski mit kolejnych francuskich republik wymagał usunięcia z pamięci Wandei, mordu na Ludwiku XVI i jego żonie, barbarzyńskiego zamęczenia na śmierć ich nieletniego syna, Ludwika XVII, a także usprawiedliwienia rewolucyjnego terroru, którego symbolem był nowy wynalazek – gilotyna[70]. Symbolem tego zapomnienia jest radosny hymn Republiki Francuskiej – rewolucyjna *Marsylianka*.

Mimo, że w XIX wieku Francja przeżyła krótkotrwałą restaurację monarchii i dwa cesarstwa, zniszczenia rewolucji pozostały na trwale częścią francuskiej rzeczywistości. Nie odbudowano na przykład całkowicie Kaplicy Świętej, ufundowanej przez Ludwika IX w XIII wieku, w której przechowywano relikwię korony cierniowej i szczątki królów. Zburzona w czasie rewolucji, jest ona dziś obiektem świeckim w zarządzie Ministerstwa Sprawiedliwości. Nie odbudowano słynnego opactwa Cluny i setek innych ważnych obiektów sakralnych, a pozostałe pustoszeją dziś z powodu braku wiernych. Odradzający się Kościół francuski został ponownie ugodzony ustawą o wrogim rozdziale Kościoła od państwa z 1905 roku.

---

[67] Bachmann, *Długi cień Trzeciej Rzeszy,* ss. 22–24.

[68] Tomasz Krzyżak, Paweł Rusak, „Wypędzeni z pamięci", *Wprost,* 13 III 2005 r., ss. 54–57.

[69] „Jeder dritte Deutsche ist psychisch krank", *Die Zeit,* 14 IV 2005 r.

[70] Reguły tej nie zmieniają nieliczne demaskatorskie książki w rodzaju Reynald Secher, *Ludobójstwo francusko-francuskie,* (Warszawa: Iskry, 2003) czy Renaud Escande (red.), *Czarna ksiega rewolucji francuskiej,* (Wydawnictwo Dębogóra, 2015).

Co więcej, Francuzi są dziś dumni z tej regulacji, a nawet Francuzi wierzący nie wyobrażają sobie innej. Tysiące wspaniałych misjonarzy francuskich niosło wiarę w świat, ale nie potrafiło uratować Kościoła w ojczyźnie. Mimo żywej wiary niewielkich grup wiernych jest on dziś w stanie szczątkowym.

Francuską tożsamość odkształciło pyrrusowe zwycięstwo nad Niemcami w I wojnie światowej, które kosztowało Francję hekatombę ofiar i powojenny pacyfizm, stanowiący wygodną przykrywkę zwykłego tchórzostwa. Lewica francuska sparaliżowała w 1940 roku opór Francuzów do tego stopnia, że nie tylko nie chcieli „umierać za Gdańsk", ale także nie bardzo walczyli o Paryż. Kapitulacja potężnej Francji po pięciu tygodniach walk z Niemcami nie była lepszym „osiągnięciem" niż kapitulacja mniejszej i biedniejszej Polski po czterech tygodniach. Upokorzenie okupacji niemieckiej i kolaboracja rządu Vichy nie mąci zbytnio dobrego samopoczucia Francuzów. Pamiętają oni dzielny, choć marginalny ruch oporu, a nie wydawanie przez ten rząd na śmierć Żydów[71].

Historiografia francuska wyolbrzymia rolę Wolnych Francuzów generała Charles'a de Gaulle'a, którzy mogli wrócić po wojnie i objąć rządy jedynie dzięki decydującej roli armii amerykańskiej w wyzwoleniu Europy. Powojenną odbudowę kraju wydatnie przyspieszył Plan Marshalla, sfinansowany także przez USA. W okresie zimnej wojny rządy francuskie korzystały z parasola atomowego Stanów Zjednoczonych, ale rozbudowywały też własny arsenał jądrowy, żeby mieć argument dla samodzielnej polityki łamiącej solidarność Zachodu. Hasło gen. de Gaulle'a „Europa od Atlantyku do Uralu" w istocie ignorowało Mur Berliński, a antyamerykanizm Francuzów był wręcz tragikomiczny. Rewolucja 1968 roku była kolejną erupcją lewicowego nihilizmu, którego popioły zasnuły francuski krajobraz do tego stopnia, że kolejne rządy nie potrafiły już zahamować kryzysu moralnego i demograficznego. Jedynego lekarstwa dla tego kryzysu szukano w imigracji, co dodatkowo podkopało tożsamość narodową Francuzów.

INNE CHOROBY PAMIĘCI

Wspólna dla społeczeństw zachodnich jest zdumiewająca ignorancja co do istoty komunizmu. Były członek Francuskiej Partii Komunistycznej zauważył, że „amnezja, z którą mamy do czynienia w wypadku komunizmu, sprawa, że nadmierna staje się pamięć nazizmu, tymczasem dobra i uczciwa pamięć wystarczy, by potępić oba systemy"[72]. „Zachodnie społeczeństwa obywatelskie także ponoszą część odpowiedzialności: 'Nowe szaty prezydenta Mao' Simona Leysa, jedną z pierwszych książek, które napiętnowały maoistowskie barbarzyństwo, spalono na uniwersytecie Vincennes (…) Świat jako całość jest wciąż jeszcze zdezorientowany po wstrząsach XX wieku. Jednym z głównych objawów tego wewnętrznego

---

[71] O rządzie Vichy pisze się we Francji podobnie mało jak o ludobójstwie w Wandei. Najlepsza chyba praca na ten temat, Robert O. Paxton, *Francja Vichy. Stara gwardia i nowy ład, 1940–1944*, (Wrocław: Bukowy Las, 2011) jest dziełem Amerykanina. O lewicy francuskiej por. Herbert R. Lottman, *Lewy brzeg*, (Warszawa: PIW, 1997).

[72] Cyt. wg: Filip Memches, „Pamięć w służbie ideologów", *Życie*, 5 VIII 1999 r.

zamętu jest zwątpienie w zdolność umysłu do przekształcania świata, które pojawiło się po wielkiej epoce historycznych eksperymentów"[73].

Na tym tle trudno się dziwić zaburzeniem pamięci w większości państw Unii Europejskiej. Kogo na przykład obciąża „czarna legenda Hiszpanii"? Faktem było wygnanie Żydów w 1492 roku, faktem była królewska inkwizycja hiszpańska, choć jej zbrodnie zostały kompletnie przejaskrawione, ale anglosaskie oskarżenia o eksterminację tubylców w koloniach hiszpańskich są bezpodstawne[74]. Hiszpańskim „trupem w szafie" jest za to wojna domowa z lat trzydziestych XX wieku, zapoczątkowana niebywałym wybuchem lewicowego barbarzyństwa, stłumionego siłą militarną przez gen. Franco, którego reżim także nie cackał się z przeciwnikami. Po swoim zwycięstwie Franco nakazał budowę monumentu znanego jako Valle de los Caídos (Dolina Poległych), gdzie uhonorowano 34 tysięcy ofiar wojny domowej z obu stron konfliktu. Tam też pochowano Franco po jego śmierci w 1975 roku. Lewica hiszpańska pragnie jednak postawić na swoim, lansując jednostronny obraz wojny domowej, a ostatni socjalistyczny premier Pedro Sánchez planował ekshumowanie szczątków Franco, odświeżając rany w społeczeństwie hiszpańskim[75]. Podobnie jest z lewicą portugalską, która nie chce pamiętać ekscesów rewolucji 1911 roku, czy też z Ukraińcami, którzy bronią się przed uznaniem wołyńskiej rzezi na Polakach z 1943 roku za zbrodnię ludobójstwa oraz sławią przywódcę nacjonalistów Stepana Banderę, odpowiedzialnego za tę zbrodnię[76]. Geniusz Austriaków polega na zapomnieniu o ich udziale w zbrodniach III Rzeszy, a przedstawianiu się jako niewinnych ofiar *Anschlussu* z 1938 roku.

Belgowie z kolei strasznie unikają wzmianek o ludobójstwie dokonanym za rządów kolonialnych króla Leopolda II w Kongu belgijskim. Król ten uzyskał prywatną kontrolę nad Kongiem w wyniku sprytnej akcji dyplomatycznej w 1884 roku. Odtąd jego urzędnicy bezlitośnie eksploatowali bogactwa tego kraju, w tym głównie kauczuk i kość słoniową. Rekwizycji tych bogactw towarzyszyły niebywałe okrucieństwa, w wyniku których zamordowano prawdopodobnie około 8 mln osób. Mieszkańców Konga traktowano jak niewolników, pozbawiano ich możliwości jakiejkolwiek edukacji, a każdy opór karano torturami i śmiercią. Wstęp do kolonii był zresztą bardzo ograniczony. Zbrodnie te ujawnił brytyjski dyplomata Roger Casement w swoim raporcie, który wywołał wstrząs w belgijskiej opinii publicznej i skandal międzynarodowy oraz przekazanie Konga pod kontrolę parlamentu belgijskiego w 1908 roku. Przyczyniło się to do złagodzenia polityki belgijskiej[77].

---

[73] Delpech, *Powrót barbarzyństwa w XX wieku*, s. 26.

[74] Małgorzata Wołczyk, „Czarna legenda Hiszpanii", *Rzeczpospolita Plus Minus*, 4–5 XI 2017 r., ss. 20–21;Messori, *Czarne karty Kościoła*, ss. 67 nn.

[75] Aleksandra Rybińska, „Otwieranie ran", *Sieci*, 20–26 VIII 2018 r.

[76] Piotr Kościński, Tatiana Serwetnyk, „Dwie legendy Stepana Bandery", *Rzeczpospolita*, 22–23 VIII 2008 r.

[77] Adam Hochschild, *Duch króla Leopolda*, (Warszawa: Świat Książki, 2012). Raport Rogera Casementa: https://archive.org/stream/CasementReport/CasementReportSmall_djvu.txt (16 VII

Brytyjska karykatura przedstawiająca króla Leopolda II duszącego kongijskiego tubylca. W skutek belgijskich zbrodni w Kongu śmierć poniosło około 8 mln ludzi.

IN THE RUBBER COILS.

Scene.- *The Congo "Free" State.*

Rządy belgijskie w Kongu skończyły się w 1960 roku krwawą rewolucją, ale do dziś w antykwariatach belgijskich znaleźć można bez liku rozmaitych pamiątek afrykańskich.

Rasizm i poparcie dla praktyk eugenicznych cechowały do niedawna dużą część zacnych i spokojnych społeczeństw skandynawskich. Rasistowskie praktyki cechowały na przykład norweski system polityczny od początku XIX wieku. Zakaz wjazdu Żydów zniesiono tu wprawdzie w 1851 roku – zakonników katolickich dopiero w 1956 roku – ale dyskryminacja Saamów i Romów trwała w najlepsze do lat siedemdziesiątych XX wieku[78]. Mimo to państwa skandynawskie uchodzą niemal za wzór demokracji.

SALON KRZYWYCH LUSTER

Pojęciowy i aksjomatyczny chaos w pamięci Europejczyków potęgują niektóre porównania i polityczne echa tych porównań. Kiedy w 1986 roku niemiecki historyk Ernst Nolte porównał nazizm do komunizmu, nadpobudliwe media w Niemczech i Izraelu oskarżyły go o bagatelizowanie Holocaustu[79]. Odtąd wszelkie porównania obu totalitaryzmów stały się ryzykowne ze względu na potencjalne oskarżenie o antysemityzm.

O szczególnie skomplikowanym zjawisku antysemityzmu w dziejach Zachodu można by (i trzeba) napisać odrębną książkę. Jest on bowiem zarazą zatruwającą te dzieje od początku. Jest też jednak zatrutą bronią nadużywaną zwłaszcza od czasu bezprecedensowej zbrodni Holocaustu, żeby ugodzić niewygodnego przeciwnika, często bez związku z rzeczywistością. W głośnej wspólnej deklaracji rządów Izraela i Polski z końca czerwca 2018 roku obok antysemityzmu znalazło się „odrzucenie antypolonizmu"[80]. Choć żydowscy krytycy deklaracji twierdzili, że jest to pojęcie niejasne i oburzali się na porównywanie go z anytysemityzmem, wydaje się, że sprawa jest dość prosta, jeśli przyjmiemy, że istnieje prawda. Jak antysemityzmem jest kłamstwo i nienawiść dotyczące Żydów jako takich, tak antypolonizmem jest kłamstwo i nienawiść dotyczące Polaków jako takich. Rozmiary skutków antysemityzmu są znacznie większe niż antypolonizmu i tylko w tym sensie antysemityzm zasługuje na ostrzejszy osąd moralny. Ale antypolonizm ma obecnie wyraźną tendencję wzrostową.

Zawirowania w pamięci społeczeństw zachodnich można nazwać błądzeniem w salonie krzywych luster. Tak można też ocenić wizje historii najnowszej w wielu filmowych produkcjach hollywoodzkich czy niemieckich, w których „odbrązawia się" i szkaluje się jednych, a osłania innych. Ulubionych „chłopcem do bicia" są tu Polacy, fałszywie przedstawiani w takich produkcjach jak *Wybór Zofii* czy *Nasi ojcowie, nasze matki* lub w książkach Jana Tomasza Grossa. W antypolskiej

[78] Henryk E. Malinowski, „Norwegowie i obcy", *Do Rzeczy*, 10–16 VIII 2015 r.
[79] Piotr Semka, „Obrazoburca z Berlina", *Do Rzeczy*, 65–11 XI 2016 r.
[80] „Wspólna deklaracja premierów Państwa Izrael i Rzeczpospolitej Polskiej", *Gazeta Polska*, 4 VII 2018 r.

propagandzie przoduje zwłaszcza Rosja. Choć pod rządami Vichy władze francuskie wydawały Niemcom Żydów, którzy potem ginęli w komorach gazowych Auschwitz i innych niemieckich obozów, francuscy historycy chętnie mówią o polskim antysemityzmie. Nie są to przypadki marginalne. Np. w 2007 r. niejaka Pilar Rahola opublikowała w hiszpańskim lewicowym *El País* serię artykułów, w których wykazała się niebywałą ignorancją co do historii Polski i dowodziła, że Polacy byli współwinni Holocaustu. W 2012 r. w "New York Timesie" ukazał się tekst Ethana Bronnera i Nicholasa Kulisha, którzy określili Polskę międzywojenną jako państwo „nazistowskie". Antysemickie ekscesy w innych krajach są na ogół pomijane milczeniem[81].

Rozmywanie odpowiedzialności Niemców za Holocaust postępowało powoli w latach dziewięćdziesiątych XX wieku. Np. zaliczyć do tego trzeba obchody półwiecza zamachu na Hitlera w 1994 roku, gdy wylansowano świetlaną rzekomo postać przywódcy spisku, hr. Staufenberga, nota bene rasisty i wroga Polski, teksty Martina Walsera, uchwałę Bundestagu z 1998 roku o „otwartych kwestiach dwustronnych" w stosunkach z Polską czy obchody półwiecza zakończenia II wojny światowej[82]. Rozmywanie odpowiedzialności ujawniło się z całą mocą przy okazji obchodów sześćdziesięciolecia wyzwolenia obozu w Auschwitz w lutym 2005 roku. W rezolucji Parlamentu Europejskiego ofiarami obozu okazali się, poza Żydami, Rosjanie, Romowie i geje. Zabrakło Polaków. W komentarzu „New York Timesa" napisano, że rocznica jest okazją dla Polski i innych krajów Europy Środkowej „uznawania swojego współnictwa w morderstwie i okazją do zbliżenia się do Europy". Dziennikarz francuskiej telewizji pytał w Auschwitz byłych więźniów, czy „są skłonni wybaczyć Polakom i Niemcom"[83]. Brytyjska eurposłanka Sarah Ludford upierała się, by użyć określenia „polskie obozy śmierci". W wyniku długotrwałych wysiłków niemieckiej polityki historycznej określenie to stało się politycznie poprawne znacznie bardziej niż „niemieckie obozy śmierci". Nazywanie niemieckich obozów śmierci „polskimi" zapoczątkował podobno w 1956 roku Alfred Benzinger, w czasie wojny sierżant tajnej policji wojskowej

---

[81]   „'El Pais' i surrealizm", *Rzeczpospolita*, 29 III 2007 r. Marek Magierowski, „Historia stale deformowana", *Uważam Rze*, 25–31 VII 2011 r.; Paweł Łepkowski, „Kłamstwa o polskim antysemityzmie", *Rzeczpospolita*, 16 IX 2016 r; Paweł Lisicki, *Krew na naszych rękach?* (Warszawa: Fabryka Słów, 2016). Por. też np.: Simon Heffer, „Russia wheels out the evil weapon of history", *Daily Telegraph*, 6 VI 2009 r.; Justyna Prus, „Rosjanie: agresji nie było", *Rzeczpospolita*, 26 VIII 2009 r.; Piotr Gontarczyk, „Polska w oczach wywiadu sowieckiego", *Rzeczpospolita*, 3 IX 2009 r.; Michał Majewski, Paweł Reszka, „Tajemnice starej fotografii", *Rzeczpospolita*, 22–23 I 2011 r.; Szewach Weiss, „Polacy pozostali niezłomni", *Rzeczpospolita*, 27 I 2011 r.; Piotr Gontarczyk, „Jak złapią za rękę", *Rzeczpospolita*, 19–20 II 2011 r.; „Cały świat zrzuca na Polskę swoje grzechy. Z Szewachem Weissem rozmawia Robert Mazurek", *Rzeczpospolita Plus Minus*, 22–23 VIII 2015 r.; Jacek Lilpop, „Pokłosie kłamstwa", *Gazeta Polska*, 23 IX 2015 r.; Krzysztof Masłoń, „Autor 'Sąsiadów' sam się wykluczył", *Do Rzeczy*, 28 IX-4 X 2015 r.

[82]   Antoni Podolski, „Nie wybaczać za wcześnie", *Życie*, 26 VIII 1999 r.; Teresa Kuczyńska, „Amnezja kontrolowana", *Życie*, 1 IX 1999 r.; Marek Cichocki, „Milczące przyzwolenie", *Życie*, 20 X 1999 r.; Marek Cichocki, „Tajemnicą zbawienia jest pamięć", *Życie*, 23–24 X 1999 r.

[83]   Jerzy Marek Nowakowski, „Pranie pamięci", *Wprost*, 6 II 2005 r.

Geheime Feldpolizei. Kłamliwe pojęcie „polskie obozy śmierci" było odtąd nagminnie używane przez wszystkie media światowe, a nawet niektórych polityków, takich jak prezydent Barack Obama czy jego szef FBI James Comey. Zwrot przyjął się do tego stopnia, że w 2017 roku państwowa niemiecka ZDF nie chciała przeprosić za jego użycie[84].

Czy można sporządzić sprawiedliwy bilans postaw wszystkich narodów europejskich w czasie II wojny światowej? Nie jest to łatwe. Przede wszystkich trzeba sobie uświadomić ogrom i zróżnicowanie problemów. wobec jakich społeczeństwa europejskie w tym okresie stały. Okupacja niemiecka i sowiecka na ziemiach państw okupowanych była bez porównania bardziej okrutna niż okupacja niemiecka niektórych krajów Zachodniej Europy, przez co zawodzą porównania z postawami społecznymi w tych krajach. W warunkach ekstremalnych postawy społeczeństwa ulegają większej polaryzacji niż w warunkach mniej groźnych. Na przykład w tych krańcowych warunkach spora część społeczeństwa polskiego zachowała się godnie, a nawet heroicznie, walcząc na wszystkich frontach II wojny światowej, organizując największe podziemie polityczne i wojskowe w okupowanej Europie i stosując się do ogłoszonego przez podziemne władze kodeksu postępowania. Niejednokrotnie ryzykowano życie swoje i swoich najbliższych, niosąc pomoc jeszcze bardziej prześladowanym Żydom. Pewna część społeczeństwa jest zawsze gotowa do niegodziwości, a w warunkach wojennych ulega dalszej demoralizacji, wykorzystując sytuację w celu bogacenia się kosztem innych, a nawet sporadycznie wysługując się okupantom lub uprawiając zbrodnicze „szmalcownictwo". Jeszcze inna, zapewne największa, część społeczeństwa polskiego pozostawała bierna, starając się unikać zagrożeń, ale i nie płacąc za to większej ceny moralnej. Problem jednak z wymierzeniem rozmiarów tych trzech grup. Będą one inne, jeśli za kryterium oceny przyjmiemy stosunek do walki niepodległościowej, zasad postępowania pod okupacją czy ceny przetrwania własnego, a z konieczności inne, jeśli kryterium tym będzie gotowość do pomocy innym, połączonej z groźbą utraty życia. Dopiero odnosząc się do kontekstu historycznego można by dopiero bardziej precyzyjnie ocenić rozmiary grup bohaterów, ludzi zwykłych i łotrów w każdym narodzie.

Historia może więc łatwiej dzielić niż łączyć. Dlatego tak ważna jest edukacja historyczna oparta na troskliwym i zgodnym z prawdą odtwarzaniu przeszłości. Pamięć jest bowiem o tyle ważna, że źle używana rodzi konflikty. Tymczasem w cywilizacji zachodniej pamięć i tożsamość uległa rozmyciu, a także dalszemu zróżnicowaniu.

---

[84] Joanna Kowalkowska, „Przestańcie wybielać niemieckie zbrodnie", *Gazeta Polska Codziennie*, 31 I 2017 r.

Papież Jan Paweł II składa kwiaty w celi, w której śmierć poniósł św. Maksymilian Kolbe. Ojciec Święty odwiedził były niemiecki obóz zagłady Auschwitz-Birkenau 7 czerwca 1979 r. podczas swej pierwszej pielgrzymki do Polski.

Transgresja to skłonność do przekraczania norm zachowania lub obyczajowych tabu. Na zdjęciu uczestnik parady gejowskiej.

Rozdział 13. Kultura na manowcach

TRANSGRESJA

Określenie „transgresja" [przekraczanie granic biologii, społecznych, osobowościowych, moralnych – przyp. red.] jest stosunkowo nowe, choć fenomen skłonności do przekraczania norm zachowania czy obyczajowych tabu jest bardzo stary. Jest bowiem coś w naturze ludzkiej, co wyraża słabość do ulegania pokusom lub daje przyjemność w obcowaniu z tym, co nienaturalne, zakazane, chorobliwe lub nawet odrażające. Jak mówi Księga Rodzaju, pierwsi ludzie zostali obdarowani wolną wolą, ale nie zrozumieli granicy między tym, co im służy, a tym, co im szkodzi. Transgresję rodzi więc ciekawość, dreszcz emocji lub nawet pycha, która namawia do przełamywania barier w imię wolności i iluzorycznej siły. Odwrócenie wartości, transgresja w imię transgresji dawała romantykom XIX wieku i bardzo wielu późniejszym rzecznikom wolności złudne poczucie sensu życia. „Transgresorzy" twierdzili i twierdzą, że przekraczanie granic i przełamywanie barier jest dowodem wyzwolenia z okowów konieczności. Tymczasem wyzwalają się od rozumu i stają się uzależnieni od swoich emocji. Dla jednych dominantą staje się uczucie dominacji nad światem, inni zaś, dla których najwyższym dobrem jest przyjemność, zaprzęgają rozum do najbardziej karkołomnych konstrukcji umysłowych.

Typowymi „transgresorami" intelektualnymi byli w XIX wieku Max Stirner czy Friedrich Nietzsche. Dla Johna Stuarta Milla naczelnym dobrem była maksymalizacja przyjemności w społeczeństwie, jednak niektóre przyjemności miały, jego zdaniem, status „wyższych" od innych. W naszych czasach do granic „transgresji" kulturowej doszedł Peter Singer, profesor Princeton University, nazwany przez prezydenta tej uczelni „najbardziej wpływowym etykiem doby obecnej". Najwyższą racją jest dla niego odczuwanie przyjemności i unikanie cierpienia, ale w konsekwencji twierdzi, że chore niemowlęta można zabijać, gdyż odbierają one więcej satysfakcji rodzicom i społeczeństwu, niż jej dają. Twierdzi on także, iż zwierzęta odczuwają przyjemność i cierpienie tak jak ludzie, w związku z czym należałoby sądzić, że zabicie krowy czy świniaka jest moralnie bardziej naganne niż zabicie upośledzonego dziecka. J. Budziszewski słusznie konkludował, że moralność oparta na przyjemności kończy się na zabijaniu „mniejszych" ludzi, gdyż ich przyjemności nie są dostatecznie „duże", zaś moralność oparta na gradacji przyjemności prowadzi do akceptacji filmowego Hannibala Lectera, dla którego ludzi „prymitywnych" można zabijać, gdyż ich przyjemności nie są dość wyrafinowane[1]. Tak kończy się cywilizacja.

---

[1] J. Budziszewski, „Feeling Moral", *First Things,* November 2002, nr 127, s. 10.

Ogromne pole do rozmaitych form „transgresji" otworzył mit tolerancji. O ile określenie „prozelityzm" wywodzi się z łacińskiego *proselytus*, oznaczającego nakłanianie do przejścia na stronę namawiającego, o tyle „tolerancja" pochodzi od łacińskiego *tolerare*, czyli „znosić coś nieprzyjemnego". Nakłanianie i tolerowanie są więc niemal dokładnie przeciwieństwami. We współczesnych słownikach Zachodu prozelityzm cieszy się złą marką, a tolerancja – dobrą. Paradoks nakłaniania do tolerancji zawiera w sobie podtekst, którego elity kształtujące dziś Zachód nie chcą zaakceptować, nawet jeśli dzieje się to mimowolnie. Jeśli bowiem mamy obowiązek znosić coś, co chce się nam wmówić, to mimowolnie czujemy, że to coś nie jest ani dobre ani przyjemne. Tolerowanie szkodliwych poglądów tu nie wystarcza: powinniśmy je zaakceptować. Mniejszości seksualne czy opinie rujnujące moralność nie mogą być po prostu tolerowane, one winny być uznane za co najmniej równoprawne, jeśli nie bardziej uprawnione. W przeciwnym razie będziemy oskarżeni o dyskryminację. Z tego powodu stworzono szereg określeń będących nie tyle opisem stanowiska czy poglądu, ile ukrytym oskarżeniem. Jednym z takich określeń jest „homofobia". Termin ten wylansowali dziennikarze Jack Nichols i Lige Clarge w pornograficznym piśmie *Screw* w 1969 roku. Zrobił on ogromną karierę zwłaszcza po ukazaniu się w 1989 roku książki Marshalla Kirka i Huntera Madsena *After the Ball: How America Will Conquer Its Fear and Hatred of Gays in the 1990s*[2]. Obecnie kto nie akceptuje równości stosunków homoseksualnych z heteroseksualnymi jest „homofobem", dyskryminującym rzekomo uciskaną mniejszość. Nieważne przy tym, że w niektórych kręgach homoseksualiści są wręcz premiowani przez kręgi decyzyjne kosztem pozostałych członków społeczności. W rezultacie swoistego „terroru tolerancji" chrześcijanie lub w ogóle obrońcy tradycyjnych wartości są pozbawiani prawa do ich praktykowania w postaci klauzuli sumienia, a instytucje kościelne są zmuszane do akceptowania aborcji[3].

Jeśli o jakości elit świadczyć może atmosfera duchowa wyższych uczelni, to trudno mieć tu jakiekolwiek złudzenia. Tolerancja ma tu charakter wybitnie selektywny. Na przykład władze państwowego Uniwersytetu Purdue w stanie Indiana skreśliły odwołanie do Boga zawarte na tablicy upamiętniającej pewnego donatora, choć broniły prawa do bluźnierstw o Jezusie w przedstawieniach studenckich[4]. Dlatego uprawniony jest sąd Agnieszki Kołakowskiej: „Ideologia, jaka panuje obecnie na zachodnich uniwersytetach, odznacza się nienawiścią do chrześcijaństwa i do zachodniej kultury, do wolności, demokracji

---

[2] Marshall Kirk, Hunter Madsen, *After the Ball: How America Will Conquer Its Fear and Hatred of Gays in the 1990s*, (Doubleday, 1989).

[3] Por. dwugłos w tej sprawie: Paul J. Griffiths, Jean Bethke Elshtain, „Proselytising for Tolerance", *First Things,* November 2002, nr 127, ss. 30–36.

[4] Gabriel Kayzer, „Amerykańska uczelnia nie chce Boga", *Gazeta Polska Codziennie*, 3 III 2014 r.

Wydawane od 1968 r. amerykańskie pismo pornograficzne „Screw", którego dziennikarze wylansowali termin „homofobia".

i liberalizmu (w najszerszym tego słowa znaczeniu), do odpowiedzialności, do nauki, do niezależnego myślenia, do prawdy i do wartości, które leżą u podstaw naszej cywilizacji"[5].

WSTRĘT DO ŚWIATA I LUDZI

Przez tysiąclecia ludzka kultura wytwarzała obiekty użytkowe lub stanowiące wyraz zadziwienia światem i dążenia do piękna. Nawet miski i garnki potrafiono ozdabiać tak, aby współgrały z zaspokajaniem głodu czy pragnienia, zaś ornamenty na broni miały podkreślić gust i prestiż użytkownika. Kultura Zachodu w czasach nowożytnych przeszła długą drogę od twórczego zadziwienia czy zachwytu do dominującej nudy oraz wstrętu. Zwiastunem tych ostatnich odczuć znaleźć można w głośnej książce Jean-Paul Sartre'a „Mdłości" z 1938 roku, gdzie autor obserwuje otaczający go świat i nieustannie wybrzydza[6]. Innym symbolem patologicznych nastrojów współczesnych ludzi Zachodu jest film Romana Polańskiego „Wstręt" z 1965 roku.

Żeby nie ograniczyć tego wstępu do wspomnianych dwóch utworów, warto przyjrzeć się wymowie najbardziej popularnych i artystycznie przełomowych osiągnięć literatury XX wieku. Trudno zresztą zaprzeczyć, że najczęściej były to dzieła wybitne. Niezwykła była proza „strumienia świadomości" Jamesa Joyce'a (1882–1941) – hermetyczna, wielopłaszczyznowa i językowo odkrywcza, jednak w sferze objaśniania celów i wartości, jakimi człowiek winien się kierować, pozostawia ona ogromny niedosyt. Fantastyczna wyobraźnia Franza Kafki (1883–1924) wykreowała obraz świata wrogiego człowiekowi, który jest wręcz zniewolony przez warunki zewnętrzne. Odkładając siódmy tom cyklu *W poszukiwaniu straconego czasu* Marcela Prousta (1871–1922) czytelnik nie jest pewien, czy ten czas odnalazł. Samuel Beckett (1906–1989) był arcymistrzem prezentacji bezsensu ludzkiej egzystencji. *Podróż do kresu nocy* Louisa-Fernanda Céline (1894–1961) to inny obraz zwątpienia w ludzką naturę i społeczeństwo. Do psychoanalizy i religii Wschodu uciekł się Hermann Hesse (1877–1962) w *Wilku stepowym* (1927). Pionierem psychodelicznych buntów lat sześćdziesiątych był autor *Lotu nad kukułczym gniazdem* Ken Kesey (1935–2001). Czysty egzystencjalizm propagował w swych powieściach Ernest Hemingway (1899–1961), którego samobójstwo było wyrazem swoistego heroizmu nihilisty. Zwątpienie w sens czegokolwiek, być może poza twórczością, ale ukazującą ów bezsens, przeważa w powieściach Saula Bellowa (1915–2005) i świetnych niejednokrotnie filmach Woody Allena. Obsesyjnie antyreligijny był Andre Gide (1869–1951). *Kochanek lady Chatterley* Davida H. Lawrence'a z 1928 r. oraz *Zwrotnik Raka* (1934) i *Zwrotnik Koziorożca* (1939) Henry Millera przełamywały bariery moralności i intymności w ukazywaniu seksu. Jeszcze dalej w apoteozie pedofilii posunął się Vladimir Nabokov w sławnej *Lolicie* (1955). Listę tę można by ciągnąć jeszcze długo, natomiast

---

5   Agnieszka Kołakowska, *Plaga słowików*, (Warszawa: Teologia Polityczna, 2016), s. 137.
6   Tekst tego „dzieła" można znaleźć na http://nnk.art.pl/bujnos/blada/ocr/sartre (30 VII 2018).

lista autorów odwołujących się do wartości i tradycji kultury zachodniej byłaby znacznie krótsza.

Losy współczesnej literatury można dobrze zilustrować losami Literackiej Nagrody Nobla przyznawanej przez Akademię Szwedzką. Portugalski laureat tej nagrody z 1998 roku José Saramago skrytykował chrześcijańskie pojęcie „życia wiecznego" i podzielił się następującą odkrywczą uwagą: „Marząc o wiecznym życiu popełniamy duży błąd", bo gdyby nikt nie umierał, to system emerytalny by tego nie wytrzymał. W swojej fantazji zagubił istotny szczegół: Chrystus mówił o życiu wiecznym na tamtym świecie, a nie w tym. Trudno jednak wymagać od pisarza zbyt wiele, skoro należał do portugalskiej partii komunistycznej i wierzy w materializm. Zresztą wcześniej napisał antychrześcijańskie dzieło pod tytułem *Ewangelia według Jezusa Chrystusa*[7]. Po przyznaniu literackiego Nobla w 2004 roku austriackiej pisarce Elfriede Jelinek z Akademii Szwedzkiej ustąpił na znak protestu wybitny szwedzki krytyk literacki Knut Ahnlund. Napisał on o jej twórczości: „Podstawową cechą twórczości Jelinek jest gigantyczny kontrast między rozdętą kubaturą jej prozy a ubóstwem myśli (...) Literacki Nobel 2004 nie tylko wyrządził nieusuwalne szkody wszystkim siłom postępowym, ale także wykrzywił powszechny sposób postrzegania literatury jako sztuki". Sama Jelinek, do 1991 roku członkini Komunistycznej Partii Austrii, nie ukrywała swoich problemów psychicznych i w wywiadzie dla *Weltwoche* stwierdziła: „Jestem głupią pisarką, która zajmuje się zbieraniem resztek, taką kobietą z koszem na śmieci"[8]. Włochowi Dario Fo przyznano Nobla, głównie za sztukę ośmieszającą papieża. Ostatni z tych skandali podkopał do reszty wiarygodność Akademii Szwedzkiej. Po ogłoszeniu laureata 2017 roku 18 kobiet oskarżyło siedemdziesięciojednoletniego Jean-Claude Arnaulta, męża Katariny Frosterson, członkini Akademii, o molestowanie seksualne w jej lokalach. Wśród ofiar znalazła się księżniczka Wiktoria, córka króla Karola XVI Gustawa. Do dymisji podało się 10 z 18 dożywotnich członków Akademii, co udaremniło przyznanie tej nagrody w 2018 roku. Arnault okazał się też źródłem szeregu przecieków informacji co do decyzji Akademii, które przyniosły małżeństwu spore dochody bukmacherskie[9].

Wiek XX był okresem dekadencji kulturalnej. Bohaterem kultury stawał się coraz częściej człowiek, który "przełamuje bariery" dotychczasowych wartości, ale nie proponuje nowych lub w ogóle nie widzi sensu życia. Szokowanie widza lub czytelnika stało się ulubionym zajęciem artystów kultury „wysokiej" podobnie jak popkultury, przy czym granice między nimi stopniowo się zacierały. Wigor kontestacyjny kultury elitarnej został umasowiony. W produkcjach kultury dostrzegamy dziś nierzadko akceptację gwałtu, wyżywania niskich instynktów, a także nieograniczony hedonizm i agresywny nihilizm. Najpopularniejsza wokalistka pop Madonna opublikowała album pornograficzny z sobą w roli głównej. Michael

---

[7]   „Niebezpieczeństwa nieśmiertelności" *Onet,* 17 XI 2005 r.

[8]   „Z Elfriede Jellinek rozmawia Andre Müller", *Die Weltwoche,* 25 XI 2004 r., za: *Forum,* 10–16 I 2005 r., ss. 38–41.

[9]   Krzysztof Masłoń, „Nobel z nadszarpniętą reputacją", *Do Rzeczy,* 14–20 V 2018 r.; Aleksandra Rybińska, „Skandal, przecieki i polityka", *Sieci,* 14–20 V 2018 r.

Jackson, który na scenie niemal stale trzymał się za krocze, ciągle wybielał sobie skórę, a dla uniknięcia skandalu z uwiedzeniem nieletniego chłopca zapłacił jego rodzicom miliony dolarów, po czym dla efektu ożenił się z córką Elvisa Presleya. Narkomania i alkoholizm są wręcz chorobą zawodową gwiazd rocka. Atmosfera wielkiego showbiznesu tchnie patosem miałkości i reklamą duchowej pustki. „Dinozaury" rocka to najczęściej ludzie wypaleni i z wielką asertywnością lansujący dowolność[10].

„Artystyczne" prowokacje dawno przekroczyły już granice przyzwoitości i dobrego smaku. Przykładem może być Gunther von Hagens, który preparuje i wystawia ludzkie zwłoki, budząc sensację, której nikt już nie nazywa niezdrową. Kiedy okazało się, że niektóre ze zwłok noszą ślady po kuli w czaszce, a więc są ofiarami chińskich wyroków śmierci, pan von Hagens nie zaprzeczył, że mógł je nabyć, ale najbardziej zaniepokoiło go to, że skandal może zaszkodzić popularności jego muzeum. Kiedy von Hagens chciał otworzyć zakład preparowania zwłok w Sieniawie Żarskiej w Polsce prokuratura polska oświadczyła, że znieważanie ludzkich zwłok jest w Polsce karane. Okazało się też, że prokurentem firmy von Hagensa jest jego ojciec, Gerhard Liebchen, były SS-man, podejrzewany o zbrodnie wojenne na terenie Polski[11]. W zachodniej kulturze śmierci już nic nie dziwi. Także zdumiewająca obłuda. Za „nieprzyzwoity wizerunek" uznać można zdjęcie abortowanego dziecka[12], ale nie tysiące atakujących opinię publiczną wulgarnych i bluźnierczych obrazów z udziałem gwiazd i celebrytów.

PERSWAZJA I PROWOKACJA

Swego czasu Jacek Filek zadał w „Tygodniku Powszechnym" pytanie: dlaczego zło sprzedaje się lepiej niż dobro? Wkrótce potem Andrzej Osęka uznał to pytanie za niewłaściwe. Tymczasem jest ono bardzo istotne. Zło istotnie zawsze fascynowało człowieka i zawsze wydawało się bardziej atrakcyjne niż dobro. Obiegowa „mądrość" już dawno głosiła, że w piekle będzie ciekawiej niż w niebie. Przypomina się jednak znany dowcip o Goebbelsie. Oto po śmierci pozwolono mu wybrać między piekłem, w którym wesołe towarzystwo, i to damskie, raczyło się trunkami, zapraszając do wspaniałej zabawy, oraz niebem, gdzie jakieś białe postaci śpiewały przechadzając się najwyraźniej bez większej emocji. Goebbels wybrał oczywiście piekło. Gdy drzwi się zatrzasnęły, wesołe towarzystwo zniknęło, a pojawiły się kotły ze smołą i inne nieprzyjemności. Goebbels zgłosił reklamację, ale w odpowiedzi usłyszał, że dał się nabrać na propagandę. W opowieści tej jest, być może, część odpowiedzi na pytanie o powodzenia zła w dzisiejszym świecie.

---

[10] Por. np. relację o „supergrupie" Hollywood Vampires, złożonej z „legend" rocka. Jacek Cieślak, „Wampiry, które kochają imprezować", *Rzeczpospolita Plus Minus,* 28–29 IV 2018 r.

[11] Richard John Neuhaus, „Public Square", *First Things,* May 2004, nr 143, s. 72. Wojciech Cieśla, „Zmarłych chować, nie preparować", *Rzeczpospolita*, 3 III 2005 r.; Hanna Shen, „Chiński interes Doktora Śmierć", *Gazeta Polska,* 26 III 2014 r.

[12] Tak jak w rejonowym sądzie w Wałczu. Tomasz Duklanowski, „Wyrok za 'nieprzyzwoity wizerunek'", *Gazeta Polska Codziennie,* 21–22 X 2017 r.

Zło bowiem operuje iluzją. Oczywiście nie należy wpadać w przesadę, bo zło istniało oraz pociągało ludzi i dawniej, a współcześnie widać także zjawiska moralnie budujące. Ale jednocześnie trudno nie zauważyć bezczelnego panoszenia się zła i jego niezwykłej popularności w świecie z przełomu tysiącleci. Trzeba się zastanawiać, jaką rolę w upowszechnieniu atrakcyjności zła odegrały środki masowej komunikacji. Wśród zjawisk, które na to wpłynęły, widziałbym dwie szczególnie istotne metody działania: perswazję i prowokację.

Współczesna myśl świata zachodniego wyrasta w dużej mierze z tradycji wmawiania. Europejskie społeczeństwa chrześcijańskie, niewolne od dramatycznych konfliktów, a nawet nadużyć wolności, żyły jeszcze dwieście lat temu w przeświadczeniu o naturalnym porządku rzeczy, w którym centralną rolę zajmował Bóg. Od końca XVIII wieku przedstawiciele tych społeczeństw zaczęli sobie i innym wmawiać, że Bóg z pewnością jest inny niż w Biblii oraz że prawdziwa prawda jest taka, iż Go w ogóle nie ma. Z gorączkową pasją mniej lub bardziej wybitne umysły w rodzaju Ludwiga Feuerbacha, Maxa Stirnera czy Karola Marksa perswadowały czytelnikom i słuchaczom, że wiara to opium dla mas lub że oznacza ona odchylenie od norm psychicznych. Potem wmawiano ludziom, że świat jest jedynie materialny, że rządzi się własnymi prawami, że człowiek to istota klasowa, rasowa lub płciowa. Im bardziej redukowano człowieka do jednego wymiaru, tym gorliwiej perswadowano mu za każdym razem, że jest to prawda ostateczna, naukowa, że jest to pogląd nowoczesny, jedynie słuszny, a kto go nie uznaje, jest reliktem przeszłości a nawet podlega stosownej karze. Charakterystyczne jest na przykład sformułowanie z opinii wydanej w 1960 r. przez „uczonych" dialektyków z uniwersytetu w Bratysławie w sprawie wyroku na biskupa Jana Korca. „Pod płaszczykiem objaśniania „czystej" religii – stwierdzili oni – autor w przemyślny i chytry sposób wzywa do poparcia papieża i Watykanu w walce przeciw ruchowi robotniczemu, socjalizmowi i wszystkiemu, co postępowe"[13].

Wmawianie połączone z terrorem jest zjawiskiem powszechnym w totalitaryzmie. Występuje jednak także w systemach demokratycznych. Perswazja niesie tam inne treści, ale działa z nie mniejszą siłą. Perswazja wolnorynkowa i demokratyczna nie zawiera gróźb, nie żąda posłuszeństwa ani nie uzurpuje sobie prawa do jedynie słusznych założeń. Przeciwnie, wmawia się tu, że wszystko wolno, że należy tylko więcej kupić, dążyć do sukcesu, innymi słowy – iż należy być pięknym, bogatym i młodym. Perswazja w liberalnej demokracji jest pokusą. Mieszkaniec kraju wolnorynkowego zasługuje na najlepsze kremy, odżywki, napoje, papiery toaletowe. Powinien on „podarować sobie odrobinę luksusu" lub dążyć do osiągnięcia „dwóch w jednym"[14]. Gorzej jeszcze: wmawia się ludziom, że w imię tolerancji nie można zwalczać błędnych poglądów oraz że pokój społeczny został osiągnięty przez rezygnację z prawdy. Podobnymi schematami operuje

---

[13] Jan Chryzostom Korec, *Po barbarzyńskiej nocy*, (Kraków: Wydawnictwo WAM, 1994), s. 157. Wynikało stąd, że kto jest przeciw postępowi winien odsiedzieć, jak na przykład biskup Korec, dwanaście lat w więzieniu.

[14] „Komunistyczne gadanie. Rozmowa z prof. Michałem Głowińskim", *Życie*, 27 IV 1999 r.

Parada muzyczna „Train of Love" (Pociąg Miłości) zorganizowana 25 sierpnia 2018 r. w Berlinie. Impreza miała zachęcać do „miłości oraz większego współczucia i zaangażowania społecznego".

język demokratycznej polityki, w którym kandydatów zachwala się wyborcom jak płyn do czyszczenia muszli klozetowej.

Prowokacja z kolei jest podstawową metodą działania nie tylko politycznej policji w systemach totalitarnych, ale także całej współczesnej kultury, w której coraz częściej chodzi o to, by widza lub czytelnika zaszokować i obrazić. Obsesyjny erotyzm i ekshibicjonizm w sztukach wizualnych, w których artyści pokazują nie tylko swoje ciała, ale i produkty przemiany materii, propaganda gwałtu w kulturze pop, gdzie na przykład amerykańscy *gangsta rappers* nawołują do zabijania policjantów i gwałcenia kobiet, bluźnierstwa i godzenie we wszystkie świętości i dobre obyczaje – wszystko to uchodzi, bo może być nazwane prowokacją artystyczną. Jaki jest cel takiej prowokacji – tego nam się nie wyjaśnia. Prawdopodobnie sami autorzy owych działań nie wiedzą. Również pisarze stale uciekają się do metody prowokacji. Jeden z licznych obrazoburców XX wieku, Henry Miller, stwierdził, że „moralność jest dla niewolników, dla istot bez ducha"[15]. Zapewne miał na celu sprowokowanie kogoś do czegoś, choć obawiam się, że nie przyszło mu do głowy, że ktoś taki, chcący być człowiekiem wolnym i wykazać się „duchem", mógłby go poturbować i że działałby w myśl zaleceń mistrza.

---

[15] Cyt. wg: Krzysztof Andrzejczak, „Śmierć wstydu", *Rzeczpospolita*, 21/22 XI 1998 r.

„Prowokacja jest rodzajem walki, a nie sposobem współżycia. Próbą skłonienia naszego przeciwnika do wykonania zaplanowanych przez nas czynności" twierdzi psycholog Kazimierz Obuchowski. Inny specjalista w tej dziedzinie dodaje, że agresja „jest właściwie normalnym zachowaniem (...) Natomiast rozładowywanie agresji może przybierać różne formy: od szkodliwych społecznie po patologiczne"[16]. Efektem perswazji i prowokacji jest postawa nieufności. Człowiek poddawany nagminnie obu technikom sądzi, że nic nie jest takie, za jakie chce uchodzić. Wszystkie zdarzenia i wszystkie oceny zdarzeń są częścią gry, w której prawdziwe cele i zamiary są ukryte, a przez to trudno wierzyć, że są dobre. W rezultacie nagminnego stosowania wspomnianych dwóch technik współczesny człowiek Zachodu ogłuchł na argumenty, a jednocześnie stał się uzależniony od podniet. Jak powiada Allan Bloom, świat stał się „powieścią idioty, głośną, wrzaskliwą, a nic nie znaczącą"[17]. Ukształtowany przez obie metody człowiek chce jak najwięcej „doświadczyć" i użyć oraz nie chce słyszeć, co to wszystko znaczy oraz że są rzeczy dobre i złe. Kiedy jednak wykończy siebie i najbliższe otoczenie, co mu zostaje?

---

[16] Piotr Gajdziński, „Prowokacja", *Magazyn Rzeczpospolitej*, 6 V 1999 r.
[17] Bloom, *Umysł zamknięty*, s. 232.

Kampania ateistyczna przeprowadzana w 2008 r. w Wielkiej Brytanii. Napis na autobusie głosi: „Prawdopodobnie Bóg nie istnieje. Przestań się teraz martwić i ciesz się życiem".

Wielki świat uległ w dużej mierze skażeniu modą na zło, na seksualne wyżycie, gwałt i przemoc. W wielkim świecie bagatelizuje się niebezpieczeństwa z tym związane, wyżej ceni się nieograniczoną niczym wolność niż prawdę, a nawet zdrowy rozsądek. Prowokacja goni prowokację, a zawsze się znajdzie jakiś mędrzec, który pouczy, że wolność oznacza robienie czegokolwiek. Zdrowy rozsądek wycofuje się na margines. Wspaniały komentarz do miejsca gwałtu we współczesnej „kulturze" masowej można odczytać w filmie Andrzeja Fidyka *Kiniarze z Kalkuty*. Oto wędrowne kino pana Battu dotarło z „filmem walki" do prymitywnej wsi w głębi subkontynentu indyjskiego, w której ludzie żywią się surowym mięsem małp i filmu nigdy nie widzieli. Było mnóstwo gonitw, zabijania, detonacji i mordobicia. W trakcie projekcji ciągle ktoś opuszczał widownię, a po zakończeniu pokazu najbardziej wytrwali widzowie podziękowali, ale poprosili, żeby już do nich z filmem nie przyjeżdżać, bo im przeszkadza, bo mają wiele spraw, muszą chodzić do dżungli na polowania, myśleć co robią, a od filmu brzuch ich rozbolał.

Siłą napędową twórczości XX wieku stała się też pogoń za nowością. O ile dawniej nowa technika czy nowy styl rodziły się z potrzeby wyrażenia nowych treści emocjonalnych, o tyle już od początku XX wieku narastała obsesja nowości jako celu samego w sobie. Jak postęp techniczny w gospodarce, tak innowacje formalne stały się dźwignią sukcesu w sztuce. Artystów coraz mniej interesowało co chcą wyrazić, a coraz bardziej zajmowali się pytaniem, co nowego wymyślić, żeby zwrócić na siebie uwagę. Doprowadziło to do tego, że w naszych czasach nie da się już nikogo zaskoczyć niczym nowym, że wszystko już było, że można co najwyżej potęgować wrażenie pomnażając hałas formy. Martwa natura musi być martwa, musi być widać, że wraz z krwią wyciekło z niej życie. Odarcie człowieka z prywatności musi być kompletne, przekraczające nie tylko granice smaku, ale i prawa. Intymność, cierpienie czy euforia stały się artystycznym towarem. Pod tym względem zatarciu uległa granica między kulturą „wysoką" i masową. Prowokacja stała się tak powszechnym sposobem działania, że przestała być naprawdę prowokacją. W dodatku powody, dla których się ją uprawia, są niejasne. Bardzo często prowokacyjna forma przesłania brak treści, a nierzadko artyści otwarcie twierdzą, że w ogóle nie chodzi im o jakąkolwiek treść. Profesjonaliści zaklinają się nawzajem, że ma to wszystko jakiś sens, ale często najwyraźniej sami w to nie wierzą. Gwałtownie wzrosła rola krytyków, których ambicją jest wmawianie publiczności, że jakieś zjawisko jest nowatorskie, godne najwyższego uznania, wysokiej ceny, a nawet publicznej dotacji. Używają przy tym szyfru, który ma zniechęcić profanów do dyskusji, ale który w istocie często zdradza umysłowy nieład.

BLUŹNIERSTWA

Szczególnym rodzajem prowokacji są ekscesy polegające na wyszydzaniu religii, zwłaszcza chrześcijańskiej, a przez to poniżaniu ludzi wierzących. Na przykład w styczniu 2005 roku z pracy w BBC2 zrezygnował znany kompozytor i producent Antony Pitts na znak protestu przeciw wyemitowaniu programu Jerry Springera,

Jeżdżący po Niemczech bilbord z napisem „Obozy śmierci były nazistowskie niemieckie". Akcję taką zorganizowała w 2017 r. polska Fundacja Tradycji Miast i Wsi.

w którym zawarto niezwykłą ilość bluźnierstw antychrześcijańskich. Były tam sugestie o homoseksualizmie Chrystusa, szyderstwa z Jego ran oraz śpiewy „Jerry Eleison"[18]. Na graniczące z bluźnierstwem komiczne produkcje grupy Monty Pythona nie było jednak podobnej reakcji. Spektakl *Golgota Picnic*, z założenia będący antychrześcijańskim bluźnierstwem, wywołał protesty katolików we Francji i Hiszpanii, a mimo to, choć może właśnie dlatego, dyrektor Malta Festival Michał Mierczyński zdecydował się wystawić ten spektakl w Polsce, wywołując podobną i całkiem zrozumiałą reakcję. Tekst spektaklu stanowi dowód na to, że prowokacja i bluźnierstwo jest metodą zwracania na siebie uwagi przez artystyczne beztalencia. Podobnie wyglądał skandal ze sztuką *Klątwa* w warszawskim Teatrze Powszechnym w reżyserii Oliviera Frljicia.

Do licznych „artystycznych" ataków przeciw Kościołowi i chrześcijaństwo dochodzi w Niemczech, gdzie publiczna telewizja ZDF emitowała serial *Bogowie tacy jak my* (*Götter wie wir*), obrażający uczucia chrześcijan i Żydów, a pod koniec 2012 roku na ekrany niemieckich kin wszedł film *Jezus mnie kocha* (*Jesus liebt mich*), mało śmieszna komedia ośmieszająca Chrystusa i wiarę chrześcijańską[19].

---

[18] Antony Pitts, „Why I resigned from the blasphemous Beeb", *The Sunday Times,* 16 I 2005 r.; https://www.theguardian.com/media/2005/jan/12/radio.bbc (6 III 2018).
[19] Waldemar Maszewski, „Obrażają katolików", *Gazeta Polska Codziennie,* 21 XII 2012 r.

W 2011 roku komisja do spraw etyki i religii BBC poleciła, by dziennikarze stacji nie stosowali określeń BC i AD, tylko „bardziej neutralnych" określeń BCE i CE[20]. Jest to o tyle absurdalne, że określenie CE oznacza *Christian era*, a więc imię Chrystusa i tak ma się pojawiać. W 2015 r. paryskie zakłady komunikacyjne nie zgodziły się na reklamę w metrze koncertu tria śpiewających księży Les Prêtres, z którego dochód miał być przeznaczony na rzecz prześladowanych chrześcijan[21].

Szokujące treści znajdują się często w reklamie. Na ogół wpisują się one w nurt „postępowej" walki z religią. Na przykład w 1993 r. reklamowano nowojorskie koncerty Madonny przy pomocy plakatu, na którym skandalizująca śpiewaczka została przedstawiona obok Matki Boskiej z Dzieciątkiem koło napisu „Różnica między tobą a twoimi rodzicami". Coraz częściej pojawia się publicznie motyw krzyża w kontekście pornograficznym[22]. Wrogość, a nawet agresję wobec chrześcijan przyjęło się w wielu kręgach zachodnich elit traktować z pobłażaniem, podczas gdy jednocześnie stale przypomina się zbrodnie Inkwizycji i kolonizatorów. Świadomą walkę z chrześcijaństwem prowadzą też organizacje i gwiazdy pop wyznające satanizm. Piewcami treści i symboli satanistycznych były lub nadal są między innymi gwiazdy rocka w rodzaju Ozzy Osbourne'a, zespoły Megadeath i Metallica oraz zespoły *metalu*. Dziełem organizacji Fullmoon były liczne podpalenia kościołów, polski zespół Behemoth śpiewał wprost, że „dzieci Svanthevitha nienawidzą Chrystusa", a jego solista Nergal podarł z wściekłością Biblię wołając „żryjcie to g…"[23]. W antychrześcijańskiej propagandzie przoduje francuski tabloid *Charlie Hebdo*. W rocznicę zamachu na redakcję tego pisma w Paryżu opublikowało ono specjalny numer. Na jego okładce widzimy staruszka z brodą, w długiej sukni, z kałasznikowem na plecach, poplamionego krwią, Napis głosi „Morderca ciągle ucieka". Żeby nie było wątpliwości, że chodzi o Pana Boga, ma on na głowie trójkąt z Okiem Opatrzności[24].

Innym polem walki z chrześcijaństwem jest sztuka, gdzie obowiązuje selektywna swoboda twórcza. Obóz koncentracyjny z klocków lego wzbudził pewne protesty, a bluźnierstw antymuzułmańskich artyści się po prostu boją, natomiast antychrześcijańskich – nie. W 1998 roku pewien rozgłos zdobyła w Szwecji wystawy zdjęć niejakiej Elisabeth Ohlson, przedstawiająca fotomontaże, na których Jezus Chrystus przedstawiany był w stroju transwestyty, na wysokich obcasach, jako chory na AIDS lub zamordowany przez skinów. Wystawę pokazano podczas festiwalu homoseksualistów w Sztokholmie, a następnie przejął ją państwowy szwedzki kościół luterański, pokazując ją w katedrze w Uppsali, a następnie w wielu parafiach w całej Szwecji. Wedle ankiety dziennika *Svenska Dagbladet* za pokazaniem wystawy w parlamencie szwedzkim było 42% czytelników.

---

[20] Marcin Szymaniak, „BBC bez Chrystusa":, *Rzeczpospolita,* 30 IX 2011 r.

[21] Kataryna, „Multi-kulti na plaży", *Do Rzeczy,* 22–28 VIII 2016 r.

[22] Wojciech Klewiec, „Prawo do własnego tabu", *Rzeczpospolita*, 3–4 IX 1994 r.; „Dosyć bluźnierstw", *Życie,* 8 VIII 1997 r.

[23] Rafał Geremek, „Ciemna strona mocy", *Życie*, 14/15 III 1998 r.; Peggy Mann, „How Shock Rock Harms Our Kids", *Reader's Digest,* 1988, nr 7, s. 101.

[24] Sabina Treffler, „Szukanie winnych trwa", *Gazeta Polska Codziennie,* 7 I 2016 r.

Amerykańska wokalistka Madonna znana jest z częstego, prowokacyjnego i skrajnie obrazoburczego wykorzystywania motywów religijnych w swojej estradowej działalności.

Decyzję wydała przewodnicząca Riksdagu, Birgitta Dahl, po konsultacji z szefami głównych frakcji parlamentarnych. Pięciu było za, dwóch przeciw. Po obejrzeniu wystawy pastor Jonas Svensson skwitował ją: „To hańba, że człowiek myśli, że może stawiać się ponad prawami boskimi. Szwecja przez większą część XX wieku żyje pod antychrześcijańskim, socjalistycznym reżimem i usiłuje zaprzeczyć Bogu. Modlę się za mój kraj[25].

Najczęściej mówienie o dyskryminacji chrześcijan przedstawia się jako dowód agresywności chrześcijan.

Już w 1962 roku jeden z największych pisarzy francuskich, François Mauriac, stwierdził: „Wielu pisarzy wokół mnie troskało się usilnie o zabezpieczenie się przed Światłością, choćby mieli ją ujrzeć w ostatniej minucie. Bracia ci swoją ostateczną zatwardziałość wypracowują starannie, tak skrupulatnie wystrzegają się Boga, jak my, którzy Go kochamy (...) Najbardziej zjadliwa nienawiść opanowała surrealistów, którzy pragną wyjść poza świat realny, przebić sobie drogi ucieczki i to jak marnymi środkami! (...) Cywilizacja chrześcijańskiego Zachodu, tak bogata w dzieła wszelkich dziedzin (...) teraz chyli się upadkowi (...) Chrześcijański Zachód nie spełnił swego posłannictwa – oto jest prawda”[26].

---

[25] Piotr Cegielski, „Prowokacja na poddaszu", *Gazeta Wyborcza*, 23 II 1999 r.
[26] François Mauriac, *W co wierzę?* (Warszawa: PAX, 1975), ss. 57 i 64.

Jego wyznanie wiary było już wtedy swoistą kroplą w oceanie francuskiego samozadowolenia.

CYMBAŁ BRZMIĄCY

Wzrost roli mediów spowodował, że potoczne określenie „scena publiczna" nabrało nowego znaczenia. Ważne wydaje się to, co dzieje się na scenie publicznej, czyli w mediach, a nie to, co dzieje się naprawdę. Na pluralistycznym rynku mediów każdy, kto ma pieniądze lub przyciągnie uwagę ludzi z pieniędzmi, może się zaprezentować z najgłupszym i najbardziej obrzydliwym przekazem. W społeczeństwach demokratycznych rzeczywistością kierują nie tylko wybieralni politycy, ale w dużej mierze służący Mamonie reżyserowie ludzkiej wyobraźni. Niestety, bardzo często widzą oni rzeczywistość w sposób jawnie szkodliwy i spojrzeniem tym zarażają publiczność.

Dwie z sześciu stacji telewizyjnych w Los Angeles na bieżąco relacjonowały swego czasu pogoń za uzbrojonym mężczyzną, niektóre nawet przerwały emitowane właśnie audycje dla dzieci. Ze szczegółami pokazano scenę finałową, w której mężczyzna strzelił sobie w głowę. Szef stacji KTLA, Jeff Wald, bronił decyzji pokazania drastycznego obrazu mówiąc „nie pracujemy dla cenzury, ale dla wiadomości. Naszym obowiązkiem jest powiedzieć ludziom, co się dzieje" . Owemu szkodnikowi nie przyszło do głowy, że w tym samym czasie działo się wiele znacznie ważniejszych i bardziej budujących spraw. W istocie nie walczy on ani o wolność, ani o prawdę, lecz o dreszcz sensacji, który ma przynieść pieniądze.

Nawet pozytywne wydarzenia psuje często fałszywy pogłos komentarzy, niejednokrotnie pozornie silniejszy od samego wydarzenia. Na przykład, głoszący konieczność moralnego odrodzenia amerykańskich mężczyzn ruch Strażników Obietnicy (Promise Keepers) został zakwalifikowany przez jakiegoś mędrca z nowojorskiego Centrum Badań nad Demokracją jako „skrajnie prawicowy ruch polityczny", zaś Amerykańska Liga Swobód Obywatelskich stwierdziła, że zaciera on granicę „między religią i prawicową działalnością polityczną" . Najwyraźniej dla swego rodzaju „lewicy" moralność w ogóle kojarzy się z prawicą.

„Demokratyczne" media potrafią, podobnie jak komunistyczne, z wielkiego tłumu zrobić małą grupkę, a wydarzenie marginalne rozdąć do niebotycznych rozmiarów. Na przykład, niemieckim mediom bardzo spodobało się głoszone przez wspomnianego już byłego księdza Eugena Drewermanna hasło „Bóg – tak, Kościół – nie" i nadały postaci buntowniczego kapłana wielki rozgłos. Twierdził on, iż Kościół był i jest instytucją totalitarną, pokrewną państwu Stalina i Hitlera, że Ewangelie należy rozumieć wyłącznie symbolicznie, a Bóg nie może być wszechmocny, skoro dopuszcza zło. Nie są to poglądy szczególnie nowe ani oryginalne. Każdy ostatecznie może je głosić, ale Drewermannowi to nie wystarczało: żądał, by uznał je sam Kościół. Lokalny arcybiskup suspendował kapłana, którego nauki w sposób oczywisty nie mieszczą się w ramach doktryny Kościoła. „Nieszczęsny" Drewermann uznał się za ofiarę prześladowań. Teraz „z jednej strony modli się o zburzenie Kościoła, z drugiej pragnie być nazywany katolikiem, z jednej strony odmawia wagi sakramentom, z drugiej skarży się, że odebrano mu prawo ich udzielania, z jednej strony wyraża troskę o człowieka, z drugiej – pozostawia go na łaskę subiektywnych wyobrażeń" . Mimo niespójności poglądów, a nawet oznak braku równowagi, Drewermann cieszył się w niemieckich mediach popularnością równą niemal papieżowi. W „poważnych" wydawnictwach amerykańskich, na przykład Doubleday czy Harper, ukazują się książki „naukowe", w których, na podstawie fantastycznych spekulacji, dowodzi się, że Chrystus nie umarł na krzyżu, lecz zapadł w śpiączkę, co pozwoliło mu kontynuować spory ze stronnictwem Jana Chrzciciela, rzekomo zwolennika zbrojnej walki z Rzymianami. Potem ożenił się powtórnie (pierwszy raz z Marią Magdaleną w Kanie Galilejskiej!), miał kilkoro dzieci i dożył siedemdziesiątki na południu Galii . Zapewne znajdą się też ludzie, którzy uwierzą w podobne bzdury.

Daniel Pipes zwrócił niedawno uwagę na fakt, że każda, nawet najbardziej sfiksowana, idea obrośnięta jest pokaźną literaturą . Zwolennicy interwencji UFO w życie na ziemi, badacze powszechności spisków iluminackich, masońskich, antysemici, obserwatorzy „sensacji XX wieku" spod znaku „Archiwum X" i inne niewyważone umysły łatwo mogą odwoływać się do bogactwa źródeł, których jakość może być bardzo różna. Przy odrobinie bezczelności wykrywacze ukrytych znaczeń i działań mogą się powoływać na szanowane autorytety, najczęściej cytują jednak źródła nic niewarte. Tak czy inaczej, obfitość przypisów nie jest żadną gwarancją wartości głoszonych tez.

Stare przekonanie, że świat nie opisany i nie nazwany nie istnieje, wydaje się nabierać coraz większego znaczenia. Problem nie tylko w tym, że wraz z powszechną komercjalizacją życia coraz mniej wydają się znaczyć myśli, czyny, a nawet postawy, które nie są ujawniane publicznie. Patrząc w ekran telewizora lub na reklamy ustawione na mieście pomyśleć by można, że uwagę ludzi zaprzątają wyłącznie informacje o katastrofach, morderstwach i wynaturzeniach albo iż interesują się oni wyłącznie tym, co zrobić, by wyglądać tak jak apetyczna dziewczyna z okładki lub jak taką dziewczynę zdobyć. Współczesny obserwator ma często przykre, choć złudne wrażenie, że istnieje tylko to, co widać. Nic dziwnego, że w reakcji na to wrażenie działacze religijni w Stanach Zjednoczonych ustawili billboardy reklamujące... Boga.

Życie toczy się dziś coraz bardziej na scenie publicznej lub na rynku informacyjnym. Poza tą sceną są sprawy i ludzie, którzy jakby zaginęli i którzy sami często siebie nie cenią, którzy żyją życiem uczestników tego rynku – „autorytetów", których się przy tym nie ceni, oraz gwiazd, którym się zazdrości. Stąd tak ogromna popularność kolorowych pism stale dostarczających mniej lub bardziej zmyślonych sensacji obyczajowych z udziałem znanych gwiazd. Rynkiem lub sceną informacji nie rządzi ani sumienie, ani zdrowy rozsądek, rządzi chęć osiągnięcia korzyści, której podporządkowany jest zarówno dobór informacji, jak i sposób ich prezentacji. Zasób pozornej wiedzy prezentowanej tam nie daje żadnych korzyści poznawczych i kształci jedynie powierzchowne emocje i zły gust.

Na rynku informacji nie ma też demokracji. Właściciele mediów stoją najczęściej w cieniu i starannie unikają zwracania uwagi na prosty fakt, że nikt ich nie wybrał. Ludzie dyrygujący rynkiem medialnym i często lansujący tam to, na co współczesny język polski znalazł trafne określenie „badziewie", często robią niewinną minę, tłumacząc, że są jedynie na usługach opinii publicznej, że służą ludziom, którzy chcą wiedzieć właśnie o powodziach, dzieciobójczyniach, ukrytych intencjach kleru, masakrach i zboczeniach, które są oczywiście „normalne". Jednakże ci sami ludzie, którzy chowają się za rzekome gusta publiczności, bardzo często używają słowa „promocja". Otóż to: współczesny rynek informacyjny jest kształtowany nie tyle przez zapotrzebowanie odbiorców, ile raczej przez promocję, czyli wolę nadawców.

Przykłady drastyczne można by mnożyć dla spotęgowania wrażenia, że nadawcy informacji bywają ludźmi pozbawionymi sumienia. Z pewnością można by podać wiele tego przykładów, ale przyjrzyjmy się przykładowi bardziej niewinnemu. Poważana i dość umiarkowana gazeta Washington Post zamieściła w swoim dodatku o książkach wykaz publikacji z 2001 roku, które uzyskały najwyższe notowania recenzentów. To bardzo pouczający wykaz, przede wszystkim ze względu na proporcje. Pozycji z gatunku fiction, czyli publikacji literackich znajdujemy tu 109, dodatkowo zaś wymienione jest 19 publikacji z gatunku mysteries and suspense, czyli sensacji, a także 5 książek science fiction. Na wspomnianej liście odnajdujemy także 19 biografii, 5 książek ze współczesnej publicystyki społecznej i politycznej, 5 pozycji ekonomicznych, 5 książek dotyczących kwestii zdrowia i medycyny, 5 pozycji prawniczych, 10 książek z krytyki literackiej, 8 wspomnień, 7 pozycji z wojskowości, 4 z muzyki, 4 z dziedziny przyrody, 3 dotyczące sportu, 4 podróżnicze i 2 religijne. 13 książek dotyczy historii Stanów Zjednoczonych, 6 współczesnej polityki amerykańskiej, a 5 historii innych krajów . O czym świadczy ta lista? Czy o zainteresowaniach czytającej publiczności amerykańskiej, czy raczej o preferencjach recenzentów? Z jednej strony nikłe zainteresowanie światem zewnętrznym potwierdza potoczna obserwacja tego, o czym myślą i mówią Amerykanie. Z drugiej jednak strony zwraca uwagę mikroskopijna ilość publikacji religijnych, które zauważyła gazeta. A amerykańskie kościoły wszystkich wyznań są pełne! A więc to nie czytelnicy ignorują publikacje religijne, ale recenzenci.

Problem sceny informacyjnej leży też nie tylko w tym, iż popularność wydaje się dawać poczucie komfortu i bezpieczeństwa. Problem również w tym, że ludziom zagubionym coraz częściej zdaje się, że rozwiążą swe problemy dzieląc się nimi publicznie. Spowiedź jest zastępowana zbiorową psychoterapią i wywiadami prowadzonymi przez gospodarzy niezliczonych talk shows. Nie chcąc a może już nie umiejąc rozwiązywać trudnych problemów w zaciszu swego sumienia, ludzie współcześni coraz chętniej wciągają w nie innych. Diane Pretty z Wielkiej Brytanii zachorowała dwa lata temu na nieuleczalną chorobę atakującą mięśnie. Nie mogła się ruszać i porozumiewała się z otoczeniem wciskając klawisze komputera. Śmiertelnie chora pani Pretty, a być może raczej jej mąż i dwoje dorosłych dzieci zaczęli dowodzić, że brytyjskie prawo zakazujące eutanazji jest „nieludzkie" i „odbiera jej godność". Pani Pretty pragnęła, by w samobójstwie pomógł jej mąż. Oboje chcieli, by stało się to w majestacie prawa. Brytyjski sąd zgodził się rozpatrzyć sprawę. Po tej decyzji pani Pretty rozpłakała się ze szczęścia, a mąż ucałował ją

Zespół Iron Maiden gra *heavy metal*, czyli głośną i gwałtowną muzykę rockową. Grupy heavymetalowe często wykorzystują w swojej scenicznej ekspresji elementy związane ze śmiercią, przemocą czy makabrą.

do kamery. Zdjęcie poszło w świat . Jest to historia dość przerażająca. Dlaczego prawo zakazujące eutanazji miałoby odbierać godność ludziom cierpiącym? Czyżby jedynym źródłem ich godności było takie czy inne uregulowania prawne? Pani Pretty i jej rodzina zapewne sądzili, że cierpienie odbiera jej godność. Trudno się z tym zgodzić. Wielu ludzi przeżyło jakąś formę cierpienia i zapewne czasem sądziło, że jest to cierpienie ponad miarę. Jednak uznanie, że cierpienie zaprzecza godności człowieka, jest równe ostatecznej kapitulacji wobec nieszczęścia i w istocie zaprzecza człowieczeństwu. Bunt przeciw cierpieniu, któremu często towarzyszy uczucie upokorzenia, jest rzeczą naturalną. Do zrozumienia cierpienia nie wystarczy jednak uregulowanie prawne, ani wciągnięcie w nie jak największej liczby widzów. Potrzebna jest wiara.

KONTRKULTURA CZY ANTYKULTURA?

Kto nie ogląda kanałów „rozrywkowych" w wydaniu niektórych stacji telewizyjnych, na ogół nie ma świadomości, co się tam wyprawia. „Rozrywka" oferowana w tych przybytkach antykultury znacznie bardziej rozrywa dotychczasowe obyczaje niż moglibyśmy przypuszczać. Płatne kanały TV zajmują się wszelkimi możliwymi rodzajami „usług seksualnych", zaś niektóre kanały oferowane w pakietach telewizji kablowej nadają muzykę agresji, szału i nihilizmu. Jednostajne wiercenie w uszach straszliwym hałasem, czarne stroje, wykrzywione z nienawiści gęby, falowanie długimi włosami, satanistyczne gesty i słowa pełne destrukcji i wściekłości. Istny dom wariatów. Młodzieżowi najczęściej „smakosze" tego rodzaju „rozrywki" odróżniają przy tym podobno *heavy metal* od *death metalu* czy innych rodzajów tego obłędu. To nie jest odbicie lęków i grozy współczesnego świata, to jest ich kreacja.

Upadek kultury masowej przybrał też niewiarygodny poziom w rapie. Snoop Doggy Doggs pokrzykuje na przykład rytmicznie, że zadzwonił, by kogoś, kogo płci nie możemy się domyśleć, „seksualnie wyleczyć". Żąda prawa „wejścia" i przyjęcia właściwej pozycji, by mógł te osobę „zerżnąć". W utworze *Big Man with a Gun* „artysta" zwany Nine Inch Nails szczyci się, że jest wielkim facetem z pistoletem (co można także rozumieć jako męski organ seksualny), po czym zapowiada, co zrobi z drugą osobą tym właśnie pistoletem: „Mam moc (...) strzelać, strzelać, strzelać, strzelać, strzelać!" Gdy zażądano od przedstawicieli firmy Time Warner, która wylansowała ten przebój, by odczytali publicznie na głos słowa *Big Man with a Gun*, nikt z nich się na to nie zdecydował. Natomiast prezes firmy odparł tylko, że Nine Inch Nails jest laureatem Grammy Award, uznawanym przez miliony fanów[27]. Raper Ice-T z kolei zachęcał do zabijania „glin". Raperzy często zachęcają do popełniania przestępstw i sami są często przestępcami, co wcale nie zmniejsza ich popularności.

Rozkosz, szatańskie grymasy, zabijanie i samobójstwo są wszechobecne w słowach i wizualnej oprawie przebojów *metalu* czy *grunge*. Mass media w rodzaju MTV nie tylko bez zastrzeżeń puszczają taka „muzykę", ale propagują także seks jako rozrywkę. Ukazują przy tym homoseksualistów i prostytutki jako ofiary nie własnych obyczajów, a społeczeństwa, którego głosem są rzekomo same. Błędne koło absurdu i zakłamania. W ostateczności „twórcy" tego rodzaju dzieł i ich producenci zasłaniają się „wolnością tworzenia". Czy istotnie, jak pisze Robert H. Bork, przedstawianie rozprutej pochwy i lizanego odbytu jest wyrazem swobody twórczej, czy raczej obłędu współczesnej kultury?[28] Najnowszym ściekiem, gdzie można pławić się we wszelkiego rodzaju plugastwie jest Internet.

Obrońcy „swobody twórczej" bronią się, że to nie współczesna kultura wymyśliła przemoc i nadużycia seksualne oraz że jeszcze „nikt nie padł trupem od oglądania 'Urodzonych zabójców' czy słuchania *gangsta rapu*". Takie stawianie sprawy jest nadużyciem godnym owych żałosnych „dzieł". George Will słusznie odpalił: „Nikt nie padł trupem od lektury 'Der Stürmera', nazistowskiej gazety antysemickiej, ale kultura, której on służył, wytworzyła sześć milionów żydowskich trupów"[29]. Czyżby jeszcze tylko porównanie do Holocaustu miało jakąkolwiek moc przekonywania? Gdzie indziej ten sam George Will napisał: „Tylko społeczeństwo

---

[27] Kto nie wierzy, niech zajrzy do tego tekstu: https://genius.com/Nine-inch-nails-big-man-with--a-gun-lyrics (31 VII 2018).

[28] Bork, *Slouching Towards Gomorrah*, ss. 122–132.

[29] George Will, „This Week With David Brinkley", *ABC News*, 4 VI 1995 r.

gruntownie pomieszane zajmuje się bardziej ochroną płuc niż umysłów, pstrąga niż czarnych kobiet. Uchwalamy zakaz palenia w restauracjach, ale śpiewanie *Me So Horny* zespołu 2 Live Crew[30] jest objęte ochroną konstytucyjną. Zaciąganie się jest rakotwórcze, podczas gdy 'czczenie rozdartych wagin' to tylko słowa"[31].

Inny argument obrońców kulturalnych śmieci brzmi: jeśli cię to razi, nie kupuj. To również chwyt poniżej pasa. Nawet jeśli sami odrzucamy owe śmiecie, to nie możemy uniknąć wpływu tych, którzy je kupują. Upubliczniony brak hamulców mści się na wszystkich. Wiedzą o tym miliony amerykańskich rodziców, którzy mieli kłopot, jak wyjaśnić swym małoletnim dzieciom, z czego tłumaczył się prezydent Clinton w przesłuchaniach przez komisję Kongresu. Wspomniany argument podsumował najlepiej Michael Medved: „Mówienie, że jeśli się nie lubi kultury pop, można się od niej odciąć, jest jak mówienie, że jeśli nie lubisz smogu, możesz przestać oddychać"[32].

Można jednak zapytać po co w ogóle komu sztuka? Być może najwspanialszym usprawiedliwieniem sztuki jest poetycka wypowiedź Matki Teresy z Kalkuty o życiu:

Życie jest szansą, korzystaj z niej.
Życie jest pięknem, podziwiaj je.
Życie jest szczęściem, kosztuj go.
Życie jest marzeniem, urzeczywistniaj je.
Życie jest wyzwaniem, stawiaj mu czoło.
Życie jest zadaniem, spełniaj je.
Życie jest zabawą, baw się nim.
Życie jest cenne, troszcz się o nie.
Życie jest bogactwem, pilnuj go.
Życie jest miłością, ciesz się nią.
Życie jest tajemnicą, staraj się ją przeniknąć.
Życie jest obietnicą, dopełnij ją.
Życie jest hymnem, śpiewaj go.
Życie jest walką, przyjmij ją.
Życie jest tragedia, weź ją na barki.
Życie jest przygodą, nie bój się jej.
Życie jest szczęściem, zasłuż na nie.
Życie jest życiem, broń go[33].

Nie ma głębokiej sztuki bez prawdziwego zadziwienia światem, bez dążenia do zgłębienia jego sensu. Nie każdy to potrafi. Wymaga to umiejętności i znalezienia właściwej formy. Sama forma to jednak tylko pozór sztuki. Nie wystarczy

---

[30] http://www.metrolyrics.com/me-so-horny-lyrics-2-live-crew.html (31 VII 2018).
[31] Bork, *Slouching Towards Gomorrah*, s. 147
[32] Cyt. za Bork, s. 152.
[33] Słowa Matki Teresy z Kalkuty, *Zwierciadło*, 1998, nr 12, s. 83.

wymyślić siebie jako artystę. Granicę owej samokreacji artystów opisał niedawno Henryk Waniek porównując ślad dłoni odciśnięty przez praprzodka w jaskini z podobnym działaniem jakiegoś „artysty" w zeszłym roku. „Czas sztuki zatoczył pełne koło i wrócił do początku" napisał Waniek, przyznając się, że już nie wie, po co komu sztuka[34]. Myślę, że to zbyt pesymistyczna konkluzja. Sztuka wymyślania siebie samego może istotnie się kończy, ale pozostaje jeszcze sztuka, która wynika z doświadczenia.

Pod koniec marca 1996 r. zaginął wśród bezdroży Western Arthurs na Tasmanii Peter Dombrovskis, artysta fotografik i obrońca przyrody. Ojciec jego został zabity podczas II wojny światowej, a matka Adele, uciekinierka z Łotwy, zaczynała w 1945 r. nowe życie w obozie dipisów w Niemczech. Tam urodził się Peter. Oboje wylądowali na drugim krańcu świata – na Tasmanii. Prowincjonalna atmosfera miasta, położonego w bezpośrednim sąsiedztwie ogromnych, dziewiczych obszarów w południowo-zachodniej części wyspy, wrażliwość odziedziczona po matce, wykorzenienie i wola znalezienia swego miejsca na ziemi – wszystko to pchało młodego Łotysza w świat dzikiej przyrody oraz zachęcało do jego rejestracji na kliszy fotograficznej. Introwertyk i włóczęga, Dombrovskis szybko napotkał swego mistrza, człowieka o pokolenie starszego, ale o podobnych korzeniach i podobnej wrażliwości – Olega Truchanasa z Litwy. Z wymiany doświadczeń i wzajemnych inspiracji obaj wyczarowywali na zdjęciach niezwykły świat tasmańskiej przyrody – bezludne krajobrazy górskie z St.Clair National Park, skały i wody jezior wokół Cradle Mountain, bajecznie kolorowe trawy, mchy i porosty[35].

Tymczasem napotykając wytwory współczesnej sztuki „wysokiej" przeciętny zjadacz chleba często wzrusza ramionami lub stuka się w czoło. Podświadomie przykłada bowiem do nich kryterium piękna lub użyteczności. Pojęcie piękna zostało doszczętnie zrelatywizowane, a nawet obrzydzone. Niektórzy oburzają się, że można mówić o pięknie w sztuce po okropnościach dwóch wojen światowych. Wcześniej jednak nikomu nie przychodziło do głowy, że okropności tego świata nie wykluczają dążenia do piękna. Pojęcie użyteczności opanowało nasze życie do tego stopnia, że mało kto zastanawia się, na ile samo to pojęcie jest użyteczne. Co uważane jest dziś za rzecz użyteczną? Mieszkanie, żywność i napoje, odzież, komunikacja, rozrywka – na pewno tak, ale sztuka? Jeśli już – to produkcje, które w oczywisty sposób wiążą się z wymienionymi sferami. Książki winny bawić lub

---

[34] Henryk Waniek, „Po co? Czemu" Dlaczego?" *Charaktery*, 1999, nr 1, s. 38–39.

[35] Na początku lat siedemdziesiątych obaj artyści zaangażowali się w obronę przyrody tasmańskiej przed planami budowy tamy i elektrowni na rzece Gordon, które miały zniszczyć pierwotny ekosystem. Kampanię tę przegrali, a Truchanas zginął w wypadku. Dombrovskis podjął jednak wkrótce kolejna batalię, tym razem o uratowanie rzeki Franklin, w której dorzeczu chciano zrealizować drugi projekt elektroenergetyczny. Zdjęcie Dombrovskisa „Rock Island Bend", opublikowane w wielu czasopismach, przeważyło szalę debaty na rzecz obrońców doliny rzeki Franklin. Łotysz poszedł znów na włóczęgę w ukochane góry. Na początku kwietnia 1996 r. jego ciało znaleziono na zboczu Mt. Hughes. Zmarł na atak serca. Ekspedycja poszukująca go odkryła zwłoki w pozycji klęczącej. Głowę opierał na rękach, ułożonych na kamieniu. Wyglądało to tak, jakby się modlił. Jane Cadzow, „Death in the Wilderness", *The Sydney Morning Herald Magazine*, 22 III 1997 r.

uczyć, najlepiej lekko, łatwo i przyjemnie, obrazy bywają kupowane najczęściej wtedy, kiedy stanowią dobrą lokatę lub pasują pod kolor mebli lub ścian. Użyteczność sztuki jako inspiracji do głębszego zastanowienia się nad życiem bywa zauważana rzadko. A przecież zobaczenie od czasu do czasu kupki ziemi lub śmieci na wystawie może się także przydać, na przykład przypominając, że z prochu powstaliśmy i w proch się obrócimy.

Trudno jednak mieć pretensję do szarego człowieka, skoro ową potrzebę głębszej refleksji nad życiem zniszczyła właśnie sztuka współczesna, krok po kroku negując sens wartości, niknąc w poszukiwaniach formalnych oraz pogoni za wolnością i oryginalnością. Sztuka współczesna musi być wolna jak nie wiadomo co. Nie może być na niczyich usługach, nawet zdrowego rozsądku. „Czy sztuka jest na usługach Stalina, czy Kościoła to na jedno wychodzi", mówi Anda Rottenberg, dyktatorka artystycznych mód polskich końca XX wieku[36]. Nie zauważyła różnicy między Stalinem i Kościołem katolickim? To jak może zauważyć różnicę między sztuką dobrą i złą? Sztuka współczesna musi być „nowatorska". Im mniej jest zrozumiała, tym lepiej. Sztuka zrozumiała jest bowiem dla maluczkich. Awangarda musi się czymś wyróżniać. Coś co jest zrozumiałe, nie należy do awangardy. Żeby być niezrozumiałym, nie trzeba jednak wiele umieć, tylko głośno krzyczeć i rozpychać się na targowisku próżności.

Artyści współcześni konstruują genialne, skomplikowane szarady bez cienia refleksji moralnej, a swą pozycję budują często na własnym dobrym samopoczuciu. „Cóż bowiem – pytał Vladimir Nabokov – wynika z tych beznadziejnie banalnych i ogromniastych powieścideł wystukiwanych niezdarnym kciukiem wytężającej się miernoty?" Wyśmiewał dalej „te duszyczki jasne, twierdzące, że *Lolita* nic nie znaczy, ponieważ ich niczego nie nauczyła?" Na koniec deklarował: „dla mnie dzieło literackie istnieje o tyle tylko, o ile dostarcza mi czegoś, co nazwę jak najprościej rozkoszą estetyczną"[37]. Pytanie, czy „rozkosz estetyczna" Nabokova wystarcza, by zatruwać wyobraźnię i sumienie masowego czytelnika aprobatą pedofilii.

Kultura masowa żyje z rynku. Oczywiście, przy okazji często psuje ten rynek. Kultura „wysoka" broni się na rynku tylko wtedy, gdy jest wylansowana. Lansowanie owo przypomina jednak dżunglę, w której przeważnie wygrywają jednostki najbardziej przebiegłe i bezczelne. Mało tego, odbywa ono się często na pograniczu rynku prywatnego i publicznego. Wiele osób zdobyło rozgłos i sławę, które pozwoliły im na samodzielną karierę na rynku artystycznym, dzięki dostępowi do funduszy publicznych. Jakie są kryteria tego dostępu? Wiedzą o tym doskonale nie tylko „działacze" kulturalni, ale i sami artyści. Liczą się tam najbardziej znajomości, dobre mniemanie o sobie, „nowość", a tylko wyjątkowo – autentyczne zdolności i umiejętność powiedzenia czegoś ciekawego. Sztuka służąca pogłębianiu

---

[36] Magdalena Grochowska, „Chore szyby, martwe róże, niebieskie motyle", *Magazyn Gazety Wyborczej*, 18/19 XI 1998 r.

[37] Vladimir Nabokov, *Lolita. Posłowie: O księdze zatytułowanej „Lolita"*, Warszawa: PIW, 1991, s. 410.

poczucia absurdu jest absurdalna. Jeśli się sprzedaje, trudno, ale czy ma na nią łożyć państwo, czyli my wszyscy – podatnicy?

OD ROZRYWKI DO POP-DELIRIUM

Zmiany w obyczajowości ludzi Zachodu można łatwo prześledzić po tym, jakie przeboje zdobywały masową popularność. Amerykańskim przebojem 1900 roku była piosenka *I Can't Tell Why I Love You* („Nie mogę powiedzieć czemu cię kocham"), śpiewana przez Harry'ego MacDonough. W 1902 roku największym przebojem w USA był ragtime Scotta Joplina *The Entertainer* („Przedsięborca"). W następnym roku Amerykanie podśpiewywali *Ida, Sweet as Apple Cider* („Ida, słodka jak cydr"). Awans kultury afro amerykańskiej do strefy przebojów dla każdego zaczął się od poważnego *St.Louis Blues* w 1914 roku. Po I wojnie światowej najlepiej sprzedające się płyty nadal zawierały poczciwe przeboje typu *Swanee* Al Jolsona z 1920 roku lub The *Man I Love* („Człowiek, którego kocham") Marion Harris z 1928 roku. W tym samym roku Louis Armstrong nagrał dramatycznego bluesa *St. James Infirmary*, w którym śpiewał, że odwiedził szpital i zobaczył tam ciało swej ukochanej, rozciągnięte na stole, „takie słodkie, takie zimne, takie piękne"[38]. Przeboje tego okresu były jednak na ogół pogodnymi, błahymi utworkami o miłości.

Podobnie było jeszcze w latach czterdziestych, gdy królował na przykład przebój *Tennessee Waltz*, w którym bohaterka żaliła się, że przyjaciółka odbiła jej chłopaka tańcząc tytułowego walca. W 1952 roku Patti Page zrobiła karierę pytając *How Much Is That Doggie in the Window?* („Ile kosztuje ten piesek z wystawy?") W 1955 roku zespół The Four Aces śpiewał jeszcze sentymentalnie, że *Love Is a Many-Splendored Thing* („Miłość to rzecz godna uwielbienia"), ale Elvis Presley, mruczący wkrótce *Are You Lonesome Tonight?* („Czy jesteś dziś sama w nocy?") działał już mocniej na zmysły.

Stopniowo dosłowność słów piosenek o miłości rosła. Na początku lat sześćdziesiątych Helen Shapiro zastanawiała się już *I am the queen for tonight, but will I find the king tomorrow?* („Tej nocy jestem królową, ale czy jutro znajdę króla?") W połowie dekady The Rolling Stones zachęcali już *Let's Spend the Night Together* („Spędźmy tę noc razem"), a ich solista Mick Jagger nie mógł znaleźć satysfakcji w piosence *Satisfaction*. W 1969 roku Jane Birkin i Serge Gainsbourg przesunęli granicę przyzwoitości znacznie dalej, śpiewając „pornofoniczny" przebój *Je t'aime, moi non plus* („Kocham cię, ja też nie") naśladując stosunek seksualny, a jęki i westchnienia solistki w upojeniu towarzyszyły odtąd słuchaczom we wszystkich miejscach publicznych na Zachodzie. W 1974 roku grupa Labelle sięgnęła szczytów list przebojów pytając *Voulez-vous coucher avec moi ce soir?* („Czy chcesz się ze mną przespać tej nocy?") Przeboje nadążały więc za rewolucją seksualną.

Już pod koniec lat sześćdziesiątych zaczął się flirt z szatanem. W 1968 roku zespół The Rolling Stones przybliżył młodzieżowej publiczności tę postać w piosence

---

[38] https://genius.com/Cab-calloway-st-james-infirmary-lyrics (2 VIII 2018).

Inscenizacja sztuki Alfreda Jarry'ego „Król Ubu" w reżyserii Jana Klaty w Narodowym Starym Teatrze w Krakowie. Przykład kolejnego ordynarnego awangardowego eksperymentu na krajowych scenach.

Sympathy for the Devil, trudno właściwie powiedzieć po co. W transowej melodii wyśpiewanej przez Jaggera można się było jednak zatracić. Gitarzysta zespołu Keith Richards wyjaśniał to bez ładu i składu: „Co to jest zło? W połowie, no, nie wiem, ilu ludzi myśli, że Mick to diabeł lub może, że jest po prostu świetnym rockmanem, czy jak? Są tacy od czarnej magii, którzy myślą, że jesteśmy nieznanymi agentami Lucyfera lub że my jesteśmy Lucyferem. Każdy jest Lucyferem"[39].

Kultura masowa końca XX wieku niosła już nierzadko treści godzące wprost w podstawy życia społecznego. Wigor kontestacyjny kultury elitarnej został umasowiony, a w produkcjach kultury masowej dostrzec można było nierzadko akceptację gwałtu, nieograniczonego wyżywania niskich instynktów, a także agresywny nihilizm. Wśród uwielbianych gwiazd rocka znaleźli się genialni wykolejeńcy, jak Jimi Hendrix, Janis Joplin czy Jim Morrison, oraz samobójcy, tacy jak Kurt Cobain, który mówił: „nienawidzę siebie i chcę umrzeć", czy też udający transwestytę Boy George, który zestarzał się potem wśród narkotyków i półświatka gejowskiego, a w końcu został skazany za uwięzienie i pobicie podobnego degenerata. W tym gronie poczesne miejsce zajął wokalista zespołu Sex Pistols Johnny Rotten, który zrewolucjonizował estetykę pop w latach siedemdziesiątych wprowadzając styl *punk*, ale poza tym interesował się głównie seksem, narkotykami i pieniędzmi.

---

[39] Por. wywiad Roberta Greenfielda z Keithem Richardsem, *Rolling Stone*, 19 VIII 1971 r.

Był tam także Ozzy Osbourne, który zachwalał samobójstwo jako „jedyne wyjście", a także wokaliści typu *gangsta rappers* gloryfikujący zadawanie bólu i śmierci[40]. A cóż powiedzieć o Freddiem Mercury, który w końcu sam doszedł do wniosku, że „Chyba mi się w głowie troszkę miesza" (*I'm Going Slightly Mad*)?

W 1990 roku w nowojorskiej katedrze episkopalnej św. Jana zorganizowano koncert Diamandy Galás, amerykańskiej wokalistki greckiego pochodzenia. Nagranie z tej imprezy ukazało się jako *Plague Mass*. Pełno w nim było aluzji do satanizmu, śmierci, przemocy, bólu i wszelkiej brzydoty. Sama Galás, której śpiew był mieszanką wycia i skrzeku, nie ukrywała nienawiści do chrześcijaństwa, a swoją energią chciała „palić scenę do gołej ziemi". Pierwszy jej album nosił zresztą tytuł *Litanie Szatana*. Nieszczęsnej kobiecie można by nawet współczuć, ale dlaczego ktokolwiek miał ochotę jej słuchać?

Koszmarne życie Charlesa Mansona zakończyło się w listopadzie 2017 roku. Jego fenomen nie przestawał jednak zdumiewać. Ten mierzący 1,57 m półanalfabeta i wykolejeniec potrafił omotać kilkadziesiąt kobiet i pokierować jedną z najbardziej absurdalnych i okrutnych zbrodni w świecie powojennym. Stał się niemal współczesnym uosobieniem zła, ale także wzorem popkultury. Podobne postacie znikały w dawnych czasach w niepamięci. Współcześnie przeżył on w nazwie zespołu Marylin Manson, który palił na scenie krzyże, zjadał zwierzęta i wykrzykiwał satanistyczne teksty[41]. Na przełomie XX i XXI wieku większość supergwiazd muzyki pop pokazywała satanistyczny gest rogatej dłoni. Znak ten wykonywali Madonna, Beyoncé, Britney Spears czy Justin Bieber. Powie ktoś – to tylko gest. Ale dlaczego właśnie taki? Poza tym wykonywanie jakichś gestów oznacza w pewnym sensie przyznawanie się do ich treści. Videoclip Keshy *Die Young* („Umierać młodo") aż roił się od pentagramów, odwróconych krzyży i trupich czaszek. Wywodzący się z byłej NRD zespół Rammstein epatował grozą, nie unikając ani aluzji do niemieckiej tradycji przemocy ani nostalgii za Rosją[42].

Jak już wspomniano, w różnych wersjach krążyła dawniej w Europie niemiecka opowieść o szczurołapie, który grą na fujarce wywabiał z miast szczury, zapobiegając roznoszeniu przez nie zarazy. Zbiesiwszy się z powodu odmowy zapłaty w pewnym mieście omamił swą grą dzieci i wywiódł je na zatracenie. Piszczałki, a właściwie znacznie głośniejsze dźwięki szczurołapów są dobrze słyszalne i dziś. Można je usłyszeć w bardzo wielu utworach muzyki pop, a w sensie przenośnym – w najpopularniejszych przejawach współczesnej kultury. Listę współczesnych szczurołapów, uwodzących młodzież, można wydłużać w nieskończoność. Kapele postpunkowe, alternatywne, nowofalowe i inne są często następującymi po sobie wydaniami tego

---

[40] „Cesarzowa bez szat", *Spotkania*, 12–18 XI 1992 r., s 41; „Socjotechnik rocka", *Gazeta Wyborcza*, 28 X 1994 r.; Robert Leszczyński, „Nienawidzę siebie i chcę umrzeć", *Magazyn Gazety Wyborczej*, 18 IV 1997 r.; Jacek Cieślak, „Parada narkotycznych rytmów", *Rzeczpospolita*, 2/26 IV 1998 r.; Robert Sankowski, „Parada dziwaków, czyli upadłe gwiazdy lat 80.", *Gazeta Wyborcza*, 22 I 2009 r.

[41] Wojciech Przylipiak, „Adwokat diabła", *Dziennik. Kultura*, 29 V 2009 r.; Piotr Włoczyk, „Przerażał i fascynował", *Do Rzeczy*, 27 XI-3 XII 2017 r., ss. 98–99.

[42] Jacek Cieślak, „Zabawa na beczce prochu", *Rzeczpospolita*, 22 II 2005 r.

samego przesłania: „nic nie ma sensu", „jest tylko kpina i szyderstwo ze wszystkiego" oraz „jedyne wyjście to odjazd lub samobójstwo". Przekaz ten trafia do emocjonalności nastolatków, wyjątkowo wrażliwych na punkcie własnego „ja", kontestujących rzeczywistość i buntujących się przeciw rodzicom, nawet jeśli nie mają po temu dość powodów. Bo tego, że produkcje MTV obejrzą miliony, można być pewnym. A tu rządzi prowokacja obyczajowa. W 2003 r., podczas wręczania nagród MTV Video Awards, skąpo odziana Madonna zaczęła namiętnie całować inną wybitną „artystkę", Britney Spears. Inny skandalista, Sacha Baron Cohen, miał w stroju anioła sfrunąć podczas tej gali na scenę na linie, ale wobec awarii sprzętu spadł na rzędy krzeseł i wyrżnął gołymi pośladkami w twarz innego „artysty", rapera Eminema. Ten najpierw zaatakował Barona, a potem obrażony opuścił salę. Miliony widzów dobrze się bawiły rzekomą wpadką, ale wkrótce okazało się, że wszystko było i tak wyreżyserowane.

Sterany życiem estradowym pod wpływem nadużywania wolności Iggy Pop oświadczył, że jest głównie zainteresowany „seksem, śmiercią i końcem rasy ludzkiej". Można by się nad nim użalić, ale dziennikarz, który omawiał jego nową płytę, przeciwnie – czerpał z jego kariery natchnienie. „Słuchając Iggy'ego Popa w tym komfortowym repertuarze – pisał – nie czuję się oszukany. Nie zmienił się nagle w kogoś innego, nie został dziadkiem śpiewającym kolędy albo piosneczki o jesiennej miłości. To ten sam stary pies uderzający między oczy groteskowym poczuciem humoru i dystansem do siebie. Kiedy śpiewa: 'Możesz próbować przekonać świat, że jesteś gwiazdą, ale tak naprawdę jesteś dupkiem', wiem, że ten gość nigdy mnie nie oszuka"[43]. Iggy Pop grał, a dziennikarz szedł za nim, najwyraźniej wierząc, że nic nie ma sensu poza „seksem, śmiercią i końcem rasy ludzkiej". Prymitywizm i bezsens dominujące w życiu supergwiazd *punk rocka*, między innymi zespołu The Ramones i ich fanów dobrze ukazuje książka Gillian McCain i Legs McNeil *Please Kill Me* („Proszę, zabij mnie")[44]. O atmosferze panującej w brytyjskim światku showbiznesu świadczy rozmiar przestępstw seksualnych, jakich dopuszczał się słynny prezenter Jimmy Savile, odznaczony nawet przed śmiercią orderem. W 2014 roku brytyjskie ministerstwo zdrowia opublikowało raport mówiący o tym, że nadużywając swojej pozycji prowadzącego telewizyjne programy *Top of the Pops* i *Jim'll Fix It* wykorzystał seksualnie setki dzieci[45]. W ślad za wieloletnim wyrokiem więzienia dla gwiazdy telewizji Rolfa Harrisa, oskarżonego o czyny pedofilskie z lat 1968–1986, w maju 2015 roku Wielką Brytanią wstrząsnął skandal pedofilski z udziałem ponad 1,4 tys. osób ze środowiska showbiznesu, sportu i oświaty[46]. Popisy niespotykanego daw-

---

[43] Marcin Staniszewski, „Możliwość Popa", *Dziennik. Kultura,* 5 VI 2009 r.

[44] Fragment książki: Gillian McCain i Legs McNeil, „Ćpuńskie klimaty były jak seks, jak jedna wielka zabawa", *Rzeczpospolita Plus Minus,* 17–18 III 2018 r. Całość wydała oficyna Czarne w 2018 roku.

[45] Maciej Czarnecki, „Gwiazdor gwałciciel pośmiertnie zdemaskowany", *Gazeta Wyborcza,* 27 VI 2014 r.

[46] „Wielki skandal pedofilski na Wyspach Brytyjskich", *Gazeta Polska Codziennie,* 25 V 2015 r.; Maciej Czarnecki, „Pedofilski skandal sprzed lat zatacza coraz szersze kręgi", *Gazeta Wyborcza,* 24 VII 2015 r.

niej chamstwa serwują „celebryci" ze świata showbiznesu, używając publicznie skrajnie wulgarnych słów[47].

Najsłynniejszy biały raper, wspomniany Eminem, który zrobił karierę produkując się w głupawych perukach, promując odgłosy wymiotów i puszczania wiatrów, zaprezentował się na jednej z płyt jako ofiara otoczenia. Fantazjuje na temat zabójstw, ale oskarża swoją matkę o własne uzależnienie od prochów. Zwierzając się ze swych cierpień wywołanych owym uzależnieniem, nie daje sobie i innym nadziei. Można by powiedzieć, że sam sobie zapracował na ten los, ale Eminem musi sprzedać swoje wynurzenia w kolejnej wersji, aby poruszyć i wciągnąć w chandrę kolejne miliony nastolatków i zarobić przy tym kolejne miliony dolarów[48]. Nick Cave z zespołu Bad Seeds, czyli „Złe Nasiona", przyznaje, że „ucieczka w zdeprawowany świat bagnistej krainy Ukulore była dla niego terapią". Już był na dnie, już pisał swe teksty zakrwawioną strzykawką w londyńskim metrze, ale potem zaczął święcić triumfy jako odrodzony pisarz[49]. Ciekawe, co powie tym, którzy się zdemoralizowali za jego przykładem i nie potrafili się już odbić od dna?

Wreszcie wspomnieć trzeba o muzyce *heavy metal*. Jej protoplastą był w latach siedemdziesiątych zespół Black Sabbath, który do hałaśliwego *hard rocka* dodał jeszcze więcej hałasu i elementów diabolicznych. Sama nazwa grupy oznaczała „Czarny Sabat". Za tym zespołem poszła cała masa innych, takich, jak Judas Priest („Kapłan Judasz"), Iron Maiden („Żelazna Dziewica"), Megadeath („Śmierć na Masową Skalę") czy Venom („Jad"). Ci ostatni zapoczątkowali *thrash metal*, czyli „śmieciową" odmianę gatunku, oraz *black metal*, czy metal satanistyczny, reprezentowany między innymi przez norweski zespół Mayhem („Zamęt") oraz *death metal*, czyli metal „śmiercionośny" takich grup jak Possessed („Opętani"). Wszystkie te zespoły i reprezentowane przez nich podgatunki to istotnie rodzaj opętania hałasem, chrapliwymi wrzaskami solistów, malujących się na upiorne kolory, wykrzykujących wśród migotania laserowych świateł słowa pełne nienawiści i agresji oraz wykonujących gest sprośne lub bluźniercze. W ich symbolice przeważają odwrócone krzyże i pentagramy, a na scenie można zobaczyć ukrzyżowane postacie. Teksty ich dotyczą marności życia oraz wściekłości na los, a nierzadko zachęcają do samobójstwa. Same zresztą nazwy tych grup nie pozostawiają wątpliwości co do przesłania, jakie niosą: ze Szwecji pochodzi Dark Funeral („Ciemny Pogrzeb"), ze Szwajcarii – Hellhammer („Piekielny Młot"), z Finlandii – Impaled Nazarene („Nazarejczyk na Palu"). Jest jeszcze norweski Gorgoroth, polski Kat i Behemoth, niemiecki Nargaroth czy kanadyjski Blasphemy („Bluźnierstwo").

Niektóre zespoły metalowe nawiązują do ideologii neopogańskiej, nazistowskiej lub komunistycznej. Estetyka tych grup opiera się na budzeniu odrazy i agresji. Wokalista szwedzkiego zespołu Watain występował na przykład w podartym stroju i spryskany rzekomą krwią. Historia norweskiego zespołu Mayhem jest

---

[47] Teresa Stylińska, „Wolność brudnego słowa", *Do Rzeczy,* 6–12 V 2013 r., ss. 44–46. Wymienienie ich nazwisk byłoby tu ich uhonorowaniem, a na to nie zasługują.

[48] Paulina Wilk, „Hiphopowy klown obraża", *Rzeczpospolita*, 18 V 2009 r.

[49] Łukasz Lubiatowski, „Od szamana do showmana", *Magazyn Dziennika*, 19/19 IV 2009 r.

wręcz ilustracją satanistycznego obłędu. Jego wokalista Dead (Per Yngve Ohlin), który upodobał sobie zapach zgnilizny, popełnił w 1991 roku samobójstwo, a jego zmasakrowane zwłoki posłużyły na ilustrację płyty zespołu. Drugi z muzyków, Euronymous (Øystein Aarseth) zrobił sobie z kości kolegi wisiorki, a sam założył w Oslo sklep Helvete („Piekło"), który za swą siedzibę obrała antychrześcijańska organizacja Black Circle. W środowisku tym doszło do choroby psychicznej jednej z uczestniczek, a także spalenia zabytkowego kościoła w Fantoft i mordu, którego dokonał inny gwiazdor *black metalu* Varg („Wilk" czyli Kristian Vikernes) na Euronymousie. Po 16 latach więzienia Varg wyszedł na wolność w 2009 roku. Szaleństwo *black metalu* trwa jednak nadal. Można by powiedzieć, że jest to margines sceny rockowej, że na listach przebojów królują raczej piosenki bardziej normalne, ale margines ten nie jest taki znowu wąski. Można by zapytać, jakie są powody, dla których moda na tego rodzaju opętanie nie ustaje[50]. To, że norweskie grupy *blackmetalowe* znajdują koneserów, to jedna rzecz, druga jednak to to, iż oficjalna strona Królestwa Norwegii w Polsce reklamowała te zespoły, twierdząc, że „Norwegia jest dumna ze swojego wkładu w muzykę *black metal*"[51].

KULTURA *YOLO*

Współczesna kultura Zachodu obraca się od pewnego czasu w kręgu obsesji seksem, zboczeń, okrucieństwa, depresji i poczucia bezsensu. Coraz bardziej popularny reżyser filmu *Antychryst* Lars von Trier sam przyznaje, że „dzieło" to zrodziło się z jego depresji[52]. Powieściopisarz David Thewlis nie jest bardziej odkrywczy. „Nasienie, ekskrementy, pot, popiół i krew – w takim kontekście dylematy egzystencjalne dojrzałego mężczyzny bredzącego niczym nastolatek nie wydają się szczególnie przekonujące" – pisano o jego książce[53]. W lecie 2013 roku w Narodowym Muzeum Cywilizacji Europejskiej i Morza Śródziemnego otwarto wystawę „Kobiecość i męskość w obszarze Morza Śródziemnego" na której pokazano kobietę w stroju toreadora na szpilkach z szybkowarem pod pachą, nagiego mężczyznę w rzekomej ciąży, całujących się gejów oraz nagranie kobiety oddającej mocz na stojąco przy pomocy plastikowego lejka. Doprawdy, trudno o bardziej przekonywujący dowód aberracji kultury europejskiej[54].

Od czasu Madonny damskie gwiazdy showbiznesu nie cofają się przed niczym w zwracaniu na siebie uwagi. Im więcej golizny i seksu, tym mniej jest w ich produkcjach oryginalności i talentu. W reklamie seks jest najczęstszym magnesem przyciągania uwagi, seks pompuje się nawet małym dzieciom. Rośnie procent

---

[50] https://www.norwegofil.pl/kultura/norweski-black-metal (15 II 2018; John Kugelberg (red.), *True Norwegian Black Metal*, (New York: Power House, 2008); Dayal Patterson, *Black Metal: Evolution of the Cult*, (Port Townsend: Feral House, 2013).

[51] Robert Tekieli, „Norweskie inferno", *Gazeta Polska Codziennie*, 25 VI 2014 r.

[52] „Antychryst zrodził się z depresji. Z Larsem von Trier rozmawia Magdalena Michalska", *Dziennik. Kultura*, 29 V 2009 r.

[53] Ewelina Kustra, „Cynizm, sarkazm, orgazm", *Dziennik. Kultura*, 29 V 2009 r.

[54] Gabriele Kuby, „Kulturowe tsunami", *W Sieci*, 13–19 I 2014 r.

Przebrani uczestnicy demonstracji środowisk LGBT prezentują hasło „Miłość nie zna płci". Demonstracja była częścią Tęczowego Marszu Dumy w mieście Madras w Indiach w czerwcu 2009 r.

młodych ludzi, całkowicie pozbawionych wstydu, dla których seks jest jedynie czynnością fizjologiczną[55]. Rozrywka stała się nowym idolem, a seks stał się rozrywką. Stale przesuwana granica "przyzwoitości" w prezentacji seksu w ogóle znikła. Media młodzieżowe bez skrupułów wciągają nastolatki w aktywność seksualną. Na przykład niemieckie pismo *Bravo* zachwalało seks trzynastoletnim dziewczętom. Podczas masowo oglądanych programów telewizyjnych striptizerki wciągają do podobnych działań "amatorów" z widowni. Gwiazdy sceny i sportu bez żenady opowiadają o swojej nieograniczonej aktywności seksualnej, a nierzadko prezentują ją publicznie[56].

W Polsce bełkotliwe eksperymenty awangardy uzyskują jeszcze sankcję „Zachodu", skąd, jak wiadomo sprowadzano do Polski wiodące wzorce kulturowe. Obrońcy tych pożal się Boże, eksperymentów, kierują się więc też kompleksami zaścianka, nie potrafiąc odróżnić artystycznego sensu od bezsensu. Tak było ze skandalicznymi przedstawieniem *Do Damaszku* w renomowanym krakowskim

---

[55] Michał Pozdal, „Opętani seksem", *Rzeczpospolita*, 6–7 XII 2014 r.

[56] „Ein Volk im Schweinestall", *Der Spiegel*, 11 I 1993 r., s. 164–170; Pia Hinckle, „How Much Sex Is Too Much", *Newsweek*, 18 XI 1991 r., s. 19. Wyznanie supergwiazdy zawodowej koszykówki amerykańskiej Magica Johnsona, że zaraził się AIDS od jednej z setek swoich kochanek, wyzwoliło podobne enuncjacje innych gwiazd. John Elson, „The Dangerous World of Wannabes", *Newsweek*, 25 XI 1991 r., ss. 37–38.

Teatrze Starym, w którym reżyser Jan Klata oderwał się od autora Augusta Strindberga, połączył kilka aktów kopulacji z udziałem znanych aktorów z wymyślonymi na poczekaniu kwestiami, a na otwarty protest widowni potrafił jeszcze wrzeszczeć „wynocha z mojego teatru"[57].

Do kiedy wyróżnikiem dorosłości była umiejętność czytania, dzieci bawiły się innymi zabawkami niż dorośli. W dobie kultury obrazkowej, która zaczęła się wraz z upowszechnieniem telewizji, a nabrała jeszcze ostrzejszego wyrazu w dobie elektronicznych nośników obrazu, dzieci grają na iPhonach i tabletach, podobnie jak dorośli[58]. Efektem tego jest dostępność dla dzieci treści, do których nie dorosły, a także sztuczne przedłużanie mentalnego dzieciństwa dorosłych. Bohaterka „kultowego" serialu dla nastolatek *Hannah Montana*, Miley Cyrus, w pewnym momencie zrzuciła wszystko i zaczęła występować w produkcjach jawnie pornograficznych. Przebój Lady Gaga *Do What You Want* („rób co chcesz") promowano okładką z wypiętą damską pupą. Amerykańskie media ukuły dla tego zjawiska pojęcie *yolo pop*, przy czym słowo *yolo* jest skrótem od słów *you only live once* („żyje się tylko raz"). Hasło to można oczywiście zrozumieć jako zobowiązanie do traktowania życia jako zadania, ale na ogół rozumiane jest jako wezwanie do używania życia. Oparta na takim rozumieniu wspomnianego hasła kultura Zachodu nie będzie w stanie podtrzymać tej cywilizacji na dłużej.

Widoki na to, że stanie się inaczej, są raczej marne, skoro rzecznicy kultury *yolo*, czy innymi słowy zwolennicy hippisowskiego hasła „jeśli coś sprawia ci przyjemność, rób to", są niezwykle agresywni. Są rzecznikami wolności i tolerancji, ale wyjątkowo nie odnoszą tych wartości do obrońców prawdziwych podstaw życia społecznego i zdrowego rozsądku. Czują się elitą, której wszystko wolno, a za swoimi mistrzami – Voltaire'em czy Gottholdem Lessingiem – nienawidzą „motłochu", który opiera się „postępowi" i nowoczesności[59]. Chcąc przewodzić społeczeństwu, do czego są rzekomo powołani z natury, prowadzą je w istocie od kryzysu do kryzysu.

---

57 Andrzej Horubała, „Chłoptaś ucieka do Damaszku", *Do Rzeczy,* 25 XI-1 XII 2013 r; Witold Gadowski, „Awantura o teatr", *W Sieci,* 25 XI-1 XII 2013 r.; Piotr Zaremba, „Barbarzyńcy na narodowej scenie", *W Sieci,* 2–8 XII 2013 r.; Magda Piejko, „'Wynocha' Jana z Krakowa", *Gazeta Polska Codziennie,* 3 XII 2013 r.; „Czas na bunt absolutny. Ze Stanisławem Markowskim rozmawia Joanna Lichocka", *Gazeta Polska,* 4 XII 2013 r.

58 Richard Tomkins, „The toys that let children be adults... and adults be children", *Financial Times,* 13 XII 2005 r.

59 Andrzej Nowak, „Korzenie postępowej nienawiści", *Gość Niedzielny,* 5 VIII 2018 r.

Kolejna edycja corocznego Marszu dla Życia i Rodziny wyrusza z placu Matejki w Krakowie. Rodzina stała się w dzisiejszych czasach celem ataków z wielu stron, stąd potrzeba jej obrony.

Rozdział 14. Rozkład rodziny

RODZINA JAKO WRÓG

Ubolewając nad dechrystianizacją Zachodu, zanikiem poczucia prawdy, sensu, dobra i zła, nad materializmem i konsumeryzmem społeczeństw zachodnich cieszących się przy tym pozorami liberalnej demokracji, w której zjawiska te uzyskały sankcję polityczną, zadać można pytanie o wymierne skutki tych zjawisk. Otóż znajdują one wyraz w dramatycznym rozkładzie rodziny i demograficznych skutkach tego procesu. Wydawać by się mogło, że prostej prawdzie o tym, iż człowiek rodzi się ze związku mężczyzny i kobiety, a zatem iż warunkiem ludzkiej cywilizacji jest istnienie rodziny, nie da się zaprzeczyć. Współcześnie jednak nic nie jest oczywiste ani pewne. Przynajmniej dla części ludzi, którzy zeszli na manowce i usiłują innych tam sprowadzić. Rodzina stała się nie tylko ofiarą „tyranii chwili"[1], ale także ulubionym celem ataków osób rozchwianych seksualnie, erotomanów, homoseksualistów płci obojga, feministek oraz „wyznawców" ideologii *gender*.

Rewolucja seksualna lat sześćdziesiątych uwolniła ludzi od odpowiedzialności i nazwała to wyzwoleniem kobiet. Doprowadziła do zasadniczej zmiany w stosunkach damsko-męskich. Odzwierciedla to smutny los takich pojęć, jak: miłość, wierność i małżeństwo. Zamiast nich coraz odważniej nazywa się to, co istnieje między kobietą i mężczyzną, „związkiem" lub „partnerstwem", tak jakby kontakt między ludźmi polegał na terminowej umowie o świadczeniu usług seksualnych. Chwilowe kontakty seksualne nazywa się już w Stanach Zjednoczonych „podłączeniem" (*hook-up*), a nieco dłuższe „zaangażowaniem" (*involvement*)[2]. Małżeństwo przestało być wspólnotą w odpowiedzialności, a jest już tylko stanem prawnym, sankcjonującym owe związki. Ponieważ mają one na celu optymalizację korzyści z usług seksualnych między płciami lub w obrębie tej samej płci, a zdecydowanie wrogo nastawione są do prokreacji – przy związkach homoseksualnych w sposób można powiedzieć naturalny – trudno się dziwić, że pojęcie „małżeństwo" uległo całkowitemu wypaczeniu. Rewolucja seksualna przyniosła nowe pokolenie dzieci, których ojcowie są gdzie indziej, a których matki każą sobie mówić po imieniu, aby nie poczuć się staro[3]. Przyniosła też dzieci, którym łatwo przychodzi „ujawnianie" odmiennych orientacji seksualnych, żądanie nazywania tego „małżeństwem", a nawet żądanie dla tego rodzaju „małżeństw" prawa do wychowywania dzieci (oczywiście nie swoich). Jakie jednak będzie pokolenie młodych wychowywanych przez dwóch „ojców" lub dwie „matki"?

---

[1]   Thomas H. Eriksen, *Tyrania chwili,* (Warszawa: PIW, 2003), ss. 183 i 185–189.
[2]   Joanna Petry Mroczkowska, „W krainie wolnych związków", *Więź*, 2003, nr 12, s. 32.
[3]   Piotr Wojciechowski, „Niedojrzałość jako towar", *Więź*, 2003, nr 12, ss. 14–17.

Herold rewolucji seksualnej, Alfred Kinsey, w istocie erotoman i biseksualista, w dużym stopniu przyczynił się do wylansowania przeświadczenia, że w dziedzinie seksu większość ludzi nie chce żadnych hamulców. Twierdził on, iż „to, co jest dobre dla jednego, może być złe dla kogoś innego, a to, co grzeszne dla jednego, może być godne uwagi w życiu kogoś innego". Jeśli więc większość ludzi chce wolności seksualnej, to po co nam rodzina i dlaczego mamy sobie stawiać bariery takie jak zakaz stosunków z dziećmi lub kazirodztwo? Kinsey otwarcie nie pochwalał pedofilii, ale stwierdził, że trauma, jaką przeżywają dzieci doświadczone przez pedofilów, wynika z... reakcji społeczeństwa, a nie autentycznego dramatu dziecka. Kazirodztwo jest jeszcze karalne w Niemczech z paragrafu 173 kodeksu karnego. Niemniej w 2014 roku Niemiecka Rada Etyki większością 14 do 9 głosów opowiedziała się za wykreśleniem tego artykułu z kodeksu karnego. Na razie prawa jednak nie zmieniono wobec oporu rządzących chadeków. Kary za kazirodztwo zostały zniesione we Francji na mocy kodeksu z 1791 roku. Miał to być wyraz wolności jednostki i wyzwolenia spod religijnego tabu[4].

Inżynierowie rewolucji seksualnej byli bardziej zdeprawowani niż się nam wydaje, znaczniej bardziej niż społeczeństwo, które rzekomo obiektywnie badali.

Heroldowie rewolucji seksualnej byli szczególnymi szkodnikami. Psuli nie tylko swoje życie, ale i życie swych dzieci. Efekty nie dały na siebie czekać. Liczba rozbitych rodzin w Stanach Zjednoczonych wzrosła gwałtownie od końca lat sześćdziesiątych, Jest przy tym dowiedzione, że obecność ojca hamuje agresję chłopców, zaś jego nieobecność ją napędza. Zwłaszcza w czarnych gettach młodzi mężczyźni z rozbitych rodzin wzrastali w atmosferze uznania dla przemocy i seksualnego wyżycia, powielając fatalne wzory w następnym pokoleniu. Liczba urodzeń wśród niezamężnych kobiet między 15 a 19 rokiem życia potroiła się w USA w latach 1960–1992. Jednocześnie liczba morderstw popełnianych przez młodocianych stale rosła. Rozbite rodziny produkowały i produkują co roku setki tysięcy dzieci pozbawionych kapitału nadziei i miłości, niezdolnych do wyższych uczuć, niebezpiecznych dla siebie i otoczenia. Co więcej, tak zwana edukacja seksualna nawet zachęca do wczesnego rozpoczynania współżycia, a system opieki społecznej premiuje taki styl życia. Istnieje bowiem ścisła korelacja między rozmiarami pomocy społecznej a liczbą urodzeń poza małżeństwem[5].

Kryzys współczesnej rodziny jest też dziełem radykalnych feministek, które zatruły publiczny dyskurs swoją teorią spiskową i nienawiścią do macierzyństwa. Jak wszystkie ideologie totalitarne, tak i radykalny feminizm potrzebował absolutnego wroga i zamiast „burżuazji" lub „establishmentu" znalazł go w mężczyznach. Radykalny feminizm wypracował własny kod pojęciowy, a nawet własne pojęcie grzechu pierworodnego. Jest nim męska supremacja. Narzucił światu nowe

---

4   Cytat wg: Richard John Neuhaus, „The Public Square", *First Things*, 2005, nr 2, s. 66. Sabina Treffler, „Krok od legalizacji kazirodztwa", *Gazeta Polska Codziennie*, 26 IX 2014 r.

5   Bork, *Slouching Towards Gomorrah* (New York: Regan Books, 1996), ss. 157–158.

Młodzieżowe wystąpienia 1968 r. (na zdjęciu) niosły ze sobą nie tylko radykalne hasła polityczne, ale także obyczajowe. Ich efektem była rewolucja seksualna i kolejna fala feminizmu.

określenie *gender*, czyli płci kulturowej, którą rzekomo można zmieniać w zależności od otoczenia społecznego i własnej woli. Nota bene, przy pomocy operacji zmienia się też ludziom płeć biologiczną. Tak powstał nowy gatunek człowieka, nazwany „transseksualistą"[6]. „Równość" między ludźmi została sprowadzona do nowego, absurdalnego wymiaru. Zamiast równej godności osób ludzkich, kobiet i mężczyzn, którzy, jak pokazuje natura i ludzkie dzieje, mają do spełnienia różne role, otrzymujemy utopię gwałcącą naturę i zdrowy rozsądek. Najprostszy dowód na to tkwi w tym, że dla spełnienia niemożliwych do spełnienia ról dowolne kombinacje przedstawicieli owych *genders* domagają się prawa do wychowania dzieci, których ze względu na naturę, nie mogą zrodzić. Udają rodziny, którymi nie mogą być.

Skrajne feministki w Szwecji idą coraz dalej. „Czy stać nas na mężczyzn?", pyta Gudrun Schyman, działaczka postkomunistycznej Partii Lewicy, proponując projekt specjalnego podatku od mężczyzn w parlamencie szwedzkim. Skoro to mężczyźni są sprawcami gwałtów i rękoczynów wobec kobiet, to szkody z tego tytułu powinni ponosić oni, a nie Bogu ducha winne kobiety. Pani minister do spraw równouprawnienia, Mona Sahlin, uznała ustalenie finansowego wymiaru przemocy za świetny pomysł, ale w końcu odrzuciła go, twierdząc, że może to być pierwszy krok do obciążania w przyszłości innych grup, takich jak palacze czy uchodźcy[7]. Obydwie panie minęły się z podstawowym argumentem państwa prawa: daniny publiczne nie mogą być karą i muszą spełniać minimum kryterium sprawiedliwości, a odpowiedzialność zbiorowa gwałci tę zasadę.

W miejsce argumentów radykalne feministki zioną nienawiścią. W deklaracji ideowej amerykańskiej National Organization of Women napisano: „Nadszedł czas odzyskać kontrolę nad naszym życiem. Nadszedł czas wprowadzenia wolności reprodukcyjnej dla kobiet [tu słowo *wimmin*, zastępujące *women*, by uniknąć jakiegokolwiek związku ze słowem *men*, mężczyźni – WR] wszystkich klas, wieku i orientacji seksualnej (...) NADSZEDŁ CZAS WALKI. NIE MA PANA BOGA. NIE MA PANA. NIE MA PRAWA"[8]. Radykalny feminizm przypomina teorię „komunizmu naukowego" w tym, że zamiast nauk marksistowskich i „burżuazyjnych" wyróżnia nauki feministyczne (właściwe) i „maskulinistyczne" (złe). Już wykłada się feministyczną literaturę i historię. Na czym miałaby polegać feministyczna fizyka lub matematyka, jeszcze na razie nie wiadomo. Z agresji niektórych feministek wionie lodowaty chłód. Kobiece ciepło, czułość, uczucia macierzyńskie

---

[6]   Fantazje transseksualistów potrafią mocno obciążyć budżet państwa. Pewien Brytyjczyk imieniem Matthew zmienił sobie płeć i stał się Chelsea. Kosztowało to brytyjską Narodową Służbę Zdrowia 10 tys. funtów. Po paru latach doszedł do wniosku, że bycie kobietą jest wyczerpujące i postanowił wrócić do dawnej płci. Co więcej poskarżył się, że cierpi na depresję z powodu ubóstwa, które nie pozwala mu wrócić do męskości. Wystąpił więc o kolejne dofinansowanie operacji w wysokości 14 tys. funtów. „Kosztowne wybory transseksualisty", *Do Rzeczy*, 13–19 X 2014 r.

[7]   Anna Nowacka-Isaksson, „Podatek za bycie mężczyzną", *Rzeczpospolita*, 7 X 2004 r.

[8]   Wielkie litery pochodzą z oryginału deklaracji. Bork, *Slouching Towards Gomorrah*, s. 202.

Przedstawiciele środowisk narodowych z transparentem podczas debaty o związkach partnerskich na Uniwersytecie Gdańskim 27 maja 2013 r.

– czyżbyśmy mieli się z tym pożegnać? Jeśli tak, to cywilizacja zachodnia winna się żegnać z życiem.

Tak rozumiany feminizm jest oczywiście wrogiem rodziny i macierzyństwa. Klasyczka teorii feministycznej, Martha Nussbaum, pisała: „Najbardziej okrutna dyskryminacja dotyka kobiety w rodzinie (…), gdzie kobieta musi podjąć bezpłatną pracę o niskim prestiżu społecznym (…) Szczególnie dotkliwie cierpią kobiety z powodu altruizmu rodziny (…) Podejmując się zadań gospodarstwa domowego i wspomagania pracy męża, nie ma ona [kobieta – WR] możliwości zadbania o siebie w przypadku (coraz bardziej prawdopodobnym), gdyby rozwód lub wypadek pozostawił ją sobie samej"[9]. Zamiast podnieść godność i znaczenie społeczne rodziny i macierzyństwa, radykalne feministki uskarżają się na ich niski prestiż i nadal go podkopują. Feministyczne wyzwolenie rodziny opiera się także na fałszywym przekonaniu, że aby zasłużyć na miłość rodziców, dzieci muszą się upokarzać przed rodzicielską władzą. Patologie rodziny teoria ta traktuje jako normę. Nienawiść do rodziny spowodowała, że w przyjętej podczas konferencji pekińskiej z 1995 r. Platformie Działania mowa jest o „gospodarstwie domowym", a nie o rodzinie[10].

---

[9] Martha Nussbaum, „Justice for Women", *The New York Review of Books,* 8 X 1992 r., s. 43.
[10] http://www.tus.org.pl/uploads/dokumenty/raport_czwartej_swiatowej_konferencji_w_sprawie_kobiet_pekin_1995.pdf (18 V 2018).

Nienawiść radykalnych feministek kieruje się też ku tradycyjnym religiom z chrześcijaństwem na czele.

Od przełomu tysiącleci homoseksualizm jest otwarcie promowany pod pozorem walki z wykluczeniem oraz nauki tolerancji. W istocie niewielka mniejszość, jaką są homoseksualiści, narzuciła większości heteroseksualnej przekonanie, że w relacjach między płciami nie ma normy, że wszystkie zachowania seksualne są równowartościowe i równoprawne. Wątpiących co do tej ideologii określa się mianem „homofobów" i wyklucza z debaty publicznej. Liczne i wpływowe organizacje, takie jak Gay-Straight Alliance czy Gay, Lesbian And Straight Education Network promują „równouprawnienie" różnych orientacji seksualnych. Kultura, w której rozdzielono seks od prokreacji, a nawet miłości, oraz w której zakwestionowano naturalne różnice między płciami, nie może wypracować żadnej etyki seksualnej poza hedonistyczną i nie może obronić rodziny przed zagładą[11].

W rodzinę godzi też upowszechnienie bezrefleksyjnej wolności. Amerykanie mówią, że „mają rodzinę", natomiast w krajach bardziej tradycyjnych ludzie „należą do rodziny"[12]. Uwolnienie jednostki przez zerwanie więzów tradycji może więc oznaczać zniszczenie poczucia przynależności do określonych wartości i najbliższego środowiska społecznego. Tak rodzi się człowiek „wolny", ale pozbawiony tożsamości. Nie trzeba być wnikliwym psychologiem, by dostrzec zagrożenia cywilizacyjne wynikające z niszczenia środowiska rodzinnego, w którym młody człowiek się socjalizuje. Już w latach dziewięćdziesiątych XX wieku zauważono na Zachodzie powstanie „generacji X", młodzieży z rozbitych domów, niezdolnych do założenia własnej, normalnej rodziny, ani też stawiania czoła podstawowym problemom egzystencjalnym[13].

Feministyczna teza, że małżeństwo było i jest niewolą kobiet, nie wytrzymuje konfrontacji z najprostszą obserwacją. Zasada nierozerwalności małżeństwa powstrzymywała mężczyzn od znajdowania sobie nowych, młodszych „partnerek", a więc chroniła kobiety. Kobietom „wyzwolonym" z małżeństwa pozostaje znacznie mniej czasu na taką zamianę na „lepszy model". Feministki w rodzaju Betty Friedan przyjęły błędne założenie, że dom i macierzyństwo nie mają wartości samoistnej. Kobietę „wyzwoliła" zresztą bardziej technologia niż feminizm. „Obowiązki domowe, zajmujące babciom cały dzień, naszym matkom zabierały już tylko kilka godzin, pozostawiając wolny czas"[14]. Mimo że technologia ułatwiła życie gospodyniom domowym i mimo że w wyniku silnego nacisku społecznego mężczyźni coraz częściej podejmują część domowych obowiązków, rodzina pozostaje wrogiem ideologii feministycznej. Stan ducha feministki, która nie chce siedzieć w domu i wzdycha, by móc się realizować poza nim, nie różni się zresztą wiele od stanu ducha mężczyzny, który, znudzony codzienną rutyną pracowniczą, marzy o odmianie swojego losu.

---

[11] Paul Scalia, „A Label That Sticks", *First Things*, 2005, nr 6, ss. 12–14.

[12] Michael Elliott, Christopher Dickey, „Body Politics", *Newsweek*, 12 IX 1994 r., ss. 20–21.

[13] Tadeusz Wójciak, „Straszni dwudziestoletni", *Rzeczpospolita*, 14/15 X 1995 r.

[14] „Niewola feminizmu. Ewelina Pietryga rozmawia z prof. Andrzejem Brykiem", *Rzeczpospolita Plus Minus*, 19–20 XI 2016 r.

RÓWNOUPRAWNIENIE KOBIET

Przy wszystkich dziwactwach i nadużyciach intelektualnych współczesnego feminizmu, jest jego niewątpliwą zasługą, że zwrócił uwagę na upośledzenie kobiet w niektórych wymiarach życia społecznego. Istnieją sfery, w których upośledzenie to jest wyraźne, a nawet stanowi pogwałcenie przyrodzonej godności i praw osoby ludzkiej, ale można też wymienić cały szereg przykładów pozornej lub wręcz urojonej dyskryminacji kobiet. Słowa kluczowe to „równouprawnienie" i „równość", które są często i zupełnie mylnie utożsamiane ze słowem „jednakowość". Wyrazicielką takiego stanowiska była pewna Amerykanka, zatrzymana za chodzenie w stroju topless w miejscu do tego nieprzeznaczonym, która tłumaczyła, że chciała skorzystać z dozwolonego w tym miejscu prawa mężczyzn do chodzenia bez górnej części garderoby. Fakt, że kobiety i mężczyźni mają równą godność jako osoby ludzkie nie oznacza wcale, że są jednakowi. Wręcz przeciwnie. Równość kobiet i mężczyzn nigdy nie będzie funkcjonalna; wystarczy rzut oka na fizyczną budowę kobiety i mężczyzny. Godność człowieka wynika jednak także z tego, kim stworzyła go natura.

Na tym jednak nie koniec. „Mężczyźni różnią się od kobiet. Obie płcie są sobie równe jedynie ze względu na wspólną przynależność do tego samego gatunku – *homo sapiens*. Utrzymując, że ich skłonności, uzdolnienia czy zachowania są takie same, budujemy społeczeństwo oparte na (...) kłamstwie"[15]. W ostatnich dekadach kłamstwo o istocie płciowości rozlewało się coraz szerzej w świadomości potocznej. Tymczasem jednoczesny, ogromny postęp badań neuropsychologicznych doprowadził do ukształtowania całkiem nowego paradygmatu wiedzy o płci. W wyniku tysięcy eksperymentów i badań fizjologicznych ustalono, że przeciętny mężczyzna różni się zasadniczo od przeciętnej kobiety nie tylko fizycznie, ale także psychicznie. Stwierdzono, że kobiety słyszą i widzą na ogół lepiej od mężczyzn, a pod względem wrażliwości na dotyk różnice są wręcz szokujące. W wielu testach okazało się, że najmniej wrażliwe kobiety wykazywały wyższy poziom reakcji na dotyk niż najbardziej wrażliwi mężczyźni.

Różnice w budowie oraz funkcjonowaniu mężczyzn i kobiet zakodowane są w genach oraz wynikają z odmienności w budowie mózgu i zasilania organizmu hormonami. W rezultacie już niemowlęta wykazują ogromne różnice w sposobie zachowania i reagowania na świat. Niemowlęta męskie koncentrują się na rzeczach, żeńskie – na osobach, małe dziewczynki wcześniej uczą się mówić, chłopcy wykazują na ogół większe uzdolnienia matematyczne, dziewczynki – językowe, chłopcy są aktywni w „rozgryzaniu" funkcjonowania przedmiotów, dziewczynki mają lepszą koordynację ruchową i bardziej rozbudowane zdolności społeczne. Cech tych nie da się przypisać wychowaniu. Ostatnio stwierdzono ponad wszelką wątpliwość, że rodzice uczą się wychować swe dzieci na dziewczynki i chłopców obserwując ich zróżnicowane reakcje[16]. Sposób rozwiązywania problemów

---

15 Anne Moir, David Jessel, *Płeć mózgu*, (Warszawa: PIW, 1998), s. 11.
16 Tamże, ss. 30–83.

– bardziej analityczny u mężczyzn i bardziej syntetyzujący u kobiet – a także męskie i żeńskie zachowania seksualne są wynikiem różnic genetycznych, hormonalnych i anatomicznych. Zaburzenia seksualne mają naturę bardziej psychofizyczną niż społeczną i wynikają raczej z odmienności wpływu genów i hormonów na funkcjonowanie ludzkiego organizmu i psychiki.

Jak dotąd nikt nie zastąpił kobiet w rodzeniu dzieci. Stąd też ich kariera zawodowa jest zawsze obciążona albo podwójnymi obowiązkami, albo poczuciem niespełnienia w macierzyństwie. W krajach Europy Południowej wiele młodych kobiet porzuca pracę zawodową po urodzeniu dziecka i rzadko do niej wraca. W Europie Zachodniej powrót do pracy jest bardzo częsty po odchowaniu dzieci, natomiast w krajach skandynawskich i USA oraz w państwach postkomunistycznych Europy kobiety bardzo często wracają do pracy po urlopie macierzyńskim. Zależy to oczywiście także od rodzaju pracy. Struktura zatrudnienia kobiet jest więc całkiem odmienna od struktury zawodowej mężczyzn. Wśród kobiet przeważa praca na stanowiskach niewymagających dłuższej drogi awansu i pozwalających na większą rotację zatrudnienia. W USA 98,5% sekretarek to kobiety, w Europie Zachodniej – 80,3%. Kobiety przeważają też zdecydowanie wśród pracowników obsługujących kasy, w szkolnictwie i niższym personelu medycznym. Kobiety stanowią też większość zatrudnionych w niepełnym wymiarze czasu[17].

Ta specyficzna struktura zatrudnienia kobiet wynika nie tylko z tradycji czy z męskiej niechęci do kobiet w pracy, ale także z większego niż u mężczyzn wpływu obowiązków rodzicielskich na przebieg pracy zawodowej i cech psychicznych kobiet. Jakkolwiek mogą być one równie dobrze albo i lepiej przygotowane do pracy czy wnosić do niej specyficzne wartości, to rodzenie i wychowywanie dzieci było, jest i będzie sferą w dużej mierze konkurencyjną wobec pracy zawodowej. Dla wychowania dzieci i funkcjonowania domu ważny jest większy wkład ojców, ale nikt nie zastąpi kobiet w ich przyrodzonych funkcjach. Choć wykształcone i bardziej samodzielne materialnie matki mogą być chlubą dzieci, nikt im nie zastąpi ich ciepła i wrażliwości. Klasyczną odpowiedź feministyczną na różnice genetyczne i psychofizyczne kobiet i mężczyzn sformułowała kiedyś Betty Friedan twierdząc, że nawet jeśli „upośledzenie kobiet" wynika z braku testosteronu, dążenie do równości jest dla nich „koniecznością"[18]. Różne już „konieczności" wmawiano ludziom w XX wieku, ale ta brzmi szczególnie niepoważnie. Nie przyjmując do wiadomości jak różni są mężczyźni i kobiety, radykalne feministki wiedzą, jacy powinni być.

Efektem ewolucji społecznej oraz „koniecznych" eksperymentów stały się zatomizowane rodziny i półsieroce nawyki dużej części młodego pokolenia wysoko rozwiniętych krajów zachodnich[19]. „Równouprawnienie" przez ucieczkę

---

[17] „A Survey of Women and Work", *The Economist*, 1 VII-24 VII 1998 r., s. 7.

[18] Betty Friedan w *New Statesman*, 23 IX 1977 r.

[19] Podobne wnioski sformułowano w izraelskich kibucach, gdzie próbowano wychowywać dzieci w grupach wiekowych, a nie w tradycyjnych rodzinach. Jak stwierdziła badająca te doświadczenia Alice Rossi, dzieci wychowane przez wspólnotę, zamiast czuć się wyzwolone, były najczęściej „istotami zaniedbanymi i pozbawionymi radości". Moir, Jessel, *Płeć mózgu*, s. 211.

„Mężczyzna i kobieta tworzą ze sobą wspólnotę całego życia, skierowaną ze swej natury do dobra małżonków oraz do zrodzenia i wychowania potomstwa. Tylko taki związek może być uznany i potwierdzony społecznie jako małżeństwo."

„Tylko w związku między osobami odmiennej płci możliwe jest udoskonalanie jednostki przez jednoczące połączenie i wzajemne dopełnianie się w sferze psycho-fizycznej." Św. Jan Paweł II

Obrońcy tradycyjnej rodziny prezentują transparent z fragmentami Katechizmu Kościoła katolickiego i wypowiedzią św. Jana Pawła II o związku mężczyzny i kobiety. W tle podąża tzw. Marsz Tolerancji w Krakowie.

kobiet z domu do pracy za cenę przemęczenia i zaniedbywania obydwu sfer działalności nie jest więc w szerszej skali żadnym wyjściem. Owszem, należy stwarzać kobietom dogodne warunki do pracy zawodowej, niezbędne jest także prawne i zwyczajowe podniesienie społecznego prestiżu pracy domowej, w dłuższej perspektywie będącej pracą najbardziej twórczą, bo przyczyniającą się do pełnego ukształtowania człowieka. Nie ma bowiem powodu, dla którego „nie moglibyśmy ocenić odmiennej pracy kobiet i mężczyzn jednakowo"[20]. Istnieje oczywiście niebezpieczeństwo, że psychofizyczne różnice między płciami będą wykorzystywane jako argument uzasadniający niesprawiedliwe traktowanie kobiet w życiu społecznym. W maju 1993 r. ONZ opublikowała raport, z którego wynikało, że w żadnym kraju na świecie kobiety nie są traktowane całkowicie na równi z mężczyznami. Przeciętne wynagrodzenie kobiet było o 20–40% niższe niż mężczyzn, przy czym w Australii i Szwecji różnica wynosiła 10%, we Francji – 20%, a w Chinach – 40%[21].

[20] Tamże, s. 268.
[21] Magdalena Kowalczyk, Eliza Olczyk, „Kobieta jest murzynem świata", *Rzeczpospolita*, 4 IX 1995 r.; Tadeusz Wójciak, „Amerykanki w Pekinie", *Rzeczpospolita*, 4 IX 1995 r.; Elizabeth Fox-Genovese, *Feminism without Illusions: A Critique of Individualism,* (Durham: University of North Carolina Press, 1991).

Choć badania ostatnich dziesięcioleci przeanalizowały zasadnicze różnice między płciami męską i żeńską, nic nie wskazuje na wyższość którejś z nich. Przeciwnie, w niektórych ważnych sferach kobiety górują nad mężczyznami, w innych zaś jest odwrotnie. Natomiast lepsze zrozumienie istoty seksualności oraz zasadniczych różnic między płciami powinno przybliżyć nas do pełniejszego wykorzystania walorów obu płci, bardziej świadomych stosunków między ludźmi i bardziej sprawiedliwego dzielenia obowiązków domowych i zawodowych. Jednym z obrońców tak rozumianej płciowości był papież św. Jan Paweł II. W 1988 r. wystosował on specjalny list apostolski o godności kobiet, a podczas wizyty w RPA we wrześniu 1995 r. stwierdził, że kobieta jest bardziej od mężczyzny wrażliwa na potrzebę sprawiedliwości i pokoju, gdyż bliższa jest tajemnicy życia.

Radykalny feminizm opiera się w istocie na lekceważeniu, jeśli nie pogardzie dla kobiecości. Kobieta jawi się tu jako istota schwytana w biologiczną pułapkę, którą winna przezwyciężyć. Co więcej, często sam akt seksualny postrzegany jest jako przejaw męskiej dominacji. Poza zewnętrzną obyczajowością istnieje jednak wspólna cecha upośledzenia kobiet: ich przedmiotowe traktowanie. Ciało kobiece jest traktowane jak towar w domach publicznych, pornografii czy nawet reklamie. Nowym zjawiskiem jest *baby business*, a więc komercyjne traktowanie kobiecej zdolności rodzenia. „Zawłaszczenie macierzyństwa przez 'rynek usług prokreacyjnych' zajęło miejsce dawnej formy podporządkowania kobiet w ramach małżeństwa" zwalczanego przez feminizm. Biznes surogatek kwitnie zresztą jako nowa forma wyzysku, gdyż olbrzymia większość zaangażowanych w to kobiet pochodzi z rodzin ubogich. Dodać należy, że sprawa dotyczy także często mężczyzn, skoro „fabryki dzieci" muszą uciekać się do pomocy „banków spermy". Prawo ludzi do posiadania dzieci stawia się więc wbrew jakimkolwiek zasadom moralnym ponad prawem dzieci do poznania swoich rodziców. W rezultacie takich praktyk przestaje funkcjonować genealogia. Co jednak będzie, gdy dzieci z takich „fabryk" osiągną pełnoletniość i zaczną skarżyć swych producentów o zatajenie swoich danych osobowych? Imię ojca i imię matki są jeszcze przecież wymagane w dokumentacji personalnej. Umowy o anonimowość, zawierane między „dawcami" a fabrykami dzieci, nie obowiązują przecież poczętych w ten sposób dzieci[22].

Sytuacja kobiet jest niezwykle zróżnicowana. W tradycjonalistycznych krajach muzułmańskich kobieta nie może publicznie pokazać twarzy, a za pocałunek w miejscu publicznym grożą surowe kary. W niektórych krajach zachodnich zaś plaże naturystyczne pozwalają na pełną nagość w miejscu publicznym, co jest przejawem równości obu płci. Gwałty na kobietach, będące od stuleci efektem dominacji męskiej siły, stały się świadomą metodą prowadzenia działań wojennych przeciw społeczeństwu przeciwnika. W niektórych krajach Azji i Ameryki Łacińskiej około połowa kobiet była regularnie bita przez współmałżonków. W różnych częściach świata dziewczęta wydaje się za mąż przez faktyczne ich sprzedanie mężowi. Często nie mają też prawa do wyboru współmałżonka lub dziedziczenia majątku. W Chinach i innych państwach azjatyckich, gdzie potomstwo żeńskie jest

---

[22] Ks. Piotr Mazurkiewicz, *W krainie bezżenności*, (Kraków: Wydawnictwo M, 2014).

niżej cenione niż męskie, dziewczynki mają mniejszą szansę przeżycia. W niektórych krajach afrykańskich praktykowany jest zwyczaj „obrzezania" dziewcząt w celu pozbawienia ich możliwości satysfakcji seksualnej i utrzymania w zależności uczuciowej od mężczyzny. W bardzo wielu krajach młode dziewczęta zmusza się, często przy pomocy narkotyków, do uprawiania nierządu. Na szczęście praktyki takie są obce cywilizacji zachodniej, ale w krajach wysoko rozwiniętych nasila się presja obyczajowa wymagająca od kobiety piękności za wszelką cenę[23].

Radykalny feminizm zażądał równości kobiet i mężczyzn na zasadach, które ignorują biologię i komplementarność ról społecznych. Feministki tego rodzaju w istocie walczą z własną kobiecością, z macierzyństwem, wychowaniem dzieci lub nawet z atrakcyjnością fizyczną. Agresywny feminizm powoduje, że w wysoko rozwiniętych krajach Zachodu obserwuje się kryzys męskości. Kobiety żyją na ogół dłużej niż mężczyźni. Przeciętne wyniki chłopców w nauce są coraz częściej gorsze niż dziewcząt. Zatrudnienie kobiet rośnie w zawodach przyszłościowych z sektora usług, natomiast mężczyźni dominują w przemyśle i innych działach gospodarki, które przeżywają względny regres, toteż są częściej rejestrowani jako bezrobotni z fatalnymi tego konsekwencjami psychicznymi. W sytuacjach kryzysowych mężczyźni trudniej przystosowują się i częściej łamią prawo. W USA na początku lat dziewięćdziesiątych mężczyźni popełniali 81% przestępstw, w tym 87% ciężkich[24].

Ktoś kiedyś powiedział, że małżeństwo jest sprawą tak trudną, ponieważ różnice płci są za duże. Coś w tym jest. Natura stworzyła mężczyzn i kobiety jako istoty tak różne, że często nie mogą się porozumieć. Ale czyż w różnicy płci nie ma czegoś fascynującego? Poznanie tych różnic, a nie walka z nimi, zapewne może przyczynić się do lepszego funkcjonowania małżeństwa; do tego właśnie dąży nauka katolicka o rodzinie. Reakcja na płeć drugiego człowieka zawsze była i zawsze będzie wielkim wyzwaniem. Sprostanie temu wyzwaniu nie tylko przysparza problemów, ale i tworzy wartości.

IDEOLOGIA *GENDER*

Ideologia *gender* (płeć społeczna), uzurpująca sobie miano nauki, jest w istocie pochodną marksizmu[25]. Oparta jest ona na tezie, że społeczne role mężczyzn i kobiet nie mają lub mają mało wspólnego z płcią biologiczną, że są produktem kultury, a walka klas toczy się już w... małżeństwie. Drugą podstawą tej ideologii jest teza o hierarchiczności ról społecznych. Do ról publicznych należą polityka i gospodarowanie, do ról prywatnych zaś – rodzenie dzieci i prace domowe. Samo to rozróżnienie jest błędne, gdyż rodzenie dzieci jest *par excellence* rolą społeczną.

---

[23] Lori Heise, „The Global War Against Women", *Washington Post*, 9 IV 1989 r.; „Men's Traditional Culture", *The Economist*, 10 VIII 1996 r., s. 36; Naomi Wolf, *The Beauty Myth*, (London: Chatto & Windus, 1990), ss. 12–97.

[24] „Tomorrow's Second Sex", *The Economist*, 28 IX 1996 r., s. 23 nn.

[25] Praca zbiorowa, *Dykatura gender* (Kraków, Biały Kruk, 2014); Leszek Sosnowski, „Fryderyk Engels – bezdzietny ojciec genderystów".

Przy okazji ignoruje się tu rolę mężczyzn w prokreacji i ochronie bytu rodziny. Ideolodzy *gender* wyżej stawiają role publiczne, tradycyjnie opanowane przez mężczyzn, od ról rzekomo prywatnych, przynależnych kobietom. Wedle ideologów *gender* instytucjami, które utrwalają hierarchizację ról społecznych, zgodnie z męskim „seksizmem", są małżeństwo i rodzina, a macierzyństwo wyklucza kobietę ze sfery publicznej, skazując ją na pozostawanie w sferze prywatnej. To małżeństwo i rodzina są więc głównym powodem cierpień kobiet, a macierzyństwo jest podstawą ich dyskryminacji w rolach publicznych. Ideałem byłoby więc „wyzwolenie" kobiet od macierzyństwa, a w idealnym społeczeństwie całkowicie wolnym, role publiczne byłyby przydzielane niezależnie od płci biologicznej[26].

Nietrudno dostrzec w tej ideologii szaleństwo utopii „raju na ziemi", opartego na gwałcie na naturze. Ideologia *gender* godzi w podstawy rodziny, płodności, naturalnego rozwoju osobowości oraz podkopuje zasady większości religii. Ideologia *gender* oparta jest na fałszywych przesłankach. Jak już wspomniano, mężczyźni i kobiety o jasnej orientacji seksualnej, stanowiący przytłaczającą część społeczeństw, różnią się zasadniczo pod względem genetycznym i psychicznym. Potwierdziły to badania na dużych próbach przeprowadzone między innymi przez Brytyjczyków Richarda Lippę i Simona Barona-Cohena oraz Norwega Tronda H. Disetha[27].

W ideologii *gender* wyróżnia się zasadniczo pięć typów *gender*: kobiety, mężczyźni, geje, lesbijki, biseksualiści. Dodatkowym, specyficznym podgatunkiem ludzi, którzy przezwyciężyli ograniczenie własnej płci, są w tej ideologii transseksualiści. Dokonano tu więc epokowego „odkrycia", że ludzie występują nie w dwóch postaciach, wynikających z podstawowej różnicy płci, która ostatecznie służy prokreacji, ale w większej licznie równoprawnych postaci. „Odkrycie" to można by nazwać wymysłem chorej wyobraźni, gdyby nie fakt, że jest ono obecnie lansowane przez potężne *lobbies* akademickie, medialne i polityczne[28]. Z wyjątków od zasady dwupłciowości – osoby o zaburzeniach płci stanowią nikły odsetek populacji – czynią one zasadę, a nawet dogmat wiary. Konsekwencje tego „odkrycia" były i są niezwykle dalekosiężne. Przejawiają się one w pojęciu

---

[26] Ks. Piotr Mazurkiewicz, *Dwie wieże i minaret. Szkice z katolickiej nauki społecznej*, (Warszawa: Wydawnictwo Naukowe UKSW, 2017), ss. 66–67.

[27] Barbara Rode, „Żegnaj, gender", *Kurier Wnet*, 2014, nr 4. Ideologię gender podsumował seksuolog Zbigniew Lew-Starowicz bez osłonek: „Ideowo płciowe wychowywanie dzieci jest równie niedorzeczne jak próby zmiany pod tym kątem legend i baśni". Podkreślił też silne uwarunkowania genetyczne płci. „Nie tylko spotkanie ciał. Z prof. Zbigniewem Lwem-Starowiczem rozmawia Jolanta Gajda-Zadworna", *W Sieci*, 27 XII 2013 r.–6 I 2014 r.; „Wychowanie bez płci? To bzdura! Z prof. Lwem-Starowiczem rozmawia Monika Florek-Mostowska", *Do Rzeczy*, 9–15 XII 2013 r.

[28] Gabriele Kuby, *Rewolucja genderowa. Nowa ideologia seksualności*, (Kraków: Homo Dei, 2007), s. 60. Praca zbiorowa *Dyktatura gender* (Kraków, Biały Kruk, 2014) ujmuje te zagadnienia w wielu aspektach.

„Rodzina Bogiem silna", „Małżeństwo tylko między kobietą i mężczyzną" – hasła Marszu dla Życia i Rodziny, który 26 maja 2013 r. odbył się w Krakowie. Na zdjęciu uczestnicy marszu pod oknem papieskim na ul. Franciszkańskiej 3.

gender mainstreaming, które oznacza mniej więcej tyle, co włączenie walki z biologicznym podziałem ludzi wedle płci do szeroko rozumianych działań politycznych i ekonomicznych. Oba te pojęcia – *gender* i *gender mainstreaming* – są nadal słabo rozumiane w opinii publicznej, która pod wpływem działań polityków i mediów przyjmuje je jako coś pozytywnego, a nawet służącego ludziom. Podobnie jak było to w przypadku komunizmu, ideologowie *gender* używają dwóch rodzajów broni: znieczulającej i zastraszającej. O ile w komunizmie zachętę stanowiły slogany o postępie i walce o pokój, a straszakiem były oskarżenia o reakcyjność, o tyle w ideologii *gender* zwolenników wabi się hasłami o tolerancji i wolności, a straszy – oskarżeniami o męski szowinizm lub homofobię.

W przeciwieństwie do rewolucji komunistycznej, w której trup słał się gęsto, rewolucja *genderowa* odbywa się niepostrzeżenie, w atmosferze dyktatury relatywizmu, o której mówił papież Benedykt XVI w przemówieniu otwierającym *conclave* z 2005 roku. Ideologia *gender* zrodziła się w wyniku oczywistego fiaska ideologii rasistowskich i komunistycznych. Krach tych ideologii wyzwolił nowy fenomen: pęd ku czemuś, co można by nazwać paradoksalnie „totalitaryzmem relatywistycznym". Wyznawanie stałych wartości i zasad otoczone jest coraz bardziej atmosferą rozmaitych oskarżeń. Na ławie oskarżonych znalazły się określenia „prawo natury", „grzech", „sumienie" czy „odpowiedzialność".

Genderowy feminizm godzi w podstawy rodziny, płodności, naturalnego rozwoju osobowości. Jego celem jest stworzenie kolejnego wydania „nowego człowieka". „Równość" między ludźmi została sprowadzona do nowego, absurdalnego wymiaru. Zamiast równej godności osób ludzkich, kobiet i mężczyzn, którzy, jak pokazuje natura i ludzkie dzieje, mają do spełnienia różne role, otrzymujemy utopię gwałcącą naturę i zdrowy rozsądek. Najprostszy dowód na to tkwi w tym, że dla spełnienia niemożliwych do spełnienia ról dowolne kombinacje przedstawicieli owych *genders* domagają się prawa do wychowania dzieci, których ze względu na naturę, nie mogą zrodzić. W ideologicznym ferworze rewolucjoniści, a częściej rewolucjonistki *genderowe*, podobnie jak dawniej komuniści, ignorują fakty. Nie zauważają kryzysu demograficznego w państwach Unii Europejskiej, nie widzą związku między głoszonymi przez siebie teoriami i wspieranymi działaniami a spadkiem dzietności, wzrostem liczby rozwodów i rozbitych rodzin, alkoholików i narkomanów, agresją wśród młodzieży, rosnącymi zaburzeniami zachowań społecznych, wulgaryzacją języka czy samobójczymi tendencjami wśród młodego pokolenia. Zjawiska te biorą się głównie z tego, że zachwiane zostały podstawy tożsamości seksualnej człowieka, wynikającej z zapisanej jeszcze w Księdze Rodzaju wiary, że Bóg stworzył człowieka jako mężczyznę i kobietę[29], a także z tego, że podkopane zostały fundamenty rodziny. Fundamenty te tworzyły porządek moralny, w którym seksualność mężczyzny i kobiety była ograniczona do małżeństwa osób dorosłych i niespokrewnionych ze sobą.

Genderowi rewolucjoniści z uporem maniaków twierdzą, że źródeł schorzeń społecznych trzeba szukać w rodzinie, że młodzieży brakuje *genderowej* wolności

---

[29] Księga Rodzaju, I, 27.

i tolerancji. Zarazę aplikują jako lekarstwo. Podobnie jak komunizm, *gender mainstreaming* ubiera się w szaty nauki. „Naukowych" ojców założycieli tej ideologii trudno jednak nazwać bezstronnymi badaczami. Słynny autor raportu o seksualności Amerykanów, Alfred Kinsey, okazał się naukowym oszustem i pedofilem. Jednym z pionierów *gender studies* był John Money (1921–2006), psycholog i seksuolog z Baltimore, twórca pojęcia „płci kulturowej" i *gender*, który lansował otwarcie seks grupowy, biseksualizm i seks z udziałem dzieci. Bronił najgorszych perwersji jako „odmiennych zamiłowań". W gruncie rzeczy jego badania miały na celu udowodnienie i usprawiedliwienie własnych chorych skłonności. Money twierdził, że płeć można kształtować dowolnie w pierwszych latach życia dziecka. Money opisał udany rzekomo eksperyment ze zmianą płci swojego pacjenta, Bruce Reimera – który jednak popełnił samobójstwo, podobnie jak jego brat bliźniak poddany eksperymentowi Moneya. Incydent ten był ilustracją wartości pretensji Moneya do naukowości i jego obrony „praw dzieci do seksu". Prowadził on zresztą wraz z Kinseyem kampanię na rzecz dekryminalizacji seksu z dziećmi i kazirodztwa[30].

Nigdy w historii nie uczono młodzieży, że wszystkie modele „rodziny", a więc także homoseksualne, są „równoprawne". Nigdy w historii rodzina nie była przedmiotem tak perfidnego ataku ze strony *genderowych* rewolucjonistów. Po kilku dekadach rewolucji seksualnej, dzisiejsze młode pokolenie na Zachodzie coraz częściej wzrasta w rozbitych lub niepewnych siebie rodzinach, w których brak jest miłości i przekonania o nierozerwalności małżeństwa, zmuszane jest do akceptowania dwojga „rodziców" tej samej płci, namawiane przez szkołę i media do wolnej miłości, a także przekonywane do swobodnego wyboru orientacji seksualnej. Czy można się dziwić, że ci młodzi ludzie uciekają w skrajny indywidualizm, wirtualną nierzeczywistość czy narkomanię, że tracą zdolność do normalnych relacji z rówieśnikami?

Sięgając do szkół, ideologia *gender* podważa kształtującą się dopiero świadomość płciową dzieci. W wielu krajach zachodnich obowiązkowe są lekcje „tolerancji" dla homoseksualistów, gdzie uczy się dzieci nie tylko walki z „homofobią" i technik seksualnych, ale także możliwości wyboru płci. We Francji nad prawomyślnością nauczycieli w tym zakresie czuwają między innymi organizacje SOS-Homophobie oraz Wysoka Komisja do Walki z Dyskryminacją (*Haute Autorité de lutte contre les discriminations et pour l'égalité*). Brytyjska organizacja Educate and Celebrate (EaC), która określa swoje cele jako „przekształcanie szkół i innych organizacji w miejsca przyjazne osobom LGTB", publikuje książki i wysyła

---

[30] Gabriele Kuby, „Kulturowe tsunami", *W Sieci,* 13–19 I 2014 r. O wstrząsającej historii braci por.: Grzegorz Strzemecki, „Wypróbujcie to na szczurach", *Gazeta Polska Codziennie,* 22 XI 2013 r.; Paulina Gajkowska, „Demoniczni twórcy gender", *Nasz Dziennik,* 6–7 VII 2013 r.; John Money, *Gendermaps: Social Constructionism, Feminism, and Sexosophical History,* (New York: Continuum, 1995). Por. Także studia na ten temat Judith Reismann: http://www.drjudithreisman.com, w tym zwłaszcza „Kinsey and the Homosexual Revolution", http://www.leaderu.com/jhs/reisman.html; John Money, *Gay, Straight, and In-Between: The Sexology of Erotic Orientation* (New York: Oxford University Press, 1988).

swoich instruktorów, by siać wśród dzieci wątpliwości co do tego, czy są chłopcami czy dziewczynkami, czy to w ogóle jest ważne i czy nie można by tego zmienić. Jedenastoletnim dzieciom serwuje się historyjki o dziewczynce „uwięzionej w niewłaściwym ciele", o „transseksualnym Kopciuszku" i inne podobne bzdury. Założycielka EaC, Elly Barnes, twierdzi, że szkoły potrzebują takich lektur, aby „przełamywać model heteronormatywny i odzwierciedlać różnorodność rodzin". Problem w tym, że dzieci w wieku przed dojrzewaniem rzadko mają problem z własną identyfikacją seksualną i w ogóle nie potrzebują tego rodzaju bodźców do zdrowego rozwoju. Ideologia zagraża tu po prostu zdrowemu rozsądkowi. Mimo to EaC otrzymuje fundusze z brytyjskiego resortu edukacji, który dba o to, by „zapobiegać homofobii i transfobii"[31].

Efektem powszechnej obecności treści erotycznych i dostępności pornografii w internecie jest narastające zjawisko molestowania kobiet w miejscach publicznych. Przykładem tego zjawiska jest Francja, gdzie władze usiłują dość nieudolnie powstrzymywać niewybredne zachowania mężczyzn wobec kobiet[32]. Wiąże się to zresztą z napływem muzułmanów, dla których kobiety tak rozebrane w miejscu publicznym, jak nakazuje zachodnia moda, niedwuznacznie zachęcają do aktywności. Po latach „wyzwolenia seksualnego" kobiet dość dwuznacznie brzmiały jednak oskarżenia coraz liczniejszych gwiazd i gwiazdeczek showbiznesu lub sportu o molestowanie i gwałty kierowane wobec menadżerów i trenerów. Dziwne, że oskarżenia te pojawiły się tyle lat po tym, jak dziewczęta i kobiety osiągnęły niemal wszystko w dziedzinie równouprawnienia. Dziwne, że tak nagle przypominając sobie o cnocie, niewiasty te tak często nadal walczą z Kościołem i moralnością katolicką. Przecież to nie Kościół zachęcał młodzież ostatnich dwóch pokoleń do „wyzwolenia seksualnego". Mimo to akcja MeToo zatoczyła bardzo szeroki krąg[33], a amerykańskie uniwersytety coraz częściej angażują się w nauczanie mężczyzn, jak mają powściągnąć skłonność do gwałtu i kobiet, jak wykorzystywać sytuację, by poprzez donos osiągnąć zamierzone cele. Kiedy np. w 2008 roku wybitny biolog, profesor Alexander McPherson z University of California, zaprotestował przeciw obowiązkowi udziału w warsztatach feministycznych, których celem było nauczenie go, jak nie molestować seksualnie studentek, stał się przedmiotem nagonki i został zawieszony w zajęciach[34].

Przemoc wobec kobiet jest często pretekstem dla kolejnej ofensywy ideologii *gender*. Jest przy tym charakterystyczne, że w krajach najbardziej zaawansowanych w promowaniu tej ideologii odsetek kobiet, które twierdziły, że były obiektem przemocy, jest znacznie większy niż w krajach broniących tradycyjnych relacji

---

[31] Wojciech Zdrojkowski, „Ideologia gender dla najmłodszych", *Gazeta Polska Codziennie,* 11 XII 2017 r.

[32] Monika Rębała, „Francuzki mówią: 'Precz z łapami'", *Gazeta Wyborcza,* 24 VII 2015 r.

[33] „Nie ma odwrotu od MeToo. Z dr Elżbietą Klimek-Dominiak rozmawia Dorota Wodecka", *Gazeta* Wyborcza, 30 XII 2017 – 1 I 2018 r.; Krzysztof Rawa, „O jeden dotyk za daleko", *Rzeczpospolita Plus Minus,* 16–17 XII 2017 r.

[34] Bogna Białecka, „Gwałtowna hucpa w Ameryce", *Polonia Christiana,* 2018, nr 61, marzec--kwiecień, s. 28.

damsko-męskich. W Danii przemocy doświadczyło podobno 52% respondentek, w Finlandii – 47%, w Szwecji – 46%, Holandii – 45%, a we Francji – 44%. Polska zajęła w tej statystyce ostatnie miejsce w Europie z 19% kobiet twierdzących, że były obiektem przemocy. Wbrew histerii polskich feministek, którym wydaje się, że są w Polsce zagrożone, według „2018 Global Wealth Migration Report" południowoafrykańskiej firmy New World Wealth, Polska znajduje się na szóstym miejscu w świecie pod względem bezpieczeństwa kobiet po Australii, Malcie, Islandii, Nowej Zelandii i Kanadzie[35]. Podczas gdy środowiska LGBT twierdzą, że niski wskaźnik polski jest wynikiem niezgłaszania przypadków przemocy przez Polki, statystyki mówią coś przeciwnego. W Polsce raportowalność ocenia się na 30%, w Danii – na 10–16%, w Szwecji – na 14–17%, a we Francji – na 18%[36]. Europejska Konwencja o zapobieganiu i przeciwdziałaniu przemocy z 2011 roku stała się oszukańczą zasłoną, pod którą przemycono definicję płci jako zjawiska kulturowego i społecznego, a nie przede wszystkim biologicznego. Znana aktorka Joanna Szczepkowska stwierdziła wprost: „Ohydna jest podstępność tego aktu, w rzeczywistości będącego dekretem myśli radykalnych feministek". Zwróciła też słusznie uwagę, że jest ona także deklaracją dyskryminacji mężczyzn[37].

Obsesja *gender* nabrała też wymiaru rasistowskiego. Rzecznicy „praw reprodukcyjnych i seksualnych" warunkują pomoc dla krajów Trzeciego Świata od uznania owych „praw". „Konserwatywny" premier brytyjski David Cameron powiedział w listopadzie 2011 roku na spotkaniu szefów Państw Commonwealthu, że pomoc dla Afryki uzależniona jest od uznania praw LGBT. Podobne stanowisko zajęli prezydent Obama i jego sekretarz stanu Hilary Clinton. Rewolucji *gender* towarzyszy więc ten sam rodzaj kompleksu wyższości „postępowego" Zachodu wobec tradycji krajów o niskim poziomie dochodu. Czym innym jest jednak walka z „obrzezywaniem" dziewcząt, a czym innym wmawianie mieszkańcom Trzeciego Świata, że płeć można sobie wybierać, a aborcja jest uprawnioną metodą regulacji urodzin[38].

Ideologia *gender* jest śmiertelnym zagrożeniem dla cywilizacji, gdyż umacnia w ludziach przekonanie, że są panami (lub paniami) swojej seksualności oraz że jest ona doskonale elastyczna. W ramach tej ideologii twierdzi się, że płeć jest czymś subiektywnym, co można dowolnie zmieniać. Przeciwników gwałtu na naturze ucisza się pomówieniem o dyskryminację. Kontrkulturowa rewolucja lat sześćdziesiątych, gdy wmawiano sobie, że jeśli coś sprawia przyjemność należy to robić, połączona z powszechną atmosferą przyzwolenia, doprowadziły do tego, że większość niektórych społeczeństw zachodnich opowiada się już

---

[35] Joanna Banasiuk, Anna Skórzyńska, „Fakty przeciw feministkom", *Rzeczpospolita*, 23 XII 2014 r.; „To jest dobry kraj dla kobiet", *Do Rzeczy*, 5–11 II 2018 r.

[36] „Edukują seksualnie, biją żony", *Gazeta Polska Codziennie*, 23 VII 2015 r.

[37] https://rm.coe.int/CoERMPublicCommonSearchServices/DisplayDCTMContent?documentId=090000168008481d (23 V 2018); Joanna Szczepkowska, „Dyktat radykalnych feministek", *Rzeczpospolita Plus Minus*, 14–15 II 2015 r. O różnych przejawach agresywnej ideologii feministycznej: Magdalena Żuraw, *Idiotyzmy feminizmu*, (Warszawa: Fronda, 2014).

[38] Jakub Pacan, „Neokolonializm apostołów gender", *Rzeczpospolita*, 27 IX 2013 r.

za „małżeństwami" homoseksualnymi, za wychowywaniem dzieci przez takie pary, za aborcją na życenie, procedurami *in vitro,* nawet jeśli graniczą one z eugeniką oraz manipulacjami genetycznymi. Imprezami, podczas których na masową skalę dokonuje się propagandy *gender* oraz LGBT są konkursy Eurowizji. Po tym jak w 2014 roku konkurs wygrała „kobieta z brodą" Conchita Wurst, wielu wykonawców podjęło tę tematykę licząc na sukces, co zamieniło konkurs w wyścig złego smaku i nieobyczajności. Kiedy na olimpiadzie w Rio de Janeiro w 2016 roku bieg na 800 metrów wygrała trójka czarnoskórych biegaczek o wyraźnych cechach męskich, krytyczne komentarze wobec władz sportowych, które dopuściły do jednej konkurencji z kobietami osoby o podwyższonym poziomie testosteronu, spotkały się z zarzutem dyskryminacji nie tylko rasowej, ale także seksistowskiej. Jak bowiem można było żądać od osób uważających się za kobiety obniżania poziomu testosteronu?[39]

Ideologia *gender* ma potężne wsparcie polityczne ze strony liberałów i lewicy europejskiej, a tolerowana jest przez europejska „prawicę". Podczas „Gali Równości" w Brukseli w 2016 roku wiceprzewodniczący Komisji Europejskiej, holenderski socjalista Frans Timmermans powiedział: „Komisja Europejska podejmie globalną walkę we wszystkich międzynarodowych gremiach, w których ma wpływy, o prawa osób LGBT, czyli w ONZ, w OBWE, w Radzie Europy i wszędzie tam, gdzie prawa osób LGBT nie zostały jeszcze zaakceptowane. Jestem przekonany, że Komisja Europejska będzie nadal nalegać, aby wszystkie kraje członkowskie UE uznały bez zastrzeżeń małżeństwa osób homoseksualnych"[40]. Sponsorami organizacji LGBT są między innymi Open Society Institute George Sorosa, MacArthur Foundation, Ford Foundation, Goldman Fund z San Francisco, Rockefeller Foundation, Kodak, Hewlett-Packard, American Airlines, Apple, AT&T, Chevron, Citigroup, Daimler Chrysler, Dell, Deutsche Bank, Ernst & Young, Estée Lauder, Johnson & Johnson, Levi Strauss, Merril Lynch, Microsoft, Nike, Pepsi, Toyota, Xerox, Motorola i oczywiście Playboy Foundation[41].

Obrońcy *gender* występują czasem z kpinami, a czasem z agresją, połączoną z absurdalnymi twierdzeniami. Pisarka Joanna Bator twierdzi, że „każda kultura jest walką o władzę". Powołuje się na wadliwe badania Margaret Mead i pisze: „z ziarna głupoty, bezradności i przerażenia ludzi Kościoła (...) wyrósł barszcz Sosnowskiego toksyczny dla wszystkich". Poucza też: „Żeby zrozumieć gender trzeba czytać książki wymagające wysiłku intelektualnego. I przenieść wzrok z krocza własnego i cudzego wyżej, ku światłu"[42]. Działaczki polskiego Kongresu

---

[39] Marzena Nykiel, „Baba z brodą, czyli Europa już cienko śpiewa", *W Sieci,* 19–25 V 2014 r.; Krzysztof Oliwa, „Babochłopy wzięły złoto", *Gazeta Polska Codziennie,* 23 VIII 2016 r.; „Triumf filozofii gender nad zdrowym rozsądkiem. Paweł Jackowski rozmawia z Pawłem Zarzecznym", tamże; Michał Muzyczuk, Maciej Muzyczuk, „Gender sportowy", *W Sieci,* 29 VIII – 4 IX 2016 r., ss. 82–83.

[40] Magdalena Czarnik, „LGBT kontra rodzina", *Kurier Wnet,* 2016, nr 20.

[41] Enrica Perucchietti, „Kreowanie człowieka bez tożsamości", *Nasz Dziennik,* 23–24 VIII 2014 r.

[42] Joanna Bator, „Gender biskupa Michalika", *Gazeta Wyborcza,* 14–15 XII 2013 r.

Kobiet napisały list ze skargą na polski Episkopat do papieża Franciszka, pisząc między innymi: „Jesteśmy zbulwersowane i bezradne w obliczu rozpętanego szaleństwa nienawiści"[43]. Wszystko to zamiast poważnej refleksji nad granicami nauki i ideologii oraz granicami manipulacji naturą i opinią publiczną.

Wedle nowej, „jedynie słusznej" ideologii *gender,* prawdziwe wyzwolenie człowieka polega na odrzuceniu natury. Hasło samorealizacji, oznaczające zobowiązania wobec siebie, dawniej zwane egoizmem, zastępuje zobowiązania wobec innych. Rolę cenzury z państw totalitarnych zastępuje się „polityczną poprawnością", której pogwałcenie owocuje ostracyzmem lub wręcz sankcjami w życiu zawodowym. Pod hasłami walki z przemocą państwo uzurpuje sobie prawo do ingerowania w życie rodziny. Religia ma stać się sprawą prywatną. Równość oznacza jednakowość. Zagubionej w gąszczu sprzeczności nowej „jedynie słusznej" idei oferuje się pomoc psychologiczną, która polega na wmawianiu, że czarne jest białe. „Nowy totalitaryzm jest procesem. Na razie nabiera rozpędu. Nie wiadomo, czy nie zawali się już niedługo pod ciężarem własnych sprzeczności. Jedno, co jest pewne, to to, że – być może bezpowrotnie niszczy on Europę i jej cywilizację" [44].

Brak zrozumienia, czym jest ideologia *gender* występuje nawet po stronie niektórych przedstawicieli Kościoła. Ks. prof. Alfred Wierzbicki np. pisze, iż z teorią tą jest tak jak z teorią ewolucji. Problem w tym, jak traktuje się *gender* oraz jak traktuje się ewolucję. W obydwu przypadkach mamy jednak naprawdę do czynienia nie z pewną teorią, która może wyjaśniać jakiś aspekt rzeczywistości, ale z wojującą ideologią. Ks. Wierzbicki zadaje zupełnie nieuzasadnione pytanie „dlaczego Kościół boi się kobiet?", które w kontekście ideologii *gender* brzmi jak fundamentalna teza. „Mądrość Kościoła polega na tym, by asymilować nawet te koncepcje, które nie zrodziły się na jego gruncie", pisze ks. Wierzbicki[45]. Zważywszy agresywnie antychrześcijański kurs większości ideologów *gender,* wątpię, by dało się tę ideologię „ochrzcić" nawet przez księdza profesora.

Jeśli w końcu elity cywilizacji zachodniej nie zauważą, że dzień to dzień, a noc to noc, że kobiety są kobietami, a mężczyźni mężczyznami, że się potrzebujemy nawzajem, bo możemy sobie ofiarować miłość, to cywilizacja ta ulegnie zagładzie[46].

---

[43] „Kongres Kobiet pisze do Franciszka", *Gazeta* Wyborcza, 29 XI 2013 r. W obronie uniwersyteckich studiów *gender* przed krytyką Episkopatu Polski stanęli między innymi socjologowie Małgorzata Fuszara, Krzysztof Kiciński, Joanna i Jacek Kurczewscy, Andrzej Rychard, Barbara Szacka i Antonina Ostrowska oraz filozof Marcin Król. „Uczeni do biskupów: szanujcie naukę", *Gazeta Wyborcza,* 4–6 I 2014 r.

[44] Bronisław Wildstein, „Nowy totalitaryzm", *Do* Rzeczy, 3–9 XI 2014 r.

[45] Ks. prof. Alfred Wierzbicki, „Maryja, matka gender", *Gazeta Wyborcza,* 8 III 2014 r. Wątpliwości te są chyba uzasadnione, jeśli obok tego artykułu możemy przeczytać tekst Anny Dzierzgowskiej i Ewy Rutkowskiej, „trenerek antydyskryminacyjnych" uczących dzieci wymiany ról płciowych, czy Katarzyny Wężyk, piętnującej krytyki genderyzmu ze strony wielu biskupów.

[46] Powiedzieli o tym dobitnie polscy biskupi w liście pasterskim z grudnia 2013 roku. Por. Praca zbiorowa, *Dyktatura gender,* (Kraków: Biały Kruk, 2014), ss. 66–73. Tamże znaleźć można wiele ciekawych esejów na temat *gender.*

ROZKŁAD TRADYCYJNEJ RODZINY

Ogromnym zagrożeniem cywilizacji jest kwestionowanie pojęcia normy życia społecznego. Do niedawna taką normą była definicja małżeństwa jako związku mężczyzny i kobiety. W tradycji Zachodu od początku ważny był prawny aspekt małżeństwa jako umowy, regulującej relacje między mężczyzną i kobietą oraz ich dziećmi. Chrześcijaństwo dodało do tego dwa aspekty: po pierwsze, związek mężczyzny i kobiety uznano za coś najściślej związanego z różnicą płci oraz prokreacją, a po drugie nadano mu charakter sakramentu, uświęcającego wzajemne, dozgonne oddanie sobie dwojga osób. Wraz z laicyzacją Zachodu, chrześcijańska wizja małżeństwa straciła fundament teologiczny. Przez jakiś czas funkcjonował fundament prawny, ale wraz z odrzuceniem prawa naturalnego i ugruntowaniem się utylitaryzmu prawnego, otworzono drogę do dowolnych, nawet najbardziej szalonych interpretacji istoty małżeńskiego kontraktu. Tymczasem, jak słusznie przypomniał Rocco Buttiglione, łaciński źródłosłów małżeństwa (*matrimonium*) oznaczał opiekę nad matką.

W języku polskim słowo „rodzina" pochodzi od rodzenia. Rodzina jest więc związkiem opartym na miłości między mężczyzną i kobietą, bo tylko taki związek jest płodny. Łacińska *familia* miała wiele znaczeń, również zwodniczych, na przykład, gdy o grupie niewolników mówiono w starożytnym Rzymie *familia rustica*, a o trupie gladiatorów – *familia gladiatoria*. Dzisiejsi europejscy „postępowcy", w tym głównie europejska lewica, z której lewicowości pozostał jedynie indyferentyzm moralny i którą można by nazwać „lewicą seksualną", wyraźnie nawiązują do tej starożytnej tradycji. Pamiętajmy jednak, że to właśnie rozkład rodziny i spadek dzietności przyczynił się do całkowitego upadku Cesarstwa Rzymskiego.

Kryzys rodziny w państwach zachodnich jest faktem, podczas gdy elity polityczne nie chcą tego nawet zauważyć. W raporcie Parlamentu Europejskiego francuska socjalistka Françoise Castex pisała o „zmianach demograficznych" zamiast o kryzysie demograficznym Unii, a jako receptę na te „zmiany" podawała imigrację oraz przedłużenie okresu aktywności zawodowej. Nie wspomniała o przyczynach owego kryzysu, a przede wszystkim o kryzysie europejskiej rodziny. W świecie zachodnim zawiera się coraz mniej małżeństw, a młodzi ludzie coraz częściej żyją ze sobą bez ślubu, zmieniając „partnerów". W 1970 roku na 1000 mieszkańców zawarto we Francji 7,8 małżeństw, w 2015 roku zaś – 3,5 małżeństw. Analogiczne pary danych dla USA wynoszą 10,5 i 6,9, Niemiec – 7,4 oraz 4,9, Wielkiej Brytanii – 8,5 i 4,5, Włoch – 7,3 i 3,2, Belgii – 7,6 i 3,6, Czech – 9,2 i 4,4, Danii – 7,4 i 5,1, Finlandii – 8,8 i 4,5, Grecji – 7,7 i 5,0, Hiszpanii – 7,3 i 3,6, Holandii – 9,5 i 3,8, Norwegii – 7,6 i 4,5, Polski – 8,6 i 5,0, Portugalii – 9,4 i 3,1, Rumunii – 7,2 i 6,3 i Węgier – 9,3 i 4,7. Wedle najnowszych danych stosunek liczby rozwodów do małżeństw wyniósł w 2014 roku: w Portugalii 71%, Luksemburgu – 67%. Belgii – 61%, Hiszpanii – 58%, Danii – 57%, Finlandii – 56%, Francji – 55%, Czechach – 54%, Estonii – 50%, Kanadzie – 48%, USA – 46%, Włoszech – 44%,

Okładka amerykańskiej gazety, informująca że znany hollywoodzki aktor Bill Cosby został uznany za gwałciciela.

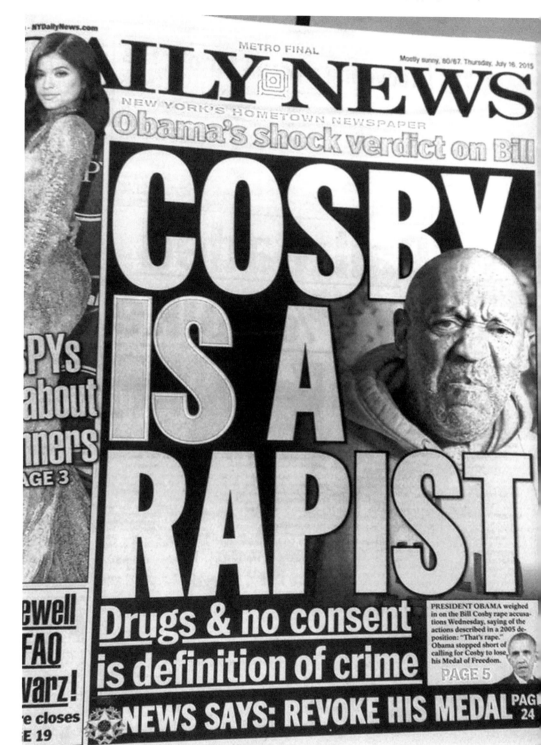

Australii, Wielkiej Brytanii i Szwajcarii – 42%, Niemczech – 41%, Polsce – 36%, Austrii – 35%, Grecji – 27%, a Irlandii – 13.

W 2005 roku co trzecie dziecko w Europie przychodziło na świat poza małżeństwem. Olaf Kapella z Austriackiego Instytutu Badań nad Rodziną stwierdził, że posiadanie nieślubnego dziecka przestało zupełnie być uważane za patologię, a w liberalnych środowiskach stało się wręcz normą. Szybko rósł procent młodych ludzi żyjących w konkubinacie, a w związku z tym i procent rodzących się tam dzieci. Przykład szedł też „z góry". W 1994 roku ujawniono, że nieślubną córkę miał prezydent Francji François Mitterand, później, że ma ją także król Belgii Albert II, a w 2002 roku konserwatywny lider bawarskiej CSU Edmund Stoiber powołał Katherine Reiche, żyjącą w konkubinacie, na eksperta do spraw rodzinnych. Przykładem wyjątkowego zakłamania elit europejskich w podejściu do rodziny był prezydent Francji François Hollande. Porzucił on matkę swoich czworga dzieci, Ségolène Royale, pozostając jako prezydent w wolnym związku z Valérie Trierweiler aż w lutym 2014 roku ogłosił o „zakończeniu wspólnego pożycia" z nią, biorąc sobie młodszą aktorkę Julie Gayet. Zrobił to wkrótce po wyjściu Trierweiler ze szpitala, gdzie leczyła ona „silny wstrząs emocjonalny" z powodu medialnych informacji o zdradzie Hollande'a. Nie zawarł on nigdy nawet cywilnego małżeństwa, natomiast usilnie zabiega o uznanie prawa homoseksualistów do legalnych „małżeństw".

Problemy współczesnej rodziny zachodniej są wynikiem wielu czynników. Jednym z nich jest rosnąca aktywność zawodowa kobiet, ale bodaj głównym – zmiana priorytetów życiowych i stylu życia oraz ideologii *gender*. Studia, kariera zawodowa i rozrywki do tego stopnia zajmują uwagę wielu młodych ludzi, że nie mają czasu ani ochoty przemyśleć swojego życia uczuciowego czy perspektyw rodzinnych. Zadowalają się często przypadkowym seksem, traktowanym jako część rozrywek w wolnym czasie. Wielkomiejska kultura *hook-up* („spiknięć") stanowi śmiertelne zagrożenie dla życia rodzinnego i dzietności, a przez to – dla perspektyw demograficznych krajów zachodnich. Nie jest jednak kryzys rodziny zachodniej skutkiem warunków materialnych, jak się często bałamutnie twierdzi. Wszak nigdy w historii stopa życiowa w świecie zachodnim nie była tak wysoka jak obecnie. Prędzej kryzys jest dziełem radykalnych feministek, które zatruły publiczny dyskurs swoją ideologią. Gdyby ktoś chciał ośmieszyć radykalny feminizm, znalazłby wśród polskich feministek wiele pretekstów. Zamiast świąt Wielkiejnocy polska Feminoteka życzy bliskim i znajomym „Wspaniałych, radosnych i kolorowych Świąt Bogini Eostre" i upiera się, by zamiast „historia" mówić „herstoria", gwałcąc logikę językową polszczyzny. Wedle jednej z wykładowczyń *gender*, badanie „literatury męskiej" to „wycieczka na terytorium wroga". Zamiast patronatu obejmuje się tu „matronat". Przerażenie ogarnia też niektóre aktywistki polskie na myśl, że istnieją kobiety, dla których macierzyństwo jest najważniejszym doświadczeniem życiowym.

W tej sytuacji przetrwanie cywilizacji zachodniej w ramach dzisiejszych ustrojów demokratycznych i dominujących stylów życia będzie niezwykle trudne, praktycznie niemożliwe, ponieważ elity polityczne, naukowe i media lansują poglądy oraz postawy, które już zdobywają poparcie większości społeczeństw. Rozkład współczesnej rodziny w bezpośredni sposób wpływa bowiem na dzietność kobiet, a demografia ma to do siebie, że pozwala ze sporym prawdopodobieństwem przewidzieć przyszłość.

Jednym z czynników rozkładających współczesne małżeństwa na Zachodzie jest też obyczaj seksualny. Choć prostytucja znana była od najdawniejszych czasów, obecnie rozwija się w szybkim tempie. Na przykład po legalizacji prostytucji w Niemczech w 2002 roku branża „usług seksualnych" rozwinęła się niesłychanie, a jej obroty oceniano na 12–15 mld euro rocznie. Codziennie z usług tych korzysta około miliona mężczyzn, a państwo uzyskuje spore dochody podatkowe. Choć istnieje wiele świadectw zniewolenia prostytutek, zwłaszcza pochodzących z Europy Wschodniej, w mediach niemieckich proceder ten przedstawiany jest na ogół „rzeczowo" i bez ocen, a nawet przychylnie, jako możliwość ekonomicznej niezależności kobiet. Rzecznicy wolności seksualnej są do tego stopnia zdemoralizowani, że z zimną obojętnością reagują na protesty wobec nadużyć seksualnych we własnych szeregach, czego najlepsze dowody dały te środowiska we Francji w sprawie skandalu z udziałem szefa Międzynarodowego Funduszu Walutowego Dominique'a Strauss-Kahna czy w Polsce w sprawie skandali z udziałem prominentnych rzeczników swobody obyczajowej, w tym szefa portalu Wyborcza.pl. Mimo jawnych nadużyć i szkód, jakie panseksualizm wywołuje w życiu młodego pokolenia całe zastępy „celebrytów" różnego rodzaju lansują promiskuityzm. Pod tym względem krytycyzm środowiskowy w Europie jest znacznie mniejszy niż w USA, gdzie Kevin Spacey, Bill Cosby i Harvey Weinstein nie uszli ze swoimi wybrykami opinii publicznej w wyniku akcji MeToo. Nawet jeśli w Hollywood panuje obyczajowa obłuda, to jest ona jeszcze rodzajem uznania dla cnoty.

Także „wolna miłość" znana była wcześniej. Obecnie rozprzestrzeniła się ona niezwykle, zyskując ostatnio nowe miano „poliamoria" (*polyamory*). Po raz pierwszy tego określenia użyła w artykule z 1990 roku niejaka Morning Glory Zell-Ravenheart, liderka neopogańskiej sekty *Church of All Worlds*. Zdefiniowała ona to zjawisko jako „praktykę, stan lub zdolność do utrzymywania więcej niż jednej relacji seksualnej za pełną wiedzą i zgodą wszystkich zaangażowanych partnerów". Relacje tego rodzaju mogą być ograniczone do kilku osób, co nosi nazwę *polifidelity* („wielowierność") lub „małżeństwo grupowe" albo też otwarte na nieograniczoną ilość osób. „Poliamoria" jest czymś podobnym do *swingingu*, w którym podstawą związku jest monogamia, ale oparta na przekonaniu, że stosunki seksualne z osobami innymi niż mąż czy żona poprawiają relacje seksualne i emocjonalne między nimi. Rozwój obu zjawisk był związany z upowszechnieniem środków antykoncepcyjnych i internetu, który ułatwiał dyskretne kojarzenie osób o podobnych skłonnościach. W rezultacie w wielu krajach powstały kluby swingersów, w których dochodzi do wymiany partnerów i seksu grupowego na podstawie tego rodzaju swoistej ideologii. Obecnie ocenia się, że praktyki poliamoryczne lub *swinging* uprawia na Zachodzie 1–4% par. Wedle badań fińskich nieco ponad 8% respondentów przyznawało, że jest gotowych na tego rodzaju związki. Statystyki te są bardzo przybliżone ze względu na niemożność zdefiniowania „pary". Najczęściej nie są to bowiem małżeństwa, ale „single" żyjące w zmiennych układach.

Ideologia *gender* i ruch LGBT podważyły tradycyjną definicję małżeństwa, a pod ich wpływem coraz więcej państw akceptuje prawnie „małżeństwa" homoseksualne. Żądania homoseksualistów, by ich związki zrównać prawnie z tradycyjnymi małżeństwami pojawiły się już pod koniec lat sześćdziesiątych. Niektórzy datują początek tej akcji na rok 1969, gdy zamieszki na tle „antydyskryminacyjnych" żądań gejów wybuchły w nowojorskim klubie Stonewall Inn. W następnych trzech dekadach żądania te nasilały się, aż na początku XXI wieku przybrały masową skalę wraz z coraz powszechniejszym uznawaniem prawa homoseksualistów do legalizacji prawnej swych związków w społeczeństwach zachodnich. Na przykład o ile w 2004 roku za „małżeństwami" homoseksualnymi opowiadało się 38% Amerykanów, a 59% było im przeciwne, w 2014 roku proporcje się odwróciły: 59% je popierało, a 34% było przeciw nim.

Pierwszym państwem, które zalegalizowało prawnie „małżeństwa" osób tej samej płci była Holandia. Na ponury żart wygląda fakt, że nastąpiło to w dniu 1 kwietnia 2001 roku. Druga uczyniła to Belgia w 2003 roku, trzecia – Hiszpania za lewackich rządów José Luisa Zapatero w 2005 roku, a czwartą była, w tym samym roku Kanada. W demontażu rodziny jednym z najbardziej zaawansowanych krajów była Szwecja. Opublikowany w 1972 roku manifest partii socjalistycznej „Rodzina przyszłości" zapowiedział podjęcie inżynierii społecznej na wielką skalę. Dziecko zostało „wyzwolone" z wychowania przez rodziców, a nawet było zachęcane do donoszenia na nich w przypadku stosowania przez nich przymusu. Oficjalne „małżeństwa" homoseksualne zalegalizowano w tym kraju od 1 maja 2009 roku. Konsekwencje tego prawa dotknęły oczywiście Kościół luterański. Premier Szwecji Stefan Löfven stwierdził, że jeśli ktoś chce być pastorem w tym kraju musi uznawać jego prawa i w związku z tym nie może odmawiać „ślubu" parom homoseksualnym. Coś, co dotąd uznawano przeważnie za dziwactwo lub aberrację, stało się prawem. W następnych latach kolejne państwa zachodnie przyjmowały ustawy legalizujące „małżeństwa" lub związki partnerskie homoseksualistów. Po legalizacji „małżeństw" osób tej samej płci we Francji już w maju 2013 roku odbyła się pierwsza uroczystość „weselna" tego rodzaju w Montpellier. Przeciw ustawie demonstrowało jednak w Paryżu około 150 tysięcy Francuzów. Po kolejnych manifestacjach setek tysięcy Francuzów w październiku 2016 roku, masoni francuscy twierdzili, że manifestacje takie przekraczają ramy świeckości Republiki.

W czerwcu 2013 roku Sąd Najwyższy USA orzekł, że „małżeństwom" homoseksualnym mają przysługiwać te same prawa co tradycyjnym. Z decyzji tej cieszył się prezydent Obama, który powiedział, że zniesiono „dyskryminację zapisaną w prawie, przez którą kochający się, zaangażowani w związek geje i lesbijki byli traktowani jako odrębna, niższa klasa ludzi". Na konsekwencje nie trzeba było długo czekać. Wszyscy Amerykanie musieli uznać praktyki homoseksualne za normę. Wkrótce na przykład Sąd Najwyższy amerykańskiego stanu Nowy Meksyk orzekł, że pewna firma fotograficzna nie może odmówić obsługiwania

„wesel" gejów, gdyż oznaczałoby to dyskryminację z powodu orientacji seksualnej. W dniu 26 czerwca 2015 roku amerykański Sąd Najwyższy zdecydował większością 5:4 w orzeczeniu *Obergefell v. Hodges*, że prawo do „małżeństw" homoseksualnych ma obowiązywać we wszystkich stanach. Sędzia Antonin Scalia nazwał działania pięciu kolegów „groźbą dla demokracji". W ten sposób zakończyła się walka o to prawo, zapoczątkowana w 1990 roku przez dwie lesbijki z Hawajów na podstawie zapisu o zakazie dyskryminacji ze względu na płeć.

W dniu 12 marca 2015 roku Parlament Europejski przyjął rezolucję uznającą prawo homoseksualistów do zawierania „małżeństw" za prawo obywatelskie i prawo człowieka. W październiku 2014 roku ustawę o małżeństwach homoseksualnych przyjął parlament Estonii. W grudniu 2015 roku parlament grecki zalegalizował „małżeństwa" homoseksualne, jednak w tym samym czasie podobny projekt odrzucili większością 63% głosów w referendum Słoweńcy. W lipcu 2015 roku Trybunał Praw Człowieka nałożył na Włochy kary za „brak prawnej ochrony par gejowskich", ponieważ prawo włoskie nie przewidywało „małżeństw" osób tej samej płci. W dniu 31 stycznia 2016 roku olbrzymia manifestacja przeciwników „małżeństw" homoseksualnych zgromadziła prawie 2 mln w rzymskim *Circus Maximus*. Mimo to ustawę taką przyjął włoski Senat w lutym, a niższa izba parlamentu – w czerwcu tegoż roku. Niemiecki Bundestag zalegalizował „małżeństwa" homoseksualne pod koniec czerwca 2017 roku. Część chadeków poparła ustawę, a kanclerz Merkel, choć sama była przeciwna, zrezygnowała z dyscypliny partyjnej.

Nie wszędzie jednak „małżeństwa" homoseksualne zostały zalegalizowane, gdyż większość społeczeństw tych krajów się temu sprzeciwia. Tak jest na przykład w Bułgarii, Chorwacji, na Litwie i Łotwie, w Polsce, na Słowacji i na Węgrzech. W Polsce 85% respondentów zgadzało się w 2017 roku z konstytucyjną definicją małżeństwa jako związku mężczyzny i kobiety. Pierwszym krajem, który zniósł prawo do „małżeństw" homoseksualnych stały się Bermudy w lutym 2018 roku, ponieważ w referendum z 2016 roku 69% mieszkańców wysp opowiedziało się przeciw takiej praktyce. Protest założyli oczywiście przedstawiciele branży turystycznej, który zarabiali na imprezach „zaślubinowych" gejów.

W ślad za uznaniem „małżeństw" homoseksualnych szło przyznawanie im prawa do adopcji dzieci. W lutym 1994 roku Parlament Europejski dopuścił możliwość adopcji dzieci przez związki homoseksualne, stwierdzając w istocie, że orientacja seksualna jest obojętna nie tylko moralnie, ale i prawnie. Charakterystyczny był przy tym „rewolucyjny wigor", z jakim homoseksualiści potraktowali sprzeciw papieża wobec decyzji Parlamentu Europejskiego. Jan Paweł II został nazwany „homofobicznym rasistą", który dokonał „niedopuszczalnej ingerencji w wewnętrzne sprawy państw", a włoscy homoseksualiści złożyli nań skargę w prokuraturze. W 2017 roku już 18% „małżeństw" tej samej płci wychowywało dzieci w Wielkiej Brytanii, a wśród niezalegalizowanych związków homoseksualnych odsetek ten wynosił 15%. W Kanadzie dzieci są wychowywane przez 12% par homoseksualnych, w Australii – przez 15%, a w USA – przez niecałe 16% tych par.

„TĘCZOWA" CYWILIZACJA

Tęczowe barwy ruchu LGBT nasuwać mają skojarzenie z radością, wolnością oraz z życiem w zgodzie z naturą. Pod tęczowymi sztandarami manifestują jednak ludzie, którzy naprawdę nie wiedzą co czynią. Opętanie ideologią LGBT i *gender* prowadzi do szeregu kuriozalnych wynaturzeń. W Szwecji rodzice ulegli kaprysowi dziesięcioletniej córeczki i zgodzili się na jej zamianę w chłopca. Dziecku, które nie może samodzielnie kupić w aptece lekarstwa czy tym bardziej piwa, przyznano prawo do zmiany płci[47]. Norweski minister zdrowia Bent Høie zaproponował ustawę, wedle której rodzice mogliby sami decydować czy ich dziecko jest chłopcem czy dziewczynką[48]. Środowiska LGBT manipulują znaczeniami słów, podobnie jak propaganda komunistyczna. W czerwcu 2015 roku Elżbieta Szczęsna, szefowa Stowarzyszenia Rodzin i Przyjaciół Osób Homoseksualnych, Biseksualnych i Transpłciowych, zapraszała na „Paradę Wartości", pisząc: „To nie lesbijki i geje, to nie jednopłciowe małżeństwa stanowią niebezpieczeństwo dla rodziny. To uprzedzenia niszczą relacje między ludźmi. I to homofobi tego świata odpowiedzialni są za ból, strach i łzy"[49]. Można wręcz powiedzieć, że kłamstwo jest istotą ruchu LGBT[50]. Na przykład Sławomir Sierakowski dowodził, że „homoseksualizm jest z natury zjawiskiem prorodzinnym" oraz że „współczesna nauka uważa homoseksualizm za naturalny i sprzyjający rodzinie"[51]. Przypomina to pretensje marksistów do „naukowości" ich teorii. Tymczasem wedle badań opublikowanych w „Journal of Sex & Marital Therapy" akty przemocy występowały w 2014 roku wśród ponad połowy amerykańskich par homoseksualnych oraz 29% par heteroseksualnych. Ponadto średnia długość trwania związku homoseksualnego wynosiła 2–3 lata[52]. Propaganda gejowska przynosiła jednak wymierne skutki. O ile w tradycyjnych społeczeństwach udział osób o skłonnościach homoseksualnych wynosi 1–2%, w 2015 r. aż 10%

---

[47] Tomasz P. Terlikowski, „Transdzieci, czyli chłopiec z menstruacją", *Do Rzeczy*, 18–24 V 2015 r.

[48] Tomasz P. Terlikowski, „Genderowe szaleństwo", *Do Rzeczy*, 13–19 VII 2015 r.

[49] „Zaproszenie na Paradę Wartości", *Gazeta Wyborcza* 13–14 VI 2015 r.

[50] Jednym z pomysłodawców wspomnianej „Parady Wartości" był niejaki Szymon Niemiec, zwierzchnik Zjednoczonego Kościoła Chrześcijańskiego. Zwolennicy ruchu LGBT podkreślają emocjonalne więzi łączące pary homoseksualne, podczas, gdy powszechnie wiadomo, że geje mają dużą skłonność do zmieniania partnerów. Jakub Kowalski, „Z darkroomów na paradę", *Rzeczpospolita Plus Minus*, 13–14 VI 2015 r. Podobne bzdury wypowiadają też „autorytety naukowe", takie jak profesor prawa Uniwersytetu Warszawskiego Monika Płatek, kierowniczka Zakładu Kryminologii w Instytucie Prawa Karnego na Wydziale Prawa i Administracji. Monika Płatek, „Rodzina, czyli test człowieczeństwa", *Wysokie Obcasy*, 3 I 2015 r. Areną popisów „tęczowej" cywilizacji stały się w Polsce Przystanki Woodstock Jerzego Owsiaka, gdzie pojawiają warsztaty lansujące ideologię LGBT i wszystkie jej wynaturzenia. Odwiedzić tam można także „Dom bez hejtu", gdzie w ramach walki z „mową nienawiści" wyzywa się przeciwników najbardziej wulgarnymi słowami. Piotr Lisiewicz, „Homo-Woodstock", *Gazeta Polska*, 22 VII 2015 r.; Jan Pospieszalski, „Diabelski młyn", *Do Rzeczy*, 10–16 VIII 2015 r.

[51] Sławomir Sierakowski, „Gej jest prorodzinny", *Gazeta Wyborcza*, 8 X 2014 r.

[52] „Homo biją częściej", *Gazeta Polska* Codziennie, 1 X 2014 r.

młodych Brytyjczyków przyznawało się do takich skłonności, a 43% uważało się za biseksualistów[53].

Media niemal codziennie donoszą o różnych efektach aberracji *gender*. Szkocka Partia Narodowa planuje na przykład wprowadzenie prawa umożliwiającego zmianę płci na trzecią, nieokreśloną, dopuszczając do tego luksusu młodzież od szesnastego roku życia[54]. Podobnie jak swego czasu marksizm, ideologia *gender* stanowi poważne zagrożenia dla wolności badań naukowych. Przekonała się o tym np. Lindsay Shepherd, doktorantka Wilfrid Laurier University w kanadyjskiej prowincji Ontario, która na swoich zajęciach zaprezentowała sfilmowany uprzednio dialog lingwisty i psychologa na temat zasadności wprowadzenia do języka angielskiego nowych zaimków osobowych *ze*, *zie* oraz *xie*, mających oznaczać osoby o niejasnej tożsamości seksualnej. Oburzenie jednego ze studentów wywołał nie idiotyzm tego pomysłu, ale obiekcje psychologa, profesora Jordana Petersona. Z panią Shepherd skontaktowało się uniwersyteckie Biuro Różnorodności i Równości, którego przedstawiciel oskarżył ją o tworzenie „toksycznego środowiska" na zajęciach, a jeden z profesorów uczelni porównał profesora Petersona do Hitlera. Doktorantkę oskarżono też o pogwałcenie ustawy nr C-16, uchwalonej za rządów lewackiego premiera Justina Trudeau, a przewidującej kary za kwestionowanie podstaw teorii *gender*. Sprawa oparła się o władze uczelni i ostatecznie panią Shepherd uniewinniono, ale sprawa pokazuje, że Kanada zbliżyła się pod względem standardów wolności naukowej do państw komunistycznych[55]. Dziwactwa *gender* nie mają granic. W kwietniu 2013 roku senat uniwersytetu w Lipsku uchwalił, że tytuły określające stanowiska będą odtąd formułowane w formie żeńskiej, na przykład profesor Peter Grünberg miał być odtąd tytułowany „Herr Professorin Peter Grünberg". W senacie tej uczelni zasiada 57 mężczyzn i 20 kobiet. Pomysł uzyskał więc większość także głosami mężczyzn[56].

Międzynarodówka LGBT nie ustaje w dofinansowaniu „oświaty" swego rodzaju w krajach Europy Środkowej i Wschodniej. Europejski Program Obywatele dla Demokracji wspierał organizacje LGBT w tych krajach z pieniędzy z Norwegii, Islandii i Liechtensteinu[57]. Podstawą irracjonalnego sporu o toalety w USA w 2016 roku stało się stwierdzenie biurokratów, że o tożsamości seksualnej ucznia decyduje on (ona) sam (sama) nawet wbrew dokumentacji medycznej. W rezultacie padło hasło „używaj toalety zgodnie z tym, kim się czujesz"[58]. Trudno o większy przykład dyskryminacji kobiet, które jednak toalety używają w sposób bardziej kłopotliwy dla siebie niż mężczyźni. W swoim raporcie z 2015 roku unijna Agencja

---

[53] Olivier Bault, „Dokąd dojdzie marsz równości", *Do Rzeczy*, 5–11 X 2015 r.

[54] Kiedy Australijczycy zdecydowali w referendum o legalizacji „małżeństw" homoseksualnych, niejaki Julian Simpson, II sekretarz delegacji australijskiej w ONZ, tak się rozochocił, świętując w Nowym Jorku ten sukces, że wypadł z siódmego piętra i poniósł śmierć na miejscu. Dorota Łosiewicz, „Świat jest fascynujący", Sieci, 27 XI – 3 XII 2017 r., s. 16.

[55] Piotr Włoczyk, „Opresja C-16", *Do Rzeczy*, 11–17 XII 2017 r., ss. 76–77.

[56] Bogusław Rąpała, „Marsz przez uniwersytety", *Nasz Dziennik*, 6–7 VII 2013 r.

[57] Jakub Kowalski, „Dotacje na dewiacje", *Rzeczpospolita Plus Minus*, 9–10 V 2015 r.

[58] Jeremi Zaborowski, „Bitwa o sedes", *Rzeczpospolita Plus Minus*, 11–12 VI 2016 r.

Praw Podstawowych zwróciła uwagę na trudności w zmianie płci w niektórych państwach UE, nazywając to elementem dyskryminacji. Jako wzór wskazano Holandię, gdzie prawo do decydowania o swojej płci przyznano już szesnastolatkom[59]. Młodzież w tym wieku nie może jeszcze głosować, ale płeć zmienić może.

Ilustracją tego, co czekać może Kościół katolicki w „liberalnej demokracji" zachodniej jest zamknięcie agencji adopcyjnej Catholic Charities w stanie Nowy Jork ze względu na stanowe prawo o dyskryminacji, które narzuciło tej organizacji konieczność adopcji dzieci przez pary homoseksualne. Słowo „dyskryminacja" stało się narzędziem praktyk totalitarnych w systemie mieniącym się jeszcze demokracją[60]. Notabene lobby homoseksualne jest coraz silniejsze w samym Kościele, skoro na Światowe Spotkanie Rodzin w Dublinie w sierpniu 2018 roku z udziałem papieża Franciszka zaproszono też jawnego propagatora homoseksualizmu, jezuitę o. Jamesa Martina. Jego książkę o „budowaniu mostów" ku homoseksualistom przez Kościół zachwalało także swego czasu kilku hierarchów amerykańskich[61].

---

59 Dorota Łomnicka, „Unia żąda zgody na dewiacje", *Gazeta Polska Codziennie*, 18 XII 2015 r.

60 Ks. Paweł Bortkiewicz, „Nie dla homoadopcji", *Nasz Dziennik*, 29 VIII 2018 r.

61 James Martin, *Building a bridge: how the Catholic Church and the LGBT community can enter into a relationship of respect, compassion and sensitivity*, (Harper One, 2018); www.pch24.pl/skandaliczna-promocja-ksiazki-jezuity-o-zmianie-podejscia-wobec-homoseksualistow,50833,i.html (30 VIII 2018).

Uczestnicy włoskiego marszu na rzecz związków cywilnych osób tej samej płci niosą wielką tęczową flagę.

Tęczowe barwy ruchu LGBT nasuwać mają skojarzenie z radością, wolnością oraz życiem w zgodzie z naturą, a faktycznie są promocją zboczeń.

Praktyki homoseksualistów, którzy przysposabiają sobie dzieci, są właściwie handlem żywym towarem. Były gubernator Apulii, polityk włoskiej partii Lewica, Ekologia, Wolność, Nichi Vendola, przyznał, że wraz ze swym kanadyjskim partnerem zostali „szczęśliwymi" ojcami. Sprzedawczynią jajeczka była amerykańska Tajka, dawcą spermy – partner Vendoli, a dziecko urodziła rodowita amerykańska surogatka. Procedura kosztowała dwóch panów 135 tysięcy euro. Senator Sergio Lo Giudice i jego norweski partner twierdzili, że koszt ten może być niższy[62]. Za wyprodukowanie dziecka pary homoseksualne płacą we Włoszech 75–120 tysięcy dolarów, w zależności od wersji standardowej lub luksusowej, czyli wedle złożonego precyzyjnie zamówienia. Wchodzą w to koszty dobrania dawcy spermy, jajeczka i surogatki. Kiedy jeden ze znanych włoski gejów skrytykował ten nieludzki proceder, na jego głowy posypał się grad inwektyw ze strony różnych celebrytów, takich jak Elton John, Martina Navrátilová, Sharon Stone czy Victoria Beckham[63].

W 2015 roku w Stanach Zjednoczonych już około 270 tysięcy dzieci żyło w „tęczowych rodzinach", gdzie ich opiekunami byli homoseksualiści, biseksualiści lub

---

[62] Piotr Kowalczuk, „Włochy. Majstrowanie przy rodzinie", *Rzeczpospolita*, 2 III 2016 r.; tegoż, „Włoski sposób na surogatki", *Do Rzeczy*, 7–13 III 2016 r.

[63] Piotr Kowalczuk, „Dla gejów dzieci à la carte", *Do Rzeczy*, 5–11 X 2015 r.

transseksualiści. Około 205 tysięcy z tych dzieci było biologicznym potomstwem jednego z partnerów, a pozostałe 65 tysięcy pochodziło z adopcji. Adopcja dzieci przez pary tego rodzaju była nielegalna jedynie w stanie Missisipi. Za zjawiskiem tym stały pieniądze. Biznes produkcji dzieci dla klienteli LGBT przeżywał prawdziwy rozkwit. Reklamą tego rodzaju stylu życia zajmowali się producenci filmów i książek, a potencjalnych klientów zachęcali kredytodawcy, tacy jak na przykład firma Growing Generations. Założyciel Circle Surrogacy, jednej z największych agencji pośrednictwa między homoseksualistami i surogatkami z wielu krajów, głównie Trzeciego Świata, gdzie surogacja jest najtańsza, niejaki John Weltman, zacierał ręce. Z roku na rok przybywało także szybko „tęczowych rodzin" w Wielkiej Brytanii i innych krajach europejskich. Dziecko stało się towarem, za którego urodzenie lub „dostarczenie" do adopcji, należało zapłacić określoną sumę[64]. Wydaje się, że jedynym sposobem powstrzymania tego procederu jest uderzenie finansowe, na przykład w postaci dochodzenia przez pełnoletnie dzieci z takich związków alimentów od „tatusiów", którzy rozsiewają swoje komórki rozrodcze po świecie.

Środowiska LGBT skrzętnie ukrywają smutne fakty dotyczące swoich problemów. Co więcej, reagują na ujawnianie tych faktów wypieraniem i agresją. A fakty są takie, że w środowiskach tych znacznie częściej niż przeciętnie w społeczeństwach zachodnich występują problemy uzależnień od alkoholu i narkotyków. Przedstawiciele tych środowisk znacznie częściej cierpią na depresję i popełniają samobójstwo[65]. Ciekawe, że zamiast prezentować te fakty jako dodatkowy powód, dla którego geje i lesbijki mogliby domagać się współczucia, środowiska LGBT najwyraźniej pragną uniknąć wrażenia, że mają ze sobą problem. Samo określenie *gay* jest przecież synonimem radości. Dlatego mało kto zdaje sobie sprawę, iż prawie trzy czwarte zachorowań na AIDS dotyczy mężczyzn homoseksualnych, że w związkach tych panoszy się przemoc i depresje, a średnia długość życia jest od 8 do 20 lat niższa od przeciętnej?[66]

Wedle raportu profesora Marka Regnerusa, opublikowanego w „Social Science Research", wychowywanie dzieci przez pary homoseksualne powoduje bardzo niekorzystne zmiany w psychice wychowanków. Po pierwsze pary takie są bardzo nietrwałe. Zaledwie 1,7% gejów ogranicza swoje kontakty seksualne do jednej osoby. Wielu z nich przyznaje się do kilkudziesięciu partnerów w ciągu życia. Częste zmiany partnerów narażają w oczywisty sposób wychowanków na niestabilność emocjonalną. Wychowankowie takich par ponad dwukrotnie częściej niż przeciętnie korzystają z porad psychologów. O ile wśród dzieci wyrastających w tradycyjnych rodzinach do myśli samobójczych przyznawało się około 5% respondentów, o tyle zmagało się z nimi 24% wychowanków par gejowskich i 12% wychowanków par lesbijskich. Problemy psychologiczne wychowanków par

---

[64] Olga Doleśniak-Harczuk, „Tato, ile za mnie dałeś?", *Gazeta Polska*, 13 V 2015 r.
[65] Mary Eberstadt, „The Family: Discovering the Obvious", *First Things*, February 2004, nr 140, ss. 10–12.
[66] Kuby, *Rewolucja genderowa*, s. 84–85.

homoseksualnych rzutowały na ich wykształcenie i zaradność życiową, toteż odsetek bezrobotnych okazał się wśród nich znacznie wyższy niż przeciętnie w społeczeństwie. O ile w przypadku tradycyjnych rodzin odsetek dzieci molestowanych seksualnie przez któregoś z rodziców wynosił 2%, w parach lesbijskich sięgał 6%, a w parach gejowskich – 23%. Wychowanie w parach homoseksualnych wyraźnie rzutowało na orientację seksualną wychowanków. Orientację heteroseksualną deklarowało około 90% dorosłych wychowanych w rodzinie tradycyjnej, podczas wśród wychowanków par gejowskich odsetek ten do 20%, a w parach lesbijskich – do 30%. Wyniki badań profesora Regnerusa wywołały furię w środowiskach homoseksualnych, a socjolog stał się obiektem ataków mających na celu podważenie jego wiarygodności jako naukowca[67].

Do rozkładu rodziny przyczynia się niewątpliwie panseksualizm – wszechobecność tematyki seksualnej w sferze publicznej, w której występują przecież dzieci. Momentem przełomowym, kiedy przełamano kolejną barierę nieobyczajności w życiu publicznym, było analizowanie w masowych mediach o każdej porze dnia i nocy w 1998 roku, czy to, co robił prezydent Bill Clinton z Moniką Lewinsky w Gabinecie Owalnym Białego Domu było seksem czy nie. Niejeden amerykański rodzic musiał to potem jakoś wyjaśniać swoim nieletnim dzieciom.

Uświadomienie seksualne stało się poważnym polem bitwy między rzecznikami „tęczowej cywilizacji" i rzecznikami zdrowego rozsądku. Psychologowie i seksuolodzy, którym zależy na normalnym rozwoju dzieci, zawsze twierdzili, że ich uświadomienie seksualne winno przebiegać stopniowo, być dostosowane do wieku i stopnia rozwoju uczuciowego dziecka, a także uwzględniać moralną stronę współżycia seksualnego. Tymczasem „tęczowi" seksedukatorzy z uporem godnym lepszej sprawy nastają na to, by zaznajamiać dzieci z tajnikami życia seksualnego od najmłodszych lat i nie unikać zachęt do praktyk seksualnych. Mimo licznych protestów rodziców, niemiecki Bildungsplan 2015 nadal zawierał program LGBT i treści absolutnie niedostosowane do wieku dzieci[68]. Przedwczesna inicjacja seksualna wśród nastolatków prowadzi do poważnych konsekwencji psychologicznych. Uczuciowe i psychiczne skazy, jakie pozostawiło w pokoleniu wychowanym w komunach „wyzwolenie seksualne" ukazał w swoim filmie „Ojcowie, matka i ja" Paul-Julien Robert[69]. W tej kwestii wypowiadają się także niektóre autorytety feministyczne. Profesor Gail Dines, emerytowana wykładowczyni Wheelock College w Bostonie, twierdzi, że współczesne przesycenie kultury treściami seksualnymi wykośławia tożsamość dziewcząt. Chcą one być dostrzegane, ale jeśli odmawiają seksu, są izolowane i marginalizowane. Chłopcy z kolei, znający „potrzeby seksualne" z filmów pornograficznych, wymuszają na dziewczętach uległość, co wywołuje w nich stany depresji. Amerykański National Institute for Child Health and Human Development stwierdził na próbie 6,5 tys. nastolatków,

[67] Agnieszka Żurek, „Tęczowy dramat zamiast idylli", *Sieci*, 20–26 V 2013 r., s. 20.
[68] Magdalena Czarnik, „Dzieci potrzebują miłości, a nie seksu", *Kurier Wnet*, 2014, lato 2014 r.
[69] „Seks w ogóle nie kojarzył mi się z uczuciami. To było coś zwierzęcego, pierwotnego, to się po prostu robiło i tyle". „Wolna miłość bez miłości. Z Paulem-Julienem Robertem rozmawia Urszula Jabłońska", *Gazeta Wyborcza, Duży Format.* 24 VII 2014 r.

że wczesna inicjacja jest związana z pięciokrotnym wzrostem prawdopodobieństwa samobójstwa u dziewcząt i ośmiokrotnym w przypadku chłopców. Związek między wzrostem przypadków depresji i prób samobójczych a wczesną inicjacją seksualną, zwłaszcza wśród dziewcząt, zauważyli także badacze brytyjscy[70].

Zamiast poważnej refleksji nad skutkami psychologicznymi i społecznymi zbyt wczesnej inicjacji seksualnej młodzieży, szkodnicy cywilizacyjni twierdzą bałamutnie, że wiedza i doświadczenia ułatwią młodzieży uniknąć „niepożądanej" ciąży. Jest jednak na odwrót. Seksedukatorzy ignorują fakty i lansują kłamstwo, gdyż zbyt wczesna i nachalna propaganda seksualności nie skłania do panowania nad sobą, lecz zachęca do zachowań seksualnych, w tym także agresywnych, wobec rówieśników. W Wielkiej Brytanii stwierdzono, że im więcej pieniędzy wydaje się na „edukację" seksualną, tym więcej jest ciąż nastolatek. Trudno się temu dziwić skoro ulotka brytyjskiej służby zdrowia zachęca trzynastoletnie dzieci: „aby być zdrowym, należy uprawiać seks lub masturbować się dwa razy dziennie". Przewodnik dla brytyjskich nauczycieli twierdzi, że stosunki seksualne między trzynastolatkami są normalną częścią dorastania[71]. W piętnastoleciu 2000–2014 liczba aktów przemocy seksualnej wśród dzieci między 14 a 16 rokiem życia podwoiła się. Nic dziwnego, skoro w niektórych szkołach niemieckich dzieci zachęcane są nie tylko do zwykłego seksu, ale do „różnorodności seksualnej", a więc na przykład do seksu grupowego. Jeden z podręczników do „edukacji seksualnej" zaleca, by już dzieci trzynastoletnie powinny w klasie swobodnie rozmawiać o swoich doświadczeniach seksualnych. Presja środowisk gejowskich, lesbijskich i innych zwolenników promiskuityzmu jest tak silna, że rodzice boją się protestować[72].

Niejaka Agata Kozłowska z polskiej Grupy Edukatorów Seksualnych „Ponton" nie tylko zaleca młodzieży szkolnej „bezpieczny seks" oraz „inne orientacje niż heteroseksualna", oraz przekonuje, że to, co najpiękniejsze w seksie wiąże się z relacją „niekoniecznie trwałą"[73]. Być może zwolennicy tego rodzaju „edukacji" nie zauważyli jeszcze, jakie możliwości daje młodzieży seks w rzeczywistości wirtualnej lub z robotami, który jeszcze bardziej go zdehumanizuje[74]. Władze szkolne używają często przymusu, by seksualnie „edukować" nawet małe dzieci. W niemieckim mieście Eslohe rodzice dziewczynki, którzy zaprotestowali przeciw temu, by uczono ją wszystkich dewiacji seksualnych i nie pozwolili jej uczęszczać na tego rodzaju „lekcje", zostali ukarani 40 dniami więzienia. W rzymskim żłobku jakieś nadgorliwe wychowawczynie czytały dzieciom opowiastkę o parze lesbijek, które zafundowały sobie dzidziusia i w której opowiedziane jest dokładnie, jak to się robi[75]. Książeczki dla dzieci zawierające wątki homoseksualne i zachęty do zabaw seksualnych stają się codziennością w Szwecji, gdzie spopularyzowano

---

[70] Anna Wiejak, „Zabójcza seksualizacja", *Polonia Christiana*, 2018, nr 62, ss. 48–50.

[71] Dorota Łosiewicz, „Gdy dzieci gwałcą dzieci", *W Sieci*, 24–30 XI 2014 r.

[72] Magdalena Czarnik, „Jak to robią na dzikim Zachodzie", *Kurier Wnet*, 2014, nr 8, s. 13.

[73] Łukasz Zboralski, „Uczniowie nie chcą seksu", *Do Rzeczy*, 11–17 IX 2017 r.

[74] Krzysztof Kowalski, „Namiętność przy robocie", *Rzeczpospolita Plus Minus*, 26–27 VIII 2017 r.

[75] Piotr Kowalczuk, „Gender w rzymskim żłobku", *Rzeczpospolita*, 24 XI 2014 r.

piosenkę dla dzieci, śpiewaną przez „siusiaka i cipkę". Podobne szkodnictwo uprawia w Polsce organizacja „Ponton" i wydawnictwo Czarna Owca, która z zapałem tłumaczy szwedzkie „Wielkie księgi siusiaków" i „Wielkie księgi cipek"[76]. Czym jest wobec tego pedofilia?

Zdjęcie opublikowane w „Daily Telegraph" jesienią 2005 roku wywołało szerokie echa w społeczeństwie brytyjskim. Fotografia przedstawiała trzy siostry w wieku 12–16 lat ze swoimi dziećmi na ręku. Zwróciło to uwagę opinii brytyjskiej na powszechne uprawianie seksu przez nastolatków, będące rezultatem „wychowania seksualnego" w szkołach, presji mediów i przemysłu rozrywkowego. Kiedy kanał BBC chciał nakręcić film o abstynencji seksualnej, jego autorzy mieli ogromny problem ze znalezieniem nastoletnich dziewic. Jak powiedziała pewna piętnastolatka, w jej środowisku nie wypada być dziewicą, więc nawet te dziewczyny, które nie specjalnie palą się do inicjacji seksualnej nie wiedzą jak odmówić. Trudno się zresztą temu dziwić, skoro młodzież jest nieustannie bombardowana programami typu „Love Island", „Big Brother", czy ostatnio „Adam szuka Ewy" i „Naga randka". Producenci bielizny dla dziewcząt umieszczają na staniczkach napisy w rodzaju „Little Miss Naughty" lub „Mad about boys", a na koszulkach „So many boys... so little time"[77]. Niejaki Leon Nettley, dyrektor Millais School w Horsham w angielskim hrabstwie West Sussex, zabronił swej szesnastoletniej uczennicy, Lydii Playfoot, nosić na palcu „pierścionek czystości". Pierścionki takie, z napisem „Thess. 4:3–4", odnoszącym się do cytatu z listu św. Pawła do Tesaloniczan („Wolą Bożą jest wasze uświęcenie: powstrzymywanie się od rozpusty, aby każdy umiał utrzymywać ciało własne w świętości i czci"), noszą nastolatki, ślubujące wstrzemięźliwość przedmałżeńską. W szkole pana Nettleya można nosić chusty, które są rzekomo symbolem religii muzułmańskiej, można nosić symbole religii Sikhów, ale nie można nosić „pierścionka czystości". Pan Nettley narzeka, jak trudno jest rozróżnić symbole właściwe od niewłaściwych. Oczywiście, że trudno, jeśli się ma nie ma żadnego drogowskazu moralnego[78]. Amerykański *sitcom* „Friends" („Przyjaciele'), który w latach 1994–2004 robił wrażenie „przełamywania barier", lansując promiskuityzm, związki partnerskie, zapłodnienie *in vitro* i inne „osiągnięcia" tamtej opieki, spotyka się obecnie z falą krytyki za „homofobię" i „transfobię", co tylko pokazuje, jak szybko stacza się cywilizacja zachodnia w objęcia szaleństwa obyczajowego[79].

„Tęczowa cywilizacja" stopniowo obalała kolejne tamy: rozpoczęto urzędową seksualizację dzieci w szkołach, rosła liczba dzieci urodzonych poza tradycyjnym małżeństwem czy w wyniku procedur *in vitro* oraz rozwijał się handel zarodkami i dziećmi. Oponujący przeciw tym praktykom Kościół stał się wrogiem systemu.

---

[76] Agnieszka Niewińska, „Liberalny gwałt na dzieciach", *Do Rzeczy*, 26 I-1 II 2015 r.

[77] Wojciech Rogacin, Robert A. Gajdziński, „Dzieci z dziećmi", *Newsweek Polska*, 16 X 2005 r., ss. 38–41.

[78] Jonathan Petre, „We are facing a moral crisis, says chastity ring girl", *Daily Telegraph*, 23 VI 2007 r.; „'Obrączka czystości' zakazana", *Rzeczpospolita*, 24/25 VI 2007 r.

[79] Krystian Kratiuk, „Przyjaciele pożarci przez własne dzieci", *Polonia Christiana*, 2018, nr 62, maj-czerwiec, ss. 90–91.

Prawa człowieka stały się narzędziem ataku. Wraz z poprawnością polityczną rośnie ilość przypadków cenzurowania myśli i mowy. Przypominanie podstawowych praw natury, a więc na przykład o tym, że jednym z głównych celów małżeństwa jest prokreacja, uznawane jest coraz częściej jako dowód dyskryminacji i „homofobii". Wszystko to stanowi tak daleko idące ograniczenie demokracji, że uprawnione staje się określenie „nowy totalitaryzm"[80].

WSZYSTKO TYLKO NIE DZIECI!

Główną ofiarą „tęczowej cywilizacji" są dzieci. W centrum rewolucji społecznej Zachodu w ostatnim stuleciu znajdowały się przemiany w znaczeniu aktu seksualnego. O ile tradycyjnie był on wyrazem miłości dwojga ludzi i przynosił możliwość pożądanej na ogół prokreacji, o tyle najpierw oderwano go od prokreacji, potem od miłości, a na koniec sprowadzono seks do czynności rozrywkowej dowolnej grupy ludzi dowolnej płci. Rozrywka ta nie powinna przy tym pociągać za sobą żadnych zobowiązań i żadnych kłopotliwych konsekwencji. Możliwość poczęcia dziecka stała się największych zagrożeniem dla piewców tak rozumianego seksu. Stąd tak rozpowszechnione pragnienie „bezpiecznego seksu", a więc rozrywki nie „zagrożonej" prokreacją[81]. Zamiast tradycyjnego pragnienia potomstwa dziecko stało się zagrożeniem. W grudniu 1997 roku niemiecki Trybunał Konstytucyjny w Karlsruhe wydał orzeczenie, które ustawiło problem potomstwa w nowym świetle. Trybunał rozpatrzył skargę dwóch lekarzy, od których sądy zasądziły odszkodowania na rzecz rodziców niechcianych dzieci. W jednym przypadku chodziło o nieudaną sterylizację, w drugim – o pozytywną diagnozę genetyczną, która się nie sprawdziła. W obu przypadkach Trybunał uznał wyroki za słuszne. Lekarze zostali zobowiązani do ponoszenia ciężarów finansowych związanych z urodzeniem dziecka. Istnienie ludzkie zostało zrównane z materialną szkodą[82].

Dzieci nie mają w ogóle na Zachodzie dobrej prasy. Coraz częściej okazuje się, że są kosztowne i męczące, a zamiast się nimi zajmować, można by sobie przyjemniej czas wypełnić. Nic też dziwnego, że w rozwiniętych, dojrzałych społeczeństwach dzieci coraz mniej zaprzątają uwagę obywateli. W ciągu ostatnich 35 lat w krajach zachodnich wyraźnie zmalała dzietność kobiet. W 1960 roku przeciętna Amerykanka rodziła 3,6 dziecka, w 1996 roku – 2,0. Podobny wskaźnik zmalał w Holandii z 3,1 do 1,6, w Hiszpanii – z 2,8 do 1,4, we Francji – z 2,6 do 1,7, w Wielkiej Brytanii – z 2,6 do 1,6, w Niemczech – z 2,5 do 1,4, a we Włoszech

[80] Joe Bissonette, „Tęczowy totalitaryzm", *Do Rzeczy*, 11–17 V 2015 r.
[81] Na temat fizjologicznych i psychicznych konsekwencji farmakologicznej antykoncepcji por. np.: Mercedes Arzú Wilson, „Rodzina: moralność i problemy płciowości" w: *Rodzina wspólnotą szczęścia. XXI Międzynarodowy Kongres Rodziny, Lublin, 23–25 kwietnia 2004*, (Lublin: Gaudium, 2005), ss. 61–106.
[82] Krystyna Grzybowska, „Dziecko jako 'szkoda'", *Rzeczpospolita*, 17 XII 1997 r.

Posiadanie dzieci stało się w bogatych krajach Zachodu uciążliwością, której należy za wszelką cenę unikać. Dzieci są bowiem kosztowne i męczące.

– z 2,5 do 1,3[83]. O ile średnia liczba dzieci przypadająca na jedną kobietę w świecie wynosiła w 2000 roku 2,80, a w 2008 roku – 2,58, o tyle w Europie wskaźnik ten wyniósł w 2008 roku – 1,50. Dzietność Francuzek wyniosła w 2008 roku 1,98, Irlandek – 1,85, Brytyjek – 1,85, Holenderek – 1,66, Niemek – 1,41, Włoszek – 1,30, Hiszpanek – 1,30, Polek zaś – 1,27. Niższy był ten wskaźnik jedynie w Czechach i na Litwie[84].

Publicysta brytyjskiego pisma „The Economist" zażądał niedawno zinstytucjonalizowanego ograniczenia kontaktów z dziećmi, a nawet opodatkowania rodziców za niewygody, jakich ich dzieci dostarczają współobywatelom. Autor kończy tekst żartem słownym wskazując, że jedna linia lotnicza zrobiła już dobry początek przyjmując nazwę *Virgin* (Dziewica)[85]. Charakterystyczną reakcję emocjonalną zanotował kiedyś James Dobson, któremu pewna młoda matka powiedziała kiedyś: „Moje dzieciaki wciąż plączą się koło mnie i usiłują zająć mi każdą wolną chwilę, aż każę im się odczepić. Mówię im 'nie pozwolę, abyście zniszczyły moje życie'"[86]. Być może uwaga owej kobiety była rezultatem przejściowego zniecierpliwienia lub zmęczenia. Ale chyba nie tylko, bo coraz częściej ktoś głośno mówi, że dzieci rujnują życie. Niejaka Leslie Lafayette założyła w 1991 roku w Kalifornii organizacje ChildFree Network (Sieć Bezdzietnych) – stowarzyszenie zrzeszające osoby płci obojga i przeciwstawiające się posiadaniu dzieci[87].

Nic też dziwnego, że w dążeniu do zaspokojenia swoich ambicji zawodowych, dochodowych czy też rozrywkowych, ludzie Zachodu traktują dzieci jako zagrożenie dla tych ambicji, nie chcąc przy tym wcale rezygnować z uciech cielesnych. Efektem takiej potrzeby były środki antykoncepcyjne. Stosowano je od starożytności w postaci różnych membran i maści, ale badania nad farmaceutycznymi metodami zapobiegania ciąży rozpoczął w USA w 1950 roku specjalista od rozrodu ssaków Gregory Pincus. Doprowadził on do powstania pigułki pod nazwą Enovid, zawierającej norethynodrel i mestranol, a opóźniającej cykl miesiączkowy, która weszła do obiegu w USA w 1960 roku i wkrótce zrobiła oszałamiającą karierę w całym świecie zmieniając stosunek milionów ludzi do seksu[88]. Kościół katolicki zaprotestował przeciw sztucznemu ograniczaniu płodności w encyklice papieża Pawła VI *Humanae Vitae* z 1968 roku, ale

---

[83] „A Survey of Women and Work", *The Economist*, 18 VII – 24 VII 1998 r., s. 4.

[84] http://en.wikipedia.org/wiki/List_of_countries_and_territories_by_fertility_rate

[85] „Mum's the Word", *The Economist*, 5–11 XII 1997 r., s. 18.

[86] James C. Dobson, *Co każda żona chciałaby, aby jej mąż wiedział o kobiecie*, (Warszawa: Vocatio, 1994), s. 150.

[87] Pani Alexandra de Mello z Hongkongu wypomniała autorowi, że zapomniał o przyszłości ludzkości. Do podobnych wniosków doszła sześcioletnia Jessica Morley. Pewnie w napisaniu listu do redakcji pisma pomogli jej rodzice, ale trudno się z nią nie zgodzić nawet na poziomie minimum zdrowego rozsądku: „Proszę Pana, nie ma Pan racji pisząc, że dzieci są jak papierosy lub telefony komórkowe. Nikt nie musi palić ani używać telefonu komórkowego, ale każdy kiedyś musiał być dzieckiem. Pan też. Dzieci są potrzebne, żeby kiedyś można było zapłacić emeryturę takim marnym starym ludziom jak Pan". *The Economist*, 19 XII 1998 – 1 I 1999, s. 6.

[88] „Dr Pincus, Developer of Birth Control Pill, Dies", *New York Times*, 23 VIII 1967 r.

pozostał praktycznie osamotniony w obronie jedynie naturalnych metod regulacji poczęć, a w samym Kościele papieski zakaz spotkał się z wieloma krytykami i był bardzo często ignorowany.

Upowszechnienie pigułki antykoncepcyjnej miało zasadniczy wpływ na zmianę stosunku ludzi Zachodu do aborcji. Choć w starożytności aborcja była często dozwalana prawnie, należy pamiętać, że potępił ją pionier medycyny starożytnej Hippokrates z Kos. Słynna „Przysięga Hippokratesa", którą składały i składają miliony lekarzy na całym świecie, zawiera takie sformułowanie: „Nikomu, nawet na żądanie, nie podam śmiercionośnej trucizny, ani nikomu nie będę jej doradzał, podobnie też nie dam nigdy niewieście środka na poronienie"[89]. Hippokrates utożsamiał więc aborcję z zabijaniem. W ślad za nim, a także w ślad za nauczaniem Chrystusa, aborcję uznał też za zabójstwo cały świat chrześcijański.

W XX wieku kategoryczny zakaz aborcji zaczął być stopniowo eliminowany. Najpierw legalizowano aborcję mająca celu ratowanie życia lub zdrowia kobiety, co mogło jeszcze uchodzić za przykład prawnego rozwiązania dylematu moralnego, w którym trudno o rozwiązanie idealne. Następnie jednak uznawano prawo do aborcji w przypadku gwałtu lub uszkodzenia płodu, a wreszcie, pod wpływem bałamutnej kampanii *pro-choice*, czyli „za wyborem", ograniczenie te zniesiono w ogóle, uznając, że kobieta ma prawo przerwać ciążę na własne życzenie, tak jakby fakt powstania nowego życia nie zmieniał warunków wyboru kobiety. Obecnie, nasila się kampania na rzecz uznania prawa do aborcji za prawo człowieka.

W tej sytuacji trudno nie uznać misji Simone Veil we Francji za potworną porażkę cywilizacji europejskiej. Była więźniarka Auschwitz, ciesząca się autorytetem moralnym, została ministrem zdrowia w rządzie prezydenta Giscarda d'Estaign, który uznał, że nadszedł czas, by „oddać kobietom kontrolę nad własnym ciałem". Tę bałamutną formułę podchwyciła Veil, by przeprowadzić w parlamencie francuskim, głosami lewicy i centrum, ustawę z dnia 17 stycznia 1975 roku o dopuszczalności aborcji. W rezultacie co roku zabija się we Francji około 200 tysięcy nienarodzonych dzieci, a zabiegu takiego dokonała już ponad połowa Francuzek. Obecnie żadna partia francuska nie zamierza już zmienić tego prawa. Od 2013 roku aborcja jest całkowicie finansowana przez państwo. Swego czasu Veil twierdziła, że kobiety same będą podejmować najlepsze decyzje. Z biegiem czasu okazało się, że najlepszą decyzją jest całkowita swoboda seksualna. Co prawda nadal mężczyźni deklarują, że mieli przeciętnie ponad 11 partnerek seksualnych w życiu, a kobiety – nieco ponad czterech partnerów, ale różnica ta stale się zmniejsza. Idąc do dyskoteki coraz częściej nowo poznani młodzi ludzie kończą wieczór w łóżku. W ciągu ostatnich 20 lat podwoił się (do 18%) udział młodych kobiet zainteresowanych stosunkami lesbijskimi. Listy miłosne zostały zastąpione ememesem z nagim zdjęciem. Coraz popularniejsze są klub swingersów, gdzie każdy może „uprawiać" seks z każdym. Stałym bywalcem takich

---

[89] Polski tekst w: Jerzy Gałkowski, Janusz Gula, *W imieniu dziecka poczętego*, (Rzym-Lublin: Wydawnictwo KUL, 1991), ss. 193–197.

klubów okazał się były szef Międzynarodowego Funduszu Walutowego Dominique Strauss-Kahn[90].

W ślad z upowszechnianiem się akceptacji dla aborcji, do obiegu zaczęto wprowadzać także farmaceutyki wczesnoporonne, a więc usuwające zapłonioną już zygotę z macicy. Środki te zwano eufemistyczne „pigułkami dzień po". Na przykład w grudniu 2011 roku amerykański Urząd do Spraw Żywności i Leków (*US Food and Drug Administration*, USFDA) zarekomendował dopuszczenie do wolnej sprzedaży, czyli bez recepty, pigułki antykoncepcyjne do użycia nawet pięć dni po stosunku, a więc typu „plan B". Nie pozwalają one nawet zapłodnionemu embrionowi zagnieździć się w macicy; są więc pigułkami wczesnoporonnymi. Tego samego dnia Departament Stanu wyraził sprzeciw wobec tej decyzji. Sekretarz zdrowia Kathleen Sebelius zdecydowała, że pigułka będzie dostępna dla kobiet poniżej 17 roku życia tylko na receptę, gdyż może ona szkodzić młodym dziewczętom „psychologicznie". Rzeczywiście pomysł USFDA, by każda nastolatka mogła sobie kupować taka pigułkę jak gumę do żucia, był absurdalny. Przypomnijmy, że w większości stanów młodzież poniżej 18 roku życia nie może kupować alkoholu. Prezydent Obama wziął stronę sekretarz Sebelius, być może dlatego, że sam miał wtedy dwie córki – jedenastolatkę i czternastolatkę. Opór przeciw temu ograniczeniu przybrał zdumiewające rozmiary. Szkoły nowojorskie rozdawały pigułki „plan B" za darmo nawet czternastolatkom bez wiedzy rodziców, a sędzia federalny Edward Korman uznał, że decyzja sekretarz Sebelius była „arbitralna, nieracjonalna i nosiła znamiona kaprysu". Także Amerykańska Akademia Pediatrów (*American Academy of Pediatrics*) uznała, że ograniczenie jest szkodliwe, gdyż statystyka ciąż nastolatek w USA jest wyjątkowo niepokojąca. Ostatecznie w czerwcu 2013 roku USFDA zdecydował, że pigułki można sprzedawać bez recepty od 15 roku życia i administracja Obamy zgodziła się z ta decyzją[91].

W styczniu 2015 roku Komisja Europejska zdecydowała, że środek „antykoncepcji awaryjnej" ellaOne może (choć nie musi) być sprzedawany w krajach Unii bez recepty[92]. Zwolennicy aborcji nie unikają nawet wprowadzania w błąd opinii publicznej, tak jak polski minister zdrowia Bartłomiej Arłukowicz, który twierdził, że ellaOne nie jest środkiem wczesnoporonnym. Tymczasem jest to pigułka, która przeciwdziała zagnieżdżeniu się zapłodnionego zarodka w macicy[93]. Środki wczesnoporonne są więc jedynie ukrytą metodą dokonywania aborcji.

[90] Jędrzej Bielecki, „Aborcja łatwa jak pocałunek", *Rzeczpospolita Plus Minus*, 14–15 II 2015 r.

[91] http://wyborcza.pl/1,76842,13687997,W_USA_pigulki__dzien_po__nawet_dla_dziewczynek.html?disableRedirects=true (5 III 2018); Inga Czerny, „'Plan „B"' bez ograniczeń", *Nowy Dziennik*, 12 VI 2013 r., http://www.dziennik.com/wiadomosci/artykul/plan-b-bez-ograniczen-wiekowych (18 V 2018).

[92] Aleksander Kłos, „Kolejny krok eurokratów w liberalizacji aborcji", *Gazeta Polska Codziennie*, 12 I 2015 r.

[93] Dorota Łomnicka, „Dementujemy kłamstwa ws. pigułek 'dzień po'", *Gazeta Polska Codziennie*, 26 I 2015 r.; „Lekarze ostro o pigułce 'dzień po'", *Gazeta Polska Codziennie*, 14–15 VI 2017 r.

Szczęśliwa rodzina z trojgiem dzieci idzie w jednym z polskich Marszów dla Życia i Rodziny.

Przed biblioteką miejską w Birmingham ustawiono niedawno pomnik „rodziny", czyli dwóch kobiet z dwoma synkami, przy czym jedna z nich jest w ciąży, najwyraźniej w wyniku zdrady swojej partnerki[94]. Pomnik jest symbolem aberracji ideologicznej w kwestii rodziny i płodności. Sama natura bowiem niedwuznacznie wskazuje, że do urodzenia i wychowania dziecka potrzeba dwóch osób odmiennej płci. Zapłodnienie polega na połączeniu komórki żeńskiej i męskiej. Choć ciąża jest wyłączną domeną kobiet, wychowanie dziecka wymaga pracy, troski, a przede wszystkim miłości dwojga osób. Nie oznacza to bynajmniej, by bronić tradycyjnego podziału ról w małżeństwie, w którym kobieta zajmuje się domem i dziećmi, a mężczyzna pracą, dającą utrzymanie rodzinie, choć także przewagę ekonomiczną. Role te można układać do pewnego stopnia elastycznie, choć należy pamiętać o różnicach psychicznych między płciami oraz o tym, że dzieci – przyszłe kobiety i przyszli mężczyźni – potrzebują zarówno matki, jak i ojca, bowiem w pełni kształtują swe cechy osobowe czerpiąc z psychiki obu płci. W tym sensie ani kobieta decydująca się na małżeństwo nie jest niezależna od mężczyzny, ani ten ostatni nie może czuć się od kobiety niezależny. Dziecko jest dowodem ich współzależności. Po legalizacji „małżeństw" homoseksualnych w Niemczech profesor biologii Ulrich Kutschera z uniwersytetu w Kassel wypunktował błędne podstawy ideologii *gender* w swojej książce *Paradoks gender* (2016), twierdząc między innymi, że „zabieranie dziecku tak ważnej osoby jak ojciec oraz zastępowanie go 'drugą mamą' stanowi łamanie podstawowych praw człowieka". Spotkał go za to medialny lincz, między innymi ze strony „Der Spiegel", a nawet zagrożono mu odebraniem tytułu. Casus prof. Kutschery dowodzi, że ideologia triumfuje w Niemczech nad badaniami naukowymi[95].

„Wyzwolenie" seksu też należy włożyć między bajki. Jeśli wolną miłość lansują mężczyźni, można powiedzieć, że są pozbawionymi skrupułów egoistami, jeśli jednak propagują ją kobiety, działają wbrew swoim interesom. Konsekwencje współżycia kobieta zawsze ponosi, czy tego chce, czy nie. Nie tylko w przypadku, gdy nierozważnie kieruje swym postępowaniem i zachodzi w ciążę, której nie chce, ale także wtedy, gdy sobie szkodzi fizycznie i psychicznie usuwając płód, a nawet wtedy, gdy rozregulowuje swój organizm pigułkami. Istnieje także zależność psychiczna. Rodzina złożona z dwojga osób płci przeciwnej jest tym miejscem, gdzie człowiek się rodzi i tylko w takim związku może rozwinąć wrodzone zdolności. Im lepsza rodzina, tym prawdopodobieństwo to jest większe. W innych związkach ma bez porównania mniejsze szanse. Prostym dowodem na to są niezliczone problemy psychiczne osób pozbawionych szczęścia posiadania dwojga normalnych rodziców lub nawet ludzi wychowanych w rodzinach pełnych konfliktów.

---

[94] Jarosław Giziński, „Karykatura brytyjskiej rodziny wyniesiona na piedestał", *Rzeczpospolita*, 4 XI 2014 r.

[95] „W obronie tradycyjnego małżeństwa. Dorian Urbanowicz rozmawia z prof. Ulrichem Kutscherą", *W Sieci*, 4–10 IX 2017 r.

Zagrożenie dla tradycyjnego małżeństwa monogamicznego stanowi napływ muzułmanów do Europy. W wielu państwach zachodnich istnieje zasadniczy konflikt między prawem miejscowym i zwyczajami imigrantów muzułmańskich. Jednych karze się za bigamię, innym uznaje się prawo do posiadania kilku żon. Jednych ściga się za pedofilię, innym pozwala się „żenić" z nieletnimi dziewczynkami[96]. Gdy szwedzcy Zieloni podnieśli pod koniec 2004 roku kwestię prawnego równouprawnienia wielożeństwa, część opinii publicznej wyraziła niechęć do tego pomysłu. Znana profesor prawa Madeleine Leijonhufvud wystąpiła natomiast z pomysłem, by w ogóle znieść instytucję małżeństwa, która straciła już dawne znaczenie. „Życie dorosłych Szwedów ma już w bardzo niewielkim stopniu charakter monogamiczny, ponieważ żyją oni w 'seryjnej poligamii', czyli w wielu następujących po sobie miłosnych i seksualnych związkach" – powiedziała pani profesor[97].

Wbrew empirycznej szkodliwości wspomnianych faktów, współczesna cywilizacja z samobójczym uporem nadal niszczy rodzinę i dzietność. Ludziom wmawia się, że seks to indywidualna przyjemność, że nawet w małżeństwie istnieje autonomia „partnerów", że ich życie nie musi ulec zmianie po urodzeniu dziecka, że małżonków należy odciążyć przez zwiększenie roli państwa lub społeczeństwa w wychowaniu dzieci, że zasada nierozerwalności małżeństwa przynosi więcej szkody niż pożytku, wreszcie iż małżeństwo to każdy dobrowolny związek między ludźmi, nawet tej samej płci. Umasowienie modelu rodziny jako jednej z możliwych „opcji stylu życia", równorzędnej z konkubinatem, rodziną z jednym rodzicem (w większości – matką) lub z „rodziną" homoseksualną, stanowi żywotne zagrożenie cywilizacji. Zapewne rodzina nie wróci już w krajach rozwiniętych do modelu, w którym ojciec jest jedynym żywicielem, a matką jedyną strażniczką ogniska domowego, ale istnieje wiele możliwości ekonomicznych i organizacyjnych, by upowszechnić model rodziny partnerskiej, opartej na solidnych podstawach współpracy oraz miłości męża i żony. Takiej, w jakiej każdy z nas chciałby się urodzić.

---

[96] Olga Doleśniak-Harczuk, „Legalna żona dla pedofila", *Gazeta Polska*, 8 VI 2016 r.

[97] Piotr Zychowicz, Anna Nowacka-Isaksson, „Kilka żon dla Europejczyka", Rzeczpospolita, 22 XII 2004 r.

Rocco Buttiglione (ur. 1948), włoski polityk chadecki, były minister ds. stosunków europejskich w rządzie Silvio Berlusconiego i były minister kultury, prześladowany przez lewaków m.in. z Europarlamentu, ponieważ nie kryje swoich katolickich poglądów.

Rozdział 15. Demografia, gospodarka i polityka

POTENCJAŁ LUDNOŚCIOWY

Nie przypadkiem kwestie demografii, gospodarki i polityki Zachodu zostały na koniec. Po pierwsze, są one ilustracją i kwintesencją tego, co stało się z cywilizacją zachodnią w ostatnich dekadach. Po drugie, są one konsekwencją zmian w kulturze i świadomości ludzi Zachodu. Potencjał ludnościowy państw zachodnich rośnie bardzo powoli w liczbach absolutnych, a gwałtownie maleje w stosunku do całego świata. Widać to wyraźnie z Tabeli 1.

W XX wieku Stany Zjednoczone wykazywały względnie wysokie tempo wzrostu ludności, między innymi dzięki napływowi ludności z innych krajów. Gorzej było w Europie, gdzie w obu wojnach światowych zginęło dziesiątki milionów ludzi, a dalsze liczne miliony wyemigrowały za ocean. Do tych przyczyn stagnacji liczby ludności w Europie dołączyły w ostatnich dziesięcioleciach przemiany obyczajowe i rozwój „cywilizacji śmierci". Pisał o tym Rocco Buttiglione: „Potężne lobby z Brukseli chce narzucić wszystkim państwom członkowskim uznanie małżeństwa między osobami tej samej płci oraz aktywną promocję ze strony państwa homoseksualnego stylu życia. W istocie chodzi o odrzucenie tradycyjnego modelu rodziny. Tymczasem państwo powinno aktywnie promować rodzinę, ponieważ w rodzinie rodzą się i są wychowywane dzieci, a bez dzieci naród umiera. Dzisiaj w Europie rodzi się zbyt mało dzieci, bo dominująca ideologia zachęca, by oddzielali seks od miłości. Nie możemy iść dalej tą drogą. Potrzebujemy klimatu kulturowego, który zachęci młodych do otworzenia się na niezwykłą przygodę, jaką jest bycie rodzicami. Potrzebujemy polityki rodzinnej, która pomoże kobietom korzystać jednocześnie z prawa do realizacji umiejętności zawodowych i prawa bycia matką, a także doceni rolę tych, które rezygnują z kariery zawodowej, aby poświęcić się rodzinie. Największym zagrożeniem dla Europy nie jest islam, lecz nihilizm, który rodzi się w jej wnętrzu i prowadzi do wysuszenia źródeł naszej witalności i kreatywności"[1].

Malejąca dzietność społeczeństw zachodnich ma swoją pośrednią przyczynę w starzeniu się tych społeczeństw. Poza Japonią społeczeństwa europejskie są najstarsze na świecie. We wszystkich prawie krajach Europy Zachodniej odsetek osób w wieku powyżej 60 lat przekracza 20%. Liczba ludności w Europie rośnie głównie dzięki napływowi imigrantów, którzy także mają liczniejsze

---

[1]   Rocco Buttiglione, „Upokorzyć chrześcijan", *Rzeczpospolita*, 13 I 2005 r.

Tabela 1. Procentowy udział poszczególnych krajów w liczbie ludności w latach 1900–2017

	1900	2017
Świat	100,0	100,0
USA	4,5	4,4
Niemcy	3,3	1,1
W. Brytania	2,3	0,9
Francja	4,6	0,9
Austro-Węgry	2,8	-
Włochy	1,9	0,8
Zachód	21,3	12,5
Rosja	8,0	1,9

Źródło: Obliczono wg: https://en.wikipedia.org/wiki/List_of_countries_by_population_in_1900; https://pl.wikipedia.org/wiki/Lista_pa%C5%84stw_%C5%9Bwiata_wed%C5%82ug_liczby_ludno%C5%9Bci (2 III 2018)

rodziny. Tymczasem prawie co piąta ciąża Europejki kończy się aborcją[2]. Aborcja stała się plagą demograficzną Zachodu, a statystyki aborcji przerażają zimną wymową liczb (Tabela 2).

Liczba aborcji podana przez Roberta Johnstona jest obliczona jako suma aborcji oficjalnie zarejestrowanych oraz aborcji nielegalnych za wymienione lata. W pozostałych latach liczba ta jest nieznana i dlatego faktyczna liczba aborcji jest znacznie wyższa. Potencjalna liczba ludności została w Tabeli 2 powiększona jedynie o szacunkową liczbę aborcji, podczas gdy dzieci, które zostały zgładzone przed urodzeniem mogły powołać do życia kolejne pokolenie o trudnej do wyszacowania liczebności. Tak czy inaczej, potencjalna liczba ludności obliczona dla roku 2013 w ostatniej kolumnie jest absolutnym minimum tego, co prawdopodobnie miałoby miejsce, gdy nie hekatomba dzieci nienarodzonych. Zachód w tym haniebnym procederze nie jest zresztą wyjątkiem. Jak widać w tabeli, gigantyczne liczby aborcji dotyczą także Rosji i Chin, przy czym dane rosyjskie i ukraińskie nie uwzględniają okresu ZSRR, w którym zamordowano kolejne dziesiątki milionów dzieci nienarodzonych. W 2013 roku liczba ludności wymienionych w Tabeli 2 krajów zachodnich stanowiła jeszcze 13,3% ludności świata. Gdyby nie aborcje, wyniosła by 13,5%, a więc różnica nie byłaby wielka, ale to głównie „zasługa" jeszcze bardziej masowego mordowania dzieci nienarodzonych w państwach komunistycznych.

Dane dotyczące liczby aborcji są istotnie przerażające. W 2013 roku na tysiąc kobiet w wieku od 15 do 44 lat przypadało w Chinach 19,2 aborcji, w Rosji – 37,4, natomiast z krajów europejskich najwyższe wskaźniki notowano

---

[2] Eduardo Hertfelder, „W Unii Europejskiej co piąta ciąża kończy się aborcją", *Dziennik*, 6–7 IX 2007 r.

Tabela 2. Liczba aborcji oraz rzeczywista i potencjalna liczba ludności w wybranych krajach

Kraj	Lata	Liczba aborcji w mln	Rzeczywista liczba ludności w mln w 2013 r.	Potencjalna liczba ludności w mln w 2013 r.
Austria	1989–2001	0,6	8,5	9,6
Belgia	1979–2011	0,6	11,1	11,7
Białoruś	1992–2013	2,3	9,4	11,7
Bułgaria	1953–2012	5,9	7,2	13,1
Chorwacja	1991–2013	0,3	4,3	4,6
Czechy	1993–2013	3,3	10,7	14,0
Dania	1939–2013	1,0	5,6	6,6
Estonia	1992–2013	0,3	1,3	1,6
Finlandia	1951–2013	0,7	5,4	6,1
Francja	1936–2012	7,8	64,3	72,1
Grecja	1970–2008	0,5	11,1	11,6
Hiszpania	1941–2012	2,8	46,9	49,7
Holandia	1970–2013	1,6	16,8	18,4
Irlandia	1968–2004	0,1	4,6	4,7
Litwa	1992–2013	0,4	3,0	3,4
Łotwa	1992–2013	0,4	2,1	2,5
Niemcy	1944–2013	6,0	82,7	88,7
Norwegia	1954–2013	0,7	5,0	5,7
Polska	1955–2012	6,4	38,2	44,6
Portugalia	1984–2013	0,2	10,6	10,8
Rumunia	1957–2013	12,2	21,7	33,9
Słowacja	1993–2013	1,6	5,5	7,1
Słowenia	1992–2012	0,2	2,1	2,3
Szwajcaria	1966–2012	0,7	8,1	8,8
Szwecja	1939–2012	1,6	9,6	11,2
Ukraina	1992–2013	9,3	45,2	54,5
Węgry	1949–2013	6,3	9,9	16,2
W. Brytania	1958–2013	8,5	63,1	71,6
Włochy	1978–2013	5,7	61,0	66,7
Europa		85,7	575,0	660,7
USA	1926–2014	57,0	320,1	377,1
Australia	1970–2005	2,2	23,3	25,5
Kanada	1970–2012	3,9	35,2	39,1
Nowa Zelandia	1964–2013	0,5	4,5	5,0
Zachód		149,3	958,1	1.107,4
Rosja	1992–2013	44,6	142,8	189,4
Chiny	1963–2011	377,8	1.385,6	1.763,4
Indie	1972–2012	23,6	1.252,3	1.275,9
Świat	1921–2013	1.030,7	7.162,1	8.192,8

Źródło: Robert Johnston, „Summary of Registered Abortions Worldwide through December 2014, http://www.johnstonsarchive.net/policy/abortion/wrjp3313.html (28 VIII 2018).

w Estonii – 25,5, Rumunii – 21,3, na Ukrainie – 21,2, w Szwecji – 20,8, Bułgarii – 19,7, na Węgrzech – 19,4, we Francji – 17,4, Norwegii – 16,2, w Wielkiej Brytanii – 14,2 oraz w Hiszpanii – 11,7 aborcji. W USA wskaźnik ten wynosił 19,6, a w Kanadzie – 13,7[3]. W 2015 roku w Europie dokonano 1 021 044 aborcji. We Francji zamordowano w ten sposób 216,1 tys. dzieci nienarodzonych, w Wielkiej Brytanii – 197,9 tys., a w Niemczech 99,2 tys. W liczbach absolutnych w dalszej kolejności idą Ukraina, Hiszpania i Rumunia. Aborcja jest jedną z głównych przyczyn spadku tempa wzrostu ludności europejskiej. O ile w latach 1975–2007 przybywało rocznie około 1 450 tys. Europejczyków, o tyle w latach 2007–2017 – już tylko 1 350 tys., przy czym około 1,1 mln osób z tego przyrostu pochodziło z imigracji[4]. Perspektywy demograficzne są więc dla Europy fatalne, gdyż nie ma już mowy o prostym odtwarzaniu liczby ludności. Sytuacja w USA jest niewiele lepsza, o tyle że imigracja do tego kraju pochodzi z nieco bliższych kulturowo obszarów latynoamerykańskich.

POTENCJAŁ GOSPODARCZY

W tylko nieco mniejszej mierze kurczył się w XX wieku udział potencjału gospodarczego Zachodu w świecie. W 1900 roku udział USA w światowym dochodzie narodowym wynosił 28,3%, Niemiec – 15,8%, Wielkiej Brytanii – 14,5%, Francji – 10,0%, Austro-Węgier – 9,4%, a Włoch – 5,2%. Doliczając do tego kraje skandynawskie, Hiszpanię, Portugalię oraz zamorskie posiadłości Wielkiej Brytanii, kraje zachodnie wytwarzały wówczas ponad dwie trzecie światowego dochodu narodowego[5]. W 1914 roku dochód narodowy USA obliczano na około 37 miliardów ówczesnych dolarów, dochód Niemiec – na 12 miliardów, Wielkiej Brytanii – 11 miliardów, Rosji – 7 miliardów, Francji – 6 miliardów, Włoch – 4 miliardy, Austro-Węgier – 3 miliardy, a Japonii – na około 2 miliardy dolarów. Państwa zachodnie, czyli USA i mocarstwa Zachodniej Europy wytwarzały więc nadal około dwóch trzecich światowego dochodu narodowego[6]. W roku 1950 GNP (*Gross National Product,* produkt narodowy brutto) Stanów Zjednoczonych oceniano na 381 miliardów dolarów, GNP Wielkiej Brytanii – na 71 miliardów, Francji – na 50 miliardów, RFN – na 48 miliardów, a Włoch – na 29 miliardów. Sowiecki GNP oceniano na około 126 miliardów dolarów, a GNP Japonii – na 32 miliardy dolarów. Państwa zachodnie nadal wytwarzały więc jeszcze grubo ponad połowę światowego GNP[7].

W następnych dziesięcioleciach, pomimo gospodarczego boomu w powojennej Ameryce i Europie Zachodniej, ich udział w światowym produkcie

---

[3]   http://www.un.org/en/development/desa/population/publications/policy/world-abortion-policies-2013.shtml (30 VIII 2018).

[4]   Edward Kabiesz, „Aborcja co 30 sekund", *Gość Niedzielny*, 2 IX 2018 r.

[5]   http://www.nationmaster.com/country-info/stats/Economy/GDP-per-capita-in-1900 (28 VIII 2018).

[6]   https://infogram.com/share-of-world-gdp-throughout-history-1gjk92e6yjwqm16 (2 III 2018).

[7]   Paul Kennedy, *The Rise and Fall of the Great Powers*, (Vintage Books, 1989), ss. 243 i 369.

globalnym malał. Proces ten uległ przyspieszeniu w wyniku kryzysu naftowego lat siedemdziesiątych, gdy nastąpiło przesunięcie dochodu do państw naftowych, gwałtowny skok rozwojowy Japonii i „tygrysów" wschodniej Azji, a także od początku lat osiemdziesiątych, gdy na drogę szybkiego rozwoju weszły komunistyczne Chiny. Druga połowa XX wieku, a zwłaszcza ostatnie ćwierćwiecze, przyniosły załamanie prymatu Zachodu w gospodarce światowej. Z całkowitej dominacji na początku XX wieku pozostał udział w światowym produkcie globalnym, sięgający niewiele ponad jedną trzecią jego wartości w parytecie siły nabywczej lokalnej waluty. Poza Chinami, Indiami i Indonezją do tych przesunięć w podziale światowego produktu globalnego przyczyniło się wzbogacenie kilku mniejszych państw Wschodniej Azji, takich jak Korea Południowa, Tajwan, Malezja czy Tajlandia, a także naftowych państw muzułmańskich. Ilustrują to dane z Tabeli 3.

Nic nie wskazuje na to, by tendencje te dało się odwrócić. Na przykład w rankingu umiejętności matematycznych piętnastolatków, które są zdaniem wielu ekspertów wyznacznikiem innowacyjności gospodarczej, na czołowych miejscach w świecie znajdowały się kraje azjatyckie. Z krajów zachodnich najwyżej lokowała się Finlandia (miejsce drugie), Belgia (miejsce siódme) i Czechy (miejsce 13). Młodzi Francuzi lokowali się na 16. miejscu, Szwedzi – na 17., Niemcy – 19., a Polacy – na 24. miejscu, wyżej niż Amerykanie i Rosjanie[8].

JEDEN CZY DWA ZACHODY?

Osłabienie pozycji Zachodu w świecie wynika też z głębokich różnic między Stanami Zjednoczonymi a Europą Zachodnią. Różnice w perspektywach cywilizacji zachodniej w USA i Europie Zachodniej objawiają się w kilku płaszczyznach. Patriotyzm, uważany w Stanach Zjednoczonych na ogół za coś normalnego, w państwach europejskich oceniany jest najczęściej krytycznie jako „nacjonalizm", zagrażający jedności Unii Europejskiej. Państwa europejskie ingerują w drobiazgowe sprawy życia codziennego i wchodzą bezpodstawnie w życie rodzinne, podczas gdy rząd federalny USA zajmuje się głównie sprawami strategicznymi i interesem narodowym. Wolność religijna w USA dotyczy wszystkich wyznań, w Europie zaś – coraz częściej oznacza wolność od religii. W USA obywatele liczą w pierwszej kolejności na siebie, w Europie – najpierw na państwo. Poziom optymizmu w USA ulega wahaniom, ale na ogół jest znacznie wyższy niż w Europie, gdzie dominuje nastrój przygnębienia i roszczeniowość[9]. W 2005 roku Dominique Moïsi pisał: „W połączeniu lęków i narcyzmu głosujący Francuzi wyrażają wszystko, co się w Europie psuje (...) W ojczyźnie wolności, równości i braterstwa zapotrzebowanie na równość wyparło całkowicie poczucie braterstwa, jak można było zobaczyć w ostatnim konflikcie

---

[8]   Floyd Norris, „Hong Kong and Finland found to have top math students", *International Herald Tribune*, 7 XII 2004 r.

[9]   Jerzy Marek Nowakowski, „Siedem rowów atlantyckich", *Wprost*, 13 III 2005 r., ss. 80–84.

Tabela 3. Udział poszczególnych państw i regionów w światowym produkcie globalnym w latach 1990–2016 według parytetu siły nabywczej lokalnych walut

	1990	2004	2016
Świat	100,0	100,0	100,0
Zachód	48,5	44,5	34,4
USA	20,7	20,1	15,4
Unia Europejska	24,8	21,5	16,8
Niemcy	5,3	4,3	3,6
Francja	3,5	3,0	2,3
W. Brytania	3,3	3,1	2,3
Włochy	3,6	2,8	1,9
Polska	0,8	0,8	0,9
Kanada	2,0	1,8	1,3
Australia	1,0	1,1	0,9
ZSRR/Rosja	4,1	2,4	2,8
Chiny	3,9	9,4	17,7
Japonia	8,3	6,7	4,7
Indie	3,4	4,7	7,2
Brazylia	3,4	3,2	2,6
Indonezja	1,9	2,1	2,5
Korea Pd.	1,2	1,8	1,5

Źródło: *GDP by Country. Statistics from the World Bank, 1960–2016*, https://knoema.com/mhrzolg/gdp-by-country-statistics-from-the-world-bank-1960–2016?country=World (2 III 2018).

o zniesienie święta państwowego w celu sfinansowania kosztów opieki medycznej osób starszych, a wolność stała się przede wszystkim wolnością wychodzenia na ulicę w proteście przeciw reformom i w obronie interesów swojego środowiska"[10].

„Ameryka jest tam, gdzie zawsze była – to Europa szybuje w siną dal", stwierdził Niall Ferguson[11]. Dodać można, że szybuje w złym nastroju. Procent ludzi zadowolonych z życia przekraczał w 2004 roku połowę tylko w Danii (64%), podczas gdy w Wielkiej Brytanii wynosił 34%, Belgii – 26%, Hiszpanii – 24%, Niemczech – 22%, Francji – 19%, Grecji – 18%, Włoszech – 15%, Polsce – 14%, a w Portugalii – 10%. Jeszcze niższy był w trzech postsowieckich krajach bałtyckich[12]. Jak zauważył Francis Fukuyama, tożsamość amerykańska była zawsze odmienna od tożsamości narodów europejskich, gdyż wyrastała z buntu przeciw władzy kolonialnej. Stąd amerykańskie *credo* zawiera pięć podstawowych wartości: równość szans, wolność osobistą, indywidualizm, populizm i leseferyzm

---

[10] Dominique Moïsi, „The EU constitution III", *International Herald Tribune*, 26 V 2005 r.

[11] Niall Ferguson, „Kto pod kim rowy kopie...", *The Atlantic*, styczeń 2005, za: *Forum*, 31 I – 6 II 2005 r., s. 11.

[12] Zdzisław Krasnodębski, „Mazgaje Europy", *Wprost*, 26 XII 2004 r., s. 53.

gospodarczy. USA to kraj religii politycznej. Amerykanie chętniej powiewają flagami narodowymi niż Europejczycy, gdyż bardziej wierzą w podstawy swojego ustroju i są bardziej gotowi budować społeczeństwo wieloetniczne w oparciu o te podstawy. W Europie historia różnych imperiów, państw i etniczności znacznie bardziej utrudnia jedność[13].

Jest jeszcze jedna poważna różnica między USA i Europą. Stany Zjednoczone są wprawdzie państwem federalnym, ale prowadzą jednolitą politykę zagraniczną i jest to polityka globalna. Pozwala na to gigantyczny potencjał wojskowy USA. Europa, nawet ta jej część zjednoczona w Unii Europejskiej, jest tylko grupą państw, z których największe mają własne ambicje, ale pozbawione są możliwości prowadzenia polityki globalnej. Wspólny potencjał gospodarczy Unii Europejskiej dorównuje amerykańskiemu, ale związkowi temu brakuje jednolitej siły wykonawczej. Stąd między innymi biorą się konflikty pomiędzy USA i państwami Europy Zachodniej. Próby stworzenia centralnych organów decyzyjnych Unii Europejskiej nie przyniosły jednak dobrych rezultatów, gdyż organy te są znacznie bardziej oderwane od woli wyborców niż amerykańskie, a także podlegają dominującej presji wielkich graczy europejskich, co antagonizuje mniejsze państwa członkowskie Unii.

Jednym z objawów choroby Zachodu jest antyamerykanizm w Zachodniej Europie. Ma on bardzo długą tradycję. Francuski uczony Georges-Louis Leclerc de Buffon, dyplomata Charles-Maurice de Talleyrand, Sigmund Freud, który mówił, że „Ameryka jest gigantycznym błędem", brytyjski dramaturg Harold Pinter – lista europejskich autorów nienawidzących Ameryki jest bardzo długa[14]. Antyamerykanizm osiągnął nowe apogeum po wyborczym zwycięstwie Donalda Trumpa w amerykańskich wyborach prezydenckich. W Paryżu, a ostatnio też w Brukseli i Berlinie, szuka się tylko okazji, by zademonstrować niechęć lub wręcz nienawiść do polityki amerykańskiej na przykład wobec Iranu, Syrii czy Izraela. Z kolei prezydent Trump nie szczędzi słów krytyki wobec europejskich państw NATO, które nie wywiązują się z przyjętych wcześniej zobowiązań finansowych. Odmienna jest też polityka Trumpa wobec Rosji. Choć nie zawsze widać w niej konsekwencję, generalnie amerykański prezydent przyjmuje realistyczne założenie o rosyjskim zagrożeniu, stawia na wzmocnienie wschodniej flanki NATO i przeciwdziała uzależnianiu się Europy od dostaw gazu i ropy w Rosji. Ten ostatni wzgląd wynika też z chęci eksportu amerykańskiego gazu łupkowego, toteż Waszyngton zapowiada obłożenie sankcjami firm, które współpracują przy budowie gazociągu Nordstream 2[15]. Mimo ostrzeżeń amerykańskich, w połowie maja 2018 roku ogłoszono o rozpoczęciu prac przy budowie tego gazociągu[16]. Paryż i Berlin, a za nimi inne państwa Europy Zachodniej nie

---

[13] Francis Fukuyama, „Klęska wielokulturowości", *Gazeta Wyborcza*, 3–4 II 2007 r.

[14] Barry Rubin, Judith Colp Rubin, *Hating America. A History,* (Oxford University Press, 2004).

[15] Jan Kamieniecki, „Amerykański sygnał w sprawie Nordstream 2", *Gazeta Polska Codziennie*, 21 V 2018 r.

[16] Jan Kamieniecki, „Presja Waszyngtonu przynosi owoce", *Gazeta Polska Codziennie*, 8 V 2018 r.; Piotr Chmielarz, „Niemcy i Rosja ponad EU", *Gazeta Polska Codziennie*, 16 V 2018 r.

zważają specjalnie na agresywne kroki Moskwy i kontynuują z Rosją *business as usual*, a także zaciekle atakują politykę amerykańską. Jeśli do prorosyjskiej polityki Francuzi i Niemcy zmuszą całą Unię Europejską, w dodatku przebudowując jej struktury w kierunku państwa federalnego, to koniec Europy jeszcze bardziej się przybliży.

Coraz bardziej zasadna jest więc obserwacja o istnieniu „dwóch Zachodów". Mimo serii zamachów terrorystycznych w Madrycie (11 marca 2004 roku) i Londynie (7 lipca 2005 roku), a następnie w wielu miastach francuskich, w stolicach europejskich nadal uważa się, że bardziej zagrożone są tymi atakami Stany Zjednoczone. Choć Waszyngton stara się panować nad napływem latynoamerykańskiej imigracji, polityka imigracyjna Unii Europejskiej przypomina senne marzenia samobójcy. Na scenie globalnej to jednak tylko Stany Zjednoczone są gotowe podejmować działania w obronie wartości i swych dalekosiężnych interesów, podczas gdy państwa Zachodniej Europy myślą co najwyżej o swoim interesie krótkoterminowym za cenę przyszłości. Skądinąd przesadna asertywność Waszyngtonu zagraża przerwaniem nadmiernie rozciągniętego frontu konfrontacji z przeciwnikami, podczas gdy bierność Europy Zachodniej, jej odmienne postrzeganie tych przeciwników, a nawet jej ostry antyamerykanizm grożą osłabieniem całego potencjału Zachodu.

JEDNA CZY DWIE EUROPY?

Pytanie to było zasadne przed upadkiem rządów komunistycznych w Europie Wschodniej, ale jest aktualne nadal, mimo wielu oznak jednoczenia się Europy i zacierania dawnych granic miedzy bogatym Zachodem, a biednym Wschodem Europy.

Już w momencie rozszerzenia Unii o kraje Europy Środkowo-Wschodniej w 2004 roku zaznaczył się podział na Europę „starą" i „nową". Państwa Europy Zachodniej, bogatsze i posiadające znacznie bardziej nowoczesną infrastrukturę ekonomiczną i społeczną, nie ukrywały, że korzyści, jakie odnoszą z rozszerzenia są niczym w stosunku do pomocy, jakiej udzielają biednej Europie Wschodniej. Wyznacznikiem tego, że w Unii były po tym rozszerzeniu kraje „bardziej równe", była bezkarność Francji i Niemiec wobec przekraczania przez nie unijnej bariery 3% dopuszczalnego deficytu budżetowego, podczas gdy mniejsze państwa Unii są ostro strofowane za tego rodzaju praktyki[17]. Innym wyznacznikiem podziałów w Unii Europejskiej był i jest stosunek do Rosji. Stawką było między innymi rozszerzenie preferencyjnego układu handlowego między Unią i Rosją o nowe kraje członkowskie w okresie przedakcesyjnym. Choć w sposób oczywisty kraje te żądały uwzględnienia ich interesu w tym względzie, Rosja opierała się przed tym rozszerzeniem, a Francja, Niemcy i Włochy nie chciały stosować silniejszych środków nacisków na Rosję[18]. Prezydent Chirac uważał

---

[17] Anna Słojewska, „Bezprawny deficyt Francji i Niemiec", *Rzeczpospolita*, 14 I 2004 r.
[18] Anna Słojewska, „Ostro czy łagodnie wobec Rosji", *Rzeczpospolita*, 24 II 2004 r.

Obywatelska demonstracja przeciwko budowaniu kolejnych muzułmańskich meczetów w niemieckiej Kolonii w 2008 r. Napis na transparencie głosi: „Saksońska odwaga zatrzymuje muzułmańską powódź".

nawet, że Unia winna okazać Rosji „więcej szacunku"[19]. Ostatecznie skończyło się to ujednoliceniem warunków handlu między Rosją i rozszerzoną Unią, ale w wielu drobnych przypadkach Rosja nadal bezkarnie rozgrywa mniejszych członków Unii.

W momencie rozszerzenia Unii o kraje dawnego bloku sowieckiego w 2004 roku, ich mieszkańcy nie mogli się poczuć całkowicie wolni od obecności Rosjan. Niezależnie od mniejszości rosyjskiej na terenie państw bałtyckich, niezwykle liczna kolonia rosyjska mieszkała w Pradze czeskiej, a w Niemczech żyło około 4 mln rosyjskojęzycznych imigrantów, głównie tak zwanych Niemców nadwołżańskich, sprowadzonych po 1990 roku. W dniu 24 czerwca 2004 roku

---

[19] „Chirac – obrońca Rosji", *Rzeczpospolita,* 27 II 2004 r.; André Glucksman, „Uwiedzeni Rosją", *Rzeczpospolita,* 17–18 I 2004 r.

ukonstytuowała się w Pradze Partia Rosjan Europejskich, której przewodniczącą została Tatiana Żdanoka, posłanka do Parlamentu Europejskiego z Łotwy. Domagała się ona między innymi, by rosyjski stał się jednym z języków oficjalnych Unii[20].

Obywateli nowych krajów członkowskich przez parę lat nie dopuszczano do rynków pracy „starych" krajów, a podmiotowość tych krajów w polityce zagranicznej była i jest lekceważona. Dla Niemiec i Francji skandalem było na przykład samodzielne stanowisko „nowych" krajów wobec amerykańskiej wojny w Iraku. Polskę określano wtedy w Niemczech mianem amerykańskiego „osła trojańskiego" w Europie[21]. „Chcieliśmy powitać Europejczyków, a tu weszli konkurenci", pisał w maju 2005 roku dziennikarz niemieckiego „Die Zeit", tak jakby na Zachodzie nie wiedziano i nie korzystano z niższych kosztów pracy w nowych krajach członkowskich. Wchodząc do Unii w 2004 roku państwa Europy Środkowej i Wschodniej charakteryzowały się znacznie niższą przeciętną wydajnością pracy. W stosunku do średniej unijnej wskaźnik ten wynosił na Węgrzech 63,6%, w Czechach – 60,8%, na Słowacji – 54,8%, a w Polsce – 50,2%. Jednocześnie w państwach tych pracowano znacznie taniej i dłużej. W 2003 roku przeciętny Polak przepracował 1984 godziny rocznie, Czech – 1882, Węgier – 1777, a Słowak – 1770 godzin. Dla porównania pracownik brytyjski pracował przeciętnie 1652 godziny, Francuz – 1393, a Niemiec – 1362 godziny rocznie[22]. Mieszkańcy „starej" Europy nie rozumieli jednak często, dlaczego ich państwa mają dopłacać do gospodarek wschodnioeuropejskich, które z uwagi na niższe koszty stanowiły dla nich konkurencję.

Problem jedności Europy nie dotyczy tylko podziału na jej część zachodnią i wschodnią. Mimo presji politycznej poprawności i zakazów uczuć nacjonalistycznych, stereotypy narodowe są nadal bardzo silne. Dla Francuza Belg jest symbolem głupka, który skacze na główkę do pustego basenu. Francuzi lubią zresztą tylko siebie samych. Dla Anglika Niemcy są uosobieniem brutalnej siły i zajadania się kiszoną kapustą. Niemcy nie lubią Austriaków, uważając ich za gorszą odmianę Niemców, pogardzają Włochami i Grekami jako narodami bałaganiarskimi, a sami są ledwie tolerowani w Hiszpanii, zwłaszcza w letnich kurortach, gdzie puszczają im wszelkie hamulce obyczajowe. Dowcipy o Polakach-złodziejach są niezwykle popularne w Niemczech, a polski hydraulik okazał się groźny dla francuskich robotników[23].

Stosunki między głównymi państwami Europy Zachodniej są pozornie poprawne, ale podszyte rywalizacją. W lipcu 2005 roku prezydent Chirac stwierdził, że Francja nie potrzebuje kopiować brytyjskiego systemu socjalnego, gdyż

---

[20] Michał Kacewicz, „Zdrawstwujtie", *Newsweek Polska,* 17 VII 2004 r., ss. 50–51.

[21] Jacek Magala, „Żegnajcie w Europie", *Wprost,* 25 I 2004 r., ss. 30–31.

[22] Jędrzej Bielecki, Halina Bińczak, „Pracowity jak Polka", *Rzeczpospolita,* 4 VIII 2004 r.; Marion Kraske, Jan Puhl, „Kto ich tu wpuścił?", *Der Spiegel,* 16 V 2005 r., za: *Forum,* 23–29 V 2005 r., ss. 14–18.

[23] Krystyna Grzybowska, „Stosunek przerywany", *Wprost,* 4 I 2005 r., ss. 62–65; Piotr Moszyński, „Kompleks hydraulika", tamże.

ma lepszy, zaś kandydatka na kanclerza Niemiec Merkel chwaliła politykę Margaret Thatcher, a nie rządzących Wielką Brytania laburzystów. Ambicjonalne napięcia między przywódcami Francji i Wielkiej Brytanii wiązały się z przyznaniem Londynowi prawa do zorganizowania igrzysk olimpijskich w 2012 roku kosztem Paryża[24]. Poważne różnice w kwestii przyszłości Unii Europejskiej dzielą także tandem francusko-niemiecki.

Jedność europejską rozbija też mocarstwowa polityka Francji, Niemiec i Wielkiej Brytanii. Po amerykańskiej inwazji Iraku w 2003 roku Niemcy przyjęły nowy kurs w polityce międzynarodowej. Rząd Gerharda Schrödera poczuł się na tyle silny, że postanowił dokonać zwrotu ku Rosji, nie zważając na swoje zobowiązania wobec europejskiej solidarności w ramach Unii Europejskiej. Spotkanie Schrödera z Putinem w Moskwie w lipcu 2004 roku miało już charakter spotkania dwóch przyjaciół. Niemiecki kanclerz podkreślał swoje zaufanie do „politycznej i gospodarczej stabilności Rosji". Putin odwzajemniał komplementy, które brzmiały o tyle milej dla gościa, że biegle mówił po niemiecku z racji swojej dawnej służby jako agent KGB w NRD[25]. W lipcu 2005 roku Władimir Putin, Gerhard Schröder i Jacques Chirac spotkali się w Kaliningradzie zacieśniając współpracę w trójkącie Paryż-Berlin-Moskwa[26]. Wybór miejsca spotkania podyktowany był rocznicą siedemsetlecia miasta, w którym urodził się Immanuel Kant, a które po II wojnie światowej włączono do ZSRR i nazwano nazwiskiem Kalinina, jednego z sygnatariuszy rozkazu o wymordowaniu polskich oficerów w Katyniu.

We francusko-niemieckim tandemie przewodzącym Unii Europejskiej coraz większą rolę odgrywały Niemcy i to one działały coraz częściej wbrew interesom swoich sąsiadów unijnych. Sztandarowym przykładem takich działań był gazociąg Nordstream 1, a ostatnio – Nordstream 2, które uzależniają Polskę i inne kraje Europy Środkowej, a także Ukrainę, od dobrej woli Rosji w dostawach gazu do tych krajów. Wiadomo było i jest jednak, że tej dobrej woli w Moskwie nie ma. Przed niemieckimi wyborami parlamentarnymi z września 2005 roku przywódcy CDU z Angelą Merkel na czele zapewniali, że „z Moskwą nie można się dogadywać ponad głowami innych" oraz że oś „Paryż-Berlin-Moskwa rozbija Europę i pcha nowe kraje Unii Europejskiej w objęcia USA"[27]. Po wyborach robili to nadal. Szczególne nasilenie kontaktów przywódców Niemiec i Francji z prezydentem Putinem nastąpiło po wyborze Donalda Trumpa[28].

Wielka Brytania z kolei przez lata korzystała ze specjalnych klauzul umowy akcesyjnej i nieodmiennie krytykowała wspólną politykę rolną Unii.

[24] Hanry Samuel, „We're better than the British, says Chirac", *The Daily Telegraph*, 15 VII 2005 r.; Radosław Leniarski, „Jednak Londyn 2012", *Gazeta Wyborcza*, 7 VII 2005 r.

[25] „Niemcy wierzą w Rosję", Życie, 9 VII 2004 r.

[26] Tomasz Bielecki, „Szczyt zdziwionych", *Gazeta Wyborcza*, 4 VII 2005 r.

[27] „Koniec osi antyamerykańskiej", *Gazeta Wyborcza*, 20 VII 2005 r.

[28] Paweł Kryszczak, „Macron z Putinem przeciwko Trumpowi", *Gazeta Polska Codziennie*, 25 V 2018 r.

Brytyjczycy nie godzili się z sytuacją, gdy wpłacali do Unii dwa razy więcej niż Francja, najbardziej korzystająca z dopłat do rolnictwa. Zresztą to rząd francuski przeforsował stopniowe podwyższanie dopłat rolniczych dla nowych krajów członkowskich. Gospodarka brytyjska, mniej regulowana niż francuska i niemiecka, rozwijała się zresztą szybciej niż gospodarki rzekomych „motorów integracji". Kiedy wydawało się, że Wielka Brytania może stać się oparciem dla nowych krajów członkowskich w ich sporach z francusko-niemieckim tandemem, w czerwcu 2016 roku Brytyjczycy zagłosowali w referendum za wyjściem z Unii. Za Brexitem głosował bowiem 51,2% spośród 72,2% głosujących. Negocjacje w sprawie warunków Brexitu trwają, ale wątpliwe, czy zostaną zakończone do 2019 roku ani czy ostatecznie decyzja Brytyjczyków da im spodziewane korzyści[29].

FIASKO „WIELOKULTUROWOŚCI"

Coraz trudniej mówić o cywilizacji zachodniej w tych krajach europejskich, w których rosnący procent ludności stanowią niezasymilowani imigranci z kultur obcych cywilizacji zachodniej. Fala imigracji z krajów pozaeuropejskich rozpoczęła zalewać Europę Zachodnią już w latach siedemdziesiątych. Władzom tych krajów wydawało się, że w ten sposób wypełnią lukę na rynku pracy niewykwalifikowanej powstałą po boomie lat sześćdziesiątych. Francja i Belgia sprowadzały więc imigrantów głównie z krajów Maghrebu, Niemcy – z Turcji, a Wielka Brytania – z krajów Commonwealthu, głównie z Indii i Pakistanu, a Włochy – z północnej Afryki. Wraz z ekspansją myślenia libertariańskiego w elitach rządzących w Europie Zachodniej fala ta stale rosła. W Wielkiej Brytanii na przykład przełomowe okazało się zwycięstwo Labour Pary w 1997 roku, po którym rząd Tony Blaira otworzył granice Zjednoczonego Królestwa na niespotykaną dotąd skalę. Minister do spraw azylowych w tym rządzie, Barbara Roche, uważała, że imigracja w każdych warunkach jest dobra, a jej wypominanie brzmi rasistowsko[30]. W wielu debatach pojawiał się wątek, iż imigracja z obszarów postkolonialnych jest sprawiedliwą rekompensatą za lata eksploatacji tych obszarów. Pojawiał się też zupełnie absurdalny wniosek, iż imigranci wzmocnią gospodarkę zachodnią swoimi umiejętnościami. W 2012 roku unijna komisarz do spraw handlu Cecilia Malmström i specjalny przedstawiciel sekretarza generalnego ONZ do spraw imigracji i rozwoju, Peter Sutherland, argumentowali, że jeśli Europa nie otworzy się na masową imigrację, to „przedsiębiorcy, migranci z doktoratami i inni skierują się do takich krajów, jak Brazylia, Republika Południowej Aryki, Indonezja, Meksyk czy Indie, przez co Europa zostanie w tyle". Wydaje się, że oboje

---

[29] Olivier Bault, „Szantaż zamiast negocjacji", *Do Rzeczy,* 28 V – 3 VI 2018 r. Nota bene, Wielka Brytania stała się „wielką pralnią brudnych pieniędzy rosyjskich". Piotr Włoczyk, „Brudne ruble", tamże.

[30] Douglas Murray, *Przedziwna śmierć Europy,* (Poznań: Zysk i S-ka, 2017), ss. 29 i 31.

Uchodźcy atakują ciężarówki we francuskim Calais. Francja to klasyczny przykład fiaska polityki asymilacji muzułmańskich imigrantów.

stracili kontakt z rzeczywistością, nie wiedząc, że większość imigrantów zmierzających do Europy nie miała większych kwalifikacji i liczyła na zasiłki socjalne.

Ideologia „wielokulturowości" Zachodu głoszona przez liderów europejskich okazała się trucizną. Już w 2005 roku jeden z dziewięciu milionów mieszkańców Szwecji urodził się za granicą, co stanowiło najwyższy odsetek od czasów USA przed I wojną światową. Tam jednak imigranci pochodzili najczęściej z Europy, w Szwecji zaś są to głównie muzułmanie, którzy nie tylko się nie asymilują, ale potrafią podrzynać gardła swoim dziewczętom, które umawiają się ze szwedzkimi chłopcami lub noszą minispódniczki[31]. Zmiany w Szwecji zapoczątkowała jednogłośna decyzja parlamentu o tym, że kraj ma stać się wielokulturowy. Widać Szwedom znudziła się homogeniczność swojej ojczyzny. W rezultacie fala imigranckiego tsunami stale przybierała na sile, osiągając apogeum w latach 2015–2016. W rezultacie powstało ponad 60 stref *no-go*, gdzie pogotowie wjeżdża tylko w asyście policji. Co więcej, nie można właściwie publicznie twierdzić, nie narażając się na zarzut rasizmu, że panujące w tych strefach bezprawie

---

[31] Christopher Caldwell, „Moraliści są zmęczeni", *The Weekly Standard*, 28 II 2005 r., za: *Forum*, 14–20 III 2005 r., ss. 30–34.

– gwałty, strzelaniny i handel narkotykami – są efektem imigracji. Zawsze problem zrzucany jest na abstrakcyjne społeczeństwo[32].

Nie inaczej jest w Niemczech. W lutym 2005 roku 23-letnia Turczynka została zastrzelona na przystanku autobusowym w Berlinie przez jednego ze swych braci za to, że mieszkała sama z pięcioletnim synem, którego ojca nie przedstawiła rodzinie. Nazywa się to „zabójstwem honorowym". Wedle „Spiegla" 38% Turczynek jest maltretowanych przez mężów. Kwitł proceder przymusowych małżeństw oraz wielożeństwo, akceptowane w praktyce przez urzędy niemieckie[33]. Od tamtej pory napięcia kulturowe wynikające z imigracji tylko wzrosły. Podobnie dzieje się w Wielkiej Brytanii, gdzie w 2008 roku arcybiskup Canterbury Rowan Williams stwierdził, że „nieuniknione" będzie wprowadzenie do prawa brytyjskiego elementów muzułmańskiego szariatu[34].

Zapraszając latem 2015 roku imigrantów muzułmańskich i twierdząc, że „damy sobie radę" (*wir schaffen das*), kanclerz Merkel nie potrafiła wyjaśnić, po co ich tylu potrzeba Niemcom[35]. Trudno znaleźć też sensowną odpowiedź w poglądach George Sorosa, który wspomaga tę falę imigracji muzułmańskiej w trosce o utopijne „społeczeństwo otwarte", czyli pozbawione tożsamości i zasad[36]. Choć decyzja Komisji Europejskiej z 2015 roku o przymusowej relokacji „uchodźców" muzułmańskich była już martwa, gdyż zrealizowano ją do końca 2017 roku w 30%, a ponadto była narzucona w wyniku jednostronnej decyzji Niemiec o przyjmowaniu nieograniczonej liczby imigrantów, w grudniu 2017 roku Komisja wszczęła przeciw Polsce postępowanie „w sprawie uchybienia obowiązkom państwa członkowskiego". Wedle niemieckich szacunków katastrofalna decyzja kanclerz Merkel mogła w perspektywie oznaczać przyjęcie nawet 100 mln imigrantów z Afryki i Bliskiego Wschodu, co byłoby szybkim zakończeniem cywilizacji zachodniej w Europie. Eksperci amerykańscy z Pew Research Center ostrożnie oceniali, że w przypadku intensywnej imigracji muzułmańskiej liczba ludności tego wyznania wzrosłaby z 25,8 mln osób w 2016 roku do 75,6 mln w 2025 roku. Muzułmanie stanowiliby wtedy 30,6% ludności Szwecji, 19,9% Austrii, 19,7% Niemiec i 18,2% Belgii[37]. Zważywszy na dechrystianizację „starych" społeczeństw europejskich oznaczałoby to całkowitą dominację islamu w życiu publicznym tych krajów.

W dniu 2 listopada 2004 roku na ulicy Linnaeusstraat w Amsterdamie islamski fanatyk zabił kontrowersyjnego reżysera Theo van Gogha, a następnie poderżnął mu gardło. Reakcja władz holenderskich była zupełnie bierna. Niechętnie

---

[32] „Szwecja, czyli Absurdystan. Z Ingrid Carlqvist rozmawia Aleksandra Rybińska", *Sieci*, 30 X – 5 XI 2017 r., ss. 98–99.

[33] Piotr Jendroszczyk, „Muzułmański honor i śmierć", *Rzeczpospolita*, 18 II 2005 r.

[34] Murray, *Przedziwna śmierć Europy*, s. 131.

[35] Robin Alexander, *Angela Merkel i kryzys migracyjny. Dzień po dniu*, (Warszawa: Teologia Polityczna, 2017).

[36] „Europa na skraju załamania. Wywiad z George'm Sorosem", *Gazeta Wyborcza*, 23 I 2016 r.; Murray, *Przedziwna śmierć Europy*, ss. 109 nn.

[37] Konrad Kołodziejski, „Europa islamska", *Sieci*, 11–17 XII 2017 r., ss. 42–44.

przyznawały one nawet, że wśród młodzieży pochodzenia marokańskiego liczba przestępstw jest pięcio- lub sześciokrotnie wyższa niż wśród rdzennych Holendrów. Śmiertelne pogróżki kierowano też przeciw szefowi partii antyimigranckiej Geertowi Wildersowi. Posła Wildersa skryto nawet w więziennej celi. Jakiekolwiek próby przeciwdziałania fali przestępstw islamistów napotykają na protesty ze strony lewaków i organizacji promujących polityki „wielokulturowości". Zdaniem Sadika Harchaoui, dyrektora jednej z takich organizacji o nazwie Forum, państwo nie może być organem represji wobec mniejszości etnicznych[38].

Płonące samochody i sklepy we francuskich *banlieues* niejednokrotnie pokazywały fiasko asymilacji muzułmanów we Francji. Choć w 1994 roku uchwalono we Francji ustawę o ochronie języka francuskiego, nakazującą stacjom radiowym i telewizyjnym nadawanie co najmniej 40% muzyki w języku francuskim, efektem było to, że zamiast *fuck the police* francuscy raperzy śpiewali *baise la police*[39]. Francuski pisarz Renaud Camus nazwał to, co dzieje się w jego ojczyźnie, „wielką zamianą" (*le grand remplacement*). W paryskiej dzielnicy Saint-Denis znajduje się katedra św. Dionizego, biskupa Paryża z III wieku i patrona tego miasta, w której podczas rewolucji zbezczeszczono groby królewskie, ale gdzie nadal można znaleźć nagrobek Karola Młota, który odparł muzułmanów zwyciężając w słynnej bitwie pod Tours w 732 roku. Obecnie rynek przed katedrą przypomina bardziej arabski bazar. Mieszka tu 30% muzułmanów i tylko 15% katolików[40]. Powieść Jeana Raspaila „Obóz świętych" z 1973 roku, w której opisywał on muzułmańską inwazję Francji, przestała być fikcją[41]. Co gorsze, publicyści ostrzegający przed zniszczeniem kultury francuskiej poprzez „wielokulturowość", spotykają się z agresją ze strony władz francuskich i lewicowych sabotażystów kulturowych. Niewiele zmieniła tu słynna książka Oriany Fallaci „Wściekłość i duma", w której autorka gwałtownie zaatakowała owych sabotażystów[42]. Akcje obrońców cywilizacji zachodniej w rodzaju English Defense League spotykają się zaś z gwałtownymi atakami gangów muzułmańskich, podsycanymi przez niektórych imamów, a przywódcę Ligi, Tommy Robinsona, także zatrzymała policja za „naruszanie spokoju"[43].

Rzecznicy „wielokulturowości", zawsze tak wrażliwi na punkcie praw kobiet, nie zwracają w ogóle uwagi na fakt, że kobiety są poddawane w środowiskach imigrantów muzułmańskich wielorakim formom dyskryminacji, a nawet prześladowań. To muzułmanie lansują „obrzezanie" dziewcząt, zmuszanie do noszenia strojów szczelnie zakrywających ciało czy „zabójstwa honorowe". W 2004 roku

---

[38] Jean-Michel Demetz, „Fiasko multikulti", *L'Express,* 27 X 2005 za: *Forum,* 21–27 XI 2005 r., ss. 16–18.

[39] Jerzy A. Rzewuski, „Miasta ciemności", *Wprost,* 18 XII 2005 r., ss. 122–123.

[40] Murray, *Przedziwna śmierć Europy,* s. 145.

[41] Jean Raspail, *Obóz świętych,* (Warszawa: Fronda, 2015).

[42] Oriana Fallaci, *Wściekłość i duma,* (Warszawa: Cyklady, 2004).

[43] Paweł Kryszczak, „Prawicowy aktywista trafił do więzienia", *Gazeta Polska Codziennie,* 28 V 2018 r.

młoda muzułmanka, Ghofrane Haddaoui, została ukamienowana w Marsylii za to, że odrzuciła awanse swojego ziomka. Media i policja niemiecka przez pewien czas tuszowały skandaliczne wydarzenia w Kolonii i innych miastach w Sylwestra 2015 roku, gdy tłum muzułmańskich głównie imigrantów bezkarnie napastował kobiety[44]. Imigranci muzułmańscy stoją też za większością coraz częstszych ataków antysemickich w Niemczech, Francji i innych państwach Zachodniej Europy. Wedle oficjalnych danych, w latach 2015–2016 zanotowano w Niemczech 1468 incydentów antysemickich, w Wielkiej Brytanii – 1308 takich incydentów, a w Polsce, która jest stale oskarżana o antysemityzm było ich zaledwie 101[45]. Niczego nie uczą zwolenników „wielokulturowości" liczne spektakularne zamachy terrorystyczne dokonywane przez muzułmańskich fanatyków, ani też fakty dotyczących gwałtownego wzrostu innych przestępstw dokonywanych przez imigrantów. Na przykład policja fińska przyznała, że w 2016 roku aż 108 ze 116 zbrodni na tle seksualnym dokonali w tym kraju imigranci muzułmańscy[46].

Rzecznikom „wielokulturowości" Europy wypada dedykować wszystkie te przykłady katastrofalnych skutków wprowadzania ich ideologii w życie, a także cytat z Samuela P. Huntingtona: „Wielokulturowość pozostaje ze swej istoty w opozycji do cywilizacji europejskiej (...) Jest zasadniczo ideologią antyzachodnią"[47].

WŁADZA ZAMIAST RZĄDZENIA

Polityka jest teoretycznie sferą, w której myśli i idee zamienia się w czyn. Politycy mogą więc wpływać na rzeczywistość swoimi decyzjami zarówno pozytywnie, jak i negatywnie. Problem w tym, co wybierają, a także w tym, czego od nich oczekują wyborcy, czy potrafią ich „rozliczyć" za błędy, oraz co uważają za błąd, a co nie. W tym typowym sprzężeniu zwrotnym mamy jednak na Zachodzie problem. Przede wszystkim, między sprawowaniem władzy a rządzeniem jest spora różnica. Współcześni politycy zachodni bardzo często sprawują władzę i zaniedbują rządzenie, czyli podejmowanie decyzji w ważnych sprawach. Decyzje te wypływają coraz częściej z woli anonimowych gremiów eksperckich, których nikt nie rozlicza z tych decyzji. Mechanizmy podejmowania decyzji w tych gremiach są kompletnie niejasne dla wyborców. Jeśli zaś już politycy decydują, to robią to tylko w taki sposób, by nie zrazić sobie wyborców, którzy z kolei najczęściej oczekują od nich atrakcyjnego wyglądu i potoczystej wymowy, a nie realizacji dalekosiężnych wizji, które mogłyby powstrzymać upadek Zachodu. Co więcej, przyzwolenie na nieetyczne zachowania polityków

---

[44] Murray, *Przedziwna śmierć Europy*, ss. 185 i 257.
[45] Grzegorz Błoński, „Antysemityzm w Polsce? Liczby demaskują manipulację", *Gazeta Polska Codziennie,* 26–27 V 2018 r.
[46] Dorota Łosiewicz, „Fińska lekcja", *Sieci*, 21–27 V 2018 r.
[47] Samuel P. Huntington, *Kim jesteśmy? Wyzwania dla amerykańskiej tożsamości narodowej*, (Kraków: Znak, 2007), s. 160.

wydaje się rosnąć. Korupcja polityczna jest zjawiskiem powszechnym nie tylko, jakby się wydawało, w państwach postkomunistycznych, ale także w „starej" Europie.

W grudniu 2005 roku ogłoszono na przykład, że były kanclerz niemiecki Gerhard Schröder będzie zarabiał milion euro rocznie jako szef konsorcjum nadzorującego budowę rurociągu Nordstream. „To cuchnie", skomentował wiceszef FDP Rainer Brüderle[48]. O specjalnym znaczeniu rurociągu i w ogóle stosunków gospodarczych z Rosją dla Niemiec świadczy mianowanie byłego agenta Stasi, znajomego Władimira Putina, Matthiasa Warniga, przewodniczącym rady dyrektorów rosyjskiej filii Dresdner Bank. Jean-Claude Juncker został w 2014 roku szefem Komisji Europejskiej mimo, że jako premier Luksemburga nie zrobił nic, by zapobiec unikaniu płacenia podatków przez wielkie korporacje, a ponadto wyraźnie nadużywa alkoholu. Szef frakcji liberalnej w Parlamencie Europejskim, były premier Belgii Guy Verhofstadt potrafi agresywnie atakować Polskę i Polaków, ale sam zasiadał we władzach spółki, która miała siedzibę w raju podatkowym[49].

Jakość europejskiej polityki wydaje się stale pogarszać. Tragikomicznym zjawiskiem były europejskie referenda konstytucyjne. W dniu 29 maja 2005 roku konstytucję europejską odrzucili Francuzi (55% głosów przeciw), a w dniu 1 czerwca tegoż roku – także Holendrzy (62% przeciw). Traktat konstytucyjny przyjęli wcześniej w dniu 6 kwietnia Włosi, 25 maja Austriacy, a 27 maja tegoż roku Niemcy. W związku z wynikiem referendum francuskiego i holenderskiego wstrzymano referenda w innych krajach. Światłe kierownictwo Unii mogło jednak do woli krytykować wyniki tych referendów, wskazując na jego powierzchowne znaczenie, skoro dla większości obywateli „starej" Europy konstytucja europejska była czymś w ogóle mało znanym. Do znajomości zasad tego dokumentu przyznawało się w 2005 roku 19% Holendrów, 18% Włochów, 11% Niemców, 10% Francuzów oraz 6% Brytyjczyków. Przewodniczący Parlamentu Europejskiego Josep Borrell powiedział wówczas, że „żaden Hiszpan nie przeczytał europejskiej konstytucji, ale większość ją popiera"[50]. Traktat konstytucyjny był zresztą dokumentem dość kuriozalnym. W czerwcu 2005 roku dziennikarz „Boston Herald" opisał go jako „prawie pięćsetstronicowy miszmasz, który mylił prawa z nadziejami, marzeniami i bezsensownymi wyrazami emocji"[51]. Mimo to referenda francuskie i holenderskie powtórzono i traktat wszedł w życie.

Regulacje Unii Europejskiej są często pozbawione sensu. Na przykład w wyniku presji unijnej Finlandia obniżyła w 2003 roku akcyzę na alkohol, w wyniku czego spożycie czystego spirytusu na głowę mieszkańca wzrosło w tym kraju do 10,3 l. Co więcej, rok później do Unii weszła Estonia, gdzie

---

[48] Piotr Jendroszczyk, „Schröder się skompromitował", *Rzeczpospolita*, 12 XII 2005 r.
[49] Piotr Wójcik, „Koniec europejskiego liberalizmu", *Gazeta Polska Codziennie*, 6 III 2018 r.
[50] *European Voice*, 3–9 II 1005 r., s. 12.
[51] Cyt. wg: Christopher Caldwell, „Europe shocks true democrats", *Financial Times*, 4–5 VI 2005 r.

alkohol był tańszy o 50% niż w Finlandii. Trudno było nie zgadnąć, że Finowie upijali się teraz jeszcze częściej w Estonii i na promach wiozących ich do tego kraju. Wśród najbardziej zdumiewających wydatków kasy unijnej znalazło się 860 tys. euro, przyznane szwedzkiemu miasteczku Orsa na centrum wzornictwa mebli „odzwierciedlających równość płci", czy 2,5 tys. euro, jakie otrzymał Wolfgang Porsche, szef rady nadzorczej koncernu Porsche AG i jeden z najbogatszych ludzi Europy, na renowacje swojego domku myśliwskiego[52].

Jakość polityki przywódców europejskich można określić wdzięcznym mianem, jakiego użył w odniesieniu do elit niemieckich publicysta „Die Welt" Henryk M. Broder – „kręceniem loków na łysinie". Elity „głównego nurtu" używają szyldów socjalistycznych i chadeckich oraz chwytliwych haseł w rodzaju „równouprawnienia" i „niedyskryminacji" oraz całego arsenału instrumentów socjotechnicznych, ale składają się w większości z aroganckich manipulatorów, którzy chcą narzucać swoją wolę rządzonym. Nie mają

---

[52] Piotr Czarnowski, „Najbardziej absurdalne wydatki z unijnego budżetu", *Dziennik Gazeta Prawna*, 13–15 XI 2009 r.

Prezydent Francji Emmanuel Macron, kanclerz Niemiec Angela Merkel, prezydent Rosji Władimir Putin i premier Kanady Justin Trudeau podczas spotkania w Paryżu z okazji setnej rocznicy zakończenia I wojny światowej, 11 listopada 2018 r. Rosja jest dla wielu zachodnich krajów bardzo pożądanym partnerem.

Defilada Zwycięstwa na Placu Czerwonym w Moskwie z okazji rocznicy zakończenia II wojny światowej 9 maja 2015 r. Siła militarna wciąż jest dla Rosji jednym z głównych instrumentów prowadzenia polityki zagranicznej.

jednak żadnej wizji przyszłości Europy, gdyż naprawdę nie wyznają żadnych wartości[53].

PRZECIW GŁÓWNEMU NURTOWI

Podczas gdy w wielu dokumentach unijnych pojawia się określenie „centra doskonałości europejskiej", w 2005 roku ekonomista francuski Jacques Marseille pisał: „Dzieciątko euro nie cieszy się dobrym zdrowiem. Cóż, kiedy jego niemiecki ojciec jest kuternogą, a francuska matka – schizofreniczką". Nic dziwnego, skoro Unia Europejska podminowana jest przez szereg dysfunkcyjnych polityk. Stworzono wspólną walutę bez wspólnej polityki fiskalnej, stworzono wolny przepływ osób w ramach systemu Schengen bez dostatecznej kontroli granic zewnętrznych, a także kosztowny system socjalny osłabiający konkurencyjność, lecz zachęcający do roszczeniowych postaw obywateli i zagrażający stabilności krajowych budżetów. Stworzono też potężny aparat decyzyjno-biurokratyczny oderwany od wartości i tradycji państw członkowskich, a nawet

---

[53] „Kręcenie loków na łysinie. Z Henrykiem M. Broderem rozmawia Aleksandra Rybińska", *Sieci*, 3–9 IX 2018 r.

działający wbrew tym tradycjom. W praktyce porzucono zasadę pomocniczości, a zastąpiono ją zasadą centralnego nadzoru. Szczytem hipokryzji unijnej jest lansowanie rzekomego zaniku interesów narodowych na rzecz interesu europejskiego i mniemanej „solidarności" europejskiej w imię partykularnych celów najsilniejszych państw, tak jak się to stało w sprawie tak zwanego Paktu Fiskalnego lub przymusowej relokacji „uchodźców" pod naciskiem Niemiec[54]. Ponadto przez wiele lat skuteczna była unijna „propaganda sukcesu", w myśl której najlepszym lekarstwem na wszystkie problemy Unii było „więcej Europy", a wątpiących w stosowane środki dość arogancko określano jako „eurosceptyków" lub nawet „eurofobów". Pisze o tym dokładnie Krzysztof Szczerski; jego zdaniem, źródeł kryzysu Unii Europejskiej należy upatrywać w triumfie lewicowego „konstruktywizmu społecznego", wytworzeniu się biurokratycznej „elity brukselskiej", lansowaniu „legendy europejskiej" oraz ignorowaniu faktów w imię coraz bardziej utopijnych celów[55].

W ostatnich latach jednak w wielu społeczeństwach unijnych dojrzewała refleksja nad dysfunkcjonalnością Unii Europejskiej. Pierwszy bodźcem był kryzys finansowy zapoczątkowany w 2008 roku, drugim zaś – kryzys imigracyjny z 2015. Coraz szersze kręgi społeczeństw państw unijnych zaczęły dostrzegać krótkowzroczność polityki wobec imigrantów, a także brak perspektyw przełamania niskiej konkurencyjności gospodarek unijnych i w związku z tym przyspieszenia wzrostu gospodarczego. Efektem tej fali krytycyzmu był brytyjski Brexit. W wielu innych krajach Zachodniej Europy wzrosły w siłę ugrupowania kontestujące politykę „głównego nurtu" i zapowiadające radykalne zmiany. Wspólnym mianownikiem tych ugrupowań są jednak niska skuteczność proponowanych rozwiązań ekonomicznych, wątpliwa aksjologia oraz niebezpiecznie silne związki z Rosją. Na przykład w maju 2018 roku w dokumencie programowym określającym kierunki polityki nowej koalicji rządowej we Włoszech, złożonej z Ligi Północnej i Ruchu Pięciu Gwiazd, stwierdzono konieczność nowego otwarcia dyplomatycznego w stosunkach z Rosją, choć ta ostatnia ani na jotę nie zmienia agresywnej retoryki antyzachodniej, nie zamierza wycofać się z Krymu i wywołała poważny kryzys w stosunkach z Wielką Brytanią, usiłując otruć byłego swego agenta Siergieja Skripala i jego córkę[56].

---

[54] Jacques Marseille, „Wiódł ślepy kulawego", *Le Figaro*, 27 VIII 2005 r., za: *Forum*, 26 IX – 2 X 2005 r., ss. 22–23; Tomasz Wróblewski, „Nowa wojna trzydziestoletnia", *Do Rzeczy*, 15–21 I 2018 r.

[55] Na temat różnych aspektów kryzysu Unii Europejskiej por. Krzysztof Szczerski, *Utopia europejska*, (Kraków: Biały Kruk, 2017).

[56] Jędrzej Bielecki, „Populiści zdobyli Rzym", *Rzeczpospolita*, 11 V 2018 r.; „Putin zyska sojusznika w UE", *Gazeta Polska Codziennie*, 18 V 2018 r.; Maciej Legutko, „Czarny sen Brukseli", *Gość Niedzielny*, 27 V 2018 r.; Aleksander Kłos, „Państwa UE murem za Londynem", *Gazeta Polska Codziennie*, 20 III 2018 r.

Prof. Krzysztof Szczerski na tle okładki swojej książki „Utopia europejska". Przedstawił w niej własną diagnozę problemów dotykających UE oraz interesujące propozycje koniecznych reform.

Rzecznicy bezalternatywności „demokracji liberalnej" i obecnego kierunku rozwoju Unii oskarżają wspomniane ugrupowania o populizm i nacjonalizm, a nawet „faszyzm". Są to oskarżenia rzadko zasadne i jest rzeczą konieczną, by odróżniać zdrowy instynkt obronny od reakcji ksenofobicznej czy szowinistycznej. Jest z kolei rzeczą przygnębiającą, jak bezradne są autorytety wypowiadające się na ten temat w imię obrony demokracji. Dla niektórych z nich priorytetem jest powstrzymanie „antyliberalnych" i „antyeuropejskich" ugrupowań, a nie zbadanie przyczyn ich popularności[57]. Nie da się ukryć, że na przykład w Niemczech nasilają się skrajne nastroje nacjonalistyczne, wyraźne w nowej sile politycznej wyrosłej po kryzysie imigranckim – Alternatywie dla Niemiec. W 2004 roku do krajowych landtagów we wschodnich Niemczech dostały się po raz pierwszy neonazistowska NPD oraz nacjonalistyczna Niemiecka Unia Ludowa. Lider NPD Udo Voigt nie ukrywa, że chciałby rewizji granic z Polską, rozluźnienia Unii Europejskiej oraz likwidacji NATO[58]. Zyskała też skrajna lewica postkomunistyczna, która potrafi być równie agresywna jak skrajna prawica nacjonalistyczna. Zdobyła ona prawie 28% głosów w Brandenburgii i 23% w Saksonii[59]. Nacjonalizm nie jest też obcy władzom niemieckim. Szczególny przypadek tej tendencji to działania Jugendamtu, instytucji nadzorującej rodziny. Na przykład w 2006 roku mieszkający w Niemczech Polak oskarżył Jugendamt o uniemożliwienie mu rozmowy z córkami z języku polskim. Niemiecki urząd uznał bowiem, ze „z punktu widzenia pedagogicznego" w interesie dzieci nie leży, aby w czasie spotkań rozmawiano po polsku[60]. Otwarcie nazistowskie poglądy głosili też niektórzy politycy austriaccy, tacy jak Siegfied Kampl ze współrządzącej Wolnościowej Partii Austrii (*Freiheitliche Partei Österreichs*)[61].

Szowinizm narodowy widać także w różnym stopniu w programie francuskiego Frontu Narodowego, mimo jego usiłowań większego umiaru i zmiany nazwy na Zjednoczenie Narodowe, u Szwedzkich Demokratów i Alternatywie dla Szwecji, w węgierskiej partii Jobbik, Słowackiej Partii Narodowej i Ludowej Partii „Nasza Słowacja", bułgarskiej partii Ataka, greckim Złotym Świcie czy włoskiej Nowej Sile. W większości tych przypadków mamy też do czynienia nie z powrotem do realizmu, ale z sympatiami prorosyjskimi.

Natomiast fałszem i obelgą byłoby nazywanie „faszystowskimi" partii rządzących na Węgrzech i w Polsce. Zarówno bowiem Fidesz, jak i Prawo

---

[57] . Por. np. Ivan Vejvoda, „Europe's Futures", *IMW Post*, 2018, nr 121, lub Philippe Narval, „Up the Friendly Revolution: New Beginning for Democracy in Europe", tamże.

[58] „Humanizm faszystowski. Z Udo Voigtem rozmawia Piotr Cywiński", *Wprost*, 12 XII 2004 r., ss. 102–103.

[59] Piotr Jendroszczyk, „Czas ekstremistów", *Rzeczpospolita*, 20 IX 2004 r.; „Fringe Groups Score Big Gains in East Germany, *Wall Street Journal*, 20 IX 2004 r.

[60] Piotr Jendroszczyk, „Polak walczy z zakazem rozmawiania po polsku", *Rzeczpospolita*, 23–26 XII 2006 r.

[61] „Skandaliczni senatorowie", *Rzeczpospolita*, 9 VI 2005 r.; Paweł Kryszczak, „Duch neonazizmu wciąż obecny w Austrii", *Gazeta Polska Codziennie*, 26 I 2018 r.

i Sprawiedliwość, które zdobyły władzę w demokratyczny sposób, zwalczają patologie liberalnej demokracji i czerpią jak dotąd siłę z poparcia społecznego, a nie z manipulacji wyborczych. Podobnie wygląda sytuacja rządów Austrii i Włoch. Być może właściwym terminem na określenie rządów w tych państwach jest „nieliberalna demokracja", o której mówił swego czasu nie tylko Orbán, ale także amerykański politolog Fareed Zakaria w odniesieniu do fenomenu Donalda Trumpa. Polegać by ona miała na tym, że rządzący bardziej idą za głosem wyborców, niż starają się ich prowadzić[62]. Różnorodność poglądów i stanowisk ugrupowań eurorealistycznych lub nawet autentycznie eurosceptycznych powoduje, że ich sojusz w dziele przebudowy Unii Europejskiej jest ciągle mało realny i to między innymi stanowi o sile „głównego nurtu". Trudno więc przewidzieć, jak potoczą się dalej spory o kształt Unii[63]. Jakąś wiedzę dadzą być może wybory do Parlamentu Europejskiego w 2019 roku, ale i to wydarzenie może nie rozstrzygnąć o przyszłości Unii.

„WARTOŚCI EUROPEJSKIE"

Choć ojcowie założyciele wspólnot europejskich – Konrad Adenauer, Robert Schuman i Alcide De Gasperi – byli zdeklarowanymi chrześcijanami, ich wizja zjednoczonej Europy z wolna ulegała erozji pod wpływem sił liberalno-lewicowych. W podejściu Jeana Monneta, szefa urzędu planowania w powojennej Francji, dominowało podejście konstruktywistyczne, ale oparte na wartościach. Uważał on, że Europę trzeba na nowo stworzyć. Ogromną rolę w ukształtowaniu instytucji wspólnotowych oraz uformowaniu europejskiego stylu myślenia o wspólnocie odegrał jednak także Alexandre Kojève, rosyjski emigrant i, jak się później okazało, agent sowiecki. Inną wpływową postacią był Józef Retinger, doradca masońskiego rządu meksykańskiego w okresie jego krwawej rozprawy z Kościołem katolickim. Ostatecznie Unię Europejską ukształtowało pokolenie 1968 roku, które narzuciło jej lewicowy konstruktywizm i libertariańską filozofię.

W 2003 roku papież Jan Paweł II pisał: „Pragnę (…) zaapelować do twórców przyszłego traktatu konstytucyjnego Unii Europejskiej, aby znalazło się w nim odniesienie do europejskiej spuścizny religijnej, w szczególności chrześcijańskiej"[64]. Słowa te padły niczym groch o ścianę. Preambuła traktatu konstytucyjnego Unii, wypracowana nie tyle przez Konwent, ile przez jego przywódców z Valérym Giscardem d'Estaignem na czele, odwołuje się do źródeł w dziedzictwie antyku i oświeceniu, ale milczy całkowicie o chrześcijaństwie. To słowo w ogóle się nie pojawiło w traktacie. Zamiast tego użyto wielu odniesień

---

[62] Fareed Zakaria, *Przyszłość wolności. Nieliberalna demokracja w Stanach Zjednoczonych,* (Warszawa: Fundacja Kultura Liberalna, 2018).

[63] Por. ciekawą analizę sytuacji z września 2018 roku na kanwie zbliżenia węgiersko-włoskiego: Jan Rokita, „Mediolański pakt przeciw Macronowi", *Sieci,* 10–16 IX 2018 r.

[64] Jan Paweł II, *Ecclesia in Europa,* (Wrocław: TUM, 2003), s. 133.

do praw człowieka, z których wywiedziono zasadę niedyskryminacji, a która z kolei przyczyniła się do ograniczenia wolności[65].

Próba refleksji na temat duchowego i kulturowego wymiaru Europy podjęta po rozszerzeniu Unii Europejskiej w 2004 roku pod przewodnictwem Romano Prodiego dała w efekcie tekst pod tytułem „Co łączy Europę", w którym przekonywano, że „sama integracja gospodarcza nie zastąpi czynników politycznych, które w swoim czasie dały początek integracji europejskiej", gdyż „rynek nie może być źródłem trwałej solidarności politycznej". Argumentowano, iż w celu zapewnienia Unii skuteczności działania w rozwiązywaniu problemów społecznych, „objawiła się potrzeba integracji politycznej". Dowodzono, że „system ekonomiczny musi być zakorzeniony w przekonaniach moralnych ludzi", ale nie spróbowano ich określić. Chrześcijaństwo wymieniono tylko raz: „Frontalna konfrontacja abstrakcyjnych idei 'chrześcijańskiej Europy' i 'islamu' nie rozwiąże problemów wynikających z obecności islamu w Europie". Uznano, że chrześcijaństwo oparte jest na ideach „abstrakcyjnych", nie potrafiąc sformułować żadnej innej podstawy ideowej „duchowego i kulturowego wymiaru Europy"[66]. W powodzi słów nie sformułowano żadnej sensowej odpowiedzi na tytułowe pytanie.

W przededniu rozszerzenia Unii Europejskiej o kraje byłego bloku sowieckiego, w dniu 13 września 2003 roku, w Krakowie odbyła się konferencja, na której były szef polskiej dyplomacji Władysław Bartoszewski oraz były kanclerz Niemiec Helmut Kohl mówili pięknie o Europie jako wspólnocie duchowej. Bartoszewski podkreślił, że „kultura Zachodniej Europy została ukształtowana przez filozofię grecką, prawo rzymskie i wiarę chrześcijańską". Obficie odwoływali się do myśli Jana Pawła II. Kohl powiedział wprost, że życzyłby sobie, „byśmy nadal podążali Jego drogą"[67]. Nie minęło jednak parę lat, a Bartoszewski określił zwolenników opozycyjnego wówczas Prawa i Sprawiedliwości, głoszącego podobne wartości, mianem „bydła", a następczyni Kohla, kanclerz Merkel, zaprosiła do Europy masowych imigrantów muzułmańskich. Duża część europosłów Europejskiej Partii Ludowej, którą Kohl i Bartoszewski reprezentowali, głosowała zaś za „prawami reprodukcyjnymi" dla kobiet. Solidarność ekonomiczna, która była jednym z filarów europejskiej integracji gospodarczej, jest już pojęciem całkowicie anachronicznym, skoro na przykład Francja przeforsowała „dyrektywę o pracownikach delegowanych", która określa stawki wynagrodzeń dla pracowników przedsiębiorstw transportowych na poziomie krajów najdroższych, uderzając w firmy z Polski i Europy Wschodniej[68].

---

[65] Grzegorz Górny, „Trzecie porwanie Europy", *Niezależna Gazeta Polska*, 5 XII 2008 r., ss. 13–15.

[66] „Co łączy Europę", *Gazeta Wyborcza*, 11–12 XII 2004 r.

[67] Władysław Bartoszewski, „Europa, wspólnota ducha" oraz Helmut Kohl , „Przeszliśmy przez ten most", *Gazeta Wyborcza*, 24–25 I 2004 r.

[68] „Euro miało łączyć Europę, a raczej ją dzieli. Z Frankiem Schäfflerem, posłem FDP do Bundestagu, rozmawia Stefan Sękowski", *Do Rzeczy*, 26 II – 4 III 2018 r.

W 2004 roku przeciw wpisaniu w preambule do konstytucji europejskiej odniesienia do tradycji judeochrześcijańskiej wypowiedział się zdecydowanie prezydent Francji Jacques Chirac. Tymczasem obrońcą odwołania do chrześcijańskiej i w ogóle religijnej tradycji Europy okazał się wybitny amerykański prawnik pochodzenia żydowskiego pracujący dla różnych instytucji europejskich, Joseph H. Weiler[69]. „Europa to idea, która od epoki oświecenia poszukuje szczęścia i sprawiedliwości, stawiając człowieka w samym sercu swojej wizji politycznej", powiedział w styczniu 2004 roku[70] Jean-Pierre Raffarin, ówczesny premier Francji, zapewne uważając, że wyraża w ten sposób najszlachetniejsze cele europejskiej wspólnoty. Nie zauważył chyba w ogóle, jak dwuznacznie brzmią jego słowa. To właśnie bowiem z oświeceniowej wizji człowieka jako podmiotu, który sam określa wszystkie cele, normy i wartości, wynikły wszystkie późniejsze nieszczęścia Europy. Nie tylko diagnozę, a receptę na upadek cywilizacji zachodniej stanowi dzieło Alasdaira MacIntyre'a, amerykańskiego etyka o szkockich korzeniach, w którym nawiązał do arystotelesowskiej filozofii moralnej, krytykując dziedzictwo oświeceniowe oraz utratę pojęć celu i ludzkiej natury[71].

Francuski system polityczny z trudem przypomina demokrację. Swego czasu na przykład władzom francuskim bardziej zależało na podsłuchiwaniu osób, które wytropiły nieślubną córkę prezydenta Mitteranda[72], czy na chronieniu włoskich terrorystów, niż na przeciwdziałaniu wpływom komunistycznych zbrodniarzy lub wypracowaniu spójnej polityki wobec imigrantów. Obsesje antyreligijne władz, wyrażające się na przykład usuwaniem krzyży z miejsc publicznych, doprowadziły w 2004 roku także do zakazu noszenia przez dziewczęta muzułmańskie chust, które nie są przecież symbolem religijnym, ale elementem zwyczaju. Francuzom też coraz częściej brakuje nadziei. Mity o potędze rozwiały się boleśnie, gdy żołnierze francuscy wplątali się w walki wewnętrzne w Wybrzeżu Kości Słoniowej, a rząd francuski potępił amerykańską interwencję w Iraku, ściągając na kraj falę antyfrancuskich nastrojów za oceanem. „Krajowi szkodzą skostniałe elity polityczne. Politycy, urzędnicy, a nawet związkowcy tworzą zamknięty krąg, który broni swoich interesów", pisał już w 2004 roku prawnik i historyk Nicolas Baverez. Są to w dużej mierze elity związane z masonerią[73]. Już w 2004 roku unijny komisarz do spraw konkurencji, Mario Monti, stwierdził, że „Francja stała się problemem dla siebie i dla Europy", a szef dyplomacji francuskiej, Michel Barnier, przyznawał, że „przez własną arogancję Francja traci swą wielkość". Faktem było, że Francja była rekordzistką jeśli idzie o łamanie dyrektyw unijnych i jest jednym z krajów, które najrzadziej

---

[69] J.H.H. Weiler, *Chrześcijańska Europa. Konstytucyjny imperializm czy wielokulturowość?* (Poznań: W Drodze, 2003).

[70] Jean-Pierre Raffarin, „Francja dla Europy", *Rzeczpospolita*, 15 I 2004 r.

[71] Alasdair MacIntyre, *Dziedzictwo cnoty*, (Warszawa: Wydawnictwo Naukowe PWN, 1996). Eliminacja celowości z myślenia zachodniego jest istotnie jednym z najistotniejszych jego braków.

[72] Grzegorz Dobiecki, „Uszy Mitteranda", *Rzeczpospolita*, 19 XI 2004 r.

[73] Olivier Bault, „Francuska republika masońska", *Do Rzeczy*, 12–18 III 2018 r.

uczestniczą w unijnych radach ministerialnych[74]. Francja stała się areną wielorakich form przemocy w życiu społecznym, od ataków terrorystycznych, napadów „zwykłych" muzułmanów ziejących antysemityzmem, przez demonstracje związkowe aż po gwałtowne zamieszki organizowane przez alterglobalistów, antyfaszystów i antykapitalistów, którzy nienawidzą wielkiego biznesu i Kościoła[75]. Jeśli prawdą jest to, co mówią niektórzy Francuzi, że ich system jest „prezydencką monarchią"[76], to ostatni dwaj władcy, François Hollande i Emmanuel Macron, zwiastują chyba jej kres.

Poważny kryzys polityczny dojrzewa w Niemczech. Już raz w XX wieku kraj też padł ofiarą totalitarnych złudzeń, a i obecnie następuje tak niebezpieczna polaryzacja sił. Rosną wpływy ugrupowań nacjonalistycznych i skrajne lewicowych kosztem umiarkowanych, takich jak CDU, które podjęły wiele samobójczych decyzji, zarówno w sprawie imigracji, jak i wyboru rosyjskiego sojusznika. Flirt z Putinem może dać Niemcom przejściowe korzyści, ale demoluje jedność europejską. Poczucie bezpieczeństwa w Niemczech maleje jednocześnie ze wzrostem liczby osób poszukiwanych listami gończymi. Około 126 tys. z nich, czyli prawie polowa, była w 2018 roku imigrantami podlegającymi deportacji[77]. Jak na kraj tradycyjnie kojarzony z porządkiem to liczba przerażająca.

Dramatyczną rewolucję obyczajową przeżyła Irlandia. Ten do niedawna katolicki kraj, w którym jeszcze w latach dziewięćdziesiątych XX wieku karano za seks homoseksualny, w maju 2018 roku przyjął prawo o „małżeństwach homoseksualnych" w referendum, w którym to prawo zaakceptowało 62% spośród 61% głosujących[78]. Nie mogło to specjalnie dziwić obserwatorów życia w Irlandii, która w latach dziewięćdziesiątych XX wieku przeżyła bezprecedensowy boom gospodarczy, a globalna kultura anglojęzyczna wypłukała wartości, na których zbudowana była odrębność kulturowa Irlandczyków. Miary złego dopełniły skandale obyczajowe z udziałem duchowieństwa, którego liczni przedstawiciele zdradzili swoje powołanie. Zamiast nauczać i stanowić wzór, nadużywali swej władzy, wikłali się w jawne wręcz związki homoseksualne lub uprawiali pedofilię, a biskupi na to nie reagowali. W referendum zaś proponowali, by wierni głosowali zgodnie ze swoim sumieniem w sprawie „małżeństw" homoseksualnych, które stoją w sprzeczności z doktryną katolicką[79].

---

[74] Agaton Koziński, Marcin Żrałek, „Francja arogancja", *Wprost*, 12 IX 2004 r., s. 114.

[75] Piotr Jendroszczyk, „Wzrasta liczba ataków na francuskich Żydów", *Rzeczpospolita*, 28 III 2018 r.; Aleksander Kłos, „Lewackie bojówki szaleją w Paryżu", *Gazeta Polska Codziennie*, 4 V 2018 r.; Zbigniew Stefanik, „Próba sił nad Sekwaną. Protestujący vs rządzący", *Kurier Wnet*, 2018, maj 2018, nr 47; Bogdan Dobosz, „Francuskie modele przemocy", *Gazeta Polska Codziennie*, 12–13 V 2018 r.

[76] Catherine Field, „When the president is treated like a king", *International Herald Tribune*, 1 IX 2004 r.

[77] „Niemieckie listy gończe za nieznanymi", *Do Rzeczy*, 6–12 VIII 2018 r.

[78] Tomasz Bielecki, Roman Imielski, „Homorewolucja w Irlandii", *Gazeta Wyborcza*, 25 V 2018 r.; Wojciech Zdrojkowski, „Irlandia za zabójstwem nienarodzonych", *Gazeta Polska Codziennie*, 28 V 2018 r.

[79] Tomasz P. Terlikowski, „Irlandzka spodziewana katastrofa", *Do Rzeczy*, 1–7 VI 2015 r.

Ostoją konserwatyzmu politycznego i obyczajowego pozostają Węgry. Mimo oskarżeń o autorytarne metody rządzenia, wybory z kwietnia 2018 roku pokazały, że popularność Fideszu i premiera Victora Orbána nawet wzrosła[80]. W przemówieniu z okazji rocznicy rewolucji węgierskiej 1848 roku Orbán powiedział między innymi: „My, Węgrzy, mamy dwie tradycje rewolucyjne. Jedna prowadzi od 1848, przez 1956 i zmiany ustroju do nowej konstytucji (…) Druga wywodzi się od jakobinów przez 1919 do komunizmu powojennego (…) Tradycja roku 1919 nadal żyje z nami, na szczęście już osłabiona, ale jeszcze się tu snuje (…) Europa jest bezsilna, jest jak więdnący kwiat, zjadany przez tajne robactwo (…) Europa nie jest wolna, wolność zaczyna się poprzez powiedzenie prawdy. Dziś w Europie zakazane jest mówienie prawdy. Kaganiec jest kagańcem, nawet z jedwabiu. Jest zakazane powiedzieć, że dziś nie przybywają uchodźcy, lecz Europie zagraża wędrówka ludów (…) Jest zakazane powiedzieć, że ci, którzy wcześniej przybyli, zamiast integracji zbudowali własny świat, z własnymi prawami, ideami, które rozrywają tysiącletnie ramy Europy. Jest zakazane powiedzieć, że to nie łańcuch przypadkowych i nieumyślnych konsekwencji, lecz zaplanowana akcja, tłum ludzi, prowadzonych na nas (…) Jest zakazane powiedzieć, że Bruksela zabiera kawałki naszej narodowej suwerenności, że w Brukseli pracują nad planem Stanów Zjednoczonych Europy, do czego nikt nigdy ich nie uprawnił (…) Europa to chrześcijaństwo, wspólne życie wolnych i niezależnych narodów, równouprawnienie kobiet i mężczyzn, wyścig fair, solidarność, honor, pokora, sprawiedliwość i miłosierdzie"[81]. Jak dotąd, słowa Orbána są traktowane jak wołanie na puszczy, a on sam jest obiektem różnorakich krytyk.

---

[80] Viktor Orbán, „Musimy bronić chrześcijańskiej kultury", *Sieci*, 8–14 I 2018 r.; Olivier Bault, „Walec Orbána", *Do Rzeczy*, 16–22 IV 2018 r.; Grzegorz Górny, „Anty-Fidesz w akcji", *Sieci*, 23 IV – 6 V 2018 r.

[81] „Orędzie Viktora Orbána: Europa to chrześcijaństwo, wspólne życie wolnych narodów", *Gazeta Polska Codziennie*, 16 III 2016 r.

Cywilizacja zachodnia odrodzi się, gdy wrócimy do modelu rodziny partnerskiej, opartej na podstawach współpracy oraz miłości męża i żony.

Zakończenie

Obraz świata w świadomości przeciętnego człowieka Zachodu przypomina dziś obraz w roztrzaskanym lustrze. Najczęściej nie jest on skutkiem przemyślanej obserwacji tego świata, ale odbiciem tego, co obserwator ten wyniósł ze szkoły, z pobieżnych rozmów z rówieśnikami, z telewizji i gazet lub mediów społecznościowych. Jest odbiciem powierzchownych uczuć oraz emocji chwili. Obraz ten to galimatias sprzecznych ocen, złudnych dążeń i zawiedzionych nadziei. Co gorsze, taki galimatias utożsamia się dzisiaj z wiedzą. Człowiek zachodniej cywilizacji (a więc i my, Polacy) wie – bo słyszał to w telewizji, rozumie – bo powiedzieli mu to koledzy, nie zgadza się – bo tak twierdzą „oni". Ulegając złudzeniu, dumny jest z tego, że dzięki mediom elektronicznym uczestniczy na bieżąco w ważnych sprawach tego świata. Jest dziedzicem wielkiej tradycji, której jednak nie zna, jest wielbicielem wolności, której się obawia. Kiedy zaś stanie przed lustrem, które jest jeszcze całe, traci pewność siebie. Nie potrafi odpowiedzieć na najprostsze pytanie: kim jestem?

Przypadek Davida Goodalla, australijskiego ekologa, który w wieku 104 lat postanowił w 2018 roku zakończyć życie, niewiele wzburzył opinię publiczną w jego ojczyźnie. Ponieważ w australijskim stanie Wiktoria było to niemożliwe, pojechał do szwajcarskiej kliniki Exit w Bazylei, by poddać się eutanazji; tam podano mu śmiertelny koktajl. Nie był chory, tylko smutny i nie widział sensu, by żyć dalej[1]. To niemal symbol cywilizacji zachodniej. Nie widzi ona sensu, by trwać dalej.

Przekonanie, że cywilizacja zachodnia, jaką znamy dogorywa, wynika z obserwacji tendencji demograficznych i kulturowych. Choć jesteśmy świadkami fantastycznego rozwoju nauk fizycznych i medycznych, rezultaty ich badań nie przekładają się na tendencje w gospodarce, demografii i kulturze społeczeństw zachodnich. Winę za to ponoszą głównie bogaci reżyserowie naszego życia – biznesmani, politycy i właściciele mediów, a także niektórzy służący im publicyści, którzy odwołują się do najgłupszych pomysłów i najniższych instynktów, po to, by utrwalać swoją władzę i pozycję materialną. Winę w końcu ponosimy jednak wszyscy, skoro na to przyzwalamy.

Ludzie Zachodu nie tylko nie potrafią bronić swoich wartości, ale coraz rzadziej potrafią je zdefiniować. „Ludziom tych społeczeństw (…) trudno osiągnąć dojrzałość, ich pamięć jest krótka, nie lubią słuchać o naukach przeszłości, ale nie uznają również swej odpowiedzialności za teraźniejszość i przyszłość. Wolą myśleć, że wydarzenia po prostu przychodzą same i nie zauważają, że taki pogląd oznacza abdykację"[2]. Jak ma się zachować człowiek dobrej woli we mgle współczesności, produkowanej intensywnie przez pseudoautorytety, nagłaśnianej przez media,

---

[1] Jędrzej Bielecki, „Dylematy godnej śmierci", *Rzeczpospolita Plus Minus*, 12–13 V 2018 r.
[2] Thérèse Delpech, *Powrót barbarzyństwa w XX wieku*, (Warszawa: Media Lazar, 2009), s. 154.

w powodzi głupstw, powtarzanych bezmyślnie i uparcie przez szarego człowieka, który tak łatwo kupuje sensację, plotkę i każdą złą nowinkę?

Po pierwsze, nigdy nie tracić nadziei. Czyż nie jest bowiem cudem, że człowiek może żyć, może działać po swojemu, nawet wbrew poczuciu beznadziejności? Piękna biografia kardynała Francois Xaviera Nguyen Van Thuana, więzionego przez komunistów przez trzynaście lat w okropnych warunkach, nosi właśnie taki tytuł: „Cud nadziei"[3]. Jeśli w trudniejszych niż dziś czasach ludzie mieli nadzieję, dlaczegóż by miało jej zabraknąć dziś? Wypatrujmy więc świateł nie oślepiających, lecz oświecających właściwą drogę. Dostrzegajmy ludzi, który stukają się w głowę, zauważając, że sprawy zaszły za daleko od zdrowego rozsądku.

Bełkot postmodernistycznych filozofów, socjologów i psychologów zdemaskował na przykład w humorystyczny sposób Alan Sokal, publikując w renomowanych amerykańskim piśmie „Social Texts" poświęconym kulturze, artykuły nafaszerowane bezsensownymi cytatami i przypisami na temat fizyki i matematyki[4]. Pastisz Sokala został wydrukowany bez zastrzeżeń, ośmieszając i pismo, i wiele pseudoautorytetów naukowych. Sokal opublikował następnie wraz z Jeanem Bricmontem obszerne studium na temat „Modnych bzdur", podsumowując swą przygodę z tekstami uczonych postmodernistów między innymi w następujący sposób: 1 – Dobrze jest wiedzieć, o czym się mówi; 2 – Nie wszystko, co niejasne jest głębokie; 3 – Nauka nie jest „tekstem"; 4 – Nie należy ślepo naśladować nauk przyrodniczych; 5 – Należy wystrzegać się argumentów „ex cathedra".

Sokal i Bricmont zauważyli, że obecny żałosny stan nauk humanistycznych jest rezultatem zaniedbywania przez nie badań empirycznych, efektem scjentyzmu powiązanego z prestiżem nauk przyrodniczych i ścisłych jako bardziej wiarygodnych, oraz relatywizmu wynikającego z przesadnego przekonania o nieostrości i niewiarygodności sądów w humanistyce. Optymistyczny wniosek, jaki płynie z prac Sokala i Bricmonta jest taki, że zdrowy rozsądek nie jest jednak organem całkowicie szczątkowym współczesnego człowieka.

Śledźmy zwiastuny nadziei, bo one zachęcają do starań. Czy nadziei nie dał milionom normalnych Amerykanów marsz mężczyzn na Waszyngton pod hasłem *Promise Keepers*, albo skuteczna walka z olbrzymią przestępczością w Nowym Jorku podjęta przez burmistrza Giulianiego? Czy zwiastunem nadziei nie jest „Pasja" Mela Gibson, która poruszyła serca milionów widzów na całym świecie? Czyż nie jest nim powstała w amerykańskim hrabstwie Fairfield Akcja Odbudowy Ohio; jej lider, pastor Russell Johnson, zmobilizował nie tylko swych parafian, ale liczne rzesze mieszkańców stanu do obrony wartości w życiu społecznym, a także do traktowania religii jako sprawy publicznej, a nie prywatnej. I oto oficjalnym mottem stanu Ohio jest hasło „Z Bogiem wszystko jest możliwe"![5] Me-

---

[3] Andre Nguyen Van Chau, *Cud nadziei: Francois Xavier Nguyen Van Thuan, więzień polityczny, prorok pokoju*, (Katowice: Księgarnia św. Jacka, 2005).

[4] Alan Sokal, „Transgressing the boundaries: Toward a transformative hermeneutics of quantum gravity", *Social Texts*, 1996, nr 46–47, ss. 217–252. Polskie tłumaczenie tego tekstu można znaleźć w Sokal, Bricmont, *Modne bzdury*, ss. 205–242.

[5] Piotr Gilert, „Walka o duszę Ameryki", *Rzeczpospolita*, 25 VIII 2005 r.

lissa Ohden, urodzona w 1977 roku podczas nieudanej aborcji, jest założycielką Abortion Survivors Network. Promowanie abstynencji seksualnej przed ślubem było jednym z priorytetów edukacyjnych administracji republikańskiej George-'a W. Busha. Oczywiście zwolennicy permisywizmu twierdzą, że skutkiem tych lekcji będzie tylko wzrost liczby niechcianych ciąż i zachorowań na AIDS, ale już wiadomo, że ich czarne wizje nie bardzo się sprawdzają.

W ogóle zauważmy, że degrengolada społeczeństwa amerykańskiego została w ostatnim dziesięcioleciu zahamowana. Jak pisze Andrew Sullivan, „gwałtowna poprawa sytuacji społecznej w Nowym Jorku w ciągu ostatnich dwudziestu lat była czymś wyjątkowym. Jednakże te same pozytywne tendencje dały się odczuć w prawie całej Ameryce: rodzina umacnia się, liczba pozamałżeńskich ciąż spada, spada też przestępczość, a rynek pracy rośnie". Zmieniła się też nieco atmosfera społeczna. „Wielu Amerykanom z mojego pokolenia trudno jest oglądać zdjęcia własnych rodziców tarzających się w błocie na Woodstock bez zażenowania i poczucia obcości". Okazuje się, że degrengoladę społeczną można zahamować, a nawet odwrócić. Jeśli się tylko chce, jeśli się ma dość siły woli.

Nawet w liberalno-socjalistycznym krajobrazie Europy coś się zmienia. Rocco Buttiglione pisze: „Trzeba postawić pytanie, czy Europa, która się boi lub wstydzi wymienić w preambule swojej konstytucji imienia Boga, Europa, która chce dyskryminować chrześcijan, Europa, która zmierza do łagodnego samobójstwa i która jest tak zaślepiona nienawiścią do siebie samej, że uważa za nieprzyjaciół tych, którzy chcieliby ją ocalić, czy ta Europa jest jeszcze naszą Europą?" (…) „Nasi przeciwnicy nie mogą wygrać. Ich projekt nie jest projektem budowy innej Europy. Jest to projekt zniszczenia tej jedynej Europy, jaka istnieje. Jeśli miałaby wśród nas przeważyć perspektywa nihilizmu, to w obliczu wyzwań XXI wieku, przede wszystkim wobec wyzwania islamu, Europa może się tylko zawalić. Dlatego nasza walka nie jest tylko walką o chrześcijańską Europę. Jest to walka o ocalenie Europy, które nie jest możliwe bez powrotu do podstawowych wartości naturalnych. Czyż wolność, rozum i rodzina nie są wartościami naturalnymi? Oczywiście, są to zarazem wartości chrześcijańskie, ale tylko dlatego, że objawienie chrześcijańskie potwierdza i pogłębia wartości, które są obecne już w porządku stworzenia i są zasadniczo dostępne każdemu człowiekowi. Dlatego nasza walka nie ma charakteru konfesyjnego: jest świecka, racjonalna, ludzka. Nie opiera się tylko na dogmacie religijnym, lecz na racjonalności ludzkiej, obywatelskiej i politycznej"[6].

Dziedzictwo lat sześćdziesiątych, marnotrawne „socjalne modele" Francji i Niemiec, ujawniają swą niemoc i fatalne skutki. Od czasu do czasu pojawia się pogłębiona refleksja nad skutkami permisywizmu i tolerancji dla samowoli indywidualnej i społecznej. Nawet niektórzy francuscy socjaliści zauważyli, że coś nie gra we francuskim „modelu socjalnym". Publicysta socjalistyczny Laurent Baumel spostrzegł nagle, że „nowy rodzaj wolności osobistej, którą cieszą się mężczyźni i kobiety z pokolenia lat sześćdziesiątych, te szanse ucieczki od tradycyjnego modelu rodziny, które wywalczyli, nie miały tylko pozytywnego wpływu

---

[6] Rocco Buttiglione, „Upokorzyć chrześcijan", *Rzeczpospolita*, 13 I 2005 r.

na tożsamość i zdolności adaptacyjne ich dzieci". Francuska feministka Nathalie Heinich zauważyła „ambiwalencję" wyzwolenia kobiet. Amerykańscy działacze młodzieżowego ruchu lat sześćdziesiątych, Peter Collier i David Horowitz, nazwali swą generację „pokoleniem destrukcji"[7].

W opustoszałych kościołach Zachodniej Europy pojawiają się grupki młodzieży z pokolenia św. Jana Pawła II, uczestników jego Światowych Dni Młodzieży. W Zachodniej Europie, w tym także w zdechrystianizowanych Niemczech i Francji, powstają liczne grupy obrońców życia. Światową kampanię antyaborcyjną prowadzi amerykańska organizacja Human Life International oraz międzynarodowa organizacja World Youth Alliance. Patronką młodzieżowej organizacji Domus Vitae została św. Gianna Beretta Molla, która zmarła, ponieważ zrezygnowała z kuracji nowotworowej, bo ta mogłaby zagrozić życiu jej płodu. Urodziła zdrową córkę, ale sama zmarła na raka[8]. Niedawno katolickie stanowisko w sprawie ochrony życia poczętego poparł w imieniu ortodoksyjnego judaizmu Eric Cohen, redaktor pisma „New Atlantis" i pracownik Ethics and Public Policy Center[9].

W sierpniu 2005 roku na Marienfeld na przedmieściach Kolonii około miliona młodych ludzi z całego świata wyszło na spotkanie papieża Benedykta XVI, nie dlatego, że zobaczyło w nim nowego idola, ale dlatego, że głosił on, podobnie jak jego poprzednik św. Jan Paweł II, Ewangelię Miłości. Następne Światowe Dni Młodzieży odbyły się w 2008 roku w Sydney, w 2011 roku w Madrycie, w 2013 roku w Rio de Janeiro, w 2016 roku w Krakowie i na początku roku 2019 w Panamie. Czy młodzi ludzie zdążą jeszcze naprawić to, co zepsuły poprzednie pokolenia i czy kryzys w Kościele nie będzie postępował szybciej? Odpowiedź przyniesie przyszłość.

Nadzieja także w tym, że ludzka natura nie poddaje się do końca „tyranii chwili". Widząc, jak współczesne życie wypełnia wszystkie wolne momenty, jak zniewala bezkierunkową szybkością, wielu ludzi porzuca samochód, który grzęźnie w korkach, skrzynkę odbiorczą w swoim telefonie, która zapełnia się szybciej niż jesteśmy w stanie ją opróżniać, czy telewizor, z którego i tak niewiele można się dowiedzieć o świecie. Ludzie ci porzucają te zdobycze cywilizacji i „postępu", by pójść na spacer, posłuchać muzyki klasycznej, czy obejrzeć wystawę, porozmawiać z przyjaciółmi bez pośrednictwa smartfonu. Nie chcą przeżywać stałego stresu związanego z ciągłymi zderzeniami czasu szybkiego z powolnym, zderzeniami świetnie oddanymi w powiedzeniu „pośpiesz się, by poczekać". Rozumieją, że bardziej skomplikowany świat stawia wyższe wymagania, także wobec naszej osobowości. Zauważają, że szczęśliwsi są ludzie, którzy potrafią kochać i cieszyć się urokami życia, którzy wierzą w Boga. Nadziei takich nigdy nie można porzucać.

---

[7] Christopher Caldwell, „Europe draws back from 1968", *Financial Times*, 27–28 XI 2004 r.; Peter Collier, David Horowitz, *Destructive Generation* (New York: Free Press, 1996).

[8] Por. numer specjalny *Dobre Nowiny*, kwiecień 2005 r.

[9] Eric Cohen, „A Jewish-Catholic Bioethics?", *First Things*, 2005, nr 6, ss. 7–10.

Droga Krzyżowa podczas XVII Światowych Dni Młodzieży w kanadyjskim Toronto podąża ulicami miasta. Młodzi chrześcijanie to nadzieja naszej cywilizacji.

www.bialykruk.pl

Biały Kruk Sp. z o.o.
ul. Szwedzka 38
PL 30-324 Kraków
tel.: (+48) 12 260 32 90,
12 254 56 02, 12 260 32 40,
12 254 56 26
e-mail: marketing@bialykruk.pl
        biuro@bialykruk.pl

Wydanie I
Kraków 2019

ISBN 978-83-7553-260-9